D1235950

HISTORIA Y CRÍTICA DE LA LITERATURA ESPAÑOLA

VII

ÉPOCA CONTEMPORÁNEA
1914-1939

PÁGINAS
DE
FILOLOGÍA
Director: FRANCISCO RICO

FRANCISCO RICO

HISTORIA Y CRÍTICA DE LA LITERATURA ESPAÑOLA

1

ALAN DEYERMOND

EDAD MEDIA

2

FRANCISCO LÓPEZ ESTRADA

SIGLOS DE ORO: RENACIMIENTO

3

BRUCE W. WARDROPPER

SIGLOS DE ORO: BARROCO

4

JOSÉ MIGUEL CASO GONZÁLEZ

ILUSTRACIÓN Y NEOCLASICISMO

5

IRIS M. ZAVALA

ROMANTICISMO Y REALISMO

6

JOSÉ-CARLOS MAINER

MODERNISMO Y 98

7

VÍCTOR G. DE LA CONCHA

ÉPOCA CONTEMPORÁNEA: 1914-1939

8

DOMINGO YNDURÁIN

ÉPOCA CONTEMPORÁNEA: 1939-1980

HISTORIA Y CRÍTICA DE LA LITERATURA ESPAÑOLA

AL CUIDADO DE

FRANCISCO RICO

VII

VÍCTOR G. DE LA CONCHA

ÉPOCA CONTEMPORÁNEA: 1914-1939

CON LA COLABORACIÓN DE

FRANCISCO JAVIER BLASCO, MIGUEL GARCÍA-POSADA
y AGUSTÍN SÁNCHEZ VIDAL

EDITORIAL CRÍTICA
Grupo editorial Grijalbo
BARCELONA

Coordinación
de
MERCEDES QUÍLEZ

Traducciones
de
CARLOS PUJOL

Diseño de la cubierta:
ENRIC SATUÉ

ISBN: 84-7423-231-7
Depósito legal: B. 15.660 - 1984
Impreso en España
1984. — HUROPE, S. A., Recaredo, 4, Barcelona - 5

EL PRESENTE VOLUMEN
SE PUBLICA EN MEMORIA
DE
VITTORIO BODINI, LUIS CERNUDA,
JORGE GUILLÉN,
IGNACIO PRAT,
GUILLERMO DE TORRE Y LUIS FELIPE VIVANCO

HISTORIA Y CRÍTICA DE LA LITERATURA ESPAÑOLA

INTRODUCCIÓN

I

Historia y crítica de la literatura española quisiera ser varios libros, pero sobre todo uno: una historia nueva de la literatura española, no compuesta de resúmenes, catálogos y ristras de datos, sino formada por las mejores páginas que la investigación y la crítica más sagaces, desde las perspectivas más originales y reveladoras, han dedicado a los aspectos fundamentales de cerca de mil años de expresión artística en castellano. Nuestro ideal, pues, sería dar una selección de ensayos, artículos, fragmentos de libros..., que proporcionara una imagen cabal y rigurosamente al día de las cimas y los grandes momentos en la historia de la literatura española, en un conjunto bien conexo (dentro de la pluralidad de enfoques), apto igual para una ágil lectura seguida que para la consulta sobre un determinado particular. Ese objetivo es aún inalcanzable, por obvias limitaciones de hecho y por la inexistencia en bastantes dominios de los materiales adecuados para tal construcción. Pero no renunciamos a irnos acercando a la meta: *Historia y crítica de la literatura española* sale con el compromiso explícito de remozarse cada pocos años, bien por suplementos sueltos, bien en ediciones enteramente rehechas.

Por ahora, en cualquier caso, la presente obra (*HCLE*), capítulo a capítulo, es un intento de ensamblar en la dirección dicha dos tipos de elementos:

1. Una selección de textos ordenados cronológica y temáticamente para dibujar la trayectoria histórica de la literatura española, en una visión centrada en los grandes géneros, autores y libros, en las

épocas y cuestiones principales, según las conclusiones de la crítica de mayor solvencia. Esos textos, además de organizarse en semejante secuencia histórica, constituyen de por sí una antología de los estudios más valiosos en torno a la literatura española realizados en los últimos años.

2. Cada uno de los capítulos en que se han distribuido tales textos se abre con una introducción y un estricto registro de bibliografía. La introducción pasa revista —más o menos detenida— a los escritores, obras o temas considerados; y, ya simultáneamente, ya a continuación (véase abajo, III, 4), ofrece un panorama del estado actual de los trabajos sobre el asunto en cuestión, señalando los problemas más debatidos y las respuestas que proponen los diversos estudiosos y escuelas, las aportaciones más destacadas, las tendencias y criterios en auge... Como norma general, la bibliografía —nunca exhaustiva, antes cuidadosamente elegida— no pretende tener entidad propia, sino que ha de manejarse con la guía de la introducción, que la clasifica, criba y evalúa.

II

La razón de ser de *HCLE* no radica tanto en ninguna teoría como en el público a quien se dirige. Antes de añadir otras precisiones, permítaseme, pues, indicar los servicios que en mi opinión es capaz de prestar a lectores de preparación e intereses distintos; y perdóneseme si al hacerlo me paso de entusiasta (e ingenuo): no tengo reparo en declarar que en el curso del quehacer me ha ido ganando la convicción de que, si algo vale la buena literatura, individual y socialmente, algo de valor en tales sentidos podía significar nuestra obra.

Pensemos, para empezar al hilo del *curriculum*, en el sufrido estudiante de Letras (y aun del actual Curso de Orientación Universitaria: pero mejor no detenerse en cosa tan esquiva y tornadiza). En los primeros años de facultad, junto a varias asignaturas más, va a seguir dos o tres cursos de literatura española, correspondientes a otros tantos períodos. A un alumno en sus circunstancias, es difícil (o inútil) pedirle que, sobre familiarizarse con un número no chico de textos primarios, se inicie en el empleo de la bibliografía básica; y es cruel y dañino confinarlo a un manual para los datos y las imprescindibles referencias a la erudición y la crítica (que tampoco pueden agobiar la clase). Ahora bien: equidistante del manual y de la bibliografía básica, copiosa en secciones destinadas a abordar directamente los textos primarios, *HCLE* se deja usar con ventaja, de modo gradual y discriminado, para satisfacer las exigencias de esa etapa universitaria.

Tomemos a nuestro estudiante un par de años después. Entonces, verosímilmente, ya no tendrá que matricularse en un curso tan amplio como «Literatura española del Siglo de Oro» —digamos—, sino en otros de objeto más reducido y atención más intensa: «La épica medieval», verbigracia, «Garcilaso», «El teatro neoclásico» o el inevitable (en buena hora), «Galdós». En tal caso, los respectivos capítulos de *HCLE* —con un nuevo equilibrio entre la selección de textos y la *mise au point* que la precede— le permitirán entrar decidida y fácilmente en la materia monográfica que le atañe; y el resto del volumen le brindará unas coordenadas o un contexto que, si no, quizá debería ganarse con más esfuerzo del requerido.

Sigamos. Dejemos volar la loca fantasía e imaginemos que el estudiante de antaño, ya licenciado, ha descubierto ¡y obtenido! un puesto de trabajo como profesor de lengua y literatura en la enseñanza media o en un estadio docente similar. (En España, quién sabe si ello todavía habrá ocurrido tras unas oposiciones a la manera tradicional: el pudor, sin embargo, me veda insinuar la utilidad del *HCLE* para el casticísimo opositor.) Probablemente le cumplirá ahora desempeñar su tarea en condiciones no óptimas: sin tanto sosiego para preparar las clases como todos quisiéramos, tal vez lejos de una biblioteca no ya buena sino mediana, dudando con frecuencia por dónde abordar una explicación o una lectura en la forma apropiada para bachilleres en cierne... Pienso, por supuesto, en el profesor novel, a quien *HCLE* se propone ofrecer una variada gama de incitaciones y subsidios para enseñar literatura por caminos más atractivos y pertinentes que los muchas veces trillados. Pero no olvido tampoco al profesor veterano, cuya experiencia se matizará refrescando ciertos temas o explorando nuevas directrices; y que, responsable de un pequeño seminario, con una asignación de fondos siempre demasiado corta, se verá obligado a calcular despacio la «política de compras» o —en plata— en qué libros y revistas se gasta el dinero de que dispone.

O supongamos que el licenciado de nuestra fábula ha querido y podido preparar una tesis doctoral, investigar, consagrarse a la docencia universitaria. También él hallará de qué beneficiarse en *HCLE*.

Es evidente que el especialista en un dominio nunca le sobrará enterarse de la situación en otros terrenos, más o menos próximos, pero al fin en continuidad (la *literatura* y hasta la *literaturnost* son en medida decisiva «historia de la literatura»). No es solo eso, con todo: las introducciones a cada capítulo se deben a estudiosos de probada competencia, cuyos juicios tienen valor específico y que entre los comentarios a la bibliografía ajena deslizan multitud de pistas y aportaciones propias, cuando no incorporan, en síntesis, los resultados de investigaciones inéditas. Hay aquí numerosos materiales que ni el erudito harto avezado puede descuidar tranquilamente.

No obstante, me atrevo a suponer que para el especialista *HCLE* será esencialmente una no desdeñable invitación a reflexionar sobre *the state of the art*, sobre la situación de las disciplinas que cultiva y que aquí se le aparecerán compendiosamente con sus logros y sus lagunas, con sus protagonistas individuales y colectivos, en un cuadro que a muchos propósitos no encontrará en otro lugar. En tal sentido, no sólo los balances contenidos en las introducciones, sino la misma antología de la crítica (o de los críticos) que es la selección de textos, esperan valer tanto por las cotas que muestran conquistadas cuanto por los horizontes que estimulan a alcanzar.

No descuido, por otra parte, la posibilidad (confesadamente optimista) de que *HCLE* llegue a lectores que estén fuera del *curriculum* que acabo de esbozar, pero que, presumiblemente con formación universitaria, compartan con quienes están dentro el interés por la literatura. Tras disfrutar con el *Cantar del Cid* o *La Regenta*, tras asistir a una representación de *El caballero de Olmedo* o *La comedia nueva*, es normal que una persona con gustos literarios se quede con ganas de saber más sobre la obra y contrastar su opinión con el dictamen de los expertos. Difícilmente le bastará entonces la información accesible en el manual o en la enciclopedia familiar: en cambio, entre los textos seleccionados en *HCLE* es probable que halle exactamente el tipo de alimento intelectual que le apetece.

A ese vario público busca *HCLE*. Casi como Juan Ruiz, y desde luego con «buen amor», a cada cual, «en la carrera que andudiere, querría este nuestro libro bien dezir: *Intellectum tibi dabo*».

III

Con parejos destinatarios en mente, sospecho que se comprenderán mejor los criterios que han presidido nuestro quehacer.

1. El núcleo de *HCLE* son las obras, autores, movimientos, tradiciones... verdaderamente de primera magnitud y mayor vigencia para el lector de hoy. En especial en el marco de las introducciones, no faltan, desde luego, referencias a escritores, libros o géneros relativamente menores; pero el énfasis se marca en los mayores, y a la línea que ellos trazan se fía la ambicionada organicidad del conjunto. No es una visión de la historia de la literatura sometida a la pura moda del día ni reducida a un desfile de «héroes»: es que sólo así los materiales críticos y eruditos disponibles se podían enhebrar en una serie trabada, dentro de la pluralidad de perspectivas inherente a la empresa. Ejercicio no siempre sencillo ha sido compaginar la importancia real de obras y autores con el volumen y altura de la bibliografía existente al respecto. Vale decir: no por haberse trabajado más sobre una figura de segunda fila había que otorgarle más espacio que a otra de superior categoría y, sin embargo, menos estudiada; pero sí era necesario dejar constancia, en las introducciones, de las anomalías por el estilo y procurar salvarlas con un cuidado particular en la selección de textos.

2. La materia se distribuye en volúmenes (y capítulos) *no* rotulados de acuerdo con un concepto único y sistemático de periodización. Epígrafes como *Siglos de Oro: barroco, Modernismo y 98* o *Época contemporánea: 1914-1939* ni son demasiado satisfactorios ni responden a iguales principios demarcadores; pero pocos sentirán entre ellos las dudas que tal vez les provocarían etiquetas del tipo de * *La edad conflictiva*, * *La crisis de fin de siglo* o * *Del novecentismo a las vanguardias*, y a bastantes quizá se les antojarán una pizca más locuaces que una mera indicación cronológica (que tampoco permite excesivas precisiones). Los problemas de «períodos», «edades», etcétera, se asedian en detalle en cada tomo que así lo exige: para los títulos me he contentado con identificar *grosso modo* el ámbito de que se trata.

3. Más comprometido era resolver en qué volumen insertar a ciertos autores o cómo reflejar la multiplicidad de sus obras. ¿Cervantes o el *Guzmán de Alfarache* entraban mejor en el tomo II o en

el III? ¿Convenía despiezar a Lope y Quevedo por géneros o reservar capítulos singulares al conjunto de su producción? Los dilemas de esa índole han sido numerosos, y el criterio predominante ha consistido, por un lado, en conceder capítulo exclusivo a las *opera omnia* de cada escritor de talla excepcional —aun si pertenecen a especies diferentes—, y, por otra parte, con más incertidumbre, situarlo en el volumen correspondiente a los años decisivos de su experiencia literaria y vital, a la etapa de sus libros más característicos o al momento en que se definen las líneas de fuerza del movimiento al que se asocia. Así, pongamos, Cervantes me parece que se encuadra con mayor nitidez en la época de su formación que de sus publicaciones («frutos tardíos», sí), mientras el *Guzmán de Alfarache* se aprecia más claramente puesto al lado de la picaresca y de la narrativa toda del Seiscientos, ininteligible sin él (por más que *Ozmín y Daraja* forme prieto bloque con el *Abencerraje*); Guillén o Aleixandre seguramente han escrito más versos, y más excelsos, después que antes de 1936, pero sería un despropósito perturbador dedicarles sección en tomos distintos del que acoge a Salinas y Lorca. Etc., etc. No ha habido inconveniente, sin embargo, en hacer excepciones y, por ejemplo, encabalgar a un mismo autor entre dos capítulos o, más raramente, volúmenes. Los índices de cada entrega y, especialmente, el tomo complementario (véase abajo, 9) paliarán esas perplejidades inevitables: pues, en resumidas cuentas, ni siquiera con el recurso a técnicas cortazarianas (*Rayuela*, 34) puede el lenguaje, lineal, captar la simultaneidad compleja de la historia.

4. Como se ha dicho, la introducción a cada capítulo intenta pasar revista a los escritores, obras o temas en cuestión, y compaginar ese repaso con un panorama del estado actual de los estudios sobre el asunto considerado. La combinación de ambos factores —historia e historiografía— se mueve entre dos extremos posibles. En unos casos, se echa mano de la simple yuxtaposición: en primer término, se bosquejan rápidamente los hechos históricos que interesan; después, se presentan y se enjuician las conclusiones de la historiografía y la crítica pertinentes. En otros casos, tales elementos se ofrecen más íntimamente unidos, de suerte que la exposición de los hechos se apoye paso a paso en el comentario de la bibliografía, y viceversa. Los autores de las introducciones respectivas han procedido aquí con plena libertad, pero, no obstante, tampoco ahora ha faltado una orientación general. En principio, pues, cuando una materia se

presumía más ardua y lejana al lector (según ocurre con todo el volumen sobre la Edad Media), se ha tendido a dar primero un apretado sumario histórico, inmediatamente después del cual el principiante —saltándose la *mise au point* bibliográfica— pudiera pasar a la selección de textos, y sólo en un tercer momento, de interesarle, consultar el panorama de la historiografía al respecto. En cambio, cuando el tema del capítulo se creía más llano, atractivo o conocido, corrientemente ha parecido preferible no establecer fronteras entre historia e historiografía (y la selección de textos, entonces, se muestra en mayor medida como una ilustración parcial de algunos puntos llamativos de entre los señalados en la introducción).

5. Los trabajos históricos y críticos examinados en las introducciones, registrados en las bibliografías y antologados en el cuerpo de cada capítulo no abarcan, desde luego, el curso entero, a través de los siglos, de los estudios en torno a la literatura española. Salvo en las necesarias referencias ocasionales, no se discutirán ni se incluirán aquí las opiniones de Herrera sobre Garcilaso, Luzán sobre Calderón, Clarín sobre Galdós..., ni siquiera de Menéndez Pelayo sobre casi todo. Para la mayoría de las cuestiones abordadas en los volúmenes I-V, hemos dado por supuesto que como medio siglo atrás existía una cierta versión *vulgata* de la historia literaria, y que en los tres, cuatro o cinco decenios pasados se ha producido un reajuste en nuestros conocimientos (y sentimientos) al propósito. Ese nuevo marco, dentro del cual se mueven la crítica y la investigación más responsables y prometedoras, es justamente el ámbito de la presente obra.

Unas veces, la raya divisoria entre lo actual y lo anticuado (o definitivamente caduco) la trazan los descubrimientos factuales, aun si no llegan a tener la extraordinaria importancia del hallazgo de las jarchas. Otras veces, el cambio brota de una distinta actitud estética, incluso cuando cristaliza de manera menos resonante que la exaltación de Góngora en 1927. Otras, todavía, es un libro magistral —por ejemplo, *Erasmo y España*— el que divide en dos épocas las exploraciones de un determinado dominio. Obviamente, no siempre cabe fijar límites precisos. Pero no por ello es menos cierto que en los últimos decenios —el arranque se sitúa habitualmente alrededor de las guerras *plus quam civilia*—, en debate con las viejas certezas, al arrimo de las vanguardias artísticas, en diálogo con los hechos recién averiguados y las ideas latientes, se han transformado los instrumentos de trabajo y los modos de comprensión en la historia y la crítica de la literatura española. Nuestra intención ha sido levantar acta de cómo se ha operado —cómo se está operando— esa transformación y recoger una parte de sus logros más firmes.

En los volúmenes que llegan hasta finales del siglo XIX, nos hemos concentrado, así, en ese período propiamente «moderno» de los estudios literarios. Para los tomos siguientes, claro está que los términos no eran iguales. Ciertamente, la valoración de Valle-Inclán, Cernuda o Celaya ha conocido vuelcos considerables en pocos años, pero de una entidad diversa a los que se han experimentado en la apreciación de autores más remotos. En los volúmenes VI, VII y VIII, por ende, se ha procurado sobre todo documentar el desarrollo —o el nacimiento— de una crítica honda y significativa sobre los temas contemplados, y, en la selección de textos, se han primado las contribuciones en tal sentido, por encima de los abundantes testimonios demasiado anecdóticos o impresionistas.

6. No me resisto a la tentación de ilustrar con alguna muestra dos tipos de problemas que hemos debido afrontar. Uno bien manifiesto planteaba la larga e ingente actividad de don Ramón Menéndez Pidal. No era el caso reproducir unas páginas del capital trabajo de 1898 en que don Ramón proponía dar el título de *Libro de buen amor* a la obra de Juan Ruiz y le negaba carácter didáctico: esa propuesta y esa negativa pasaron pronto a la *vulgata* de las opiniones sobre el Arcipreste, la *vulgata* a cuya discusión o refutación atiende *HCLE*. Pero sí había que estar representada aquí la espléndida ancianidad de Menéndez Pidal, cuando el maestro repensaba su interpretación de los cantares de gesta a la luz de las novísimas inquisiciones sobre la epopeya oral yugoslava o cuando, al refundir un tratado de 1924, polemizaba con E. R. Curtius en torno al papel de clérigos y juglares en los orígenes de las literaturas románicas.

De una punta a otra de *HCLE*, a nadie se le ocultará que en buena parte del volumen VIII (*Época contemporánea: 1939-1980*) la dificultad mayor no estaba ya en calibrar y elegir la bibliografía, sino lisa y llanamente en localizarla. Los materiales más decisivos ahí a menudo andan dispersos en las entregas fugaces de los periódicos —que apenas dejan rastro en los repertorios—, en las revistas de la provincia, la clandestinidad y el exilio, y únicamente era hacedero dar fe de una parte de ellos, quizá no siempre con una perspectiva lo bastante completa.

7. En las introducciones, al esbozar el estado actual de los trabajos sobre cada asunto, se ha procurado mantener el número de referencias bibliográficas dentro de los límites estrictamente imprescindibles. Había que citar a los principales estudiosos y tendencias, realzar los libros y artículos de mayor utilidad —por sí mismos o por las indicaciones que brindan para profundizar en el tema—, insistir en lo positivo. Pero convenía reducirse a cuarenta, sesenta o, cuando mucho, un centenar de entradas bibliográficas (y ese extremo sólo se ha alcanzado excepcionalmente), que debieran ser suficientes para apuntar las grandes sendas en la selva feracísima en que se han convertido los estudios sobre la literatura española. Si de pecado se trata, en tales circunstancias, hemos preferido pecar por parcos.

8. Nuestro ideal —según declaraba arriba— sería que la selección de textos formara un todo bien conexo (dentro de la pluralidad de enfoques), apto igual para la lectura seguida que para la consulta de un determinado particular. Capítulo a capítulo, hubiéramos querido conjugar visiones de conjunto, análisis de piezas singulares y ejemplos de la erudición más perspicaz. No siempre era factible: no sólo por nuestras limitaciones, por las lagunas de la bibliografía o por otros impedimentos de diversa especie, sino también, a menudo, porque trabajos de gran valor no se prestaban a ser despojados del fragmento con la relativa coherencia (a nuestro objeto, naturalmente) que permitiera tenerlos representados en la antología. Adviértase que los textos seleccionados habían de versar sobre cuestiones substanciales, allanar el camino a la lectura de las fuentes primarias, no ser de tono excesivamente especializado para el común de los lectores... Por eso, y no únicamente por una convicción compartida por todos los colaboradores —y que en cierto sentido es la «novedad» esencial del período crítico revisado—, la selección de textos tiende a resaltar las contribuciones más sensibles a los factores propiamente literarios y más diestras en relacionarlos con la entera trama de la historia. Pero, por supuesto, ha sido el estado actual de la bibliografía sobre el dominio quien ha moldeado cada capítulo, y ninguna orientación provechosa ha quedado deliberadamente al margen.

9. Las ocho entregas de *HCLE* tendrán por complemento un volumen que contendrá un diccionario de la literatura española, junto a otros materiales (tablas cronológicas, prontuario de bibliografía, etcétera), coordinados todos con envíos al tomo y capítulo de la presente serie donde se traten más por extenso los asuntos ahí presen-

tados desde un punto de vista escuetamente informativo y factual. Ese volumen en preparación espera tener validez autónoma, pero ha sido concebido contando con la existencia de *HCLE*.

En el aludido diccionario figurarán las oportunas noticias bio-bibliográficas sobre los principales estudiosos de la literatura española, y en particular, claro es, de todos aquellos de quienes se recogen textos en nuestra antología.

10. Empezaba por confesar (I) que *HCLE*, primera aproximación a una meta sin duda ambiciosa, nace por el compromiso explícito de remozarse cada pocos años, bien por suplementos sueltos, bien —apenas las circunstancias lo aconsejen y permitan— en ediciones íntegramente rehechas. Todos los colaboradores estimaremos de veras la ayuda que para tal fin se nos preste en forma de comentarios, referencias, publicaciones...

IV

Pocas veces me ha sido tan necesaria y gustosa una expresión de gratitudes. Gratitud, primero, a los autores de los textos seleccionados que han accedido a su reproducción en las condiciones que imponía el carácter de la empresa (y aquí me importa consignar el inolvidable estímulo que en su día me dispensó don Dámaso Alonso). Gratitud, luego, a los colaboradores de los ocho volúmenes, por la calidad de su esfuerzo y por la paciencia con que han sobrellevado el diálogo conmigo. Gratitud, en fin, a Editorial Crítica, que ha puesto el mayor entusiasmo en el proyecto y ha hecho acrobacias inverosímiles para conseguir que *HCLE* resultara todo lo accesible económicamente y cuidada tipográficamente que cabía en los tiempos que corren.

FRANCISCO RICO

NOTAS PREVIAS

1. A lo largo de cada capítulo (y particularmente en la introducción, desde luego), cuando el nombre de un autor va asociado a un año entre paréntesis rectangulares [ ], debe entenderse que se trata del envío a una ficha de la bibliografía correspondiente, donde el trabajo así aludido figura bajo el nombre en cuestión y en la entrada de la cual forma parte el año indicado.* En la bibliografía, las publicaciones de cada autor se relacionan cronológicamente; si hay varias que llevan el mismo año, se las identifica, en el resto del capítulo, añadiendo a la mención de año una letra (*a*, *b*, *c*...) que las dispone en el mismo orden adoptado en la bibliografía. Igual valor de remisión a la bibliografía tienen los paréntesis rectangulares cuando encierran referencias como *en prensa* o análogas. El contexto aclara suficientemente algunas minúsculas excepciones o contravenciones a tal sistema de citas. Las abreviaturas o claves empleadas ocasionalmente se resuelven siempre en la bibliografía.

2. En muchas ocasiones, el título de los textos seleccionados se debe al responsable del capítulo; el título primitivo, en su caso, se halla en la ficha

* Normalmente ese año es el de la primera edición o versión original (regularmente identificadas, en cualquier caso, en la bibliografía, cuando el dato tiene alguna relevancia); pero a veces convenía remitir más bien a la reimpresión dentro de unas obras completas, a una edición revisada o más accesible, a una traducción notable, etc., y así se ha hecho sin otra advertencia.

que, a pie de la página inicial, consigna la procedencia del fragmento elegido.

3. En los textos seleccionados, los puntos suspensivos entre paréntesis rectangulares, [...], denotan que se ha prescindido de una parte del original. Corrientemente no ha parecido necesario, sin embargo, marcar así la omisión de llamadas internas o referencias cruzadas («según hemos visto», «como indicaremos abajo», etc.) que no afecten estrictamente al fragmento reproducido.

4. Entre paréntesis rectangulares van asimismo los cortos sumarios con que los responsables de *HCLE* han suplido a veces párrafos por lo demás omitidos. También de ese modo se indican pequeños complementos, explicaciones o cambios del editor (traducción de una cita o substitución de ésta por sólo aquélla, glosa de una voz arcaica, aclaración sobre un personaje, etc.). Sin embargo, con frecuencia hemos creído que no hacía falta advertir el retoque, cuando consistía sencillamente en poner bien explícito un elemento indudable en el contexto primitivo (copiar entero un verso allí aducido parcialmente, completar un nombre o introducirlo para desplazar a un pronombre en función anafórica, etc.).

5. Con escasas excepciones, la regla ha sido eliminar las notas de los originales (y también las referencias bibliográficas intercaladas en el cuerpo del trabajo). Las notas añadidas por los responsables de la antología —a menudo para incluir algún pasaje procedente de otro lugar del mismo texto seleccionado— se insertan entre paréntesis rectangulares.

VOLUMEN VII

ÉPOCA CONTEMPORÁNEA: 1914-1939

AL CUIDADO DE
VÍCTOR G. DE LA CONCHA

CON LA COLABORACIÓN DE
FRANCISCO JAVIER BLASCO, MIGUEL GARCÍA-POSADA
y AGUSTÍN SÁNCHEZ VIDAL

PRÓLOGO AL VOLUMEN VII

Tal vez por la escasa distancia de tiempo para lograr una adecuada perspectiva, o por temor reverencial en el manejo de obra palpitante, o quién sabe si por soterrada conciencia de que la consignación en la historia de la literatura requiere el filtro de los siglos: el caso es que la literatura producida en España en el período de entreguerras —1914-1939— está aún pendiente de categorizaciones definitivas. Incluso la más relevante y la que podría parecer más segura, la de «generación del 27», aparece sujeta a radical revisión: y no sólo en su marbete, también en la propia estructura del concepto.

Profeso la convicción de que el método historiográfico de las generaciones, en su concreta aplicación a la literatura española, ha resultado empobrecedor. Por exceso y por defecto. Tanto distorsiona la visión el empeño de encajar una obra de arte en esquemas conceptuales preestablecidos, como la desenfoca y disuelve el empleo de una misma etiqueta generacional para agrupar autores convergentes poco más que en el cultivo de la amistad. Dicho esto, sorprenderá que yo mismo inicie el volumen adoptando un concepto generacional poco difundido entre nosotros, bien que perfectamente tipificado, el de «generación de 1914».

La precariedad de categorizaciones generales me ha animado a elaborar introducciones sistemáticas que, en su conjunto, configuren una lectura dialéctica del proceso de creación literaria en los años señalados. Constituye punto de partida la evidencia crítica de que hacia 1910-1912 se consideran agotados el realismo y la ideología burguesa de la que el realismo es expresión y valedor. Comienzan a perfilarse, entonces, diversas alternativas. La que Ortega y sus allegados inician, se presenta en sociedad —discurso del Teatro de la Co-

media— como una generación con objetivos bien precisos y con un programa de realizaciones literarias perfectamente concertado a su servicio. Bastaría ese dato histórico para justificar la adopción del concepto como base de categorización; pero hay más, porque, a la vez, la consideración generacional nos permite integrar la literatura española de ese período en un proceso europeo más amplio. A la luz de tal proceso y en el marco de investigación de nuevas formas se entenderá la inclusión de Gabriel Miró en el capítulo correspondiente a la novela de la generación de 1914, así como la, por otra parte más clara, de Juan Ramón Jiménez en el de su poesía. Debieran figurar en este último José Moreno Villa, ausente por la obligada constricción de HCLE al estado de la bibliografía, y, desde luego, Pedro Salinas y Jorge Guillén, a quienes una sola razón de convencional facilidad mantiene agrupados con sus amigos de la llamada generación del 27.

Rompo lanzas en pro del estudio del vanguardismo literario español, injustamente confinado por la crítica en el rincón de lo efímero e intrascendente. En sintonía con los movimientos europeos de ruptura y experimentación, Ramón Gómez de la Serna promueve aquí un proceso de muy desigual valoración, pero alguna de cuyas ramas, la del creacionismo en concreto, va a resultar bien fecunda. Creo que resultará clarificadora la diferenciación crítica, dentro del amplio y heterogéneo movimiento Vltra, de las dos corrientes literarias, ultraísmo y creacionismo, que, si bien comparten algunos procedimientos formales y el regusto de ciertos topoi, difieren en sus planteamientos básicos. Por desgracia, en esta parcela queda mucha literatura olvidada por exhumar, y faltan monografías individuales sin las que difícilmente podrá construirse un cuadro general acabado.

Insistiendo en una línea crítica abierta en los últimos años, replanteo el concepto de «generación de 1927» proyectándolo sobre la trayectoria de la vanguardia, en la que entronca el grupo básico de poetas de los años veinte, y hacia el surrealismo, adonde, por la dinámica del proceso mismo, va a desembocar. Al mismo tiempo, prolongando la línea dialéctica de los capítulos anteriores, la Introducción correspondiente se preocupa de reinsertar el esfuerzo creador de esos años en las corrientes europeas. Por más que «la Nueva Literatura», marchamo con que la bautizó su primer crítico, Melchor Fernández Almagro en una revista que llevaba el significativo título de Verso y Prosa, englobaba poesía, prosa de creación y ensayo, y teatro, el cuño posterior del grupo «generación del 27», trajo como consecuencia fatal la reducción del campo de consideración a la poesía y, dentro de ella, al reducido grupo de amigos. Se explica de este modo la desproporción numérica de estudios consagrados a éstos y en su vertiente poética, con detrimento de la atención concedida a la prosa o el teatro, que en ese momento alcanzan verdadera calidad. Y es lamentable, en el mismo sentido, que apenas si podemos ofrecer estudios sobre Hinojosa, y que poetas tan interesantes como Antonia Espina o Fernando Villalón se pierdan en la sombra. Menos mal que, superados los condicionamientos impuestos por sus propios protagonistas, el saldo de la investigación sobre el surrealismo español resulta positivo, colocando una vez más a nuestra literatura en diálogo con la europea.

En las introducciones a cada autor de la llamada generación del 27 me he propuesto facilitar un hilo conductor de la lectura, procurando, a la vez, anudar en él distintas líneas metodológicas. Del capítulo 7, sobre Lorca y Alberti, se ha encargado Miguel García-Posada, uno de los primeros especialistas en Federico, y del 9 y 10 Javier Blasco, que ha resuelto con mano segura la construcción de unas síntesis especialmente difíciles por la dispersión o el carácter superficial y generalizador de la crítica.

De 1930 a 1936 nuestras letras oscilan entre los polos de pureza y revolución. Se prolonga también en este período la desproporción entre los numerosos estudios sobre poesía y los más bien escasos dedicados a la prosa y el teatro. La especial vinculación del proceso literario al social y político aconsejaba encomendar la preparación de los capítulos correspondientes, 11 al 13, a uno de los mejores conocedores de esa etapa, Agustín Sánchez Vidal, quien, por otro lado, cultiva un método histórico crítico de sólido componente sociológico. Él mismo ha añadido el capítulo 14 sobre la dispersa producción literaria en el período de la guerra civil. Forzosamente, hay autores —Sender, Ayala, Max Aub...— que aparecen rotos entre este volumen y el último de la colección. Es una consecuencia más, y algo más que simbólica, de la ruptura que, por la desgraciada trayectoria de una época, padecieron en sus vidas o en su proceso creador. Junto a ellos se aprietan, en fin, en esa línea, quienes, como Gil-Albert, aun habiendo aparecido en la preguerra, se imponen durante la contienda y después de ella, así como los automarginados —León Felipe— en un ámbito de denuncia profética y profesión cívica.

A los tres queridos colaboradores y, en más de un caso, entrañables compañeros de trabajo en distintas etapas universitarias mías

—Zaragoza y Salamanca—, quiero rendir tributo de gratitud. Ojalá que el esfuerzo que juntos hemos realizado resulte provechoso a muchos.

VÍCTOR GARCÍA DE LA CONCHA

Universidad de Salamanca

1. LA GENERACIÓN DE 1914 Y EL NOVECENTISMO. LOS PENSADORES: JOSÉ ORTEGA Y GASSET, EUGENIO D'ORS, MANUEL AZAÑA

Miembro de la Liga para la Educación Política Española, Luzuriaga [1947] emplea por primera vez la etiqueta de «generación de 1914» para designar el grupo cuyo núcleo constituyen Ortega, Pérez de Ayala y Marañón, y en cuya órbita se inscriben Juan Ramón Jiménez y Miró; Américo Castro, Madariaga y Sánchez Albornoz; Azaña y, según Laín [1962³] y Marías [1960], también Ángel Herrera como promotor de la europeización del catolicismo español; D'Ors, en su peculiar marginalidad; Rey Pastor y otros. Hasta entonces los historiadores y críticos venían sirviéndose de diversas categorizaciones, relativas todas ellas al 98. Cuando Unamuno llamaba a los del 36 «nietos del 98», daba a entender que el grupo precedente —del que ahora tratamos— estaba en relación de filiación respecto de ellos. Azorín, sin embargo, al tiempo que en 1912 elaboraba el concepto que tanta fortuna iba a alcanzar, reconocía, con Baroja, que en 1910 se inicia otra generación más sistemática y científica que la finisecular. Laín y Marías ofrecen un detallado examen de los caracteres de este nuevo frente dialéctico.

Unos y otros, noventayochistas y los del 14, comparten preocupaciones y convicciones frente al ochocientos y, más en concreto, frente a la Restauración; de ahí las confusiones a la hora de encasillar personalidades. Pero hacia 1908-1909 las diferencias germinales se tornan disensión abierta: declara Ortega superada la época del nietzscheanismo puro, por más que Sobejano [1967], que elabora una preciosa síntesis de la naturaleza de la generación de 1914, documente en sus miembros posteriores dependencias respecto de Nietzsche; polemiza con Maeztu —«hoy no existe en nuestro país derecho indiscutible a hacer buena literatura; estamos demasiado obligados a convencer y a concretar; ... o se hace literatura [= selecta poesía de minorías] o se hace precisión o se calla uno» («Algunas notas»); combate, en fin, el africanismo unamuniano: «un gran dolor nos sobrecoge ante los yerros de tan fuerte máquina espiritual» («Unamuno y Europa. Fábula»). En un libro panorámico, útil como centón de datos, Díaz-Plaja [1975] dedica un capítulo sugerente a la inflexión que algunos *seniores* del 98 realizaron hacia las nuevas posiciones. Éstas les resultaban, sin embargo, prácticamente inasequibles: cuando en 1913, con motivo del homenaje que el nuevo grupo le organiza, Azorín pretende subirse a su carro, las intervenciones elusivas de Ortega y Juan Ramón y la abierta réplica de Antonio Machado —«Basta, Azorín ...»— lo sitúan en el justo punto de un tiempo pasado.

Pérez de Ayala resume bien la divergente actitud: abandonando el lamento y superando la denuncia, se imponía actuar programáticamente. Para ello nació en el otoño de 1913, el año en que Melquiades Álvarez funda el partido reformista y al tiempo que miembros de la nueva generación ocupan la dirección del Ateneo (Ruiz Salvador [1976]), la Liga cuyo proyecto redacta Ortega: en él se afirma la específica misión política de los intelectuales en la investigación de las realidades patrias y en la defensa del avance liberal. Facilita Marías la lista de fundadores, útil para la configuración del cuadro generacional. El discurso de Ortega en el teatro de la Comedia, marzo de 1914, constituye la presentación oficial de la generación, que se define sin ambiciones personales, austera, privada de maestros hispanos, nacida a la reflexión en 1898 y desde entonces triste, pero sin concesiones a los tópicos del patriotismo; una generación, en suma, que no gritará y que piensa en primer lugar en las minorías. En realidad, tal como R. Wohl ha demostrado en un libro de consulta indispensable, movimientos similares se producían alrededor de 1914 en Francia, Inglaterra, Alemania e Italia: se trataba de la ascensión de élites juveniles al poder, en ruptura de la idea de historia como continuidad. En España se denuncia por doquier en ese tiempo la política de «los viejos» (García Queipo de Llano [1979]), la «literatura caduca» al tiempo que se intenta crear nuevos hábitos de vida.

El propio Ortega ofrecerá más tarde en «El tema de nuestro tiempo» un desarrollo científico de los postulados teóricos del movimiento: el íntegro cuerpo social de esta generación —minoría motriz y muchedumbre animada— ha soportado con excesiva pasividad principios y formas del siglo XIX; hay que emprender —Goethe y Nietzsche todavía al fondo— una cultura biológica, con un sentido deportivo y festival de la vida; sabedores, además, de que la verdad es un resumen de integración de perspectivas. Anima este vitalismo cultural la obra de todos los compañeros de generación. Pérez de Ayala entiende que «el hecho primario de la actividad estética es la confusión o transfusión de uno mismo en los demás» y, de hecho, su literatura inserta en el plano de la vida natural elementos de la historia de la cultura (véase el cap. 2). Según certera visión de Garagorri [1971], el objeto básico de los estudios de Américo Castro es la vida, porque en ella «se encuentran tanto el yo pensante como lo que da ocasión al pensamiento». Aparentemente reducido a la superficie de la cultura, D'Ors trata de captar la esencia permanente en cada fenómeno; y hasta el mismo Miró —véase el cap. 2: Becker [1958]— persigue al hombre en su circunstancia histórica.

Toda esta cultura vital es proyectada sobre el tema de España. Ya en 1905, en carta a Navarro Ledesma, Ortega propone como tarea básica de la reconstrucción española el «rehacer la historia de España hasta en sus primeros postulados»: en esa línea trabajan Américo Castro, Sánchez Albornoz, Madariaga, el propio Ortega o Marañón. Iniciativas semejantes encontramos en las tareas emprendidas por la Junta de Ampliación de Estudios a partir de 1907 y en la labor de Ramón Menéndez Pidal (Maravall [1960], *Ínsula* [1969], *Cuadernos Hispanoamericanos* [1969], Catalán [1974, 1982], Lapesa [1979], Mainer [1981]) al frente de la sección de filología del Centro de Estudios Históricos (1910) donde trabajaron Tomás Navarro Tomás, Américo Castro,[1] Amado Alonso, Federico de Onís, Antonio G. Solalinde, V. García de Diego y posteriormente Pedro Salinas, Dámaso Alonso, J. F. Montesinos, S. Gili Gaya, Salvador Fernández y Rafael Lapesa.[2] En otras dimensiones, se acercan a la vez al tema de España Pérez de Ayala con su tetralogía primera y con la trilogía de novelas poemáticas, Juan Ramón con el *Platero*, y el «Espectador» en multitud de ensayos: todos comparten el principio de la «crítica como patriotismo». Marichal [1957] ha resumido, a propósito de Américo Castro, las imbricaciones de crítica literaria y construcción histórica en todo el grupo. Naturalmente, no les era ajeno el tema europeo: formados en Europa, la identificaban con ciencia y a ella querían acomodar nuestro país (Laín [1956]). La gran guerra actuó aquí de catalizador de posiciones estudiadas por Cobb [1966], Marichal [1968 *a*], Mainer [1972], Amorós [1972] y F. Díaz-Plaja [1981]. Confluyen así factores de excitación exterior y de evolución interna en apoyo de la cifra generacional de 1914.

En páginas que ofrecen también un apretado esbozo de la generación, explica Marichal [1968 *a* y 1974], sobre la pauta de Azaña, cómo el objetivo último de aquélla no era la transformación política sino el cambio

1. Sobre A. Castro, véase *HCLE*, vols. II, pp. 5-6, y VIII, pp. 11, 56-58, etcétera.

2. El Centro editó publicaciones como la *Revista de Filología Española* (1914), *Tierra Firme* (1935-1936) —gracias sobre todo a la iniciativa de Américo Castro—, *Emérita* (1933) e *Índice Literario* (1932), inspirada ésta por Pedro Salinas. En 1910 se creó la Residencia de Estudiantes, dirigida por Alberto Jiménez Fraud, y donde convivieron en distintas épocas Juan Ramón Jiménez, Federico García Lorca, Luis Buñuel, Jorge Guillén, P. Bosch Gimpera, Moreno Villa y Gabriel Celaya (Jiménez Fraud y Valdeavellano [1972]).

moral del individuo que exige como presupuesto la formación estética. De ahí que su acción maride el cultivo de la inteligencia con el de la sensibilidad: la proximidad a los institucionistas se hace en este punto muy ceñida. Debe señalarse como característica destacada de la generación de 1914 su reflexión sobre la operatividad de lo literario en orden al logro de las metas señaladas: tal sentido tienen las disquisiciones teóricas sobre los géneros y los tanteos de nuevas vías en novela y poesía. Contra lo que cabría esperar, la profesión de elitismo y la personal autosuficiencia egolátrica de algunos miembros no les lleva al egotismo literario de los noventayochistas; un yo circunstanciado es, con todo, base de la perspectiva desde la que se afrontan las cosas. Si la generación elige como forma básica expresiva el ensayo, no es sólo por su eficacia pedagógica sino principalmente (Marichal [1957]) por esta virtualidad conectiva del individuo con el mundo en torno. Tampoco ha de atribuirse a mera voluntad educativa la dimensión oratoria que en ella se aprecia (Marichal [1968 *b*]). En el «Vejamen del orador» analiza Ortega las ventajas de la oratoria para percatarse de la circunstancia; a ello hay que añadir el sustrato de formación retórica que buena parte de los miembros de la generación habían recibido en colegios de jesuitas —Ortega, Ayala— o, caso de Azaña, en centros que seguían la *ratio studiorum*.

Más adelante reseñaré las empresas orteguianas animadas por esta política. En 1924 y precisamente en la revista *España* (Granjel [1965]), fundación de Ortega, aseguraba Azaña que el ensayo generacional no había pasado de conato: los políticos se habían ido a la política y los intelectuales naufragaban en el arbitrismo. Se reproducía, una vez más, la disyunción entre Lamartine y De Vigny. La armonía resulta difícil: para lograrla, añadía Azaña, «hay que confundirse y dejarse confundir». En la resistencia a la dictadura primorriverista y en la liquidación de la monarquía actúan los intelectuales del 14 como catalizadores de las aspiraciones populares; en el advenimiento de la Segunda República adquieren incluso un protagonismo que parece va a conllevar la «gobernación intelectual de España» (Gómez de la Serna). El grito orteguiano *Delenda est monarchia* significaba, en recta interpretación de Laín, el *Delenda est Restauratio*. Pero Tuñón de Lara [1976] y, de modo más específico, Bécarud y López Campillo [1978] documentan el fracaso operativo de los principios generacionales del 14 en la corta aventura republicana. Atrás quedaban jalonados capítulos decisivos de la cultura y la literatura de nuestro siglo, y nadie discute a Ortega el decisivo papel de mentor de élites juveniles que varios protagonistas documentan en el colectivo *Ortega, vivo* (*Revista de Occidente* [1983]).

Al tiempo que Ortega enfatizaba el carácter de «siglo XX» como medida de valor, acuñaba D'Ors, en analogía con las categorizaciones italianas de *Trecento*, etcétera, el término *Noucentisme*. En un breve pero sugerente artículo, considera Serrahima [1964] que este movimiento fue el resultado de la intervención del gobierno catalán en la historia de la cultura del país. Se trata más, confirma Manent [1969], de una política que de una estricta teoría estética; no falta, sin embargo, como veremos, esta dimensión. Si 1906 —año del manifiesto de Prat de la Riba sobre *La nacionalitat catalana*, del primer Congreso Internacional de la Lengua Catalana y de los primeros escritos de D'Ors y Carner— marca la aparición del *Noucentisme*, 1911 representa su apogeo: se crea la sección de filología en el Institut d'Estudis Catalans, y aparecen *La ben plantada*, «breviario de la raza catalana» (Unamuno) y el *Almanach dels noucentistes*, «mostra de la unitat espiritual d'una generació» («Xènius»).

Cumple aquí tan sólo señalar la convergencia del movimiento catalán con el de la generación de 1914. Uno y otro suponen la proyección operativa de la cultura desde el poder y preconizan métodos de formación rigurosa europea. Ambos comulgan, en el plano ideológico, en la exaltación de los valores universales compatibilizados con el enraizamiento en lo regional: hallamos en esto un paralelo entre la poesía catalana de Guerau de Liost o Carner y la novela de Pérez de Ayala o Miró. En la base se encuentra la potenciación del clasicismo, que en Cataluña tenía largos precedentes predorsianos (Capdevila [1965]) y que en D'Ors y en buena parte de los del 14 se matiza de latinidad. Díaz-Plaja señala el común principio de distanciamiento del autor respecto de la obra: el arbitrarismo dorsiano presagia la deshumanización del arte. Ambos, en fin, desempeñaron en la cultura artística española un papel de promoción que Aguilera Cerni [1966] ha estudiado en la figura de los dos corifeos.

Un repaso a la bibliografía de Rukser [1971] demuestra que José Ortega y Gasset (Madrid, 1883-1955) es uno de los escritores españoles que han alcanzado más amplia y variada resonancia; a pesar de ello, permanece válido el diagnóstico de Ferraté: críticamente, Ortega es un bien común y *res nullius*. Las controversias movidas desde la preocupación de la ortodoxia —Ramírez [1958 *a* y *b*, 1959] o, en un plano ideológico-político Marrero [1961]—, han polarizado la atención de los críticos hacia parcelas muy concretas de su filosofía; cabe quizás obtener algún provecho de los libros del dominico —que, dicho sea de paso, reconoce en Ortega una «talla intelectual tan grande como la de Dilthey y Heidegger» [1958 *a*]— para el conocimiento de las fuentes del filósofo. No ha corrido mejor suerte el pensador en la valoración de su liderazgo ideológico político (Morón [1968] y Romano [1976]): incluso Bécarud y López Campillo se muestran reticentes con él al tratar de la filiación orteguiana de la Falange, bien estudiada por Nellesen [1965] en el orden ideológico y por Mainer [1971] en el estético literario; Tuñón de Lara le considera un mentor burgués sin base social y Schmidt [1976] va mucho más allá, hasta calificar la teoría política orteguiana de tautológica, antidemocrática por su aristocratismo —coincide en esto con Sobejano [1967]—, y prefascista. En cuanto al literato, la crítica ha ignorado el esfuerzo de construcción teórico, reduciéndolo todo al ensayo sobre la deshumanización, con frecuencia mal entendido, o a las ideas de la novela, y se ha difundido con exceso el clisé de un retoricismo fácil y mimético (Ayala [1974], López Morillas [1961] y Torre [1959]).

No se propugna aquí una apologética; simplemente se reclama un replanteamiento riguroso, emancipado de los condicionamientos partidistas que hasta ahora lo han descoyuntado. Apunta certera López Campillo [1972] que se restringe el alcance de Ortega cuando se privilegia la acción política frente a la obra cultural. No faltan, desde luego, jalones críticos que pueden encaminar la tarea. El libro, finalmente acabado, de Marías [1960 y 1983] señala un punto de partida: Ortega sólo resulta comprensible y valorable desde la peculiar circunstancia hispana en que le tocó vivir. Es ésta la que va excitando y conduciendo la pluridimensionalidad del magisterio orteguiano, tal como Robert McClintock documenta y analiza en un libro capital [1971]. Y ahí radican el atractivo y la capacidad de influencia a la par de sus limitaciones. Porque si desde una perspectiva sociológica práctica ha podido denunciarse la opción por una filosofía determinada como huida frente al compromiso político —que esto vendría a significar, según Elorza, la teorización del repliegue concretada en *España invertebrada* y *El tema de nuestro tiempo*—, desde posiciones intelectuales se ha acusado a Ortega de sacrificar la profundidad y organicidad del pensamiento a condicionamientos de la practicidad. Con todo, por más que la circunstancia inflexione su quehacer filosófico atrayéndole a su campo, es claro que, como señala Abellán [1966], «en Ortega han hecho por primera vez los pueblos de lengua española la experiencia plena y auténtica de la filosofía». Para los interesados en la literatura —es nuestro caso— constituyen guía doctrinal suficiente las *Relecciones* [1965] e *Introducción* de Garagorri [1970], la ya clásica exposición de Ferrater Mora [1958] atenta al objetivismo, el perspectivismo, el raciovitalismo y la relación entre pensamiento y realidad, o la de López Quintas [1972] cifrada en un triángulo hermenéutico. El estudio que de la estética orteguiana hizo Prescott, complementable, en parte, con el de Lafuente Ferrari, así como el que Aranguren realizó [1958] sobre la ética y el balance global de Maravall [1959] insertan estos valores de especulación en las coordenadas del compromiso circunstancial español asumido por Ortega (y cf. *Cuenta y razón* [1983], Agua [1984], *Cuadernos Hispanoamericanos* [1984]).

Conocemos a través de la interesante monografía de Díaz de Cerio [1961] el período de mocedad, 1902-1915, en el que Ortega adquiere una conciencia histórica que va a convertirse en motor de sus actividades. Las específicamente políticas han sido investigadas por Morón [1959] y, más intencionalmente, por Lalcona [1974]. Encontramos nuevos datos sobre su vida por el libro de su hijo Miguel Ortega [1983]. Marías ha explicado las razones de la predilección fáctica que el maestro mostró hacia los cauces y formas periodísticos; a Redondo [1972] debemos un detalladísimo estudio del conjunto de las empresas periodísticas orteguianas *El Sol*, *Crisol* y *Luz*, publicaciones todas que actuaron como aglutinante de intelectuales. Cabe afirmar que *España*, órgano inicialmente de la Liga de Educación Política Española, resume en su andadura los avatares de la generación de 1914; basta el índice de Le Goff [1972] para jalonar la evolución desde un momento de utópica armonía nacional de los intelectuales —50.000 ejemplares el primer número— hasta las disensiones irreconciliables. El semanario reclama, sin embargo, un estudio análogo al ejemplar que E. López Campillo ha consagrado a la *Revista de Occidente*, complemento indispensable del índice elaborado por Segura Covarsí [1952]. Cotejando *La Pluma* (Granjel [1966]) —la revista de Azaña y Rivas Cherif, reimpresa en la «Biblioteca del 36» y objeto de una tesis francesa pendiente de publicación— con la *Revista de Occidente*, se advierte bien (véase el prólogo de Bécarud en López Campillo [1972]) la divergencia de líneas de fuerza culturales. En un temprano estudio distinguía Giménez Caballero entre europeizantes, como Azaña, y europeizados, como Ortega; la oposición hallaba su reflejo ecuacional entre ateneístas y universitarios: era el paso de lo intelectual concebido como cultura a lo intelectual como ciencia. Anotemos al margen que si aquel camino podía conducir hacia las masas, éste, distanciándose de ellas, se dirigió de hecho a la formación de minorías.

Establece Marías el postulado de que Ortega fue más escritor que literato: recurrió a la literatura como instrumento. Y es cierto que el propio escritor declaraba que pretendía «seducir hacia los problemas filosóficos por medios líricos»; pero revelaba, a la vez, la superior creencia de que sólo con literatura cabe conseguir una precisión superior y no ocultaba su connatural propensión a lo literario: «la imagen y la melodía en la frase son tendencias incoercibles en mí». Podemos contemplar estos tres condicionantes en orden inverso. Resulta inexacto clasificar la primera etapa orteguiana en el regodeo de la retórica —Fernández de la Mora— cuando, como demuestra Marichal, es el período en que configura un tono lingüístico congregador según el patrón clásico. El propio Marichal reconoce, con todo, que el esteta ha debido de modificar más de una vez lo que quería decir el filósofo y Américo Castro facilita, en esta línea, una clave importante de lectura orteguiana al establecer que «Ortega aspiró a forzar el ritmo de los tiempos en el invernadero de su queja lírica»: no puede, por tanto, analizársele con el escalpelo de precisión objetiva.

Convencido de que el lenguaje científico facilita sólo los esquemas de las cosas, recurre Ortega al lenguaje literario y, más en concreto, al lenguaje metafórico como medio de conocimiento y de comunicación. El ensayo de Ferraté sobre el «Prólogo» a *El pasajero* de Moreno Villa, y el capítulo de Marías sobre la metáfora, a falta de publicación de la tesis doctoral de R. Roig, descubren el alcance trascendente del procedimiento: la metáfora nos da, según Ortega, una realidad *ejecutiva* superadora de la alteridad entre el yo y las cosas. En un excelente ensayo, C. Guillén [1971] demuestra la convergencia de todas las metáforas orteguianas, cuya técnica ha estudiado Senabre [1964] en el mejor libro de que hasta ahora disponemos sobre la lengua y estilo del gran pensador, en una metáfora totalizadora, la metáfora de la perspectiva: presentando las mil facetas de una realidad, el pensamiento se ejercitará en forma creadora (véase, para la base filosófica del tema, Rodríguez Huéscar [1964, 1966, 1982 y 1983]).

Confesaba Ortega haber aprendido en Cohen que todo problema de ideas encierra, y aún es, un drama. Fiel a esta creencia, la pedagogía orteguiana se hace dramática. En el minucioso análisis de Senabre, que supera con mucho el esbozo de Rosenblat [1958], se registran las huellas de esta opción en todos los niveles del lenguaje. Incluso la macroestructura formal de sus obras, del ensayo al artículo o el discurso, responde siempre a ese esquema de tensión. En la búsqueda de claves filológicas para la comprensión de Ortega, coincide Araya [1971] con Marías [1960] y Marichal [1957] en la idea de que para aquél «hablar es gesticular» así como en que la verdadera palabra era para él la palabra hablada. Injustamente se deduciría de aquí —y con frecuencia lo viene haciendo la crítica manual— la proclividad al retoricismo que Ortega anatematizaba como simplificación en la captación de la verdad; frente a aquél y al servicio del perspectivismo, ofrece como alternativa una retórica oratoria sí, pero inflexionada hacia el diálogo.

La inminente edición de *Obras completas* preparada con ocasión del centenario incrementará la lista ya conocida de más de trescientos títulos y casi cuarenta libros que, en su enorme variedad, componen un *corpus* reducible a estos principios aquí enunciados.

Respecto de Eugenio d'Ors (1882-1954) la crítica debe reconocer una culposa deuda. La parvedad cuantitativa y cualitativa de los estudios a él consagrados traduce, además, algo de mayor entidad, el olvido por parte de la cultura española del último cuarto de siglo de un escritor que, por cierto, fue maestro de cultura (Alsamora [1968], Flórez [1970]). En la biografía de Jardí [1967] se hallan datos suficientes con que jalonar su aventura intelectual; Díaz-Plaja [1967] ha abordado el punto clave: su *aparente* división de espíritu. Subrayo *aparente* porque por encima de todo el anecdotario de mezquindades de la transmigración lingüística, y de su evolución sociopolítica, animó siempre su actividad literaria un sistema de ideas universales, inserto, como expone Anceschi [1945], en un nuevo clasicismo europeo. Díaz-Plaja [1971 y 1981] traza sus coordenadas y explica como, frente a la cultura catalana impregnada de ochocentismo —romanticismo de Verdaguer o neorromanticismo de Maragall—, se alza un espíritu mediterráneo que, bajo formas de un cierto dandysmo, apunta hacia la unidad moral de Europa.

La revaluación de la primera etapa dorsiana, 1906-1920, que ha hecho Capdevila [1965], pone en este sentido de manifiesto que el *Noucentisme*, cuyas fronteras con el modernismo son fluctuantes, no surge como revolución instantánea, sino que representa la culminación de precedentes tendencias clasicistas. Pero no se le puede negar a D'Ors —y, de hecho, no se le niega— el mérito de teorizador. Valga un solo ejemplo parcial: su prólogo al primer libro de poemas de Guerau de Liost, *La muntanya d'ametistes* (1908), puede ser leído como un manifiesto y, a la vez, como el primer análisis de la poética noucentista. Debemos a Aranguren [1945 (1981)] la sistematización de la ideología filosófica, núcleo del que dimanan su pensamiento historiológico, estudiado por Rojo Pérez [1964], el propiamente político cuya dimensión hispánica esbozó Delgado [1968] o el estético. En la reedición de su obra [1981] añade Aranguren dos ensayos sobre el peculiar sentido clásico que D'Ors pretendía dar a su obra, otro sobre la dimensión católica más que cristiana de ella, y otros dos, en fin —los más interesantes desde el punto de vista literario— que frente a la generalizada lectura en clave esteticista, lo que domina a toda ella es un imperativo ético. Poco añade en esta línea a la monografía de Aranguren el estudio de Suelto [1969], meramente descriptivo; resulta, en cambio, útil el complemento de consulta de López Quintas [1972], quien analiza los principios de la estética dorsiana e insiste también en su impostación ética.

Conocemos las razones de la animadversión de «Xènius» a la forma genérica de ensayo: «demasiado extenso para las formulaciones apodícticas, demasiado breve para los desarrollos sistemáticos». A él le importa aprehender la esencia inteligible en lo discontinuo. Al servicio de este objetivo, nace la glosa: los fenómenos más diversos son analizados tectónicamente, relacionados por su forma y, en fin, categorizados en los dos grandes bloques antinómicos, clasicismo y barroco. La antítesis entre el ideal clásico y el barroquismo formal que Nora [1962] advierte en alguno de los relatos, se percibe, en realidad, en todos los escritos. En «La lección de retórica» (1914) (*Glosas*, Madrid, 1920) propone que cada palabra adquiera en su concreto empleo un valor de neologismo; para ello, a más de la peculiar relección léxica, realizada con acarreos muy heterogéneos, fuerza la sintaxis hasta enarcarla en formas manierísticas. Por desgracia, falta aún el estudio de esta lengua, cuya calidad gnómica y moderno gracianismo enfatiza Aranguren [1981], y que sirvió de modelo, al menos parcial, a sectores de los escritores del 36 y, más en concreto, a los falangistas. Pero no es preciso explicitar mucho la analogía de propósito con la pesquisición orteguiana de las reverberaciones de las cosas.

Si Unamuno vio el sentido trascendente de *La ben plantada*, en un atinado esbozo del paralelismo de funciones cumplidas por Ortega y D'Ors, señala Díaz-Plaja [1975] que la *Heliomaquia* de éste representa un esfuerzo por dotar al pueblo español de un nuevo talante vital. Lo que ocurre es que D'Ors coincidía en su opinión con la del protagonista de *Troteras* —vale decir, con la generación de 1914— y, en este punto, con la de los institucionistas: antes que una educación política, el pueblo necesita una educación estética. Amorós [1971] ha estudiado la aplicación de esta misión a la crítica literaria: las críticas dorsianas, como sus glosas plásticas, traducen un código estético vinculado a su ideología unitaria, al tiempo que configuran un magisterio de sensibilidad que alcanza una amplia influencia entre los escritores de la preguerra y de la inmediata posguerra.

Vilipendiado por los vencedores de la contienda civil y olvidado por la mayor parte de los vencidos, Manuel Azaña (1880-1940) conoce en estos últimos años un auge de reivindicación que abarca su tarea de político y de escritor (Jiménez Losantos [1979, 1982 y 1983]), ambas, en realidad, ligadas, no sólo porque, como afirma Ayala [1980], el éxito literario es dado en este caso por la concreta circunstancia histórica a un «escritor de escaso relieve aunque de cualidades muy estimables», sino porque Azaña cumple con su escritura el propósito de la generación de 1914 en la que se inscribe.

De vieja ascendencia familiar liberal alcalaína, la educación recibida en los agustinos de El Escorial le marca con la misma crisis que sus compañeros de generación padecen en casos análogos. Al igual que ellos completa su formación universitaria en Europa —hacia Francia van sus inalterables preferencias— y ya en 1911 emite un diagnóstico político nacional en la conferencia «El problema español», ahora exhumada por Serrano y San Luciano [1980]. En ella se postulan soluciones —la racionalización de la organización política, la absoluta prioridad de la educación, la laicización de la vida nacional— que Ortega y la Liga de Educación van a enfatizar. Pese a las tempranas discrepancias, que le llevarán a la ruptura con Ortega y a una actitud combativa frente a él, Azaña llevará siempre impreso el cuño generacional. En su forma de pensamiento: propósito de racionalización y conformación metafórica del mismo. Y en su expresión: fe en la retórica, excelente dominio de ella, y un gusto por la prosa culta que, según apunta J. Guillén [1980], le lleva a considerar a Pérez de Ayala como modelo supremo.

Hace algún tiempo Bécarud [1974] reclamó la atención sobre la vigencia del libro que Giménez Caballero consagró en 1932 a Azaña. Lo componen una serie de artículos periodísticos en los que, con su habitual desparpajo, ofrece Gecé su visión de la personalidad de Azaña —en cuya base alienta, según él, un «catolicismo netamente español, ignaciano, ese de la voluntad y del carácter»—, de su significación en los ambientes de la *intelligentsia* madrileña y el Ateneo —donde se hallan datos de interés sobre los diversos grupos ideológicos—, y, en fin, de la función que aquel «pulso firme» pudiera cumplir en medio de las dificultades con que tropezaba la república, plano éste en el que se atisba la configuración de un fascismo español. Habrán de pasar bastantes años hasta que Rivas Cherif [1961] publique un libro de valor testimonial, pronto superado en riqueza y precisión biográfica por los de Sedwick [1965] y Aguado [1978], escritos con mayor perspectiva histórica.

Es, en verdad, impagable la tarea realizada por Marichal [1968 *b*] con la edición de las *Obras completas*, de las que en avanzadilla llegan a España los prólogos de los tres primeros volúmenes. El libro que con ellos, sustancialmente, se compone [1968 *a*] constituye en apretada síntesis la mejor aproximación de conjunto y privilegia la dimensión cultural de Azaña, contemplándola de forma integradora en la función generacional y política. Interesado, con preferencia, en lo específicamente literario, es muy útil el esbozo de Meregalli [1969], quien, por cierto, ofrece una nómina generacional gemela a la que aquí postulo, mientras que gravitan hacia el análisis ideológico o histórico otras monografías —pongo por caso las de Jackson [1976] o Montero [1979]— acumuladas en los últimos tiempos.

Es obvio que, como recuerda Mainer [1980] en un indispensable estudio, en el conjunto de los escritos de Azaña, sobre la creación estricta —dos novelas, una de ellas incompleta, y un pieza teatral— predomina lo que podríamos llamar «crítica de la cultura»; una tarea marcadamente generacional que pretende, ya queda dicho, racionalizar la visión histórica como eje de la reforma nacional. En esa línea se insertan la diatriba «Todavía el 98» —véase el vol. VI de *HCLE*, p. 6—, el riguroso análisis del *Idearium* de Ganivet, bien categorizado por Meregalli [1980] o el artículo «Tres generaciones del Ateneo» que permite situar en su justo punto la significación azañista en la docta casa. Cuando llega la dictadura de Primo de Rivera, sin renunciar a la política —es el momento de su «Apelación a la República»—, Azaña se refugia en los estudios literarios: *El jardín de los frailes*, iniciado en 1921, cobra entonces forma definitiva y redacta los estudios sobre Valera. Ya por entonces señaló Domenchina que el novelista andaluz constituía sólo un pretexto para reconstruir su trasfondo histórico; Marichal y Meregalli destacan, en cambio, el trasfondo autobiográfico, apoyado en afinidades electivas que Mainer tipifica con exactitud; pero advirtamos que los estudios tienen valor crítico y documental en sí mismos: el rigor de *Valera en Italia* permite suponer la calidad de la *Vida de Valera* (que se daba por perdida, y acaba de reaparecer, en enero de 1984, junto a gran número de otros papeles del archivo de don Manuel: el hallazgo dará aun mayor ímpetu y riquísimos materiales a los azañólogos). Culmina la tarea de crítica de cultura hecha sobre la pauta literaria en la aproximación a Cervantes.

Por lo que hace a *El jardín de los frailes* (1927) salta a la vista su relación con otras novelas de la generación, en concreto con *A.M.D.G.* En ninguno de los dos casos se trata de una reconstrucción de la infancia hecha desde la imagen adquirida en su madurez. Ambas tratan de «captar el proceso de incorporación al mundo de la España finisecular de un mocito burgués» (Marichal [1968 *b*]), bien que *El jardín* rezume menos amargura que la novela ayalina. Si ésta es diatriba, a aquélla le cuadra mejor el calificativo de discurso. A Bécarud [1980] debemos un excelente estudio de *Fresdeval*, la novela inconclusa que Azaña empieza en las semanas de enclaustramiento voluntario tras los sucesos de Jaca y en la que se conjugan biografía y proyección político-social. Sobre la trama de la oposición Anguix-Budia, sin duda su amigo Vicario y él mismo, se teje el análisis del provincianismo o el caciquismo y se alza la lección de la comprensión.

Deben cargarse, por supuesto, en el haber de la literariedad azañista su oratoria, manifestación excelente de la retórica generacional a la que Marichal [1968 *a*] consagra capítulos estupendos, y sus diarios, que constituyen el testimonio personal tal vez más rico de la moderna historia española. Meregalli avanzó la idea de que *La velada en Benicarló* (1927) era el verdadero testamento espiritual de Azaña, que Aragón [1980] y Andújar [1981] analizan en sus componentes ideológicos y de actitud personal. Al margen de las referencias a su oratoria, todavía no disponemos de un estudio de la lengua de Azaña: es muy sugerente el planteamiento general de Juliá [1980] y pueden encontrarse muchos datos y una buena referencia contextual a la dialéctica léxica interpartidista durante la Segunda República, en García Santos [1980].

BIBLIOGRAFÍA

Abellán, José Luis, *Ortega y Gasset en la filosofía española*, Tecnos, Madrid, 1966.

Agua, Juan del, *et al.*, *Un siglo de Ortega y Gasset*, Mezquita, Madrid, 1984.

Aguado, Emiliano, *Manuel Azaña*, Epesa, Madrid, 1978.

Aguilera Cerni, Vicente, *Ortega y D'Ors en la cultura artística española*, Ciencia Nueva, Madrid, 1966.

Alsamora, Juan, *et al.*, *Homenaje a Eugenio d'Ors*, Ed. Nacional, Madrid, 1968.

Amorós, Andrés, *Eugenio d'Ors, crítico literario*, Prensa Española, Madrid, 1971.

—, «Pérez de Ayala, germanófobo», apéndice 2 a *La novela intelectual de*

Ramón Pérez de Ayala, Gredos, Madrid, 1972, pp. 448-457.

Anceschi, L., *Eugenio d'Ors e il nuovo classicismo europeo*, Rosa e Ballo, Milán, 1945.

Andújar, Manuel, ed., M. Azaña, *La velada en Benicarló*, Espasa-Calpe (Selecciones Austral, 81), Madrid, 1981. Versión teatral de José Luis Gómez y José A. Gabriel y Galán.

Aragón, Manuel, ed., M. Azaña, *La velada en Benicarló*, Castalia, Madrid, 1980.

Aranguren, José Luis L., *La filosofía de Eugenio d'Ors*, Epesa, Madrid, 1945; revisada y ampliada en Espasa-Calpe (Selecciones Austral, 87), Madrid, 1981.

—, «Sentido ético de las ficciones novelescas orsianas», *Cuadernos Hispanoamericanos*, XXIV (1955), pp. 281-287.

—, *La ética de Ortega*, Taurus, Madrid, 1958.

Araya, Guillermo, *Claves filológicas para la comprensión de Ortega*, Gredos, Madrid, 1971.

Arce, Margot, «La función del paisaje en las *Meditaciones del Quijote*», *Asomante* (octubre-diciembre de 1956), pp. 26-33.

Ayala, Francisco, «Ortega y Gasset, crítico literario», *Revista de Occidente*, n.º 140 (noviembre de 1974), pp. 214-235.

—, «Azaña», en Serrano y San Luciano [1980], pp. 77-94.

Baroja, Pío, «Tres generaciones» (conferencia leída en la Casa del Pueblo de Madrid el 7 de mayo de 1926), en *Obras completas*, Madrid, 1948, vol. V, pp. 574-580.

Bécarud, Jean, «Sobre un libro obligado: *Manuel Azaña*», en *Sistema*, 6 (1974), recogido como apéndice en Giménez Caballero [1932, 1975²], pp. 209-227.

—, «Una novela inacabada de Manuel Azaña: *Fresdeval*», en Serrano y San Luciano [1980], pp. 335-356.

—, y Evelyn López Campillo, *Los intelectuales españoles durante la II República*, Siglo XXI, Madrid, 1978.

Capdevila, J. M., *Eugeni d'Ors, etapa barcelonina (1906-1920)*, Barcino, Barcelona, 1965.

Castro, Américo, *España en su historia*, Losada, Buenos Aires, 1948, pp. 40-43; reed. en Crítica, Barcelona, 1982.

Catalán, Diego, *Lingüística íbero-románica*, Gredos, Madrid, 1974.

—, ed., R. Menéndez Pidal, *Los españoles en la historia*, Espasa-Calpe, Madrid, 1982.

Cobb, H., «Una guerra de manifiestos: 1914-1916», *Hispanófila*, n.º 29 (1966), pp. 45-61.

Cuadernos Hispanoamericanos, n.os 238-240 (octubre-diciembre de 1969), monográfico Ramón Menéndez Pidal; n.os 403-405 (enero-marzo de 1934), monográfico J. Ortega y Gasset.

Cuenta y razón, monográfico Ortega y Gasset, n.º 11 (1983).

Delgado, Jaime, «Eugenio d'Ors y su misión hispánica», en *Homenaje a Eugenio d'Ors*, Editora Nacional, Madrid, 1968, pp. 68-87.

Díaz de Cerio, Franco, *José Ortega y Gasset y la conquista de la conciencia histórica (Mocedad: 1902-1915)*, Juan Flors, Barcelona, 1961.

Díaz-Plaja, Fernando, *Francófilos y germanófilos*, Alianza, Madrid, 1981.

Díaz-Plaja, Guillermo, *La defenestració de Xènius*, Andorra, Barcelona, 1967.

Díaz-Plaja, Guillermo, *Al filo del novecientos*, Planeta, Barcelona, 1971.
—, *Estructura y sentido del novecentismo español*, Alianza, Madrid, 1975.
—, *El combate por la luz. La hazaña intelectual de Eugenio d'Ors*, Espasa-Calpe, Madrid, 1981.
Fernández de la Mora, Gonzalo, *Ortega y el 98*, Rialp, Madrid, 1963².
Ferraté, Juan, «Notas a un prólogo de Ortega», en *Dinámica de la poesía*, Seix Barral, Barcelona, 1968, pp. 141-158.
Ferrater Mora, José, *Ortega y Gasset, etapas de una filosofía*, Seix Barral, Barcelona, 1958.
Flórez, Rafael, *D'Ors*, Epesa, Madrid, 1970.
Garagorri, Paulino, *Relecciones y disputaciones orteguianas*, Taurus, Madrid, 1965.
—, *Introducción a Ortega*, Alianza, Madrid, 1970.
—, «Un proyecto de vida colectiva», en AA.VV., *Estudios sobre la obra de Américo Castro*, Taurus, Madrid, 1971, pp. 93-104.
García de la Concha, Víctor, «Pérez de Ayala y el compromiso generacional», en *Los Cuadernos del Norte*, n.° 2 (junio-julio de 1980), pp. 34-39.
García Queipo de Llano, Genoveva, «Intelectuales en la dictadura de Primo de Rivera: la controversia sobre la "vieja política" (enero a marzo 1925)», *Revista de la Universidad Complutense*, XXVIII, n.° 116 (1979), pp. 377-421.
García Santos, Juan Felipe, *Léxico y política de la Segunda República*, Ediciones de la Universidad de Salamanca, Salamanca, 1980.
Giménez Caballero, Ernesto, *Manuel Azaña (Profecías españolas)*, Ed. Gaceta Literaria, Madrid, 1932; Turner, Madrid, 1975².
Goff, Geneviève Le, *Índice del semanario «España», 1915-1924*, Institut des Études Ibériques et Latinoaméricaines, París, 1972.
Gómez Molleda, M.ª Dolores, *Los reformadores de la España contemporánea*, CSIC, Madrid, 1981.
Granjel, Luis S., «Cincuentenario de una revista (*España*, semanario de la vida nacional)», *Ínsula*, n.° 219 (1965), pp. 3 y 13.
—, «*La Pluma*, revista literaria», *Ínsula*, n.° 233 (1966), p. 13.
Guillén, Claudio, «On the concept and metaphor of perspective», en *Literature as system. Essays toward the theory of literary history*, Princeton University Press, 1971, pp. 283-374.
Guillén, Jorge, «En el homenaje a Manuel Azaña», en Serrano y San Luciano [1980], pp. 67-70.
Ínsula, XXIV, n.° 268 (1969), monográfico R. Menéndez Pidal.
Jackson, Gabriel, *Costa, Azaña y el Frente Popular*, Turner, Madrid, 1976.
Jardí, Enric, *Eugenio d'Ors. Obra y vida*, Aymà, Barcelona, 1967.
Jiménez Fraud, Alberto, *La Residencia de Estudiantes. Visita a Maquiavelo*, Ariel, Barcelona, 1972; introducción de Luis G. de Valdeavellano, «Un educador humanista: Alberto Jiménez Fraud y la Residencia de Estudiantes».
Jiménez Losantos, Federico, «El desdén con el desdén: Manuel Azaña», *Lo que queda de España*, Alcrudo, Zaragoza, 1979².
—, ed., M. Azaña, *Antología*, I: *Ensayos*; II: *Discursos*, Alianza, Madrid, 1982 y 1983.

Juliá, Santos, «Manuel Azaña: la razón, la palabra y el poder», en Serrano y San Luciano [1980], pp. 299-310.

Lalcona, Javier F., *El idealismo político de Ortega y Gasset*, Edicusa, Madrid, 1974.

Lafuente Ferrari, Enrique, *Ortega y las artes visuales*, Revista de Occidente, Madrid, 1970.

Laín Entralgo, Pedro, «España como problema», en *España como problema*, II: *De la generación del 98 hasta 1936*, Aguilar, Madrid, 1962³, pp. 395-430.

Lapesa, Rafael, *et al.*, *¡Alça la voz, pregonero! Homenaje a don Ramón Menéndez Pidal*, Cátedra-Seminario Menéndez Pidal, Madrid, 1979.

López Campillo, E., *La «Revista de Occidente» y la formación de minorías*, Revista de Occidente, Madrid, 1972.

López Morillas, Juan, *Intelectuales y espirituales*, Revista de Occidente, Madrid, 1961.

López Quintas, Alfonso, *El pensamiento filosófico de Ortega y D'Ors. Una clave de interpretación*, Guadarrama, Madrid, 1972.

Luzuriaga, Lorenzo, «Ortega y Gasset en sus *Obras completas*», en *Realidad*, 1 (1947), p. 132.

McClintock, Robert, *Man and his circumstances: Ortega as educator*, Nueva York, 1971.

Mainer, José-Carlos, ed., *Falange y literatura*, Labor, Barcelona, 1971.

—, «Una frustración histórica: la aliadofilia de los intelectuales», en *Literatura y pequeña burguesía en España*, Cuadernos para el Diálogo, Madrid, 1972.

—, «Manuel Azaña y la crítica de la cultura», en Serrano y San Luciano [1980], pp. 359-393.

—, *La Edad de Plata (1902-1939)*, Cátedra, Madrid, 1981².

—, «De historiografía literaria española: el fundamento liberal», en AA. VV., *Estudios de historia de España. Homenaje a M. Tuñón de Lara*, Universidad Internacional Menéndez Pelayo, Madrid, 1981, II, pp. 439-472.

Manent, Albert, *Josep Carner i el Noucentisme. Vida, obra i llegenda*, Edicions 62, Barcelona, 1969.

Maravall, José Antonio, *Ortega en nuestra situación*, Taurus, Madrid, 1959.

—, *Menéndez Pidal y la historia del pensamiento*, Arión, Madrid, 1960.

Marías, Julián, *Ortega*, I: *Circunstancia y vocación*, Revista de Occidente, Madrid, 1960.

—, *Ortega*, II: *Las trayectorias*, Alianza, Madrid, 1983.

Marichal, Juan, «La singularidad estilística de Ortega», en *La voluntad de estilo (Teoría e historia del ensayismo hispánico)*, Seix Barral, Barcelona, 1957, pp. 259-274.

—, ed., Manuel Azaña, *Obras completas*, Oasis, México, 1968, 4 vols.

—, *La vocación de Manuel Azaña*, Cuadernos para el Diálogo, Madrid, 1968.

—, «La "generación de los intelectuales" y la política (1909-1914)», en *La crisis de fin de siglo: ideología y literatura. Estudios en memoria de R. Pérez de la Dehesa*, Ariel, Barcelona, 1974, pp. 25-41.

Marrero, Vicente, *Ortega, filósofo «mondain»*, Rialp, Madrid, 1961.

Meregalli, Franco, «Manuel Azaña», en *Annali di Ca'Foscari*, VIII, fasc. 2 (1969); también en Serrano y San Luciano [1980], pp. 161-223.

Montero, José, *El drama de la verdad en Manuel Azaña*, Ediciones de la Universidad de Sevilla, Sevilla, 1979.
Morón, Guillermo, *Historia política de José Ortega y Gasset*, Oasis, México, 1959.
Nellesen, Berud, *José Antonio Primo de Rivera. Der Troubadour des spanischen Falange*, Stuttgart, 1965.
Nora, Eugenio G. de, «Aspectos de la novela intelectual: Eugenio d'Ors», en *La novela española contemporánea (1927-1960)*, Gredos, Madrid, 1962, vol. II, pp. 58-65.
Ortega, Miguel, *Ortega y Gasset, mi padre*, Planeta, Barcelona, 1983.
Ortega y Gasset, José, *Obras completas*, Alianza Editorial, Madrid, 12 vols., 1983. Edición en el centenario de su nacimiento.
Ortega Klein, Andrés, «La decepción política de Ortega», *Historia 16*, V, n.º 48 (1982), pp. 67-78.
Pérez de Ayala, Ramón, «El 98», recogido en *Política y toros*, *Obras completas*, Aguilar, Madrid, 1963, vol. III, p. 1.016.
Prescott, Edward, *Art and reality in the aesthetic theory of Ortega y Gasset*, University of California, Berkeley, 1965.
Ramírez, Santiago, *La filosofía de Ortega y Gasset*, Herder, Barcelona, 1958.
—, «¿Un orteguismo católico? Diálogo amistoso con tres epígonos de Ortega, españoles intelectuales y católicos», en *La Ciencia Tomista*, 85 (1958), pp. 431-632.
—, *La zona de seguridad. Rencontre con el último epígono de Ortega*, San Esteban, Salamanca, 1959.
Redondo, Gonzalo, *Las empresas políticas de Ortega y Gasset*, Rialp, Madrid, 1972, 2 vols.
Revista de Occidente, extraordinario VI («Ortega, vivo»), n.ºˢ 24-25 (1983).
Rivas Cherif, Cipriano, *Retrato de un desconocido. (Vida de Manuel Azaña)*, México, 1961; Grijalbo, Barcelona, 1979².
Rodríguez Huéscar, Antonio, *Con Ortega y otros escritos*, Taurus, Madrid, 1964.
—, *Perspectiva y verdad. El problema de la verdad en Ortega*, Revista de Occidente, Madrid, 1966.
—, *La innovación metafísica de Ortega. Crítica y superación del idealismo*, Ministerio de Educación y Ciencia, Madrid, 1982.
—, «Ortega: genio y palabra», en *Revista de Occidente*, extraordinario VI, n.ºˢ 24-25 (1983), pp. 214-291.
Roig, Rosendo, «La metáfora en Ortega y Gasset», tesis doctoral inédita, Universidad de Valencia, Valencia, 1968.
Rojo Pérez, Erundio, *La ciencia de la cultura (Teoría historiológica de Eugenio d'Ors)*, Juan Flors, Barcelona, 1964.
Romano, V., *José Ortega y Gasset, publicista*, Akal, Madrid, 1976.
Rosenblat, Ángel, *Ortega: lengua y estilo*, Universidad Central de Venezuela, Caracas, 1958.
Rozas, Juan Manuel, «Introducción» a Azorín, *Castilla*, Labor, Barcelona, 1976.
Ruiz Salvador, Antonio, *Ateneo, Dictadura, República*, Fernando Torres, Valencia, 1976.
Rukser, Udo, *Bibliografía de Ortega*, Revista de Occidente, Madrid, 1971.

Schmidt, Bernhard, *El problema español de Quevedo a Manuel Azaña*, Cuadernos para el Diálogo, Madrid, 1976.
Sedwick, Frank, *The tragedy of Manuel Azaña and of the Spanish republic*, Ohio State University Press. Columbus, 1965.
Segura Covarsí, Enrique, *Índice de la «Revista de Occidente»*, CSIC, Madrid, 1952.
Senabre Sempere, Ricardo, *Lengua y estilo de Ortega y Gasset*, Acta Salmanticensia, Salamanca, 1964.
Serrahima, Maurici, «Sobre el Noucentisme», *Serra d'Or*, VI (1964), pp. 7-9.
Serrano, Vicente-Alberto, y José María San Luciano, eds., *Azaña*, Edascal, Madrid, 1980.
Silver, P. W., *Fenomenología y razón vital. Génesis de «Meditaciones del Quijote» de Ortega y Gasset*, Alianza, Madrid, 1978.
Sobejano, Gonzalo, «Nietzsche y la generación de 1914», en *Nietzsche en España*, Gredos, Madrid, 1967, pp. 487-618.
Suelto de Sáenz, Pilar G., *Eugenio d'Ors: su mundo de valores estéticos*, Plenitud, Madrid, 1969.
Torre, Guillermo de, «Las ideas estéticas de Ortega», en *El fiel de la balanza*, Taurus, Madrid, 1959.
Tuñón de Lara, Manuel, *La II República*, Siglo XXI, Madrid, 1976, 2 vols.
Unamuno, Miguel de, «Sobre *La bien plantada*», en *Obras completas*, Madrid, 1952, V, pp. 538-553.
Villacorta Baños, F., *Burguesía y cultura. Los intelectuales españoles en la sociedad liberal, 1808-1931*, Siglo XXI, Madrid, 1980.
Wohl, Robert, *The generation of 1914*, Harvard University Press, 1980.

José-Carlos Mainer

LA CRÍTICA INTELECTUAL A LOS NOVENTAYOCHISTAS Y LA REVISTA *ESPAÑA*

Aparentemente, los escritores surgidos en 1914 replantearon la vieja prédica regeneracionista y los sentimientos de frustración que la acompañaron y, sin embargo, buena parte de la obra de Ortega y Gasset estuvo dedicada a tomar distancias tácticas con respecto a aquellos precursores. No es sorprendente, por ejemplo, que una de las primeras colaboraciones literarias del joven escritor madrileño fuera una larga reseña de la *Sonata de Estío* de Valle-Inclán, aparecida en 1904 en las páginas de *La Lectura*; aunque carente todavía de la habilidad posterior para el sarcasmo, la tesis orteguiana queda muy clara: el jugueteo trivializador de la *Sonata* es el final, casi la muerte, de la literatura romántica del *Ancien Régime*; se define, en suma, por contraposición a la «literatura democrática»; se caracteriza por su deliberada inutilidad anacrónica. Cuatro años más tarde, Ortega polemizaba con Maeztu en torno a un tema revelador: ¿buscamos hombres que remuevan el marasmo social del país —como decía el escritor alavés— o, antes bien, programamos ideas que acaben con el individualismo primario del pueblo español, como opinaba Ortega?

Y todavía en 1910, el joven profesor desmontaba otro mito finisecular, otro individualista, en la figura del vulnerable Pío Baroja a través de algunas de las más acertadas páginas escritas sobre el novelista vasco. Es evidente, sin embargo, que, tanto en las páginas

José-Carlos Mainer, *La Edad de Plata (1902-1939). Ensayo de interpretación de un proceso cultural*, Cátedra, Madrid, 1981², pp. 140-142, 145-150.

de 1910 como en las de 1916 (recogidas ambas en *El espectador*), Ortega vacila entre su admiración por el escritor y su misión de inquisidor social en busca de un ideal literario de utilidad. Y Baroja no se parece en nada a eso; sus méritos —sinceridad, simplicidad, reemplazo de la imaginación por la divagación— son el revés de sus defectos y éstos resultan doblemente peligrosos en cuanto son síntomas de un profundo mal colectivo: la dureza, la insolidaridad, el primitivismo de la vida española. Y en tanto el programa político de Ortega es acudir al remedio de tales problemas, no vacila en asumir el papel de crítico moral de la literatura, bastante insólito en nuestras letras y menos en las inglesas o alemanas: «Es de lamentar que para Baroja empieza el hombre donde acaba el ciudadano, donde comienza el antropoide, organismo recipiente de las cósmicas energías vitales... Si pudiéramos en una sola visión abarcar el mundo interior dc una novela de Baroja, si pudiéramos mirar el tomo al trasluz, veríamos lo que se ve en una gota de agua a través de un lente. Infusorios que van y vienen, bajan y suben, se persiguen o se evitan, chocan y se ayuntan o se desprenden, según una dinámica brutalmente caprichosa y sin sentido. Es la aspereza de la vida española».

Tres tomas de posición han quedado claras: frente al romanticismo aristocrático en la diatriba contra Valle-Inclán; frente al voluntarismo individualista en la polémica con Maeztu; frente a la insociabilidad en la lectura moral de Baroja. Pero faltaba oponerse a un concepto global de la misión del intelectual en la sociedad española y en esto anduvo la causa última del enfrentamiento de Unamuno y Ortega. Muy claramente la expresó este último en su necrología de urgencia aparecida en *La Nación* de Buenos Aires, el 4 de enero de 1937: «Unamuno pertenecía a la generación de Bernard Shaw. Uno ambos nombres porque al hallarlos juntos nos salta a la vista, sobre las peculiaridades individuales, el gesto común que la coetaneidad impone. Fue la última generación de intelectuales convencida aún de que la humanidad existe sin más elevado fin que servir de público a sus gracias de juglar, a sus arias, a sus polémicas... No habían descubierto la táctica y la delicia que es para el verdadero intelectual ocultarse o inexistir». Lo más seguro es que con su último párrafo Ortega aludiera al triste espectáculo del 12 de octubre de 1936 en Salamanca, vejatoria coyuntura cuyas salpicaduras sentía el exiliado con inevitable vergüenza ajena. Porque «ocultarse o inexistir» no había estado nunca en la práctica política de Ortega, como no lo estuvo en la de Unamuno: la diferencia entre ambos residía en un tono, en una actitud, que casi resultaban evaluables en el nivel del estilo literario. No es que fueran solamente dos pensamientos enfrentados: eran dos clases sociales (pequeña burguesía y gran burguesía), dos situaciones (provincianismo y madrileñismo), dos conceptos de público (el populista de Unamuno, el sectorial de Ortega), dos formaciones intelectuales, y, en ese trance, el escritor vasco llevaba todas las de perder, desde que en 1909 la polémica sobre Europa —en las páginas de *ABC* y *El Imparcial*— enfrentara a los dos escritores. [...]

Lo cierto es que, gracias a Ortega, el tono de las polémicas intelectuales se presenta extraordinariamente vivo a partir de 1914. Las banderías de aliadófilos y germanófilos, nacidas con la guerra que ensangrentaba Europa, escindieron precarias coherencias y ventilaron un enfrentamiento muy hondo entre quienes anhelaban un cambio en el sentido más *europeo* de la expresión (inglés o mayoritariamente francés) y los que suspiraron por la disciplina y el orden prusianos.

De alguna manera, todos se sintieron europeos y durante cuatro años —como contó Fernández Flórez en *Los que no fuimos a la guerra*— nombres y cosas ultrapirenaicas se hicieron familiares. [...] Significó muy poco el hecho de que católicos a machamartillo y conservadores a ultranza se entusiasmasen con un país que se consideraba heredero del *Kulturkampf* bismarckiano y cuyo parlamento contaba con un centenar de socialdemócratas; menos contradicción supuso todavía el que gentes como Ortega, Maeztu, Pérez de Ayala o Luis Araquistáin, formados en Alemania con las pensiones de la Junta para Ampliación de Estudios, pusieran sus simpatías del lado de los enemigos del Kaiser. A lo sumo, esta aparente contradicción sirvió para que escritores como Salaverría o Andrés González Blanco, como Benavente o como Baroja, pusieran en tela de juicio la validez como «intelectuales» de aquellos escritores, pintores, músicos, periodistas, que aparecen en las listas de firmantes de los manifiestos aliadófilos, pescadores al río revuelto de la política, usurpadores de la opinión de los sabios en un país de analfabetos. [...]

Por imperativos de cantidad y calidad —y por sentido de la oportunidad histórica también— ganaron la batalla los libros, folletos y revistas aliadófilos, y aun pudo plantearse seriamente la igualación de «intelectual», «aliadófilo» y hombre de izquierdas. Como casi llegó a ser tal tripleta el sinónimo de colaborador en la revista *España*, orgullosamente subtitulada «Semanario de la vida nacional».

España fue originariamente una fundación orteguiana. Si al fundar el diario *El Sol* en diciembre de 1917, Ortega contó con la discutida financiación del papelero Nicolás María de Urgoiti y con la colaboración de la redacción dimisionaria de *El Imparcial*, dos años antes los dineros de *España* le vinieron a las manos de una forma mucho más simple: un atento oyente de su conferencia «Vieja y nueva política», el escritor Luis García Bilbao, le entregó una sustanciosa herencia que acababa de recibir para que pusiera en marcha un órgano semanal de expresión de su Liga de Educación Política. De ese modo, al precio de un diario (10 céntimos), estuvo en la calle, el 29 de enero de 1915, el periódico político más importante de nuestra Edad de Plata. «Nacido del enojo y la esperanza, pareja española —escribía el fundador en la página inicial de la primera entrega— sale a este mundo este semanario *España.* Los que hemos de escribir en sus columnas —gente ni del todo moza ni del todo vieja— asistimos desde 1898 al desenvolvimiento de la vida española. Durante esos diecisiete años de experiencia nacional, raro fue el día en que la realidad pública nos trajo otra cosa que impresiones ingratas... Todos sentimos que esa España oficial dentro de la cual o bajo la cual vivimos no es la España nuestra, sino una España de alucinación y de inepcia.» La vida de las provincias y, sobre todo, la real voluntad nacional (cita involuntaria del famoso latiguillo de Espartero: «Cúmplase la voluntad nacional») serían las voces que *España* ampliaría; las mismas que resonaban en el bello poema de Antonio Machado que, no por casualidad, apareció en este mismo número:

> Fue ayer; éramos casi adolescentes; era
> con tiempo malo, encinta de lúgubres presagios,
> cuando montar quisimos en pelo una quimera,
> mientras la mar dormía, ahíta de naufragios...
> Mas cada cual el rumbo siguió de su locura;
> agilitó su brazo, acreditó su brío;
> dejó como un espejo bruñida su armadura
> y dijo: «El hoy es malo, pero el mañana... es mío».
> Y es hoy aquel mañana de ayer... Y España toda,
> con sucios oropeles de Carnaval vestida
> aún la tenemos: pobre, escuálida y beoda;
> mas hoy de un vino malo: la sangre de su herida.

Buen lugar era *España* para esta confesión de impotencia y de esperanza que venía de los hombres de finales de siglo. Allí estuvo, desde el número 1, el personalísimo *Tablado de Arlequín* barojiano y allí se publicó un texto tan explícito como *Luces de bohemia* de Valle-Inclán. Y allí se recogió —testimonio final de la cesión de un cetro generacional— la impresionante oración pública de Unamuno que, con el título «La hermandad futura», acogió el número de 5 de agosto de 1918: «¿Qué se ha hecho de los que hace veinte años partimos a la conquista de una patria? ... Nos encontrábamos sin ella, huérfanos espirituales. Ansias insaciables nos consumían los redaños del ánimo. Ninguno de nosotros sabía lo que buscaba. Aunque sí, lo sabíamos bien, muy bien. Cada uno de nosotros buscaba salvarse como hombre, como personalidad ... Nuestro pecado fue partir a buscar una patria —o una *matria*, es igual— y no una hermandad. No nos buscábamos unos a otros, sino que cada cual buscaba su pueblo. O mejor dicho, su público. La patria que buscamos era un público, un público, y no un pueblo y mucho menos una hermandad». Pocas veces se ha expresado con tanta crudeza sobre sí mismo un intelectual español ante sus herederos. Pocas veces también ha quedado más clara la diferencia de talante que —sobre el papel, ya que la realidad sería más discutible— separa los hombres de fin de siglo y los intelectuales de 1914. Pero *España* no solamente sirvió para esos desahogos (y para ser, en cierto grado, el empresario de la nueva actitud idealista de los valores consagrados del 98), ni fue siempre el portavoz de la convocatoria orteguiana: a principios de 1916 ya aparece como director el socialista Luis Araquistáin que lo fue hasta 1922, en que pasa a ocupar el cargo Manuel Azaña. Ni fue *España* solamente, como aún se lee a veces, una revista aliadófila en cuyas portadas segregó toda su gracia el caricaturista Luis Bagaría, implacable enemigo del Kaiser.

La presencia de Araquistáin en la dirección supuso el que *España* fuera en todos aquellos críticos años el portavoz de todo el descontento nacional: a través de ella se puede denotar el progresivo auge del catalanismo de izquierdas (su número 74, 22 de junio de 1916, está dedicado al regionalismo catalán), el nacimiento de un republicanismo de cariz socializante (rectificación que pide Marcelino Domingo en 1918 y es objeto de una interesante polémica en la que intervienen Araquistáin y Álvaro de Albornoz), la presencia de los regionalismos secundarios (Felipe Aláiz y José García Mercadal hablan del aragonés; Fabián Vidal polemiza con Blas Infante a propósito del andaluz) y, desde luego, la actividad de los movimientos obreros (encuesta abierta sobre el llamado «parlamento sindical», repercusiones del espartaquismo andaluz y de la escisión del socialismo, opiniones sobre la huelga de agosto de 1917 —con un Unamuno que actúa de impensado informador de los sucesos salmantinos—), etcétera.

Aparte de esto, *España* quiso ser también una crónica de las corruptelas nacionales y una sección de título tan significativo como «La vida real de España» sacudió incansablemente las mantas que ocultaban los pequeños tinglados de la Restauración: el ignaro catedrático autor de un manual estúpido, la incompetencia de tal director general, la maniobra caciquil de un distrito olvidado. La crítica económica (desempeñada por Luis Olariaga), las encuestas, los manifiestos, los homenajes (en la muerte de Giner de los Ríos o de Galdós, en el aniversario de Costa, etcétera) fueron poco a poco dando cuerpo unitario a esa entidad política, tan inasible como real, que se llama «izquierda»: los consejos de la revista ante las elecciones de febrero de 1918 significan, entre otras cosas, que la coherencia de un frente anti-Restauración se había logrado plenamente.

En el terreno del arte fue visible la predilección de *España* por una expresión realista y crítica, nacional y regeneradora, que, en última instancia, fue la de este período. [Recordemos] la orientación en tal sentido de su crítico de arte Ricardo Gutiérrez Abascal, «Juan de la Encina»; muy parecidas fueron las de Ramón Pérez de Ayala y Enrique Díez-Canedo que cubrieron la crítica literaria. Aunque tímidamente aparecieran formas transicionales al vanguardismo en poemas de José Moreno Villa, Jorge Guillén o Pedro Salinas, la tónica la dio un realismo emparentado casi con lo castizo. A partir del número 18, por ejemplo, *España* ofreció una curiosa renovación del costumbrismo en la serie titulada «Los españoles pintados por sí mismos», evidente reencuentro con aquellas *fisiologías* publicadas en 1843 y que hicieron las delicias de la década moderada: así, Joaquín Dicenta escribió sobre el albañil, Rusiñol sobre el viajante catalán, los Quintero sobre la estrella del género ínfimo, Manuel Bueno sobre el periodista, Gabriel Miró sobre el sepulturero, Luis Fernández Ardavín sobre el patriarca castellano, Cipriano Rivas Cherif sobre los «niños bien» y Eugenio Noel —quizás el creador literario más presente en *España*— sobre «el señorito chulo» y sobre los gitanos.

JULIÁN MARÍAS

LOS GÉNEROS LITERARIOS ORTEGUIANOS: DEL ARTÍCULO AL LIBRO

[El *artículo de periódico* constituye el género literario capital de Ortega. Además de la ilustre tradición de literatos que lo cultivaron y de la necesidad *pro pane lucrando*, empujaba a Ortega hacia ese ejercicio una convicción superior: quien pretenda influir en España —decía— ha de ser «aristócrata en la plazuela».] Estos requisitos condicionan los caracteres de sus artículos. Cada uno de ellos tenía que ser, claro está, *inteligible* en sí mismo, es decir, una unidad significativa autónoma, no un fragmento o capítulo de un todo mayor que fuese necesario para la comprensión. Por otra parte, como a todos ellos subyacía una doctrina unitaria y de carácter filosófico, por tanto *sistemática*, ésta tenía que estar de algún modo «apuntada», de suerte que estuviese actuando en la comprensión de cada uno de los artículos. Además, aunque autónomos, éstos eran *conexos*. [...] Esto es, ni más ni menos, el requisito constitutivo de un género que se pueda llamar *artículo filosófico*: si no se trata de una unidad «suficiente», no es un artículo; si no está presente en él la doctrina filosófica general que permite su articulación sistemática con los demás, no es *filosófico*, por muchas ideas que contenga.

Ortega tenía que conciliar la brevedad con su convicción de que «toda opinión justa es larga de expresar»: de ahí dimanan las exigencias de su estilo y de la estructura de sus artículos. [...] Es frecuente que un artículo o un ensayo de Ortega comiencen con una frase en que se resume una doctrina entera.

Por ejemplo, «Muerte y resurrección», en que va a hablar del Greco y de otras cosas, comienza así: «Todos nuestros actos, y un acto es el pensar, van como preguntas o como respuestas referidos siempre a aquella porción del mundo que en cada instante existe para nosotros. *Nuestra vida es un diálogo, donde es el individuo sólo un interlocutor; el otro es el paisaje, lo circunstante*». En una frase está resumida la teoría de la

Julián Marías, *Ortega*, I: *Circunstancias y vocación*, Revista de Occidente, Madrid, 1960, pp. 314-323.

vida humana como diálogo del yo con la circunstancia, y de paso la doctrina de la circunstancialidad de todo acto vital. ¿Cuál es la función de este extremo «comprimido» en el artículo? Para el lector desprevenido e «inocente», que no sospecha que le están deslizando por el umbral de la conciencia, como el cuadernillo de una novela por entregas, una teoría filosófica, esa frase significa una observación sin demasiado alcance, pero perfectamente inteligible, que entiende de una manera trivial pero no desacertada, y que va a operar desde entonces en su mente, a germinar en ella tal vez, como una simiente. Para el lector más advertido, o simplemente familiarizado con la obra de Ortega, esta observación refiere el artículo a una zona de ideas ya conocidas, y añade un nuevo punto de vista a la consideración de una porción de realidad sobre la que ya había ensayado, en otros escorzos, la visión. [...]

El artículo, tal como Ortega lo entiende, tiene que tener un «principio» que no puede ser sólo lógico, sino un principio de vivificación. En otras palabras, tiene que ser una *unidad dramática*. Por otra parte, su brevedad lo obliga a ser, más que *dialéctico*, visual o *intuitivo*. Tiene que fundarse, más que en «encadenamientos» de ideas, tan expuestas al pensamiento inercial y a la mecanización terminológica, en evidencias. Estas exigencias «literarias» han influido, creo que de un modo extremadamente favorable, en la filosofía misma de Ortega, la han preservado de riesgos y tentaciones sin cuento, en que han venido a encallar formas del pensamiento contemporáneo de muy altas calidades. La necesidad de «argumento» de cada artículo ha hecho que Ortega escriba siempre una filosofía alerta, que no pierde de vista la realidad, que no se enreda en sus propias ideas, tejiendo con ellas un capullo que acaba por ser su tumba: el gusano de seda no debe ser el animal totémico del filósofo.

Este carácter dramático de los artículos de Ortega hace posible su intelección aunque sean difíciles —cuando un libro o una conferencia son especialmente duros hay que compensar esto, si se quiere que sean comprendidos, con una intensificación del dramatismo—, y permite también, a veces exige, que sean largos. Ortega introdujo en España y en América el «folletón» intelectual, denso de doctrina, apasionante de lectura, de forma acabada, de prosa suculenta, cuyos nudos «argumentales» dramáticos —con el dramatismo de la doctrina— constituían su nervio dialéctico en el sentido auténtico de la palabra y permitían las largas series conexas que terminaron por ser libros. El folletón adquiría, en el orden del pensamiento, los caracteres apasionantes y hasta urgentes del «folletín», que es como se traduce en español *feuilleton* cuando se trata de novelas.

Cuando Ortega planeó por primera vez una serie de publicaciones, en 1914, las llamó *ensayos*: «Bajo el título *Meditaciones* anuncia este primer volumen unos ensayos de varia lección ...». Son las que llama en el mismo lugar «salvaciones». Del ensayo, aun advirtiendo que los suyos van empujados por filosóficos deseos, dice que «es la ciencia, menos la prueba explícita». Esta definición responde a un género mayor de la obra de Ortega. Se la ha solido entender en forma mínima o negativa, insistiendo en la ausencia de prueba; pero no hay tal: Ortega añade a renglón seguido:

> Para el escritor hay una cuestión de honor intelectual en no escribir nada susceptible de prueba sin poseer antes ésta. Pero le es lícito *borrar* de su obra toda *apariencia* apodíctica, dejando las comprobaciones meramente *indicadas en elipse*, de modo que quien las necesite *pueda encontrarlas* y no estorben, por otra parte, la expansión del *íntimo calor con que los pensamientos fueron pensados*. Aun los libros de intención exclusivamente científicos comienzan a escribirse en estilo menos didáctico y de remediavagos; se suprime en lo posible las notas al pie, y el rígido aparato mecánico de la prueba es disuelto en una elocución más orgánica, movida y personal.

Lo decisivo del ensayo es su *tema*. El artículo de diario es decididamente un escorzo, una sola faceta de la realidad tratada. Le es esencial la fertilidad del punto de vista, del «enfoque»; su unidad es una unidad de fulguración —por eso lo peor que le puede pasar a un artículo de periódico es ser aburrido; ningún escrito *debe* ser aburrido, pero el artículo no *puede* serlo sin convertirse en una caricatura de sí mismo—, que no excluye el carácter más formalmente fragmentario. El ensayo es otra cosa: lo define la delimitación de un tema, su propia estructura interna, que es justamente la que lo va a organizar como escrito, la que va a constituir su movimiento interno, lo que he llamado su «argumento». Cuando en su «Meditación del marco» dice Ortega que necesita, para completar un volumen de *El espectador*, escribir un solo pliego, y busca un tema, tiene plena conciencia de esto. «El lector no sospecha los apuros que un hombre pasa para escribir un solo pliego. ¡Son de tal suerte maravillosas las cosas todas del mundo! ¡Hay tanto que decir sobre la menor de ellas! ¡Y es tan penoso amputar a un asunto arbitrariamente sus miembros y ofrecer al lector un torso lleno de muñones!»

Esta delimitación de los temas fue el talento máximo de Ortega como escritor. Por eso sus temas han podido pasar a la conciencia colectiva, al «dominio público», como monedas acuñadas; a veces se piensa que son los títulos refulgentes, pero es mucho más: son los temas mismos, las articulaciones de la realidad; cuando una vez los ha tocado, ya se los ve así, se piensan con la configuración que les dio o, mejor aún, les descubrió. La anatomía de lo real transparece y se manifiesta bajo su pluma. Esa ha sido su mayor influencia multitudinaria. Aparte de sus doctrinas filosóficas estrictas, poseídas por muy pocos, Ortega ha introducido en la mente de sus contemporáneos temas y modos de pensarlos que desde él se han convertido en *la forma misma de la realidad.* España invertebrada, el hombre-masa y su rebelión contra sí mismo, la deshumanización del arte, las ideas de los castillos, la triple realidad vitalidad, alma, espíritu; la pareja ideas y creencias, las generaciones, el hombre interesante, la idea de circunstancia, la contraposición entre el hombre y la gente, tantos más, son temas que pertenecen ya, no a un repertorio de «temas», sino al contenido efectivo de nuestro mundo, que así aparece configurado por su mano. Esta es la causa de la inexplicable irritación que en cierto tipo de almas ha producido siempre Ortega.

Quedan los *libros.* ¿Cómo son los libros de Ortega? En rigor, habría que decir que nunca escribió uno. Los que por su extensión debieran considerarse así, por su estructura no llegan a serlo; quiero decir que son *incompletos*: las *Meditaciones del Quijote* sólo comprenden el prólogo, la preliminar y la primera, y faltan dos más; *El tema de nuestro tiempo* es sólo el desarrollo de la primera lección de un curso, completado con varios apéndices; *España invertebrada* y *La rebelión de las masas* están inconclusos —el último capítulo de éste se titula: «Se desemboca en la verdadera cuestión»—; *En torno a Galileo* o *El hombre y la gente*, que proceden de cursos, son sólo partes de lo que tenían que haber sido; *La idea del principio en Leibniz*, además de haber quedado interrumpido, estaba pendiente de articulación y estructuración, y Ortega tenía clara conciencia de ello.

Que, a pesar de ello, sean éstos los libros de más soberano atractivo que ha producido la filosofía de nuestro tiempo no quita nada al hecho de que Ortega nunca logró escribir un *libro* tal como sentía que hubiera debido ser. Muchas razones, biográficas, colectivas, filosóficas, meramente azarosas, lo estorbaron. Escribir un libro requiere un temple algo más ascético que el de Ortega, no pedir tanto a la inspiración, ser capaz de escribir sin plena ilusión, cruzando acaso estepas pedregosas. La voluptuosidad de los temas, que Ortega sentía de modo intensísimo y que hizo de él, no sólo un intelectual, sino un escritor en la plenitud del término, lo distraía con demasiada frecuencia hacia cuestiones incidentales, y sobre todo hacia nuevos asuntos, con perjuicio de la economía interna de los libros. Antes de concluirlos se sentía atraído y arrebatado hacia otros temas. Y, quizá sobre todo, su innovación en el estilo y en la recreación de los géneros literarios menores, el artículo y el ensayo, absorbió su atención y su capacidad durante muchos años, y no llegó —porque su trayectoria literaria tuvo largas pausas y terminó antes de tiempo— a la maduración de un nuevo género de libro filosófico, tal como estaba postulado por sus hallazgos anteriores, como está esbozado, si no realizado, en el conjunto de su obra literaria.

PHILIP SILVER

LA DESHUMANIZACIÓN DEL ARTE

> El arte trata la apariencia como tal apariencia; su objetivo es precisamente *no* engañar, y por lo tanto es *verdadero*.
>
> NIETZSCHE

Me propongo analizar una cuestión que se plantea una y otra vez leyendo a Ortega, ocupándome de uno de sus ensayos más conocidos, *La deshumanización del arte*. Pero lo que a mi juicio es el núcleo del problema que aparece leyendo este ensayo, junto con la solución que propongo, puede servir para esclarecer también sus demás ensayos. Por problema entiendo, más que el carácter literariamente nietzschiano del estilo de Ortega, el simple hecho de que a menudo parece estar diciendo a la vez dos cosas que se oponen entre sí, haciéndose culpable de una frecuente duplicidad de argumentación. De ese modo

Philip Silver, «On misreading Ortega: *La deshumanización del arte*», *Point of Contact / Punto de Contacto*, n.º 4 (julio de 1977), pp. 59-64. Las referencias son a las ediciones siguientes: José Ortega y Gasset, *Obras*, Espasa-Calpe, Madrid, 1932, y *Obras completas*, Revista de Occidente, Madrid, 1969[1], vol. XI.

Ortega nos invita a interpretarle mal. Pero lo que en concreto quisiera demostrar es que su duplicidad sólo es *aparente*, y que lo que parece justificar la crítica se debe, *en primer lugar* a que los ensayos de Ortega no se leen «dentro» de la tradición de la fenomenología europea, como debiera hacerse, y *en segundo* a que sus ensayos parecen haberse construido alrededor de una gesticulación retórica que a mi entender ha de atribuirse a una etapa orteguiana anterior a la penetración de los vectores idealista y existencial de la fenomenología de Husserl.

1. *El programa fenomenológico de Ortega.* A partir del año 1910, cuando ganó la cátedra de Metafísica en la Universidad de Madrid, el hecho de que Ortega se interesara por tantos aspectos de la vida nacional, explica que muchos vieran en él, injustificadamente, a un intelectual un tanto frívolo. Incluso Indalecio Prieto le acusó de diletantismo en el mismo Congreso. Y Ortega dio al dirigente socialista una réplica casi digna del surrealismo: «Eso que el señor Prieto considera como una corbata vistosa que me he puesto, resulta ser mi misma columna vertebral que se transparenta» (1969, p. 362). Lo que quería decir es que, sólo con que alguien se tomara la molestia de prestar atención, vería con toda claridad que todas sus actividades y escritos procedían de un núcleo central. Luego nuestra tarea ha de ser trabajar a partir de esta frase de Ortega. En primer lugar debemos describir su «columna vertebral» filosófica, y luego mostrar cómo se transparenta a través de una «corbata» particularmente «vistosa» —o cómo la ilumina—, a saber, en *La deshumanización del arte.*

Si la réplica de Ortega a Indalecio Prieto fue particularmente aguda, ello se debió sobre todo a que al menos quince años atrás el primero ya había anunciado lo que juzgaba una nueva orientación filosófica global para España. Al combinar la exigencia neokantiana de una problemática central con una versión del método fenomenológico de Husserl, hacia 1916 Ortega podía ofrecer en el primer volumen de *El espectador* el esbozo de un programa de tendencia fenomenológica para la reforma de la política, la cultura y el arte. En «Verdad y perspectiva» —prólogo al diario—, su convocatoria se dirigía a los que él denominaba «amigos de mirar». Según sus propias palabras: «El nombre goza de famosa genealogía: la encontró Platón. En su *República* concede una misión especial a lo que él denomina *filotheamones*... amigos de mirar. Son los especulativos, y al frente de ellos los filósofos, los teorizadores..., que quiere decir los contemplativos» (1932, p. 129).

Pero Ortega proseguía sugiriendo que *cada* perspectiva del universo era única, y que por lo tanto no era menos valiosa que las de los «amigos de mirar». Por esta razón jamás puede negarse ni falsearse ninguna perspectiva. Por el contrario, cada vida humana tenía la obligación moral de salvar su porción de realidad, su fragmento del mosaico universal. Naturalmente, este acto de «salvación» sólo podía llevarse a cabo en una actitud contemplativa, una actitud de mirar y de ser de una manera no predatoria. No obstante, *El espectador* sólo contiene un resumen muy general de ese mecanismo.

Pero cuando Ortega habló en Buenos Aires un poco antes en el curso del mismo año, dio una descripción más precisa de lo que tenía en la mente. Porque, dijo allí, el «principio biológico de utilidad vital» continuamente atrae nuestra atención hacia los objetos materiales, y por ello somos constitucionalmente insensibles a las estructuras ideales a las que adecuamos nuestras peculiares percepciones del mundo. Por esta causa tenemos que practicar un peculiar ascetismo con objeto de percibir y ordenar ese esquema dispositivo nuestro. Evidentemente esa ascesis filosófica era la personal versión orteguiana de la reducción fenomenológica de Husserl. Era necesaria porque la plenitud de la visión en la contemplación sólo era posible cuando la «actitud natural» (la «vida biológica» de Ortega) se suspendía o quedaba en estado latente.

Ortega no tardaría en rechazar la posibilidad de una reducción completa al estilo de Husserl —como hizo Merleau-Ponty unos años después—, pero no abandonó la exigente noción de ascesis, como lo demuestra *La rebelión de las masas*. Lo que condujo a Ortega a negar la posibilidad de la reducción fenomenológica fue su análisis de la noción de intencionalidad en Husserl (y Brentano). Ya que no tardó en advertir, como Sartre en 1939, que la intencionalidad podía significar la revocación de toda la noción idealista de la conciencia. Al igual que Sartre, Ortega vio la huida de la prisión de la conciencia que Husserl implícitamente ofrecía.

Este punto de vista lleva al perspectivismo orteguiano —anunciado en 1914 en las *Meditaciones del Quijote*, y más tarde a la noción de un hecho absoluto, «la vida humana». En realidad, ambas ideas filosóficas —la reducción protofenomenológica de Ortega y su «vida humana» ontológica— constituyen el fundamento de *La deshumanización del arte*. Más aún, su incompatibilidad explica buena parte de la confusión que provocará posteriormente el importante ensayo de Ortega sobre las nuevas artes.

Teniendo presente esta visión de conjunto de los descubrimientos filosóficos orteguianos, ocupémonos ahora del ensayo sobre el arte en sí mismo.

2. *«La deshumanización del arte» de Ortega.* Una vez sabemos que *La deshumanización del arte* no es ni un acto de terrorismo en favor del nuevo arte, ni una condenación del antiguo, sino más bien una pura descripción fenomenológica de la vanguardia en España, el esquema del argumento de Ortega resulta claro. Efectivamente, la «columna vertebral» filosófica de Ortega —su metafísica desarrollada de la vida humana— aparece ya ante nuestros ojos. El arte moderno, dice, no sólo es impopular, sino que es también antipopular; siempre tendrá a las masas en contra (1932, p. 890). Para expresarlo en los términos más rigurosos del programa filosófico de Ortega: el arte moderno divide al público en la minoría selecta capaz de la ascesis necesaria para poner entre paréntesis la existencia («los amigos de mirar»), y los otros («los utilitarios») que se dejan arrastrar por las inquietudes vitales y biológicas de su vida cotidiana. Este último sector es el que aboga por el arte del siglo XIX, el que convierte en norma el arte referencial o representativo que halaga sus sentimientos; no congenian con el arte nuevo y lo rechazan lo más lejos posible. Mientras que el primer grupo, los artistas jóvenes y sus amigos, están despojando al arte de su humanidad; lo encuentran humano, todo demasiado humano.

¿Pero es todo eso un fiel resumen del ataque que hay en el ensayo de Ortega? Y si no lo es, ¿es posible que la opinión más común acerca de *La deshumanización del arte* siempre haya estado equivocada? Por ejemplo, ¿no es cierto que Ortega a veces está muy cerca del alegato terrorista en favor del nuevo arte «deshumanizado»? ¿No hay algo de un culto al héroe en el hecho de llamar al nuevo artista un Ulises, que huye de su cotidiana Penélope, o un san Jorge, con el dragón de la realidad muerto a sus pies (1932, p. 901)? Indudablemente, esas imágenes, aunque sean hiperbólicas, parecen la defensa de un extremado formalismo. Y a eso parece también aludir Ortega cuando habla de lo que despierta el entusiasmo de los artistas jóvenes.

Por lo tanto se necesita prestar especial atención para darse cuenta que no es eso lo que nos está diciendo Ortega. Hay que volver a examinar sus palabras con más cuidado. Como ya se ha dicho, todo gira en torno a la impopularidad del arte moderno. La mayoría adversa no puede apartarse de las imposiciones de la vida biológica, material, mientras que el artista moderno y sus seguidores sí pueden, sobre todo cuando (y mientras) adoptan una actitud de apercepción estética. Por ejemplo, simbólicamente, en la primera parte —que es crucial— del ensayo, «Unas gotas de fenomenología», el artista permanece muy distante frente a la escena del lecho mortuorio que se pinta allí. Renunciando a la «empatía» en el arte, en su lugar aboga por la tendencia, aunque nunca por el objetivo absoluto, de deshumanizar el arte. Pero lo esencial de la argumentación de Ortega se contiene, más bien de un modo elíptico, en capítulos posteriores, «Sigue la deshumanización del arte» e «Irónico destino».

En el primero Ortega llama la atención sobre nuestro «asco a lo humano en el arte»... como en las figuras de cera. Luego se pregunta si ese asco por nuestra parte (o por parte del artista) no es un disgusto por lo humano como tal, por la realidad, por la vida. Pero eso *no* es lo que piensa Ortega. Porque a continuación se pregunta si ese asco no debería interpretarse más bien como «un respeto a la vida y una repugnancia a verla confundida con el arte, con una cosa tan subalterna como es el arte» (1932, p. 905). Y en «Irónico destino» vuelve a afirmar lo mismo, que ahora llama contradicción y ambigüedad. Ortega escribe:

> Más arriba se ha dicho que el nuevo estilo, tomado en su más amplia generalidad, consiste en eliminar los ingredientes «humanos, demasiado humanos», y retener sólo la materia puramente artística. Esto parece implicar un gran entusiasmo por el arte. Pero al rodear el mismo hecho y contemplarlo desde otra vertiente sorprendemos en él un cariz opuesto de hastío o desdén. La contradicción es patente e importa mucho subrayarla. En definitiva, vendría a significar que el arte nuevo es un fenómeno de índole equívoca... (1932, p. 915).

Más aun, un examen más atento del arte moderno permite explicar a Ortega «esa contradicción entre amor y odio a una misma cosa». La inesperada mueca de hastío y desdén, en realidad no se dirige a los elementos «humanos» temáticos, sino más bien al arte mismo, con su gravoso pasado de referencias. Esa sensación de hastío, dice Ortega, es lo que en último término hace resaltar la esencial ironía del arte. Por fin el arte nuevo exige que se le reconozca tan sólo como irrealidad, ficción, farsa (1932, p. 916). Rechaza su antigua condición sagrada de religión y rechaza cualquier pretensión romántica de salvar o de servir a la humanidad. Finalmente el arte se revela como algo sin consecuencias (trascendentales). El arte se ve liberado para lanzarse a una aventura propia.

Así, pues, lo que está haciendo la nueva sensibilidad artística al poner al arte en el lugar que le corresponde, es decir, ya no por *encima* de la vida, sino subordinado a ella, en la jerarquía de los valores humanos, es proceder a una aplicación parcial de lo que el mismo Ortega llama en otro lugar *El tema de nuestro tiempo*, título de otro importante ensayo de este período. O sea, y ése es el elemento que faltaba para entender debidamente la «contradicción» de Ortega, la *vida* deja de vivirse como algo subordinado a otra cosa, ya sea el arte, la ciencia o el estado. Ya que, dice Ortega, esos «valores» de la cultura, que antaño fueron supremos e indiscutibles, hoy han demostrado ser simples pretextos que la *vida* inventó para sus propios fines (1932, p. 776). De ese modo, lo que Ortega hace en *La deshumanización del arte* es desarrollar una de las aplicaciones concretas de su tesis filosófica principal en *El tema de nuestro tiempo*.

Lo que confunde acerca de *La deshumanización del arte* es que Ortega ponga tanto empeño en derribar a la cultura de su pedestal con objeto de dejar sitio a «la vida humana espontánea» que debe reemplazarla. Por ese motivo en el ensayo siempre se ha visto una pura agresión en defensa de los nuevos artistas y de sus obras. También, a modo de compensación, la estrategia orteguiana parece suponer que los nuevos artistas son «antihumanos», ya que aprecian mucho el formalismo y desdeñan lo «humano» en el arte; mientras que, de hecho, como hoy sabemos, esos artistas jóvenes valoran de un modo especial lo «humano» como «vida», y en cambio sostienen que el arte no ha de querer decir nada, *nada trascendental*. Así, pues, la vida, que antes era un ambiente invisible para todo lo existente, se hace opaca y visible por vez primera; se eleva a la condición de principio filosófico; se convierte en la condición indispensable de todo lo que es. Pero también el arte puede lanzarse ahora a una aventura autónoma de autodescubrimiento, mientras que al mismo tiempo, la «vida» inmediata, transparente y la totalidad del proyecto del hombre posdualista, puede también ordenarse como nunca lo había sido antes de ahora en el arte.

Existe, pues, una total coherencia en el análisis orteguiano del arte nuevo, y la «columna vertebral» del ensayo resulta ser su idea central: la metafísica de la vida humana. Pero como ejemplo de su método filosófico, el ensayo es también perfecto. Como fenomenólogo existencial, la tarea de Ortega consistía siempre en desvelar o revelar los estratos preteoréticos de la «vida humana» que subyacen a toda concepción idealista y a sus interpretaciones.

JUAN LÓPEZ MORILLAS

ORTEGA Y GASSET Y LA CRÍTICA LITERARIA

Lo primero que echa de ver quien se encara en orden cronológico con las *Obras completas* de Ortega es un breve artículo que lleva el título de «Glosas» y la fecha de 1 de diciembre de 1902. En este escrito, publicado originalmente en la *Revista Nueva*, el mozuelo de diecinueve años se nos revela ya dispuesto a lidiar —diríase que muy orteguianamente— en pro de una actitud francamente impopular: la de una crítica acusadamente personal encaminada a hacer y mantener «afirmaciones o negaciones poderosas».

No está de más subrayar lo impopular de esta noción de la crítica, pues a la sazón campeaba en algunos espíritus selectos el afán de llegar a una crítica objetiva e impersonal. Según el dictamen corriente entonces, el crítico literario habría de empezar por desnudarse de todo criterio apriorístico, postular, después, la absoluta independencia de la obra que ante sí tenía, y proceder, por último, al examen y análisis de ésta con una escrupulosidad rigurosamente clínica. Como representantes ejemplares de la crítica impersonal Ortega escoge a Taine y Sarcey. No se le escapa, claro está, la enorme diferencia que media entre el filósofo-crítico y el amable revistero de teatros de *Le Temps*, pero la estima irrelevante en la intención con que prepara su glosa. Taine desarrolla su labor crítica partiendo de una articulación de valores para los que previamente ha buscado un fundamento objetivo. Sarcey, por su parte, ingresa en la crítica impersonal valiéndose de un proceso de despersonalización que consiste en diluirse, como primera providencia, en el anonimato de la muchedumbre para surgir más tarde de ella como portavoz de su aplauso o su condena. En los dos críticos transpirenaicos —y éste es el común denominador de aptitudes y actitudes tan dispares— se percibe la intención de hurtar el cuerpo a un principio en el que Ortega insufla —también ya muy orteguianamente— todo el rigor de un imperativo categórico, a saber, el de que «la crítica es una lucha», para la que el crítico digno de tal nombre debe adiestrarse con afán de atleta. Y en tal entrenamiento, sugiere Ortega, el crítico debe hacer valer no aquello que tiene de común con los demás hombres, sino cabalmente lo que en sí mismo encuentra

Juan López Morillas, «Ortega y Gasset y la crítica literaria», *Intelectuales y espirituales*, Revista de Occidente, Madrid, 1961, pp. 133-148.

de diferenciador e individuante. Ni el más estudiado despego, por una parte, ni la mostrenca sensatez, por otra, darán al objeto de la crítica aquella inequívoca coloración que, potencial en él, surge sólo al conjuro de una vigorosa personalidad. Para ser genuinamente vital, toda crítica ha de exaltar la vitalidad de su objeto, y esta exaltación es mucho menos un acto de exploración intelectual que de forcejeo afectivo. «Hay que ser personalísimo en la crítica —concluye Ortega—, personal, fuerte y buen justador... También hay que ser sincero.»

A nadie que conozca el pensamiento de Ortega puede sorprenderle esta noción de la crítica. Trátase, en definitiva, de la aplicación en una zona particular de los principios que rigen la visión orteguiana del mundo; y el hecho de que, ya en 1902, se vislumbren aspectos de ésta que no habían de hallar cumplido desarrollo hasta muchos años después confirma la notable coherencia y consistencia de la estructura ideológica de Ortega. Si en este escrito primerizo se aboga por una revitalización de la facultad de juicio, haciéndole brotar del núcleo de la personalidad individual, es porque aquí, como en otros muchos casos, Ortega rechaza el recurso a preceptos normativos *a priori* creados por el intelecto puro, o a intenciones pragmáticas alimentadas por la utilidad, o a prácticas consuetudinarias fundadas en la inercia. En materia crítica, como en metafísica o en moral, todo individuo es un punto de vista en un universo concebido como una infinita irradiación de perspectivas. Hacer crítica literaria es, en suma, acomodar la teoría del *perspectivismo* a la literatura. Es una labor de enfoque. El crítico ajusta su propia visión a la distancia en que, entre el sinfín de cosas que pueblan el horizonte de su vida, se encuentra una determinada obra literaria.

Pero ocurre que, una vez calificada así la tarea del crítico, se tropieza con la dificultad de averiguar de qué manera llega a establecerse tal perspectiva. Y recurriendo a la perspectiva física pronto se cae en la cuenta de que esa adecuación entre la retina del crítico y la obra enfocada es de doble índole; absoluta y relativa. Es decir, que la obra se encuentra a una determinada distancia del crítico, pero está también a distancias determinadas de otras cosas dentro del radio de visión de éste. En principio, el crítico puede pronunciarse a favor de una de estas dos «maneras de ver y mirar». Puede, por una parte, juzgar de la obra valiéndose de lo que llamaremos «distancia absoluta», lo que le llevará necesariamente a postular el carácter único de toda creación artística; o, por otra parte, puede examinar la «distancia relativa» entre esa obra y otras, lo que le obligará a aceptar el carácter genérico de la obra de que se trate. Es muy posible que ambos procedimientos sean igualmente fértiles y es muy probable que ambos conduzcan a conclusiones diferentes. El criterio de la *unicidad*, o de la distancia absoluta —que, dicho sea de paso, cobra hoy especial favor en cierto sector de la crítica anglo-americana— explora con particular atención lo que Ortega llama la «dimensión de profundidad» de la obra literaria, esto es, su peculiar contenido estético; mientras que el criterio de la *genericidad*, o de la distancia relativa, establece puntos de referencia extrínsecos a la obra, señala semejanzas y diferencias, crea, en fin, en torno de ella un contexto que, con móviles interpretativos y valorativos, rebasa por lo común la linde de lo estrictamente estético para adentrarse en otras zonas de actividad cultural.

No hay que esforzarse mucho para comprender que la postura intelectual de Ortega cuadra mejor con el segundo que con el primero de estos dos criterios. Perspectiva presupone relación, y una perspectiva será tanto más correcta cuanto más numerosos sean los puntos de relación que la determinan. No faltan, sin embargo, en Ortega indicios de su preferencia por el criterio de la genericidad. Quizás el más significativo de ellos sea su persistente clamor a favor de la existencia de los géneros literarios frente a la aseveración de Benedetto Croce de que no los hay. «La idea de que no existen géneros ... —apunta Ortega— fue tan sólo el aspecto que en literatura tomó la general subversión del siglo XIX.» Y al añadir que el género literario es tan necesario a la comprensión de la obra particular como la especie biológica lo es a la comprensión del individuo orgánico, Ortega parece insinuar que la labor del crítico ha de consistir, parcialmente al menos, en fijar el puesto que corresponde a la obra examinada entre las demás de su género, con las que comparte, en principio, «un repertorio de idénticas posibilidades». A este respecto conviene recordar que uno de los escritos más sugestivos que ha producido Ortega en materia de crítica literaria, la «Meditación primera» de las *Meditaciones del Quijote* (1914), es, en rigor, una teoría de los géneros literarios «como temas estéticos irreductibles entre sí» y es, por ello mismo, de importancia cardinal en toda tentativa de interpretar la manera en que Ortega comprende y ejerce la tarea de crítico. Por ante nosotros hace desfilar los géneros literarios tradicionales, poniendo de relieve en cada uno de ellos el rasgo inconfundible que lo fija y sustenta. Hay, sin embargo, que tener presente que Ortega no entiende por género literario el «vacío esquema» o la «estructura formal» que nos da la preceptiva clásica, sino algo a la vez mucho más riguroso y más simple, a saber, la categoría a que pertenece por necesidad la interpretación estética de un determinado aspecto humano, pues, quiérase o no, «es siempre el hombre el tema esencial del arte». Es inadmisible sugerir que lo que se dice en un poema lírico podría decirse esencialmente lo mismo en una novela o en una tragedia. «La lírica no es un idioma convencional ..., sino ... una cierta cosa a decir y la manera única de decirlo plenamente.» La intención creadora y su plena expresión, o, dicho de otro modo, la total adecuación de fondo y forma, es lo que hace que los géneros literarios sean discontinuos y exclusivos.

No es difícil conjeturar por qué Ortega pone tanto tesón en derrocar la noción que la antigua poética se forja de los géneros literarios. Como estructuras que son del espíritu racionalista clásico, en su creación va aneja ya la arrogante pretensión a una vigencia permanente, inmune a la acción corrosiva del tiempo y el espacio. Pero ocurre que el hombre concreto no vive en la utopía ni en la ucronía, sino en la historia, esto es, en un momento y lugar determinados, y que lo único permanente en él es cabalmente su mutabilidad. El hombre no puede calificar de eterna ninguna obra suya más que recurriendo a la ironía, apelando a ese fondo de insinceridad que se encuentra, sin más que mirar con algún cuidado, en todas las épocas llamadas clásicas. «Cuando oigo decir que una obra es "clásica" —declara Ortega—, cuando "vale para todos los lugares y todos los tiempos", recelo siempre en ella una inspiración utópica, formalista e insincera.»

Así, pues, Ortega acepta la existencia de los géneros literarios, pero se apresta a rescatarlos de la prisión formalista en que los tiene recluidos la preceptiva clásica. Una vez puestos en libertad, procederá a henchirlos de sentido histórico, esto es, a calcular en qué medida cada uno de ellos ha logrado, en un momento particular, encarnar y dar sentido estético a un aspecto de lo humano. No es sólo la viabilidad de los géneros literarios en una determinada circunstancia histórica, sino también los motivos de su vigencia o caducidad, lo que, si bien se mira, incita a Ortega a servirse repetidamente de ellos. Por qué Grecia, en sus mejores tiempos, exigía que el poeta mantuviera entre sí y su tema poético una distancia ideal —esto es, el mito—, y por qué la Europa del segundo cuarto del siglo pasado requería de sus poetas todo lo contrario; por qué no hubo ni podía haber auténtica poesía lírica en el siglo XVIII; por qué en España, y sólo en España, pudo cuajar la literatura de rencor que es la novela picaresca. La respuesta a estas interrogantes y otras de cariz análogo es lo que lleva a Ortega a escudriñar pertinazmente las categorías genéricas. Y, claro está, pronto nos percatamos de que, más que como categorías literarias, él las utiliza como modalidades histórico-culturales. Lo que, en fin de cuentas, se propone Ortega es un uso instrumental de la literatura, porque no es en ella, aunque parezca superfluo subrayarlo, donde se posa en definitiva su mirada. Ésta otea otra cosa mucho más compleja y, para Ortega, de mayor importancia, de la que lo literario no es más que un ingrediente o síntoma, a saber, el temple característico de una época histórica determinada, la imagen total que esa época deja en la retina del observador. La literatura queda reducida a una función ancilaria de la psicología cultural.

Ha habido algún momento —singularmente en la advertencia al lector que abre camino a las *Meditaciones del Quijote*— en que Ortega, viéndose en el aprieto de tener que justificar algunas de sus faenas críticas, ha declarado paladinamente que «el crítico ha de introducir en su trabajo todos aquellos utensilios sentimentales e ideológicos merced a los cuales puede el lector medio recibir la impresión más intensa y clara de la obra que sea posible». Ahora bien, estos «utensilios» extrínsecos a la creación literaria no son sino los órganos que en la circunstancia histórica escoge el crítico para mejor *potenciar* —la expresión es de Ortega— la obra, es decir, para poner en evidencia lo que en ella se encierra de pleno significado humano. La recta comprensión, pongamos por ejemplo, de una tragedia de Corneille puede exigir, según Ortega, el que la examinemos en atención a una pluralidad de perspectivas: estética, social, religiosa, ética, política, lingüística, etcétera. Pero una vez «potenciada» así la obra, llenadas todas sus lagunas y alumbradas todas sus oquedades, sobre su redondeada superficie vendrá ahora a reflejarse, a su vez, cada uno de los elementos de la circunstancia histórica, de acuerdo con el cual la hemos observado previamente. Hay, sin embargo, algo más que un mero reflejo especular; hay, por añadidura, una integración de perspectivas. Y esta integración viene a hacer de cada obra literaria una síntesis de la circunstancia histórica en que ha sido creada y, en consecuencia, un instrumento de maravillosa precisión y delicadeza en manos del amante de la filosofía de la historia.

Se dirá, y con razón, que esta labor de «potenciación» de la obra literaria dista bastante de aquella otra tarea, propuesta en 1902, consistente en «clavar en la frente de las cosas y de los hechos un punzón blanco o un punzón negro». La alteración no tiene por qué extrañarnos, y el propio Ortega nos brinda la explicación de ella: «A los veinte años —escribe cuando ya tenía treinta y tres— se lee como se vive; añadiendo unidades nuevas a nuestro cúmulo de ideas y pasiones; mas ya a los treinta años sospechamos que no es lo decisivo el número bruto de unidades, sino la proporción entre el debe y el haber». La crítica es discreción, perspicacia para notar distinciones y sutilezas para establecerlas, y no simple afán de polarizar actitudes. Ortega abandona, pues, sus punzones, comprendiendo que cuanto más enérgicas son la afirmación y la negación tanto menos sentido crítico tienen. Lo que no abandona, sin embargo, es el convencimiento de que la crítica ha de ser intensamente personal y de que en ella va implícito siempre un forcejeo afectivo. Porque conviene recordar que ese «debe» y ese «haber» de que habla Ortega en 1916 no son, en realidad, *cánones* de conformidad con los cuales se juzga una obra literaria, sino lo que él mismo prefiere llamar «íntimas ponderaciones», que llevan a aceptar o rechazar, por motivos primordialmente sentimentales, una creación o manera literaria determinadas. «Cuando hemos leído ya mucha literatura —nos confiesa Ortega— y algunas heridas en el corazón nos han hecho incompatibles con la retórica, empezamos a no interesarnos más que en aquellas obras donde llega a nosotros, gemebunda o riente, la emoción que en el autor suscita la existencia.» Rebasada la latitud de los treinta años, Ortega se contentará con espigar en el ancho campo de lo literario aquellas obras por las que siente una inclinación cordial. Y, naturalmente, esas obras son las que pueden servir de ilustración o apostilla a alguna fase de la visión orteguiana del mundo.

Y es, en efecto, esta visión, desmenuzada en la muchedumbre de sus aspectos parciales, lo que desde luego nos llama la atención al repasar los ensayos que Ortega consagra a la crítica de autores y libros. El *Adolphe*, de Benjamin Constant, le servirá de pretexto para reflexionar acerca del tema del amor, uno de los más reiterados en el repertorio orteguiano; la lectura de *Le petit Pierre*, de Anatole France, inducirá una serie de comentarios acerca de la perfección desvitalizada como objetivo estético; la condesa Anne de Noailles justificará un breve devaneo sobre la capacidad de la mujer para el auténtico lirismo; Mallarmé le invitará a esbozar una teoría de la poesía como «silencio elocuente», es decir, como arte de «callar los nombres directos de las cosas, haciendo que su pesquisa sea un delicioso enigma»; Proust le llevará a hablar de nuevas maneras estéticas de bregar con el tiempo y el espacio muy consonantes con la filosofía y la psicología finiseculares. Esto en cuanto a autores de allende los Pirineos.

En cuanto a los de puertas adentro, la índole accesoria de la crítica literaria en Ortega resulta, si cabe, aún más patente, pues a las preocupaciones de orden filosófico o filosófico-cultural viene ahora a sumarse la apremiante cuestión de dar sentido a una realidad española que desde luego se estima lamentable. Es ahora el consabido «problema de España», singularmente el de la España de su tiempo, lo que Ortega quiere elucidar glosando, entre otras muchas cosas, la literatura vernácula. Más de una vez se ha aludido a la indiferencia, cuando no se la conceptúa inequívoca hostilidad, con que se ha enfrentado en sus escritos con algunas fases de las letras españolas. Si exceptuamos a Cervantes y Góngora, el silencio orteguiano ante la literatura del Siglo de Oro ha sido tomado como indicio de cortés desestima; y el aficionado a cazar alusiones y desentrañar ambigüedades quizá no halle difícil probar que Ortega siente desabrimiento ante la picaresca, tiene en poco al teatro del siglo XVII y en nada a Quevedo. En cambio, su admiración por el *Quijote* es notoria; pero adviértase que lo que le lleva a explorar de continuo el libro ejemplar no es sólo la excelencia artística, sino justamente la «preocupación patriótica», el convencimiento de que en esta obra, y quizá sólo en ella, vale la pena buscar con alguna esperanza la clave del «secreto español», de la contradicción que es toda la historia de la cultura española. «Es por lo menos dudoso —declara Ortega con este motivo— que haya otros libros españoles verdaderamente profundos. Razón de más para que concentremos en el *Quijote* la magna pregunta: Dios mío, ¿qué es España?» Y si esa busca resultara, por lo que toca a Ortega, infructuosa a la postre en cuanto a su objetivo ideal, no cabe duda que en otros particulares es sobremanera fértil. En su peregrinación meditativa bajo el signo de Cervantes, Ortega perfila una metafísica, esboza una teoría de la cultura, articula una estética literaria y confecciona unas páginas que figurarán entre las más bellas de la prosa castellana.

Pero son, en última instancia, los literatos de su tiempo, de ese tiempo cuyo «tema» o significado es el objeto de su constante atención, los que Ortega analiza con especial esmero. En cada uno de ellos cree ver, transmutados en arte, rasgos cardinales de la vida hispánica que, ensamblados con actitudes y aspiraciones personales, pueden contribuir a revelarnos ese arcano que es España. Así, pues, buscará en Baroja síntomas del histerismo, del espíritu andariego y aventurero, de la insociabilidad del español; Azorín le demostrará con exquisito artificio que «España no vive actualmente; [que] la actualidad de España es la perduración del pasado»; Pérez de Ayala le dará ocasión para reflexionar acerca de la amputación espiritual que en las nuevas generaciones españolas ha causado la educación jesuítica; en Valle-Inclán estudiará la reacción contra el carácter retórico y oratorio de la lengua literaria tradicional y atisbará una consciente tentativa de flexibilizar y henchir de emoción estética el habla castellana; en Unamuno, «fuerte máquina espiritual», ve íntimamente asociados y exacerbados dos ingredientes de signo contrario que se dan en el espíritu español: la pujanza creadora y el energumenismo nihilista; en Maeztu percibe la actitud, tan natural como inaceptable, de la juventud rebelde a favor de un pragmatismo intransigente frente a las trapacerías, ineptitudes y vacuidades de la España oficial.

Tal es, reducida a boceto, la índole de la crítica literaria que nos ha legado Ortega. Personal en su raíz, perspectivista como todo el pensamiento orteguiano, empapada de simpatía intencional, su función principal consiste en crear en torno de la obra literaria un contexto interpretativo que revele su pleno significado y que, a su vez, articulado con la obra sirva de instrumento para la sistemática exploración de una fase determinada en la historia de la cultura. No ha sido propósito nuestro en esta ocasión pronunciarnos acerca del valor de este método crítico. Nos contentamos con trazar su perfil y con sugerir que, en manos de Ortega, ha dado sazonado fruto. Y en este breve resumen nos hemos dejado guiar por la opinión orteguiana de que a ser juez de las cosas es siempre preferible ser amante de ellas.

RICARDO SENABRE SEMPERE

LITERATO ANTES QUE FILÓSOFO: LA METÁFORA EN ORTEGA

En los escritos de Ortega, uno de los rasgos más notorios con que tropieza el lector es la escasa frecuencia con que aparecen las metáforas aisladas y señeras, a modo de incrustaciones en el contexto. Por lo general, el procedimiento es más complejo. Partiendo de una metáfora, ésta se desarrolla y se extiende y va creando elementos secundarios pertenecientes a su campo asociativo. [...]

Nosotros tenemos el mundo metido en cajones; somos animales clasificadores. Cada cajón es una ciencia, y en él hemos aherrojado un montón de esquirlas de la realidad que hemos ido arrancando a la ingente cantera maternal: la naturaleza. Y así en pequeños montones, reunidos por coincidencias, caprichosas tal vez, poseemos los escombros de la vida. Para lograr este tesoro exánime tuvimos que desarticular la Naturaleza originaria, tuvimos que matarla (II, pp. 51-52).

El procedimiento de encadenar metáforas muestra con creces la fertilidad del escritor, pero también puede ofrecer un indudable peligro: que el autor, arrastrado por la sugestión verbal, conceda primacía, por algunos instantes, a estos juegos de ingenio. [Por esta vía puede llegar el estilo de Ortega a ocasionales caídas en el mal gusto o en la trivialidad ... La metáfora es en Ortega una potencia innata, consustancial. En la motivación de sus constantes recursos metafóricos hay, por tanto, un fondo temperamental de predisposición y facilidad innegables.] Por otra parte, la metáfora es un procedimiento eficaz que embellece la prosa, libera a la expresión vulgar de su atonía y gana lectores adeptos. Al explotar estas posibilidades subyacen, en el fondo de la intención orteguiana, las ideas novecentistas, su afán de adoctrinar y educar, juntamente con un poso esteticista que no desdeña ningún factor ornamental. Pero hay algo más. Recuérdense sus palabras: «La metáfora ... es una forma del pensamiento cientí-

Ricardo Senabre, *Lengua y estilo de Ortega y Gasset*, Acta Salmanticensia, Salamanca, 1964, pp. 136-144.

fico». Pensando, sin duda, en esta afirmación, Eleazar Huerta señala que la belleza de estilo orteguiano «no es adorno ni disfraz de la verdad sino garantía de la misma. Como la verdad es supralógica, ha de ser captada y expuesta poéticamente». Al estudiar las imágenes orteguianas [debe insistirse] en esta significativa relación entre estilo y pensamiento, a veces tan amalgamados que resulta problemático deslindarlos. Por el momento basta señalar que las metáforas acompañan sin cesar al razonamiento, lo apoyan y lo clarifican. La mayor parte de las veces rematan y condensan una disquisición teórica: son metáforas ejemplificadoras, como ésta: «Lo narrado es un "fue". Y el fue es la forma esquemática que deja en el presente lo que está ausente, el ser de lo que ya no es —la camisa que la sierpe abandona» (VI, p. 256). [...] Algunos de estos remates metafóricos han tenido luego peculiar fortuna. Así, la frase en que Ortega sintetiza en 1925 las características de la poesía de aquellos años: «La poesía es hoy el álgebra superior de las metáforas» (III, p. 372). [...]

En ocasiones, la metáfora precede a la teoría y es velado anticipo de ella. Uno de los ejemplos más prodigiosos se encuentra en la descripción inicial de las *Meditaciones del Quijote*. En un admirable estudio, Margot Arce [1956] ha mostrado cómo la descripción del bosque prepara la exposición de los puntos más importantes de la disertación: el bosque y sus árboles llevarán a las relaciones entre superficie y profundidad o sensación y concepto; los sones de arroyos y oropéndolas sustentan la posterior distinción entre las puras impresiones y las estructuras de impresiones; finalmente, la rapidez de los cambios temporales alude a la inestabilidad de una cultura basada en el impresionismo. De este modo, el bosque se convierte, para Ortega, en «el estímulo y acicate de su meditación». Ciertamente, no es sencillo encontrar muchos ejemplos de tan absoluta coherencia, tal vez porque los libros de Ortega no están rigurosamente pensados como tales, sino como artículos de periódico o ensayos cortos agrupados con posterioridad. [...]

Lo que sí hay, en cambio, son metáforas que aparecen primariamente y con cierta frecuencia como intuiciones de carácter literario y luego pasan a ser soportes de una expresión filosófica o incluso constituyen la fórmula misma de expresión. El asunto, por las implicaciones que arrastra, es sumamente delicado y puede inducir a equívocas interpretaciones, pero sin duda es una muestra de la ósmosis que en Ortega se produce entre el pensador y el artista dotado de un estilo imaginativo y permeable.

En 1947 Ortega, al estudiar a Velázquez, escribe: «Puede darse en la mente de un artista la presencia de su propio estilo antes de que imagine ningún proyecto concreto y singular del cuadro» (VIII, p. 564). Aplicado esto al propio Ortega encontramos que, en efecto, su estilo se encontraba ya formado con anterioridad al escrito que suele considerarse como punto de partida de su filosofía: *Adán en el paraíso* (1910). En las mismas páginas sobre Velázquez todavía se mostrará Ortega más explícito: «Cuando sus contemporáneos contemplaban alguna nueva obra de Miguel Ángel no sabían hablar más que de su *terribilità*. Y en efecto, antes de forjarse Miguel Ángel la idea de una posible escultura, de un posible dibujo, lo que tenía delante del alma y succionaba a ésta, con máxima fuerza de atracción, era "lo terrible"; así, en neutro y en genérico y en abstracto, la pura calidad "terrible". En el alma del artista los adjetivos se dan antes que los sustantivos y, por casi milagro metafísico, los accidentes estéticos preexisten a las sustancias» (VIII, p. 565). Lo que suele haber antes es, por tanto, lo estético —si nos retrotraemos a Ortega, lo metafórico—, en un estadio intuitivo y preteórico. La confesión es sumamente útil. El mismo Marías ha reconocido que *Adán en el paraíso* es una «metáfora originaria» que «dice en 1910, en imagen, lo que en 1914, en conceptos, *yo soy yo y mi circunstancia*». Si uno de los puntos viscerales del pensamiento orteguiano se asienta sobre una originaria intuición metafórica, de carácter literario, ello puede dar idea de hasta qué punto es el subsuelo artístico de Ortega quien condiciona su teoría, la dirige y la encauza, y no, como se ha apuntado, el pensamiento quien preside el desarrollo del estilo. Al hablar de *Adán en el paraíso* señala Marías: «Cuando reflexiona [Ortega] sobre el título de su ensayo dice: "Yo no sé bien por qué le llamé así". Acaso no lo supiera todavía el joven filósofo; lo sabía sin duda el escritor».

Ahora podrá percibirse con mayor claridad la razón de nuestra insistencia al hablar de la orientación literaria de Ortega. Esta idea no implica un rechazo de la dimensión filosófica; obedece a un deseo de poner en claro en qué medida la vertiente literaria, artística, es un sustrato básico en Ortega, hasta el punto de que no sólo embellece el pensamiento, lo amplifica e ilumina, sino que preexiste a él y le sirve de originario y fundamental soporte. No se olvide que el arte es también un descubrimiento de realidades.

Un ejemplo puede añadir alguna luz a todo lo anterior. Uno de los tipos de metáforas más frecuentes en Ortega se basa en una imagen de naufragio. La vida es para el autor un naufragio. En 1929 —y en el terreno de la pura teoría— Ortega escribe formalmente: «Vivir ... es encontrarse de pronto, y sin saber cómo, caído, sumergido, proyectado en un mundo incanjeable, en éste de ahora. Nuestra vida empieza por ser la perpetua sorpresa de existir, sin nuestra anuencia previa, náufragos, en un orbe impremeditado» (VII,

p. 417). Esto, en 1929. Algunos escritos posteriores repiten la idea y la perfilan. En 1931: «La vida no es el sujeto solo, sino su enfronte con lo demás, con el terrible y absoluto "otro" que es el mundo donde al vivir nos encontramos náufragos. No creo que haya imagen más adecuada de la vida que ésta del naufragio» (V, p. 420).

La idea explícita de la vida como naufragio aparece sin cesar a partir de 1929 (IV, 254, 321, 397; V, 24, 393-394, 420, 472, etcétera) y se extiende medularmente a lo largo de toda la obra orteguiana. Ahora bien: el naufragio *como simple imagen literaria* es muy anterior a 1929. Unos ejemplos sucesivos nos mostrarán la evolución desde la metáfora a la idea:

En 1904 puede hallarse un lejanísimo y embrionario escorzo intuitivo: «Y es en vano pretender hurtarse a esa vida de músculos distensos y heridas que sangran siempre ... En tales instantes, quien no se mueva y no golpee *se va al fondo*, desaparece» (*Los terrores del año mil*, 7). En 1910, en cambio, la metáfora se halla ya prácticamente construida: «Aquel rincón y aquel diván de peluche raído son como un peñasco de soledad donde esperan mejores tiempos estos náufragos de la monotonía, el achabacanamiento, la abyección y la oquedad de la vida española» (II, p. 69). «Un día nos sorprendió el silencio del novelista, hundido, casi náufrago, en las olas tempestuosas de sus galeradas» (II, p. 78). En 1914 se ha enriquecido la primitiva intuición: las nociones de vida y naufragio aparecen súbitamente cercanas. Se trata de una aproximación literaria: «Colocar las materias de todo orden, que la vida, en su resaca perenne, arroja a nuestros pies como restos inhábiles de un naufragio, en postura tal que dé en ellos el sol innumerables reverberaciones» (I, p. 311).

Obsérvese cuál es el despliegue metafórico: la vida nos lanza sin cesar materias heterogéneas, acumuladas y en desorden, que nosotros debemos asimilar y ordenar; es una especie de mar inmenso que deposita su resaca en las orillas: restos inservibles y en caótica confusión, como si procedieran de un naufragio. Como se ve, vida y naufragio se muestran afines, en el sentido de que están adscritas a nociones cercanas, pero no hay aún identificación entre ambas. Esta identificación no aparecerá hasta 1922, y aun así, aplicada a una vida concreta y montada sobre una interpretación literaria. El *Quijote* será «la triste epopeya de los lomos apaleados, donde la vida se define como naufragio irremisible y esencial derrota» (II, p. 375).

De aquí a la concepción teórica de la vida humana como naufragio hay sólo un paso. Pero hasta llegar a ella ha habido una cadena progresiva de metáforas de índole estrictamente literaria, merced a las cuales Ortega acaba perfilando una doctrina que al final aparecerá enunciada de un modo taxativo. Por consiguiente, parece necesario plantear el problema invirtiendo el orden tradicional de los términos: Ortega no piensa que la vida es un naufragio y por ello en sus imágenes aparece el naufragio de modo continuo, sino que esta imagen literaria es previa y a través de ella desemboca el autor en la teoría. Una muestra más de que en Ortega la faceta literaria precede con frecuencia, cronológica y formalmente, a la filosófica.

ANTONIO VILANOVA Y GUILLERMO DÍAZ-PLAJA

EUGENIO D'ORS: CLASICISMO Y NOVECENTISMO

I. [Arquetipo del catalán universal], Eugenio d'Ors ha sido, primero en la Cataluña de principios de siglo, después en el ámbito de España entera, el teorizador y maestro de una doctrina de clasicismo esencial que, muchas veces a contracorriente de su época, ha mantenido con fidelidad insobornable frente a todos los movimientos y tendencias que han pretendido implantar el predominio de lo informe, irracional e instintivo sobre el sereno equilibrio de la razón. Desde sus años juveniles de escritor en lengua catalana, en que la cotidiana aparición del *Glosari* de «Xènius» constituyó la norma intelectual y estética del movimiento novecentista, que tuvo en él su creador, pontífice y maestro, la filosofía aforística y sentenciosa de Eugenio d'Ors —en la que es perceptible una curiosa mezcla de esteticismo parnasiano y racionalismo dieciochesco, de clasicismo goetheano y platonismo socrático—, se ha consagrado a la exposición sistemática de este clasicismo esencial, igualmente aplicable al campo de las ideas y de las formas y siempre basado en las seguras normas de la inteligencia y de la razón.

Los fundamentos de esta filosofía de la inteligencia, especie de

I. Publicado en André Rousseau, *Panorama de la literatura del siglo XX*, traducción, prólogo y apéndices de Antonio Vilanova, Guadarrama, Madrid, 1960, en el apéndice sobre «Las literaturas hispánicas del siglo xx», pp. 728-731.

II. Guillermo Díaz-Plaja, *Estructura y sentido del novecentismo español*, Alianza, Madrid, 1975, pp. 150-158.

idealismo racionalista, englobado en la armoniosa entelequia de un sistema cuya simplicidad elegante y esquemática le acerca más a los dominios de la estética que a los del conocimiento ontológico, existencial o metafísico, nos enfrentan con el pensamiento de un intelectualista puro, absorto en la pura contemplación de las ideas y de las formas, que soslaya todas las cuestiones de principio y fin que puedan alterar el orden existente, y todos los problemas de índole existencial o sobrenatural que puedan destruir su arquetipo ideal de humanidad equilibrada y consciente. Pese a sus evidentes limitaciones como sistema, el neointelectualismo dorsiano, surgido como reacción contra la filosofía bergsoniana de la intuición y contra el agónico existencialismo unamuniano, posee una trascendencia decisiva en el panorama del pensamiento español contemporáneo, por cuanto introduce en él una norma inflexible de equilibrio, medida y razón, muy propia, según el autor de *La ben plantada*, del espíritu catalán y mediterráneo.

En rigor, lo que Eugenio d'Ors pretendió fue restaurar el intelectualismo, enalteciendo nuevamente a la ciencia, sin dejar de reconocer que no comprende toda la vida, pero sí lo mejor de la vida. Este intelectualismo era, además, un humanismo, basado en la idea del hombre como persona, es decir, como entidad superior resultante de la unidad sustancial de un cuerpo y un alma. Realidad, por tanto, corporal y espiritual a un tiempo, en armónico equilibrio entre sus dos partes, y con participación en dos mundos, no antagónicos, sino conciliables: el del pensamiento y el de la carne; el de la razón y el del instinto. Entre estos dos mundos contrapuestos, de los que el hombre participa por su doble ser de ángel y bestia, existe una región intermedia, más baja que el pensamiento, más alta que el instinto, que reside en los ojos y que capta la apariencia externa de las cosas, esto es: el sentimiento. Ahora bien, como quiera que lo angélico del hombre reside en su espíritu, inseparable de la sustancia corporal, y, en consecuencia, de la suprema unidad y equilibrio entre la razón y el instinto, el intelectualismo dorsiano rechaza como aberrante y nocivo todo cuanto pretenda destruir ese perfecto equilibrio de lo humano, dando una especial preponderancia a cualquiera de los dos elementos que lo integran. Por ello, una de las tareas que impuso a su vida nuestro gran pensador, fue el combate contra los que él llamaba los dos grandes fantasmas: en ciencia, lo infinito; en arte, lo inefable.

De ahí que Eugenio d'Ors haya sido el enemigo irreconciliable de todo arte de efusión íntima, sentimental e intuitiva, ya se trate del simbolismo decadentista de fines de siglo, al que reprocha su vaguedad nebulosa y soñadora y su misticismo lívido y blando, hecho de presentimientos y balbuceos; ya se trate del mundo oscuro del subconsciente, descubierto por el psicoanálisis freudiano, que ha revelado la existencia, dentro de nosotros, de un poso incontrolado de instintos bajos y bestiales: «Maldito Freud, maldito psicoanálisis —escribe en uno de sus aforismos—, que me han estorbado la emoción de serena paz con que yo contemplaba, antes, en Viena o en Zurich, los ojos azules de las jóvenes transeúntes que pasaban por mi lado».

De ahí también que este ególatra antirromántico, que llevó a extremos incalculables el endiosamiento de la propia personalidad, y que profesó hasta sus últimos límites el culto de la forma, bajo el lema de que «la forma decide; el exterior decide; la actitud decide», haya sentado como uno de los primeros axiomas de su sistema la necesidad de «exorcizar lo subconsciente, dándole su parte», excluyendo al propio tiempo todo enfermizo alarde de la propia vida interior, que la nueva literatura del período de entreguerras había cultivado con delectación morosa. El noveno mandamiento del *Decálogo de la sencillez* dorsiana, ordena no abusar de la llamada «vida interior», no porque sea malo tener una vida interior, sino porque es un daño sentirla y un pecado cultivarla: «Quita, quita, vida interior. Siempre te quedará demasiada. ¿No ves lo que ocurre con la salud del cuerpo? Quien ve perfectamente no siente el existir de sus ojos, no se acuerda de ellos. El hombre perfectamente sano no sabría, sino por referencia, que tiene pulmones, hígado o corazón. Así, en lo espiritual, alma perfectamente sana sería la que, al sobrevenir la hora de la muerte y dejar el cuerpo, se quedase completamente sorprendida al ver que era inmortal».

Como lógica consecuencia de esta actitud, fundamentalmente antirromántica, basada en la negación tajante de «el misterio», «lo infinito», «lo inconsciente» y «lo inefable», la nueva estética del novecentismo, formulada, a partir de 1906, en las páginas del *Glosari* de «Xènius», pretendió sustituir el culto espontáneo de la inspiración del modernismo maragalliano, por el riguroso intelectualismo y el culto de la disciplina y de la norma de un nuevo clasicismo. El sustrato teórico de este clasicismo esencial, fue la famosa «estética arbitraria», que el joven «Xènius» contrapuso a la estética maragalliana de la palabra viva —sustrato teórico, según él, del más puro romanticismo—, y que bajo la extraña denominación de arbitrarismo o arte arbitrario, pretendió convertir la literatura catalana posmodernista en una pura creación intelectual, sometida a los severos cánones de la proporción y el equilibrio, de la belleza y de la forma, y dotada de la acabada perfección de la obra bien hecha: «Arte singular —escribe Eugenio d'Ors—, este arte arbitrario. Con toda una estética y toda una metafísica por dentro. Arte igualmente lejano del lírico impresionista, "interjeccional" le llamo yo —que ha alcanzado su cabal expresión poética en la teoría de la "palabra viva", de nuestro Juan Maragall—, como del arte imitativo que, en su fatalista humildad, se resigna a la reproducción de la naturaleza». Arte que, además de una estricta sujeción a la norma, exige, como todo humanismo, el directo entronque con una tradición cultural anterior: «Clasicismo. Sólo hay originalidad verdadera cuando se está dentro de una tradición. Todo lo que no es tradición es plagio».

Espíritu esencialmente minoritario y aristocrático, cuyos ideales de clasicismo y de romanidad se estructuraron sobre un fondo racionalista y aristotélico, que, pasando siempre de lo particular a lo universal, pretendió elevar, como él decía, la anécdota a la categoría, Eugenio d'Ors ha sido, más que un gran filósofo creador, un brillante y sutil teorizador de la cultura y del arte. En el ámbito general de la historia y evolución de las ideas estéticas, y en el más concreto y específico de la teoría y de la crítica de arte —en los que ha dejado verdaderas obras maestras—, su lúcida penetración, su inteligencia crítica y su infalible buen gusto, le han situado merecidamente entre los más grandes maestros que ha producido en este género la literatura europea del siglo XX.[1]

1. [En tanto crítico literario, D'Ors a menudo se nos aparece «fluctuando entre un clasicismo que se fija como ideal y un barroquismo que le tienta. Igual vacilación observamos en su crítica. Por un lado, su ideal estilístico es lo preciso y exacto, lo claro, lo sólido y bien trabajado. Por otro, sabe apreciar la barroca belleza del estilo retórico de Donoso o Menéndez Pelayo. Su clasicismo constituye a veces un prejuicio que le hace caer en enormes errores críticos: Así, la poca estimación y comprensión de la novela moderna que tiene su fundamento en considerar vigente la caracterización hegeliana de los géneros literarios, según la cual la novela (descendiente de la épica) es esencialmente un arte de objetividad. Otras veces, en cambio, sabe apreciar las obras de arte con espíritu abierto, libre de prejuicios academicistas: así, por ejemplo, cuando dice que en Rubén Darío "las tachas incrementan todavía el donaire", o, comentando a Baroja, identifica el romanticismo que éste propugna con la noción más querida de todo su sistema de pensamiento, la de Ángel ... En la consideración que hace D'Ors del lenguaje, debemos valorar positivamente su visión espiritualista, no de gramático tradicional normativo. La negación de la oposición fondo-forma, basada en su estimación de la idea encarnada, del objeto singular provisto de un "sentido". La valoración de la palabra, a la vez, como aportación cultural de la sociedad y como elemento ordenador de nuestra visión del mundo. La

II. En un artículo publicado en el primer volumen de *El espectador* (mayo de 1916), Ortega y Gasset se declara, inequívocamente, «novecentista», bien que no use este sustantivo ni aluda a una posición «antimodernista», por análogas razones. El artículo en cuestión se titula «Nada "moderno" y muy siglo XX». Es un manifiesto antiochocentista. ¿Cuáles son los valores denostados en la centuria anterior? Los mismos que denuesta el «Xènius» del primer *Glosari*, a saber:

El positivismo y la modernidad como valores intercambiables. «Y es que el positivismo vivió dentro de ellos en una atmósfera espiritual impregnada de ambición "modernizante", de suerte que el positivismo no sólo les parece lo verdadero, sino a la vez lo "moderno". Y viceversa, cuanto no sea positivismo sufrirá su repulsa no tanto porque les parece falso, sino porque les suena a "no moderno" ... Yo conozco a muchas gentes que tienen la meditación pusilánime y no se resuelven a dejar crecer sus íntimas convicciones antipositivistas, temerosas de ese espectro de inmodernismo que les amenaza.»

El romanticismo, en la medida en que es lo contrario de la cultura griega. Veamos, en el mismo volumen de *El espectador*, el artículo «Leyendo el *Adolfo* libro de amor». «La cultura griega, ejemplo del clasicismo, se caracteriza por la limitación de su campo visual. No creo que pueda entenderse ni admirarse lo verdaderamente helénico sino después de haber notado la preconsciente contracción a que somete la realidad. No hay mundo más espléndido, más lleno de claridad que el mundo visto por la pupila griega ... Por el contrario, el romanticismo es una voluptuosidad de infinitudes, un ansia de integridad ilimitada. Es un quererlo todo y ser incapaz de renunciar a nada; por esto hay en él siempre confusión e imperfección. Toda obra romántica tiene un aspecto fragmentario.»

Lo que Ortega denuesta en el artista romántico es su inmersión en la propia obra. Recuérdese, por ejemplo, lo que opina de la música de Debussy. A medida que vaya exponiendo su pensamiento, en los artículos que empieza a publicar en 1923, que constituirán su libro *La deshumanización del arte* (1926) se advierte el proceso de distanciación entre el yo y la obra. «Es un sistema de pulcritud mental

---

condena franca y decidida del purismo. Y, sobre todo, la gran atención que concede al lenguaje, y la estimación (quizá desmesurada) de su trascendencia filosófica» (A. Amorós [1971], pp. 229-230).]

querer que las fronteras entre las cosas estén bien demarcadas. Vida es una cosa, poesía es otra —piensan, o, al menos, sienten. No las mezclemos. El poeta empieza donde el hombre acaba. El destino de éste es vivir su itinerario humano; la misión de aquél es inventar lo que no existe. De esta manera se justifica el oficio poético. El poeta aumenta el mundo, añadiendo a lo real que ya está ahí por sí mismo, un irreal continente.»

¿No es esta la actitud radical de la estética «arbitraria» que prohíbe al paisajista formar parte del paisaje y se distancia irónicamente del objeto creado como por el juego de la inteligencia? Escribe D'Ors: «El primer deber del paisajista es no formar parte del paisaje» ... «La medida del paisaje eres tú. Pero tú no eres el protagonista del paisaje.» Para Ortega, en suma, también «el arte es artificio, es farsa, taumatúrgico poder de irrealizar la existencia» anotando, incluso, que «el poeta tratará su arte con la punta del pie, como un buen futbolista». Y todavía: «El cubismo es un ensayo de posibilidades históricas que hace una época desprovista de arte primario».

Todas las actitudes dorsianas contra el arte espontáneo, contra lo que «Xènius» denominaba (aludiendo injustamente a Maragall) dicción «interjeccional», contra el naturalismo expresivo, se convierten en un elogio a la elaboración: «Estilizar es deformar lo real, desrealizar. Estilización implica deshumanización y viceversa; no hay otra manera de estilizar, sino deshumanizar». «El objeto artístico sólo es artístico en la medida que no es real.» «Todas las grandes épocas del arte han evitado que la obra tenga en lo humano su centro de gravedad. Y ese imperativo de exclusivo realismo que ha gobernado la sensibilidad de la pasada centuria significa precisamente una monstruosidad sin ejemplo en la evolución estética. De donde resulta que la nueva inspiración, en apariencia tan extravagante, vuelve a tocar, cuando menos en un punto, el camino real del arte. Porque este camino se llama "voluntad de estilo". Ahora bien: estilizar es deformar lo real, desrealizar. Estilización implica deshumanización.» [La noción orteguiana-dorsiana de juego se prolongará hacia la generación de 1927.]

El paralelismo entre las tareas educativas de D'Ors y de Ortega aparece con notable claridad, incluso en la utilidad de los nombres que abanderan sus campañas. Si «Xènius» proclamaba su «heliomaquia», o combate por la luz, utilizando una simbología del XVII, que enfrentaba las luminarias de la inteligencia a las «sombras» de la ignorancia o del fanatismo,

Ortega se sentirá portador de antorcha de claridades intelectuales, de palabras luminosas, «pagando irónicamente —anota Guillermo de Torre— con el reverso de la moneda la deuda que había contraído con el pensamiento germánico». [...]

Partiendo de su explícito y radical antiochocentismo, la ecuación D'Ors-Ortega es hacedera en la confrontación de sus respectivas tareas de misión, como ambos definían sus respectivas tareas intelectuales juveniles en Madrid o en Barcelona. El intervencionismo dorsiano en las organizaciones culturales de Cataluña es correlativo a la programación que supone el ensayo *Vieja y nueva política* (1917), de Ortega. Su paralela acción en lo periodístico, con rúbrica permanente —*Glosari*, *El espectador*— y cauce fijo —*La Veu de Catalunya*, *El Sol*—; su paralela atención a la literatura; y a partir de un momento dado, su predilección hacia la pintura en uno y otro. Análoga también su voluntad de vigilancia del mundo —el «Guaita», «El Espectador»—, atentos uno y otro al tema trascendental y a la moda de apariencia más frívola, con pareja delicuescencia ante ciertos cuadros sociales de la aristocracia madrileña. Su constante ir y venir entre lo anecdótico y lo categórico convenía a entrambos, así como la ausencia común de una rigurosa construcción metafísica.

Enamorados, uno y otro de los decires retóricos, admirables *causeurs* y deslumbrantes conferenciantes, cumplen a maravilla la función magistral que el destino puso en sus manos. Careció D'Ors, a este respecto —es justo decirlo—, de dos instrumentos de proyección cultural de que Ortega gozó plenamente: la cátedra universitaria y la *Revista de Occidente*, que, con su complemento editorial, caracteriza plenamente este período y merece una breve consideración.

La aparición, en julio de 1923, de la *Revista de Occidente* es uno de los índices preciosos de la fecundidad de este que denominamos «período de inflexión» de la cultura española «en torno a los años veinte». Significa, para empezar, la sistematización de la presencia de Ortega y Gasset en el ruedo de la cultura española. Si, en un principio, desde 1917, «El Espectador» quería asumir esta función, a título estrictamente personal, que se prolonga en las colaboraciones periodísticas de *España* y *El Sol*, *Revista de Occidente* aparece en 1923 como una misión de equipo: como la bandera de combate que gobierna a una élite cultural. «De espaldas a toda política —afirma—, ya que la política no aspira nunca a entender las cosas, procurará esta revista ir presentando a sus lectores el panorama esencial de la vida europea y americana.» Claro está que esta renuncia debe entenderse bajo condición. Pues, ¿cómo podría abstenerse de ella el autor de *Vieja y nueva política*, el promotor de empresas periodísticas como *Crisol* (1931) o *Luz* (1932)?

Lo que acontece es que el arquero que es Ortega —y uso el símbolo preferido de sus empresas editoriales— dispara por elevación. Y lo que el pensador madrileño se propone es una nueva conciencia de España. De momento, como indica en sus propias palabras, «presentando a sus lectores el panorama esencial de la vida europea y americana». El índice de los artículos publicados por la *Revista* entre 1923 y 1936, indican que este propósito se cumple, aunque de modo especial en lo que concierne a la vertiente europea. Culmina así la revista orteguiana la consigna que enarboló la generación del 98 para la que el contacto con las formas de la cultura ultrapirenaica era una exigencia fundamental. Pero ¿cuál de sus formas, especialmente? La respuesta es obvia: la *Revista* es un reflejo abierto al pensamiento germánico. El discípulo del profesor Cohen en Marburgo, el nostálgico evocador de «las fuentecillas de Nuremberga», el mozo estudiante de metafísica hegeliana, Ortega, se propone, en su revista, ser eco de la cultura alemana de su tiempo, y gracias a ella los nombres de Freud, Cassirer, Dilthey, Keyserling, Schulten, Adler, Jung, Simmel se adelantan, en traducciones españolas, a las demás versiones europeas. Si se buscase el paralelismo con la acción culturalista europea de D'Ors habría que concederle a éste una misión análoga en relación con la cultura francesa, en el campo de la filosofía matemática (H. Poincaré), de la filosofía de la historia (Cournot) y de la simple aforística (Joubert).

Es importante subrayar que D'Ors, regresado a España (procedente de la Argentina) después del incidente y separación de la Mancomunidad de Cataluña, y ya instalado en Madrid, se aproxima resueltamente a la *Revista*, en la que colabora desde los primeros números, con «Bodegones asépticos», «El silencio por Mallarmé» y el importante ensayo «La resurrección de Juliano el Apóstata», texto de una conferencia desarrollada en Granada sobre los riesgos que amenazaban la idea romana de Europa y, por ende, en actitud polémica en relación con el pluralismo cultural aceptado por Ortega. Dato también interesante: el primer libro de autor español publicado por la editorial Revista de Occidente es *Mi salón de otoño*, de Eugenio d'Ors. Digamos también, para decir toda la verdad, que la coyuntura de fusión no se prolonga. Como en el caso de Juan Ramón o como en el de Unamuno, está planteada aquí una cuestión de capitanía intelectual.

JOSÉ LUIS L. ARANGUREN

SENTIDO ÉTICO DE LAS FICCIONES NOVELESCAS ORSIANAS

En la obra, varia y rica, de Eugenio d'Ors hay un grupo de narraciones, que comienza cronológicamente con *La bien plantada* y termina con *Villamediana*, muy merecedoras de cuidadoso análisis, tanto desde el punto de vista estilístico como desde el de la ciencia de la cultura. Estas obras han sido hasta ahora poco estudiadas y, con excepción de *La bien plantada*, poco leídas. *La bien plantada*, sí. *La bien plantada* fue ofrecida por su autor como símbolo de la catalanidad. Cataluña aceptó el símbolo, y España, por boca de Unamuno, se mostró dispuesta a ver en este librito, como quería el glosador, la concreta «filosofía de la catalanidad», la teoría del «nuevo espíritu mediterráneo». Frente al supuesto misticismo castellano, frente a la sed de horizontes infinitos y nostalgias de mares sin orillas, frente a la tentación de la aventura por vastísimos inexplorados continentes y el «sentimiento trágico de la vida», se predicaban el límite, la proporción, los «detalles exactos», el orden, la armonía, el sentido clásico de la existencia. Es curioso ver, ya con una perspectiva histórica suficiente, con qué facilidad se aceptaron, por una y otra parte, una serie de esquemáticas convenciones, y, entre ellas, la de una *Castilla literaria* y una *Cataluña plástica.* Porque es verdad que el retrato que de Castilla compuso un Ignacio Zuloaga, por ejemplo, estaba lastrado de elementos extrapictóricos. ¿Pero *dejó ser, hizo ser* Zuloaga a la verdadera Castilla? Andando los años, otro pintor, Benjamín Palencia, nos ha revelado, por medio de la pura materia plástica, una Castilla nada historicista, nada anecdótica, nada folklórica: la tierra que *queda*, por debajo de los acontecimientos, las visiones pintorescas y el «color local», cuando todo *pasa* o quizá cuando ni siquiera ha ocurrido nada aún.

Unamuno y Eugenio d'Ors —sí, también Eugenio d'Ors, el secretamente barroco— fueron pensadores de antítesis. Eugenio d'Ors piensa lo catalán *frente* a la castellanidad, tal como ésta le era pre-

José Luis L. Aranguren, «Sentido ético de las ficciones novelescas orsianas», *Cuadernos Hispanoamericanos*, XXV (1955), pp. 281-287.

sentada por los escritores y pintores del 98, sobre todo por Unamuno y Zuloaga, y hasta por los anónimos tópicos que, inspirados en la literatura dominante, circulaban entonces. Por ello, la *definición* catalana que él da es, en rigor, un *deslinde*. Esto se observa aún en los detalles; por ejemplo, en el del nombre que D'Ors impone a la bien plantada: Teresa. El contraste es buscado precisamente donde se hace más expresivo; a saber: en el máximo acercamiento. Leamos el pasaje correspondiente:

—¿Cómo te llamas, bien plantada?

—Me llamo Teresa.

Teresa, nombre lleno de gracias cuando se pronuncia a la manera de los catalanes.

Teresa es un nombre castellano. Allá es un nombre místico, ardiente, amarillo, áspero. Es un nombre que rima con todas estas cosas de que ahora se habla tanto: «la fuerte tierra castellana», «el paisaje austero, desnudo, pardo», «los hombres graves vestidos de fosca bayeta», «Ávila de los Caballeros», «el alma ardiente de la santa», «Zuloaga, pintor de Castilla», «el retablo del amor», «la mística sensualidad, esposa de Cristo o mujeruca». Ya sabéis, ¿no?, qué linaje de cosas quiere decir.

Pero llega el mismo nombre a nuestra tierra, y de pasarlo por la boca de otra manera adquiere otro sabor. Un sabor a un mismo tiempo dulce y casero, caliente y sustancioso, como el de la torta azucarada. Teresa es un nombre que tiene manos capaces de la caricia, de la labor y del abrazo. Teresa es a la vez un nombre modesto y muy fino. Teresa es un nombre hacendoso. Teresa es un nombre para responder, con voz de contralto: «Servidora me llamo Teresa». Teresa es el nombre de las que tienen, como la Adelaisa del conde Arnaldo —que se llamó Adelaisa sólo porque vivía en unos tiempos muy góticos, historiados y ornamentales—, un poco de sotabarba y un hoyuelo en cada mejilla.

A *La bien plantada* siguen otras narraciones. Su técnica consistirá siempre en escandir el parvo relato en una serie de «cuadros» discontinuos, cada uno de los cuales expresa un sentido intelectualmente aprehensible. La narración es detenida por el pensamiento; la corriente, atravesada por la figura, y el sistema latente, en ficción novelesca. Las invenciones orsianas podrían ser denominadas «novelas de cultura», con lo cual quiero decir que la deontología literaria de Eugenio d'Ors, desdeñando el mediocre lema del «enseñar deleitando», aspira, más levantadamente, a «pensar jugando».

Acabamos de aludir a una paradoja en el modo orsiano de contar: la introducción de elementos estáticos en el seno del dinamismo narrativo, o, dicho de otro modo, la tendencia a «parar» la narración. Pero las paradojas orsianas van más lejos, pues parece normal que los arquetipos presentados como clásicos sean tratados en prosa ordenadamente compuesta, estática, arremansada, figurativa. Pero ¿y los arquetipos barrocos, románticos, irracionalistas? Eugenio d'Ors quiso entronizar la inteligencia en el centro mismo de la subconsciencia, es decir, en lo onírico. La narración *El sueño es vida* está presidida por la voluntad de hacer ver que en los sueños se vierte el espíritu de la vigilia, y que lo racional, cuando se intenta expulsarlo, vuelve por otro lado al galope. La jurisdicción de la inteligencia es, pues, mucho más vasta de lo que suele creerse, pues incluso aquellas comarcas situadas fuera de sus fronteras pueden ser colonizadas por ella. Tal es la lección que Eugenio d'Ors aprendió, una tarde de verano, en el jardín botánico de Lisboa. La morbidez voluptuosa de la más rica profusión vegetal, lejos de arruinar allí a la inteligencia, la exaltaba. Y la señal de su triunfo eran las cultas inscripciones latinas sobre cada árbol, arbusto, planta, fruto y flor.

¿Por qué no rotular también, serenamente, las voluptuosidades y morbideces de la vida humana? Tras *La bien plantada*, Eugenio d'Ors escribió dos relatos: *Gualba, la de mil voces* y la *Oceanografía del tedio*, en los que, a la manera del ordenador de un jardín botánico, la inteligencia, a través de una prosa clara, cristalina, sutilísima, inviste situaciones muy alejadas de ella. El estado anímico del tedio, de esa superficie al parecer monótona y estéril, es explorado hasta sacar a la luz sus riquezas sin cuento. *Gualba* es un relato más poético y mucho más patético: un horror es estudiado en su génesis y ordenadamente expuesto. A nuestro parecer, el equilibrio de narración y teoría en ningún otro escrito se logra tan perfectamente como en estos dos. Después —*El sueño es vida*, *Magín o la previsión y la novedad*, *Villamediana*— prevalecerá el interés cultural, las páginas se adensarán conceptualmente y la prosa se tornará más aguda y difícil.

Gualba, la de mil voces es una obra esencial para entender el sentido de la orsiana ciencia de la cultura. Las categorías románticas se nos presentan por primera vez, por modo casi puramente plástico, sin el lastre de tesis demasiado explícitas. La teoría se desprende del relato en vez de insertarse en él. Por ello, *Gualba* es narración más desnuda tal vez que la misma *Bien plantada.* Ésta se cierra con un capítulo: «La ascensión de la bien plantada», en el que se encomienda a una composición escenográfica de sueños, visiones, ruinas romanas, discursos y transmutación de la realidad en símbolo, con su tramoya correspondiente, la tarea de extraer la constante de lo clásico y levantarla hasta el cielo de la cultura, donde las esencias platónico-orsianas tienen su estelar residencia.

Es bien sabido que una de las empresas de la orsiana ciencia de la cultura consiste en la patentización de las correlaciones existentes entre fenómenos al parecer enteramente inconexos, pero ligados, en realidad, por su pertenencia a una misma constante, Así, el fenómeno de la monarquía es político; el de la cúpula, arquitectónico; y, sin embargo, ambos aparecen simultáneamente con el Renacimiento. ¿Por qué? Porque uno y otro expresan, cada cual en su orden, el advenimiento —el regreso, mejor— del *eón* de lo clásico. En *Gualba* se cuenta cómo una relación humana, fundada en aficiones muy nobles, sí, pero románticas, y puesta —sumida, diríase más bien— en plena naturaleza como lugar de acción y pasión, encuentra un desenlace lamentable. Lo encuentra casi fatal, ineluctablemente, pues quien se entrega a la naturaleza acaba en el deshonor. Las cerezas del árbol romántico del mal tiran las unas de las otras.

Los personajes son solamente dos: un padre y una hija unidos en un «círculo sentimental cerrado y perfecto». Cada uno de ellos vive sólo para el otro, aislados ambos de todos los demás. Él se llama Alfonso, por Lamartine, pues su madre era una criolla romántica. (Lleva así nuestro personaje en su sangre la llamada del Nuevo Mundo, esencialmente barroco, según D'Ors.) Es un constante lector de Shakespeare, que traduce con su hija. Han llegado juntos, de noche, a pasar los meses del estío en un pueblecito, Gualba, situado en la falda del Montseny. Mil torrentes de agua —las «mil voces»— descienden de la cumbre hasta él, y era como «un himno generoso en un órgano magnífico». Otro órgano, fabricado de follaje y verdor, suspira dulcemente con el viento. El agua es la corriente que se opone a la figura, el elemento fluente, imagen de la vida fugaz, en contraste con el orden eterno de la razón. El paisaje de Gualba es blando, mullido, conturbador; no *casta* desnudez estructural, sino «*viciosa* vegetación», insinuación del demonio de la naturaleza, tentación de la entrega. Padre e hija aman el baño de luna, en el jardín de la casa, las noches de plenilunio. Ella entonces se abandona «tendida, como muerta, en su silla de reposo». Es la hora en la que, para descansar de la jornada, durante la cual han traducido *El rey Lear* y han paseado por la limpia montaña, a cuyo pie Gualba se les aparecía, casi obscenamente, como su «frondosa pubertad», se cuentan los relatos de la local mitología romántica, la leyenda del hombre que casó con mujer-de-agua, cuentos de brujas, relatos de misterio y terror. Padre e hija viven así, entregados a la inquietud romántica, sumergidos en la naturaleza y aislados, incapaces de tratar a las gentes del pueblo, reducidos el uno al otro. «Pero la soledad —piensa el padre en un momento de lucidez— *también es pecado.*»

¿Están, cada uno de ellos, solos? No. Están —o estaban— en compañía de amistad. La amistad es la perfecta compañía. Pero el ser humano, por lo menos el romántico, difícilmente se contenta con el bien medido de la amistad. Aspira a más, quiere ser a la vez dos y uno, e inventa el amor. «El amor —se escribe en esta obra— es una tentativa de amistad, que, no encontrando bastante compañía, gritaba: ¡Más! ¡Más! Y que, tras haber estado a punto de llegar, ya va más lejos que ella. Y entonces se ha precipitado a la otra parte de la cumbre luminosa y precaria que es ella. Y allí donde se había soñado una compañía, resucitan dos soledades.»

A la tentación del amor, a la *infamia* del amor, «inmunda y maravillosa», impulsan aquí también la calumnia, que maliciosamente se adelanta a la realidad, y hasta la misma meditación. Pues el padre, a vueltas con Freud y Platón, irrita su herida, y, como Ausias March, pensando, se enamora.

El estilo y ritmo de *Gualba* es de tragedia antigua. El ciego destino es aquí la naturaleza, es aquí el romanticismo. Quien a ellos se entrega, por levantadamente que haya vivido, termina cayendo. Pero un momento antes de la catástrofe hay un punto de quietud; quietud sin sosiego, una como suspensión y expectativa ante el salto del desenlace, ante el desencadenamiento de la tempestad, ante la llamarada del incendio... *Gualba, la de mil voces* es la representación clásica de un drama romántico.

Hay un epílogo. Un epílogo al que recuerda aquel cuento de Graham Greene, en el que un hombre va a pasar una noche en femenina, fugaz y erótica compañía a la ciudad de su niñez. Pero sus recuerdos le transportan al pasado. Impulsado por ellos, dirige sus pasos al jardín de la vieja profesora. Allí, en un bien protegido escondrijo, acostumbraba depositar sus cartas inocentes de amor niño por una muchacha de su edad. Busca en él. Sí; allí había quedado su último mensaje: reconoce su letra de niño. Pero no es ninguna ingenua declaración de amor; es el dibujo de una escena crudamente sexual.

En el epílogo orsiano hay la expresión gráfica de una contradicción semejante. Al tomar posesión de la morada veraniega, el padre había trazado, sobre el dintel de la puerta de entrada, esta inscripción: «Aquí vive la amistad perfecta». Después, cuando todo se había consumado, el padre y la hija habían partido y la casa, bien cerrada, yacía solitaria bajo el sol del otoño tardío, una tarde se detuvo ante ella un cazador. Tras la merienda y el vino, por torpe capricho, dejó dibujada sobre la inscripción, sin verla, una lúbrica escena. Lo puro y lo impuro quedaban así, en la puerta como en la realidad, mezclados, confundidos: lo uno debajo, lo otro encima.

El polo negativo de la filosofía y de la ciencia de la cultura de Eugenio d'Ors están plásticamente figurados en *Gualba, la de mil voces*: la abrupta escisión de la razón y la naturaleza, el insalvable dualismo de lo clásico y lo barroco —con su subespecie, lo romántico— están presentes aquí, vistos no en su anverso de luz, sino en su sombrío reverso. Gualba es la naturaleza por antonomasia. El padre y la hija, por entregarse a ella, ven consumado su trágico destino. Las cerezas se enredan unas a otras; los fenómenos de la historia de la cultura —y toda vida humana participa, en mayor o menor medida, de la historia de la cultura— están en función los unos de los otros.

Pero también a través de este relato se advierte la caracterización última de la filosofía general y de la ciencia de la cultura de Eugenio d'Ors; quiero decir, su determinación ética. Algunas calificaciones que, tomadas del texto de *Gualba*, hemos recogido aquí son iluminadoras: la *viciosa* vegetación, el *pecado* de la soledad, la *infamia* del amor, ¿qué significan? Que el amor, cuando persigue una unidad imposible y la soledad, lo mismo que la naturaleza, siempre son *malos*. En cuanto a esta última, las palabras del autor son, sin salir de este texto, muy explícitas: «Nosotros, empero, hemos tenido redención. Pero la Naturaleza, la pobre Naturaleza, a nuestro lado, no ha tenido redención, y el espíritu del mal se oculta aún entre las informes aguas, como en el primer día del mundo. Y allí tiene mejor dominio, allí donde la Naturaleza es más esplendorosa. Gloria del trópico, esplendor de Nápoles, verdor vicioso de Gualba, la musical: ¡Miserere, Señor, miserere!».

La naturaleza es un poder temible. A ella corresponde, en el plano humano, la constante de lo barroco, que no es, en último término, sino disolución del espíritu en aquélla. Cuando ambos poderes maléficos se conjugan, como en este relato, de tal ayuntamiento pueden engendrarse los mayores males, incluso el incesto. Pues el mal está inscrito en la naturaleza y en quien a ella cede.

Las narraciones de Eugenio d'Ors son, él mismo lo dijo, «cuentos filosóficos», y, más concretamente, *novelas ejemplares*: en el caso de *Gualba*, ejemplo de lo que el hombre, éticamente, no debe hacer o, mejor, no debe ser. Toda la filosofía de Eugenio d'Ors es *ética*. Y su ciencia de la cultura, *ética de la cultura*.

JUAN MARICHAL

LA VOCACIÓN ORATORIA DE MANUEL AZAÑA

[Considerado como uno de los mejores parlamentarios europeos del último siglo y medio, Azaña era, además, un orador nato. Gracias a la sinceridad con que se comunicaba, era visto por los españoles como la mejor imagen de la nueva España. Pertenecía a una generación oratoria cuyas características, en ese aspecto, fueron perfiladas por Ortega en un «Vejamen del orador» —«percatarse de las circunstancias»— y cuya vocación didáctica implicaba el recurso a la retórica dignificada. Todos ellos eran oradores de palabra moderna.]
Los discursos de Azaña del período 1930-1934 pueden dividirse en dos conjuntos muy diferentes por su tono y grado de perdurabilidad: los parlamentarios de carácter polémico y los de exposición doctrinal pronunciados tanto en las Cortes como ante diversos auditorios populares. En un discurso del 28 de marzo de 1932, en Madrid, en la asamblea de su partido, Acción Republicana, marcó Azaña el contraste entre los dos géneros de discursos suyos:

... procuraré huir en lo que yo diga, del hábito polémico que necesariamente se nos impone a los parlamentarios. En el parlamento hay que sostener las posiciones políticas, y el espíritu y la palabra adquieren un hábito de esgrima, específico en las Cortes, que no suele ser adecuado a esta clase de reuniones, donde venimos no a reñir batalla, sino a pronunciar palabras de expansión confortativa y de esperanza en el régimen y en la Patria.

Observemos que, no obstante lo apuntado por Azaña, algunos importantes discursos parlamentarios carecen del «hábito de esgrima» y deben situarse dentro de la oratoria «de expansión confortativa y de esperanza en el régimen y la Patria». Mas es patente que los discursos más perdurables pertenecen a la segunda categoría señalada por el propio Azaña: el orador se sentía, manifiestamente voz de una España aún «inédita» y se producía entonces una «entrega de la

Juan Marichal, «La vocación oratoria de Manuel Azaña», en *La vocación de Manuel Azaña*, Alianza Editorial, Madrid, 1982, pp. 162-176.

persona» al auditorio. Diríamos que el ámbito emocional de esos auditorios afines hacía que surgiera en Azaña su «verdadero yo», su yo profundo. En el discurso del 14 de noviembre de 1932, en Valladolid, Azaña declaraba que el contacto con las «asambleas populares» le salvaba periódicamente del peligro que siempre acecha al político, en particular cuando desempeña funciones gubernamentales: «dejarse absorber por la tarea cotidiana y encontrarse en tal situación espiritual como si la historia se le acabase cada día en los menesteres triviales de la artesanía política». Al encontrarse ante un auditorio como el de Valladolid (republicanos y socialistas) se «reverdece el espíritu del gobernante». Azaña se siente apoyado por su auditorio y deja correr su palabra al ritmo de los pensamientos que la presencia de los asistentes «vaya sugiriéndome» (dice en ese mismo discurso): llegando así a «*engolfarse* en las intimidades de su propio espíritu» (empleando las expresiones de don Antonio Maura).

Mas ese adentramiento y su consiguiente exteriorización —recuérdese que don Antonio Maura los vedaba al orador— no son en la oratoria de Azaña una valla hermética entre él y sus oyentes. Porque su lirismo es la manifestación verbal de un «yo» que aspira a realizarse con el concurso de los oyentes: de ahí que en el orador Azaña actúe también el impulso del creador literario.[1] Aunque, por supues-

1. [«Azaña representa el drama de la soberanía de la escritura con excusa de los temas públicos. Digo bien con excusa, pues ni hay cosa pública que en Azaña no se trueque en literaria, ni se alardea ante el público de sagacidad política a cargo de las facilidades de la elipsis. En puridad, no hay representación. Felizmente, ni su escritura cabe en ese compromiso —ni en casi ningún otro—, ni nuestra lectura dejará de vacunarse con sus palabras sobre la oratoria, hechas a medida de los cómicos, como gustan llamarse, para conjurarlos y dejarnos a la sola luz del estilo y en las tinieblas de la letra. No hay idea ni desarrollo en Azaña, por repetitivo que llegue a presentársenos en ocasiones, que pueda prescindir, para su subsistencia, de la literariedad. El crítico quisiera, hablando de Azaña, recortar su memoria al extremo de no encontrar por un momento en ella noticia sino de *Plumas y palabras*, el libro que más y mejor puede servir a [la] intención de fijar a su autor en un terreno puramente literario ... Ocurre que el mérito que pueda hallarse en la escritura de Azaña tiene, según creemos, en la crítica literaria su género o terreno más propicio y, en este libro, la posibilidad mejor de ahorrarnos las imágenes biográficas que se interponen a su letra. En *La velada de Benicarló*, tan exaltada como arrebato de lucidez por los liberales, los más pueden enfadarse con la interpretación de Azaña, enfadosa por el inevitable partidismo y parcialidad de sus criterios a la hora de escoger los malos y menos buenos de la guerra, cuando es partido previo de todo lector español —y aun de los que no leen— cuáles eran los

to, él sabía que (como había indicado Thiers) el orador político fallaba en cuanto se dejaba llevar exclusivamente por la intención artística. Los pasajes de mayor altura estética en la oratoria de Azaña —los que corresponden al «lirismo» en su acepción de efusión de la sensibilidad ante las bellezas de la creación natural o humana— surgen como espontáneamente en el discurso: pero no son desviaciones ni apartes estáticos. La expansión lírica de Azaña suele ser una de esas pausas intensificadoras de la fuerza de la argumentación a que se refiere Azorín al comentar a un preceptista inglés de la oratoria (que las denomina *pauses of force*). Azaña centra de pronto la atención del oyente en un «cuadro lírico», mas con el propósito de acentuar la urgencia de alcanzar las metas políticas por él apuntadas. Uno de los mejores ejemplos del lirismo ejecutivo de Azaña se encuentra en el ya citado discurso del 14 de noviembre de 1932. Tras de declarar

---

peores y mejores de la contienda, y antes variarán su biblioteca que su opinión. De *El jardín de los frailes* no se ha opinado tan mal como de *La corona* (aquel drama para la Xirgu que Ricardo de la Cierva evoca empavorecido, por la prepotencia de su autor al asistir a su estreno), pero no se ha librado de palos y alguna coz de la crítica, que considera irrelevante el registro puramente ficcional de la novela ... Decimos que el quehacer literario de Azaña parece supeditar su altura definitiva y su desenvoltura mayor a la condición polémica. Háyaselas con adversario actual o costumbre cenicienta de las letras, las artes de Azaña —técnico en las marciales— se despliegan indiscriminadamente en la disputa; la impiedad en el argumentar, el humor implacable, la sorpresa retórica no ya por la contumacia sino ante la misma existencia del adversario, sea éste libro, autor u opinión, son algunos de los pilones sobre los que se alza. No acertaríamos al evocar, ante la ejecución de las citas, lo templado del discurrir y los destellos que rematan la lógica de sus figuras, el arte poco apreciado del toreo de salón. Mejor recordaríamos la esgrima y, aún más ajustadamente, el duelo. No es Azaña exactamente metódico. No sólo. Mejor lo vemos, sobre sádico, dialógico; es decir, que la fantasía ordenadora de la utopía (fascista siempre que se concreta o enumera) está sujeta al albedrío de la ley simbólica, que sólo en el lenguaje se refresca, y arde en la generalización. Ahí se libra del tedio por la crucería y el garbo del detalle que hacen olvidar la materia sobre la que se eleva. En *Plumas y palabras* tenemos un muestrario de las diversas categorías de crítica literaria que Azaña borda. Desde el ensayo literario-ideológico detallado y profundo (sobre Ganivet) hasta el apunte costumbrista (Quintana y el turismo de cadáveres próceres) o la sabrosa mezcla de todo ello en la pieza modélica *Los curas oprimidos*» (Federico Jiménez Losantos, «El desdén con el desdén: Manuel Azaña», en *Lo que queda de España*, Alcrudo, Zaragoza, 1979[2], pp. 133-135).]

a sus oyentes que él tiene «el defecto terrible de ser sumamente curioso», relata cómo ha recorrido toda la tierra castellana en el espacio y en el tiempo («a solas en mi cuarto de trabajo»). Y luego de dar una definición de Castilla («un alma patética refrenada por el decoro») hace la siguiente descripción rememorativa:

Y hace unos meses, pasando yo por los caminos de la provincia de Valladolid una tarde de invierno, vi los surcos infinitos de vuestros campos rizados por la nieve y un horizonte cortado por la bruma y la silueta de un enorme castillo, ya desmoronado, en el horizonte, y unos pobres gañanes que montados a mujeriegas en las mulas, amparándose en el viejo sayal de las mantas, iban a todo el paso vivo de sus cabalgaduras a refugiarse no sé dónde contra el frío y la nevada... Me quedé mirando y me pregunté: Estas gentes, estos gañanes, estos pobres labradores, ¿adónde van?... Y entonces dije para mí: «Esta es la tierra eterna, la raza perdurable, que clama por la resurrección de España».

El lirismo de Azaña en este bello cuadro de invierno es sencillamente la expresión adecuada a la intensidad de su sentimiento de español patriota y de hombre afanoso de justicia social. Hay ahí «cosas» concretas y se está muy lejos evidentemente del «lirismo» salmeroniano para «metafísicos de Albacete». Obsérvese, por otra parte, como por su trasfondo literario este «paisaje» pertenece a la generación de 1914, el otro «nivel de partida» oratorio de Manuel Azaña. Aunque conviene señalar que hay también una notoria «discrepancia» respecto a la «retórica general» de su generación.[2] Podría

2. [«Azaña procuraba con todo rigor conseguir una escritura de tono culto, a un nivel elevado. Quizá fuese Pérez de Ayala el prosista de entonces que mejor respondía al gusto y al criterio de nuestro alcalaíno-escurialense. "Durable, la creación desinteresada, la hermosura que se realiza por alto entendimiento de la vida. Shakespeare, Cervantes son inmunes a la burla. No podría reírme de ellos, por ganas que tenga de reír", decía en *El jardín de los frailes*. Jardín, apenas. Azaña nos instruye sobre la evolución de un adolescente que pasa de lo religioso a lo incrédulo a través de una enseñanza clerical. El libro desarrolla una terrible diatriba contra un país que se juzga retrógrado con palabras sarcásticas de un humor sombrío. "El español bueno no tiene que devanarse los sesos: ser castizo le basta." Los impulsos son generosos. "Cuánto me han reconciliado con la vida: el amor o el arte, el afán de saber o la amistad, el apoyo a la acción por la acción misma y el estímulo de añadir al mundo moral alguna criatura de mi mano." Más tarde: "El amor a la vida crece en fuerza y nobleza con la madurez del espíritu". No desmiente Azaña su origen alcalaíno por su comprensión de Cervantes ... La base humanística de aquel

incluso decirse que Azaña fue tan excelso orador porque «se olvidaba» de la aludida retórica generacional: basta cotejar uno de los discursos parlamentarios de Ortega con cualquiera de los de Azaña para percibir de inmediato que en el filósofo madrileño actuaba constantemente la intención artística (con obvio olvido del hilo político de su discurso). Se nota la muy cuidada preparación de las frases y apenas hay «improvisación»: aunque no podemos, por supuesto, reprochar a un supremo artista de la palabra castellana que no pudiera salirse de sus usuales «casillas» oratorias y literarias. El «cuadro de invierno» antes citado tiene indudablemente una raíz noventayochista y otra orteguiana: mas en Azaña el melancólico y grandioso paisaje de Castilla se transformaba en alzaprima política. Una sensibilidad entre azoriniana y orteguiana fundida con el ánimo resoluto de Maura, con la «pedagogía» de Canalejas y con la oratoria de «cosas» de Cambó: ¿sería esa la fórmula de la originalidad oratoria de Azaña?

---

hombre fundamentaba clásicamente una literatura de reflexión y rara vez de imaginación creadora. Era un asiduo trabajador intelectual que se interesaba por la suerte de su país. Léanse sus *Memorias*. Aunque "políticas y de guerra", nunca ofrecen una visión oficial y como exterior de los acontecimientos en que resultó protagonista. Ese diario íntimo se desarrolla según el modo de los diarios íntimos. Se discurre con espontaneidad y sincera neutralidad relatando conversaciones reservadas, presentando a las gentes con absoluta franqueza, a menudo con humorismo. La actividad de enérgica honradez se mantiene sin cesar. Día tras día, sin propósito expreso, Azaña logra más y más relieve, que despierta en unos admiración, en otros hostilidad creciente hasta el odio. No era exhibicionista. "Paseamos por la Castellana y nos sentamos en un café de Recoletos. Echo de menos el incógnito." Vuelve con frecuencia a El Escorial. "¡Cómo ha resucitado y se ha impuesto el monasterio al declinar la luz!" Azaña cambiaba —sin dejar de ser el mismo—. "Alcalá y El Escorial, he aquí las raíces primeras de mi sensibilidad, como París fue más tarde donde se afinó." Poco a poco, y ya en el 31, se llega a... proyectar un homenaje. "Espero que no cunda, tendría que oponerme, y no sé cómo lo haría para no parecer descortés. Si ahora se pone de moda alabar al adusto Azaña, ¡me he divertido!" Es decir, "me cuesta trabajo dejar de ser un hombre para convertirme en un personaje histórico"» (Jorge Guillén, «En homenaje a Manuel Azaña», en V. A. Serrano y J. M. San Luciano, *Azaña*, Edascal, Madrid, 1980).]

RAFAEL LAPESA

CONTEXTOS: MENÉNDEZ PIDAL Y EL CENTRO DE ESTUDIOS HISTÓRICOS

El Centro de Estudios Históricos se fundó en 1910 como uno de los primeros organismos dependientes de la Junta para Ampliación de Estudios, creada en 1907. Constaba de las secciones de Filología, dirigida por Menéndez Pidal; de Arte y Arqueología, con don Elías Tormo y don Manuel Gómez Moreno a la cabeza; de Instituciones Medievales, bajo el magisterio de don Eduardo de Hinojosa; y de Estudios Árabes, con don Julián Ribera y don Miguel Asín, que se separó amistosamente al poco tiempo; antes lo habían hecho los componentes de la sección de Filosofía, cuya principal figura era Ortega y Gasset. Menéndez Pidal fue después director de todo el centro.

En 1910 don Ramón era ya el maestro indiscutible de la filología española, respaldado por una serie impresionante de publicaciones tan sólidas como nuevas en la España de entonces: todo el enorme ciclo que comprende desde *La leyenda de los infantes de Lara* (1896) hasta *L'épopée castillane* (1910), incluyendo el catálogo de las *Crónicas generales de España* (1898); la edición de la *Primera* de ellas, la de Alfonso el Sabio y sus inmediatos continuadores (1905); el *Manual de gramática histórica* (1904), *El dialecto leonés* (1906), los tres volúmenes del *Cantar de mío Cid. Texto, gramática y vocabulario* (1908-1911) y multitud de otros estudios y ediciones. Al fundarse el centro don Ramón contaba cuarenta y dos años de edad y once de cátedra; se hallaba en plenitud de facultades, con la capacidad de entusiasmo necesaria para fundar escuela; y su enseñanza en la universidad, donde profesaba la asignatura de «Filología comparada de las lenguas latina y española», había despertado la vocación de valiosísimos discípulos.[1] [...]

Rafael Lapesa, «Menéndez Pidal, creador de escuela: el Centro de Estudios Históricos», en *¡Alça la voz, pregonero! Homenaje a don Ramón Menéndez Pidal*, Cátedra-Seminario Menéndez Pidal, Madrid, 1979, pp. 43-79.

1. [«Los métodos reconstructivos de la filología entonces al uso impulsaban al investigador comparatista o historicista a proponerse como cuestión funda-

En mis años de estudiante y posgraduado, tanto don Ramón como Américo Castro, don Elías Tormo y don Manuel Gómez Moreno daban sus clases universitarias en el Centro de Estudios Históricos, no en el viejo caserón de San Bernardo donde estaba la Facultad de Filosofía y Letras. Era una muestra del nuevo espíritu: la facultad madrileña era, salvo excepciones, desesperantemente arcaica; la mayor parte de las humanidades que allí se enseñaban carecían de humanidad, reducidas a gramáticas anquilosadas. Aquella osamenta petrificada se resistía a toda innovación, y así se mantuvo hasta que el inol-

---

mental la de remontar hasta los "prototipos", la de iluminar los períodos de "orígenes". Menéndez Pidal, desde sus primeros estudios a fines del siglo pasado, hizo suyo ese programa de recuperación del legado histórico de los siglos más oscuros, convencido de que una de las notas máximamente caracterizadoras de la cultura hispánica era, precisamente, la ininterrumpida vigencia de las tradiciones que hundían sus raíces en la Edad Media y la excepcional vitalidad a lo largo de los siglos de la literatura asequible a las mayorías. De acuerdo con esta su primera concepción de la tradicionalidad de la cultura hispánica, Menéndez Pidal prestó, por entonces, primordial atención al encadenamiento de los eslabones que unen el pasado al presente y a poner de relieve lo que en esa continuidad hay de herencia. Es éste el momento "conservador" del tradicionalismo pidalino.

»Sin embargo, la observación de lo tradicional permanente llevó en seguida a Menéndez Pidal a interesarse por las creaciones colectivas, por la fecunda intrahistoria de la cultura española. De ahí su pronta aproximación al programa institucionista, que proponía una nueva enseñanza de la Historia nacional "despertando la idea (sin decirlo) de que todo lo que hay se hace *por todos*, y de que el verdadero sujeto de la Historia no es el héroe, sino el *pueblo entero*, cuyo trabajo de conjunto produce la civilización" (M. B. Cossío), programa que fomentaba el estudio de la lengua, la literatura, el arte, el folklore, la artesanía, el derecho consuetudinario (con métodos nuevos en la investigación y enseñanza: encuestas, excursiones, participación activa, etcétera) como el mejor camino de descubrir y relanzar la genuina España "tradicional", ignorada por el tradicionalismo político defensor del "casticismo" nacional. Es éste el envés "liberal" de la "tradicionalidad" pidalina; envés dominante en sus obras desde comienzos del siglo XX.

»Menéndez Pidal nunca renunciaría, ello es claro, a la perspectiva "arqueológica" de la filología, al propósito de reconstruir el pasado; pero su noción de la "tradicionalidad" llega a adquirir un perfil enteramente nuevo conforme para él va ganando interés el dinamismo de la tradición. La continuidad tradicional, lejos de estar fundada en permanencia estable de lo antiguo, presupone la continuada renovación de la herencia que viene del pasado. Frente a la nostalgia por las creaciones primigenias y frente a la supuesta excelencia de los prototipos, Menéndez Pidal observa y explica cómo los mejores frutos "tradicionales" vidable decanato de García Morente introdujo, por breves años, afanes de superación y esperanzas.

El ambiente del Centro de Estudios Históricos era radicalmente distinto al de la facultad. Era un ambiente de trabajo alegre porque se sabía bien orientado. Sus primeros resultados saltaban a la vista: publicaciones que inmediatamente ganaban la estimación de los mejores, en España y en el extranjero. En 1914 apareció la *Revista de Filología Española* y cada uno de sus números traía una sorpresa,

---

son los producidos "por tradición", esto es, por acomodación de la herencia del pasado a ambientes nuevos en el curso mismo de su transmisión de generación en generación. Es esta noción "progresista" del concepto de "tradición", en que se presenta a la herencia y a la innovación trabajando juntamente, la que permite a Menéndez Pidal renovar aspectos múltiples de la ciencia filológica en que él se había formado, con consecuencias profundas tanto para la lingüística, como para la historia literaria, como para la historia cultural, y es ella también la que le permitirá mediar entre los defensores de la España castiza, "tradicional", y los propulsores de la renovación de España.

»En la visión panorámica de las "cimas y depresiones" de la historia política de los españoles, con que en 1947 prologa Menéndez Pidal su *Historia de España,* se mezclan y entrecruzan las varias perspectivas que hemos intentado distinguir en su concepción de la "tradición". Su fe en la permanente identidad del hombre español, desde los *prisci hispani* que hallaron los romanos en la Península, puede recordar a Sánchez de Arévalo, pero enlaza históricamente con el intento de los ilustrados del siglo XVIII, de los liberales del siglo XIX y de Giner, Costa, Altamira y otros institucionistas, por buscar "en los hondos penetrales del alma popular" la "tradición" sobre la que asentar, "como sobre roca viva", un proyecto duradero de una España nueva. Frente a "lo castizo histórico", la intrahistoria de España ofrece el modelo de "lo castizo eterno", que diría Unamuno. Para Menéndez Pidal, como para los institucionistas, "lo español" no se ha expresado (o puede expresarse) privativamente en la particular manifestación política y cultural de España durante "los siglos áureos", sino en cada edad histórica a través de las peculiares modalidades hispánicas que revistieron (o podrán revestir) las más varias civilizaciones que han tenido asiento (o seguirán teniéndolo) en la Península Ibérica.

»Pero en Menéndez Pidal esta firme creencia de que el oleaje de la historia nunca pudo romper el pétreo fundamento de la "complexión" (que diría Masdeu) nacional, "donde toda construcción duradera ha de asentar sus cimientos", no va acompañada de un rechazo indiscriminado de "lo castizo histórico", pues para él la herencia histórica de la "edad áurea" es (mucho más claramente que para el ilustrado Masdeu) "irrepudiable": negar "la parte grandiosa y fructífera de la obra pretérita hispana" equivaldría a una espantosa liquidación, a una "desnacionalización".

»Sin embargo, según el "tradicionalismo" progresivo de Menéndez Pidal, [debida muchas veces a aportaciones del director]. Acompañando a don Ramón hacían sus primeras armas en la revista los discípulos de la promoción más antigua, convertidos ya en doctos colaboradores: [Américo Castro, Antonio G. Solalinde, Federico de Onís, Vicente García de Diego y Tomás Navarro Tomás]. Al grupo inicial de discípulos españoles se añadían dos ilustres hispanoamericanos: [Alfonso Reyes y Pedro Henríquez Ureña].

En el centro se trabajaba en equipo: de una parte por la continua consulta con el director y la constante comunicación de unos colaboradores con otros; de otra, por la distribución de parcelas individuales dentro de empresas más amplias; finalmente, por la intervención en trabajos colectivos.

[Mencionaremos algunas de las tareas que entonces se emprendieron. En primer lugar, los *Documentos Lingüísticos de España*, y, por otro lado, la formación de un nutrido fichero con vistas a un vocabulario del español medieval, así como el acopio de textos para una *Crestomatía* del mismo período.] Era necesario facilitar el aprendizaje de nuevos filólogos mediante manuales adecuados. Tal fue el propósito de las «Publicaciones de la Revista de Filología Española». [El teatro del Siglo de Oro carecía de ediciones dignas.] La colección «Teatro Antiguo Español. Textos y estudios» trató de remediar estos males con transcripciones exactas de manuscritos autógrafos o ediciones antiguas fidedignas, con análisis rigurosos y cumplida anotación, [al cuidado de Menéndez Pidal y doña María Goyri, J. Gómez Ocerin, Américo Castro, y más tarde, en especial, de José F. Montesinos].

El trabajar en equipo no impedía que cada cual desarrollara su personalidad y orientase su capacidad creadora hacia un campo determinado. Castro manifestó desde el primer momento la honda atracción que sobre

---

este "afectuoso interés hacia la vieja España" no debe confundirse con un programa de resurrección de los valores de la España "austriaca", ni de aquel "orgullo a la judaica", propio de tantos españoles de la edad áurea, que se creyeron ser "el nuevo pueblo de Dios" e impusieron al país un paralizador divorcio respecto al resto de Europa. Al igual que, en el siglo XVI, España logró sus mejores frutos haciendo granar viejas semillas en tierras aculturadas en consonancia con los nuevos tiempos que entonces corrían en Europa (los que Menéndez Pidal llamó "frutos tardíos"). Así a la España contemporánea se le ofrece como proyecto una continuidad histórica basada, no en la copia del pasado, sino en tradición viva, tradición abierta al cambio, sujeta a la revolucionadora adaptación al tiempo y medio actuales en los que se re-crea y reproduce» (Diego Catalán [1982], pp. 56-60).]

él ejercían los grandes problemas ideológicos y espirituales del pasado, que revivía con generosa impetuosidad; siempre consideró la técnica filológica como un saber indispensable que debía servir a preocupaciones más altas. Navarro Tomás, en cambio, se concentró en la fonética experimental, rama científica no cultivada hasta entonces en España, [pero imprescindible para los estudios lingüísticos.] El laboratorio de don Tomás contaba al principio con pocos aparatos; los suficientes, sin embargo, para iniciar el análisis riguroso de los sonidos y articulaciones de nuestra lengua. Pronto encontró un discípulo valioso, don Samuel Gili y Gaya, ocho años más joven, que ya en 1918 empezó a publicar importantes artículos sobre fonética y a estudiar la entonación.

La Sección de Instituciones Medievales se vio privada de su gran maestro al morir en 1919 don Eduardo de Hinojosa. [Pronto destacaron, como continuadores suyos, Sánchez-Albornoz, Ramos Loscertales, Galo Sánchez, Torres y López, Prieto Bances y López Ortiz; el *Anuario de Historia del Derecho Español*, que empezó a publicarse en 1924, mostró la pujanza de la escuela.]

En sus primeros años el centro estuvo alojado en los bajos de la Biblioteca Nacional. Hacia 1920 —no puedo precisar la fecha— la Junta para Ampliación de Estudios y el Centro se instalaron en un hotel situado en el número 26 de la calle de Almagro, donde hoy se alzan construcciones modernas sin carácter. Era el centro que yo conocí y empecé a frecuentar como estudiante pocos años después: un hotel modesto y acogedor, algo destartalado, pero con encanto. Lo rodeaba un jardín grato en su abandono. [En pocos años se había reunido] una biblioteca especializada, nutrida y eficaz, donde podían consultarse cuantas publicaciones de interés para la bibliografía hispánica aparecían en España y fuera de ella. Tampoco faltaba la creación literaria reciente: recuerdo haber leído allí, a poco de publicarse, *Los cuernos de don Friolera* y *Tirano Banderas* de Valle-Inclán, *Tigre Juan* y *El curandero de su honra*, de Pérez de Ayala, *Doña Inés* y *Una hora de España*, de Azorín, los libros poéticos del nuevo Juan Ramón Jiménez... La proyección hacia la historia no implicaba ceguera frente a la actualidad. [...]

En 1925, con motivo de sus bodas de plata con la cátedra universitaria, se ofreció a Menéndez Pidal un *Homenaje* en tres gruesos tomos, al que contribuyeron 133 filólogos e historiadores, más de la mitad extranjeros. Al año siguiente, en 1926, vio la luz la obra capital de don Ramón en el terreno lingüístico, los *Orígenes del español*, que transformaba radicalmente las doctrinas y métodos de la lingüística histórica: los hechos de lenguaje aparecían enmarcados en las formas de vida y de cultura de cada comunidad hablante. Se ponía de relieve su lentitud: se documentan tras haber permanecido largo tiempo en estado latente; sólo se imponen después de seculares contiendas durante las cuales coexistían con formas que representan distintos grados de evolución; y a veces se frustran a causa de reacciones conservadoras. La visión concreta de la historia lingüística peninsular en los siglos IX al XII se ofrecía totalmente renovada: el castellano, excepcional variedad lingüística de un área muy reducida en un principio, se propagaba rompiendo la fundamental coincidencia existente entre los romances vecinos —leonés, mozárabe y navarro-aragonés— y extendiéndose a costa de ellos, se erigía en creador de una nueva unidad lingüística.

En los últimos tiempos de la dictadura de Primo de Rivera el estado adquirió el edificio de lo que había sido Palacio de Hielo, en la calle del Duque de Medinaceli, para alojar en él organismos de diversa índole. Entre ellos se contaban la Junta para Ampliación de Estudios y el Centro de Estudios Históricos. Llevó algún tiempo transformar aquel local, destinado originariamente a patinaje y baile, en albergue adecuado para la investigación, lo que dilató el traslado hasta 1930. La nueva instalación no era suntuosa, ni mucho menos, pero sí más amplia y cómoda que en el hotel de la calle Almagro. Sin embargo las vistas a edificios o patios sin carácter hacían añorar los árboles y evónimos del azoriniano jardín perdido.

En su nueva sede el centro extendió e incrementó sus actividades. [Hacia 1928 o 1929 Menéndez Pidal encomendó a Tomás Navarro la realización de un gran Atlas Lingüístico de la Península Ibérica. Don Tomás trazó las directrices], dispuso los cuestionarios para las encuentas, eligió los puntos que habían de visitarse, estableció las normas de transcripción y formó su equipo de colaboradores. Al fin de la guerra Navarro Tomás, temiendo por la suerte de los materiales reunidos, los depositó en la Columbia University; allí permanecieron hasta que en 1950 el Consejo Superior de Investigaciones Científicas se ofreció a completar las encuestas que faltaban y publicar la obra. El primer volumen, compuesto por 80 mapas, apareció anónimo en 1962 y no ha tenido continuación. Lástima grande, pues el ALPI es un testimonio excepcional del estado en que se hallaban las hablas de los pueblos peninsulares antes que las alterasen o barriesen la guerra civil, la modernización de las técnicas agrarias, el creciente abandono del campo y la influencia de los grandes medios de comunicación.

Siguieron apareciendo, sin perder calidad, la *Revista de Filología Es-*

pañola y sus Anejos. Entre éstos sobresalen la *Fonética del hispano-árabe*, de Arnald Steiger (1932); la *Historia Troyana en prosa y verso*, texto de hacia 1270 editado y estudiado por Menéndez Pidal en colaboración con E. Varón Vallejo (1934); dos de Dámaso Alonso, la edición y estudio del *Enquiridion* y la *Paráclesis* de Erasmo, en sus versiones del siglo XVI, con prólogo de Marcel Bataillon (1932), y *La lengua poética de Góngora* (1935); finalmente, los *Glosarios latino-españoles de la Edad Media* (1936), que habían de ser el último trabajo puramente filológico de Américo Castro. [...]

Durante los veinte años iniciales del centro, los estudios literarios que en él se hacían estuvieron orientados hacia la Edad Media y el Siglo de Oro; pero en junio de 1932 surgió la revista *Índice Literario. Archivo de la Literatura Contemporánea*, con Pedro Salinas como director y Guillermo de Torre, José María Quiroga y Vicente Llorens como redactores. Por entonces también se creó una sección que, bajo la dirección de Castro, publicó la revista *Tierra Firme* (1935-1936) y se ocupó de temas hispanoamericanos. En ella Ángel Rosenblat, llegado de Alemania y procedente de Argentina, estudiaba ya los problemas de la población de América, las lenguas indígenas y la obra del Inca Garcilaso, mientras Ramón Iglesia y Antonio Rodríguez-Moñino preparaban una edición de la *Verdadera Historia* de Bernal Díaz del Castillo según el códice de Guatemala, con variantes del de Alegría; los pliegos impresos en 1936 fueron publicados en 1940 por el Consejo Superior de Investigaciones Científicas sin mencionar a los editores ni advertir que se trataba sólo de una parte de la obra.

La influencia política de Sánchez-Albornoz, diputado en las primeras cortes de la República, le permitió conseguir subvención estatal para que en el centro se creara un Instituto de Estudios Medievales que, además de continuar investigando sobre la historia del Derecho y de las instituciones, preparase la edición de los *Monumenta Hispaniae Historica*. Este grandioso corpus, similar a los *Monumenta Germaniae Historica* y a los *Portugaliae Monumenta Historica*, había de comprender crónicas y anales, leyes y fueros, diplomas y escrituras notariales. [La última creación importante que hubo en el centro fue la Sección de Estudios Clásicos.] Aparte queda la enorme labor de las secciones de Arte y Arqueología, cuyos frutos no estoy en condiciones de reseñar, aunque tantas veces, buscando noticias para el léxico español primitivo, acudiera con provecho a las *Iglesias mozárabes* de don Manuel Gómez Moreno y a sus textos de viejos cronicones.

La creciente extensión del centro y la nutrida incorporación de miembros nuevos no llegaron a quebrantar el sentimiento cohesivo, de familia intelectual, que en él dominaba. A pesar de que en la sociedad española las fisuras políticas e ideológicas se estaban abriendo con amenaza de abismo, en el centro las diferentes reacciones de cada cual no eran piedra de escándalo ni motivo de exclusión para los demás. Hasta julio de 1936 el clima de comprensivo liberalismo seguía manteniéndose allí, a diferencia de lo que ocurría en la calle o en el Parlamento. Pero la guerra civil cayó sobre el centro, como sobre toda España, igual que un hachazo.

Por de pronto fue causa de dispersión: el 18 de julio Américo Castro se encontraba en San Sebastián, Pedro Salinas en Santander, Sánchez-Albornoz en Lisboa, Salvador Fernández, último secretario del centro, en Salamanca; tal fue el principio de una diáspora que había de acrecentarse a lo largo de la contienda. Un mes más tarde, en Madrid, los locales de Medinaceli, 4 sufrieron un conato de asalto por parte de extremistas resentidos, que buscaron a Castillejo y Prieto Bances en forma tan amenazadora que los dos decidieron procurar su seguridad saliendo de España. Un comité político sometió a interrogatorio a los presuntos derechistas. A fines de octubre la movilización sindical afectó a todo el personal dependiente del Ministerio de Instrucción Pública. En aquellos trágicos días el conserje del centro, el bonísimo Benito Almazán, pagó con su vida el amparo a un pariente perseguido. Y a primeros de noviembre las planas mayores de la Junta para Ampliación de Estudios y del centro se trasladaron a Valencia, más adelante a Barcelona. También don Ramón y la parte de su familia que había quedado en zona republicana marcharon a Valencia, desde donde pasaron a Francia.

El centro permaneció unas semanas prácticamente abandonado, a riesgo de que los bombardeos o la instalación de cualquier entidad militar o política dieran al traste con los libros y materiales de investigación. A fines de diciembre o primeros de enero logré que a un grupo de colaboradores de la junta y profesores del Instituto Escuela, movilizados todos para servicios auxiliares, se nos encomendase proteger los locales de Medinaceli, 4. Bajamos a los sótanos los ficheros, originales y demás documentación, y establecimos un turno para, con las armas de la palabra, pues no teníamos otras, salir al paso de posibles allanamientos. Poco a poco, dentro de las penosas circunstancias de la ciudad sitiada, la vida se iba haciendo menos insegura. En el centro se fueron reanudando tímidamente algunas actividades. Navarro Tomás me encargó mantener la relación entre los restos del centro en Madrid y el núcleo de Valencia, a fin de sostener, en lo posible, la continuidad de las publicaciones. Algo se consiguió, gracias a que las imprentas de Hernando y Aguirre siguieron funcionando a pesar de las dificultades; así salieron algunos fascículos de la *Revista de Filología Española*, de *Emerita* y del *Archivo Español de Arte y Arqueología*, así como el libro *De Virginitate Beatae Mariae* de san Ildefonso, editado por Vicente Blanco e increíblemente acabado de imprimir en el Madrid de 1937. Pero a aquel último reducto de convivencia llegaban continuamente noticias adversas: Bonfante y Rosenblat fueron expulsados de la zona republicana; Castro, Salinas y Sánchez-Albornoz, en exilio y destituidos por el gobierno de Burgos o Salamanca, lo fueron también por el de Barcelona. Éste se había hecho cargo de los materiales reunidos por don Ramón para su romancero, a fin de mandárselos a Nueva York; pero después los retuvo, sin permitir el envío. Movilizado nuevamente en 1938, dejé aquella especie de secretaría en manos del modelo de noble humanidad que fue don Benito Sánchez Alonso; pero seguí frecuentando el centro cada vez más despoblado. Y confieso que, deambulando por aquellos despachos y pasillos solitarios, lloré más de una vez, convencido de que, cualquiera que fuese la suerte de la contienda, el centro y su espíritu no sobrevivirían.

Cuando, terminada la guerra, volvió don Ramón a España, un dirigente de la nueva situación lo recibió con un artículo hostil; el Tribunal de Responsabilidades Políticas le instruyó expediente y congeló sus cuentas bancarias; permaneció apartado de la Academia Española hasta 1947; y el Consejo Superior de Investigaciones Científicas, sucesor de la Junta para Ampliación de Estudios, le ofreció un cargo secundario que él no pudo aceptar. Es cierto que el consejo acogió a arqueólogos, historiadores del arte o de las instituciones, cultivadores de la filología clásica, etcétera, que antes habían colaborado en el Centro de Estudios Históricos; pero la mayoría de quienes se habían dedicado allí a la filología hispánica estaban en el exilio, en la cárcel o alejados de Madrid; algunos, a pesar de los esfuerzos de Dámaso Alonso en su favor, fueron rechazados por los gerifaltes del consejo. Todo parecía concitarse para acabar con la escuela de Menéndez Pidal.

Y sin embargo, no pereció. Don Ramón volvió al trabajo sin más colaboración que la hogareña: doña María, sus hijos Jimena y Gonzalo, algún fiel discípulo como Manuel Muñoz Cortés. Algo aliviaron su aislamiento el Instituto de Estudios Políticos y más tarde el de Cultura Hispánica por iniciativa de Joaquín Ruiz Giménez. En esos años formó directamente a su sobrino Álvaro Galmés y a su nieto Diego Catalán, que había de proseguir en el futuro Seminario Menéndez Pidal la obra del abuelo. Por otra parte la herencia científica del centro se transmitió a la universidad de la posguerra gracias a la labor de Dámaso Alonso en Madrid, de García Blanco y Tovar en Salamanca, y de algunos más.

2. LA GENERACIÓN DE 1914 Y EL NOVECENTISMO. LOS NOVELISTAS: RAMÓN PÉREZ DE AYALA Y GABRIEL MIRÓ

La segunda década del siglo conoce en España un auge de la novela corta popular que han estudiado Granjel [1968], Urrutia (en AA. VV. [1977]) y, articulándola sobre un interesante panorama de la novelística de la época, Fernández Cifuentes [1983]. Se continúa de este modo la trayectoria del folletín decimonónico, insistiendo en temas tópicos que mezclan la utopía social (Mainer [1972]), los problemas de la intolerancia y el fanatismo religioso (Dendle [1968]) o el erotismo (Litvak [1979]). La nómina de colaboradores de «El cuento semanal» (1907-1925) elaborada por Sáinz de Robles [1975] facilita una primera noticia de conjunto, y han comenzado a aparecer estudios monográficos: Martínez San Martín [1983] y García Lara [1983] ofrecen un análisis sistemático de Felipe Trigo, que completa mucho el temprano esbozo de Granjer [1974], a quien debemos otros de Hoyos y Vinent [1974] y Eduardo Zamacois [1980]. Pero faltan todavía otros cuya significación en el proceso dialéctico de la producción literaria del primer cuarto de siglo ha sido esbozada por Mainer [1981²], a quien debemos, igualmente, el mejor estudio [1976] sobre Wenceslao Fernández Flórez (y cf. [1980]).

Una peculiar trayectoria de escritor, la temática y el planteamiento orgánico de los ciclos, e, incluso, el propio estilo hacen de Ramón Pérez de Ayala (1880-1962) uno de los exponentes más claros de la creación literaria en la generación de 1914. Superando con mucho la temprana, imprecisa biografía escrita por Francisco Agustín [1927], Pérez Ferrero [1973] ha documentado de manera pormenorizada la trayectoria del novelista asturiano hasta 1908; su *Epistolario* con Rodríguez Acosta, excelentemente editado por Amorós [1980], que ya había dado a conocer [1972] las cartas de Ayala a Unamuno, constituye una guía directa para el conocimiento de su biografía interior. Completan las aportaciones en esta línea García Domínguez [1968] y Schraibman [1963]. Ofrece una buena guía bibliográfica para el estudio Best [1980], que supera a Billick [1977] y debe completarse con Friera [1980]. El ideario etimológico recopilado por Pelayo H. Fernández [1982] tiene sólo valor de antología del pensamiento, y apuntan a la divulgación los libros de Dendarski [1970] y Rand [1971]. De familia pequeño burguesa, Pérez de Ayala es alumno de los jesuitas, a los que debe una buena base de formación humanística que alentará todo a lo largo de su vida en el interés por el ideal clásico (O'Brien [1981]), pero que también le marcan con condicionamientos reflejados en su tetralogía novelística, en particular en *A.M.D.G.* Por contra, la etapa universitaria ovetense —años de la «Extensión Universitaria» y relevante magisterio de Clarín— le pone en contacto con la ideología institucionista que Ayala asimilará en parte, maridándola con un liberalismo de porte aristocrático.

Intuida ya en el colegio, la vocación literaria se orientó temprana hacia diversos géneros. En apretada nota ha remarcado Senabre [1975] el espíritu combativo de algunos poemas publicados en revistas de comienzo de siglo. En mi estudio de la poesía completa de Pérez de Ayala [1970] he comenzado por analizar la herencia simbolista y modernista de *La paz del sendero* (1903). Por entonces funda, con J. R. J. y Gregorio Martínez Sierra, la revista *Helios*, bien estudiada por O'Riordan, que pretende emular el *Mercure de France*. Inicia paralelamente una narrativa corta que Fernández Avello [1961] ha rastreado en los periódicos locales y que, muy pronto, gracias a Ortega, será acogida en *El Imparcial*. Culminan las tentativas en 1905 cuando publica su primera novela corta, *El último vástago*, bien estudiada por Forradellas [1975], y redacta *Tinieblas en las cumbres*, que no verá la luz hasta 1907. Una corta estancia en Londres, truncada por el suicidio de su padre, le familiariza con el liberalismo y la cultura sajona. En ese momento Pérez de Ayala opta por Madrid y por la literatura. De 1908 a 1912 figura como militante del Partido Republicano Radical de Alejandro Lerroux, que abandonará al aproximarse a los planteamientos generacionales del 14: Liga para la Educación Política Española, etcétera.

Pienso que los poemas de 1903 a 1907, recogidos después con otros en *El sendero andante* (1921), descubren los pasos de la evolución ideológica y estética de esos años. Es el mismo período —conviene recordarlo— en que Antonio Machado abandona el lastre modernista de *Soledades*; es también el tiempo de la impregnación nietzscheana. Martínez Cachero [1981] aporta datos que permiten centrar las relaciones de Pérez de Ayala con el movimiento modernista. Exagerando una pizca las notas de modernidad, Longhurst [1980] pone de relieve cómo la primera novela que Pérez de Ayala firma con el seudónimo de «Plotino Cuevas» —véase sobre los seudónimos primeros el artículo de A. Prado [1980]— revela la adopción de una actitud crítica frente al modernismo y viene a situarse en la línea de la novelística filosófico-existencial de Baroja y Unamuno, por más que el asturiano escriba irónicamente distanciado de la materia novelesca. Debo reclamar la atención sobre este último apunte que marca una de las claves de escritura categorizadas por la crítica; así lo vio Macklin [1978] a propósito de *La pata de la raposa*, y lo categorizó más tarde [1981], contemplando a Pérez de Ayala como prototipo de la novela modernista europea que, reflejando una sensibilidad de crisis, no se limita a contar cosas sino que tiende hacia una lógica de metáfora o de forma. Apoyado en la comprobación de un planteamiento narrativo diferenciado del tradicional realismo, Gullón [1981] prefiere contemplar la novela de Pérez de Ayala como ejemplo del género de «novela lírica» cultivado por Azorín y Miró, y cuyos caracteres define bien Darío Villanueva [1983] en el estudio introductorio a su excelente antología crítica monográfica.

En 1942 declara el novelista que la tetralogía compuesta por *Tinieblas en las cumbres* (escrita en 1905 y publicada en 1907), *A.M.D.G.* (1910), *La pata de la raposa* (1912) y *Troteras y danzaderas* (1913) formaba parte de un vasto plan proyectado para «reflejar la crisis de la conciencia hispánica desde principios de este siglo», presentando la evolución de las conciencias individuales desde la mentalidad del siglo XIX hasta otra «gradualmente definida e intensificada de conciencia nacional e histórica». Amorós, a quien debemos rigurosas ediciones críticas de toda la serie [1971, 1983, 1970, 1973 *a*], afirma en su estudio general de la novelística ayalina [1972] que la tetralogía puede reflejar una crisis española pero que en ella, y más en concreto en las tres primeras novelas, predomina la crisis individual sobre la colectiva; por lo que hace a *Troteras*, en la excelente monografía que le ha consagrado [1973 *b*] concluye calificando de arbitraria la lectura que sigue el hilo de un proceso desde lo caótico en la conciencia individual hasta la ordenación en la conciencia nacional.

En el extremo opuesto se sitúan Urrutia [1960], quien rastrea el tema de la conciencia nacional y ve en Pérez de Ayala a un profeta de su generación, Carmen Bobes [1981], para quien los cuatro títulos constituyen una sola historia con unidad de sentido, y, más radicalmente, M. D. Albiac [1976, 1982] que, en el análisis de tipo goldmaniano que constituyó su tesis doctoral, lamentablemente aún inédita, ya proponía la lectura de las cuatro novelas como una biografía generacional. Tras descubrir en *Tinieblas* en su otro yo, Alberto Díaz de Guzmán, una prematura ruina moral, el novelista analizaría en *A.M.D.G.* las raíces de la crisis, la pésima formación del colegio de jesuitas donde ha resultado paralizada su facultad volitiva y donde se gesta un anticlericalismo cuyo alcance mide bien Fernández Avello [1975] y que el jesuita Rivas [1983], que ofrece el contrapunto histórico de personajes y sucesos, se inclina por juzgar como diablura de juventud, volterianismo para asustar beatas de Vetusta. Hasta ese momento nos moveríamos, pues, según han visto King Arjona [1928], Bevelander [1957], Fabian [1958 *a*], en el ámbito del pensamiento noventayochista, cuyo influjo extiende Reinink [1959], de manera indebida, a toda la producción ayalina. Creo que acierta Amorós [1970] al diagnosticar en el protagonista de la tercera novela algo más que un enfermo de voluntad; pero la aceptación de su lectura, en clave de proceso de «educación sentimental», que Fabian [1958 *b*] estudia como tema cardinal de toda la tetralogía, no conlleva la negación de esa dimensión social que otros críticos descubren en la novela. Acaso sea *La pata de la raposa*, cuya estructura narrativa estudió Shaw [1981], y tal como Macklin [1978] ha mostrado, la novela donde con mayor claridad se ve el juego de compromiso y distanciamiento literario que Pérez de Ayala combina. Alusiones a sucesos contemporáneos españoles resultan a veces patentes, tal como Albiac, que había documentado [1977] interesantes precedentes de núcleos de *Troteras*, evidencia [1980] en *A.M.D.G.* y «El Anticristo». En *La pata de la raposa* se categorizan las oposiciones ciudad-campo, angustia-vitalidad, tradición-liberalismo y, en definitiva, se plantea la necesidad de optar por una moral modernista de salvación individual o una moderna de salvación colectiva. Todo ello tiene su traducción, tal como ha esbozado García Arias [1975], en la norma lingüística. Convendría avanzar en el camino crítico abierto por Longhurst [1980] y Bobes [1981], precisando lo que la tetralogía supone como búsqueda de una novela más abierta.

Puede afirmarse que al terminarla, la estética ayalina está configurada. Se ha enriquecido con diversas aportaciones del pensamiento europeo —filosofía de Lipps— y el contacto con otras literaturas, la italiana (González Martín [1979]), en concreto. Inédita la tesis doctoral de García Domínguez [1964] sobre la poética de Pérez de Ayala, resultan insuficientes los artículos de Sallenave [1969, 1970] para abarcar la riqueza de su teoría literaria, sólo insinuada en los libros de conjunto de Dendarsky [1970] y Rand [1971].

En 1916, bajo el subtítulo genérico de «Novelas poemáticas de la vida española», aparecen reunidas en un volumen *Prometeo*, *Luz de domingo* y *La caída de los Limones*, las dos últimas de las cuales habían sido publicadas el mismo año de manera independiente. De nuevo se plantea, pues, el problema de su interrelación y posible adscripción a un esquema previo. Si hemos de atender a Pérez de Ayala en el «Prólogo» a la edición de sus *Poesías* en 1942, las tres venían a insertarse en el último estadio de un temprano proyecto poemático —«Las formas, Las nubes, Las normas»— porque, en definitiva, tratan de captar «la armonía inviolable de las normas eternas y de los valores vitales». Previstas —Matas [1974]— o no —Amorós [1972]— como parte de tal esquema, es un hecho que las tres novelitas componen, de hecho, una unidad natural.

A las coincidencias comunes enumeradas por Macklin [1980 *a*], entre las que resalta la construcción narrativa sobre una pauta de tradición literaria, estudiada también antes por Hartsook [1964] como forma básica del contenido de la escritura ayalina, podrían añadirse otras pendientes todavía de estudios monográficos: tales, la convergencia de las tres novelas sobre un proyecto de vida frustrado por una realidad condicionante que desencadena un final trágico; la estructuración binaria de rivalidad; la irrupción de la violencia erótica; o, por no alargar la lista, la simetría de los finales de las novelas: algo que se muere —en *Prometeo*— o que nace, en las dos restantes. Aporta apreciaciones de interés sobre la trilogía Prado [1981]; sobre todas las novelas cortas, Lozano [1983].

Toda la crítica considera estas novelas poemáticas como eslabón entre los dos períodos novelísticos ayalinos, el de la tetralogía autobiográfica y el de las novelas mayores, de *Belarmino* a *Tigre Juan*. Tras reclamar la atención sobre *La araña*, una novelita anterior en la que se produce un planteamiento análogo al de las poemáticas, interpreta Matas a éstas como las primeras «normativas» en el sentido de que afrontan «sentimientos fundamentales del alma humana en el punto de su origen» mediante el *contrafactum* de fábulas tradicionales; en esa línea evocan el planteamiento de las cervantinas novelas ejemplares. Si Marco de Setiñano peca por querer engendrar un superhombre, Cástor Cagigal y Arias Limón pecan por defecto de energía y abulia respectivamente. Es interesante a este propósito el cotejo que Fabian [1958 *c*] establece entre *Amor y pedagogía* y *Prometeo*. La infraestructura de referencia clásica de *Prometeo* ha sido estudiada por Rodríguez Monescillo [1964, 1980] y Ernest A. Johnson [1954, 1955] que rastrea también otros precedentes humanísticos. La documentada monografía de Salgués de Cargill [1972] sobre los mitos clásicos y modernos en la novela de Pérez de Ayala recibe una útil precisión en lo que respecta a las técnicas manipuladoras en el artículo de Macklin [1979]. También proyecta mucha luz sobre el tema en general un excelente trabajo de Baquero Goyanes [1955], que enjuicia toda la novela ayalina como tragicomedia y que complementa Campbell [1969]. En efecto, en todas ellas cabe descubrir una peculiar trama teatral de corte expresionista facilitada por la acumulación de caretas; Ayala comparte con Ortega la idea bergsoniana de que lo heroico y lo trágico se degradan por la enfatización de lo corporal o de su ubicación en lo cotidiano. No puede negarse la relación de *Prometeo* con la unamuniana *Amor y pedagogía*, por más que las analogías remarcadas por Fabian [1958 *c*] deben ser contrapesadas con el diverso final.

Aunque no falta en *Prometeo* la vinculación al problema de España, demuestran mayor grado de compromiso las dos novelas siguientes. Construida sobre la pauta del romancero —Macklin [1980 *a*]— *Luz de domingo*, dedicada al socialista L. Araquistáin, afronta el tema de las bandas caciquiles y representa para algunos críticos —Martínez Cachero [1968], Amorós [1972], el propio Macklin [1980 *a*] y Cvitanovic [1981], que estudia su alegorismo— una de las cimas del arte narrativo ayalino. Sin duda, es a la vez, tal como Gullón ha estudiado [1981], un claro ejemplo de ese tipo de novela lírica en el que se moldean los mejores intentos de renovación de la novela española en nuestro siglo. Aspiraba Pérez de Ayala «a obtener la poesía de la verdad por un procedimiento más sintético que analítico»: es aquí la luz del domingo la que configura un espacio lírico en el que personajes y acción cobran dimensión mitificada de figuras arquetípicas (Matas), que, en claro contraste, no pierden, antes bien refuerzan un arraigo en lo cotidiano. *La caída de los Limones* contrahace el tema del crimen de don Benito, narrado ya por Baroja. Manipula Pérez de Ayala con gran libertad ese material de tradición inmediata y puede así comprenderse la oscilación de estilo entre clasicismo y flexibilización coloquial, que incorpora incluso, y con valor trascendente —bien visto por García Arias [1975]— el bable y otras variantes regionales.

Tras cinco años dedicados por completo al ensayo político, del que es buena muestra *Política y toros*, y a la crítica teatral, recogida en el espléndido volumen de *Las máscaras*, Pérez de Ayala inicia la segunda etapa novelística. Todos los títulos de ella —*Belarmino y Apolonio* (1921), *Luna de miel, luna de hiel* y *Los trabajos de Urbano y Simona* (1923), en realidad una novela al igual que *Tigre Juan* y *El curandero de su honra*, publicada esta última en dos tomos, 1926 y 1930 por exclusivas razones editoriales— sugieren, de entrada, dualismo y contraste. Apenas se aborda la lectura, se advierte que estos conceptos actúan literariamente en forma de perspectivismo. Entre los estudios que han analizado tales procedimientos destacan los ya clásicos de Baquero [1962, 1963 *b*] y, sobre todo, de F. W. Weber [1966]. Hasta tal punto avasalla las estructuras de las novelas el planteamiento dual, que el crítico corre el riesgo de quedar apresado en las mallas de una visión excesivamente simplificada. Tal le ocurre, a la hora de enjuiciar *Belarmino y Apolonio*, a Leighton [1959] que sólo acierta a ver en ella una parodia de los krausistas, o a la propia Weber para quien el relativismo perspectivista es lo que «configura la obra» en todos sus niveles. Oportunamente, advierte Matas [1974] que el narrador de la novela desempeña una función de contradictor, con lo cual el motivo divergente también afecta a la teoría estética expuesta en la novela. El gran tema será, según eso, la idea de armonía como principio ordenador del universo de contrarios y, supeditada a ella, la necesidad de comunicación entre los humanos. Livingstone [1981] hace sugerencias de interés sobre la dualidad lenguaje-silencio en la novela. Ya Clavería [1945] había anticipado la importancia del tema del lenguaje en *Belarmino* que, más recientemente, Bobes ha completado [1958] e integrado en un preciso estudio semiótico [1977]. Resulta, con todo, oportuna la advertencia con que Suárez Solís [1974] concluye su análisis de esta novela «bilateral», en el sentido de que el universo de *Belarmino y Apolonio* es irreductible a lo monotemático. Lo que en definitiva emerge como gran valor de la obra es la búsqueda lingüística que aproxima a Pérez de Ayala a la empresa que por vías paralelas a la suya, marcadamente intelectualista, proseguían Miró y Ramón Gómez de la Serna.

Aún más cercana a éstas se sitúan las que podríamos llamar *Las novelas de Urbano y Simona*, por más que Matas [1974] insista en que *Luna de miel, luna de hiel* y *Los trabajos*, al constituir dos desarrollos opuestos de un mismo tema, requieren en Pérez de Ayala la ejecución de dos libros complementarios. Contrapone Amorós [1972] el testimonio de lectores coetáneos coincidentes en alabar la veta fantástica y el alejamiento del realismo que, por esa ley de contraste, constante en Pérez de Ayala, entrevera muchas páginas. De ahí que la que Urrutia califica de novela de tesis rousseauniana, sea considerada por Nora como «menos novelesca», mientras que para Curtius [1959] constituye un ejemplo de «épica objetiva».

Enlazada con la anterior por el hilo temático de la situación de la mujer en España, *Tigre Juan* y *El curandero de su honra*, que valió a su autor el Premio Nacional de Literatura, desarrolla, desde la perspectiva de la educación para el amor y la reforma de la sensibilidad nacional, mediante un procedimiento de «contrafacturas» —mito y antimito—, sucintamente analizado por Salgués [1973], los mitos del donjuanismo y el honor calderoniano (Macklin [1980 *b*]). Livingstone, que ha estudiado las formas de duplicación interior en la novela contemporánea española [1958], entiende [1954] que en el caso de Pérez de Ayala, y de esta novela en concreto, el dualismo y su formalización paralelística obedecen al deseo de alcanzar la mayor profundidad narrativa posible; Weber señala, de hecho, como pauta de su lectura la recurrencia de idénticos núcleos semánticos en las columnas tipográficas simétricas de la narración. En este sentido, valora Amorós [1980] lo que de investigación y ensayo de nuevas formas se encuentra en ella, Matas [1974] enfatiza su carácter dramático, mientras que Macklin, que ha realizado una cuidada edición [1980 *c*] sobre el tema, ve [1980 *b*] conjugado todo a lo largo de esta novela ese elemento dramático con otro lírico. Por supuesto, también aquí se amalgama la lengua culta con la vulgar dialectizante, analizada por Igualada Belchi [1978]. Todo contribuye en convergencia, al reforzamiento de la formalización básica dual.

Una novelita corta, *Justicia*, cuyo prólogo desveló Amorós [1976], cierra de forma prematura el curriculum novelístico de Pérez de Ayala. Estuvo a punto de alcanzar el Premio Nobel en tres ocasiones y, sin embargo, son bastantes —desde la generación de 1927— los que le consideran un novelista frustrado en aras del propio estilo (García Domínguez [1980]). González Calvo, a quien debemos un útil análisis lingüístico de la prosa ayalina [1979] en el que, sin embargo, cabe echar en falta una más detallada y convergente serie de categorizaciones literarias, obliga a revisar el expeditivo encasillamiento del estilo en fórmulas como la de «arcaizante moderno» avanzada por Guillermo de Torre [1965]. Por mi parte [1980] he insistido en la necesidad de juzgar su novela desde la perspectiva de un momento de crisis del género y, sobre todo, en relación con los propósitos generacionales de búsqueda de una nueva sensibilidad.

A fuerza de insistir en la peculiaridad de Gabriel Miró (1879-1930) como escritor y en la de su tipo de escritura, la crítica ha contribuido a forjar la imagen, desde luego falsa, de lo que podríamos llamar un caso aislado. A pesar de sus relaciones con Azorín, que en seguida precisaremos, y de que algunos aspectos de su obra, señalados por Ontañón [1975], puedan evocar preocupaciones de los noventayochistas, es claro que Miró no puede ser adscrito, ni siquiera como epígono, a tal generación. Tampoco, a decir verdad, militó en las filas de los abanderados modernistas agrupados en *Helios* y otras revistas. Cuando Ramos, en su fundamental estudio sobre el mundo mironiano [1964, 1970²], que completa el anterior [1955], afirma que «participó de su credo estético» y Baquero, en otro que recogemos [1952], opta por atribuirle la etiqueta de «neomodernista», se está reconociendo esa peculiaridad que contradistingue al escritor alicantino. En 1915, al tiempo que D'Ors le llamaba «novecentista», R. M. Tenreiro emparentaba a Miró con Pérez de Ayala situando a ambos en el espacio que colinda con J. R. J. de un lado y Ortega de otro. Ese primer intento perspicaz de relacionarlo con las preocupaciones y la tarea de la generación de 1914 ha sido con posterioridad secundado por R. Vidal, autor de un estudio de su lengua literaria [1964], por Becker [1958], que enmarca su análisis en el esquema orteguiano del hombre y la circunstancia; más recientemente por Gullón [1979] en su ensayo sobre la novela lírica, y por el propio Baquero Goyanes en una sugerente nota [1980]. Debo precisar que cada uno de estos últimos entiende la vinculación de manera diversa y, en cierto modo, por dispar que en principio parezca, es reducible a su planteamiento común el avanzado por Casalduero [1962] al calificar a Miró como escritor cubista: en última instancia, todos apuntan hacia una zona de experimentación literaria en la novela y, más radicalmente, hacia un nuevo modo de entender la función social de la literatura.

Uno de los más perspicaces fervorosos mironianos, E. L. King, que ha rastreado con devoción [1962] hasta los antecedentes familiares del escritor y exhumado los primeros y últimos escritos hasta la fecha [1982] inéditos, destacaba ya en su definitiva introducción a la edición crítica de *El humo dormido* [1967], e insiste en su tan breve como excelente Introducción biográfica [1982], en la condición de ciudadano medio, gris de Miró: nadie podría pensar en él como miembro de un grupo o, tan siquiera, como figura pública. Nacido en el seno de una familia burguesa culta, es, como Pérez de Ayala, alumno de los jesuitas cuya educación va a marcarle negativamente en el plano religioso, pero a quienes debe, también, buena formación humanística clásica, cuyo estudio esbozó Fernández Galiano [1950] y que no ha de ligarse tan sólo a conocimiento de la literatura sino a un constante interés por el mundo helénico, enraizado, sin duda, en la mediterraneidad de origen y vivencia. A la educación jesuítica debe también Gabriel Miró la adquisición de un hábito de captación sensible apoyado en la metodología de la composición de lugar propia de la meditación ignaciana: para King [1962, 1982] el primer estímulo de concepción y plasmación de las estampas bíblicas deriva, en efecto, de los ejercicios espirituales de san Ignacio. Al igual que J. R. J. o, de manera aficionada, Pérez de Ayala, se inicia también Miró en la pintura con su tío Lorenzo Casanova, el cual repetía a los alumnos esta recomendación básica: «acostumbrad la vista a medir el modelo; abarcadle en conjunto y detalle ... Lo primero de todo es que el artista haga del órgano visual una verdadera cámara obscura». El trato con la familia Mignon, con cuya hija Clemencia se casará, le facilita el contacto, nunca abandonado, con la literatura y la cultura francesa. La excelente monografía de McDonald [1975] sobre la biblioteca privada del escritor, a la par que testimonia ese dato, ofrece pistas muy sugestivas para rastrear fuentes e influencias de diversas épocas: junto a los clásicos griegos se sitúan los españoles y, destacados sobre ellos, santa Teresa y fray Luis de Granada (Sánchez Gimeno [1960]); entre los contemporáneos admira a Bécquer, reconoce en Galdós a un maestro y en Valera (King [1967]) un modelo al que idolatra. A pesar de las diferencias que de Azorín le separan, bien marcadas por Baquero [1956], su relación con él es muy estrecha: le atribuye el mérito de haber promovido el renacimiento de la palabra literaria en España y de marcar y enseñar la transición en el estilo castellano del párrafo a la palabra (Hervás y otros [1974]).

Se produce una coincidencia fundamental de la crítica en subrayar la unidad de la obra mironiana en su cosmovisión y forma expresiva, pero varían las perspectivas de enfoque y, en consecuencia, la identificación de su clave última. Habla Ramos [1964] de «Sigüencismo» como «profunda proyección estético-afectiva hacia el ser ... que reside en una personalísima mirada y forma expresiva de la realidad objetiva, de su emoción y de su espíritu»; Muñoz Alonso [1957] sitúa el empeño mironiano en «sorprender a las cosas para que las cosas se le entreguen en su verdad como belleza» y, en esa misma línea, rastreando los supuestos filosóficos del estilo y, sobre todo, de la imaginería mironiana, profundiza Woodward [1954]. Intentan otros críticos apresar esa clave de que hablamos por el camino de la psicología: O'Sullivan [1967] analizando el significado psicológico de algunas imágenes y López Capestany [1973] reduciendo *Nuestro Padre San Daniel* a sus componentes de este tipo. Una tercera vía de asedio hacia la comprensión unitaria apunta a la estructura moral de la obra de Gabriel Miró cuya orgánica originalidad ha enfatizado Meregalli [1949]. Becker [1958], por ejemplo, la ve centrada en el tema de la realización del ser y las tentaciones que le distraen hacia la alienación: frente a los personajes «que buscan una vida afirmativa» están los que se oponen o, al menos, renuncian a tal desarrollo personal; Miró viene a proponer un humanismo integrador en que al hombre «le resuene toda la naturaleza en su intimidad» y que le haga ser más hombre que persona.

De entre toda esta serie de asedios, que Landeira [1979 *a*] cataloga, destacan por su propia fecundidad el ensayo en que King [1961] concibe el arte mironiano como creación a la par que descubrimiento de la realidad de las cosas —el escritor adopta, según el crítico, una postura de extremado subjetivismo y así «los crea a medida que va sensacionándolas, conceptuándolas y nombrándolas»— y el de Guillén [1961], que sorprende por su modernidad de conceptos: la gran conquista de Miró consiste en comprender que «el acto contemplativo se realiza del todo gracias al acto verbal. Entonces se cumple el ciclo de la experiencia». El breve epistolario mironiano con el propio Guillén [1969] revela aspectos de esta categorización.

En el plano de la expresión constituyen mayoría los críticos que ven en Miró un escritor impresionista: al margen de las polémicas sobre el comparatismo y dentro de la relatividad con que han de acogerse los ensayos aproximativos, es muy preferible el estudio de Moreno Báez al esbozo de Anderson Imbert [1959]; Orozco [1968] añade ricas observaciones sobre la plasticidad de las escenas de luz. Supone una alternativa de largo alcance la lectura de Miró en clave cubista que propone Casalduero: en efecto, esa fragmentación en facetas cuya unidad recompone el ojo entronca en ese principio fundamental del cubismo según el cual el artista no ha de reproducir la realidad ni seleccionar desde una precisa perspectiva una parcela de ella, sino ofrecernos la totalidad de la naturaleza en su equivalente plástico. La dimensión de distanciamiento por la ironía y el humor ha sido analizada por Miller [1979 *a*].

A *La mujer de Ojeda* (1901) que el propio autor califica de «ensayo de novela» y que más tarde le produce «muchos remordimientos artísticos», a pesar de los logros evidenciados por Ruiz Silva [1981], sigue, en 1903, *Hilván de escenas*, un título que bien pudiera servir de marbete genérico para otros libros como *Del vivir* (1904), *Figuras de la Pasión del Señor* (1916-1917), *Libro de Sigüenza* (1917), *El humo dormido* (1919), *El ángel, el molino, el caracol del faro* (1921) o *Años y leguas* (1928). Todos ellos coinciden, de manera básica, en ser una serie o sucesión de escenas. El desconcierto de los críticos a la hora de seleccionar etiquetas categorizadoras para gran parte del corpus mironiano se corresponde con el titubeo del propio autor que habla de «figuras», «estampas», «glosas», «viñetas», «tablas», para referirse no sólo a cuadros estáticos y compartimentados sino a los articulados en escritos que, desde luego, no sabemos si calificar de cuentos, ensayos o poemas en prosa. Si hablando del primer capítulo de la novela *Las cerezas del cementerio* (1909), del que Baquero [1973] ofrece un buen comentario, usa Miró el calificativo de «fábula», podríamos nosotros dudar mucho en considerar como cuentos varios de los relatos agrupados en el volumen *Corpus y otros cuentos* (1908), al que el propio Baquero ha consagrado [1979] un excelente ensayo tipificador. ¿Y qué indica todo ello? Baquero apunta hacia la significación modernista del propósito de trascendencia de los géneros y de fusión de las artes. La propensión mironiana hacia lo indiferenciado, su gusto por la meditación y aun por un cierto ensayismo más abocado a lo poético que a lo especulativo, pudo funcionar como estímulo para una creación liberada de las ataduras preceptivas, pero, a la vez, privada de las ventajas de un moldeamiento genérico. Pero, en convergencia con lo señalado respecto a su filiación generacional, habría que analizar su experimentación de formas genéricas en el conjunto de la reflexión teórica y de los tanteos que la generación de 1914 realiza (Matas [1979]): baste pensar en los ensayos orteguianos sobre poesía, novela y teatro o en las últimas novelas de Pérez de Ayala con su jalonamiento musical incluido.

No obsta a esta sugerencia que formulo la radical descalificación que hizo Ortega de *El obispo leproso* como novela (1927) por cuanto, sobre la compartida conciencia de agotamiento de la novela realista burguesa, se alzan, en el ámbito teórico y práctico de la generación, propuestas renovadoras bien diversas. Es un hecho, sin embargo, que la concreta opinión desfavorable de Ortega —al leer a Miró, dice, se piensa «¡qué bien está! y sin embargo no se sigue leyendo»— ha condicionado buena parte de la crítica, empeñada, hasta hoy, en juzgar las novelas mironianas según el canon genérico de la novela tradicional. Conviene ver en King [1982] las tres versiones de la contestación, «Sigüenza y el Mirador Azul», que Miró dedica a Ortega. Si Max Aub decía que Miró pecaba contra lo esencial de la novela, contar lo que sucede, Nora afirma que «la limitación más grave del arte mironiano ... es su falta de vinculación con la totalidad del ser humano» y le califica de «artista superficial», desvinculado y puro; su técnica —añade— de pintor impresionista, impregnado y disuelto en la luz material, es «procedimiento oportuno para la descripción, para la estampa: fatal para la novela». Pienso que convendría aplicar otros módulos críticos, tal como hizo Baquero [1948] al comparar la técnica narrativa de Miró con la que Proust adopta para captar la realidad. No olvidemos que Eugenio d'Ors entendía que sólo Miró y Charles

Louis Philippe acertaban a transparentar en el estilo el más íntimo juego de los personajes. Tras las huellas de Freedman, ha esbozado Gullón [1979] las bases de una lectura que viene a situar a Miró, en su conjunto, en el área en que se mueven Virginia Woolf y Alain Fournier o, más cercanamente, Azorín y Pérez de Ayala, en cuyas novelas no falta la acción pero lo que destaca es la emoción: la acción se diluye en las impresiones. De ahí proviene esa tendencia a la fragmentación del texto en facetas que, por más que desconcertase a Ortega, puede enlazar con la estética cubista. De ahí, más radicalmente aun, la función primordial de las imágenes, bien estudiada por Woodward [1954] en *Nuestro Padre San Daniel.*

La primera producción mironiana, la que, por señalar un hito destacado, va hasta *Las cerezas del cementerio*, ha merecido hasta ahora escasa atención crítica. El artículo de Rubio Cremades [1979] sobre los dos primeros libros de Miró se limita a enfatizar en *La mujer de Ojeda*, con el paradigma de Valera, las filtraciones del folletín y sus rasgos naturalistas, y ofrece algún interés mayor en el esbozo de análisis de estructuras de *Hilván de escenas*, visto como novela con narraciones intercaladas. No disponemos de estudios dignos de mención sobre *La novela de mi amigo* y «Nómada», publicadas ambas en 1908, y son contados los trabajos sobre las novelas que se agrupan en torno a *Las cerezas del cementerio* (1910): *La palma rota* (1909) cuenta sólo con unas anotaciones, más bien descriptivas, de Ontañón [1978]; en *Niño y grande* (1922), que en su versión primera se titulaba *Amores de Antón Hernando* (1909), pone de relieve Montes Huidobro [1976] el naturalismo romántico que lo impregna; y Lozano [1979] destaca el giro que se produce en *Los pies y los zapatos de Enriqueta* (1912, escrita en 1909) hacia el arte mironiano de plenitud: abandono del decadentismo, inicio de la visión crítica provinciana, adopción del concepto de novela que «dice las cosas por insinuación» y en la que las varias historias aparecen entrelazadas para producir no la unidad de argumento sino la unidad de efecto (Poe).

Sobre *Las cerezas del cementerio* ve gravitar Nora la influencia de D'Annunzio, «en el lenguaje, en el ambiente, en los tipos fundamentales y en los conflictos que se plantean»; no faltan —añade— elementos suficientes para constituir una gran novela, pero todo se asienta hacia un «poema descriptivo-narrativo». Sin reincidir en el tema de la valoración del libro según este o aquel canon del género novelístico, conviene notar que *Las cerezas* encierran una dialéctica que parece desbordar ampliamente la clasificación de Nora. Márquez Villanueva, que comenzó [1969] por identificar un caso de reelaboración casi parafrástica de Zola en el *Libro de Sigüenza*, ha descubierto [1972] la trama zolesca subyacente en este anterior libro mironiano, *La fortune des Rougon* (1871) de la serie *Les Rougon-Macquart*, verdadera Biblia de la novela naturalista.

Y no es que al alicantino le preocupase el tema de la herencia biológica y sus implicaciones en el determinismo moral. Le interesa, en cambio, el problema psicológico de la reencarnación y la idea nietzscheana del eterno retorno. Por algo Unamuno encontraba en Miró, y concretamente en esta novela, «el misterio de una religiosidad lúdica»; de ahí arranca una actitud crítica de la religión desvitalizadora, en la que Márquez halla «el más recio espinazo de la obra entera de Gabriel Miró».

Los atisbos registrados en *Los pies* granan en el fruto maduro de *El abuelo del rey* (1915), novela con la que Miró rebasa decisivamente el mundo cerrado de conflictos internos de la personalidad en que hasta entonces se movía y donde, a su vez, ensaya todos los motivos y formas que esplenderán en *Nuestro Padre San Daniel* y *El obispo leproso*. Con la metodología que acabo de registrar, ve Márquez Villanueva [1975] un precedente de *El abuelo del rey* en la novela zolesca *La joie de vivre* (1884). Por más que Kaul [1948] niegue toda relación entre el estilo de Miró y el naturalismo de Émile Zola —negación que Ferrándiz extiende a la presencia de cualquier elemento naturalista— son mayoría los críticos que las aceptan. Cierto que a Miró no le interesaba la carga teórica que la obra de Zola comportaba: él toma esa materia literaria como punto de partida para una reelaboración depurada (Márquez [1969]). Más que Zola, tal vez le interesan ideológicamente Nietzsche y Schopenhauer, en quienes fundamenta su concepto de la temporalidad y que configuran parcialmente algunas de sus ideas religiosas. Quisiera por mi parte hacer notar cómo Pérez de Ayala había sentido pocos años antes análogas atracciones de influencia y subrayar, también, la sincronía en la preocupación por el tema de la vida provinciana.

Dado que aquí perseguimos las vetas novelísticas de la generación de 1914, baste reseñar como guías indispensables para la lectura crítica de lo que suele llamarse la «trilogía de Sigüenza» —*Del vivir* (1904), *Libro de Sigüenza* (1917) y *Años y leguas* (1928)— el estudio de Landeira, a quien debemos una completísima bibliografía mironiana [1978], así como para *El humo dormido* (1919) no ha sido superada la introducción que King antepone a la excelente, y por desgracia no reeditada, edición crítica. En uno y otro estudio se encuentran datos muy útiles de aplicación crítica general.

Nadie duda de que la novela cumbre de Gabriel Miró es la que conforman los dos volúmenes de *Nuestro Padre San Daniel* (1921) (Ruiz Silva [1981 *b*]) y *El obispo leproso* (1926). Su fundamentación bíblica y, más en concreto, su radical teología paulina han sido analizadas, respectivamente, por Brown [1975] y Roberta Johnson [1976]. La pintoresca perspicacia de Giménez Caballero descomponía al Miró de la preguerra en «azorinismo», «sorollismo», «judaísmo», «misticismo», «personalidad», en tanto que veía correlativamente integrado al de posguerra por «paulclaudelismo», «francisjamismo», «papinismo», «levantinismo» y «personalidad». Ciertamente su escritura refleja la fusión de elementos universales y locales, de tradición literaria y observación: lo universal se moldea en Oleza y los temas eternos de la lucha entre el bien y el mal se concretan en la plástica atmósfera de la represión provinciana. Es lo que no vio Van Praag [1959], empeñada en reducir a Miró a categoría de anécdota, y lo que le hizo merecer la dura réplica de King [1961]. Frente a las reservas, ya reseñadas, de la crítica, Miller [1975] ha construido una sólida lectura de las estructuras narrativas que sustentan la formidable escritura y ha resaltado más tarde [1979] la función de la ironía y el humor.

Porque lo indiscutible, en última instancia, es la categoría de estilista (Tovar [1979]). La excelente tesis doctoral de R. Vidal, inédita hasta 1964, ofrece el mejor análisis sistemático del temperamento literario de Miró, de todos los niveles de su lengua, de su técnica de construcción de imágenes y del ritmo acordado de pensamiento y estilo, de su método de composición. No cabe señalar una cronología que explique la evolución de su estilo, clásico y romántico a la vez que moderno.

BIBLIOGRAFÍA

AA. VV., *Du roman feuilleton au romancero de la guerre d'Espagne*, Presses Universitaires de Grenoble, Grenoble, 1977.

Agustín, Francisco, *Ramón Pérez de Ayala. Su vida y obras*, Imprenta de G. Hernández y Galo Sáez, Madrid, 1927.

Albiac, M.ª Dolores, «La novela de Ramón Pérez de Ayala. Un estudio sobre la tetralogía generacional», tesis presentada en la Universidad de Barcelona, 1976, inédita.

—, «"La educación estética. Baile español". Un precedente desconocido de *Troteras y danzaderas*», *Ínsula*, XXXI, n.º 361 (1976), pp. 3 y 14.

—, «Hidalgos y burgueses: la tetralogía generacional de Ramón Pérez de Ayala», en *Ideología y sociedad en la España contemporánea*, Edicusa, Madrid, 1977.

—, «La semana trágica de Barcelona en la obra de Ramón Pérez de Ayala», *Ínsula*, XXXV, n.ºs 404-405 (1980), pp. 3 ss.

—, «Autobiografía personal y biografía generacional en la obra de Ramón Pérez de Ayala», en *L'autobiographie en Espagne, Actes du IIe Colloque International de La Baume-Lexais*, 23-25 de mayo de 1981, Université de Provence, 1982, pp. 181-201.

Amorós, Andrés, ed., Ramón Pérez de Ayala, *La pata de la raposa*, Labor, Barcelona, 1970.

—, ed., Ramón Pérez de Ayala, *Tinieblas en las cumbres*, Castalia, Madrid, 1971.

—, *La novela intelectual de Ramón Pérez de Ayala*, Gredos, Madrid, 1972;

el Apéndice III contiene «Veinte cartas de Ayala a Unamuno», pp. 458-489.
—, ed., Ramón Pérez de Ayala, *Troteras y danzaderas*, Castalia, Madrid, 1973.
—, *Vida y literatura en «Troteras y danzaderas»*, Castalia, Madrid, 1973.
—, «El prólogo desconocido de *Justicia*, de Pérez de Ayala», *Boletín del Instituto de Estudios Asturianos*, XXX (1976), pp. 3-11.
—, ed., Ramón Pérez de Ayala, *50 años de cartas íntimas (1904-1956) a su amigo Miguel Rodríguez Acosta*, Caja de Ahorros de Asturias, 1980.
—, ed., Ramón Pérez de Ayala, *Tigre Juan. El curandero de su honra*, Castalia, Madrid, 1980.
—, «Un cuaderno de trabajo de Ramón Pérez de Ayala», *Cuadernos Hispanoamericanos* (enero-febrero de 1981), pp. 7-26.
—, ed., Ramón Pérez de Ayala, *A.M.D.G.*, Cátedra, Madrid, 1983.
Anderson Imbert, Enrique, «La creación artística de Gabriel Miró», *Filología*, V (1959); recogido en *Crítica interna*, Taurus, Madrid, 1960.
Baquero Goyanes, Mariano, «Tiempo y tempo en la novela», *Arbor*, 33-34 (septiembre-octubre de 1948).
—, «La prosa neomodernista de Gabriel Miró», discurso en la Real Sociedad Económica de Amigos del País, Murcia, 1952; recogido en *Prosistas españoles contemporáneos*, Rialp, Madrid, 1956, pp. 173-252.
—, «La novela como tragicomedia: Pérez de Ayala y Ortega», *Ínsula* (1955); recogido en Baquero Goyanes [1963], pp. 161-170.
—, «Azorín y Miró», Universidad de Murcia, 1956; recogido en Baquero Goyanes [1963], pp. 83-160.
—, «Dualidades y contrastes en Ramón Pérez de Ayala», *Archivum*, XII (1962), pp. 554-578.
—, *Perspectivismo y contraste (De Cadalso a Pérez de Ayala)*, Gredos, Madrid, 1963.
—, «Contraste y perspectivismo en Ramón Pérez de Ayala», 1963, en Baquero Goyanes [1963], pp. 171-244.
—, «*Las cerezas del cementerio* de Gabriel Miró», en AA.VV., *El comentario de textos*, Castalia, Madrid, 1973, pp. 185-204.
—, «Los cuentos de Gabriel Miró», en *Homenaje a Gabriel Miró* [1979], pp. 123-148.
—, «De Miró a Pérez de Ayala», *Monteagudo*, n.º 71, extraordinario dedicado a Ramón Pérez de Ayala (1980), pp. 5-8.
Becker, August W., *El hombre y su circunstancia en las obras de Gabriel Miró*, Revista de Occidente, Madrid, 1958.
Best, Marigold, *Ramón Pérez de Ayala: an annotated bibliography of criticism*, Grand and Cutler, Londres, 1980.
Bevelander, Suzanne G., «The Díaz de Guzmán tetralogy of Ramón Pérez de Ayala», tesis doctoral de la Universidad de Illinois, Urbana-Champaign, 1957; University Microfilms, 1979.
Billick, David J., «Addendum to the bibliography of Ramón Pérez de Ayala: Master's theses on doctoral dissertations», *Hispanófila*, 59 (1977), pp. 89-93.
Bobes Naves, M.ª del Carmen, «Notas a *Belarmino y Apolonio* de Pérez de Ayala», *Boletín del Instituto de Estudios Asturianos*, XXXIV (1958), pp. 305-320.

Bobes Naves, M.ª del Carmen, *Gramática textual de «Belarmino y Apolonio»*, Cupsa, Madrid, 1977.
—, «Renovación del relato en las primeras novelas de don Ramón Pérez de Ayala», en *Pérez de Ayala visto en su centenario*, IDEA, Oviedo, 1981, pp. 73-97.
Brown, Gerald G., «The biblical allusions in Gabriel Miró's Oleza novels», *Modern Language Review* (octubre de 1975).
Campbell, Brenton, «Free will and determinism in the theory of tragedy: Pérez de Ayala and Ortega y Gasset», *Hispanic Review*, XXXVIII (1969).
Casalduero, Joaquín, «Miró y el cubismo», en *Estudios de literatura española*, Gredos, Madrid, 1962, pp. 288-332.
Clavería, Carlos, «Apostillas al lenguaje de Belarmino», en *Cinco estudios de literatura española moderna*, Acta Salmanticensia, Salamanca, 1945.
—, «Apostillas adicionales a *Belarmino y Apolonio*», *Hispanic Review*, XVI (1948), pp. 340-345.
Curtius, Ernst Robert, «Ramón Pérez de Ayala», en *Ensayos críticos acerca de literatura europea*, II, Seix Barral, Barcelona, 1959, pp. 109-123.
Cvitanovic, Dinco, «Consideraciones sobre la mentalidad alegórica en *Luz de domingo*», en *Simposio Internacional Ramón Pérez de Ayala* [1981], pp. 53-60.
Dendarsky, Roswitha, *Ramón Pérez de Ayala*, Vittorio Klosterman, Frankfurt, 1970.
Dendle, Brian, *The Spanish novel of religious thesis (1876-1936)*, Princeton University-Castalia, Madrid, 1968.
Fabian, Donald L., «Pérez de Ayala and the generation of 1898», *Hispania*, XLI (1958), pp. 154-159.
—, «The progress of the artist: A major theme in the early novels of Pérez de Ayala», *Hispanic Review*, XXVI (1958), pp. 108-116.
—, «Action and idea in *Amor y pedagogía* and *Prometeo*», *Hispania*, XLI (1958), pp. 30-34.
Fernández Avello, Manuel, «Ramón Pérez de Ayala y el periodismo», *Boletín del Instituto de Estudios Asturianos*, XLII (1961), pp. 37-56.
—, *El anticlericalismo de Pérez de Ayala*, Oviedo, 1975.
Fernández Cifuentes, Luis, *Teoría y mercado de la novela en España: del 98 a la República*, Gredos, Madrid, 1982.
Fernández Galiano, Manuel, «El mundo helénico de Gabriel Miró», *Ínsula*, 53 (mayo de 1950), p. 1.
Fernández Pelayo, H., ed., *Simposio Internacional Ramón Pérez de Ayala (1880-1980)* (University of New Mexico, 1980), Imprenta Flores, Gijón, 1981.
—, *Ideario etimológico de Ramón Pérez de Ayala*, Porrúa Turanzas, Madrid, 1982.
Forradellas, Joaquín, «*El último vástago*: novela primera de Pérez de Ayala», *Letras de Deusto*, 9 (1975), pp. 137-155.
Friera, Florencio, «Crónica y bibliografía del primer centenario del nacimiento de Ramón Pérez de Ayala», *Nueva Conciencia* (octubre 1980), pp. 115-144.

García Arias, José Luis, «Norma lingüística en *La pata de la raposa*», *Archivum*, XXV (1975), pp. 371-375.

García de la Concha, Víctor, *Los senderos poéticos de Ramón Pérez de Ayala*, Archivum, Universidad de Oviedo, 1970.

—, «Pérez de Ayala y el compromiso generacional», *Los Cuadernos del Norte*, I, n.° 2 (1980), pp. 34-39.

García Domínguez, Elías, «La poética de Pérez de Ayala», tesis doctoral presentada en la Universidad de Oviedo, 1964, inédita.

—, «Epistolario de Pérez de Ayala», *Boletín del Instituto de Estudios Asturianos*, XLIX (1968), pp. 427-438.

—, «El estilo contra la novela», *Los Cuadernos del Norte*, I, n.° 2 (1980), pp. 52-57.

García Lara, Fernando, «Felipe Trigo: erotismo y literatura», Universidad de Granada, 1983, tesis doctoral inédita.

González Calvo, José Manuel, *La prosa de Ramón Pérez de Ayala*, Ediciones de la Universidad de Salamanca, Salamanca, 1979.

González Martín, Vicente, *Ensayos de literatura comparada italo-española. La cultura italiana en Vicente Blasco Ibáñez y en Ramón Pérez de Ayala*, Ediciones de la Universidad de Salamanca, Salamanca, 1979.

Granjel, Luis S., «La novela corta en España (1907-1936)», *Cuadernos Hispanoamericanos*, LXXIV (1968), pp. 477-508, y LXXV (1968), pp. 14-50.

—, «Felipe Trigo. Medicina y literatura», *Cuadernos de Historia de la Medicina Española*, XIII (1974), pp. 371-394.

—, «Vida y literatura de Hoyos y Vinent», *Cuadernos Hispanoamericanos*, n.° 285 (1974), pp. 499-523.

—, *Eduardo Zamacois y la novela corta*, Universidad de Salamanca, Salamanca, 1980.

Guillén, Jorge, «Palabra, sensación y recuerdo en Gabriel Miró», en *Studia Philologica. Homenaje a Dámaso Alonso*, Gredos, Madrid, II, 1961; recogido en *Lenguaje y Poesía*, Revista de Occidente, Madrid, 1962, pp. 183-232.

—, *En torno a Gabriel Miró. Breve epistolario*, Ediciones de Arte y Bibliofilia, Madrid, 1969.

Gullón, Ricardo, «La novela lírica», en *Homenaje a Gabriel Miró* [1979], pp. 15-34.

—, «Ramón Pérez de Ayala y la novela lírica», en *Simposio Internacional Ramón Pérez de Ayala* [1981], pp. 61-69.

Hartsook, John E., «Literary tradition as form in Pérez de Ayala», *Romance Notes*, VI (1964), pp. 2-28.

Hervás, Salvador, Juan Oleza, César Simón y Jenaro Talens, «Revisión del concepto de "esteticismo" en Azorín y Gabriel Miró», *Revue Romane*, 9 (1974), pp. 200-217.

Homenaje a Gabriel Miró. Estudios de crítica literaria, presentación y compilación de J. L. Román del Cerro, Publicaciones de la Caja de Ahorros Provincial, Alicante, 1979.

Johnson, Ernest A., «Sobre *Prometeo* de Pérez de Ayala», *Ínsula*, n.os 100-101 (1954), pp. 13 y 15.

Johnson, Ernest A., «The humanities and the *Prometeo* of Ramón Pérez de Ayala», *Hispania*, XXXVIII (1955), pp. 276-282.

Johnson, Roberta, «Miró's *El obispo leproso*: Echoes of Pauline theologie in Alicante», *Hispania* (marzo de 1976).

Kaul, G., «El estilo de Gabriel Miró», *Cuadernos de Literatura*, IV (1948), pp. 97-138.

King, Edmund L., «Gabriel Miró y "el mundo según es"», *Papeles de Son Armadans*, XXI (1961), pp. 121-142.

—, «Gabriel Miró introduced to the French», *Hispanic Review*, XXIX (1961), pp. 324-332.

—, «Gabriel Miró: un pasado familiar», *Papeles de Son Armadans*, XXVII (1962), pp. 65-81.

—, «Gabriel Miró y los ejercicios espirituales», *Boletín del Seminario de Derecho Político*, n.º 26 (marzo de 1962), pp. 95-102.

—, ed., Gabriel Miró, *El humo dormido*, Dell, Nueva York, 1967.

—, «Life and death, space and time: *El sepulturero*», en R. Landeira, ed., *Critical essays on Gabriel Miró* [1979], pp. 107-120.

—, ed., *Sigüenza y el Mirador Azul. Prosas de El Ibero*, el último escrito (inédito) y algunos de los primeros de Gabriel Miró, Ediciones de la Torre, Madrid, 1982.

King Arjona, Doris, «*La voluntad* and *abulia* in contemporary Spanish ideology», *Revue Hispanique*, 74 (1928), pp. 573-671.

Landeira, Ricardo, *Gabriel Miró: Trilogía de Sigüenza*, Ediciones de Hispanófila, Chapel Hill, 1972.

—, *An annotated bibliography of Gabriel Miró (1900-1978)*, Society of Spanish and Spanish-American Studies, University of Nebraska, 1978.

—, «Tres cuartos de siglo de crítica mironiana», en *Homenaje a Gabriel Miró* [1979], pp. 1-12.

—, «La narrativa autobiográfica de Gabriel Miró», *Instituto de Estudios Alicantinos*, n.º 27, segunda época (mayo-agosto de 1979), pp. 83-89.

—, ed., AA.VV., *Critical essays on Gabriel Miró*, Society of Spanish and Spanish-American Studies, Lincoln, 1979.

Leighton, Charles H., «La parodia en *Belarmino y Apolonio*», *Hispanófila* (1959), pp. 53-55.

—, «The structure of *Belarmino y Apolonio*», *Bulletin of Hispanic Studies*, XXXVII (1960), pp. 237-243.

Litvak, Lily, *Erotismo fin de siglo*, Bosch, Barcelona, 1979.

Livingstone, Leon, «The theme of the paradoxe sur le comediant in the novels of Pérez de Ayala», *Hispanic Review*, XXII (1954), pp. 208-223.

—, «Interior duplications in the modern Spanish novel», *Publications of the Modern Language Association of America*, LXXIII (1958), pp. 393-406.

—, «Lenguaje y silencio en *Belarmino y Apolonio*», en *Simposio Internacional Ramón Pérez de Ayala* [1981], pp. 71-90.

Longhurst, Carlos, «Sobre la originalidad de *Tinieblas en las cumbres*», *Ínsula*, XXV, n.ºs 404-405 (1980).

López Capestany, P. A., «*Nuestro Padre San Daniel*: novela psicológica», *Cuadernos Hispanoamericanos*, n.º 275 (julio de 1973), pp. 349-359.

Lozano Marco, Miguel Ángel, «En torno a *Los pies y los zapatos de Enriqueta*, novela corta de Gabriel Miró», en *Homenaje a Gabriel Miró* [1979], pp. 101-122.

—, *Del relato modernista a la novela poemática: la narrativa breve de R. Pérez de Ayala*, Universidad de Alicante, 1983.

Macklin, J. J., «Literature and experience: The problem of distance in Pérez de Ayala's *La pata de la raposa*», *Bulletin of Hispanic Studies* (1978), pp. 129-141.

—, «Myth and meaning in Pérez de Ayala's Prometeo», *Belfast Spanish and Portuguese Papers* (1979), pp. 79-93.

—, «Tradición literaria en *Luz de domingo*», *Ínsula*, XXXV, n.os 404-405 (1980).

—, «Mith and mimesis: The artistic integrity of Pérez de Ayala's *Tigre Juan* and *El curandero de su honra*», *Hispanic Review*, XLVIII (1980), pp. 15-37.

—, ed., Ramón Pérez de Ayala, *Tigre Juan. El curandero de su honra*, Grand and Cutler, Londres, 1980.

—, «Pérez de Ayala y la novela modernista europea», *Cuadernos Hispanoamericanos*, n.os 367-368 (enero-febrero de 1981), pp. 21-36.

Mainer, José-Carlos, *Literatura y pequeña burguesía en España*, Edicusa, Madrid, 1972.

—, *La edad de plata (1902-1939). Ensayo de una interpretación de un proceso cultural*, Cátedra, Madrid, 1981².

—, *Análisis de una insatisfacción: las novelas de Wenceslao Fernández Flórez*, Castalia, Madrid, 1976.

—, ed., W. Fernández Flórez, *Volvoreta*, Cátedra, Madrid, 1980.

Márquez Villanueva, Francisco, «Una reelaboración de Zola en Gabriel Miró», *Revue de Littérature Comparée*, 43 (1969), pp. 127-130.

—, «Sobre fuentes y estructuras de *Las cerezas del cementerio*», en *Homenaje a J. Casalduero*, Gredos, Madrid, 1972, pp. 311-377.

—, «Sobre fuentes y estructura de *El abuelo del rey*», *Nueva Revista de Filología Hispánica*, XXIV (1975), pp. 469-480.

Martínez Cachero, José María, «Ramón Pérez de Ayala», en «Prosistas y poetas novecentistas», *Historia General de las Literaturas Hispánicas*, Vergara, Barcelona, VI, 1968, pp. 399-408.

—, «Ramón Pérez de Ayala y el modernismo», en *Simposio Internacional Ramón Pérez de Ayala* [1981], pp. 27-38.

Martínez San Martín, Ángel, *La narrativa de Felipe Trigo*, CSIC, Madrid, 1983.

Matas, Julio, *Contra el honor. Las novelas normativas de Ramón Pérez de Ayala*, Seminarios y Ediciones, Madrid, 1974.

—, «Gabriel Miró y su novela de la sensibilidad poética», en *La cuestión del género literario. Casos de las letras hispánicas*, Gredos, Madrid, 1979, pp. 232-253.

McDonald, Ian R., *Gabriel Miró: His private library and his literary background*, Tamesis Books, Londres, 1975.

Meregalli, Franco, *Gabriel Miró*, Ins. Ed. Cisalpino di Varese, Milán, 1949.

Miller, Yvette E., *La novelística de Gabriel Miró*, Ediciones y Distribuciones Códice, Madrid, 1975.

Miller, Yvette E., «La ironía y el humor en la novelística de Gabriel Miró», en *Homenaje a Gabriel Miró* [1979], pp. 161-183.

—, «Illusion of reality and narrative technique in Gabriel Miró's Oleza-Orihuela novels: *Nuestro Padre San Daniel* and *El obispo leproso*», en R. Landeira, ed., *Critical essays on Gabriel Miró*, Society of Spanish and Spanish-American Studies, Ann Arbor, 1979.

Montes Huidobro, Matías, «Miró: naturalismo estético-romántico en *Niño y grande*», *Hispania* (septiembre de 1976), pp. 449-459.

Moreno Báez, Enrique, «El impresionismo de *Nuestro Padre San Daniel*», en *Studia Philologica. Homenaje a Dámaso Alonso*, Gredos, Madrid, II, 1961, pp. 493-508.

Muñoz Alonso, Adolfo, «Los presupuestos filosóficos del estilo de Gabriel Miró», *Revista de Ideas Estéticas*, XV (1957), pp. 121-136.

Nora, Eugenio G. de, *La novela española contemporánea*, Gredos, Madrid, 1973²; en particular «La novela sensual de Miró», I, pp. 431-466, y «Ramón Pérez de Ayala», I, pp. 467-482.

O'Brian, McGregor, *El ideal clásico de Ramón Pérez de Ayala en sus ensayos en «La Prensa» de Buenos Aires,* IDEA, Oviedo, 1981.

Ontañón de Lope, Paciencia, «Gabriel Miró, espíritu del 98», en *Studia Hispanica in Honorem Rafael Lapesa*, Gredos, Madrid, III, 1975.

—, «La palma rota», *Nueva Revista de Filología Hispánica*, XXVII (1978), pp. 93-102.

—, *Estudios sobre Gabriel Miró,* Universidad Nacional Autónoma de México, 1979.

O'Riordan, Patricia: «*Helios*, revista del modernismo (1903-1904)», *Ábaco*, 4 Castalia, Madrid, 1973.

Orozco, Emilio, «La transmutación de la luz en las novelas de Gabriel Miró», en *Paisaje y sentimiento de la naturaleza en la poesía española*, Prensa Española, Madrid, 1968.

Ortega y Gasset, José, «*El obispo leproso*, novela de Gabriel Miró», en *Obras completas*, Revista de Occidente, Madrid, 1950, II, pp. 544-550.

O'Sullivan, Susan, «Watches, lemons and spectacles: recurrent images in the works of Gabriel Miró», *Bulletin of Hispanic Studies*, XLVI (1967), pp. 107-121.

Pérez Ferrero, Miguel, *Ramón Pérez de Ayala*, Fundación Juan March-Guadarrama, Madrid, 1973.

Prado, Ángeles, «Seudónimos tempranos de Pérez de Ayala», *Ínsula*, XXXV, n.os 404-405 (1980), pp. 1 y 18.

—, «Las novelas poemáticas de Ramón Pérez de Ayala», *Cuadernos Hispanoamericanos*, n.os 367-368 (enero-febrero de 1981), pp. 41-70.

Ramos, Vicente, *Vida y obra de Gabriel Miró*, El Grifón de Plata, Madrid, 1955.

—, *El mundo de Gabriel Miró*, Gredos, Madrid, 1964, 1970².

Rand, Margherite C., *Ramón Pérez de Ayala*, Twayne, Nueva York, 1971.

Reinink, K. W., *Algunos aspectos literarios y lingüísticos de la obra de Ramón Pérez de Ayala*, Publicaciones del Instituto de Estudios Hispánicos, Portugueses e Iberoamericanos de la Universidad Estatal de Utrecht, La Haya, 1959.

Rivas Andrés, Victoriano, *La novela más popular de Pérez de Ayala. Anatomía de «A.M.D.G.»*, ed. del autor, Gijón, 1983.

Rodríguez Monescillo, Esperanza, «El mundo helénico de Ramón Pérez de Ayala», *Actas del Segundo Congreso Español de Estudios Clásicos*, Madrid, 1964, pp. 510-521.

—, «El humanismo griego en Ramón Pérez de Ayala», *Ínsula*, XXXV (1980), p. 8.

Román del Cerro, J. L., ed., *Homenaje a Gabriel Miró. Estudios de crítica literaria*, Publicaciones de la Caja de Ahorros de la Diputación, Alicante, 1979.

Rubio Cremades, Enrique, «*La mujer de Ojeda* e *Hilván de escenas*», en *Homenaje a Gabriel Miró* [1979], pp. 75-100.

Ruiz Silva, Carlos, «Un ensayo de novela: *La mujer de Ojeda* de Gabriel Miró», *Castilla*, n.os 2-3 (1981), pp. 185-207.

—, «Estudio preliminar» a la edición de *Nuestro Padre San Daniel*, Ediciones de la Torre, Madrid, 1981.

Sainz de Robles, Federico Carlos, *La promoción de «El Cuento Semanal» (1907-1925)*, Espasa-Calpe, Madrid, 1975.

Salgués de Cargill, Maruxa, *Los mitos clásicos y modernos en la novela de Pérez de Ayala*, Instituto de Estudios Jiennenses, Jaén, 1972.

—, «Myth and anti-myth in *Tigre Juan*», *Revista de Estudios Hispánicos*, Alabama, VII (1973), pp. 399-416.

Sallenave, Pierre, «La estética y el esencial ensayismo de Ramón Pérez de Ayala», *Cuadernos Hispanoamericanos*, n.º 234 (1969), pp. 601-615.

—, «Ramón Pérez de Ayala, teórico de la literatura», *Cuadernos Hispanoamericanos*, n.º 244 (1970), pp. 178-190.

Sánchez Gimeno, Carlos, *Gabriel Miró y su obra*, Castalia, Valencia, 1960.

Schraibman, José, «Cartas inéditas de Pérez de Ayala a Galdós», *Hispanófila*, 17 (1963), pp. 83-103.

Senabre, Ricardo, «La prehistoria poética de Pérez de Ayala», *Ínsula*, n.º 346 (1975), p. 10.

Shaw, Donald L., «Acerca de la disposición narrativa de *La pata de la raposa*», *Simposio Internacional Ramón Pérez de Ayala* [1981], pp. 99-110.

Simposio Internacional Ramón Pérez de Ayala (1880-1980) (University of New Mexico, 1980), edición de H. Fernández Pelayo, Imprenta Flores, Gijón, 1981.

Suárez Solís, Sara, *Análisis de «Belarmino y Apolonio»*, Instituto de Estudios Asturianos, Oviedo, 1974.

Torre, Guillermo de, «Un arcaizante moderno: Ramón Pérez de Ayala», en *La difícil universalidad española*, Gredos, Madrid, 1965, pp. 163-199.

Tovar, Antonio, «Las palabras de Gabriel Miró en su novela doble», *Boletín de la Real Academia Española*, 218 (1979), pp. 441-448.

Urrutia, Norma, *De «Troteras» a «Tigre Juan». Dos grandes temas de Ramón Pérez de Ayala*, Ínsula, Madrid, 1960.

Van Praag-Chantraine, Jacqueline, *Gabriel Miró ou le visage du Levant, terre d'Espagne*, Nizet, París, 1959.

Vidal, Raymond, *Gabriel Miró. Le style. Les moyens d'expression*, Bibliothèque de l'École des Hautes Études Hispaniques, Burdeos, 1964.

Villanueva, Darío, ed., *La novela lírica*, I: *Azorín, Gabriel Miró*; II: *Pérez de Ayala, Jarnés*, Taurus, Madrid, 1983; véase el «Prólogo», I, pp. 9-23.

Weber, Frances Wyers, *The literary perspectivism of Ramón Pérez de Ayala*, The University of North Carolina, Chapel Hill, 1966.

Woodward, L. S., «Les images et leur fonction dans *Nuestro Padre San Daniel*», *Bulletin Hispanique*, LVI (1954), pp. 110-132.

VÍCTOR GARCÍA DE LA CONCHA

NOVELA Y COMPROMISO GENERACIONAL EN PÉREZ DE AYALA

Aunque redactada en 1905, *Tinieblas en las cumbres* no aparece hasta 1907 y en aquel momento debió de ser leída como una muestra más del tipo de introspecciones autobiográficas cultivadas por los del 98. Muy pronto, sin embargo, el suicidio de su padre, febrero de 1908, iba a convulsionar y alterar la trayectoria del escritor. No se me ocurre, desde luego, ignorar la influencia del contexto político en ese momento —*A.M.D.G.* traduce bien las marcas de los acontecimientos de la «Semana trágica» (Albiac)—, pero pienso que, a la hora de valorar el sentido de adopción de un compromiso social en la producción literaria, no debemos, tampoco, echar en olvido estos factores personales: tales, la quiebra familiar en el Juan Ramón que, dejando atrás la vía de las *Pastorales*, se pone a escribir *Esto* e *Historias*; o el choque con el hostil medio soriano en el Machado autor de los primeros poemas de *Campos de Castilla*... En *La pata de la raposa* desvela Pérez de Ayala la trama de los estímulos vitales motivados por la alteración del *status* familiar con la desaparición del padre. [...] Me apresuro, sin embargo, a aclarar que la anécdota personal aparece en la novela transferida a categoría de problema de generación. Alberto Díaz de Guzmán encarna los rasgos de la juventud finisecular en crisis. Justo a raíz de la muerte de su padre,

Víctor García de la Concha, «Pérez de Ayala y el compromiso generacional», en *Los Cuadernos del Norte*, I, n.º 2 (1980), pp. 34-39. Las referencias a tomo y página corresponden a las *Obras completas* de R. Pérez de Ayala, Aguilar, Madrid, 1964-1969.

«se propuso examinar en frío su capacidad social: *¿Para qué sirvo yo?* Respondíase: *No sirves para nada.* Entonces se miraba al espejo, lleno de compasión hacia sí mismo. Y le decía la conciencia: *No sirves para nada porque estás podrido de molicie, porque el solitario deleite de soñar y pensar como por juego te ha corroído hasta los huesos, porque en tu pereza miserable crees que la vida —que es anterior y superior a tu persona— no vale nada en sí, sino en sus ornamentos, con los cuales quieres adornarte y gozar*» (I, p. 412). Eran muchos los jóvenes que por entonces vivían la misma experiencia, fundida, incluso, en el mismo molde imaginativo. Baste recordar tan sólo al otro Ramón, a Gómez de la Serna, el cual inicia su vivisección espiritual, *Morbideces* (1908), ante otro espejo. [...] De ahí arranca un escritor que se rebela ante los viejos —Azorín, Baroja, Valle-Inclán...— a quienes acusará en seguida de tener secuestrado a Larra e hipotecadas sus capacidades revolucionarias. Es el Ramón que va a fundar *Prometeo* y a postular una literatura comprometida con los problemas sociales del proletariado. [...]

En un ensayo titulado «El 98», recogido en el libro segundo de *Política y toros*, profundiza Pérez de Ayala en [el tema de la decadencia nacional.] Un error secular ha fijado como absurdo apotegma que el honor de un pueblo reside en el honor de sus armas; por lo que un fracaso bélico, como el del 98, habría de reputarse como un fracaso vital. Ésta era, precisamente, la tesis sustentada por el «establecimiento» político de la España finisecular e idéntico criterio adoptaron, engañados, según él, los jóvenes literatos revolucionarios: «el fracaso no tanto había sido del régimen cuanto del pueblo mismo, de la nación en su totalidad, como organismo histórico» (III, p. 1.018). [...] Pero ¿resiste todo esto un análisis? Como espoleado por el impertinente examen de Masson de Morvilliers, Pérez de Ayala esboza en dos apretados epígrafes lo que se debe a España en el plano político y en el cultural, desde la etapa clásica al fin de la Edad Media cuando España hacía por Europa, «casi nada», conservarla en cuanto catolicidad y unidad de fe, e incubar la Europa futura «mediante la curatela, absorción y transmisión de la cultura heleno-arábiga»; y desde la edad moderna a nuestros días. No es, pues, al pueblo como tal o a la raza a quien hay que culpar, sino a sus guías. [...]

En el trance crítico en que le hemos dejado, Alberto, el juvenil *alter ego* de la generación de Ayala, acepta el consejo de su amigo Bob y decide ser escritor, esto es, «conciencia de la humanidad» (I, p. 415). Para ello ha de superar grandes obstáculos acumulados en su propia conciencia.

Porque podría resultar más o menos fácil arrumbar la pasiva sensibilidad enfermiza conformada por la literatura finisecular, de cuño romántico y, a fin de cuentas, ochocentista. Pero era muy difícil liberarse de la formación recibida en años decisivos. No es casual que Pérez de Ayala, Miró y, más tarde, Azaña hayan coincidido en realizar el examen de su vida colegial de infancia y adolescencia. Ni podemos pensar que se trataba tan sólo de aprovechar un material muy apto para la pintura colorista y la denuncia. No. Sobre esos pedazos de memorias se construye el análisis riguroso de la configuración del propio espíritu. Y así, *A.M.D.G.* ayuda a individuar entre muchos absurdos condicionantes los dos más decididamente paralizadores de Bertuco: el miedo al ridículo, entendido como «la conciencia de la desproporción entre el propósito y el acto», y la aniquilación del «viejo mundo externo» al que la educación jesuítica privaba, según Pérez de Ayala, de todo interés propio (I, pp. 433 ss.).

La superación de la crisis orienta a Alberto hacia un proyecto vital de cuño institucionista: «Los deleites contemplativos se habían transformado en estímulos de la voluntad. Alberto comenzaba a construir un ideal, a desear. Cuando determinó su plan de trabajo, según el Evangelio de San Francisco (no trabajar por amor al dinero; destilar la sensualidad en sensibilidad; ser obediente, o sea, ser sincero consigo mismo), Fina comprendió que su ventura, por venir, aunque en esperanza, mostraba el fruto cierto» (I, p. 440). Contra lo que ambos imaginaban entonces, «el porvenir [no] les reservaba para un corto plazo la casa blanca y sencilla, entre el bosque y el mar» (I, p. 442). El literato abandonaba entonces «la paz del sendero» para siempre: el Ayala que vuelve a Madrid es muy distinto del que arribara a la corte a comienzos de siglo; como muy distinta era la situación de la ciudad-cifra de todas las provincias en torno a 1910. Para esas fechas ha superado ya la oposición conceptual campo-ciudad, versión particularizada de la antítesis *otium-nec otium*. La figura de Arsenio Bériz (García Sanchiz) en *Troteras y danzaderas* resulta paradigmática a este propósito. Sus titubeos entre Madrid y el pequeño pueblo ilustran con claridad la tesis de que uno puede encontrarse y realizarse a sí mismo en cualquier medio.

«Regionalista de las letras» como él se autodefinió, Pérez de Ayala va a desarrollar una nueva idea activa en Madrid, estrechamente ligado a la aventura generacional de 1914. La acerba crítica desplegada en *Troteras* contra los epígonos modernistas marca una de las direcciones del rechazo, la de que en literatura ya no se puede hacer cantar la belleza refugiada en la aldea, en parques y jardines. Pero, al mismo tiempo y a pesar de la sostenida amistad personal, se distancia también de Azorín y de cuanto como noventayochista significa. Las novelas poemáticas se acercarán mucho más a *Campos de Castilla* que a *Castilla*. [Hay que emprender] la tarea de fomentar un vitalismo cultural. En esa línea, entiende Pérez de Ayala que «el hecho primario de la actividad estética es la confusión o transfusión de uno mismo en los demás»; de ahí, también, que él inserte en el plano de la vida natural elementos de la historia de la cultura. Cuando ésta se proyecta sobre el tema de España, se produce en forma de «crítica como patriotismo» (Ortega). Haciendo suyo el lúcido ensayo del padre Feijoo, «Amor de la patria y pasión nacional», Pérez de Ayala desenmascara y denuncia «el mal entendido patriotismo, el patriotismo alardoso, la vanidad de los labios, que daña a la eficacia de las obras y a la virilidad de las acciones... Mas el verdadero patriotismo no es cuestión de palabras, sino de obras: *que cada cual procure hacer lo que hace lo mejor que pueda*» (III, p. 691). Desde su patente posición aliadófila exalta la doctrina de «la patria para la humanidad», frente a la tesis de «la humanidad para la patria» que en la gran guerra venía a sustentar Alemania. «Por encima de las naciones europeas —concluía— la fraternidad europea.»

En páginas que ofrecen también un apretado esbozo de la generación ha explicado Juan Marichal, sobre la pauta de Azaña, cómo el objetivo último de aquélla no era la transformación política sino el cambio moral del individuo, que exige como presupuesto la formación estética. De ahí que su acción maride el cultivo de la inteligencia con el de la sensibilidad. La proximidad a los institucionistas se hace en este punto muy ceñida. En ese marco hemos de inscribir el famoso pasaje de *Troteras* en que Alberto Díaz de Guzmán discute con Antón Tejero (Ortega y Gasset) los procedimientos de una oportuna acción política. Con palabra dramática urgía el joven filósofo: «tenemos mucho que hacer, enormidades. Despertar la conciencia del país; inculcar el sentimiento de la responsabilidad política; purificar la ética política...». Ayala está de acuerdo, pero no ve la necesidad de un mitin político: «No perdamos el tiempo, querido Antón, en romanzas de tablado. ¿A qué esforzarnos en dar a España una educación política que no necesita aún, ni le será de provecho? Lo que hace falta es una educación estética que nadie se curó de darle hasta la fecha ... Labor y empresa nobilísimas se nos ofrece, y es la de infundir en este cuerpo acecinado (de España) una sensibilidad ... Sin sentidos y sin imaginación, la simpatía falta; y sin pasar por la simpatía, no se llega al amor; sin amor no puede haber comprensión moral, y sin comprensión moral no hay tolerancia. En España somos todos absolutistas» (I, p. 596). El proyecto generacional de los intelectuales escritores de 1914 ha de recorrer, según esto, un trayecto obvio: crear una nueva literatura pedagógica de sensibilidad que, abriendo al lector hacia los demás, genere en él una nueva actitud ética sobre la que pueda construir una nueva estructura de relaciones sociales y políticas. [En esta clave se inscribe y debe leerse *Troteras y danzaderas.*]

J. J. MACKLIN

PÉREZ DE AYALA Y LA NOVELA MODERNISTA EUROPEA

A pesar de las divergencias críticas, lo que hay de implícito en el concepto del modernismo es la idea de una discontinuidad histórica, una ruptura neta con todo lo precedente, un rechazo de los valores artísticos del pasado. El modernismo implica el advenimiento de una nueva época caracterizada por una extensa conciencia de sí misma y que tiende hacia un arte antirrepresentacional que se esfuerza por superar lo real, por crear un orden independiente de arte: un arte que en vez de imitar la vida, la crea; un arte que sonda las profundidades de la conciencia del artista, que construye estructuras artísticas fuera de las categorías tradicionales del espacio y del tiempo. En sus manifestaciones más extremas, tal deseo lleva al autor a huir, dentro de las disposiciones de la técnica, hacia un juego de sofisticación y de introversión. Las formas del mundo visible son tratadas como objetos estéticos distorsionados para satisfacer las necesidades de la visión del autor. [...]

En general, se puede decir que la tendencia natural de la novela

J. J. Macklin, «Pérez de Ayala y la novela modernista europea», en *Cuadernos Hispanoamericanos*, n.os 367-368 (enero-febrero de 1981), pp. 21-36. Las referencias a tomo y página corresponden a las *Obras completas* de R. Pérez de Ayala, Aguilar, Madrid, 1964-1969.

del siglo XIX fue hacia la vida o la realidad, y que la de la novela del siglo XX es hacia el arte o la técnica. El modernismo, en efecto, se encuentra en plena tensión entre las dos tendencias, entre la novela concebida como imitación o representación y la novela como actividad autónoma, es decir, entre un concepto mimético y un concepto poético del arte. El modernismo es la realización de la potencialidad simbolista de la ficción (o más bien, el modernismo en la novela corresponde al simbolismo en la poesía), pero la novela tradicionalmente se ha inclinado hacia lo real, y el novelista siempre ha dado por sentado que narrar es representar una realidad que existe antes e independientemente del acto de creación. La novela modernista parte de premisas totalmente distintas porque se propone hacer frente a la complejidad infinita de la realidad, a la pluralidad de perspectivas que se abren una vez que se reconoce la subjetividad de cada individuo, situación que no se expresa en ningún sitio mejor que en el primer capítulo de *Belarmino y Apolonio*, *locus classicus* del perspectivismo, en el que don Amaranto de Fraile señala la desintegración de la realidad como la característica definidora de nuestra época, y expresa su nostalgia por aquel pasado cuando el hombre tenía acceso a aquel «conocimiento íntegro» que ya no es posible en el mundo moderno. Reconocer que el mundo es distinto para cada uno de nosotros le plantea un problema a Pérez de Ayala, quien quiere buscar una forma que traduzca la complejidad de la vida y al mismo tiempo mantenga la coherencia y unidad artísticas. Aquí reside el desafío y el logro máximo del modernismo: no sólo reconoce el caos y la complejidad como elementos esenciales de la situación moderna, sino que crea estrategias formales para hacer frente a aquel caos y aquella complejidad. Las novelas de Ayala fragmentan la realidad, sí, pero son a la vez intentos de realizar el deseo algo ambicioso del autor, deseo que comparte con André Gide, de escribir «la novela integral, que se propone abarcar la realidad entera», de crear una forma literaria que exprese la inmensa complejidad de la experiencia, que pueda presentar la realidad fragmentada y entera a la vez. El problema del arte, [según el propio Ayala,] es el de ver «lo uno en lo múltiple y la continuidad en el cambio» (IV, p. 1.125). La idea de la ficción integral es algo que Ayala comparte con los autores modernistas. Ayala concibe la novela en términos de una síntesis superior de arte y vida y, por consiguiente, le concede a la imaginación creadora un papel sumamente importante. Cuando escribe que «por el conocimiento estético vamos tomando posesión del mundo exterior y de nuestro mundo interior mediante nuevas formas» (III, p. 565), se identifica claramente con la inspiración directora del modernismo: la coherencia del arte provee la significación que falta en la experiencia cotidiana. Una estética así concebida contribuye a destruir los moldes y las estructuras de la novela tradicional, porque implica que la vida imita al arte: creamos la realidad a medida que la percibimos a través de estructuras mentales cuyos orígenes son culturales. El arte tiene el poder de cambiar estas estructuras. Ayala escribe en *Belarmino y Apolonio* que «conocer es crear» (IV, p. 98), es decir, el acto de crear se hace acto de conocimiento, el tema de cualquier novela reside en su propia forma. Estamos delante de un punto de vista totalmente perspectivístico. [...]

Todas las novelas de Pérez de Ayala son experimentales hasta cierto punto, pero ninguna técnica suya ha suscitado tanto interés como la de la doble columna que encontramos en *El curandero de su honra.* Esta técnica es, al parecer, una tentativa de sustituir la linealidad cronológica por una perspectiva sincrónica. Ésta parece haber sido una preocupación constante de Ayala, porque la discusión entre don Amaranto y el narrador en el segundo capítulo de *Belarmino y Apolonio* se basa en la insuficiencia de los recursos narrativos para producir los efectos de sincronicidad. En este capítulo se nota un eco posible del *Laocoön*, de Lessing: don Amaranto intenta definir los límites de la pintura y de la narración. La forma de la pintura es espacial y tiene que ser percibida en un instante como una imagen total. La forma en la literatura, especialmente en la novela, es temporal. Esta observación corresponde directamente al deseo que tenían los autores modernistas de destrozar el orden discursivo y sucesivo de la narrativa tradicional y sustituirlo por un diseño sincrónico. Este capítulo, además, es típicamente modernista porque pone las preocupaciones teóricas del novelista, los problemas y las ansiedades del arte de novelar en el centro mismo de la obra. La «maldición originaria del novelista» deriva de las limitaciones del medio con el cual tiene que trabajar. [...]

En la mayoría de las novelas modernistas podemos descubrir y construir una cronología normal. En *Belarmino y Apolonio*, por ejemplo, si fijamos nuestra atención en Pedro, las distintas partes de la novela se encajan perfectamente. La narración del cura proporciona un esqueleto de referencias cronológicas, pero no se debe olvidar que es un esqueleto, nada más, y no la sustancia y meollo de la novela. En cambio, si nos fijamos en el narrador vemos que los elementos de la narración son yuxtapuestos según su valor relativo. Nos damos cuenta de la variedad potencial de las interpretaciones que podemos dar a la existencia: adoptar una perspectiva en relación de la cual todo se ve acarrea inevitablemente una modificación de lo que se ve. La novela sugiere que no hay ninguna realidad estable y que las cosas se definen según su relación con otras cosas. [Encontrándose delante de una realidad fragmentada en «miríadas de imágenes», el modernista hace frente a la multiplicidad fraguando una nueva entidad, el «breve universo» de la novela, que existe, en primer lugar, como un sistema o una estructura de dependencias internas. La obra no es principalmente mimética: su referencia primaria es reflexiva.]

Podemos considerar la doble columna de *El curandero de su honra* en el contexto de los experimentos temporales [de Flaubert y Joyce]. Los acontecimientos son yuxtapuestos no a base de causalidad o de secuencia, sino de semejanza y de simultaneidad, y el recurso adoptado por Ayala nos ofrece un ejemplo muy bueno de la manera en que los elementos de una obra modernista se organizan en una disposición que pide, ineficazmente, la comprensión instantánea. En realidad, la única manera de leer estas columnas es volver a leerlas constantemente porque están íntimamente relacionadas a un nivel lingüístico. Hay palabras, pensamientos e ideas que se repiten de una columna a la otra. Este efecto de la unidad dentro de la diversidad se refuerza gracias a la disposición de las palabras mismas en la página. Al lector se le exige que perciba la narrativa como un complejo de elementos yuxtapuestos dentro del mismo espacio temporal. Una de las consecuencias inevitables de este procedimiento es que hasta cierto punto el valor referencial del lenguaje se subordina a las manifestaciones mismas de las palabras tales como aparecen delante de los ojos del lector. El texto se refiere tanto hacia dentro como hacia fuera. Se llama la atención del lector a la realidad de la representación, tanto como a la representación de la realidad. A un nivel más general, podríamos decir que el estilo de Pérez de Ayala contribuye a que el lector reaccione así: su textura pulida y elegante nos hace saborear el lenguaje como lenguaje sin fijarnos demasiado en su significación. En vez de ver a través de las palabras, vemos las palabras mismas.

Tigre Juan y *El curandero de su honra* son casi una labor de retazos lingüísticos. A veces, Ayala manipula el lenguaje hasta hacer que sirva de base para la construcción de una escena entera: un diálogo entre doña Iluminada y Herminia acaba por ser un juego de palabras que explota los diversos significados de la palabra «querer». Hacia el final de la primera parte de *Tigre Juan*, la vida pasada de Juan renace en el presente, y esta parte de la novela se construye sobre las diferentes asociaciones de la palabra «apocalipsis», que se refiere, en primer lugar, a la resurrección del pasado mientras Juan vuelve a vivir los momentos más críticos de su vida. Luego, a causa de las asociaciones de culpabilidad y arrepentimiento que acarrea esta experiencia, surge la visión del juicio final cuando los cuerpos de los muertos se levantan: Juan se figura a los otros personajes representando una horrible danza de la muerte. Finalmente, la resurrección corporal de los muertos se manifiesta en la reencarnación de Engracia en la persona de Herminia, otro ejemplo más de la fusión de pasado y presente. Una sola persona, en suma, engendra un complejo de asociaciones con las cuales termina el *adagio*.

Otro método de los modernistas para llamar la atención del lector a la cualidad de artefacto que tienen sus obras es introducir un símbolo central alrededor del cual los elementos de la narrativa están dispuestos sistemáticamente: el faro de *To the lighthouse*, por ejemplo, siempre presente, integra las diferentes perspectivas de los personajes. No hay nada en la obra de Pérez de Ayala que se pueda comparar con esta técnica, pero el motivo de la sangre que recurre en *Tigre Juan* y *El curandero de su honra* desempeña una función análoga. Está presente desde el principio en el oficio de Tigre Juan, llega a ser un símbolo de su culpa, del crimen de matar a su mujer. Está igualmente presente en la sangre verdadera cuando se corta la mano por accidente; en los pies sangrientos de Herminia; en los ecos conscientes de la obra dramática de Calderón, *El médico de su honra*; en la purgación de la mala sangre, y, finalmente, en la sangre que Juan transmite a su hijo. De modo semejante, hay un contraste constante entre la luz y la oscuridad (presente también en la obra de Calderón), pero que sirve de metáfora por el tema de la ceguedad y la iluminación. [...]

Ayala hace resaltar la autonomía de la literatura cuando se sirve de los modelos de la literatura preexistente para construir su nueva obra. Tal procedimiento es, además, otro aspecto de la sincronicidad. Bradbury y MacFarlane hablan de la técnica de «compactar» la contemporaneidad y la antigüedad, y T. S. Eliot observa que los novelistas modernos utilizan con mucha frecuencia *the mythical method*. Los modernistas consideran la totalidad de la literatura como un sistema sincrónico. [...] En *Luna de miel, luna de hiel*, y *Los trabajos de Urbano y Simona*, utiliza *Los trabajos de Persiles y Segismunda*, de Cervantes, obra igualmente basada en las antiguas novelas helénicas. De este modo, Ayala justifica su subversión de las prácticas realistas. Las antiguas formas de la literatura le permiten lucir su ingenuidad en el estilo y en la invención, dar rienda suelta a su imaginación sin tener que preocuparse por la lógica ni la verosimilitud. Por otra parte, Ayala llama la atención de una manera muy clara a la diferencia entre la realidad y su representación artística, e implica que las mentiras le pueden proporcionar al hombre un placer y una ilustración, y que el realismo nunca puede ser total porque toda obra literaria es producto de la imaginación y, por ende, arbitraria. *Prometeo*, la primera de las novelas poemáticas, es también una versión moderna de un mito griego, no sólo del mito de Prometeo, sino también del mito de Ulises. Es una obrita muy compleja, que contiene implicaciones muy serias, [pero en la que se revela una corriente irónica. En el caso del donjuanismo y del pundonor, temas tratados en *Tigre Juan* y *El curandero de su honra*, Ayala contempla el pasado desde la perspectiva del presente y lo interpreta desde un punto de vista completamente nuevo, creando así una nueva síntesis de pasado y presente]. Los personajes y los acontecimientos actuales se ven como encarnaciones de arquetipos eternos. Se borra la superficie de la realidad y se revelan las formas y estructuras esenciales. Tal actitud tiene como equivalente psicológico la caracterización de Tigre Juan en la última novela de Pérez de Ayala, lo que me lleva al otro aspecto del modernismo que quiero tratar: el interés que suscita el tema de la conciencia, porque si ya no se lo consideraba posible concebir la realidad como algo independiente de la persona que la percibe, nada más natural que la novela se dirija a aquella conciencia en la cual la representación del mundo se efectuaba.

En comparación con *Belarmino y Apolonio*, *Tigre Juan* y *El curandero de su honra* son narrados muy convencionalmente. Hay un solo narrador omnisciente, la estructura es la de una progresión lineal y una secuencia causal cuenta la historia de unos individuos. La novela parece marcar una vuelta por parte de Ayala al concepto del personaje novelesco entendido en términos de la interacción de la experiencia individual y el mundo social. Pero la novela exhibe también características originales: la doble columna, desde luego; la división de la obra en dos partes, cada una con su propio título; el empleo de poemas, de acotaciones dramáticas; una estructura denominada por una terminología musical que crea la impresión de una entidad sinfónica. Proust y Joyce, entre otros modernistas, se interesaron por las analogías musicales. Existe, pues, una estructura alternativa, libre de las exigencias del argumento, fundada en alternaciones en el tono y en el estilo, efectos de antítesis y contraste, la creación de simetrías y paralelismos y, naturalmente, las alusiones sostenidas al modelo literario. La realidad retratada —el adulterio, el homicidio— contrasta fuertemente con la forma que la expresa. Así, la novela se señala como una estructura interna coherente. La novela se ha convertido al modo modernista sin deshacerse por completo del modo realista, y existe un conflicto dentro de ella. El realismo de la novela y sus dimensiones míticas y simbólicas se funden en la conciencia del personaje principal, que constituye el eje de la novela entera.

El hecho más importante de la psicología de Juan es que está parado en una fase particular de su evolución emocional. Su mundo interior está en una situación de crisis con relación al mundo exterior. La novela describe el proceso de crecimiento y desarrollo de su personalidad hasta que se concilian lo interior y lo exterior. El género novelístico se presta muy bien a tratar el tema de una progresión hacia una meta o un objetivo determinado, de una evolución a través del tiempo. Pero el conflicto de Juan se resuelve últimamente cuando lo traspasa a un nivel superior de su experiencia, que se representa en la novela como una síntesis del mundo interior subjetivo y la realidad exterior. Existe una correlación, pues, entre las ideas de Pérez de Ayala sobre la conciencia y sus teorías acerca del arte de la ficción. [...]

Ayala escribió una vez que «los libros son despertadores de la conciencia» (IV, p. 948): el hombre pasa por el mundo con la conciencia entorpecida por la costumbre. El arte le ayuda al hombre a recobrar la conciencia, le permite, según Ayala, «ver las cosas por primera vez». El modernismo tiene la potencialidad de crear mundos nuevos y poco familiares; pero si Ayala es consciente de esta potencialidad, es consciente también de las limitaciones del modernismo. El deseo primario del modernismo de crear una novela artística está en desacuerdo con la fuerza de la tradición novelesca, la funcionalidad de la prosa, la propensión de la novela hacia lo real, su carácter de historia verdadera y auténtica. [...] Ayala fue muy influido por el concepto sacramental del arte, la idea del artista como profeta que comunica una verdad a él solo revelada. Pero postular un concepto de una imaginación creativa autónoma que construye un orden que no se encuentra en el mundo externo, es aceptar implícitamente que cualquier orden así creado es una pura ficción incapaz de ser autentificada, excepto en los términos de la ficción misma. La empresa entera podría parecer nada más que una invención fantástica de la imaginación, un engaño elaborado y elegante, el encarcelamiento de la realidad dentro del mundo cerrado de una forma, el «pequeño orbe cerrado» que constituye cada novela. Existe, pues, una tensión fundamental en la narrativa ayalina. Retratar la realidad en bruto y crear una obra de belleza formal, dar una cuenta adecuada de la experiencia humana y ofrecer a la vez una visión de orden y perfección más allá de la realidad, parecían actividades inconciliables. Por eso las novelas ayalinas, a pesar de su carácter de estructuras artísticas autónomas, tienen suficiente mimética. [...]

En resumen, se podría decir que Ayala se ha adaptado al modo modernista hasta un punto limitado; pero sería más exacto decir que su obra manifiesta una tensión inherente al modernismo entre la aspiración de la novela a realizarse como un artefacto autónomo y ciertas pretensiones miméticas residuales. Ayala, sobre todo en *Tigre Juan* y *El curandero de su honra*, se preocupa con el tema de la conciencia y, sobre todo, con los aspectos inconscientes y subconscientes de la psique que interesaron a los modernistas. Finalmente, las novelas de Ayala exhiben ciertas características formales que son evidentemente modernistas: la preocupación por la forma, la búsqueda de estructuras nuevas fuera de la cronología formal, la insistencia sobre la autonomía del texto, la realización de la novela como sistema sincrónico que se manifiesta en una técnica perspectivística y una disposición espacial más que temporal de los elementos narrativos, la fusión de distintos modos de narrar y el deseo ambicioso de totalidad e integración. Estas características formales tienen en común una preocupación por el lenguaje que puede ser un fin en sí mismo dada su capacidad de generar una pluralidad infinita de significaciones. Las novelas de Ayala, sin cortar los lazos que las unen a la realidad española y asturiana, son verdaderas novelas europeas que merecen una consideración dentro del contexto del gran oleaje de renovación narrativa de principios de siglo, y que se suele denominar con el título cada vez más internacional de *Modernism*.

ANDRÉS AMORÓS

VIDA Y LITERATURA EN *TROTERAS Y DANZADERAS*

[No puede menos de admitirse con reserva la afirmación de Pérez de Ayala, en el prólogo a la edición argentina, de que «*Troteras y danzaderas* revela el proceso psíquico desde lo caótico en la conciencia individual hasta la ordenación en la conciencia nacional»; el propio Ayala afirmaba en el mismo lugar que una novela «es lo que las sucesivas generaciones van haciendo de ella».] Pérez de Ayala ha utilizado aquí la historia de Alberto Díaz de Guzmán, un joven con inquietudes artísticas y trascendentales, como marco para componer una novela de clave, de crítica literaria, de divagaciones, de costumbrismo artístico madrileño. Pero ésta, en realidad, ya no es una novela de Alberto: no aparece hasta la segunda parte, apenas actúa, no le pasa nada de verdad importante, no evoluciona. Acaba de escribir una novela, sin que sepamos cómo ni por qué. A veces se acuerda de Fina, su novia lejana, pero rompe con ella sin dar ninguna explicación.

Si no supiéramos más cosas de él por otras obras, Alberto nos parecería una figura debilísima: inestable, pesimista, noble, triste... No me parece cierto —como se suele decir— que en las otras novelas fuera ya una figura difuminada. Como personaje literario, me parece que Alberto estaba ya concluido al final de *La pata de la raposa*. Aquí, sencillamente, se sobrevive a sí mismo, introduciéndonos en la vida bohemia madrileña. Y todo eso, tratándose de un personaje autobiográfico, plantea muy curiosas cuestiones.

Al final de *Troteras y danzaderas*, a Alberto no le pasa nada. La parte final de *La pata de la raposa* nos ofrece una nueva historia sentimental que, al acabar, concluye también trágicamente con la de Fina. Podemos suponer que, en el futuro, seguirá escribiendo —más o menos, según temporadas— con bastante poca fe y sin ser muy feliz. Quizás oriente su vida futura por un sendero de vida activa que llene de algún modo la oquedad de su escepticismo. (¿Dejaría, así, de ser un personaje autobiográfico?)

Andrés Amorós, *Vida y literatura en «Troteras y danzaderas»*, Castalia, Madrid, 1973, pp. 264-270.

El verdadero protagonista es Teófilo Pajares. Con él empieza y con él acaba la novela. Por él se interesa preferentemente el lector. A él le ocurren cosas. Él evoluciona de caricatura, de tipo ridículo, a hombre hondo y dolorido. Él se va revelando progresivamente al lector; y, probablemente, también al autor. En esta evolución creo ver el mayor valor artístico de la novela. Con él descubre Pérez de Ayala lo que será una de las claves de su segunda época y uno de sus mayores logros literarios: el héroe tragicómico.

Dice una vez Pérez de Ayala que una novela está lograda si somos incapaces de separar de ella partes superfluas. ¿Ocurre así con la que estamos examinando? Más concretamente: los personajes episódicos que en ella aparecen, ¿son verdaderamente necesarios? Conchita, por ejemplo, la criada de Rosina: para la línea argumental de la novela, desde luego que no es necesaria; para la novela como organismo artístico, creo que sí, que perdería con su desaparición. Y quizás —en este ejemplo concreto— tenga también una base histórica que para el novelista debió de ser entrañable. (Algo de esto me han dicho, pero no conviene concretar más.)

Por la importancia concedida al tema de España, por el ambiente ideológico y hasta por algunas concretas alusiones, esta novela es, de toda la obra juvenil de Ayala, la más cercana al noventayocho. Recordemos el diagnóstico final, tan acerbo:

—¿Qué ha producido España?

—Pues si le parece a usted poco... —murmuró Guzmán con sordo fastidio.

—¿Poco? Nada. ¿Qué es lo que ha producido? Sepámoslo.

—Troteras y danzaderas, amigo mío; Troteras y danzaderas. [...]

Pérez de Ayala trata de disminuir el efecto de estas frases (y otras semejantes) arguyendo que no las dice el autor sino el personaje y éste representa una de las posibles actitudes individuales. La defensa me parece muy floja, teniendo en cuenta que el que habla es Alberto, personaje autobiográfico y portavoz constante de las ideas de su autor. Sí me parece necesario, en cambio, para centrar el significado de esta clave, que Alberto la pronuncia para fastidiar a Muslera y que algunas «troteras y danzaderas» que aparecen en el libro (Rosina y Verónica) son personajes muy positivos y vitales. En todo caso, es preciso reconocer que la frase final tenía un valor voluntariamente provocativo, un poco *dandy* y esnob, que cuadraba bien al Pérez de Ayala juvenil y que ha contribuido, evidentemente, a la popularidad de la novela.

El elemento ensayístico ya existía en las novelas anteriores de Pérez de Ayala, especialmente en *La pata de la raposa*, pero estaba vinculado a un tema central: la búsqueda del sentido de la vida que realiza un adolescente. En cambio, aquí, se presenta descarnado y se multiplica. El planteamiento del problema de España que aquí se nos ofrece es siempre interesante pero, a veces, está condicionado por el esteticismo y la búsqueda de la frase brillante. De todos modos, posee un valor indudable dentro de la trayectoria biográfica de Ayala. Muchas de estas ideas encontrarán formulaciones más ajustadas y concretas, años después, en los artículos de *Política y toros*. Con relación a *La pata de la raposa* ha aumentado mucho el elemento cultural, no integrado en el núcleo de la obra. Ha disminuido muchísimo la importancia de Alberto, que ya no volverá a aparecer. En contrapartida, ha nacido el héroe tragicómico, aumenta el elemento humorístico y se nos introduce ampliamente en la bohemia literaria y artística madrileña. Bajo su apariencia de regularidad, la estructura es cómodamente dispersa (no intrínsecamente flexible, como en la obra anterior): la novela es variada y por eso —creo— bastante divertida.

Troteras y danzaderas es, fundamentalmente, una novela hecha de cultura. Aunque para un hombre inteligente como es Ayala —y como debe serlo su lector— la cultura también es vida, vida apasionante. [...] ¿Cómo apresar la singularidad de *Troteras y danzaderas*, el sabor que nos deja en la boca, ese tono agridulce que el lector conserva en la memoria? Para intentar evocarlo, nada mejor que recordar, en rápida antología, algunas frases de la novela: «La liviandad y burda estofa de todos esos bastidores, bambalinas y tramoya del sentimiento humano». «La cuestión es pasar el rato.» «La mayor parte de las cosas en la vida son independientes del albedrío humano.» «Entre la vida o la nada, Travesedo hubiera elegido la nada.» «Nunca sabremos nada de nada.» «Pero, sobre todo, ¿me quieres decir qué utilidad tienen los esfuerzos del hombre?» «Todo es inútil, todo es inútil.» Pero a la vez, en la novela, todo es pintoresco, atractivo, incitante. Y los que hablan así lo hacen porque les divierte discutir o porque han estado locos por una mujer...

La novela se caracteriza por la lucidez escéptica, el tono irónico (no desesperado, como en *Tinieblas en las cumbres* o *La pata de la raposa*, obras más típicamente juveniles) y el fatalismo impasible: huir a la provincia, como hace Bériz, no arregla las cosas. «Chi sará, sará», dice el lema final. Todo eso está, desde luego, en la novela. Pero están también —y de modo muy importante— la ropa interior de Teófilo, los desplantes de Valle-Inclán, el sabio escepticismo de don Sabas, la sensualidad de Rosina y la sensibilidad de Verónica... Muy especialmente, la gran creación del héroe tragicómico, con su complejidad humana y literaria. [...] Al fondo de la novela está Madrid, en 1910: el testimonio lleno de vida de un momento y un ambiente que ya son historia. Sin ninguna complacencia casticista. Con el tono entrañable del que intenta recordar y rehacer, mediante la literatura, un trozo de vida.

María del Carmen Bobes

GRAMÁTICA TEXTUAL DE *BELARMINO Y APOLONIO*

Hay en *Belarmino y Apolonio* dos historias: el *tema*, que tiene como protagonistas a Pedro y a Angustias y como narradores a los tres que dan lugar a las tres versiones: Angustias, Pedro, el autor; y el *modo* como se ha alcanzado el conocimiento del tema, así como los procedimientos que se utilizarán para contarlo y las circunstancias y ocasiones en que esos procedimientos llegaron al autor (consejos de don Amaranto, experiencias y discusiones de Lirio y Lario, etc.). La novela es así la historia de unos personajes y la historia del conocimiento de esos personajes y de los procedimientos que se seguirán para contarlo todo, es decir, lo que se cuenta, cómo se cuenta y cómo se ha llegado a esa forma de contar. *Belarmino y Apolonio*, como *La caída de los Limones*, incluye una historia y además la historia de su propia génesis como obra. En ambas historias, el sujeto de la enunciación es el autor, pero varía de una a otra el sujeto del enunciado: unos personajes en la primera, la novela como obra en la segunda.

La funcionalidad de los episodios de la fonda y del capítulo segundo que trata de la rúa Ruera, como escenario a la vez que como objeto de posibles enfoques y valoraciones, hay que buscarla en la

María del Carmen Bobes, *Gramática textual de «Belarmino y Apolonio»*, Cupsa, Madrid, 1977, pp. 183-215 (183-185, 195-197, 206, 214-215).

justificación del relato como tal: explican cómo el autor dispone de un medio para encontrar y observar personajes novelescos, qué espacio resulta propicio para ello, qué forma de expresión es la más adecuada para ofrecer al lector una visión diafenomenal de los hechos, en una palabra, se repasan las relaciones obra/autor sobre el ejemplo concreto de una novela, en la que alternan novela y teoría de la novela.

«Existen dos actitudes en relación a la perceptibilidad de los procedimientos empleados. La primera característica de los escritores del siglo XIX, trata de disimularla. El sistema de motivación tiende a hacer invisibles los procedimientos literarios y a desarrollar el material de la manera más natural posible, es decir, imperceptible. La segunda actitud no intenta disimular el procedimiento e incluso tiende a evidenciarlo» [Tomachevski]. En esta segunda actitud entran de lleno *Belarmino y Apolonio* y *La caída de los Limones*, con la particularidad de que el procedimiento no se expone en forma teórica en un prólogo o en una discusión entre personajes de la novela, ni siquiera como modo de actuación, sino que constituye base de narratividad y se inserta en la novela revestido de una anécdota que comparte el interés, y se aproxima en el tiempo y en el espacio, con la anécdota novelesca. Don Amaranto es compañero del autor en una fonda madrileña donde vive una temporada antes de pasar a la de doña Trina, donde conoce a Pedro. Don Amaranto es precisamente el que aconseja la mesa redonda de la fonda como lugar propicio para observar a los personajes y quien aconseja el modo de descubrir la intimidad y valor dramático de las personas. El interés del lector por la anécdota principal no decae en la presentación de los procedimientos, porque la exposición de éstos va estrechamente unida a la de aquélla. Ambas son compatibles perfectamente en la exposición.

La historia del narrador, como ocurre frecuentemente en la novela policíaca, sirve de intermedio entre la trama y el lector. Se busca con ello un efecto concreto: crear la ilusión de que los personajes no son ficciones sino personas de carne y hueso que se pueden encontrar, como los ha encontrado el autor, cualquier día, en cualquier fonda, en cualquier café. Se genera así una ilusión no sólo de verosimilitud, sino de realidad. En la novela policíaca, tal ilusión resulta eficaz para suscitar la curiosidad del lector y para propiciar un estado de ánimo conveniente para el *suspense* propio de ese género o subgénero literario.

En la novela de Ayala, la presencia del autor como intermediario, es uno de los recursos que pretenden del lector una atención más comprometida y tiene el mismo valor que puede tener la afirmación que se hace al final de la novela de que el autor supo y presenció grandes cosas que Pedro hizo después de cerrarse la novela. El autor se presenta como testigo de una realidad, de unos hechos históricos que se han dado, por tanto, en el tiempo, en su tiempo, y no como creador de una historia fingida. Su papel de autor no abarca a la materialidad de la historia, ya que los personajes viven fuera de la novela, sino que se limita a recoger los materiales y a ordenarlos en una novela: «hoy me siento en humor de salvar del olvido un drama semipatético, semiburlesco, de cuyos interesantes elementos una parte me la ofreció el acaso, otra la fui acopiando en años de investigación y perseverante rebusca. Por eso, la considero casi como una obra original mía». [En realidad, él mismo interviene directamente en la acción en un momento clave, cuando va en busca de Angustias y la conduce hasta Pedro. Ayala consigue con esto presentar la ficción como una experiencia real.]

En *Belarmino y Apolonio* se incluye, junto a la anécdota central, una teoría del relato, y esto podría ser un motivo de selección de lectores, es decir, podría ser causa de una limitación en el número de los lectores de la obra. Pero tal teoría está revestida de una anécdota para que el lector ajeno a los problemas del oficio no quede defraudado. Se ha logrado así una síntesis de interés y de motivos de atención: la anécdota tiene la funcionalidad pragmática de interesar al lector que vive la novela y la teoría sirve para interesar y atraer la atención del lector que la analiza.

Al presentar las teorías sobre la novela, o las discusiones sobre el espacio propicio para encontrar personajes, en boca de don Amaranto y en un escenario que el autor describe con una técnica de «enfoque próximo», ya que está él como interlocutor directo, el lector poco interesado en las cuestiones de tipo técnico, puede encontrar deleitación en la gracia que indudablemente tiene el pintoresco personaje, en los temas que usa en sus comparaciones, en su retórica florida y exuberante; y lo mismo ocurre en el capítulo segundo, en el que Lirio y Lario discuten sobre los valores estéticos y la vida, sobre los temas artísticos y naturales. Una exposición teórica podría ser causa de selección de lectores; los mismos temas revestidos de una anécdota se integran en el argumento, y más bien pueden ser causas de difusión de la obra. [...]

Ayala tenía perfecta conciencia del tipo de lectores que podían leer su obra: hay un lector *impaciente de acontecimientos*, y a él se dirige al contar los hechos como los cuenta; pero hay otro lector que puede interesarse por los problemas técnicos, y a él van dirigidos algunos capítulos, algunas digresiones, algunos temas marginales. Este lector no se define, al menos directamente, en la forma en que define al otro como «impaciente de acontecimientos», pero se deduce del contexto, por posición, cómo es: es un lector más reflexivo, más técnico. [Frecuentemente, el autor se sitúa entre la acción y el lector, o entre los personajes y el lector, como intermediario.] Una vez más se repite el recurso en este nivel pragmático: el autor cede la palabra a Pedro, cambia la visión desde fuera a una visión desde dentro, Pedro se encarga de la narración, en forma panorámica y se dirige directamente al autor, que escucha en representación del virtual lector. De vez en cuando interrumpe el autor, pero no interrumpe la narración de Pedro para hablar con él —Pedro ni se entera—; lo que interrumpe es la exposición, en el momento de la escritura —siempre dentro de la convención novelesca—, y entre dos frases de Pedro introduce, sin más, un aviso que va dirigido al lector, y que unas veces es un resumen de lo que va a seguir y otras veces es una advertencia. Sin embargo, el autor hace estos incisos, esos resúmenes, que evidentemente carecen de funcionalidad en el argumento, para adelantar información al lector y dejarlo libre de impaciencia por los hechos para que pueda leer con calma los argumentos con que don Guillén se disculpa y se conduele a sí mismo. En todo caso, la funcionalidad del recurso no hay que localizarla en la trama sino en la relación autor-lector: [adelanta hechos, funciones, para dejar libre el espíritu del lector y disponerlo para recibir otro tipo de informaciones, de temas.]

[Pero, puesto que la trama no constituye la significación literaria de la novela, sino la serie de hechos anecdóticos que revisten el significado literario, no tiene por qué cerrarse la obra con el desenlace de la trama; el lector espera que se le informe sobre los demás elementos que constituyen el argumento. Parece pues lógico que el desenlace de la anécdota amorosa no cierre la novela.] Si el propósito de la obra y su significado hay que buscarlo en la historia de la maduración de una persona, en la trayectoria de Pedro hacia el dominio de su propia voluntad, está claro que el desenlace responde a ese planteamiento. Después de una vida de decisiones que no le corresponden a él, sino que otros le imponen, Pedro alcanza la madurez al recuperar a Angustias, y es capaz de decidir por sí mismo, sobre su vida, sobre su forma de vida y sobre los seres que de él dependen: Angustias, Apolonio y Belarmino.

El contenido de sus decisiones no interesa como central de un planteamiento así; interesarían a un lector que se hubiera limitado a la anécdota y que podría plantear una serie de preguntas que la obra deja sin respuesta: ¿conseguirá Pedro la dispensa de las órdenes?; ¿se casarán él y Angustias?; ¿vivirán juntos como hermanos, ya que él decía que era su hermana, y como a tal la recibe en su reencuentro, o seguirán su amor interrumpido? Estas y muchas otras preguntas podrían formularse a propósito de la anécdota amorosa. El lector que comprende la novela bajo el otro modelo sabe que lo verdaderamente significativo es que Pedro ya *decide*. La función final es *decidir*, no el qué o sobre qué. Parece que éste es el lector a quien se dirige Ayala, ya que el otro no le contesta. [...]

La interpretación que proponemos está basada en el análisis de los distintos niveles de la obra, de los que resulta la figura de Pedro como protagonista indiscutible, ya que los otros personajes no cambian, están siempre igual, aunque las circunstancias vayan alterándose: Belarmino, Apolonio y Angustias, los tres son inoperantes, y únicamente Pedro cambia de actitud, porque a partir de un momento, «decide». La novela analiza las causas de su inhibición, de su cobardía; nos hace una relación de su vida amarga, de su desengaño, y nos cuenta las circunstancias de su cambio. Toda la novela no es más que la historia de un personaje condicionado por fuerzas sociales, por una situación familiar y por unas taras personales, que sufre sin saber reaccionar, que se inhibe de toda acción y se limita a lamentarse, sin intentar superarlas luchando.

«La novela se caracteriza por ser la historia de una búsqueda de valores auténticos de modo degradado, en una sociedad degradada que, en lo que concierne al héroe, se manifiesta principalmente en la mediatización, en la reducción de los valores auténticos al nivel implícito, y su desaparición como realidades manifiestas» [Goldmann]. Los compañeros de Pedro, al menos tal como él nos dice que los ve, responden a esta caracterización del personaje novelesco: los valores auténticos han pasado a un nivel implícito, buscan valores de cambio en una sociedad materialista. [...] La novela es la superación de todas esas taras, en el desenlace; todos los condicionamientos que impedían una vida auténtica, en el desenlace quedan superados. Es una trayectoria que la novela, como género literario sometido a unas formas de expresión específicas, puede ofrecer como modelo a la historia, a la vida, a los lectores.

EDMUND L. KING

GABRIEL MIRÓ Y «EL MUNDO SEGÚN ES»

[Los escritores del 98 no consideraron a Miró como de los suyos. Tampoco, en verdad, Miró los leía demasiado. Prefería a Espronceda, Galdós, Pereda, Clarín y, sobre todo, a Bécquer y a Valera. La doctrina estética de este último, superadora del corsé de los géneros, le atrajo con fuerza. Y en esa línea más que en otros aspectos de comunidad regional o formas de aprehensión, le interesó a Miró el arte iconoclasta de Azorín, con quien superficialmente se le hermana. El propio Miró nos da la clave de su admiración por su paisano al afirmar: «Él marca y enseña en el estilo castellano el paso del párrafo a la palabra». Para captar el arte de Miró pueden resultar útiles un par de pasajes del cuento-ensayo *Don Jesús y la lámpara de la realidad* en *El humo dormido.*] El magistrado local vislumbró en el canónigo un futuro obispo, y

besábale la mano como si en ella resplandeciese el anillo pastoral. Confiaba que habían de reunirse en la misma ciudad de la Sede de entrambos. Desarrollaba con elegancia esa persuasiva visión. El magistrado desarrollaba hasta las ideas más elementales. Muy diserto, nada para él tan hermoso como el párrafo envolviendo pomposamente la idea, lo mismo que una fruta contiene su semilla.

Don Jesús, una tarde, le dijo:

—Es que yo me como la carne de una manzana, y tiro el corazón donde está la simiente. ¿Haré lo mismo con esas frutas de párrafo?

La sombra de don Jesús se precipitaba del zócalo al techo. El magistrado parpadeaba. No le entendía.

—¿Quiere usted sentarse y desarrollar su pensamiento? Un hombre que no desarrolle cabalmente lo que piensa, yo afirmo que no piensa.

Don Jesús sabía que ese hombre era él; y no se sentaba.

Decía las cosas don Jesús desgranadamente, temblándole dentro de cada una la larva de otras. [...]

Edmund L. King, «Gabriel Miró y "el mundo según es"», *Papeles de Son Armadans*, XXI (1961), pp. 121-142 (134-142). Las citas mironianas siguen la edición de *Obras completas*, Biblioteca Nueva, Madrid, 1943.

En otra ocasión se expresa así don Jesús:

—Nadie burle de estas realidades de nuestras sensaciones donde reside casi toda la verdad de nuestra vida. Yo hasta me las traigo aunque no me lo proponga... Un día de mi santo se paró en mi portal una mendiga viejecita y ciega, guiada por su nieto. Eran pobres forasteros; llevaba el chico gorra de hombre y blusa marinera de verano. Desde los balcones le dijimos que subiese. El rapaz se daba en el pecho preguntando pasmadamente si le llamábamos a él; y subió descolorido, asustado; tenía la boca morada, el frontal y los pómulos de calavera, pero calavera de viejo. Le rellenamos la blusa de pasteles, de confites, de mantecadas...

Y el magistrado se alborotó.

—¿Y socorrieron con gollerías a una criatura hambrienta?

—Sí, señor; lo que menos le gusta a un pobre es el pan duro. Pues el chico corrió en busca de la abuela, le tomó la mano llevándosela al seno para que fuese palpando toda la limosna. Después nos miró y dio un grito áspero de vencejo; pero no nos dijo ni un «Dios se lo pague». Yo, entonces, me volví a los míos afirmando: ¡La gratitud es muda!

El catedrático quiso celebrar estas palabras. Y don Jesús le interrumpió:

—¿Saben por qué el niño mendigo no nos dijo nada? Pues porque el mudo era él. Cuando lo supe creí que lo había enmudecido yo con mi sentencia (pp. 71-79).

Los criterios estéticos de Miró se expresan claramente a través de las citas que acabo de hacer. Don Jesús es «el artista», y por él nos habla la sensibilidad de Miró. La realidad de las cosas —y cosa quiere decir lo mismo objeto en el espacio que funcionamiento en el tiempo, cualidad lo mismo que materia— la realidad de las cosas es la que don Jesús les infunde. Las va creando a medida que va sensacionándolas, conceptuándolas y nombrándolas. Los tres procesos son inseparables, consustanciales. Y si la realidad depende del artista, la realidad de éste consiste en seguir dotando de sensación, concepto y voz lo antes inerte e inexpresivo. *Es* siempre más de lo que *ha sido*. Cada momento abre nuevas posibilidades de creación. Es lo contrario de un «sentarse y desarrollar su pensamiento». No es el párrafo, sino un decir «las cosas desgranadamente, temblándole dentro de cada una la larva de otras». Son las palabras.

Aunque convendría tal vez no expresarse tan absolutamente. En «estas realidades de nuestras sensaciones ... reside *casi* toda la verdad de nuestra vida», pues hay que suponer además una realidad objetiva, o sea, ajena o pluralizada. Castigar el crimen es justicia, pero también es crueldad. Y la crueldad, muy conocida nuestra, es mucho más real que la justicia, que nadie sabe lo que es, fuera de ser un disfraz de la crueldad. El magistrado y san Paulino de Nola son igualmente malos como artistas, pues ambos se refugian en la alegoría y son mentirosos.

En el arte de Miró ¿es la palabra creación o descubrimiento? Sería ambas cosas, pues antes de haber creado no sabe el artista si ha descubierto o no algo. Cuando supo don Jesús que el niño mendigo era mudo, creyó que lo había enmudecido él con sus sentenciosas palabras.

Don Jesús sintió en aquel niño su mudez y su gratitud. La creación artística empieza, para Miró, en la sensación y en el sentimiento, y ése es en efecto el motivo de que su obra sea tan escasamente inventiva. Miró sobrevalora la sensación, pues reduce a ella, por lo común, cualquier objeto con que se enfrenta su fantasía. La trama y la forma exterior son para él menos apremiantes que registrar sutil y morosamente las reacciones de sus sentidos. La personalidad artística de Miró fue ensanchándose, en forma más bien global que abierta en planos quebrados e irregulares. Este hipersensitivo alicantino nacido en 1879 permaneció ligado —cautivo en cierto modo— dentro del panorama que habían ido configurando sus sentidos, tanto fuera de él como en la intimidad de su ánimo. No le era fácil escapar de aquel mundo de imágenes sensoriales y complicarlas con abstracciones o hipotéticos juicios, pues ello habría equivalido a abandonarse a sí mismo. De ahí su radical regionalismo, visible incluso en el caso de las *Figuras de la Pasión del Señor*.

Todo arte, huelga decirlo, empieza en el artista, y es labrado en la experiencia de sus vivencias. Pero hay quienes fingen salir de sí, y pretenden tratar el objeto como si éste no fuera un fruto de su experiencia. Muchos se sitúan en una posición indefinida, entre ese fingido objetivismo y un extremado subjetivismo. La postura de extremado subjetivismo es la que adoptó Miró («nadie burle de estas realidades de nuestras sensaciones donde reside casi toda la verdad de nuestra vida»). Y de ahí procede el encanto de su técnica tan personal. Construye el objeto de su arte fundándose en las propias e irreductibles sensaciones que le llegan de él. Y nos da así la impresión de conocerlo mejor que quienes hacen del objeto una realidad idéntica para todos. Muchas veces he oído decir a un amigo de Miró:

«Mirar una cosa con Miró y escuchar cómo la describía, era verla por primera vez». Creada por Miró la realidad, se hacía existente también para su compañero.

La irreductible individualidad del sujeto llega así a incluir el objeto de la experiencia artística. Miró no quiere ser nada sino él mismo, y aspira a conocer o crear el objeto como una realidad única. «La palabra —ha escrito— debe contenerlo todo sin decirlo todo.» El problema sería entonces éste: Sabemos muy bien que una persona no es otra, que este árbol no es aquél, por muy semejantes que sean. Pero ¿cómo expresar en palabras la individualidad de una persona o de un acontecimiento? ¿Cómo crear poéticamente la realidad de una cosa? El *Libro de Sigüenza* nos da una sencillísima respuesta:

«La noble y vieja señora recibió a Sigüenza en su salita de labor.

»Las sillas, los escabeles y el estrado eran de rancia caoba, vestidos de grana; los cuadros, apagados; las paredes, blancas. Era un aposento abacial.

»Delante de la butaca de la dama había un alto brasero resplandeciente; y entre el follaje de azófar se veía arder, retorciéndose, una mondadura de lima» (VII, p. 106).

La descripción, iniciada en forma genérica, se va elevando a creación poética e individualizada mediante un proceso de cruce y reducción de géneros: los cuadros, de abstractos y genéricos, se hacen apagados; el aposento, además de ser genéricamente el aposento de una noble y vieja señora, es también abacial; en el brasero no se quema genéricamente el habitual carbón, sino también una mondadura de lima. Gracias a este cruce de observaciones genéricas de diferente radio, con esta última palabra, sin decirlo todo, la individualización de la noble y vieja señora se ha logrado. ¿Ardid sencillo? Sí, con tal de que uno se haya hecho cargo de la mondadura de lima. La mondadura de lima es a la señora como, en la vida, el nombre es a la persona. Mediante un cruce constante de extensiones y reducciones y en virtud de un continuo proceso de materialización de lo espiritual y de espiritualización de lo material, Miró va «bautizando» cosas, confiriéndoles realidad, rescatándolas, para su bien o para su mal, del limbo de la neutralidad.

Me parece que ahora podemos darnos cuenta de por qué Miró y los escritores más insignes del 98 quedaron siempre amistosamente separados. Habremos, sin embargo, de «desarrollar cabalmente este pensamiento». [...] Los del 98 rechazaban a Miró porque estando en Madrid seguía con su hábito de comer el arroz con cuchara. (Poco importa que la cosa fuera verdad o pura fantasía de D'Ors, que no asistió a la comida.) El viaje a Castilla —de trascendente valor para los vascos Unamuno y Baroja, para el gallego Valle-Inclán, el levantino Azorín, o el andaluz Antonio Machado— para Miró no significaba nada. Miró continuó simbólicamente viviendo en Alicante. Se quedó en la periferia del país, sin adentrarse en él. España, ni le dolía, ni le era problema. No había que europeizarla, según deseaban muchos, ni que africanizarla, como sugería Unamuno. No había que huir de ella, como hizo el Valle-Inclán de las *Sonatas*, ni escarnecerla con el Valle-Inclán de los *Esperpentos*. No había que descubrir las raíces de la patria, rebuscando en su literatura con Azorín, para contemplar en sus páginas el esplendor de su gloria.

¿Qué había que hacer entonces? En una carta de Miró a un muy amigo suyo, he hallado esta frase de Romain Rolland: «No hay más que un heroísmo: ver el mundo según es, y amarle». (A Germán Bernácer, 3 de marzo de 1922.) El arte de Miró es un amar el mundo según es. Esto es lo que según él hay que hacer. Hasta tal punto estaba convencido de ello Miró, que no sólo citó a Romain Rolland en la carta a su amigo, sino escribiéndose a sí mismo, según consta en una papeleta que todavía existe en el archivo de la familia: «No hay más que un heroísmo: ver el mundo según es, y amarle». Esto podría ser un posible lema para la obra total de Gabriel Miró.

Mariano Baquero Goyanes

LA PROSA NEOMODERNISTA DE GABRIEL MIRÓ

El tono neomodernista de Miró habría que buscarlo en ese gusto por los contrastes del tipo de sensualidad-castidad, o el de sensualidad-religiosidad —grato también a Valle-Inclán—, corporeizado este último en el fervor —sensual— de Miró por toda la espléndida liturgia cristiana. En Valle-Inclán los contrastes entre lascivia y religiosidad adquieren unos violentos perfiles, de los que carecen las descripciones de Miró en las que entran esos elementos. Habría

Mariano Baquero Goyanes, «La prosa neomodernista de Gabriel Miró», en *Prosistas españoles contemporáneos*, Rialp, Madrid, 1956, pp. 173-252. Las citas de textos mironianos siguen la edición de *Obras completas*, Biblioteca Nueva, Madrid, 1943.

también que perseguir el neomodernismo de la prosa de Miró en ciertos aspectos de musicalidad y, sobre todo, en el vocabulario y en la construcción sintáctica. Es ésta empresa importante, aunque difícil, teniendo en cuenta que ese neomodernismo está muy distante ya del específicamente rubeniano, por más que de él parezca proceder en un proceso de depuración y refinamiento expresivo.

Las obras juveniles de Miró son las que mejor revelan esa ascendencia modernista, que es tanto como decir neorromántica. [Es —perdónese la paradoja— un neomodernismo anticuado. Escribe, por ejemplo, en *Las cerezas del cementerio*:] «las ropas "blancas y delgadas como cendales" que "revelaban castamente sus firmes y peregrinos contornos", ni los "cabellos opulentos de un apagado oro" recogidos "con sabio artificio de abandono, de tanto donaire que hacían pensar en las rosas que desmayan y parecen que van a caerse deshojadas del búcaro"» (p. 291). Estos románticos personajes mironianos se expresan artificiosa, poéticamente. Y así, Beatriz habla de «un niño tan rubio y blanco que de dentro de sus cabellos y de su carne parecía exhalar una luz de estrellas» (p. 249). Probablemente estas obras mironianas son las antes condenadas a envejecer, las más frágiles expresivamente; aquellas en las que el modernismo de oriundez decimonónica no se ha depurado aún lo bastante, no se ha mironizado —valga el neologismo— lo suficiente para poseer ese personal y bellísimo tono que luego adquirirá. [...]

La temática de Miró revela también, en muchas ocasiones, ese tono neomodernista. Abundan en sus obras los protagonistas novelescos que son artistas, músicos, poetas, pintores. *La palma rota* es una novela corta de tema artístico en prosa artística. El personaje principal, Aurelio Guzmán, novelista, es presentado como una belleza angélica casi, en una descripción rebosante de elementos neomodernistas, de oriundez inequívocamente romántica: «Era Aurelio alto, esbelto; iba enlutado; tenía el cabello abundoso, crespo y de un bello color oscurecido. Pálido, afeitado; sus facciones, ya parecían iluminarse exaltadamente, ya mostraban abatimiento y cortedad infantil, presentando a Luisa sencillos recuerdos. Hallábale ahora veladas semejanzas con rostros de pinturas de arcángeles y místicos» (p. 179).

Este tópico —la angelización de sus protagonistas masculinos— va a ser uno de los más gratos a Miró. [Recuérdense el Félix de *Las cerezas del cementerio*, o la María Fulgencia de *El obispo leproso* que humaniza al ángel de Salzillo.]

Aun con todo esto, aun admitiendo el arranque neomodernista de Miró, hay también que admitir la perfección, personalidad y arte exquisito a que el escritor levantino llegó. En el intento de crear una prosa artística, poética, preciso es reconocer que Miró superó a cuantos le habían precedido, depurando las conquistas expresivas, metafóricas y musicales del modernismo. Desde una perspectiva sensual, semejante a la de esa escuela o movimiento literario, Miró consigue imágenes de una gran belleza, aun partiendo de algunas ya usadas, que en sus manos adquieren nuevo color y expresiva eficacia.

Una muy gastada imagen es la de comparar una piel femenina con una piel frutal. Poco, pues, parece que podría conseguirse utilizando esta comparación, tan grata a los modernistas [que Miró se limita a recoger, tópica, en *Dentro del cercado*.] Pero lo que apenas es topiquera insinuación frutal [...] va a convertirse en constante y trabajadísimo artificio expresivo del prosista. En *Las cerezas del cementerio*, la sensual comparación sigue teniendo un aire modernista, a tono con el de toda la novela: «la hermosa señora, fragante de primavera, pareciéndole recién salida de un baño de zumos de frutas, de flores, de pámpanos y espigas en ciernes, de acacias y árbol de Paraíso; su carne y su alma daban la sensación y la fragancia de la fruta en agraz. Beatriz era la fruta dorada que destila la primera lágrima de su miel» (pp. 287-288). Miró no se contenta ya con la epidérmica comparación. Ha profundizado, ha ampliado la imagen, frutalizando —perdónese el neologismo— no sólo la piel de una mujer, sino su cuerpo todo, su aroma y hasta su alma. Después, en casi todos los relatos mironianos cabría encontrar comparaciones de este tipo. [...] Pero Miró va más lejos y no se contenta con la vieja imagen de la calidad frutal de una belleza femenina. Volviendo del revés la comparación, encuentra en las frutas sensuales encantos humanos. Ya en *Las cerezas del cementerio* —título significativo— se dice de las frutas del huerto de Beatriz «que daban el mismo aroma de las manos de la señora» (p. 300). Miró completa un sensual ambiente, en el que si la mujer tiene tacto, fragancia y alma de fruta, también la fruta despide aroma de mujer, cerrándose así un círculo sensual y decorativamente erótico, en virtud del cual naturaleza y humanidad se funden en esa última deliciosa e imprecisa frontera de lo frutal, que es puente a la vez. [...]

El plástico y erótico simbolismo que lo frutal juega en la obra de Miró se percibe, sobre todo, en un muy conocido episodio de *El obispo leproso*. Me refiero al capítulo en que Pablo se mancha de tinta, y María Fulgencia emplea un limón —«fragante ovillo de luz»— para limpiarle:

«Y María Fulgencia hundió sus uñas en la corteza carnal. Saltó más fragancia.

—¡No puede usted!

—¿No puedo? ¡Sí que puedo!

Y mordía deliciosamente la pella amarilla. Pablo se lo quitó. Les parecía jugar con la frescura de todo el árbol.

—¡Tampoco usted puede!

La fruta juntaba sus manos y sus respiraciones. Recibían y transpiraban el mismo aroma, pulverizado en el aire húmedo y ácido de su risa. Y entre los dos rasgaron los gajos sucosos. María Fulgencia los exprimió encima de la mancha y de los dedos de Pablo» (p. 920).

Tampoco se queda aquí Miró, contentándose con el simbolismo carnal y erótico de la fruta, sino que amplía y ensancha incansablemente la comparación frutal. En *Años y leguas* son los ojos de un burrillo los que se describen así: «gordos, dorados y dulces como dos frutos» (p. 947). Otra vez son los olores los que pueden caer «como un fruto caliente» (*Figuras de la Pasión*, p. 1.154). Y en *Estampas rurales*, la comparación aún es más audaz: «El cielo acaba de rasgarse tiernamente como la piel de una fruta; y le sale un zumo de color de rosa» (p. 656). En la ampliación metafórica de lo frutal, Miró llega a esta apretada imagen de *Años y leguas*: «La media naranja del día» (p. 956), que casi recuerda «y el aire [era] una manzana oscura», de García Lorca.

También las palabras, el lenguaje, los nombres pueden tener calidad frutal. Y en *Años y leguas* se lee: «Aitana en Aitana; y pronunciándolo se le deshace a Sigüenza en la boca y en la sangre la fruta que creyó haber comido; y lo que hizo entonces fue plantar el árbol de su sabor de ahora» (p. 1.049). Un nombre asociado a un sabor frutal. Pero Miró no se detiene aquí y, sinestésicamente, llega a través del sonido de una voz al dulce sabor de una fruta. La voz de Nuestro Señor, en *Figuras de la Pasión*, es descrita así: «Y después quedábase sola una voz que resbalaba en el silencio, como si la tarde fuese un recinto y estrado de intimidad, y era una voz caliente y sencilla que hacía sentir con más pureza el vuelo manso del aire, el olor de la tierra arada y el goce de la holgura, y daba sabor de jugos de sementeras, de claros hontanares, de mieles de fruta» (p. 1.150).

Puede, pues, observarse, a través de unos pocos ejemplos, la artística ampliación a que Miró ha sometido la vieja imagen de la fruta con la que comparar la belleza de una mujer. De adjetivar frutalmente una delicada piel femenina, Miró pasa a dar calidad frutal a los olores, a los ojos de un borriquillo, a un cielo de atardecer, y hasta a la voz humana.

Existe, por tanto, un doble proceso que va de la espiritualización de lo incorpóreo, a la corporeización de lo inmaterial. Para Miró, un olor, una sensación táctil pueden ser escalón de infinitud y de espiritualidad. Pero, a la vez, algo tan incorpóreo como ese mismo olor puede adquirir contornos de cosa sólida y palpable. Pueden nacer ojos en los dedos, palpadores de horizontes lejanos, de cielos y de nubes. Y lo que ni los dedos —los de verdad o los visuales— pueden apresar, parece poder ser conquistado por el olfato. [...]

No cabría imaginar proceso más intenso de corporeización, si no quedara aún otro importante aspecto —muy estudiado ya por los críticos mironianos—: el que pudiéramos llamar la corporeización del lenguaje. Hay palabras, nombres que ellos solos, sin apoyatura de una voz que les dé una musical sensualidad o una determinada resonancia emotiva, parecen estar cargados de expresividad para Miró. Otros la encuentran en la blandura, en el tono de la voz que les da cuerpo y consistencia sonora, como ocurre con María Fulgencia, transmisora de sensualidad, de la *suya*, a unas inocentes palabras. Miró sabe bien que la carga emocional o sensual de las palabras no está a veces tanto en ellas mismas, como en su pronunciación. Y esto ayuda a comprender su estética. Con el oído muy agudizado, muy afinado, Miró selecciona palabras que, al conjuntarse en su prosa —en su estilo, en lo que viene a ser su *pronunciación*—, se cargan de una sensualidad de la que carecerían en otras manos, de otra manera combinadas o utilizadas, en otra prosa. Como James Joyce, en otro plano, Miró sabe mucho de la musicalidad y del íntimo sentido de las palabras. Son bienes mostrencos, sí, por todos utilizables, pero que en cada boca, a su paso por cada ser se tiñen de un tono personal. [Pero, junto al valor emotivo o sensual que toda palabra puede adquirir empleada por determinadas personas, está también el valor que a ciertas palabras da el momento de su empleo o evocación.] Miró desea para cada momento, para cada matiz, para cada sensación la palabra precisa, la que al ser empleada cobra contorno de cosa nueva y recién creada.

Es preciso comprender esto bien, para poder valorar en todo su alcance la prosa tan exacta y bella de Miró, que sabía buscar el pulso a cada momento para vestirlo de la precisa y más artística expresión. Y obsérvese que digo *precisa* y *artística*, pues Miró no se contenta con la adecuación momento-palabras, sino que cree que éstas, además de reflejar exactamente ese momento, sin dejar escapar nada de él, ningún matiz, deben, a la vez, ceñirlo plásticamente, revelando su belleza, incluso creándola.

Otras veces la carga emocional, la intensidad expresiva de una palabra vienen dadas por una deformación dialectal. En *Años y leguas* un campesino en vez de *cólera* dice *colic* y comenta Miró: «y la palabra y la epidemia tienen más filo asiático, más filo convulso» (p. 975). A la vez una normal pronunciación castellana puede, en los oídos de un hablante que emplea un dialecto o una fonética regional, resultar como de curiosa apariencia. [...] Y queda aún la pura delicia de los nombres por sí solos, sin deformación dialectal, sin resonador humano que los cargue de emoción. Los nombres, cuyo sólo enunciado, cuya sola agrupación misteriosa de vocales y consonantes provocan en Miró sensual delectación.

Un escritor tan preocupado por el lenguaje, por la sonoridad de los nombres, ha de sentir forzosamente preocupación por su estilo. Esa conciencia estilística de Miró, conocedor de los efectos que del manejo artístico de una lengua pueden extraerse, se revela no sólo en el estudio estilístico de su prosa, sino también en alguna alusión significativa. Véase ésta de *El obispo leproso*, tomada del pasaje en que el padre Bellod enseña a Pablo unas estampas de martirios, explicándole su significado: «—¡Aquí es! Aquí tienes los tormentos inventados por los hugonotes. Tampoco están mal. Tienden al católico, lo abren, le ladean con cuidado las entrañas para hacer sitio; se lo llenan de avena o de cebada y ofrecen este pesebre a sus jumentos. La inminencia del verbo en tiempo presente encrudecía la óptica de los martirios» (p. 915). El comentario mironiano sobre el uso del presente resulta bien expresivo. Miró conoce los secretos de la prosa, del uso de los tiempos verbales, de la aliteración, de la expresividad que puede conseguirse con la supresión de verbos en formas personales con su acumulación, del uso de las conjunciones, etcétera.

El artificio retórico llamado polisíndeton, tan viejo y conocido, manejado por Miró, le permite conseguir espléndidos efectos. En *Estampas de un molino* se describe así el moverse del viento por la llanura, para luego encaramarse a las aspas de un molino: «El viento que bajó de la quebrada, y se durmió en la pastura, y se puso a maldecir en los vallados y en el cornijal de las heredades, da un brinco y se sube al molino, y tiembla y bulle en las aspas de lona» (p. 651). La insistente repetición de la conjunción *y* comunica un ritmo suavemente entrecortado al período, que alienta a golpes, aunque sin perder nunca la respiración, esa respiración del viento que va de un sitio a otro, perseguido por la repetida conjunción para acabar latiendo en las aspas del molino. Todo ese ir y venir entre lento y brusco, entre súbito y suave del viento por los pastos, los vallados y el molino, parece quedar reflejado en el movimiento del período. Pruébese a suprimir en él las conjunciones copulativas y a convertirlo en una serie de oraciones yuxtapuestas con asíndeton, y se verá como desaparece ese efecto del viento arrastrándose de oración en oración, del valladar al cornijal y al molino. [...]

Si tratara de resumir mis conclusiones en torno a la calidad modernista o neomodernista de la prosa mironiana, tendría tal vez que verme obligado a trazar una breve historia de ese movimiento literario —el modernismo— frente al que habría que señalar la exacta situación de Miró. En varias ocasiones he insinuado ya que lo conseguido, en mi opinión, por el autor de *Años y leguas* fue, a la vez, una depuración y una intensificación —o maduración— de los elementos de la prosa modernista. El desarrollo de la obra mironiana nos permite comprobar claramente esa evolución, desde unas primeras obras nítidamente modernistas, en tema y lenguaje, pero escasamente originales, al poder creador y a la personalísima etapa de las últimas producciones. El modernismo se depura y acendra en manos de Miró, artista que fue capaz de renovar un estilo, unos procedimientos expresivos que estaban ya, en su tiempo, pasando a ser retórica y tópico. Me parece que en esto —en el poder renovador— reside el grande, el extraordinario mérito de Miró. Él supo llevar a su más alta perfección el empeño de crear una prosa castellana artística, poética, en el más noble sentido de la palabra, sin delicuescencias ni efectista pirotecnia expresiva. [...]

Por eso he preferido emplear para la prosa mironiana el adjetivo «neomodernista» a «modernista». Y lo he hecho por creer que Miró, partiendo de un concreto estilo o movimiento literario, consigue algo muy distinto, aunque de él proceda. Al aludir a una renovación del modernismo en Miró, antes que plantear una filiación de todos conocida, he querido más bien llamar la atención sobre lo que de personalísimo hay en el arte del gran escritor levantino. Con esto no trato de negar la existencia de otros posibles «neomodernismos». Tan sólo he pretendido sugerir como el de Miró, el tan peculiar suyo, me parece el más legítimo y el más bello de todos ellos.

RICARDO LANDEIRA

LA NARRATIVA AUTOBIOGRÁFICA DE GABRIEL MIRÓ

De la veintena de obras que integran la producción total en prosa de Gabriel Miró muy pocas de ellas pueden rotularse llanamente de novela. Aquellas que el autor mismo compendia en sus *Obras completas* —eliminadas algunas por prurito artístico— participan de los cánones más latos que puedan determinar el género novela, pero de suerte muy mínima. La novela de Miró está a punto de no serlo, de caer en el anonadamiento de lo que llamamos de ordinario ficción. Este peligro no es grave. Toda novela moderna tiende a la descripción, no a la narración; a un mundo inconexo y no a un pasar de perfecta concatenación. Su obra se coloca en la evolución desnovelizadora del género. Acción y argumento se pierden a favor de una literatura intimista, de confesión, y ésta es, en rigor, la nueva fisonomía novelesca.

La estética que rige los libros clave de esta tendencia alzante en Miró se nutre de aquellos elementos constitutivos hallados en la novela de personaje, el *romance* (narración introvertida y personal), la autobiografía (narración introvertida e intelectual) y la confesión (trazado espiritual). Desigualmente asimilados, estos cuatro tipos afines del género narrativo dan lugar a tres obras que puntúan la totalidad de los escritos mironianos: *Del vivir* (1904), primera obra no repudiada; el *Libro de Sigüenza* (1917), obra meridiana de su producción, y *Años y leguas* (1928), la última editada en vida. Las tres son depositarias de un trasfondo novelístico difuso según consta en la ilación estructural del viaje, el microcosmos autóctono, la temática consistente y semejante en las tres, y la presencia de un protagonista común a todas ellas. Mas la reducción telescópica a un centro de conciencia en la persona del protagonista-narrador, portavoz y trasunto del autor (*toutes proportions gardées*, recuérdense las fun-

Ricardo Landeira, «La narrativa autobiográfica de Gabriel Miró», *Instituto de Estudios Alicantinos*, n.º 27, segunda época (mayo-agosto de 1979), pp. 83-89. Las citas mironianas siguen la edición de *Obras completas*, Biblioteca Nueva, Madrid, 1961[4].

ciones similares ejercidas por Azorín, Juan de Mairena o Plotino Cuevas), germina una narrativa personalista, minoritaria, y ascendiente de la actual. [...]

En todos estos libros el protagonista acapara la mayor parte de los esfuerzos del autor, con quien a veces coincide, y es por lo regular una figura introvertida, herida de cierto *weltanschaunng*, individual en extremo y de una personalidad acusada. El autor-personaje, pues, encarna una visión de ética universal y, hasta cierto punto es la razón de ser de la obra: ésta existe por y para el protagonista. Como podrá comprobarse las obras són singulares en valía pero forman en su conjunto un microcosmos único, regido por móviles e impulsos idénticos cuya temática amalgama la cronología divisoria entre los tres escritos: la muerte, el sufrimiento, el desamor, la soledad, la crueldad, el *tempus fugit*, el *memento mori*, la morbosidad, la insensibilidad, la deshumanización, el anticlericalismo, la misantropía, la xenofobia, el escepticismo, la ironía, el egotismo, el recuerdo, la nostalgia, la naturaleza, el *locus amoenus*, la melancolía, el hilozoísmo, la vivificación, la antropomorfización, la compasión, la contemplación, el viaje, la enajenación en el paisaje, la hiperestesia, el helenismo, lo bíblico, el menosprecio de corte, la eidética platónica, la metempsicosis y la escatología final. La trilogía integra una esfera presidida por un personaje principal: Sigüenza. Él no es sólo el protagonista de estas tres obras, sino que casi se podría aseverar que es su único agonista.

Sigüenza coexistió siempre con Miró. Los libros en los que figura aquél como protagonista constituyen los hitos con que se mide la producción de su autor. Hay, pues, casi una correspondencia de vivencias entre el personaje y autor para quienes el término es poco menos que el mismo. [...] Vicente Ramos [1964] divide el ciclo vital del personaje en tres etapas: «andanzas juveniles por Parcent», «conciencia de plenitud y andanzas ciudadanas», «búsqueda de sí mismo, reencuentro y despedida», que corresponden respectivamente a los tres libros en cuestión. Lo verdaderamente autobiográfico se inicia en el *Libro de Sigüenza*, aquí se estrecha la relación entre ambos y se convierte en identificación. El prólogo delata la progenie del personaje por parte de su autor. En él Miró concede que Sigüenza es un aspecto íntegro de su persona, no ya proyección suya en un ente de ficción: «Sigüenza ha sido el íntimo testimonio y aun la medida y la palabra de muchas emociones de mi juventud ...» (p. 567). Su figura en el *Libro de Sigüenza* es de un funcionario público de vida oscura y fracasada, de temple resignado y aquiescente y dotado de una vivencia interior que lo encamina mediante la introspección hacia el cambio evolutivo que tendrá su término en *Años y leguas*. En esta obra, Sigüenza se convierte en una actitud, un estado de ánimo. No nos lo presenta Miró como un ente autónomo sino como una esencia necesitada de un cuerpo físico para poder existir, al igual que un alma falta de un organismo que la encarne. Sigüenza «está visualmente rodeado de las cosas y comprendido en ellas. Es menos o más que su propósito y que su pensamiento. Se sentirá a sí mismo como si fuese otro, y ese otro es Sigüenza hasta sin querer» (p. 1.066). En *Años y leguas*, obra de retorno y de meditación al fin del peregrinaje, el héroe se aleja de los hombres desengañado de sus ciudades caóticas e inhumanas y busca refugio en el seno de la naturaleza acogedora a la cual tiene que, finalmente, hacer frente al percatarse de su caducidad; solo ante la permanencia de aquélla.

Hasta dónde se había apoderado el personaje de su autor y hecho presencia en el espíritu de éste, en identificación mutua, lo muestra la firma «Sigüenza» en cartas de Gabriel Miró a sus amigos como la dirigida a Juan Guerrero Ruiz, fecha del 3 de febrero de 1928, y la apropiación que del nombre se toma en otras ocasiones, llamándose a sí mismo Sigüenza en conversaciones íntimas recordadas por el poeta Jorge Guillén. [...] No es Sigüenza el *alter ego* de Miró, sino su propio yo fijado lírica y parcialmente en una estética derivada de su sensibilidad artístico-espiritual. Nos encontramos entonces con que Sigüenza es una introspección exteriorizada del autor, funcionando como un recurso revelador del concepto que el escritor mantiene de sí y de su circunstancia, de sus conflictos y de su epistemología. Todo esto implica un franqueo de intimidad, lo cual a su vez supone cierto pudor, de manera que aunque la omniscencia de Miró sea ilimitada y por él lo sepamos todo, sólo sabremos lo que él quiera comunicarnos de su personaje. Si el escritor se autonovela, como parece hacerlo, el recato tiende a frenar sus desahogos, moderación apoyada por otra parte en el arte de insinuación y elusión mironiano. Sigüenza con frecuencia no logra seguir la tendencia finalizante de su pensamiento por interrumpir su reflexión cualquier incertidumbre poética; rara vez llega al fin de una sensación o anhelo como, por ejemplo, su cavilación al término del capítulo «Huerto de cruces» (p. 1.100), en donde el autor paulatinamente apaga la voz del protagonista asumiendo él la directiva.

En cuanto a su esencia, cuenta Vicente Ramos [1964] que «cuando Benjamín Jarnés intentó definir a Sigüenza, diciendo: "Es una inteligencia puesta entre el mundo y el lector", le corrigió Gabriel Miró con estas palabras: "No: una sensibilidad"». Esta es su esencia, la sensibilidad; todo su ser está en función de ella. Sigüenza, como trasunto humano, carece de absolutos; ni siquiera puede comunicar su naturaleza espiritual decisivamente resultando entonces la consabida alienación del hombre de este siglo. La soledad del personaje, como se verá, no es voluntaria sino resultado del fracaso mutuo de hermanación del ser humano. «¡Falta amor; en todo falta amor!» (p. 57), es la exclamación que grita al abandonar Parcent, lugar de leprosos, y que bien podría resumir la ausencia de sinfronismo entre semejantes que se necesitan unos de otros y que sin embargo desoyen la voz del deseo de sus espíritus clamando socorro. El Hombre no escucha a su Dios, ni a su hermano, ni a sí. [...]

Sumido en unas circunstancias que no corresponden a las dotes sensibles y singularmente ideológicas propias, el temperamento de un ser inteligente no es capaz de desarrollar una vivencia plena en el nivel de la realidad, de ahí que para solventar semejante dilema se forje una existencia vicaria mediante la imaginación. Cuando el ser es un personaje —como Sigüenza— ello consiste en la ideación de fantasías. Cuando es hombre —como Miró—, la vicariedad puede realizarse en una vivencia artística fijada en unas cuartillas que le confieren no sólo realidad, sino también permanencia en un mundo avieso. Esto hasta cierto punto significa una dimisión de ese mundo exterior para poder alcanzar el equilibrio interior; una abstinencia del macrocosmos y una acogida al microcosmos que cada uno representamos.

A medida que envejece Sigüenza, se aleja más y más de los hombres. En *Del vivir* compadece a los lazarillos en una confraternidad misericordiosa, en el *Libro de Sigüenza* anda por las calles metropolitanas rodeado de gentes pero solo de ellas y, en *Años y leguas*, fuera ya del tumulto capitalicio, se acoge a las soledades del campo. Con él, está provisionalmente en paz, prefiriéndolo a la condición humana. El héroe no es de por sí un misántropo, pues no opta por el apartamiento de sus semejantes; él no ha elegido su soledad, sin embargo está condenado a ella. La problemática de Sigüenza es la del héroe moderno cuya vida es también un camino que no lleva a ninguna parte, de principio y fin arbitrarios; el sino de cada uno —destino del *homo viator*— es la incertidumbre de un término esperado y temido a la vez. [...]

En Gabriel Miró hay una errónea valoración del ser humano al no considerarlo valor supremo con respecto al resto de la creación. El autor disminuye la valía del espíritu, sensibilidad y creacionismo del hombre —atributos ausentes en la naturaleza— al encarecer la eternidad y la inmutabilidad de ésta —cualidades juzgadas por un ser al fin y al cabo finito, el hombre— sobre el individuo, restándole así la trascendencia que le corresponde en todos los casos como imagen de su Creador y, como autor de sus propias ficciones, en muchos otros. Nada más natural que éste sea también el gran fallo de Sigüenza al no percibir que el hombre es la medida de todas las cosas, y no a la inversa. El acudir a su Creador no se le ocurre, al dudar Miró de la progenie del hombre: «Quiso el Señor que fuesen las criaturas a su imagen y semejanza, y no fueron. El Señor lo consintió; y las criaturas se revuelven porque el Señor no es su semejante ...» (p. 667). El pesimismo del autor ha conducido a Sigüenza a lo largo de una vivencia en la cual se le ha negado el amor de sus semejantes, donde la naturaleza le ha revelado el absurdo de su finitud y donde su demiurgo lo ha abandonado a su propia persona. Se ha de contentar con «la ley de la muerte» (p. 1.195).

La trilogía destaca del consabido esteticismo sensual mironiano una dimensión de humanidad y de ética ingénita en aquélla. La obra no es andromórfica —pese al constante Sigüenza—, sino antropomórfica; testimonio de las desilusiones y los anhelos de todos los hombres, de sus tragedias íntimas, simbolizado ello en las desemejanzas entre sensación y conciencia, entre finitud y eternidad, humanidad y naturaleza. Aunque Gabriel Miró no fue un escritor de grandes ideas, mantuvo su eidética, sobreentendida en cada renglón redactado. El subjetivismo lírico de su disposición estética acaso lo atenúe un tanto, pero no ahoga el lamento del omnipresente patetismo humano. Su estética adquiere mayor realce que su ética en muchas de sus páginas porque la literatura para Miró es un arte que encubre, no promulga, su propia revelación o *alétheia*, en griego «verdad». El suyo es un arte que conlleva su propia razón de ser y que sólo en función de su naturaleza estético-literaria puede comportar verdad o significación alguna.

YVETTE E. MILLER

NUESTRO PADRE SAN DANIEL Y EL OBISPO LEPROSO

Las novelas de Oleza-Orihuela han sido consideradas las más representativas del arte de Miró en su conjunto, y el propio autor dijo: «Creo que en *El obispo leproso* se afirma más mi concepto sobre la novela: decir las cosas por insinuación. No es menester —estéticamente— agotar los episodios». Mi análisis parte de esta afirmación, que implica una técnica especial. Claro que Miró recrea la realidad mediante un proceso dual del lenguaje poético y una técnica de insinuación por la cual la inteligencia del lector es alertada para que complete lo que el autor ha dejado sin decir. Habiendo sido aceptadas estas dos novelas como obras maestras por los críticos, es sin embargo curioso leer en la reseña que Ortega y Gasset escribió sobre *El obispo leproso* afirmaciones como ésta: «*El obispo leproso* no queda avecindada entre las buenas novelas». Ortega critica la fragmentaria perfección de la obra por su premiosidad, lo que él llama «perfección estática y paralítica». [...]

En la estructura de sus novelas Miró abandona el tratamiento convencional de los principios de secuencia y causalidad. *Nuestro Padre San Daniel* y *El obispo leproso* se presentan en series de episodios integrados por medio de un tema unificador, de manera que cada episodio y cada personaje tenga una función en la textura temática del conjunto. En *Nuestro Padre San Daniel* la historia se centra en don Daniel, Paulina y don Álvaro, y termina con el nacimiento de Pablo. La acción de *El obispo leproso* converge sobre la vida de Pablo, su madre Paulina y su padre don Álvaro. Comienza cuando Pablo anda por los seis o siete años y termina, aproximadamente, a los diecisiete de su edad. Hay algunas tramas secundarias relacionadas con la ciudad y otros personajes más o menos conecta-

Yvette E. Miller, «Illusion of reality and narrative technique in Gabriel Miró's Oleza-Orihuela novels: *Nuestro Padre San Daniel* and *El obispo leproso*», en Ricardo Landeira, ed., *Critical essays on Gabriel Miró*, Society of Spanish and Spanish-American Studies, Ann Arbor, 1979, pp. 57-65. Traducción de Darío Villanueva. Las indicaciones de páginas hacen referencia a las *Obras completas* de Gabriel Miró, Biblioteca Nueva, Madrid, 1943.

dos con los protagonistas, lo cual hace estas novelas muy densas y ricas, a pesar de la aparente simplicidad de la estructura.

El tema desvelado a través del argumento es el de la vida y la muerte en un microcosmos: la tragedia de la existencia mostrada en un panorama de mortal monotonía y represión, donde los personajes se mueven inmersos en una densa atmósfera de amor y odio. Los únicos cambios de tan monótona vida son los propiciados por el inevitable paso del tiempo y sus efectos sobre el progreso, materializados con la aparición del ferrocarril. [...] Dentro de este marco geográfico y sociohistórico, el relato mironiano fluye bajo el lema «No es menester —estéticamente— agotar los episodios». Misión del novelista es proporcionar la ilusión de la realidad, y Miró ha escogido el procedimiento estilístico de la elipsis, aplicable a muchos componentes de la estructura narrativa. Es evidente que no sólo utiliza la técnica para la expresión lingüística de su novela, sino también en sus principios esenciales de causalidad y cronología, en su acercamiento conceptual a una ironía trágica o cómica que lo impregna todo, y en los bruscos cambios de punto de vista. El profesor Edmund King [1967], en su perspicaz prólogo a *El humo dormido*, ha destacado cómo una de las más notables características de Miró es «la ausencia de mensajes verbales puramente informativos que podrían ilustrarnos acerca del punto de vista desde el cual una escena está siendo enfocada, sobre quién está hablando, por qué se ha hecho una observación inesperada, y cosas por el estilo». Un rasgo mironiano predominante es la mezcla de narración y diálogo. Una escena dramatizada súbitamente da paso a un resumen del narrador, y la identidad de la voz que habla es sólo descifrable a través de los procedimientos narrativos. Son innumerables los ejemplos de intrusiones repentinas del diálogo o de exclamaciones en medio de la narración. (Por citar unos pocos, pp. 802-803; 901-902; 911; 1.005; 933; 955; etc.) El uso de esta técnica narrativa no es caprichoso, obedece fielmente al propósito de producir una intensa ilusión de realidad, el principio básico de toda novela. En su búsqueda de una expresión adecuada, el autor ha adoptado una técnica ecléctica de «mostrar y contar». Se recogen las observaciones del narrador, pero algunas facetas de la escena son presentadas ante nuestros ojos. Se oyen voces, pero como en la vida real, no se identifica a los hablantes. De este modo el narrador se elimina a sí mismo, parcialmente, de la escena, y se consigue la vivacidad dramática. [...]

Miró está claramente presente en una gran parte de la novela como narrador o autor implícito, pero se sirve de la técnica del punto de vista múltiple para ocultar su presencia. Por razón de las descripciones y los resúmenes de acción podemos decir que la novela está contada en tercera persona, aunque no me gusta aplicar esta limitada categoría a una obra de arte con tan diversos puntos de vista como son las novelas de Miró. Además, los bruscos cambios de puntos de vista que reclaman la atención constante del lector tienden a borrar el foco de la tercera persona omnisciente del autor. Esta es otra prueba del éxito de Miró como constructor narrativo, la creación, sobre todo, de la ilusión de un narrador elidido por mor de los constantes cambios de punto de vista.

Igualmente importante para la ilusión de la realidad en el arte de la ficción es la ilusión de la inmediatez, o metamorfosis del pasado narrativo de la novela en presente ficticio. Esta ilusión es perseguida por Miró mediante un amplio uso del diálogo o dramatización. El procedimiento sirve también a otro objetivo, transmitir el parecer del autor con gran precisión. El monólogo interior y la «corriente de la conciencia» son también usados por Miró con frecuencia para producir el mismo efecto de inmediatez (pp. 876, 873-874, 870, 972, 1.051, 1.059-1.060). A menudo el monólogo interior es empleado para recapitular el tema fundamental de la novela: la inútil frustración de los personajes como resultado de sus vidas desperdiciadas, mientras el tiempo avanza inexorablemente. Esta idea es un motivo recurrente en *Nuestro Padre San Daniel* y *El obispo leproso.* Paulina, María Fulgencia, Pablo, también don Magín en cierto sentido, e incluso don Álvaro, todos se ahogan en la sofocante atmósfera olezana. Los efectos perjudiciales y opresivos de la religión mal entendida no sólo causan la atrofia en el desarrollo saludable de la vida de los instintos, sino que dañan también por la deletérea atmósfera creada. Esas vidas podrían haberse desarrollado naturalmente en otras circunstancias sin excesiva culpabilidad y sin los intensos sentimientos de vacío dejados en ellas. Las novelas tienen un marcado sentido trágico que resulta de nuestra recreación de esas vidas despilfarradas, y ese «sentido trágico» es expresado por Miró indirectamente, en forma de valoración tácita. Proporcionando visiones íntimas de los personajes, Miró ha suscitado la simpatía de los lectores hacia sus desaprovechadas existencias: hacia la trágica figura de don Álvaro como un héroe del automartirio; hacia Paulina y Pablo, presos entre las rígidas convenciones de la opresiva Oleza y la órbita de don Álvaro.

Para mantener la ilusión de la inmediatez, Miró emplea también otro método narrativo, la perspectiva limitada de un restringido punto de vista, o sea, la realidad vista a través de los ojos de un personaje solo cada vez. En función de la estructura de la novela, ese procedimiento le permite mostrar por la propia voz de los personajes su adhesión o rechazo de las ideologías predominantes en Oleza. Por ejemplo, don Álvaro es visto por don Daniel con suma reverencia, como si fuese un ser sobrenatural, mientras que Ximena lo ve como un fanático religioso, más rígido y frío que el temido patrón, san Daniel, un hombre más adecuado para el altar que para el lecho nupcial (pp. 811, 816, 961). La presencia de este punto de vista limitado es evidente a lo largo de toda la novela, facilitando a los personajes mostrar los juicios que se merecen recíprocamente. A través de esas opiniones se presenta la división de Oleza, la piedra angular en la estructura de ambas novelas. Además, para fortalecer la ilusión de inmediatez, en muchos casos de punto de vista restringido el tiempo verbal usado es el presente. [...] La técnica de elipsis se prolonga estilística y sintácticamente a través de densas descripciones en las que los nexos gramaticales son descuidados, con la eliminación de verbos y el énfasis de nombres y frases preposicionales. Por medio de este estilo descriptivo, Miró alcanza la evocación de la realidad presentándola al lector de forma acumulativa, como una visión compacta del mundo. A este propósito de crear la ilusión de una percepción sensorial completa y simultánea, el escritor desecha los nexos sintácticos como si de adornos disturbiadores se tratase. En congruencia con este principio de fidelidad expresiva en la creación ilusoria de la realidad, Miró echa mano de un vocabulario numeroso y exacto, otorgando suma importancia a la palabra en sí misma. Su teoría sobre el poder de *la palabra* aparece en *Glosas de Sigüenza* y *El obispo leproso*, donde afirma: «la palabra es la más preciosa realidad humana» (p. 949). [...]

Miró, como muchos autores modernos, ha eliminado el inveterado tratamiento de la secuencia y la causalidad, empleando igualmente la elipsis como técnica en ambos aspectos. Aunque hay una secuencia en los diferentes episodios de *Nuestro Padre San Daniel* y *El obispo leproso*, el lector debe encontrar los puntos de referencia para reconstruir la cronología. Las manipulaciones a que somete Miró el tiempo revelan un marcado intento de difuminar la importancia de la cronología. La atención del lector es desviada adrede de la secuencia cronológica al manifestar el paso del tiempo mediante facetas cronológicas secundarias. Se pone énfasis en el momento del día —mañana, tarde o noche— o en el día de la semana, el mes del año o la estación (además de las referencias al calendario litúrgico), pero sin determinar la secuencia. El autor parece deleitarse en sus maniobras, mencionando fechas precisas o períodos delimitados de tiempo al azar, sin un fundamento cronológico. Pero aunque la técnica es elíptica, hay una cuidadosa línea cronológica en las dos novelas, que puede ser demostrada matemáticamente si no fuese demasiado prolija la demostración como para incluirla en este estudio.

Directamente relacionada con el elemento temporal en la técnica novelística está la relación de causalidad. En las novelas mironianas, la disminución de la importancia de la trama y la secuencia cronológica trae como consecuencia un cierto desinterés hacia las leyes de causa y efecto. La acción queda, así, trunca, una causa no es seguida necesaria e inmediatamente por su efecto o un efecto no va inexorablemente precedido por su causa. Muy al contrario, esto nos lleva a una acción sincopada que puede avanzar de causa a causa, como si de eslabones desconectados de una cadena se tratase. Miró presenta las cotidianidades de la vida y lo «casual» como algo distinto de lo «causal»; de ahí los episodios disjuntos sin información que los conecte. La acción en sus novelas es preferentemente estática. Apenas ocurre algo, dado que los acontecimientos principales son omitidos con frecuencia y referidos como si se hubiesen desarrollado fuera de escena, como sucedía con las peripecias violentas en la tragedia griega. El montaje consta de los detalles que preceden y siguen al suceso principal, aunque dicho suceso esté presente e influya por reflexión en su preámbulo y epílogo. La técnica del autor, deliberadamente, quita importancia a los incidentes relevantes y se la da a los irrelevantes, que, sin embargo, dependen de aquéllos. Esto es algo diametralmente opuesto a las pautas de la narración convencional. Miró crea así una «antinovela» y consigue el ambiente de sus ficciones mediante la sugestión y la retórica de la elipsis. El estatismo de la acción se compensa con el dinamismo de la estructura interna, lograda por la presentación de un relato episódico y sincopado. El estatismo predomina en *Nuestro Padre San Daniel* porque gran parte de la novela está dedicada a describir el entorno y a presentar sucesivamente a los personajes. A la altura del momento de la boda de don Álvaro y Paulina el movimiento estructural comienza. Prosigue a lo largo de la narración mediante desiguales relaciones causa-efecto constituidas en algunos casos por las reacciones de los personajes o por expectativas que se esfuman luego. (La inundación, con su hiperbólico preámbulo y sus mínimas consecuencias, es un buen ejemplo de lo dicho.)

Otras técnicas que Miró emplea para la secuencia estructural de las causas y los efectos son la introducción de una historia irrelevante en medio del relato principal (como la de don Trinitario Valcárcel, p. 929), la inversión del orden en la relación causal y la aparición de un efecto cuya causa nos es desconocida.

El desorden estructural de Miró obedece a un propósito. Dado que la vida real es un conglomerado de episodios inconexos, jamás gobernados por la lógica, y por ello imprevisibles, el arte mironiano es un serio intento de imitar la vida tal cual es. Miró no está simplemente haciendo alarde de su virtuosismo como escritor o de su talante innovador, contrario a las modas comúnmente establecidas, sino por el contrario, haciendo frente al reto de la representación ilusoria de la realidad.

Finalmente, quisiera destacar que tanto *Nuestro Padre San Daniel* como *El obispo leproso* están impregnadas de ironía y humor; aspectos de su técnica novelística que merecen análisis aparte. La modalización irónica acentúa la elipsis inherente a la concepción de estas novelas, pues la yuxtaposición de imágenes elimina las aserciones y la predicación. La técnica novelística de Miró muestra una magistral fusión de conceptos y forma. Su prematura muerte en 1930 privó al mundo de un auténtico genio de la literatura.

LUIS S. GRANJEL Y JOSÉ-CARLOS MAINER

CONTEXTOS: LA NOVELA CORTA Y WENCESLAO FERNÁNDEZ FLÓREZ

I. La novela corta hace su aparición en la vida literaria española en 1907, al fundar Eduardo Zamacois *El Cuento Semanal*; esta publicación, y las muchas que a ella siguen, consiguieron, cada una, eso sí, en grado muy diverso, atraer la curiosidad y luego el interés de nutridas masas de lectores, imponiéndose en sectores sociales hasta entonces por completo desinteresados de la literatura, y ello no tanto por razones económicas como por motivos propiamente culturales. La popularidad de la novela breve se mantiene hasta comienzos de la cuarta década del siglo, pudiéndose fechar su declinación en 1932, año en que deja de editarse *La Novela de Hoy*, última colección de novela corta con vida dilatada. En los años transcurridos entre 1907 y 1936 se publicaron siete grandes colecciones de novela breve y unas veinte colecciones con efímera existencia. Para entender lo que supusieron estas empresas editoriales bastará decir que el total de obras

I. Luis S. Granjel, «La novela corta en España (1907-1936)», en *Cuadernos Hispanoamericanos*, LXXIV (1968), pp. 477-508 (477-480), y LXXV (1968), pp. 14-50 (39-41).

II. José-Carlos Mainer, ed., Wenceslao Fernández Flórez, *Volvoreta*, Cátedra, Madrid, 1980, pp. 13, 24-31.

publicadas por las series más populares (*El Cuento Semanal* y *Los Contemporáneos*, *El Libro Popular*, *La Novela Corta*, *La Novela Semanal*, *La Novela de Hoy* y *La Novela Mundial*) se aproxima a los tres mil títulos, en su mayoría relatos inéditos de autores españoles y en muy escasa proporción textos dramáticos y traducciones; si contásemos la labor cumplida por las colecciones menores es posible que la cifra dada se incrementase cuando menos en un millar más de títulos.

Colaboraron en la realización de tales empeños editoriales prácticamente la totalidad de los novelistas pertenecientes a la llamada por Julián Marías generación de 1886, varios miembros de la última generación ochocentista, en muy dispar proporción escritores de la promoción de la Regencia y durante los años veinte algunos novelistas que entonces componían la más joven promoción literaria.[1] No hay posibilidad de obtener datos que permitan calcular el volumen de las ediciones hechas por las más prestigiadas colecciones de novela breve; de *El Cuento Semanal* dice Zamacois llegaron a realizarse impresiones de hasta cincuenta y sesenta mil ejemplares; cifras casi análogas logró editar en concretos momentos de su vida la colección *Los Contemporáneos*, según testimonio de su último director, el novelista Augusto Martínez Olmedilla. Bastante más copiosas fueron las ediciones de *La Novela Semanal* y *La Novela de Hoy*, las dos más difundidas series de novela breve durante los años veinte. Para los novelistas no consagrados, verse aceptados por el editor de alguna colección de novela corta representaba dar rápida notoriedad a su firma; «aparecer en *El Cuento Semanal* —recuerda Alberto Insúa en el primer volumen de sus *Memorias*— era para los escritores noveles poner una pica en Flandes y recibir, durante seis días, el soplo de la fama». Tampoco eran desdeñables los beneficios económicos; en *El Cuento Semanal* (1907-1912) se pagaban los originales a doscientas y trescientas pesetas, y en los años veinte Artemio Precioso, director de *La Novela de Hoy*, llegó a abonar las colaboraciones a mil quinientas y dos mil pesetas, cantidades que también ofreció a sus autores, por las mismas fechas, *La Novela Mundial*. Si tenemos en cuenta los precios, realmente ínfimos, a que se vendían los ejemplares de novela breve, nunca superiores a los treinta céntimos, y no

1. Buscando desvanecer equívocos advierto que al aludir a la última generación ochocentista me refiero a la que Julián Marías titula generación de 1856. Con el rótulo promoción de la Regencia designo a la bautizada, a mi juicio impropiamente, con el término generación del Noventa y Ocho. [Hay] razones que justifican reunir a los novelistas de la generación de 1886 bajo el sobrenombre colectivo de promoción de El Cuento Semanal. Para la generación literaria que inicia su labor creadora en el transcurso de la tercera década del siglo todavía no se ha ideado nombre que la designe.

se olvida el decoro tipográfico con que se presentaron casi todas las colecciones y el esfuerzo económico que debió suponer contar con dibujantes de nombre conocido para ilustrar sus textos, se comprende que aquellos empeños editoriales sólo pudieran sobrevivir alcanzando cifras elevadas de venta, atrayendo a muy amplios y dispares sectores de la sociedad de la época, datos éstos que será preciso recordar cuando se juzgue la orientación ideológica que presidió la casi totalidad de las colecciones de novela corta y la preferencia por ciertos temas que en ellas resulta patente.

De modo ininterrumpido, con regularidad, casi siempre un día fijo de cada semana, desde 1907 hasta 1932 se puso en las manos del lector español una publicación que en las primeras colecciones (*El Cuento Semanal*, *Los Contemporáneos*) tenía formato de revista y más tarde el de un libro de dimensiones reducidas, apropiado para llevar en el bolsillo; sus atractivas portadas en color, las sugerentes ilustraciones que enriquecían el texto, ayudaban a hacer apetecible la lectura del relato publicado en cada número; su módico precio favorecía asimismo la venta. Las razones citadas no son desde luego suficientes para explicar por sí solas el éxito, indiscutible, logrado por la novela corta, un triunfo en el que no creyeron editores avezados cuando a ellos acudió Eduardo Zamacois solicitando ayuda económica para editar *El Cuento Semanal*.

Hicieron posible la buena fortuna que animó la empresa iniciada por Zamacois en 1907 y la popularidad de las colecciones fundadas posteriormente, la concurrencia de diversos factores, de los que merecen destacarse, sumándolos a los ya expuestos, en primer lugar la decadencia relativa de la novela folletinesca, difundida «por entregas», que tan amplia aceptación tuvo en el siglo XIX. Obligado es también tomar en consideración el notable incremento demográfico de ciertos núcleos ciudadanos, el primero de todos Madrid, y el ingreso en la vida social de la mujer, hechos, ambos, que elevaron la cifra de posibles lectores, quienes, como tales, exigían una literatura popular, adecuada a su bajo nivel cultural, pero, eso sí, distinta del clásico folletín; una novela, en suma, en la que vieran reflejadas sus preferencias e ideales. Las colecciones de novela corta supieron ofrecer lo que la mayoría esperaba; ficciones en las que se combinó casi siempre, en proporcionadas dosis, la fidelidad descriptiva impuesta por el realismo y el ingrediente, atractivo, en argumentos y situaciones de lo «galante», lo que en la época se hizo habitual designar como «sicalíptico», y que responde, en realidad, a la creciente erotización de la vida comunitaria. La carencia de preocupaciones políticas evidente entonces en amplios sectores de la sociedad española, la escasez, en número, de revistas gráficas e informativas, la falta de novedad en las diversiones y la ausencia de espectáculos capaces de interesar a grandes masas, que sólo el deporte conseguiría crear en época posterior a la que aquí se rememora, son, todos, motivos que ayudan a explicar el auge de la novela breve, la extraordinaria aceptación que tuvo.

Los mismos argumentos sirven, asimismo, para entender la decadencia de esta concreta forma de aproximación al lector que fue la novela breve, y que se hace patente, antes lo dije, al iniciarse los años treinta. Por estas fechas la politización de la sociedad española, tras el fracaso de la Dictadura en su empeño por suplantar el régimen de gobierno instaurado con la constitución de 1876, trae como inmediata consecuencia un notable incremento en el número de publicaciones dedicadas a propagar los más dispares idearios políticos; también la multiplicación y perfeccionamiento de la prensa gráfica, la popularización del deporte, la radio y el triunfo del cine como espectáculo, hace dura la competencia a la hora de seducir al hombre sin grandes inquietudes y orientarlo sobre el modo de consumir sus momentos de ocio, los que años antes muchos destinaban habitualmente a la lectura de narraciones breves en extensión y excitantes por su tema. Fieles a la novela popular en los años treinta sólo quedan, realmente, las jovencitas y quienes buscan en la lectura la satisfacción de primarios impulsos; dicho con otras palabras, únicamente perduran la novela «rosa» y el relato pornográfico. [...]

El primer grupo de los que integran, sumados, la promoción de *El Cuento Semanal*, lo componen los novelistas de esta generación, que en su labor creadora evidencian propósitos renovadores semejantes a los que introdujeron en el panorama de la literatura española finisecular noventayochistas y modernistas; incluso algunos escritores de tal grupo podrían ser incorporados por su edad o la fecha en que dieron comienzo a su labor literaria, a las fracciones de la promoción de la Regencia de las que son, en cualquier caso, continuadores. En dicho grupo, corto en número de miembros, cabe a su vez diferenciar los novelistas que hacen suyo, aunque modificándolo, el españolismo criticista de los noventayochistas, de quienes recogen, de la generación precedente, sólo las novedades estilísticas propugnadas por los modernistas. Tanto los que por la intención de su labor como escritores pueden ser considerados como secuaces de los noventayochistas como los que deben ser clasificados de modernistas hicieron en las colecciones de novela corta una contribución realmente escasa en volumen, aunque sí importante por su calidad literaria.[2]

2. [«Eugenio de Nora [1973[2]], tras estudiar, con el pormenor que mere-

Seguidores del criticismo noventayochista fueron, en la promoción de *El Cuento Semanal*, José López Pinillos (1875) y Manuel Ciges Aparicio (1877), quienes por edad son coetáneos rigurosos de bastantes miembros de la promoción de la Regencia, y Eugenio Noel (1885); en los tres escritores nombrados, sólo la aportación a la novela corta hecha por Noel, sostenida con regularidad desde 1909 hasta 1928, es nutrida en títulos. El modernismo, orientación literaria introducida en España por varios miembros de la promoción de la Regencia, ejerció en los novelistas pertenecientes a la generación siguiente un innegable influjo, como lo prueba el que escritores discípulos de Zamacois y Felipe Trigo, cultivadores del género erótico o «galante», evidencian en su prosa una indudable vinculación a los aspectos más exteriores de la renovación impuesta por los verdaderos modernistas en el quehacer literario; no obstante, el título de modernistas únicamente puede conferirse a cuatro escritores de la promoción de *El Cuento Semanal*: Gregorio Martínez Sierra (1881) y Eduardo Marquina (1879), conocidos, sobre todo, por su obra teatral, y Francisco Villaespesa (1877) y Pedro Luis de Gálvez (1882), en quienes destaca su labor como poetas; de estos cuatro literatos, los tres primeros, por

---

cen, a los dos grandes novelistas de la promoción, Ramón Pérez de Ayala y Gabriel Miró, y de incluir en un grupo no bien definido la obra literaria de José López Pinillos, J. M. Salaverría, Manuel Bueno, Eugenio Noel, M. Ciges Aparicio, Ricardo León y Concha Espina, reúne a los restantes novelistas de la generación en tres grandes grupos: costumbrista, erótico o "galante", y el formado por los que cultivan la que el autor denomina "novela intelectual"... Esta es la nómina de los novelistas reunidos por Eugenio de Nora en los tres grupos: *Novela costumbrista:* Alejandro Pérez Lugín, Vicente Díez de Tejada, Guillermo Díaz-Caneja, Fernando Mora, Salvador González Anaya, Augusto Martínez Olmedilla, Cristóbal de Castro, Emilio Carrere, Gregorio Martínez Sierra, Francisco Villaespesa, Eduardo Marquina, Pedro de Répide, Francisco Camba, José Francés, Emiliano Ramírez-Ángel, Félix Urabayen, José Mas, "Isaac Muñoz", Diego San José, Andrés González-Blanco, Bartolomé Soler, José María de Acosta, José Ortiz de Pinedo, Rafael Cansinos-Assens, Luis de Oteyza, "Roberto Molina", Luis Antón del Olmet, Federico García-Sanchiz, Antonio Reyes Huertas, Victoriano García Martí, Luis Martínez Kleiser, Juan Pujol, José García Mercadal, Francisco Iscar Peyra, Ramón Otero Pedrayo, Ángel Cruz Rueda, Luis González López, Fernando Castán Palomar, Ángel Dotor y Ricardo Majó Puig-Framis; *Eróticos o "galantes":* Hoyos y Vinent, Pedro Mata, López de Haro, Alberto Insúa, Joaquín Belda, José María Carretero, Álvaro Retana, Germán Gómez de la Mata, Alfonso Vidal y Planas, Andrés Guilmain, Luis Capdevila, Juan González Olmedilla y José María Quiroga Pla; *Novela "intelectual":* Ramón María Tenreiro, Luis Santullano, Carmen de Burgos, César Juarros, Manuel Azaña, Eugenio d'Ors, Manuel Abril, Vicente Risco, Luis Araquistáin y Salvador de Madariaga» (pp. 37-38).]

edad y fecha de comienzo de su labor como escritores, pueden considerarse, al igual que López Pinillos y Ciges Aparicio, componentes más que seguidores de la promoción de la Regencia; también en esta fracción de escritores ligados al modernismo, hecha excepción de Eduardo Marquina, su contribución a las colecciones de novela breve fue esporádica y de escaso volumen; ello explica que a despecho de su innegable valor literario, la presencia de estos escritores modernistas, como la de los noventayochistas, con un total de unos setenta títulos, apenas influyera en el rumbo mantenido por las colecciones de novela breve.

A los escritores nombrados, quienes, repito, por edad, fechas de comienzo de su labor como escritores o afinidades ideológicas y estéticas, en ocasiones por todos estos motivos aunados, igual pueden incluirse en la que aquí denomino promoción de *El Cuento Semanal* como en la promoción de la Regencia, hay que sumar otros nombres, en primer lugar los de Gabriel Miró (1879) y Ramón Pérez de Ayala (1881), figuras máximas de la generación y que deben considerarse, respectivamente, verdaderos continuadores de las orientaciones modernista y noventayochista, a las que supieron imponer un particular giro, fruto de su acusada personalidad literaria. Gabriel Miró, recuérdese, conquistó popularidad para su nombre al ser premiado su relato «Nómada» (1908) en el concurso convocado por *El Cuento Semanal*; Pérez de Ayala colaboró en distintas colecciones de novela breve, con un total de quince relatos, desde 1907 hasta 1929; es decir, a lo largo del período en que hizo realidad su obra novelesca, inaugurada precisamente en 1907, con la publicación de *Tinieblas en las cumbres* y que clausura la aparición de *Tigre Juan* y *El curandero de su honra* (1926).

A la promoción de *El Cuento Semanal* hay que incorporar tres escritores, los cuales, aunque por razón de edad son realmente miembros de la misma, atendiendo a las fechas en que iniciaron su labor como novelistas podrían también considerárseles integrantes de un grupo de transición entre la verdadera promoción de 1886 y la que se incorpora a la vida literaria al iniciarse los años veinte; la innegable originalidad que singulariza la obra de estos escritores testifica a favor de quienes pretenden separarlos de la promoción a la que el imperativo cronológico los adscribe; de uno de ellos, me refiero a Ramón Gómez de la Serna (1888), ha llegado a decirse, no sin razón, que compone generación unipersonal. Los escritores a que estoy aludiendo son, con el citado, Rafael Cansinos-Assens (1883) y Wenceslao Fernández Flórez (1886). Cansinos-Assens, epígono del modernismo y animador más tarde de los movimientos «ultra», colaboró en las publicaciones de novela breve entre 1916 y 1924, con un total de veintiuna narraciones; Fernández Flórez inicia su contribución a este género literario también en 1916, con su relato «Al calor de la hoguera», publicado en *Los Contemporáneos*; en 1929 su aportación a las colecciones de novela corta se aproximaba a la veintena de títulos, cifra ésta superada por Ramón Gómez de la Serna, quien publicó en 1913 la novela *El ruso*; al siguiente año la primera versión de *El doctor inverosímil*, y desde 1921 hasta 1932, en varias colecciones, otros veinte títulos, de ellos, quince entre 1921 y 1925, fechas, tómese nota, que limitan el período de máxima actividad creadora de Ramón, cuando redacta sus más importantes «novelas grandes», desde *El Gran Hotel* y *El Incongruente*, ambas fechadas en 1922, hasta *El novelista* (1923), *La quinta de Palmyra* (1923) y *Cinelandia* (1924).

II. [Resulta] difícil acomodar a Fernández Flórez en los tradicionales casilleros que nos ha legado la crítica cultural española, y esa misma dificultad nos ilustra tanto sobre el simplismo de su elaboración. Manifiesta, por ejemplo, rasgos de regeneracionismo en su acerba disección de la vida española, pero carece de los registros populistas de un Joaquín Costa y antes bien parece próximo al regeneracionismo conservador de los círculos mauristas. Sus primeras novelas tienen una clara progenie modernista, pero, cuando aborda el relato de protagonista, el escepticismo corrige el aire neorromántico, confesional y angustioso de este tipo de narraciones. Tampoco corresponde su talante al optimismo burgués de los aledaños de 1914, y que se encarnó en las ficciones moralistas de Pérez de Ayala o en la reflexiva y provocativa prosa doctrinal de Ortega y Gasset. Fue, por contra, uno de los pocos escritores españoles que percibió el cambio que el mundo europeo andaba experimentando, después de 1918, y dedicó al tema varias novelas de arranque utópico y conclusión más desesperanzada que optimista. Ni siquiera el pragmatismo de la sociedad burguesa de la posguerra se acomodó a sus inquietudes: ganada por las armas la tranquilidad de las conciencias timoratas y la más importante de los bolsillos, le fastidiaba en grado superlativo el gregarismo de las nuevas masas —fútbol, toros...—, la hipocresía de la nueva moralina, la mezquindad de los objetivos generales...

Fernández Flórez fue un escritor y ciudadano compactamente conservador en una sociedad literaria que asocia el mérito con la disidencia, máxime si ésta es de índole generalizadora y afirmaciones vagas. Su trayectoria al respecto es contundente: desde 1915, y aun antes, tributó a Antonio Maura una fidelidad ejemplar, aceptó en 1923 la dictadura de Primo de Rivera, contribuyó decisivamente al desprestigio del primer bienio republicano entre las clases medias, aplaudió el alzamiento militar de 1936 y las consecuencias que, por lo que a él respecta, concluyeron en unas honras fúnebres oficiales el mismo año de 1964 en que el franquismo celebró sus bodas de plata con la paz, el «desarrollismo» económico y el silencio cívico de sus discrepantes.

[Su brillante carrera literaria] se apoyó en tres significativos puntales: las publicaciones periódicas de Prensa Española; las impresionantes cifras de tirada de las colecciones de novelas cortas (en 1925, Sainz de Robles consideraba que nuestro autor formaba, con Alberto Insúa, Pedro Mata y Antonio de Hoyos y Vinent, la garantía más cierta de aquel curioso producto editorial) y, por último, su inmejorable éxito en la venta de novelas extensas (en 1927, *Volvoreta* era seleccionada como número uno de la colección «El libro para todos», con la que el consorcio CIAP iniciaba una colección popular de narrativa con tiradas que rondaban los 30.000 ejemplares, al módico precio de 1,50 pesetas). Pero los triunfos no se limitaban al aspecto crematístico: en 1934, la terna formada por Agustín González de Amezúa, Armando Cotarelo y Ricardo León (dos eruditos y un novelista) obtenía su nominación para la Academia Española (donde retrasó su discurso de ingreso hasta el 14 de mayo de 1945); un año después, Salvador de Madariaga, ministro de Instrucción Pública de un gabinete Lerroux, le otorgó la «Banda de la República», en unión de Ortega y Gasset, Américo Castro, Serafín Álvarez Quintero y Lluís Nicolau d'Olwer, en el mismo decreto que hacía a Miguel de Unamuno «ciudadano de honor» de aquel régimen político. Para entonces, contados escritores tenían tal popularidad, y esto en un país y unas fechas donde su nombradía todavía corría pareja de la de los políticos y los actores de teatro, los toreros de tronío, las cupletistas o la incipiente de futbolistas, boxeadores y actores de cine.

El primer período narrativo de Fernández Flórez se ajusta escasamente a la idea que se suele tener del escritor, aunque a esta etapa pertenezca *Volvoreta* (1917), que es, además de una de sus mejores creaciones, la novela suya que más popularidad ha alcanzado. Quien leyera, sin embargo, *La tristeza de la paz* (1910), primera colección de relatos publicada por una «Biblioteca de Escritores Gallegos», debió tener una impresión muy singular de su porvenir: se trata de unos cuentos de encendido modernismo y bastante torpeza narrativa, encabezados por una novela corta que da título al conjunto y cuyos motivos —decadentismo y hastío de la vida provinciana, erotismo donjuanesco como liberación, morbosa complacencia en el pecado— son una glosa casi literal de la *Sonata de otoño*, de Valle-Inclán. Un rumbo parecido tiene *La procesión de los días* (1914), otro relato de ambiente gallego, donde un joven oficinista ve arruinada su juventud al ser víctima de la desenvuelta Dina, una insólita Mesalina de provincias que le ha seducido y cuyo iracundo padre pide daños y perjuicios. Sólo la fulminante muerte de éste libra al protagonista de la amenazadora coyunda, aunque no de las amargas consecuencias morales de la aventura, que nació de una pasión y acabó en una casa de citas. No es muy distinto el planteamiento de *Ha entrado un ladrón* (1920): Natalia, querida de lujo de un indiano, concede sus favores a un vecino de escalera, Jacinto Remesal, gallego en corte, hombre apocado y crédulo y, en realidad, un complicado masoquista obsesionado por el suicidio. Aquí, como allá, una muerte súbita —en nuestro caso, la del propio Remesal, que es víctima de un ataque cardíaco mientras espera escondido en el cuarto de plancha que Natalia despache con su amante— provoca un final de refinada crueldad: la mujer arrastra hasta la calle enfangada el cadáver de su amigo para evitar que se aperciba su dueño y señor. Cuatro relatos breves más concluyen, en tono muy parejo, un primer ciclo narrativo, que presiden los emblemas de la némesis casual, la indignidad, el ridículo social y lo opresivo de un ambiente que frecuentemente se vincula al campo gallego: «Silencio», «Los mosqueteros», «Al calor de la hoguera» —recogidos en 1918 bajo el primer título— y *Luz de luna* (1915), ilustran la mezquindad de la vida mesocrática, sea a través del análisis de una dipsomanía, del mundo de los desafíos que lleva al suicidio, de la descripción de las banderías de la guerra europea o del desclasamiento de un oficinista incapaz de cometer la inmoralidad que le piden en una agencia de embarque de emigrantes para América.

Ha entrado un ladrón supuso el final de una etapa. Según propia confesión —en el prólogo a las «Novelas del espino en flor», de 1940—, el impacto de la guerra europea le hizo percatarse de la ruina de un mundo moral que correspondía al siglo XIX y la construcción de uno nuevo, en un ambiente de especulación y de injusticia. Esto le indujo a ampliar el vuelo generalizador de sus relatos, a usar del humor, como un sistema de descalificación de tanto desajuste y tanta insinceridad, y a concebir, en fin, un nuevo tipo de narraciones extensas: relatos que enhebran anécdotas ejemplares, digresiones semifilosóficas y eficaces parodias en organismos narrativos de ambientación utópica y que sustentan frágiles pretextos de unidad, no muy dispares de las *cornici* que encajan los libros de cuentos medievales. En *El secreto de Barba Azul* (1923) y *Las siete columnas* (1926), por ejemplo, el hilo de la acción viene determinado por un protagonista-educando al que rodean preceptores improvisados y que deambula en su unión buscando una razón de existir; Mauricio Dosart, el héroe de la primera, intenta conocer nada menos que las razones que justifican la vida del hombre —el patriotismo, el amor sexual, la paternidad—; Florio Oliván, por su parte, se encuentra con un mundo al que el Diablo ha despojado de los pecados capitales y, por ende, de aquellas motivaciones —la ambición, la ira, la lujuria, la pereza— que han venido obligando al ser humano a buscar modos nuevos de satisfacer los instintos —la gloria del inventor, el heroísmo bélico, la poesía amorosa, las técnicas que facilitan el trabajo—. *Relato inmoral* (1928) y *Los que no fuimos a la guerra* (1930; versión ampliada de «Al calor de la hoguera») justifican su dispersión de anécdotas testimoniales —la primera, sobre las costumbres sexuales españolas; la segunda, sobre la polémica nacional de germanófilos y aliadófilos— en dos artificios narrativos unificadores más logrados: en el primer caso, la utilización de un narrador ficticio que cuenta la vida de un protagonista, cuyas ideas sobre el sexo y el matrimonio le inspiran horror por lo liberales; en el segundo, las confesiones de una sufrida víctima de los cambios sociales que determinaron los vientos bélicos europeos.

A primera vista, el período que transcurre entre 1920 y 1931 es el de más intensidad y aciertos creadores en Fernández Flórez, y puede que alguien añadiera que el de mayor rigor acusatorio y buidez crítica. A la vista de novelas como *Relato inmoral* y *Los que no fuimos a la guerra* —ambientadas las dos en una arquetípica ciudad de Iberina, compendio de las estupideces y prejuicios de la provincia española, hermana espiritual de las Orbajosa galdosiana, Moraleda benaventina y Villanea arnichesca—, es muy difícil rebatir a nuestro escritor el mérito de haber logrado las mejores sátiras que el análisis de la vida social nacional ha inspirado en nuestro siglo. Pero el evidente «progresismo» de aquellas ficciones hay que tomarlo *cum grano salis*, por lo que hace a las otras dos citadas: si en ambas continúa el mismo acerado sarcasmo de los comportamientos particulares y de los grandes prejuicios colectivos, no es menos cierto que el fondo de su crítica —la exclusiva referencia al egoísmo como germen de la injusticia, el radical escepticismo respecto a la condición humana, el hosco carácter con que se presenta el progreso técnico, la profunda ambigüedad de algunas tesis...— resulta mucho menos virulento. El sustrato ideológico de ambas novelas —mucho más coherentes e «intelectuales» de lo que se pretende— parece depender de las ficciones *fabianas* de H. G. Wells y, en último término, de las ideas formuladas por Henry George, en *Progress and poverty*, conocidas quizás a través de su divulgador español Baldomero Argente.

Simultáneamente, ésta fue la etapa de los mejores relatos breves de Fernández Flórez, que, a no dudarlo, le granjean un puesto privilegiado en la historia del género en España. No yerra Eugenio G. de Nora cuando considera como los tres mejores a *Unos pasos de mujer* (1924), *La casa de la lluvia* (1925) y *Huella de luz* (1934), creaciones narrativas ceñidas a una situación única muy similar —un personaje receptivo, un fracaso amoroso, un remordimiento, la conciencia de la incomunicabilidad de ciertos sentimientos— y narradas hábilmente en primera persona. Nada sobra en la economía verbal y compositiva de estos relatos e incluso los elementos adventicios (la historia de terror inconclusa del primero, las prácticas de magia negra en el segundo, la enfermedad incurable en el tercero) están trabados en la acción, como lo está el opresivo ámbito paisajístico. Y aún cabría unir al grupo el relato *El ladrón de glándulas* (1929), desasosegante historia calificada de comicidad menor por todos sus críticos, pero que revela con inusitada dureza algún aspecto temperamental de su autor que ya conocemos: frente al «ternurismo» que mitiga la miseria moral y física de otras obras, la grotesca historia del futbolista Jaime Escobar, a quien el millonario Norberto Artale hace extirpar las glándulas genitales para llevar a cabo una cura de rejuvenecimiento y, a cambio de una crecida suma, es, además de un motivo inspirado por los famosos experimentos de Voronoff, una muestra de la misantrópica hostilidad a lo vulgar que contrasta poderosamente con la magnificación del extraño, tortuoso y casi omnipotente tipo humano del «ladrón de glándulas».

Tras esta breve narración ya no parece que el escritor volviera a ver el mundo con los mismos ojos. *El malvado Carabel* (1931), con todo y ser de las más celebradas creaciones de Fernández Flórez, es una novela menos rigurosa en su ensamblado y cuyo tono, algo folletinesco, no disimula del todo una cierta prevención contra las gentes humildes atadas a su bondad y que como Carabel, no logran triunfar en su «carrera» de ladrones del alto bordo. Los nuevos tiempos políticos no autorizaban el optimismo a un colaborador de Prensa Española y, por esa razón, un relato como *Aventuras del caballero Rogelio de Amaral* (1933) se malogra cuando deja de ser la etopeya de un típico señorito español (universitario tronado, jugador empedernido, patriota de pacotilla...) y concluye, sin demasiada motivación, en una irritada sátira de la política de los prohombres del primer bienio republicano. Un paralelo alegato contra la inseguridad económica, la naciente sociedad de consumo y la inflación galopante lo ofrece *El hombre que compró un automóvil* (1932), exhibición algo mecánica de hipérboles cómicas, y hay un explícito ataque a fondo de las instituciones políticas vigentes en *Los trabajos del detective Ring* (1934).

Las consecuencias de la guerra civil fueron tratadas por Fernández Flórez en dos novelas: *Una isla en el mar Rojo* (1939) y *La novela número 13* (1943). La primera forma parte de lo que casi llegó a ser un subgénero de la literatura española de la inmediata posguerra: los recuerdos de la persecución de las «gentes del orden» en la retaguardia republicana, modalidad ilustrada por aportaciones de Ricardo León (*Cristo en los infiernos*), Tomás Borrás (*Chekas de Madrid*), Francisco Camba (*Madridgrado*), Concha Espina (*Retaguardia*)... La novela recoge, debidamente exageradas, las incomodidades del paso del escritor por la legación de Holanda en situación de refugiado y su posterior evacuación por el puerto de Valencia. Si el relato ofrece un desolador cuadro moral del protagonista —un egoísta al que destruye moralmente la pérdida de sus confortables rutinas—, la presentación de sus perseguidores refleja una ciega saña por parte del escritor, que no perdona rasgo físico degradatorio o enfermedad moral alguna para describir los motivos republicanos en el período bélico. *La novela número 13*, escrita en clave grotesca como una nueva salida del ya conocido detective británico Ring, no presenta ya esa significativa equivocidad en la condena. Antes bien, el desdichado Saldaña —que es, de algún modo, su protagonista— ofrece una continuación ideal y harto sintomática de tantos Carabeles como hemos conocido en la obra de Fernández Flórez: aquí, sin embargo, Saldaña, oficinista bondadoso y algo resentido, se convierte en miliciano de la República, pero pasa a ser perseguido por ella cuando un premio de la Lotería le permite abandonar la pobreza.

Un año posterior es *El bosque animado* (1944), novela en la que se ha venido viendo la cima de los mejores aspectos del arte del escritor. Dejando aparte la perturbadora proximidad de las toscas chocarrerías de *La novela número 13*, resulta indudable que, aun en una consideración independiente de la cronología, el nuevo relato no sale muy favorecido. Hay temas ya conocidos —el animismo panteísta como vaga sombra del agnosticismo, la consideración de la ambigüedad moral de lo natural, la idea de lo biológico como norma de conducta, la tendencia a la misantropía—, que conoció en su germen el lector de *Volvoreta*, y, sazonados de humor intelectual, quien leyera *El secreto de Barba Azul* o *Las siete columnas*. Buena parte del libro debió responder, en efecto, a una crisis personal que agudizaban su decadencia física y puede que los síntomas de estupidización en la vida colectiva española. En ese sentido el libro es, a menudo, profundamente sincero, y hay incluso algún fragmento —el despertar de la pubertad en la Estancia X, la historia de la bruja Marica de Fame— que alcanza el hondo patetismo de las mejores novelas breves. Pero lo que predomina en el conjunto es una cierta insinceridad artística, un cierto tono de falsificación galleguista que, por colmo, se manifiesta en una prosa pretenciosa y cuyo lirismo no suele mejorar el de los fragmentos descriptivos de una novela rosa. Cinco años después, *El sistema Pelegrín* (1949), último de sus relatos extensos y fallido intento de construir un nuevo pícaro español (el entrenador deportivo), demostraba que también su capacidad para el sarcasmo estaba ya en alarmante decadencia.

3. LA GENERACIÓN DE 1914 Y EL NOVECENTISMO. LOS POETAS: JUAN RAMÓN JIMÉNEZ

Bastaría un simple repaso del «Recuerdo» que Juan Ramón Jiménez [1961 *b*] dedica a Ortega, para confirmar la adscripción del poeta a la generación de 1914. Pero conocemos, además, la insistencia orteguiana en encomendar a J. R. J. el magisterio de la nueva lírica, que, de hecho, asume (Rozas [1981]); quedan testimonios de empresas comunes —Homenaje a Azorín, actividades en la Residencia de Estudiantes— o de proyectos —tal el caso de la revista *Actualidad y futuro*—; y, lo que es más decisivo, las concomitancias de pensamiento con la ideología básica de la generación, ampliamente estudiadas por Blasco [1981 *a*] en un trabajo fundamental, son múltiples. Las analogías con la generación del 98 que inducían a Gicovate [1971] y, en un primer momento, a Cardwell [1977] a vincularlo a ella, deben ser cargadas en el capítulo de acumulaciones que, como se ha visto más arriba (cap. 1), señalaba Marías; de hecho Cardwell ha revisado en gran medida (*Actas* [1983]) su anterior planteamiento.

Los estudios biográficos de Garfias [1958], Palau de Nemes [1974, 1982 *b*] y Campoamor [1976] ofrecen una trama de datos útiles, que deben completarse con los libros testimoniales de Guerrero Ruiz [1961] y Gullón [1958, 1959] y con las investigaciones de Gicovate [1973] sobre el conjunto de lecturas realizadas por J. R. J., para recomponer el cañamazo sobre la que teje sus escritos. A Paraíso [1976] se debe el primer intento de lectura psicocrítica global de la producción juanramoniana, ahora ampliada y profundizada por Azam [1980] y aun conviene recordar en este punto otra olvidada lectura global de Díez-Canedo [1944], muy lúcida y preferible a la más descriptiva y glosística de Díaz-Plaja [1958]. El elenco bibliográfico elaborado por el benemérito Campoamor [1983] es, con mucho, el más completo y de indispensable consulta.

En la obra juanramoniana distinguen la mayoría de críticos dos épocas que vendría a separar como línea divisoria el *Diario de un poeta reciencasado* (1916). Juan Ramón aceptó básicamente el diagnóstico e, incluso, en alguno de sus continuos proyectos de reordenación de la obra, llegó a calificar toda su producción hasta 1915 como «borradores silvestres». Esto, unido a otro testimonio personal del autor, según el cual la novedad del *Diario* había ido brotando, inesperada, al ritmo de su encuentro con el mar, ha desorientado a no pocos, llevándolos a menospreciar la primera época y a contemplar la segunda como compartimento estanco. Grave error, ya que en tales «borradores» se encuentran páginas de la mejor poesía hispánica del siglo y, sobre todo, porque la universa *Obra* juanramoniana se articula en torno a ejes de contenido y forma que la atraviesan, invariables, en toda su longitud cronológica. Bastan para demostrarlo apuntes como el de Cardwell [1976] y Wilkox [1981]; o estudios más amplios; Olson [1967], por ejemplo, construye la lectura unitaria de J. R. J. en torno al tema obsesivo de la cultura de nuestro siglo, el ser y el tiempo: las formas que lo traducen —instante/eternidad, sonido/silencio...— y las figuraciones que simbolizan la trascendencia victoriosa —la fuente diamantina, la rosa fantástica, el círculo...— aparecen en los primeros libros y perduran hasta el final de su vida. En la misma idea de continuidad insisten Ulibarri [1962] y Sánchez Barbudo [1962], el cual, aun acotando como tema específico de la segunda época el ansia reductiva de totalidad, advierte que su desarrollo configurativo hunde las raíces en los libros amarillos. En la base se encuentra una estética sustancialmente unitaria, muy pronto configurada, que va desarrollándose de manera orgánica a lo largo del tiempo. Los esbozos de Gicovate [1965] y F. Ynduráin [1978] —el libro de Schonberg [1961] atiende, y sólo de manera superficial, a la poética y a la retórica— han quedado ampliamente superados por el excelente estudio de Blasco [1981 *a*], que exhuma, al tiempo, numerosos escritos teóricos inéditos: *desnudez* y *totalidad* constituyen los dos conceptos claves y metas últimas de J. R. J. Sobre el primero de ellos aporta también mucha luz un documentado estudio de Vilanova [1981 *c*]. El mismo Blasco, que había anticipado [1982] un índice parcial de proyectos juanramonianos de compilación de su obra, acaba de reconstruir [1983] el proyecto crítico de *Alerta*, donde J. R. J. facilita muchas claves de su estética, en relación, sobre todo, con la dialéctica literaria hispánica de su tiempo. Un excelente ensayo de Alvar [1981] precisa la relación entre tradicionalidad y popularismo en la teoría literaria de J. R. J., al tiempo que Coke-Enguídanos [1981] la sitúa en su contexto romántico y modernista.

De procedencia pequeño burguesa, J. R. J. recibe la misma formación de colegio religioso y padece una crisis análoga a la de sus compañeros de generación, que va a fermentar en buena parte de su obra. Constituye una aportación decisiva para el conocimiento de la formación modernista del poeta el libro de Cardwell [1977]. Allí se documenta y analiza el fuerte sedimento krausista, de cuya ideología brota el dios juanramoniano; la estrecha relación con los premodernistas españoles y, más tarde, con Rubén —contacto antes estudiado por Fogelquist [1956] y ahora completado por Crespo [AA. VV., 1981 *b*]—; así como las lecturas de los simbolistas franceses, cuyas influencias determina y cronologiza Aguirre [1970-1971]. No debe perderse de vista el aprendizaje pictórico de J. R. J. en un taller neoimpresionista sevillano: las afinidades con el impresionismo, señaladas por Bousoño [1973] en la atención al matiz, o con los prerrafaelitas —Gullón [1975]— ocuparon en un detenido análisis a Crespo [1974].

Carecemos todavía de una edición crítica completa del *corpus* poético. La publicada con motivo del centenario (J. R. Jiménez [1981-1982]) opta por reproducir el texto de las primeras ediciones de los libros, si bien algunas de las introducciones facilitan cotejos interesantes con otras y, en algún caso, con versiones inéditas. La tarea se halla dificultada, sin duda, por las incesantes reelaboraciones juanramonianas y no poco, también, por la dispersión de fondos. Publicado ya el catálogo de los manuscritos conservados en Madrid (Peña y Moreno [1979]), sólo cabe esperar que el imprescindible catálogo de los fondos del Archivo Zenobia-Juan Ramón de Río Piedras, que prepara Raquel Sárraga, no se haga esperar. Al igual que las «primicias» (1899) exhumadas por Pérez Delgado [1974], *Ninfeas* y *Almas de violeta* (1900) oscilan, como ha visto Sánchez Trigueros [1974], entre una línea de fidelidad a lo esencial poético y popular y otra de experimentación de las técnicas modernistas que se reduce mucho en *Rimas* (1902) (González [1981]), para alcanzar pronto las plenitudes que en los libros de la primera época registraba Gullón en un estudio temprano [1957] y ahora confirmado en la introducción [1982] a *Pastorales*.

Muy lúcido crítico (Fogelquist [1976]) y con personal visión histórico literaria, J. R. J. configuró una imagen del modernismo hispánico proyectada sobre los moldes de un amplio movimiento ideológico europeo. Ello dio pie a que muchos críticos impostasen, a su vez, los estudios de la obra juanramoniana en clave de especulación metafísica y mística; así, Palau [s. f.], Allen [1969] y, sobre todo, Lira [1969]; más ceñido a lo lingüístico, Macrí [1958] investiga la raíz metafísica de las palabras poéticas creadas por Juan Ramón. Pienso, sin embargo, que es Del Río [1957] quien mejor ha centrado el tema del alcance trascendente del modernismo en los libros primeros por las que circulan otros temas y preocupaciones que van a confluir en el *Diario*.

Disponemos ahora, en la edición del centenario, de comentarios puntuales a cada uno de ellos, con apuntes de la crítica coetánea y breves notas bibliográficas particularizadas. Ofrece De Albornoz [1981] un análisis interesante de los romances de *Arias tristes* y, aunque la muerte truncó el comentario eruditísimo que de *Jardines lejanos* preparaba Prat, el esbozo que en la edición [1982 *a*] se recoge obliga a rectificar un encasillamiento del poeta en la pura literatura y nos muestra, por contra, a un Juan Ramón vivo, en la línea de investigación que el propio Prat [1982 *b*] realizó sobre la estancia del muchacho andaluz en el sur de Francia a comienzos de siglo.

El trienio 1905-1907 es duro y esterilizante para el poeta: a la crisis psicológica depresiva viene a sumarse el acelerado descalabro económico de la familia, que le fuerza a abrir los ojos a la realidad. Al tiempo que Pérez de Ayala, a raíz de una experiencia familiar análoga, redacta su tetralogía novelística, y paralelo a Antonio Machado, quien, abandonando las interiores *Galerías* (1907) se encamina hacia los *Campos de Castilla* (1908-1912) (Senabre [AA. VV., 1981 *c*]), escribe Juan Ramón una serie de libros que entonces deja inéditos: entre ellos, *Esto* (1908-1911) e *Historias* (1909-1910), claramente realistas y críticos, como demuestran González [1974] y Salvador [1981 *c*]. La decisión de ocultarlos ha contribuido a configurar la imagen, desenfocada, de un creador vuelto de espaldas a la existencia. Gicovate [1973] ha rastreado la veta de ironía que muchos creían reducida a la prosa y que, sin embargo, está ya en los primeros libros. El valor autónomo de estos dos que reseño es muy desigual. Aunque las *Historias* nos parezcan superiores, en *Esto* anticipa Juan Ramón muchas cosas del segundo *Campos de Castilla*, de lo que podríamos llamar «Campos de Andalucía» (1913-1917); habría, también, que estudiar las afinidades que con el libro machadiano presentan los *Poemas agrestes* (1910-1911), significativamente dedicados a Giner de los Ríos. Un artículo de Gullón [1960] facilita una pauta extrínseca segura. Esta vía de apertura a la realidad desembocará en el *Platero* y, a través de él, en el *Diario*.

Pero desde 1908 viene también Juan Ramón cultivando otra línea de poesía: la que va desde la trilogía de *Elejías* (Garfias [1982]) y *La soledad sonora* (1908) (De Luis [1981] y Ruiz Silva [1981]), por *Las hojas verdes* y *Baladas de primavera* (1909) (Urrutia [1981]), a *Melancolía* (1910-1911) (Blasco [1981 *b*]) y *Laberinto* (1913) (Young [1981]). Se apoyan todos aún en una estética modernista. La crítica recurre aquí, tópica, a la categorización del autor: «llegó a ser una reina / fastuosa de tesoros». Pero no se señala que con la insistencia en la introspección erótica, Juan Ramón está aproximándose al que podríamos llamar modernismo sociológico, del que va a nacer, precisamente, la ruptura vanguardista. No es, en este punto, fortuita la rápida amistad —documentada por Garfias [1958]— con Ramón Gómez de la Serna, en cuya revista *Prometeo* van apareciendo varios poemas de esta etapa. Es Ramón quien más le insiste en la necesidad de que vuelva a Madrid y quien se encarga de preparar su reinstalación. Se distanciarán pronto; aunque los versos eróticos de nuestro poeta pudieran parecer a primera vista cercanos a los de los bohemios, le atraía mucho más el ámbito intelectual de la Residencia de Estudiantes.

Juan Ramón vive en ella a partir de 1913, donde no sólo profundizará en el conocimiento del krausismo, iniciado ya durante su primera estancia, a través del doctor Simarro, sino que se enriquecerá con la mentalidad compleja de la institución y podrá conocer los más diversos movimientos intelectuales desde un mirador excepcional. Queda ya anotada la primacía de Ortega: «¡Cuántas discusiones lúcidas declara en el "Recuerdo" y de cuántas cosas, tuvimos Ortega y yo en aquellos años de ansia! ... Ortega siempre ha sido un maestro para mí». No firma Juan Ramón el manifiesto de la Liga para la Educación Política Española, pero, como hemos visto en el capítulo 2, es él quien organiza con Ortega el homenaje azoriniano de Aranjuez, cuya significación quedó allí reseñada. Ortega quiere convertir a Juan Ramón en el poeta castellano de su generación; una mezcla de Antonio Machado y Unamuno. Pero a él le parece de «un diletantismo inconcebible la exaltación de Castilla por los escritores del litoral» y lo que, en cambio, pretende es «la exaltación de Andalucía a lo universal». En 1916, Ortega, Pérez de Ayala y Juan Ramón proyectan editar una revista, *Actualidad y futuro*, cuyo primer número llega a pergeñar nuestro poeta.

En este marco ha de encuadrarse el *Platero y yo*. Fogelquist [1958], que estudia la obra de J. R. J. desde su vinculación a la biografía, detecta en la lírica, ya desde el principio, una presencia ininterrumpida de Moguer, paralela a la que avasalla las *Primeras prosas* (1898-1913), desde las *Prosas varias* (1898-1903) a, sobre todo, las inmediatamente anteriores al *Platero*: *Las flores de Moguer* o *El poeta de Moguer* (1906-1911). Juan Ramón adquiere a través de ellas una soltura que, según su propio testimonio, le permite redactar una de estas páginas en pocos minutos. Pero, ¿cuál es el significado del *Platero*? A la vista de las traducciones de Tagore realizadas por los esposos Jiménez, sugirieron algunos un oportunismo mimético. Replicó J. R. J. haciendo notar que Tagore no había sido conocido en Europa hasta 1912, fecha en que es publicado en inglés, mientras que él había anticipado mucha prosa poética y anunciaba el *Platero* ya en 1908. Véanse ahora las precisiones de Yong-Tae Min [1981] sobre el orientalismo en J. R. J. Otro factor externo concurre a desorientar la lectura del *Platero*. Muy pronto, tras la primera publicación parcial (1914), aparecen las ediciones infantiles. Basta leer la protesta de J. R. J. —«Platero y los gitanos», en *La colina de los chopos*— para comprender el desvío. Y allí mismo una clave críptica: «Ya dijo D. F. G. que en España no había un dibujante capaz de ilustrarlo». No sorprende en absoluto que D[on] F[rancisco] G[iner] se entusiasmara con un libro que era la crónica viva de un acercamiento a la naturaleza y al pueblo de

Andalucía y que, en última instancia, puede ser interpretado en línea de sensibilidad krausista. Anota oportunamente Palau [1974] que Juan Ramón dedicó el verano de 1913 a seguir las huellas dejadas por Zenobia en La Rábida y sus alrededores, Moguer incluido, como improvisada maestra de niños. Años más tarde, en la conferencia sobre «Aristocracia y democracia» descubre las señas de identidad de su interés por lo popular: «El pueblo español es por lo común de una auténtica aristocracia ...». En el libro de conjunto más lúcido sobre la prosa juanramoniana ve Predmore [1966] en este concepto uno de los componentes básicos de su cosmovisión. De su culto por lo indígena, que llega a ejercer sobre él una especie de tiranía, brota la idea, rectora en parte de su segunda época, de la «poesía abierta» —májica, misteriosa, idealista— que forma la corriente nacional y universal, frente a la «poesía cerrada» —humanista y barroca— que integra la más internacional y extranjera.

Partiendo del hecho, indiscutible, de que «la sustancia lírica amalgama íntimamente cada una de las páginas», Broggini [1965] deduce de un estudio estilístico elemental del *Platero* la conclusión de que asistimos a un proceso de transformación de la realidad, de superación del tiempo —«hay un no tiempo o eternidad característica en todo el libro»— en un diálogo del yo del poeta con un tú lírico. Piensa, por el contrario, Predmore que todo el libro progresa sobre la temporalidad y que, por primera vez en la escritura juanramoniana, nos topamos con la violencia, la crueldad y lo feo. Más aun, Marías (cf. cap. 1) apunta que cuanto más sórdida es la escena, más fidedigna se hace su descripción. En general, frente a las primeras prosas que se mueven en la vaguedad imprecisa, ofrece el *Platero* perspectivas situacionales muy concretas, reforzadas lingüísticamente por la incorporación de dialectalismos. Al hilo de la vida de Moguer a lo largo de un año, se plantea el contraste histórico entre el pueblo idílico anterior a la industrialización y el de después de ella; pero eso (García de la Concha, en *Actas* [1983]; López Estrada y López García-Berdoy [1982]) no es más que el cañamazo sobre el que se proyectan otras antinomias superiores. No se pretende sugerir con esto un naturalismo juanramoniano inmanente, porque, si hubiera que cifrar una tesis del libro, ésta sería, de acuerdo con la tesis fundamental del krausismo, la de la posibilidad radical que el hombre tiene de realizarse en lo natural. Dentro de tal contexto, la violencia y la crueldad —reales y constatadas— quedan literariamente redimidas bien por la adopción de una perspectiva de captación sólo objetiva y, a veces, hasta ingenua o, en el extremo opuesto, mediante un intenso sentimentalismo. El *Platero*, pues, al que Urrutia [1981] considera inserto en el género literario del *relato poético*, parecido a la novela lírica, presenta una estructura bien trabada, que, como bien demuestra Predmore [1973], trasciende la mera yuxtaposición indefinida de cuadros, y presagia el *Diario* en una aproximación a la realidad y en un rechazo de lo artificioso, de la técnica, de lo inhumano o deshumanizado. Y, al tiempo que Azorín, Unamuno, Machado, Menéndez Pidal y, en otra dirección, Ortega, meditan sobre Castilla, constituye la exaltación de lo periférico, que, con técnica diversa, realiza, también Miró.

El conocimiento y el amor de Zenobia depuran, a partir de 1913, como Gullón [1959] ha documentado, la veta de introspección erótica. Zenobia inspira, en efecto, gran parte de los *Sonetos espirituales* (1913-1915) (1917) que conjugan tradición y modernidad (Phillips [1982]). Pero más decididamente nuevo es el libro *Estío* (1915) que, a juicio de Paraíso [1976], liquida la primera *maniera* y abre la segunda época. Desde luego, nos hallamos en los antípodas del barroquísimo *Laberinto*, último libro de la serie anterior. Juan Ramón mismo [1962] nos da la clave al calificarlo en una de sus cartas de 1915 como «el mejor libro que he escrito, porque tiene más sangre y cenizas que ningún otro». Vale decir, aquí hay ya realidad concreta (Palau [1982 *a*]), luminosa y dura a la vez; *Estío* presagia la tensión que, por el amor, vivirá el poeta en el *Diario*. No han sido, con todo inútiles, aunque Juan Ramón prefiriera después borrarlos o, al menos, reducirlos a borradores, los tanteos introspectivos ya mentados: buena parte de los símbolos de la segunda época llevan acumulada la riqueza de aquella experimentación de modernismo degradado y *fêtes galantes*.

Ello no obsta para que *Estío* sea, a la vez, trasunto del poema «Mutability», de Shelley. De la mano de Zenobia amplía Juan Ramón su conocimiento de la poesía inglesa (Young [1980, 1981]; Pérez Romero [1981]), que, si no descarta la atención a la francesa, siempre básica, asienta al poeta en la misma dirección depuradora. Llegamos, así, al *Diario* (1916). Juan Ramón insistió hasta el final de su vida en que éste sí era su «libro mejor» y estaba convencido de que con él había iniciado una nueva época no sólo en su obra sino en la poesía hispánica: desde su puesto de permanente vigía crítico fue, paso a paso, delatando «ecos» en los mejores libros de la generación del 27, en Neruda, etcétera. Egolatría a un lado, quedan en pie afirmaciones como la de Alberti: «jamás poeta español iba a ser más querido y escuchado por toda una rutilante generación de poetas». Se hace esperar en este punto un estudio que, al modo del realizado por Gullón [1971] en relación con Neruda, fije los límites de un magisterio por todos, al menos temporalmente, reconocido. Sólo Cernuda [1957] parece empeñado en minimizar el cambio de J. R. J. a partir del *Diario*, que, según él, es «más bien superficial, puesto que el poeta sigue fiel a la motivación subjetiva de sus temas, a su pequeño mundo interior». Tomando al pie de la letra la declaración de Jiménez que hace suyas unas palabras de Santayana —«lo que siempre me tienta es la sensación que un fenómeno produce»—, Cernuda le niega curiosidad intelectual y, más aun, inquietud religiosa. Todas estas afirmaciones han sido radicalmente cuestionadas por la crítica. Aurora de Albornoz, a quien debemos un excelente estudio crítico diacrónico de la poesía de J. R. J. [1972 *a*], sostiene que «el descubrimiento de lo otro y de los otros es tan visible que, a veces, llegamos a pensar que hay un olvido del yo». Más lejos aún va Gullón [1969] quien lee el *Diario* como un libro de auténtica poesía testimonial. No le priva esto de una dimensión simbólica. Cuando él mismo le dice al poeta en las *Conversaciones* «en el *Diario* nada me parece tan importante como un simbolismo moderno en la poesía española. Tiene una metafísica ... y tiene también una ideología» (pp. 92-93).

De aquí se puede partir para abordar el tema, más delicado, de la actitud ante las sensaciones y la inteligencia. Pienso que ha sido el excelente estudio de Neddermann [1935] el que encaminó a gran parte de la crítica hacia una interpretación unilateral del simbolismo de J. R. J. como método de alienación de sí mismo y de su entorno en un vago trasmundo. Basta comprobar, por ejemplo, el reflejo que de dicha obra se encuentra en Raimundo Lida [1958]: colores desprendidos de la materia; desmaterialización de las cosas; acciones y situaciones como bañadas en una fantasmal quietud de agua dormida; visión estática de los objetos: «peripecias siempre contenidas dentro del recinto del yo». Frente a tales posiciones, Sánchez Barbudo, el primero que presta atención de riguroso análisis al *Diario* en sí mismo y en su relación con el conjunto de la obra [1962], autor, también, de una pulcra edición crítica del libro [1970], sostiene, en la introducción a ésta, que J. R. J. en su segunda etapa no es reductible a ese impresionismo al que interesan sólo las sensaciones de las cosas y no las cosas en sí mismas, ni al modernismo que se autosatisface en el regodeo sensorial de lo aparente: a partir del *Diario* «nunca ya deja "caer la cosa", sea ésta objeto, paisaje o mar, recuerdo lejano o persona», si bien tales realidades pueden y suelen convertirse en punto de apoyo para la abstracción. Concuerda tal apreciación crítica con la teoría juanramoniana sobre *El modernismo* (1962) que, en su amplitud de planteamiento, nos facilita bastantes claves de referencia a su propia obra poética.

Escrito en un momento clave de la vida, el del cambio de estado, el *Diario* refleja el propósito básico de anotar y analizar cuanto al poeta le ocurre y se le ocurre. Me parece que esta observación banal ha sido demasiado preterida por una crítica obsesionada en hallar una clave unitaria, que algunos pretenden, para colmo, simple y excluyente. Como en cualquier diario vital, en el juanramoniano se suceden reflexiones de altura, apuntes esporádicos y leves observaciones. La opción de una escritura prosística o de verso —casi mitad y mitad del libro— concuerda, desde luego, con este planteamiento, que en modo alguno debe hacernos olvidar que el *Diario* es, sobre todo, crónica de un viaje interior (Gullón

[1982]). El entretejido de ese doble hilo, interior y exterior, configura la peculiaridad del género literario del libro, sobre el que Pérez Priego ofrece [1981 *c*] precisiones de interés.

Pero queda pendiente el tema de la naturaleza de las prosas: ¿deben considerarse, también, poesía? Sabemos que Juan Ramón, aun sosteniendo que sólo la rima hace el verso —idea que en algún momento estuvo a punto de inclinarle a prosificar, radicalmente, toda la escritura de sus poesías—, pensó en separar la prosa y el verso del *Diario* «sin duda porque veía, a pesar de lo que dijera en otras ocasiones que ... eran cosas bastante distintas». Sánchez Barbudo, que así opina [1970], entiende que en el libro hay que distinguir diferentes clases de prosas; mientras que unas, sobre todo de la última sección, son, por su contenido, claramente prosas, otras, por la emoción que encierran y hasta por su lenguaje, «podrían concebirse como poemas». Son mayoría los críticos que comparten tal idea. Sin aclarar demasiado su posición teórica, Predmore [1966] observa que la mayor parte de prosa se centra en torno a la estancia o recuerdos de los estados del Este de Norteamérica y, en concreto, Nueva York. La opresión que allí padece lo natural engendra una versión estética a la que se mezcla la ironía y a la que va mejor el cauce dilatado de la prosa. En esta línea no hay duda de que muchas páginas del *Diario* evocan la misma nostalgia y la «tesis» apuntada en el *Platero*.

Por lo que a las claves se refiere, son dos las que la crítica anota como sustanciales. El propio poeta destacó la influencia del mar, que no sólo le brinda tema en un diálogo constante que va del terror a la dulzura y el entusiasmo, sino que, incluso, si hemos de atender a su confesión, le sugiere la forma del verso libre. A esto respondería el cambio de título en la edición de Buenos Aires, de 1948, *Diario de poeta y mar*. Pero el propio Predmore [1973] ha facilitado otra clave que podríamos llamar concéntrica. La confrontación poeta-mar es marco y símbolo, a la vez, de la tensión que Juan Ramón padece en la etapa en que redacta su *Diario*: «la lucha constante entre el apego del niño y las fronteras familiares de su temprana existencia (el miedo infantil a dejar el nido) y el impulso hacia el amor, la madurez del adulto y la independencia». Al servicio de este tema básico, toda una serie de elementos que aparecían ya en los libros de la primera etapa y que se perpetuarán en las que siguen al *Diario* —*niño*, *cementerio*; *sueño*, *amanecer*; *primavera*; *mar* y *barco*; *sombra*, *niebla*, *nube*— se cargan de significado simbólico, cuya significación hemos de perseguir desde la perspectiva de este libro así convertido en eje cardinal de toda la obra juanramoniana. Aunque la lectura es muy sugerente, requeriría, a mi juicio, para poder afirmarse como clave unitaria, precisiones y profundizaciones. Esta segunda clave específica se inscribe en definitiva, a mi juicio, en el contexto más amplio que, según Sánchez Barbudo [1962], configura toda la segunda época: el sentimiento de lo efímero de la vida como punto de partida para la creación.

Igualmente fecundo se muestra, en fin, el *Diario* en sus innovaciones formales. Baste señalar la conquista del verso libre, la voluntad de borrar las fronteras entre verso y prosa, la integración estética de préstamos literarios o, más nueva, si cabe, la introducción del *collage* estudiada por De Albornoz [1972 *b*]. Y, por encima de todas ellas, una palabra poética nueva, atenta primordialmente a dos cosas: la exactitud y la eficacia de la comunicación. Hacia esto último le orientan, sin duda, las lecturas inglesas y americanas. No se trata sólo de Emily Dickinson (Stevens [1963]; Fagundo [1967]), de Yeats (Cernuda [1964]; Wilkox [1979]; Young [1980]) o de las reminiscencias de William Blake (Predmore [1974]). Abarcan, como Gicovate [1973] ha demostrado, desde el intenso contacto con Shakespeare a la frecuencia de los románticos y simbolistas, más superficial y ceñida a la primera época bajo la dirección de su amiga Louise Grimm, o de los poetas del XX, ya guiado por Zenobia.

Experiencia vital —«un anhelo creciente de totalidad»— y lecturas encaminan al escritor en su segunda época hacia la creación de un mundo absoluto en y por la palabra. Esta preocupación por la palabra queda ya anotada en los capítulos anteriores como característica de la generación de 1914. En ninguno de sus miembros aparece tan obsesionante y clara como en él la búsqueda de una palabra nueva; eso y la metafísica estética que genera, lo convierten en el prototipo de poeta novecentista. No quisiera sugerir la imagen de un poeta intelectual; analizando el conocido poema «Inteligencia, dame / el nombre exacto de las cosas», a la luz de los manuscritos reelaboradores, yo mismo [1978] he puesto de relieve cómo todo parte del instinto que, en segunda instancia, demanda a la inteligencia la autenticación del valor universal de la palabra hallada. A primera vista, podría considerársele un precursor de la corriente teórica de la poesía pura en la línea de Brémond (Blanch [1976]). Si éste afirmaba que lo poético es la vivencia previa que, por desgracia, pierde fuerza al ser traducida a la palabra, Juan Ramón declara en alguna ocasión que el poeta, en puridad, no debiera hablar porque su experiencia es inefable. Pero nadie creyó más que él —poeta metafísico (Macrí [1958]), de algún modo neoplatónico (Wilkox [1979])— en la fuerza creadora de la palabra. Enmarcan los años 1916-1923 la etapa de mayor concentración en la búsqueda de un instrumento lingüístico —aspecto que sobresale en *Eternidades* (1916-1917), fundando toda una poética (García de la Concha [1982]), en *Piedra y cielo* (1917-1918), de tanta influencia en los poetas del 27, así como en las antologías *Poesía* (Sánchez Romeralo [1981 *a*]) y *Belleza* (1917-1923) (Sánchez Romeralo [1981 *b*])—; pero el maestro ya no abandonará la tarea de su perfeccionamiento en todos los niveles, desde el léxico, como demuestra un fino análisis de Correa [1972], a la métrica, cuya riqueza evidencia Navarro Tomás [1973]. Tal voluntad de perfección y el deseo de reintegrar lo anteriormente escrito en la obra totalizadora (Sánchez Romeralo [1978, 1981 *c*]), le convierten en un destajista de la poesía. Se agolpan, uno tras otro, los proyectos de estructuración.

Dejando a un lado las estupendas caricaturas líricas que escribe en su segunda época, estudiadas por Salgado [1968], basta un repaso de los comentarios realizados por Sánchez Barbudo [1963], para comprender que con *Canción* (1936) y, sobre todo, con *La estación total* (1923-1936), el poeta se acerca a las más altas cimas de vivencia y expresión.

Totalidad quiere decir, según revelación de los *Cuadernos*, trascendencia de cualquier limitación o, inversamente, proyección de lo particular hacia lo universal; también, mezcla de elementos diversos y fusión de lo racional. Más discutido es, en apariencia, el concepto de *desnudez* poética sobre el que Blasco [1981 *a*] ha proyectado luz decisiva. En realidad, las distintas lecturas críticas de la *sencillez* son maridables: partiendo de un suceso, personal o externo, se trata de llevarlo, por el camino más corto, a su plenitud de significado y a su integración en la plenitud total. Convendría, en tal sentido, profundizar en el estudio de las relaciones Bécquer-Juan Ramón iniciado por Navarro González [1966]: se trata, en efecto, de una de las claves por él mismo señaladas.

Estudiando como conjunto unitario dentro del libro, los poemas motivados por la muerte de la madre, Paraíso [1976] evidencia el complejo edípico del poeta, ya insinuado por Predmore. Pero Cole [1967] muestra cómo, de manera progresiva, esa idea del espíritu materno y su función protectora se fusionan con la de la inmersión en una conciencia universal, en cuya configuración convergen —Juan Ramón había roto con la práctica católica en 1917— elementos de la filosofía krausista, muy bien analizados por Del Saz-Orozco [1966]; nietzscheanos, advertidos por Sobejano [1967]; y de la ideología oriental. Fue Schonberg [1961] uno de los primeros en rastrear este último influjo y en señalar *La religión del poeta*, de Tagore, como fuente básica. Johnson [1965] analizó más tarde la función paradigmática del poeta indio en la búsqueda de la desnudez. Conviene, sin embargo, ser precavidos en la atribución de analogías concretas; así, las que sugiere Palau [1961], son, en realidad, absolutamente tópicas. Algo de esto ocurre, también, con la por lo demás estupenda monografía de Santos-Escudero que, si bien centra su atención en *Dios deseado y deseante*, resulta extensible a toda la segunda época. Buena parte de los veinticinco símbolos allí analizados —sol, luz, mar, luna, puntos cardinales, etc.— y de sus desarrollos configurativos, son comunes en la tradición simbólica. No negaré, con todo, que el cúmulo de datos aportados y varios de los cotejos literales, constituyen prueba fehaciente de la influencia de las lecturas de las Upanishads, Krishnamurti, Tagore y otros autores orientales cuyas obras abundaban —casi un centenar— en la biblioteca de J. R. J. Insiste mucho el propio Santos-Escudero en que los últimos libros del poeta tienen tan profundos estratos ideológicos, que un análisis meramente literario puede empobrecerlos. Aun aceptándolo, conviene, sin embargo, no perder de vista que Juan Ramón parte no tanto de ideas cuanto de ritmos y emociones.

De los cuatro títulos que recogen su producción de los años 1936-1953 e integran la cuarta parte de la *Tercera antolojía poética* (1898-1953) aparecida en 1957, han atraído la atención especial de los críticos *En el otro costado* (1936-1942) y *Dios deseado y deseante* (1949). Tal vez, porque se trata de entidades orgánicas, a diferencia de *Una colina meridiana* (1942-1950) y *Ríos que se van* (1951-1953). Eje del primero de ellos es el poema *Espacio* que, según Octavio Paz [1967], «es uno de los monumentos de la conciencia poética moderna»; «con ese texto capital —añade— culmina y termina la interrogación que el gran cisne hizo a Darío en su juventud». Convendría profundizar en el estudio de esta dimensión modernista, entendida en el mismo amplio sentido que concebía Juan Ramón. Porque, a la vez, *Espacio* se inscribe en la corriente literaria del fluir de la conciencia. Juan Ramón declaró que el poema había comenzado a manar «en una embriaguez rapsódica», como «una fuga interminable». Importa poco que los versos de la redacción primera se hayan fundido posteriormente en prosa: nos hallamos ante un poema. Como poema en prosa y siguiendo los esquemas de Suzanne Bernard, lo analiza Font [1972], que descubre en él dos polos: el de «una organización cíclica, dialéctica y musical y una dimensión estructural en fragmentos»; y el de «una anarquía destructiva por la libertad de su forma y la acumulación de ideas, vivencias y memorias heterogéneas». Ya antes, en una primera aproximación, había Young [1968] mostrado la función de culminación y síntesis de la obra juanramoniana que *Espacio* cumple; de logro del objetivo de la segunda etapa.

De *Voces de mi copla* —ochenta y cinco cancioncillas entresacadas de *Canción* (1936)— y de los *Romances de Coral Gables* facilita puntual noticia bibliográfica Giner de los Ríos [1979, 1980, 1981]. Cree Sánchez-Barbudo [1962] que en la base de *Animal de fondo*, primera parte de *Dios deseado y deseante*, está una experiencia personal, un positivo hallazgo interior, de naturaleza en cierto modo mística. En un lúcido estudio Álvarez Macías [1962] subraya la persistencia del pensamiento krausista, mientras que Sánchez Romeralo [1961], que facilita cuidada bibliografía, considera *Animal de fondo* como culminación de toda la obra hacia la que confluyen temas y formas de todos los libros precedentes. Frente a ellos, Crespo (AA. VV. [1981 *a*]) propone una lectura puramente lírica o musical. Según Santos-Escudero [1975], el misticismo juanramoniano se orienta en varias direcciones. En la línea de los místicos orientales monistas, el poeta se fusiona a veces con un dios-naturaleza. Pero, al tiempo, profesa un misticismo intimista del yo, que consiste en interiorizar dentro de la propia conciencia toda la belleza posible hasta divinizarla; cabría hablar, también, de un misticismo antropomórfico —formas humanas que velan a la divinidad— y de un misticismo de lo absoluto más cercano al católico. Sobre todos ellos gravita el problema del panteísmo. Si el poeta afirmó «en lo místico panteísta, la forma suprema de lo bello para mí», los críticos propenden a descargar bastante su segunda etapa de tal significación. Se esfuerza De Pablos [1965] en liberar a Juan Ramón de cualquier sospecha de heterodoxia, aunque sea a costa de desplazar a *Dios deseado y deseante* fuera de cualquier planteamiento teológico. Con mayor rigor intelectual, aunque sirviéndose de terminología imprecisa, Lira [1969] insiste en la negación de todo panteísmo. Sánchez Romeralo sólo acepta hablar de un panteísmo de conciencia, en cuanto dios y la belleza están en ella. Clarifica progresivamente el tema Del Saz-Orozco [1966] hablando de un «dios con hondas raíces en el panteísmo idealista», pero lejos de todo monismo; Juan Ramón, añade, en su segunda época vio la fusión panteísta con la naturaleza como un peligro desviacionista de su poesía. Pienso que convendría renunciar a una explicación unitaria, y, en tal sentido, recomiendo la lectura de Del Saz, y de Santos-Escudero.

BIBLIOGRAFÍA

AA.VV., *Criatura afortunada. Estudios sobre la obra de J. R. J.*, Departamento de Literatura Española de la Universidad de Granada, Granada, 1981.

AA.VV., *Estudios sobre Juan Ramón Jiménez*, Recinto de la Universidad de Mayagüez, Puerto Rico, 1981.

AA.VV., *Juan Ramón Jiménez en su centenario*, Delegación Provincial de Cultura, Cáceres, 1981.

Actas = *Actas del Congreso Internacional del Centenario de Juan Ramón Jiménez* (Moguer-La Rábida, 1981), 1983.

Aguirre, Ángel M., «Juan Ramón Jiménez and the French symbolist poets: influences and similarities», *Revista Hispánica Moderna*, XXXVI (1970-1971), pp. 212-223.

Albornoz, Aurora de, «Juan Ramón Jiménez o la poesía en sucesión», en *Juan Ramón Jiménez: Nueva antolojía*, Península, Barcelona, 1972, pp. 7-90.

—, «El "collage-anuncio" en Juan Ramón Jiménez», *Revista de Occidente*, n.° 110 (mayo de 1972).

—, ed., Juan Ramón Jiménez, *Arias tristes*, Taurus, Madrid, 1981.

—, ed., Juan Ramón Jiménez, *Espacio*, Editora Nacional, Madrid, 1982.

Alvar, Manuel, «Tradicionalidad y popularismo en la teoría literaria de Juan Ramón Jiménez», en *Cuadernos Hispanoamericanos*, n.os 376-378 (1981), pp. 518-531.

Alvarez Macías, Juan Francisco, «J. R. J. y *Animal de fondo*», *Cuadernos del Aula de Cultura*, Sevilla (1962), pp. 7 ss.
Allen, Ruppert C., «J. R. and the world tree: A symbological analysis of misticism in the poetry of J. R. J.», *Revista Hispánica Moderna*, XXXV (1969), pp. 306-322.
Azam, Gilbert, *L'œuvre de Juan Ramón Jiménez*, Université de Lille, París-Lille, 1980; trad. cast., Editora Nacional, Madrid, 1983.
Blanch, Antonio, *La poesía pura española*, Gredos, Madrid, 1976.
Blasco Pascual, Francisco Javier, *La poética de Juan Ramón Jiménez. Desarrollo, contexto y sistema*, Anejos a *Studia Philologica Salmanticensia*, Universidad de Salamanca, Salamanca, 1981.
—, ed., Juan Ramón Jiménez, *Melancolía*, Taurus, Madrid, 1981.
—, «Índice incompleto de proyectos juanramonianos (1915-1930) y K. L. X.», *Studia Philologica Salmanticensia*, n.° 6 (1982), pp. 21-32.
—, ed., Juan Ramón Jiménez, *Alerta*, Ediciones de la Universidad de Salamanca, Salamanca, 1983.
Bousoño, Carlos, «El impresionismo poético de Juan Ramón Jiménez (una estructura cosmovisionaria)», *Cuadernos Hispanoamericanos*, n.os 280-282, 1973, pp. 508-540.
Broggini, Nilda Elena, *Platero y yo: Estudio estilístico*, Huemul, Buenos Aires, 1965.
Campoamor González, Antonio, *Vida y poesía de Juan Ramón Jiménez*, Sedmay, Madrid, 1976.
—, *Bibliografía general de Juan Ramón Jiménez*, Taurus, Madrid, 1983.
Cardwell, Richard A., «Los "borradores silvestres", cimientos de la obra definitiva de J. R. J.», en *Peñalabra*, 20 (1976), pp. 3-6.
—, *Juan R. Jiménez: The Modernist apprenticeship 1895-1900*, Colloquium Verlag, Berlín, 1977.
—, «Juan Ramón Jiménez ¿noventayochista?», en *Cuadernos Hispanoamericanos*, n.os 376-378 (octubre-diciembre de 1981), pp. 336-355.
—, «Juan Ramón Jiménez, José Ortega y Gasset y el problema de España», en *Actas*, 1983.
Cernuda, Luis, «Juan Ramón Jiménez», en *Estudios sobre poesía española contemporánea*, Guadarrama, Madrid, 1957, pp. 119-135.
—, «Jiménez y Yeats», en *Poesía y literatura*, Seix Barral, Barcelona, 1964, pp. 249-256.
Coke-Enguídanos, Mervyn, «Juan Ramón en su contexto estético romántico y modernista», en *Cuadernos Hispanoamericanos*, n.os 376-378 (1981), páginas 532-546.
Cole, Leo R., *The religious instinct in the poetry of Juan Ramón Jiménez*, The Dolphin Book, Oxford, 1967.
Correa, Gustavo, «"El otoñado" de Juan Ramón Jiménez», *Hispanic Review*, XLI (1973), pp. 215-230.
Crespo, Ángel, *Juan Ramón y la pintura*, Universidad de Puerto Rico, Barcelona, 1974.
—, ed., Juan Ramón Jiménez, *Animal de fondo*, Taurus, Madrid, 1981.
—, «Los Rubén Darío de Juan Ramón Jiménez», en AA.VV. [1981 *b*].

Díaz-Plaja, Guillermo, *El poema en prosa en España*, Gustavo Gili, Barcelona, 1956.
—, *Juan Ramón Jiménez en su poesía*, Aguilar, Madrid, 1958.
Díez Canedo, Enrique, *Juan Ramón Jiménez en su obra*, El Colegio de México, México, 1944.
Fagundo, Ana María, *The influence of Emily Dickinson on Juan Ramón Jiménez's poetry*, University of Washington, 1967.
Fogelquist, Donald F., *Rubén Darío and J. R. J.: their literary and personal relationships*, University of Miami Press, Coral Gables, 1956.
—, «Juan Ramón Jiménez: vida y obra. Bibliografía. Antología», *Revista Hispánica Moderna*, XXIV, n.os 2-3 (1958), pp. 105-177.
—, «Literary criticism», en *Juan Ramón Jiménez*, Twayne Publishers, Boston, 1976, pp. 136-171.
Font, María Teresa, *«Espacio»: Autobiografía lírica de Juan Ramón Jiménez*, Ínsula, Madrid, 1972.
García de la Concha, Víctor, «La forja poética de Juan Ramón Jiménez», en *Papeles de Son Armadans*, LXXXVIII, n.º 242 (1978), pp. 5-35.
—, ed., Juan Ramón Jiménez, *Eternidades*, Taurus, Madrid, 1982.
—, «La prosa de J. R. J.: lírica y drama», en *Actas*, 1983.
Garfias, Francisco, *Juan Ramón Jiménez*, Taurus, Madrid, 1958.
—, ed., Juan Ramón Jiménez, *Cuadernos*, Taurus, Madrid, 1960.
—, ed., Juan Ramón Jiménez, *Cartas*, Aguilar, Madrid, 1962.
—, ed., Juan Ramón Jiménez, *Elejías*, Taurus, Madrid, 1982; notas bibliográficas de A. Campoamor, pp. 31-40.
Gicovate, Bernardo, «Poesía y poética de Juan Ramón Jiménez en sus primeras obras», en *Anuario de Letras*, V (1965), pp. 191-201.
—, «Juan Ramón Jiménez en la generación del 98», en *La Torre*, n.os 73-74 (1971), pp. 276-287.
—, *La poesía de Juan Ramón Jiménez: Obra en marcha*, Ariel, Barcelona, 1973.
Giner de los Ríos, Francisco, ed., Juan Ramón Jiménez, *Voces de mi copla. Romances de Coral Gables*, Taurus, Madrid, 1981.
González, Ángel, ed., *Antología de Juan Ramón Jiménez*, Júcar, Madrid, 1974.
—, ed., Juan Ramón Jiménez, *Rimas*, Taurus, Madrid, 1981.
Guerrero Ruiz, Juan, *Juan Ramón de viva voz*, Ínsula, Madrid, 1961.
Gullón, Ricardo, «Plenitudes de Juan Ramón Jiménez», *Hispania*, XL (1957), pp. 270-286.
—, *Conversaciones con Juan Ramón Jiménez*, Taurus, Madrid, 1958.
—, «Monumento de amor: Epistolario y lira (Correspondencia Juan Ramón-Zenobia)», *La Torre*, n.º 27 (1959), pp. 155-168.
—, «Relaciones entre Juan Ramón y Antonio Machado», en *Estudios sobre Juan Ramón Jiménez*, Losada, Buenos Aires, 1960.
—, *El último Juan Ramón Jiménez*, Alfaguara, Madrid, 1963.
—, «J. R. J. y Norteamérica», en *La invención del 98 y otros ensayos*, Gredos, Madrid, 1969.
—, ed., Juan Ramón Jiménez, *Españoles de tres mundos*, Aguilar, Madrid, 1969.
—, «Relaciones Pablo Neruda-Juan Ramón Jiménez», *Hispanic Review*, XXXIX (1971), pp. 141-166.

Gullón, Ricardo, «J. R. J. y los prerrafaelistas», *Pañalabra*, 20 (1976), pp. 7-9.
—, ed., Juan Ramón Jiménez, *Pastorales*, Taurus, Madrid, 1982; notas bibliográficas de A. Campoamor, pp. 44-70.
Jiménez, Juan Ramón, «Aristocracia y democracia», en *El trabajo gustoso* (conferencias), selección y prólogo de F. Garfias, Aguilar, México, 1961.
—, «Recuerdo a José Ortega y Gasset», en *La corriente infinita. Crítica y evocación*, Aguilar, Madrid, 1961, pp. 151-167.
—, *El modernismo: Notas de un curso*, Aguilar, Madrid, 1962.
—, *Poesía*, edición del centenario, 20 vols., Taurus, Madrid, 1981-1982.
Johnson, Robert, «Juan Ramón Jiménez, Rabindranath Tagore, and "La poesía desnuda"», en *The Modern Language Review*, LX (1965), pp. 534-546.
Lida, Raimundo, «Sobre el estilo de Juan Ramón Jiménez», en *Letras hispánicas*, Fondo de Cultura Económica, México, 1958, pp. 165-175.
Lira, Osvaldo, *Poesía y mística en Juan Ramón*, Universidad Católica, Santiago de Chile, 1969.
López Estrada, Francisco, y María Teresa López García-Berdoy, prólogo a la ed. de *Platero y yo*, Taurus, Madrid, 1982, pp. 7-42.
Luis, Leopoldo de, ed., Juan Ramón Jiménez, *La soledad sonora*, Taurus, Madrid, 1981.
Macri, Oreste, *Metafisica e lingua poetica di J. R. J.*, Parma, 1958.
Marías, Julián, «*Platero y yo* o la soledad comunicada», *La Torre*, V, n.os 19-20 (julio-diciembre de 1957), pp. 381-395.
Min, Yong-Tae, «Tres etapas del orientalismo en Juan Ramón Jiménez», en *Cuadernos Hispanoamericanos*, n.os 376-378 (octubre-diciembre de 1981), pp. 284-301.
Navarro González, Alberto, «Dos andaluces universales: Bécquer y Juan Ramón Jiménez», en *Atlántida*, n.º 21 (1966).
Navarro Tomás, Tomás, «Juan Ramón Jiménez y la lírica tradicional», en *Los poetas en sus versos: desde Jorge Manrique a García Lorca*, Ariel, Barcelona, 1973, pp. 259-289.
Neddermann, Emmy, *Die symbolistischen Stilelemente im Werke von Juan Ramón Jiménez*, Seminar für Romanische Sprachen und Kultur, Hamburgo, 1935.
Olson, Paul R., *Circle of Paradox: Time and essence in the poetry of Juan Ramón Jiménez*, John Hopkins Press, Baltimore, 1967.
Pablos, Basilio de, *El tiempo en la poesía de Juan Ramón Jiménez*, Gredos, Madrid, 1965.
Palau de Nemes, Graciela, *Vida y obra de Juan Ramón Jiménez*, Gredos, Madrid, 1957; edición renovada: *Vida y obra de Juan Ramón Jiménez: La poesía desnuda*, Gredos, Madrid, 1974.
—, «Of Tagore and Jiménez», *Books Abroad*, 35, 4 (otoño de 1961), pp. 319-323.
—, «Tres momentos del neomisticismo poético del "siglo modernista": Darío, Jiménez y Paz», en *Estudios sobre Rubén Darío*, Fondo de Cultura Económica, México, s. f.
—, ed., Juan Ramón Jiménez, *Estío*, Taurus, Madrid, 1982.

Palau de Nemes, Graciela, *Inicios de Zenobia y Juan Ramón Jiménez en América*, Fundación Universitaria Española, Madrid, 1982.
Paraíso Leal, Isabel, *Juan Ramón Jiménez: Vivencia y palabra*, Alhambra, Madrid, 1976.
Paz, Octavio, «Verso y Prosa», en *El arco y la lira*, Fondo de Cultura Económica, México, 1956, ampliado en la ed. de 1967, pp. 68-97.
Peña, María Teresa de la, y Natividad Moreno, *Catálogo de los fondos manuscritos de Juan Ramón Jiménez*, Ministerio de Cultura, Madrid, 1979.
Pérez Delgado, Rafael, «Primicias de J. R. J.», *Papeles de Son Armadans*, XIX (1974), pp. 13-49.
Pérez Priego, Miguel A., «El género literario de *Diario de un poeta reciencasado*», en AA.VV. [1981 *c*], pp. 101-120.
Pérez Romero, Carmen, *Juan Ramón Jiménez y la poesía anglosajona*, Universidad de Extremadura, Cáceres, 1981.
Phillips, Allen W., prólogo a la ed. de *Sonetos espirituales*, Taurus, Madrid, 1982, pp. 7-51.
Prat, Ignacio, ed., Juan Ramón Jiménez, *Jardines lejanos*, Taurus, Madrid, 1982, pp. 20-40.
—, *El muchacho despatriado. Juan Ramón Jiménez en Francia (1901)*, Memoria de Beca de la Fundación March, Madrid, 1982.
Predmore, Michael P., *La obra en prosa de Juan Ramón Jiménez*, Gredos, Madrid, 1966.
—, *La poesía hermética de Juan Ramón Jiménez: El «Diario» como centro de su mundo poético*, Gredos, Madrid, 1973.
—, «Imágenes apocalípticas en el *Diario* de J. R.: la tradición simbólica de William Blake», en *Revista de Letras*, n.os 23-24 (1974), pp. 365 ss.
Río, Ángel del, «Notas sobre crítica y poesía en J. R. J.: el modernismo», *La Torre*, n.os 19-20 (1957), pp. 27 ss.
Rozas, Juan Manuel, «Juan Ramón y el 27. Modernismo e irracionalismo en la parte central del *Diario*», en AA.VV. [1981 *c*], pp. 149-170.
Ruiz Silva, Carlos, «Dos estudios sobre *La soledad sonora*», *Cuadernos Hispanoamericanos*, n.os 376-378 (1981), pp. 828-835.
Salgado, María Antonia, *El arte polifacético de las «Caricaturas líricas juanramonianas»*, Ínsula, Madrid, 1968.
Salvador, Gregorio, «La poesía social de Juan Ramón Jiménez: "La carbonerilla quemada"», en AA.VV. [1981 *c*], pp. 171-190.
Sánchez Barbudo, Antonio, *La segunda época de Juan Ramón Jiménez*, Gredos, Madrid, 1962.
—, *La segunda época de Juan Ramón Jiménez: Cincuenta poemas comentados*, Gredos, Madrid, 1963.
—, ed., Juan Ramón Jiménez, *Diario de un poeta reciencasado*, Labor, Barcelona, 1970.
Sánchez Romeralo, Antonio, «Juan Ramón Jiménez en su fondo de aire», en *Revista Hispánica Moderna*, n.° 27 (1961), pp. 299-319.
—, ed., Juan Ramón Jiménez, *Leyenda (1896-1956)*, Cupsa, Madrid, 1978.
—, ed., Juan Ramón Jiménez, *Belleza*, Taurus, Madrid, 1981.

Sánchez Romeralo, Antonio, ed., Juan Ramón Jiménez, *Poesía (En verso) (1917-1923)*, Taurus, Madrid, 1981.

—, «Juan Ramón Jiménez: el argumento de "La obra"», en *Cuadernos Hispanoamericanos*, n.os 376-378 (octubre-diciembre de 1981), pp. 473-484.

Sánchez Trigueros, Rafael, «El modernismo en la poesía andaluza», tesis doctoral n.° 54, de la Universidad de Granada, 1974.

Sánchez Trigueros, Antonio, *Francisco Villaespesa y su primera obra poética*, Universidad de Granada, Granada, 1974.

Santos-Escudero, Ceferino, *Símbolos y Dios en el último Juan Ramón Jiménez: El influjo oriental en «Dios deseado y deseante»*, Gredos, Madrid, 1975.

Saz-Orozco, Carlos del, *Desarrollo del concepto de Dios en el pensamiento religioso de Juan Ramón Jiménez*, Razón y Fe, Madrid, 1966.

Schonberg, Jean-Louis, *Juan Ramón Jiménez, ou le Chant d'Orphée*, La Baconnière, Neuchâtel, 1961.

Senabre, Ricardo, «Juan Ramón Jiménez y Antonio Machado: relaciones y dependencias», en AA.VV. [1981 *c*], pp. 211-230.

Sobejano, Gonzalo, «Juan Ramón Jiménez a través de la crítica», en *Romanistisches Jahrbuch*, VIII (1957), pp. 341-366.

—, *Nietzsche en España*, Gredos, Madrid, 1967.

Stevens, Harriet S., «Emily Dickinson y Juan Ramón Jiménez», en *Cuadernos Hispanoamericanos*, n.° 166 (octubre de 1963), pp. 29-49.

Ulibarri, Sabine R., *El mundo poético de Juan Ramón: Estudio estilístico de la lengua poética y de los símbolos*, Edhigar, Madrid, 1962.

Urrutia, Jorge, «Sobre la práctica prosística de Juan Ramón Jiménez y sobre el género de *Platero y yo*», en *Cuadernos Hispanoamericanos*, n.os 376-378 (1981), pp. 716-730.

—, ed., Juan Ramón Jiménez, *Las hojas verdes. Baladas de primavera*, Taurus, Madrid, 1982.

Vilanova, Antonio, «El ideal de la poesía desnuda en Juan Ramón Jiménez», en AA.VV. [1981 *c*], pp. 275-306.

Wilkox, J., *W. B. Yeats and Juan Ramón Jiménez. A study of influence and similarities and a comparison of the themes of death, love, poetics, and the quest for fulfilment in time*, Michigan, 1979.

—, «Juan Ramón Jiménez: transformación y evolución poética de cuatro temas fundamentales en su obra», en *Cuadernos Hispanoamericanos*, n.os 376-378 (octubre-diciembre de 1981), pp. 179-204.

Yndurain, Francisco, «Hacia una poética de Juan Ramón Jiménez», en *Cuadernos para la investigación de literatura hispánica*, n.° 1 (1978), pp. 7-21.

Young, Howard T., «Génesis y forma de *Espacio* de Juan Ramón Jiménez», *Revista Hispánica Moderna*, XXXIV (1968), pp. 462-470.

—, *The line in the margin: Juan Ramón Jiménez and his readings in Blake, Shelley and Yeats*, University of Wisconsin Press, Madison, 1980.

—, «El cisne gris de Nueva Inglaterra: Robert Frost y Juan Ramón Jiménez», en *El Ciervo*, XXX, n.° 364 (1981), p. 27.

—, ed., Juan Ramón Jiménez, *Laberinto*, Taurus, Madrid, 1982.

Francisco Javier Blasco

LA PUREZA POÉTICA JUANRAMONIANA

[El ideal de pureza juanramoniano difiere totalmente de las líneas generales de la *poesía* pura de los del 27 y la distancia no es menor en cada uno de los presupuestos en que dichas líneas se apoyan.] Tomaré, como punto de referencia, los rasgos esenciales que la crítica ha destacado en la caracterización de la etapa purista del 27. Si ésta se caracteriza por el predominio de lo *intelectual* y cerebral, propondrá Juan Ramón que se escriba «en el idioma de los *sentimientos* y no en el idioma de las palabras». Si tiende a la *abstracción*, advierte Juan Ramón que «la poesía ideolójica no debe ser puramente ideolójica; para evitar cierta sequedad, que ... existe siempre en el concepto aislado, ... conviene mezclarlo siempre con un paisaje ... , con una *entrevisión lírica*» (*LPr*, p. 490). Si se le concede a la imagen una actividad relevante en la creación poética, limitará Juan Ramón el valor de la imagen a su dimensión simbolista; el resto de «imágenes crea-

Francisco Javier Blasco, *La poética de Juan Ramón Jiménez. Desarrollo, contexto y sistema*, Anejos a los *Studia Philologica Salmanticensia*, Universidad de Salamanca, Salamanca, 1981, pp. 190-192; 276-285.

Para las referencias se usan las siguientes abreviaturas y siglas:

Mod = *El modernismo. Notas de un curso* (1953), ed. de Ricardo Gullón y Eugenio Fernández Méndez, Aguilar, Madrid, 1962.
CI = *La corriente infinita*, ed. de Francisco Garfias, Aguilar, Madrid, 1961.
TG = *El trabajo gustoso*, ed. de Francisco Garfias, Aguilar, Madrid, 1961.
EEE = *Estética y ética estética*, ed. de Francisco Garfias, Aguilar, Madrid, 1962.
LPr = *Libros de prosa*, ed. de Francisco Garfias, Aguilar, Madrid, 1969.
PLP = *Primeros libros de poesía*, ed. de Francisco Garfias, Aguilar, Madrid, 1967.

das» es «desechado» (*Mod*, pp. 209-210), en tanto en cuanto alejan poema y vida. Si se confía excesivamente en la técnica, advierte Juan Ramón que «un poeta sucesivo, renovado ... lo es primero por su *espíritu*, nunca por su materia artística o científica, ni por la materia que traiga entre manos ... La técnica puede servirle para fijar las radiaciones de su ser íntimo, *que nunca saldrían de la técnica por sí misma*» (*TG*, p. 118). Si la poesía del grupo que preside Guillén «depende de las cosas», está volcada hacia los objetos de la vida moderna, opta Juan Ramón por una poesía de «elementos eternos», válidos para «la vida verdadera» (*EEE*, p. 335). Si, al definir el arte como juego, afirman aquéllos el carácter gratuito y voluntario de la creación, les sale Juan Ramón al paso, dejando en claro que la poesía auténtica no depende de un acto de la voluntad, sino que responde a una necesidad ineludible para el auténtico poeta: «El poeta fatal es el que cumple involuntaria y voluntariamente su destino. El poeta simplemente voluntario "cumple", como suele decirse, con la poesía, pero su destino puede ser otro, otros son sus destinos. Escribe su poesía, digo, su escritura poética, como haría un reló, una escalera o una jaula. Es, sin duda, un artesano. Paul Valéry, que significa hoy el máximo de este tipo de poeta voluntario (Mallarmé era fatal, fatalmente voluntario en todo caso), dice con frecuencia que él es un poeta artificial. Pero si no lo fuera, y más de lo que él mismo cree, si pudiera no serlo, no lo diría con tan jactante postura» (*EEE*, p. 202). [...] Basta añadir que, si la poesía pura española pretende romper con los restos del romanticismo, vivo todavía en la herencia modernista, el ideal de pureza juanramoniano busca, precisamente, todo lo contrario: profundizar en los hallazgos del modernismo —es decir, del simbolismo—, a través de la dirección intimista marcada por Bécquer. Las diferencias son, pues, globales y esenciales, además de parciales y concretas. [...]

Tomando lo *espiritual* como factor relevante para la definición de lo poético y arrancando de Bécquer (*CI*, p. 110), elabora Juan Ramón en sus conferencias una definición de lo que él entiende por *poesía* y por *literatura*: «Lo que generalmente se quiere imponer como poesía —dice Juan Ramón en uno de sus aforismos— es literatura; lo que nosotros queremos imponer como poesía es *alma*». [...]

La *literatura* acota el mundo de lo conocido, mientras que la *poesía* se orienta hacia lo desconocido: «Será, pues la poesía una íntima, profunda (honda y alta) fusión, en nosotros, y gracias a nuestra contemplación y creación, de lo real que creemos conocer y lo trascendental que creemos desconocer» (*TG*, p. 37). Es a la poesía a la que le está reservada la tarea de penetrar en lo inefable (*TG*, p. 36) y, por ello, su punto de partida es irracionalista. Sobre tal distinción, tan simple, se levantan el resto de oposiciones. Se conforma *la literatura* con la belleza relativa, en tanto que «la poesía está mucho más allá de la belleza relativa, y su espresión pretende la belleza absoluta» (*TG*, p. 38). [...]

La poesía es *original*; la literatura, *traducción* (*TG*, p. 37). Sobre esta afirmación de nuestro poeta se sustenta otra posterior: la poesía es arte de *creación*, mientras que la literatura es, tan sólo, arte de *imitación*, de *copia*: «Porque la poesía —dice Juan Ramón— es en sí misma, es nada y todo, antes y después, acción, verbo y creación, y, por lo tanto, poesía, belleza y todo lo demás. La pretenciosa literatura tiene que contentarse con llegar, por un complicado rito, a la belleza espejada, que puede conseguir en su cristal un resplandor de la poesía, a fuerza de ser copiada de la escritura poética por sus imitadores» (*TG*, p. 38). En definitiva, la semántica no-poética es transitiva, extrínseca, convencional y lógica. La semántica poética es, por el contrario, intrínseca, intransitiva y estética. Esto es lo que dicen las palabras de Juan Ramón. El lenguaje de la literatura es representativo, depende de una realidad exterior que pretende comunicar; tiene un valor de letra de cambio; da la significación preexistente de las cosas. Es instrumento del intelecto constituido por símbolos significantes y su mayor mérito radica en *representar* adecuadamente una realidad exterior, existente antes de la escritura. El lenguaje de la poesía es, por el contrario, presentativo. No depende de realidad externa alguna, sino que crea nuevas realidades. Presenta las cosas, no las representa. [Ofrece revelaciones y no juicios. Disuelve la trabazón lógica del lenguaje ordinario, por lo que el *animus* llega a perder el sentido auténtico de la palabra poética. En definitiva, mientras que el lenguaje de la literatura es un medio para algo, el de la poesía es un fin en sí mismo.]

La literatura es *forma*, en tanto que la poesía es *esencia*. La primera fija los contenidos; la segunda los libera y los contagia. Así, puede decir Juan Ramón: «La letra (la literatura) mata. Es la esencia la que vive, la que contagia, la que comunica, la que descubre ...» (*TG*, p. 49). [Al contrario de lo que ocurre con la poesía, la literatura es expresión voluntaria y artificial. Ha inventado la retórica y la norma, «que es el juego malabar de los escritores listos», y juzga el valor de las obras de acuerdo con dichas normas retóricas, de acuerdo «con la ciencia conceptual que es su tesoro limitado» (*TG*, p. 39). Como la poesía es vida, está obligada a romper constantemente *el orden*, para existir. La literatura, en cambio, es tanto más perfecta, cuanto más se ajusta al orden establecido, a las reglas del juego.]

La literatura es un arte de espacio y tiempo limitados; la poesía lo es de eternidad. Arraigada en lo temporal, la *literatura* no logra trascender sus límites históricos y culturales, mientras que la *poesía*, «con sus entradas y salidas de lo temporal en lo eterno ... ve hacia dentro y camina hacia fuera, uniendo en su caminar y su ver el principio y el fin: la eternidad» (*TG*, p. 47). Centrando su atención en lo que es *esencia*, la poesía es la sonda que mide la profundidad espiritual de una cultura; es una, idéntica siempre a sí misma, y da cuenta de la unidad y continuidad que subyace a todo cambio en el proceso histórico. La literatura, por el contrario, mide la profundidad del estrato intelectual; acoge lo móvil y pasajero, dando cuenta de los cambios históricos que todo proceso lleva consigo. Tal distinción determina el carácter metafísico de la poesía, frente al filosófico de la literatura, y hace, además, que la poesía auténtica se escape con frecuencia a las grandes clasificaciones y periodizaciones de la historia de la literatura. [...]

Finalmente, la *poesía* es arte, mientras que la *literatura* es, ante todo, técnica. La técnica se caracteriza por distinguir entre medios y fines, entre proyecto y ejecución, entre autor y destinatario. Emplea la literatura, con deliberada intención, ciertos elementos para obtener tales efectos. El resultado es conocido de antemano y condiciona, por tanto, los medios que han de ser empleados. No actúa así el arte. Éste nace y surge por sorpresa para el creador mismo. Es, dice Juan Ramón, hallazgo y misterio para el autor, que, por supuesto, no conoce el resultado.

De acuerdo con la raíz idealista de su pensamiento, opina Juan Ramón que la verdadera obra de arte existe o se realiza en el espíritu del artista o del lector, y su valor estético es independiente de su objetivación física. Su objetivación, por la escritura, es ya producto de la puesta en funcionamiento de ciertas técnicas utilizadas siempre como medios para la consecución de un fin. [...]

Al igual que Bremond, Juan Ramón, para definir la esencia de la poesía, ha de recurrir a términos imprecisos tales como *misterio* o *encanto*. La línea de su argumentación, con todo, es de una claridad meridiana.

Comprobamos que lo que Juan Ramón pretende no es definir una «forma» de poesía, sino aislar la *esencia* de lo poético. Y para nombrar dicha esencia aceptará el término *poesía pura.* [...] Hay que ligar el concepto juanramoniano de *poesía pura* con la tesis de Henri Bremond y no con la de Paul Valéry. *Pureza* no significa para él ni supresión de lo vital, ni eliminación de la experiencia. La poesía de Juan Ramón se llama *pura* y *abierta*, o simplemente poesía, para diferenciarse de la retórica. Pero hay que tener presente que no pierde nunca su raíz existencial. Frente a la pureza de fabricación, lograda por la destilación, análisis y selección de los distintos elementos fundantes del poema, para nuestro autor, lo relevante, hablando de poesía, es la fuerza de irradiación y transformación de una realidad misteriosa e inefable, sin la cual jamás habrá poesía posible. Dicha fuerza se puede experimentar, pero no definir conceptualmente. Escapa por ello al análisis y a la selección.

RICHARD A. CARDWELL

LOS «BORRADORES SILVESTRES» JUANRAMONIANOS

[La obra primera de Juan Ramón Jiménez exige el planteamiento de dos problemas.] El primero es ¿cuáles fueron los motivos de los reparos de los críticos contemporáneos además de cuestiones de innovación estilística? El segundo es ¿por qué afirmó Jiménez que «mis libros anteriores, los de mi primera juventud enfermiza y triste sobre todo, que a nadie pueden beneficiar con su lectura, no debieran figurar ni ahí ni en ningún sitio»? La respuesta a estas dos cuestiones se hallará en un examen crítico más serio de los «borradores silvestres». *Ninfeas* y *Almas de violeta* son, sin duda alguna, obras importantes en la historia del modernismo español. Precedieron a la obra de los hermanos Machado, Oteyza, Ortiz de Pinedo, Leyda, Urbano, y son contemporáneas de las publicaciones tempranas de Martínez Sierra y Valle-Inclán. Entre los jóvenes sólo Villaespesa publicó antes que él. Es extraño que tan consistentemente se hayan desatendido

Richard A. Cardwell, «Los "borradores silvestres", cimientos de la obra definitiva de Juan Ramón Jiménez», *Peñalabra,* n.º 20 (1976), pp. 3-6.

estas colecciones y aún más teniendo en cuenta que las escribió el mayor poeta del modernismo español.

Se ha descartado la obra juvenil como «balbuceos líricos», «versos ingenuos» y «un mero preludio mocil». A esta obra nunca le ha sido otorgada la atención seria que merece como indicio de la perspectiva poética del poeta en los años finiseculares y una parte esencial de la voz de su generación. Comentó Palau de Nemes [1957] de mala gana en *Vida y obra de Juan Ramón Jiménez* que «estos primeros versos ... no eran más que ensayos modernistas y demostraban una confusión de procedimientos natural en un principiante romántico y desorientado ante las tendencias poéticas en pugna; pero aún en la forma tenían valor» (p. 69), juicio que es bastante representativo del punto de vista de los otros biógrafos y críticos juanramonianos. La afirmación de Guillermo Díaz-Plaja [1958] en *Juan Ramón Jiménez en su poesía* de que «no procedemos a un análisis crítico de estos versos que el poeta repudió en seguida» (p. 95) es, probablemente, el ejemplo más extremo.

No obstante, dentro de la poesía juvenil, se expresan una perspectiva y un criterio sobre la vida que compartieron comúnmente no sólo el grupo modernista, sino también la generación del 98 contemporáneo. Hay muchos críticos que han descrito el modernismo en términos de «la crisis universal de las letras y del espíritu, que inicia hacia 1885 la disolución del siglo XIX ... un hondo cambio histórico», «un estado de conciencia» o «an age of spiritual unrest» («una época de desasosiego espiritual»). Otros, como Gullón, Schulman y González han hablado de los aspectos ideológicos y «románticos» del movimiento sin destacar el tipo de romanticismo del cual se trata. Mi posición coincide con la de Donald L. Shaw, de H. Ramsden y de los comentaristas contemporáneos que reconocieron que la ideología dominante del movimiento en España fue la forma «negativa» o «escéptica» del pensamiento romántico.

Es una cuestión de desorientación espiritual y duda metafísica. En 1884 Luis Ruiz Contreras se quejaba en *Desde la platea (Divagaciones y crítica)* de que «la moderna sociedad sintió que un gusanillo cercenaba sus más profundas raíces ... La fe se desvanecía, y la desconsoladora duda se hizo reina» (p. 117). En *Alma contemporánea* (Huesca, 1899) J. M.ª Llanas Aguilaniedo atestiguaba que «han aparecido ... síntomas equívocos de vejez y decadencia; el pesimismo, ... la solemnidad de un Nietzsche, ... el gesto del escéptico y del desengañado» (p. 47). En 1903 se lamentó U. González Serrano de una manera parecida en *La literatura del día* (1900 a 1903) (Barcelona, 1903) de que «huye la juventud con honda melancolía de la fe perdida» (p. 35). Todavía a una fecha tan tarde como el año 1907 encontramos a Antonio de Zayas que notaba en *El Modernismo (Ensayos de crítica histórica y literaria)* (Madrid, 1907) que «la mayor parte de los adalides del modernismo (espíritus inquietos) ha llegado a considerar la vida ... como un verdadero tópico, (como un) concepto desconsolador y enervante ... (con) cínico desdén ... (hasta) un escepticismo gélido» (pp. 394-396). Fue sobre la cuestión de la pérdida de valores absolutos, religiosos, morales, éticos o filosóficos, que una hueste de críticos —Antonio de Valbuena, Leopoldo Alas, Joan Maragall, Juan Valera, Marcelino Menéndez Pelayo, P. Blanco García, Emilio Bobadilla, etcétera— se juntaron para atacar y condenar la heterodoxia de la joven generación naciente. [...]

Creían muchos que este fenómeno, el *criticismo* romántico, había puesto en peligro la estabilidad de la sociedad y las creencias colectivas, intelectuales, religiosas o morales, en las cuales se fundaba. «Pronto —fulminó Ferrari, en palabras que recuerdan al prólogo a las *Poesías* de Zorrilla escrito por Pastor Díaz en 1837— sobreviene un desasosiego enfermizo, que, al turbar la conciencia colectiva, enerva el espíritu público, y al pervertir la voluntad común, destruye los resortes del civismo» (p. 16). Éste, pues, es el motivo del antagonismo frente al arte modernista en España y frente a la poesía temprana de Juan Ramón Jiménez en particular. La desorientación espiritual es el fenómeno central del movimiento modernista tanto español como hispanoamericano. [...] «Nada ha amargado más las horas de meditación de mi vida —anotó Darío en su *Historia de mis libros*— que la certeza tenebrosa del fin. Y cuántas veces me he refugiado en algún paraíso artificial, poseído del horror fatídico de la muerte.»

Pero, diría uno, ¿tiene que ver todo esto que estamos discutiendo con un poeta que dedicó toda su vida y toda su obra a la creación de la belleza y el descubrimiento del Dios deseado y deseante? La respuesta se encontrará en los poemas que aparecieron en las revistas y en las dos primeras colecciones publicadas en Madrid en el otoño de 1900. Comenta correctamente Palau de Nemes en su biografía renovada [1974] que «La angustia y la inquietud de vago tipo religioso estaban presentes en la primera poesía juanramoniana, escrita antes de 1900» (p. 312). «En el fondo —continúa— [le] movía la voluntad de vencer el escepticismo de la época ... [Él] alimentaba anhelos de salvación a través del arte» (p. 492). Esta afirmación recuerda a las palabras de Darío que arriba se acaban de citar. Tenemos en la poesía juanramoniana, tanto como en la de Darío, el mismo fenómeno. [...]

Un breve análisis de algunos poemas juveniles serviría, entonces, para confirmar mi punto de vista. En fecha tan temprana como 1895 cuando el poeta estaba todavía en el colegio jesuita escribió «Plegaria» que recuerda a Espronceda y a los poemas de la duda de Núñez de Arce. En este poema encontramos la búsqueda de una respuesta satisfactoria a los problemas de la verdad, la muerte y la finalidad última y el rechazo de cualquier solución religiosa convencional. En «Vanidad» se da cuenta de que «iremos a la nada» como en «triste ley» reconoce que la hermosura de la naturaleza y del mundo que le rodea no es eterna sino que «al fin vuelve a parar todo en la nada». En «Nocturno», «Horrible mascarada», «El paseo de carruajes» y «Farsa triste» (inédito) subraya Jiménez la locura de confiarse en los placeres sensuales y destaca la vanidad de las ilusiones y el carácter efímero de la felicidad humana. En pocas palabras, expresa Juan Ramón la nada de la existencia y el fracaso de la ilusión frente a la ausencia de cualquier forma de divinidad o una interpretación armoniosa de la vida. [...] En «Nubes» (*Almas de violeta*) el sentimiento y el pensamiento buscan un ideal consolador —«puras tintas nacaradas»—. Descubren también «fatídicas notas enlutadas / y luz y fría sombra». El pensamiento («Sol») llega a disfrutar de «vida» y «colores», pero de vez en cuando le llegan visiones como «un muerto ... en sudario fúnebre cubierto». Aquí Juan Ramón se hace eco del espíritu de las famosas líneas byronianas: «Sorrow is knowledge: they who know the most / Must mourn the deepest o'er the fatal truth, / The tree of knowledge is not that of life» (Manfred) («El conocimiento es el dolor: los que saben más son los que son angustiados por la verdad amarga, el árbol de la ciencia no es el árbol de la vida»). También se hace eco del descubrimiento de Mallarmé y otros simbolistas, el que dentro de la belleza misma, del ideal tan anhelado, yace una verdad, pero una verdad que amarga antes que consuela.

Quizá se encuentra el mejor ejemplo de la confrontación con los problemas metafísicos en «La niña muerta». La cuestión fundamental que pone el poeta es ¿cómo acomodará la mente racional un sino arbitrario e inexplicablemente inmerecido (planteado por el sufrimiento y la muerte de los inocentes) con una creencia en una explicación de la existencia últimamente armoniosa y providente? [...] La existencia de lo feo y lo injusto; dos problemas metafísicos, el uno estético, el otro ético y moral. Era la herencia romántica de un pesimismo sistemático y de duda en la obra juanramoniana y las varias posturas que adoptó el poeta para solucionar el dilema —decadencia, esteticismo, exotismo de evasión— que ocasionó la crítica en las columnas de las revistas contemporáneas y provocó la ruptura con Rueda quien pronto formará una alianza con Ferrari.

¿Por qué rechazó posteriormente su obra juvenil? Si el arte se convirtió en el único baluarte frente a la duda y los enigmas insolubles y la única fuente de autoengaño, también se convirtió en el último absoluto y el punto de apoyo final para la vida. [...] En poemas tan tempranos como «Ofertorio» y «Somnolenta» (*Ninfeas*) encontramos los primeros relatos del viaje poético hacia alguna forma de ideal estético. Pero a pesar de todo, como se ve en «Mis demonios» y «Titánica» en la misma colección, el viaje hacia la «Verdad» de la belleza no solamente trae *ensueño*, *delirio*, «espléndidos fulgores de un Sol pródigo en vida y colores» («Nubes») (que simbolizan el conocimiento del ideal y la consolación que lo acompaña), sino «el sarcástico desencanto que deja al poeta gimiendo entre las sombras del frío abismo de la verdad ...». Lo que sigue en los próximos dieciséis años es la exploración de esta paradoja. Se encuentra en estos poemas un concepto de la belleza como el único absoluto, y, al mismo tiempo, se ve que encierra en su centro la conciencia misma de la nada que este ideal anhelado debía de haber sustituido.

En *Elejías puras* (XI) Juan Ramón busca en la belleza «una ilusión de aurora que encante la tristeza». [...] La experiencia de su matrimonio y el viaje trasatlántico, junto con un conocimiento más profundo de las teorías de Bergson y la literatura de Rabindranath Tagore, Yeats, Blake y la poesía oriental, le mostraron a Jiménez que la nada que yace en el corazón de todo y el flujo inexorable del tiempo puede considerarse de un modo menos racional. Es decir, que dentro de la muerte, la mudanza, el decaimiento y la nada yace un espíritu de continuidad, una conciencia, un flujo espiritual que es la esencia misma de la eternidad. «Ni más nuevo, al ir, ni más lejos; más hondo»; escribió en el prefacio de *Diario de un poeta reciencasado*. Lo que buscaba era «la igualdad eterna que ata por dentro lo diverso en un racimo de armonía sin fin y de reiteración permanente». La mutabilidad es, en el fondo, permanencia; la nada una sustancialidad. Por eso describió Juan Ramón el *Diario* como «un libro metafísico». Es aquí que empieza aquella *Obra en marcha*, la búsqueda por aquel flujo, aquella conciencia, la «sucesión». [...]

Pero, a fin de cuentas, fue la duda que formaba el motivo, la dinámica que propulsaba al poeta hacia su ideal. Era el constante anhelo por un valor que le sostuviera, que le fuese duradero y eterno, denegado por los reparos de su escepticismo que creó lo que llamó Jiménez su «éxtasis dinámico». Era un movimiento que se realiza, pero al mismo tiempo parece deshacerse frente a la duda. Como decía Unamuno, era una fuerza que «se teje y se desteje a un tiempo». Esto es la «sucesión» juanramoniana, un constante devenir hacia un dios posible por la poesía. Su fuerza impulsora fue la duda como explicó en «Sobre mis lecturas en la Argentina» en 1949. Se dio cuenta al fin de su vida que su ideal no se realizaría por un proceso consciente, sino por el solo hecho de desearlo y dudar que se realizara. Entonces el ideal se hará por sí mismo en proceso de evolución natural. Pasó Juan Ramón por la duda racional hacia un desasosiego espiritual hasta la idea o la intuición de un devenir constante, la «sucesión». Dijo:

«Yo tengo un amigo norteamericano que cree que todas las utopías concebidas por el hombre puede el hombre realizarlas, y realizarlas ya, ahora; seguro él de que todo está, nada más, en la medida del deseo. Yo creo lo mismo. ¿Pero cuándo vamos a dejar la realización de nuestras ambiciones ideales? En lo que a mí toca, puedo asegurar que esa letra melancólica que ha goteado en la cóncava penumbra de mucha de la escritura de toda mi vida no vino, no es de ninguna de las fuentes ni por ninguno de los motivos que una crítica noble o soez ha querido suponer en mí, sino sólo por esa ansia, temblorosa de duda, de querer realizar una clarividencia sucesiva» (*La corriente infinita*, Madrid, 1961, p. 258).

Esta afirmación, como la repudiación de las poesías primerizas, es un ejemplo del autoengaño del poeta. No quiso admitir el aspecto negativo de la duda de los años finiseculares. Después de haber concebido, como concibió Unamuno, una «feliz incertidumbre» no quiso volver atrás. Estos párrafos han querido clarificar lo que no ha querido suponer «una crítica noble o soez».

IGNACIO PRAT

JARDINES LEJANOS

Acertaba Gregorio Martínez Sierra, en su reseña de *Jardines lejanos*, advirtiendo: «Hay que decir que estos jardines no son de ensueño, aunque el ensueño viva en sus avenidas y bajo sus fuentes; son jardines reales, jardines de España». Siete son, exactamente, las referencias directas a escenarios y personajes españoles en el libro. [...] En otros momentos, los escenarios se presentan inequívocamente como franceses: «He venido a este oculto sendero, / a soñar a la luna de Francia» (I, 10); «¡Noche de luna, divina / noche de luna de Francia!» (I, 24). Cuatro son las «amadas de España» citadas por sus nombres de pila («Gloria», «Blanca», «María» y «Rosa»), por tan sólo dos francesas («Magdalena» y «Francina»), pero el nombre de «Francina» aparece en doce ocasiones, y la más citada de las españolas, «María», lo es únicamente en tres ocasiones. Habría que corregir, por consiguiente, el juicio de Martínez Sierra, añadiendo a su acertada estimación realista y biográfica de los jardines de *Jardines lejanos* que éstos son, sí, «jardines de España», pero que también son *jardines de Francia.*

Jardines, además, «lejanos» en el tiempo y en el espacio. Juan Ramón los vio por primera vez el 8 de mayo de 1901: en esta fecha llegaba desde Moguer, acompañado por Federico Molina Alcón, a la Maison de Santé du Castel d'Andorte, en Le Bouscat, *commune* muy próxima a Burdeos; el pabellón central del sanatorio (obra del arquitecto Victor Louis, el autor del Grand Théâtre de Burdeos), donde iba a alojarse el joven enfermo hasta su regreso a España, estaba rodeado por siete hectáreas de arboledas y jardines cuidadosamente mantenidos. [...] El propio Juan Ramón describió en muchas ocasiones, antes de 1904, el «solitario y hermoso parque elejíaco» de Castel d'Andorte, desde que «Ya en Burdeos ..., sin proponérmelo, empecé de nuevo a cantar, una tarde dorada, una noche de luna llena, una aurora rociada y fresca, un romance, con una resurrección del de Espronceda, "Está la noche serena"» (el romance aludido es, no «Noche de mayo» de *Rimas*, que comienza «Está la noche

Ignacio Prat, ed., Juan Ramón Jiménez, *Jardines lejanos*, Taurus, Madrid, 1982, pp. 20-30.

tan clara / tan dulcemente serena», sino «Primavera y sentimiento» del mismo libro).

En un «oculto sendero» de los jardines de Castel d'Andorte, bajo «una luna serena y luciente / que recuerda las lunas de España!» —como detalla el décimo poema de «Jardines galantes» (I, 10)—, el joven Juan Ramón tuvo su primera cita amorosa con una muchacha bearnesa llamada Marie-Françoise Larrègle, que prestaba sus servicios en la cocina del sanatorio, a las órdenes de la *grande-cuisinière* Lucie Barthe. La llamaban familiarmente «Francine», que es hipocorístico de «Françoise» (en español: «Francina»). En el poema publicado, la presencia de «Francina» se entrevé hacia la cuarta estrofa para descorporeizarse del todo en la sexta, donde «en fin, / todo adorna lo azul, como para / que Francina descienda al jardín...»; sin embargo, en el manuscrito del mismo texto, que se conserva en Puerto Rico, la muchacha se presenta en plena realidad y llega a levantar «sus cálidos pechos / hasta mi corazón por saciarme, / para hacer saber que están hechos / [de] un perfume que puede matarme», y se cumple, en suma, una relación sexual en cuyo *climax* los amantes intercambian tactos, abrazos y besos. El origen biográfico del poema y de su manuscrito más extenso viene documentado por una página inédita destinada a «Recuerdos sentimentales», de hacia 1902, donde se dice: «Francina: parque Burdeos; sendero oculto; noche plateada; —que vuelan por las ramas; vaho que se eleva de la tierra regada; al pasar yo los ojos de ella brillan; ... su cuerpo virgen, blanco y tibio, joven —— es entregado bajo los ... la luna serena sobre el cielo ilusionado y divino recuerda la luna de España, una luna serena y radiante que recuerda las lunas de España» (nótese que varios sintagmas y frases pasan con pocas variantes al texto editado). Por el análisis de otros indicios, que sería largo desarrollar aquí, el hecho histórico debió de tener lugar, en las circunstancias explicadas, hacia el 18 de mayo.

«Francina», la más importante de las «amadas» de *Jardines lejanos*, vuelve a aparecer en el poema número XIV de la misma sección «Jardines galantes». Se evoca otro encuentro amoroso, también nocturno, en el mismo «parque dormido» del sanatorio, y en el que participa una «Magdalena» (es decir, «Madelaine»). «Las bocas / de ellas ponen su fiebre en la mía»; ellas, «Francina» y «Magdalena», «Parecen dos locas / que me quieren volver la alegría». Como en el manuscrito del primer poema comentado, se expresa el «miedo» al tipo de muerte que puede representar el acto sexual (vv. 11-16). No se conserva el manuscrito de este texto, pero sí algunas variantes autógrafas tardías, de hacia 1947-1950, sobre las páginas [61]-62 de un ejemplar de *Jardines lejanos* separadas del cuerpo del volumen; la única variante de interés es «Evelina» (ms.) por «Francina» en los versos 1-4: «Somos tres: Magdalena, Francina»: quizá, durante la última revisión del poema, el autor recordó que en el episodio erótico de 1901 las muchachas eran la *fille de chambre* Madelaine y una tal Eveline (de la que no se tiene otra noticia), no participando entonces Francine; aunque, en vista de la última corrección, y suponiendo la historicidad del hecho, cabría pensar en una tergiversación voluntaria temprana, de la que salía beneficiada «Francina» frente a la episódica «Evelina».

El poema número XVII de «Jardines galantes» se dedica a los besos cambiados con «Francina» «en la primavera» de 1901 (se introduce con una cita de Suero de Ribera: «su beldat mucho floresce»), el tiempo es de atardecer (v. 15), y «las fuentes [que] iban al cielo / con su plata temblorosa...» pueden recordar las dos que efectivamente había en el parque de Castel d'Andorte, una de ellas con surtidor. El verso 15, «La tarde de abril moría», es, sin embargo, inaceptable desde la perspectiva biográfica, pues, como se sabe, en abril de 1901 Juan Ramón seguía en Moguer; con todo, la palabra «abril», incorrecta históricamente (¿por mayo?), impide una hipermetría.

El poema número XXIV de «Jardines galantes» cierra el pequeño cancionero a «Francina» en *Jardines lejanos*. Se trata, a diferencia de los otros tres, de una evocación: un aroma mentalizado actualiza el nocturno con luna de Francia como marco de las relaciones físicas entre el poeta y la muchacha bearnesa, concretamente en el perfume (olido y gustado) de sus pechos y en los besos mutuos (los de ella «¡eran ... tan sabios!»). [...]

Aparte de los textos en que la presencia de las «amadas» francesas evidencia la nacionalidad de sus motivos inspiradores, tanto humanos como ambientales y paisajísticos, otros muchos poemas de *Jardines lejanos*, sin referencias directas a esos motivos, tuvieron su origen en recuerdos del viaje a Francia de 1901. Por ejemplo, nada parece indicar, a primera vista, que el séptimo poema de «Jardines galantes» sea de tema francés. Por el contrario, son palmarias las alusiones a España (la «marcha real», vv. 16 y 52) y, en concreto, a la tierra natal: la romería del Rocío y los instrumentos musicales y aderezos típicos de esta celebración (vv. 35, 41, 44 y 50), el valle de Montemayor (v. 41) y «mi balcón» (vv. 30 y 54), o moguereño o madrileño, pero nunca francés. [...] En otros casos, una tabla de concordancias convincentes puede sacar a la luz el tema francés no explicitado. Así, el poema número XXV de «Jardines galantes», con su «fiesta en la fronda», «en los jardines / llenos de faroles rojos», amenizada por «los valses de los violines» y su «serenata / galante», halla muchos ecos en el primer poema de la sección, con su «fiesta en el jardín», sus «rizados faroles», sus «violines dolientes» y su «nostálgica sonata», además de numerosas notas coincidentes. Y, por añadidura, se conserva también una versión tardía de este poema, con muchas e importantes variantes (entre ellas, el título: «Los ayes de los violines») y estas dos precisiones capitales a pie de texto: «(Burdeos)» y «(1901)».

VÍCTOR GARCÍA DE LA CONCHA

PLATERO Y YO, UN LIBRO KRAUSISTA

No se ha prestado suficiente atención, a mi juicio, al significado de esa categorización crítica con que J. R. J. bautizó su libro, «Elejía andaluza». Desde las pastorales de Teócrito a Rilke hay un tipo de elegía que, sin perder la referencia implícita a un hecho doloroso o a una añoranza, enfatiza de manera positiva la comunión por el sentimiento con el espíritu trascendente que subyace en los seres. Un texto del *Platero* me parece revelador a este respecto, «La fuente vieja»: «Blanca siempre sobre el pinar siempre verde; rosa o azul, siendo blanca, en la aurora; de oro o malva en la tarde, siendo blanca; verde o celeste, siendo blanca, en la noche; la Fuente vieja, Platero, donde tantas veces me has visto parado tanto tiempo, *encierra en sí como una clave o una tumba toda la elejía del mundo, es decir, el sentimiento de la vida verdadera*» (p. 682). Si hay una lectura positivamente excluida del *Platero y yo* (y de las docenas de cuadros escritos en su misma clave) es la fabulística: «Claro está, Platero, que tú no eres un burro en el sentido vulgar de la palabra, ni con arreglo a la definición del Diccionario de la Academia Española ... Así, no temas que vaya yo nunca, como has podido pensar entre mis libros, a hacerte héroe charlatán de una fabulilla, trenzando tu expresión sonora con la de la zorra o el jilguero, para luego deducir en letra cursiva la moral fría y vana del apólogo» («La fábula», pp. 709 ss.). Me pregunto si J. R. J. no estaba presagiando montones de lecturas críticas que naufragan en lo anecdótico. [...]

Trascender lo anecdótico no quiere decir ignorar la vinculación del *Platero y yo* a una concreta circunstancia histórica. Todo lo contrario. Es la circunstancia la que sirve de trama a la dramaticidad de la elegía. Desde esa cancela amarilla J. R. J. contempla un Moguer muy diverso del de su infancia: Ha llegado la época de «la vendimia»: «este año, Platero, qué pocos burros han venido con uva. Es en balde que los carteles

Víctor García de la Concha, «La prosa de Juan Ramón Jiménez: lírica y drama», en *Actas del Congreso Internacional sobre Juan Ramón Jiménez* (Moguer-La Rábida, 1981), 1983. Las citas de Juan Ramón siguen la edición de *Libros de prosa*, Aguilar, Madrid, 1969.

digan con grandes letras: *A seis reales.* ¿Dónde están aquellos burros de Lucena, de Almonte, de Palos...? Veinte lagares pisaban día y noche. ¡Qué locura, qué vértigo, qué ardoroso optimismo! Este año, Platero, todos están con las ventanas tabicadas y basta y sobra con el corral y con dos o tres lagareros» (p. 642). Y «El río»: «Mira, Platero, cómo han puesto el río entre las minas, el mal corazón y el padrastreo ... Antes los barcos grandes de los vinateros, laúdes, bergantines, faluchos ... ponían sobre el cielo de San Juan la confusión alegre de sus mástiles ... El cobre de Ríotinto lo ha envenenado todo. Y menos mal, Platero, que con el asco de los ricos comen los pobres la pesca miserable de hoy ... Pero el falucho, el bergantín, el laúd, todos se perdieron» (p. 671). No hace falta aclarar más ni deducir más pruebas, que pueden encontrarse en cuadros como «Los fuegos» (p. 674), «Mons Urium» (p. 707), «La granada» (p. 673), «El cementerio viejo» (p. 675), «La vieja plaza de toros» (p. 678), «El molino de viento» (p. 714). Me apresuro, sin embargo, a aclarar que J. R. J. no se opone de ninguna manera al progreso. Como vamos a ver en seguida, se opone a una idea chata de progreso, al progreso ficticio, meramente material. Pero la dramaticidad rebasa ese contraste entre el Moguer de la infancia y el que J. R. J. contempla tras el revés de la fortuna familiar (cf. los «Diálogos» de las *Flores de Moguer*) donde, mientras unos hombres pasan de un lado a otro midiéndolo todo, hablando de fanegas, aquéllas añoran al poeta que les quitaba «las hojas enfermas» y las miraba «con dulces ojos negros».

Hay otra tensión de dramaticidad que se establece entre las múltiples antinomias en que se especifica la pugna general del arte y la muerte. Ya desde los primeros cuadros, cuando al «Anochecer» el poeta regresa del campo al pueblo con Platero cargado de mariposas blancas, el consumero, «un hombre oscuro, con una gorra y un pincho, roja un instante la cara fea por la luz del cigarro, que baja de una casucha miserable perdida entre sacos de carbón, quiere clavar su pincho de hierro en el cándido alimento ideal». «Fuegos del anochecer» (p. 551), «El niño y el agua» (p. 601), y, sobre todo, «Los húngaros» (p. 558) subrayan el contraste de lo astroso, *por falta de cultura*, con la belleza del campo inmediato: «Míralos, Platero, tirados en todo su largor, como tienden los perros cansados el mismo rabo, en el sol de la arena». Todo podría redimirse con una educación de la sensibilidad, al modo con que un rayo de sol redime en «La cuadra» (p. 563) un muro *astroso* al colarse por el tragaluz. Cuando el sol falta, vale decir, cuando falta la claridad de visión, todo se degrada. Recordemos «El eclipse»: las onzas de oro se hacen plata y luego cobre; Platero parece entonces —dice el poeta— un burro menos *verdadero*, diferente y recortado, un burro reducido a la empobrecedora dimensión que le confiere la definición del diccionario. Se trata, pues, de saber mirar: «¿Realismo májico? —pregunta J. R. J. en uno de sus textos de poética—.

Todo realismo lo es. Somos nosotros los que podemos ser o no májicos». Pensemos, pongo por caso, en «Don José, el cura»: «El árbol, el terrón, el agua, el viento, la candela; todo esto tan gracioso, tan blando, tan fresco, tan puro, tan vivo, parece que son para él ejemplo de desorden, de dureza, de frialdad, de violencia, de ruina» (p. 576). Con un viejo hábito de corte krausista, J. R. J. sabe descubrir la victoria del arte sobre la muerte en los seres más débiles: en «El niño tonto» (p. 567), en «Anilla la manteca» (p. 568), «El perro sarnoso» (p. 580), «La tísica» (p. 608), «La niña chica» (p. 653), «Pinito» (p. 669), «El viejo canario» (p. 655), o «El burro viejo» (p. 694). Pero no es lo habitual: a los hombres les falta sensibilidad. [...] En una de sus *Notas*, la 262, se lamenta J. R. J.: «En España, escribir, filosofar, pintar, componer música, en serio, es y seguirá siendo ¿siempre? llorar». Y añade: «Éste ha sido el secreto poco visto de mi tristeza de poeta solitario». Dolor, pues, de España.

[Los 138 cuadros del libro no han sido elegidos al azar ni están dispuestos de ese modo. Componen, en cuidada trabazón dialéctica, la vividura de un concreto pueblo español a lo largo de un año. Comienza en la primavera, al filo de la Semana Santa y concluye hacia el «Carnaval» (p. 711) del año siguiente, allá por el mes de febrero. Cuatro series de cuadros jalonan cada una de las cuatro estaciones; anoto aquí los que presentan una marca de referencia temporal expresa]:

PRIMAVERA: «Mariposas blancas» (550), «Judas» (556), «Golondrinas» (562), «Retorno» (574), «La primavera» (557), «Idilio de abril» (583), «El Rocío» (606), «Albérchigos» (614).

VERANO: «Corpus» (619), «Paseo» (621), «Gorriones» (629), «El verano» (632), «El arroyo» (635), «Domingo» (637), «Los toros» (639), «Tormenta» (641), «Nocturno» (644), «Los fuegos» (647).

OTOÑO: «Vendimia» (642), «Pasan los patos» (652), «El otoño» (658), «El perro atado» (659), «Tarde de octubre» (662), «El racimo olvidado» (665), «Idilio de noviembre» (687).

INVIERNO: «La llama» (691), «Convalecencia» (693), «El burro viejo» (694), «El alba» (695), «Navidad» (697), «El invierno» (699), «Leche de burra» (700), «Noche pura» (702), «Los Reyes Magos» (705), «Carnaval» (711), «León» (712).

«España me parece un gran ataúd negro, todo lleno de sol poniente.» Este aforismo juanramoniano, recogido en *Notas*, nos aclara en buena medida el planteamiento del *Platero y yo.* Cuando Ortega, dentro de los planes operativos, propone a J. R. J. que se convierta en el poeta castellanista de la generación de 1914, una mezcla de Unamuno y Machado, el moguereño protesta porque lo que él se propone es bien diverso y concreto: exaltar su pueblo a dimensión universal. Con ello, es sabido, J. R. J. se sentía en los antípodas del costumbrismo castizo, tan explotado en plástica, literatura y música por los artistas del impresionismo folklórico, de la escena —denuncia él— «de vito y tango». «Yo soy un enamorado de mi pueblo, del pueblo universal ...; pero un sentimiento más humano que estético, y quiero ser poeta, me lleva a desear este mejoramiento, esta obra social, aunque se pierda y pierda yo la escena pintoresca ...» No es lo pintoresco el objetivo de la narración contemplativa de J. R. J., que dice: «Del pueblo se debe exaltar lo que no puede cambiar con este cambio, con este mejoramiento social: la raíz pura y libre, la intemperie, el panteísmo ...». No se opone, pues, J. R. J. al progreso de Moguer ni el *Platero y yo* es la crónica de la añoranza del Moguer perdido. Lo que J. R. J. rechaza es la reducción del progreso a las mejoras exclusivas de las condiciones del bienestar, porque éste empantanaría al pueblo —son sus palabras— en el purgatorio de la burguesía. Hay que lograr, por contra —de nuevo Giner al fondo—, la *aristocracia de intemperie*, cultivar la sensibilidad del pueblo, ensanchando su ámbito de inteligibilidad, para que el pueblo, repitiendo el esquema del prototipo krausista del hombre, sea un pueblo en desarrollo, en sucesión.

Tal dimensión universalizadora, que convierte al *Platero y yo* en la ejemplificación práctica de los ideales de Krause, no elimina, antes bien reclama, el enraizamiento en el medio popular propio. En un texto de 1907 proclama J. R. J. la necesidad de matizar el castellano, de hacerlo —dice— «más aéreo, más hermoso». [...] La depuración de lo instintivo espontáneo por la conciencia rigurosa define el trecho que separa el cuadro impresionista artístico del chafarrinón de pandereta. Sabemos por el mismo J. R. J. que muchos cuadros del *Platero y yo* fueron esbozados en diez minutos, pero él mismo revela el trabajo de doma de la expresión cuando le recuerda a Platero cómo «te obligaba, siempre tenso, al ronzal, lastimándote el cuello gris, hasta la sangre». En cada recodo de la página acechan al poeta elegíaco las tentaciones de la canalla: lo anecdótico fácil, la delicuescencia y, para colmo, el poeta se ha propuesto elidir el dramatismo —que no la dramaticidad— y pasar del discurso frasístico propio del juicio dramático a la palabra en que ha de condenarse la intuición épica.

MICHAEL P. PREDMORE

EL TEMA PRINCIPAL DEL *DIARIO*

Hay muchos pasajes oscuros y difíciles en el *Diario*. Los intentos para descifrarlos (ya se trate de poemas individuales o de secciones enteras) serán inadecuados, en mi opinión, si uno se dirige sólo a una parte del conjunto y no a su totalidad. Una primera o segunda lectura del *Diario* bastan para advertir al lector que hay poemas interrelacionados. Por ejemplo, el «¡No!» (II, poema 44) parece estar en contradicción con el «¡Sí!» (III, poema 56) de algunos poemas posteriores. El problema de «verdad» y «mentira» de las partes tercera y cuarta (poemas 124, 129, 161 y 186) parece resolverse al final de la parte cuarta en «¡Verdad, sí, sí!» (poema 191). Algunos poemas de la parte cuarta llevan el mismo título que en la parte segunda («Nocturno», «Sol en el camarote», «Mar», «Niño en el mar») lo cual ciertamente no es sólo casualidad. También se hallan configuraciones de imágenes —la figura del niño, las escenas del cementerio, la imagen del barco a lo largo de la parte tercera, cuando el poeta está en tierra— que aparecen reiteradamente en las cuatro primeras secciones. Con esta evidencia como directriz, parece legítimo interpretar pasajes oscuros y difíciles de ciertos poemas a la luz de la información y claves que se dan en otros poemas. El mejor modo para descubrir el sentido de una palabra o imagen oscura es irla estudiando a medida que va apareciendo en diferentes contextos. Si persistimos en este enfoque sistemáticamente, creo yo, el *Diario* nos revelará la mayoría de sus secretos.

El poema clave del *Diario* se encuentra al final de la parte cuarta, «Todo», dirigido al mar y al amor, en el punto central de una serie de siete, escritos todos ellos el 19 de julio. Éste es el punto culminante de una evolución muy cuidada y elaborada, e indica dramáticamente la índole hermética del mundo poético del *Diario*: «Verdad, sí, sí; ya habéis los dos sanado / mi locura. // El mundo me ha mostrado, abierta / y blanca, con vosotros, / la palma de su mano, que escondiera / tanto,

Michael P. Predmore, *La poesía hermética de Juan Ramón*, Gredos, Madrid, 1973, pp. 14-39 (14-17, 25, 27, 30, 38-41). Las citas del poeta siguen la edición *Libros de poesía*, Aguilar, Madrid, 1959.

antes, a mis ojos / abiertos, ¡tan abiertos / que estaban ciegos! // ¡Tú, mar, y tú, amor, míos, / cual la tierra y el cielo fueron antes! / ¡Todo es ya mío ¡todo! digo, nada / es ya mío, nada!» (p. 470). El poema nos habla en tono triunfante de un cierto número de cosas: que la «locura» del poeta ha sido curada por el mar y por el amor; que el mundo se le ha revelado en una forma que nunca antes había experimentado; que el mar y el amor han llegado a ser en la experiencia del poeta lo que la tierra y el cielo eran antes; que la posesión del poeta de «todo» se rectifica ahora y es descrita como «nada». El sentido de todo esto no sólo es oscuro, sino que no hay posibilidad dentro del poema mismo de llegar a una interpretación inteligible. Es interesante notar, sin embargo, que los versos 9 y 10 podrían estar relacionados en cierto modo con la propia observación hecha por el autor a Gullón: «Y tiene también una ideología manifiesta en la pugna entre el cielo, el amor y el mar». Quizás esta pugna tiene alguna relación con la sustitución de «tierra y cielo» por «mar y amor». De todos modos hay aquí una clave proporcionada tanto por la evidencia interna como externa, para hacer una investigación sistemática del sentido del *Diario.* ¿Qué valores específicos y qué significados adquieren las palabras «mar», «amor», «cielo» y «tierra»? ¿Qué es lo que se quiere decir con la referencia a «mis ojos abiertos, ¡tan abiertos que estaban ciegos!»? ¿Cuál es la índole de la «locura» del poeta?

[En los poemas de la primera parte del *Diario* el alma del poeta aparece como despertando de un sueño de recién nacido y en contraste con el tiempo pasado. Si el quinto poema contiene los elementos clave del simbolismo del libro, es en el titulado «Moguer» donde hallamos el núcleo esencial: el poeta quiere estar en Moguer y no dejar nunca su nido.] Éste es, pues, el conflicto íntimo esencial del *Diario de un poeta reciencasado*: la lucha constante entre el apego del niño a las fronteras familiares de su temprana existencia (el miedo infantil a dejar el nido) y el impulso hacia el amor, la madurez del adulto y la independencia. El choque de estas dos fuerzas da por resultado la «pugna» o «lucha» que el poeta mismo ha observado dentro y fuera de sus poemas. El temor infantil de no ser capaz de superar su dependencia del nido es excesivo y explica los «males infantiles» que obstaculizan la evolución de un amor maduro, como se declara en «Sol en el camarote». Los «males infantiles» producen varias obsesiones que se revelan mediante ciertas configuraciones de imágenes y que contribuyen a iluminar plenamente, creo yo, la «locura» del poeta. [...]

Contra el telón de fondo del tema principal (un amor adulto que lucha por realizarse), el sentido de la parte segunda se hace claro. La experiencia que el poeta tiene del mar intensifica las dudas sobre sí mismo porque se ve de pronto en un mundo nuevo y extraño, enajenado de todo el ámbito tan entrañable de su Andalucía. Incluso el cielo familiar parece haber sido olvidado y desconocido para él en su salida: «Cielo, palabra / del tamaño del mar / que vamos olvidando tras nosotros», en «Cielo» (poema 28, p. 242); «Se me ha quedado el cielo / en la tierra, con todo lo aprendido, / cantando allí», de nuevo en el poema titulado igualmente «Cielo» (poema 34, p. 250). Aunque el poeta se reconcilia finalmente con el cielo olvidado y lo redescubre en cierto sentido en el poema 43, no puede establecer contacto afectivo con el mar, que es fundamentalmente distinto de su nido del sur de España. La impresión constante del mar en la parte segunda es la de soledad; es algo sin vida, sin compañía, monótono, y produce un aburrimiento agobiante, un insufrible hastío. [...] La oscilación de estados anímicos del poeta es una constante a lo largo de todo el *Diario*. Refleja su conflicto interior e indica cuál de las fuerzas contrarias —las de la madre, nido y tierra natal, o las del amor y madurez— es momentáneamente predominante. Aquí, en el poema 38, el conflicto se transmite simbólicamente en términos de sol y agua: «Sol y agua anduvieron / luchando en ti ...» (p. 255). El sol brinda las condiciones en las que florece el amor del poeta, mientras que el agua del mar, como expresión de lo desconocido, de la esterilidad y de la desolación, parece ser la negación del amor y de la primavera del poeta. El efecto del mar en los sentimientos de éste es de carácter psicológico. Que lo concibe simbólicamente —como la exteriorización de sus emociones íntimas— se confirma en el poema 39, «Menos»: «... El mar / de mi imajinación era el mar grande» (p. 257). El poeta reconoce que el mar que tiene que domar es el mar que hay dentro de él. El mar real del mundo exterior, pues, proporciona una imagen expresiva de su conflicto íntimo. De aquí en adelante, las referencias al mar y al viaje deben leerse en un plano simbólico.

[En la tercera parte del *Diario* el tema principal se diluye en una larga serie de apuntes irónicos y comentarios sobre la deshumanizada vida neoyorkina; aparecen, además, nuevos elementos simbólicos. La cuarta parte se inicia con un poema, «Nostalgia», que representa un momento de paz y reposo:] «Parece que estoy dentro / de la májica gruta inmensa / de donde, ataviada para el mundo, / acaba de salir la primavera. // ¡Qué paz, qué dicha sola / en esta honda ausencia que ella deja, / en este dentro grato / del festín verde que se ríe fuera!» (p. 425). El sosiego y el olvido del momento presente («bajo un cielo de olvido y de consuelo») es un anhelo típico del alma atormentada, que frecuentemente prefiere escapar más bien que afrontar su problema. El poeta no ha participado todavía en su primavera de amor y madurez y parece estar confinado dentro de la «májica gruta» que le aparta protectoramente de la primavera recién abierta en el mundo exterior. Esta «májica gruta» recuerda ahora una serie de imágenes de confinamiento, expresivas de la separación que aísla al poeta del mundo exterior. [...] Cuando las circunstancias ambientales le separan del mundo exterior, como los túneles y el metro de Nueva York (véanse particularmente los poemas 65 y 76), su reacción es indudablemente negativa. Pero él siempre busca refugio, cuando aquel refugio le alivia el conflicto interior y le pone en contacto con el mundo natural que le rodea. De aquí su atracción por los cementerios, y en este contexto, puede anotar con sentido del humor: «Dan ganas de alquilar una tumba ¡sin criados! para pasar aquí la primavera» (p. 381). Este tema de confinamiento, a veces protector y a veces opresivo, según que el poeta busque refugio en un mundo de tranquilidad e inconsciencia o si lucha conscientemente para superar su problema, se ve incluso en la parte segunda («¡No es posible salir de este castillo / abatido del ánimo!», p. 244) y hasta se remonta a la parte primera («Un momento volvemos a lo otro / —vuelvo a lo otro—, al sueño, al no nacer—», p. 225). [...]

«Partida» (poema 175), es uno de los poemas más importantes de la parte cuarta. El poeta al final hace explícitas la verdadera motivación de su viaje y la índole exacta de su conflicto interior:

> Hasta estas puras noches tuyas, mar, no tuvo
> el alma mía, sola más que nunca,
> aquel afán, un día presentido,
> del partir sin razón.
> Esta portada
> de camino que enciende en ti la luna
> con toda la belleza de sus siglos
> de castidad, blancura, paz y gracia,
> la contajia del ansia de su claro
> movimiento.

....

¡Majia, deleite, más, entre la sombra,
que la visión de aquel amor soñado,
alto, sencillo y verdadero,
que no creímos conseguir; tan cierto
que parecía el sueño más distante!

Sí, sí, así era, así empezaba
aquello, de este modo lo veía
mi corazón de niño, cuando, abiertos
como cielo, los ojos,
se alzaban, negros, desde aquellas torres
cándidas, por el iris, de su sueño,
a la alta claridad del paraíso.
Así era aquel pétalo de cielo,
en donde el alma se encontraba,
igual que en otra ella, sola y pura.
Éste era, esto es, de aquí se iba,
como esta noche eterna, no sé adónde,
a la tranquila luz de las estrellas;
así empezaba aquel comienzo, gana
celestial de mi alma
de salir, por su puerta, hacia su centro...

El poeta revela que sólo recientemente (durante «estas puras noches» de su viaje de regreso) ha recobrado su anterior deseo por el viaje y la aventura (por razones que veremos inmediatamente). Así [los] versos iniciales sugieren de nuevo la reticencia con que este viaje fue emprendido. El poeta manifiesta una creciente conciencia de que el primer deseo irracional e inconsciente para hacerse a la mar había surgido en realidad tanto o más por el deseo del alma para unirse con los cielos como por el deseo de unirse con su amada. Efectivamente, el hechizo de la luna y las delicias sensuales de la noche ejercen un encanto más fuerte en el poeta que sus sueños de amor, un amor que él mismo confiesa no ha de alcanzar («aquel amor soñado / ... / que no creímos conseguir»). Pero este anhelo trascendente de un paraíso de claridad y de tranquilidad es el de un niño («mi corazón de niño»). Y es al niño («abiertos / como cielo, los ojos») a quien se refiere en «¡Todo!» («a mis ojos abiertos, ¡tan abiertos que estaban ciegos!»). De este modo el poeta ha sido llevado a una plena conciencia de su problema y esto va a constituir un punto decisivo en su aventura espiritual. De ahora en adelante, con una notable excepción (poema 189, «Ciego», y poema 190), el diario poético apunta hacia la resolución del problema y la liberación del alma.

AURORA DE ALBORNOZ

ESPACIO

Espacio —poema singular, poema novísimo— contiene dentro de sí al Juan Ramón de todas las épocas. O, dicho al revés, muchos caminos, recorridos antes, confluyen en *Espacio* y en *Espacio* culminan.

No es del todo nueva esta escritura que en algo recuerda a la escritura automática, aunque más que de automatismo sería justo hablar de un fluir del instinto, interpretado, comprendido, por la inteligencia. Ese instinto, que va trayendo al texto palabras que, a su vez, generan nuevas palabras, tiene precedentes. En ciertos fragmentos —a veces, próximos a lo surreal— recogidos en los *Cuadernos* de la década del veinte: en las prosas de las «Caricaturas líricas», y en otras. Y antes, sin duda, en *Diario de un poeta reciencasado* —sobre todo, en la prosa—, donde, con bastante frecuencia, hallamos líneas tan sorprendentes como éstas: «Gafas. Borrachos sin gracia, que hacen reír risas de mueca a todo un mundo de dientes de oro, plata, platino. Gafas. Amarillos, cobrizos y negros con saqué blanco, es decir, negro, es decir, pardo, y sombrero de ocho... sombras. Gafas. ¡Cuidado! ¡Que me pisa usted los ojos!». Sin embargo, es en *Espacio* donde el poeta logra llegar plenamente a esa escritura «singular», a ese «poema seguido», hecho de palabras en libertad —palabras muchas veces inventadas por él— que llaman incesantemente a otras. Otras, que pueden ser parecidas; o, por el contrario, opuestas.

[La reiteración —de palabras o de versos— anda por la poesía del Juan Ramón de todos los tiempos. Si en *Ninfeas* y *Almas de violeta* hay huellas clarísimas de las típicas repeticiones del modernismo tópico, ya en *Arias tristes* comienza el joven poeta a revisar el procedimiento, y a utilizarlo en forma muy personal. En su ir y venir, las palabras que el poeta trae a *Espacio* pueden traer consigo palabras escritas por otros creadores.] Creo que en varios casos es posible hablar de citas directas, literales o casi literales, entrecomilladas o no, acompañadas —en general—

Aurora de Albornoz, ed., Juan Ramón Jiménez, *Espacio*, Editora Nacional, Madrid, 1982, pp. 90-101 (90, 92-93, 97-101).

del nombre de su autor: Yeats, Villon, ... Hay ciertos momentos en los cuales no podemos hablar de «citas», sino más bien de «deliberados ecos»; acaso, san Juan de la Cruz, al final de «Cantada»; acaso, Calderón de la Barca, en unas líneas de «Fragmento tercero». Y aún cabría hablar de otros posibles «ecos» que captamos sólo a través de la intuición (y no se me oculta que la intuición puede fácilmente equivocarse); ecos, tal vez, de palabras unidas a un ritmo. Creo entrever un recuerdo de Shakespeare —o de Hamlet— en estas palabras de «Fragmento primero»: «Contar, cantar, llorar, vivir acaso». Es posible también que en algún momento hayan venido «ecos inconscientes» a mezclarse con las palabras de *Espacio*; e igualmente posible pensar que Juan Ramón Jiménez fuese el primero en intuirlos, y que se complaciese en permitir su presencia en este texto totalizador.

[En *Espacio* están todos los temas del Juan Ramón «sucesivo», en ocasiones sometidos a revisión y concentrados en frecuentes autocitas.] También los procedimientos imaginativos de carácter más visionario, presentes en *Espacio* (superposiciones espacio-temporales, presencias de «otros-yo», etcétera), así como el vasto mundo simbólico (sugerido en los «motivos» dominantes, que suelen conllevar un simbolismo, con frecuencia, plurivalente), podríamos verlos como culminación de la búsqueda emprendida en los libros que nacieron poco después de 1900 (e incluso en algún poema perteneciente a aquellos libros prehistóricos). [Tal ocurre con] las superposiciones espacio-temporales; mucho cabría decir sobre los numerosos «otros-yo» tan frecuentes a través de todas las etapas de la obra sucesiva. Es posible que al recuerdo de todos vengan —en este momento— las breves líneas de un conocido texto de *Eternidades*: «Yo no soy yo. Soy este / que va a mi lado sin yo verlo...». Mas «otros-yo» —posibles, soñados, futuros, ex-futuros, ...— hay ya en la obra de los primeros años de siglo. Por ejemplo, en aquella figura enlutada, de ojos quietos, de «un brillo extraño que atrae», de *Arias tristes*; o en aquel mendigo que pasa por un inolvidable poema de *Jardines lejanos*: «¿Soy yo quien anda esta noche / por mi cuarto, o el mendigo / que rondaba mi jardín / al caer la tarde?... Miro / en torno y hallo que todo / es lo mismo y no es lo mismo ... Creo que mi barba era / negra ... Yo estaba vestido / de gris ... Y mi barba es blanca / y estoy enlutado ...».

Dentro del mundo visionario de *Espacio* habría que referirse muy extensamente al fenómeno que podríamos denominar «animación de lo inanimado» —muy frecuente a través de toda la «poesía en sucesión»—. Ya en *Arias tristes* —y otros libros iniciales— el protagonista poemático les habla a los árboles (que lo escuchan y comprenden). En un conocido romance, muy poco anterior a *Espacio*, «Árboles hombres», son ellos los que le hablan a él («árbol distinto», pasante entre «los árboles iguales»). Sería casi imposible revisar en *Espacio* todos los momentos en que las cosas que rodean al ser que las nombra, viven, piensan, sienten... Al azar, en «Fragmento primero» hallo algunos ejemplos reveladores: «¡Qué inquietud en las plantas al sol puro, mientras, de vuelta a mí, sonrío volviendo yo al jardín abandonado! ¿Esperan más que verdear, que florear y que frutar; esperan, como yo, lo que me espera; más que ocupar el sitio que ahora ocupan en la luz, más que vivir como ya viven, como vivimos; más que quedarse sin luz, más que dormirse y despertar?...». [Todo un mundo de seres, vivos, sintientes y pensantes, con los que el protagonista poemático se entiende; a veces, se desdobla en ellos; se siente y reconoce en ellos. Todo un mundo de seres y de cosas que, en una continua transformación, van trocándose, fundiéndose, en otros, otras, «yo»: «Pasan vientos como pájaros, pájaros igual que flores, flores, soles y lunas, lunas soles como yo, como almas, como cuerpos, cuerpos como la muerte y la resurrección; como dioses».]

Gran parte de la obra juanramoniana está estrechamente ligada con la pintura. [...] En *Espacio* hay referencias —y comentarios— tanto al mundo de la pintura como a otras artes plásticas (igual que las hay al mundo de las lecturas). También advertimos presencias «vividas» de creaciones pictóricas (así, un determinado cuadro de Murillo). ¿Hay otras? Es muy posible. Pero, además —y como en muchos lejanos poemas—, hay momentos en que las palabras se agrupan sugiriendo imágenes pictóricas. Ello suele suceder en algún instante en que el ritmo se remansa: «Estaba el mar tranquilo, en paz el cielo, luz divina y terrena los fundía en clara plata, oro inmensidad, en doble y sola realidad; una isla flotaba entre los dos, en los dos y en ninguno, y una gota de alto iris perla temblaba en ella». («Fragmento primero».) [...] Pero, más aun que imágenes pictóricas, las de *Espacio* parecen cinematográficas. Con muchísima frecuencia, el «cuadro» inicial se descompone, llena de movimiento, da lugar a nuevas imágenes... Las palabras —como una película que se desenrolla ante nuestros ojos— van trayendo objetos, seres, escenas... A veces —aproximándose a la técnica del *close-up*— el creador fija la vista en uno de esos objetos, que se agranda, que se agiganta, hasta llenar la escena:

ello es muy visible en el episodio del cangrejo, del héroe hueco del «Fragmento tercero».

Es antigua, muy antigua, la aspiración a aproximar la creación poética a la creación musical. Ya es un hecho en los libros de comienzos de siglo. En *Arias tristes, Jardines lejanos* y *Pastorales* (publicado en 1911, pero creado mucho antes), al frente de cada una de las partes en que van divididos, el poeta incluye partituras musicales. ¿Se trata de influencias de una época impregnada del simbolismo con su aspiración a unir las artes? En un inolvidable comentario de Rubén Darío sobre *Arias tristes*, el «Maestro» hace las siguientes consideraciones: «Jiménez tiene como patrono de su libro musical y melancólico al melodioso Schubert. Antes de cada división de sus poemas aparecen, a manera de introducción, las notas de "El elogio de las lágrimas", de la "Serenata" de "Tú eres la paz". Se penetra así a la influencia de la música, a uno como parque de dulzura y de pena en donde, al amor de la luna, un alma dice, como el ruiseñor, sus arias crepusculares o nocturnas. Nunca como ahora se ha cumplido el precepto de Pauvre Lelian: "De la musique avant toute chose ...". En *Espacio* aquella antigua aspiración del creador se cumple totalmente. En este texto —culminación y recapitulación— alcanzan, pues, su plenitud todas las aspiraciones de J. R. J. de todas las etapas sucesivas».

En sus últimos años, Juan Ramón Jiménez se refirió a «poesía de transición», «arte de transición», dándole al término un sentido personal, novísimo. «Cuando se dice de un artista que es de transición, muchos creen que se le está rebajando. Para mí, si se dice arte de transición, se está señalando el arte mejor y lo mejor que puede dar el arte. Transición es presente completo, que une el pasado, el presente y el futuro en un éstasis momentáneo sucesivo, en una sucesiva eternidad de eternidades, momentos eternos.» Y como «poetas de transición» ve a sus «clásicos», antiguos o modernos: el romancero o la canción de tipo tradicional; el Jorge Manrique de las Coplas o san Juan de la Cruz; Bécquer o Rosalía de Castro... Como «transición» —«presente completo que une el pasado, el presente y el futuro»—, veo al Juan Ramón máximo; y a su máximo poema. ¿Qué pasado literario, qué escritores del pasado están —en alguna forma— presentes en *Espacio*? Si creemos a su autor, en ésta, como en todas sus obras, las presencias —cercanas, lejanas— son múltiples y variadísimas. A través de las páginas anteriores una serie de nombres surgieron: san Juan de la Cruz, Shakespeare, Blake... Y muchos más podrían venir a nuestro recuerdo. Al mío llega —quizá sobre todo— el de Arthur Rimbaud.

Varios críticos han señalado coincidencias entre *Espacio* y algunas obras de escritores contemporáneos: James Joyce —desde luego—; acaso, T. S. Eliot. Poco se ha dicho sobre la presencia de *Espacio* en la poesía posterior. Se ha visto —la ha visto Arturo del Villar— en una obra fundamental de la poesía latinoamericana contemporánea: *Piedra de sol*, de Octavio Paz. Creo que es posible intuirla en algunos otros poetas, de América y de España.

RICARDO GULLÓN

EL ARTE DEL RETRATO EN *ESPAÑOLES DE TRES MUNDOS*

Cada página de *Españoles de tres mundos* sigue su propia ley, pero es visible la progresión en el arte narrativo, en la destreza para completar la imagen sin atenuar la fuerza del arranque ni la gracia de la primera impresión. Juan Ramón estaba excepcionalmente dotado para el arte del retrato, y no sé si esa aptitud es consecuencia natural de su afición al género o si la afición fue fomentada por el placer que le producía ver cómo un mundo familiar (el del heroísmo invencionero y creador) crecía alrededor suyo. Fueron primero los más próximos quienes le sirvieron de modelo, pero ya desde el comienzo no le interesa tanto la descripción «exterior» del personaje como situarle en un ambiente y una actitud que lo expliquen y descifren. Sin conocer el medio no acertaba a explicarse al hombre, y no por comulgar con las trasnochadas teorías sociológicas de un pasado relativamente próximo, sino porque su instinto le decía que la esfera donde un hombre vive, su naturaleza y su mundo, sirven para situarle y para ayudar a comprenderle. En el capítulo dedicado a Martí lo declara explícitamente: «Hasta Cuba, no me había dado cuenta exacta de José Martí. El campo, el fondo. Hombre sin fondo suyo o

Ricardo Gullón, «El arte del retrato en Juan Ramón Jiménez», en Juan Ramón Jiménez, *Españoles de tres mundos*, Aguilar, Madrid, 1969, pp. 11-64 (18-29).

nuestro, pero con él en él, no es hombre real. Yo quiero siempre los fondos de hombre o cosa. El fondo me trae la cosa o el hombre en su ser y estar verdaderos. Si no tengo el fondo, hago el hombre trasparente, la cosa trasparente». [...]

¿Cuál sería la finalidad de estos retratos, de esta galería del espíritu creador encarnado en personas cuya distinción apenas si en tres o cuatro casos podría discutirse? En el prólogo leemos el adverbio «caprichosamente» aplicado a la selección y agrupación de textos y una explícita declaración de fe en la diversidad de técnicas utilizadas para escribirlos, pero nada se dice de los móviles impulsores de la creación, por lo cual es obligado deducirlos de lo apuntado tangencialmente y de lo que las siluetas son: «A cada uno he procurado caracterizarlo según su carácter», afirma; según el personaje, así el retrato; cada uno impone su propia norma, la exigencia de insistir en tal o cual rasgo, abocetar el fondo o precisarlo, según se desee destacarlo sobre él o fundirlo con cuanto le rodea. [...]

Si estos retratos se llaman «caricaturas líricas», la denominación aclara bastante su sentido. El sustantivo indica la intención deformadora; el adjetivo subraya el aspecto personalísimo del comentario y también su tendencia poética. Por dos vías pretende el autor penetrar decisivamente en los repliegues más significativos del modelo: la deformación exagera ciertos rasgos, los más personales, y atrae la atención hacia ellos, dejando en penumbra los menos importantes; el lirismo potencia lo entrañable de la figura, el estrato de la persona inaccesible por otro camino que el de la intuición desencadenante de la poesía. La perspicaz mirada de Juan Ramón funciona al servicio de una lucidez sorprendente. No hay en su visión ningún indicio de capricho; todo se establece en su debida perspectiva y contribuye al feliz orden del conjunto. La lucidez aleja el peligro de que lo caprichoso, en fantasía inventiva o expresión, se imponga a lo verdadero, y es gran ventaja que así ocurra, sin excluir por otra parte el feliz juego de la imaginación, pero ciñéndolo, ligándolo, a los datos reales. [...]

Busquemos un ejemplo de calidad, y sea el retrato de Rubén Darío, uno de los más completos de la serie. Retrato con su marco, constituido éste por referencia a otras siluetas, a otras evocaciones en donde la imagen había aparecido en distinta actitud, pero en lo sustancial siempre idéntica. El marco es la fidelidad del contraste. Juan Ramón recuerda, y con él recordamos los lectores, sus evocaciones de lo pasado, y no tanto glosas críticas o elogios en prosa, como el admirable poema incluido en *Diario de un poeta reciencasado* y escrito en alta mar, febrero de 1916, cuando al barco en que viajaba llegó la noticia de la muerte de Rubén: «Sí. Se le ha entrado / a América su ruiseñor errante / en el corazón plácido. ¡Silencio! / Sí. Se le ha entrado / a América en el pecho / su propio corazón». La palabra del poema y la evocación del día lejano en que supo el fallecimiento del amigo y del maestro gravitan sobre la prosa del retrato publicado en *Españoles* y desde el comienzo lo determinan. La silueta está escrita en 1940, en Coral Gables probablemente, a un cuarto de siglo del suceso. Rubén está ya lejos en la muerte, pero prodigiosamente vivo en la imaginación del amigo que durante veinticinco años ha tenido tiempo de soñarlo y resoñarlo, de vivirlo y recrearlo en su fabulosa grandeza: «raro monstruo marino, bárbaro y esquisito a la vez». Como Juan Ramón recibió la noticia de la muerte mientras atravesaba el Atlántico desde Europa a Nueva York, las imágenes de Rubén y el mar quedaron para siempre asociadas en su memoria. Por eso (aparte elementales aproximaciones) le llama «ente de mar» y descubre en él tanto mar pagano y elemental. Y está bien subrayar cuánto había en Darío de fuerza natural, de vinculación con la naturaleza en una de sus formas más grandiosas, sobre todo si el símbolo está al servicio de una verdad inexpresable en otra forma. ¡Qué bien llama «disfraz diplomático» a las prendas respetables con que el autor de *Azul* enmascaraba su diferencia y su genio, simulando convertirse en hombre de mundo para que la sociedad, viéndole bordados y condecoraciones, le aceptara como uno de los suyos!

Leyendo esta sorprendente página es posible darse cuenta de cómo las alusiones mitológicas se encuentran realzadas y no disminuidas al chocar con palabras de la vida cotidiana, no ya «prosaicas», como antaño se decía, sino «burguesas», que es mucho peor. [...] Por eso, cuando después de mostrarnos al Rubén marino con «plástica de ola», «empuje, plenitud pleamarinos», «iris, arpas, estrellas», menciones de Venus y Neptuno, pasa al «sombrero de copa» y al «chaleco»; por el contraste de palabra, que es contraste de realidades, vemos, sentimos bien la fatalidad de Rubén, habitante y testigo de un mundo fabuloso y al mismo tiempo anclado (peor, varado), en la tierra de la vida cotidiana entre académicos, negociantes, políticos y otros mamíferos de varia especie. El hombre en cuyo oído rumoreaban incesantes las viejas caracolas, lanzado al «mundanal ruido»; el «jigante marino enamorado» para quien el tiempo no existía, sujeto a la esclavitud del «reló anacrónico», recepciones, juntas o inevitables solemnidades de la asinaria vulgaridad.

La ley estilística del contraste rige con plenitud de eficacia; los contrarios se complementan y el retrato va siendo lo que debe ser: luces y sombras; luces de mitología y sombras de burguesía convencional. La imagen de la transfiguración, último párrafo del capítulo, sitúa a Rubén en la «isla verde trasparente» de su cielo, y así lanza al lector tras una pista que le lleva a la evocación de lo paradisíaco bajo esa expresión arquetípica de la isla, siempre eficaz y operante en nuestra alma, porque el inconsciente colectivo ha ido acumulando en esa imagen el contenido de múltiples imaginaciones a través de las cuales el paraíso es, como Juan Ramón dice, isla, isla verde y remota, «isla verde trasparente, ovalada en el poniente del mar cerúleo, gran joya primera y última, perenne apoteosis tranquila de la esperanza cuajada». [...]

En estos retratos lo primero que sorprende es la perspectiva: el personaje está enfocado desde ángulos imprevistos, desde puntos de mira en que no es frecuente colocarse para verlo, y, naturalmente, la imagen captada muestra facetas hasta ese momento ocultas; la originalidad de la visión va acompañada por la profundidad de la mirada. Cabe hablar de visión en el doble sentido del término, pues el poeta, además de ver la realidad, descubre su sentido en relación con lo existente tras ella (o en ella, pero inaccesible a los ojos del espectador común); atisba lo visionario sin dejar de ver lo real en su cotidianidad significante. Por eso los retratos trazados por Juan Ramón Jiménez tienen esa dimensión honda, oscura y luminosa a la vez, como galería en sombras al fondo de la cual destella el sol de mediodía. [...]

Y tras la perspectiva insólita y la visión profundizadora señalemos la admirable prosa en que están escritos los retratos. Todavía no se ha estudiado bien la prosa de Juan Ramón Jiménez, tan importante, atractiva y perfecta como su verso, y es urgente que alguien se decida a intentarlo, pues me pregunto si no es *Españoles de tres mundos* uno de los dos mejores libros de prosa escritos en nuestro siglo y en nuestra lengua. (El otro sería, ¡qué casualidad!, *Juan de Mairena*, de Antonio Machado.) [...]

Las siluetas esbozadas por el autor de *Platero* deben su excelencia al equilibrio logrado por el doble empuje de su maravillosa precisión y su maravillosa ambigüedad. La palabra justa y única, el sustantivo luminoso y el adjetivo esclarecedor pueden revelar exactamente un matiz, un aspecto, una faceta del personaje, y contribuir a mostrar si hay en él algo más de lo advertido a simple vista. En estos fragmentos la palabra desempeña doble función: decir exactamente lo que constituye el primer plano del retrato (y de la prosa) y sugerir con astuta sutileza lo situado más atrás, visible al trasluz, como la filigrana o cuño disimulado de aquél.

Veamos un ejemplo de esta prosa admirable: el retrato de Rosalía. Halo de lluvia, clima espiritual logrado en unas líneas jugosas, colmadas, tensas: «Toda Galicia es el ámbito de un grande, sordo corazón». Y el personaje va destacándose del fondo, adquiriendo movimiento y gesto, pero sin salir nunca de él, sin alejarse de su ambiente. Unos cuantos toques clave: «de luto», «pobreza y soledad», «desesperó, lloró», «opaca totalidad melancólica», van configurándola y al mismo tiempo entrañándola en su tiempo y su tierra, identificándola con ella y haciendo tierra gallega a la mujer misma, loca de saudades. «Lírica gallega trájica», la llama, y cuando dice: «olvidada de cuerpo, dorada de alma en su pozo propio», sentimos que la está definiendo con adecuada justicia, pero también que tras esa definición, tan precisa, alude, y con las mismas palabras, a la realidad del país. Esta doble función facilita la economía de la frase, y le añade peso, al aumentar su carga de significación. [Tres o cuatro pinceladas ligeras, sin insistencia, y el ambiente adecuado se siente, se huele, se palpa, plásticamente.]

El retrato de Giner no es extenso: apenas dos páginas. Comienza con una imagen, seguida en fulgurante encadenamiento por otras. Y digo encadenamiento no sólo porque están enlazadas, sino porque van de una en otra, sucesiva progresión, alzándose a producir idéntica impresión por medio de figuras diversas: «fuego con viento», «víbora de luz», «chispeante enredadera de ascuas», «leonzuelo relampagueante», «reguero puro de oro», «incendio agudo». Todo esto en diez líneas. Y seguidamente nombres que, conforme los emplea el poeta, tienen sentido y eficacia de imágenes: «san Francisquito», «don Francisquito», «don Paco», «Asís», «Santito», «Paco». Un solo párrafo basta para trazar cabalmente la figura en su admirable ambivalencia: llama-bondad, héroe-santo, que refleja exactamente el ser de don Francisco Giner de los Ríos, según Juan Ramón lo intuía y según era en la realidad. Las metáforas o las locuciones empleadas con significación de tales son utilizadas con prodigalidad para extraer de ellas el máximo de eficacia. La acumulación, cuando es significante, sirve para desvelar en sus múltiples facetas lo esencial de la figura. Pues si vemos de cerca la variedad de imágenes desplegada por el poeta, hallaremos que nada se repite, ni emerge gratuita o fortuitamente. Cinco de seis imágenes aluden al fuego, brasa o luz, o ambas cosas a la vez: «fuego con viento», «víbora de luz», «enredadera de ascuas», «leonzuelo relampagueante» e «incendio agudo». El ardor del Maestro queda bien subrayado. Y nótese esto en las cinco se refleja también la viveza y movilidad de aquel gran espíritu, pues si el viento es sustancialmente movimiento, la víbora, balanceándose para saltar, la enredadera que insaciable trepa hacia su cielo, el relámpago fulgurante y la llama viva son fenómenos que dicen inquietud ascendente, como la del modelo, pero cada cual a su manera y expresando peculiar matiz.

4. RAMÓN Y LA VANGUARDIA

Cuando, en 1930, *La Gaceta Literaria* realizó su famosa «Encuesta» sobre la vanguardia española (García de la Concha [1981 *b*]), bastantes críticos se mostraron dispuestos a aceptar su existencia, pero la mayor parte de ellos coincidieron, a la vez, en juzgarla un episodio efímero, de imprecisa definición, escaso valor literario y nula trascendencia social y política. A pesar del temprano estudio (1923) de Guillermo de Torre [1925] —mucho más vivo como testimonio inmediato que la decantada reescritura posterior [1965], imprescindible, en cambio, como fuente de datos y punto de partida—, la historia del vanguardismo literario español está todavía por hacer. La aproximación de J. Urrutia [1980] o la más extensa y documentada de Giménez Frontín [1974] se ciñen, en su propósito divulgador, al esquema de De Torre, que tampoco rebasan monografías más ambiciosas, tal la de Videla [1963]. En anotaciones propedéuticas he señalado [1981 *a*] la necesidad de superar esa identificación de vanguardia con experiencia transitoria, sin dejarse desconcertar, según recomendaba, por el tiempo de la «Encuesta» de *La Gaceta*, Ramón Gómez de la Serna [(1931) 1975]: los dieciocho «ismos» que registran los *Documents Internationaux de l'Esprit Nouveau* o los veinticinco que allí enumera el propio Ramón —para cuya identificación es útil la consulta de Cirlot [1956]— no son sino manifestaciones monistas de un movimiento plural que se define por negaciones de la uniforme literatura precedente, agrupadas bajo la bandera de un término tomado del ambiente de la gran guerra (M. Calinescu [1974]).

Las experiencias vanguardistas españolas no pueden entenderse al margen de las coordenadas europeas, porque, en realidad, responden a la misma conciencia de crisis de la sociedad burguesa (Poggioli [1964], Escarpit [1967], Sanguinetti [1969] y, más específicamente, A. Kibedi Varga [1975]), y con justicia señalan Buckley y Crispin [1973] que, desde el siglo XVIII, nunca nuestra literatura estuvo tan bien sincronizada y tan en sintonía con la europea como en los años de la vanguardia. Al mismo tiempo, continuando el maridaje iniciado con el modernismo y, precisamente, por continuidad del proceso dialéctico entre modernismo y vanguardia (Corvalán [1967]), la vanguardia literaria española se desarrolla en estrecha relación con otras literaturas hispánicas como la catalana (Molas [1970]) y, muy especialmente, la hispanoamericana: si Huidobro trae el creacionismo, Borges lleva el ultraísmo, por más que aquél haya llegado vía París (Bary [1963]) y éste proviniera de los contactos con el expresionismo alemán (Fernández Moreno [1967]). Era, también, la modernidad artística europea la que venía promoviendo el colectivismo artístico y la fusión de las artes; basta repasar las selecciones de textos y documentos específicamente literarios (P. Ilie [1969], Buckley y Crispin [1973], Rozas [1974]) y cotejarlos con los escritos de arte de vanguardia (González García y otros [1979]) para percatarse de que las escuelas artísticas de vanguardia que se inician con el siglo —si bien hundiendo sus raíces en la revolución romántica (Bozal [1978])— y se diversifican hasta su tercera década (Wingler [1983]) integran la expresión plástica y la literaria.

En el vanguardismo literario español distinguen Buckley y Crispin dos etapas: la que ellos llaman ultraísta, 1919-1923, volcada en una sistemática destrucción de lo anterior, y la de 1925-1935, cuando, impuesta ya una nueva sensibilidad, se busca de manera positiva, tras las huellas de Ortega, una nueva concepción vital. Reconociendo a la primera el aludido mérito de su intensa conexión con Europa, no ocultan su preferente estima por la segunda, en la que, de hecho, centran su estudio. Sin cuestionar tal idea, pienso que la periodización debe ser matizada en lo que respecta a los límites y categorización de la primera etapa, así como a la relación existente entre ambas. Y en primer lugar, en cuanto a los límites. Porque en el principio de la vanguardia fue Ramón, que en ella desempeña el papel de adelantado escucha desde París (García de la Concha [1977]), el primero en romper fuego y en categorizar poco más tarde [1921] el sentido de la batalla.

Escrita desde la cumbre de la vida, con una fuerte carga de desengaño y obsesión por la muerte, constituye su *Automoribundia* [1948] una preciosa guía autobiográfica espiritual —biografía, a la par, en buena medida, de su época—, que puede ser completada con la consulta de *Cartas a mí mismo* [1956], *Nuevas páginas de mi vida* [1957], y el *Diario póstumo* editado por su compañera Luisa Sofovich [1972]. Entre las aproximaciones de conjunto a la vida y obra de Ramón, destacan el sucinto pero bien matizado estudio de R. Cardona [1957], que completa, en la dimensión de análisis de la producción literaria biográfica y novelística, R. Mazzetti Gardiol [1974]; el centón de J. Camón Aznar [1973], donde se pueden hallar datos de interés; y, con gran ventaja, por su orden y perspectiva, el libro de Gaspar Gómez de la Serna [1963 *b*], al que, tal vez, sobre una pizca de ditirambo. Resultan sólo parcialmente aprovechables algunos apuntes de F. Ponce [1968] y las pinceladas psicocríticas de Granjel [1963 *a*]; aporta, en cambio, múltiples sugerencias de categorización literaria y de lectura el ensayo de F. Umbral [1978]. Amplia documentación sobre el contexto artístico y literario de Ramón así como de la visión que de él tenían sus coetáneos, ofrecen, en fin, los cuatro cuadernos publicados por el Museo de Madrid y coordinados por J. M. Bonet [1980].

En un análisis de la primera época ramoniana, la que va hasta 1915, he documentado (García de la Concha [1977]) la evolución de su contacto y compromiso con las vanguardias europeas. Irrumpe Ramón, casi imberbe, en la escena literaria —*Entrando en fuego* (1904)— con ímpetu de contestación que se condensa en *Morbideces* (1908), vivisección espiritual en que descalifica la literatura de los hombres del 98 (G. Gómez de la Serna [1969]), a quienes en seguida reclamará el usufructo del Larra revolucionario, que, según él, tenían secuestrado. Promovida por su padre, político de la izquierda canalejista, la revista *Prometeo*, que se presenta en 1908 como cultural y política (Granjel [1963 *b*]), recoge la explosiva memoria que sobre «El concepto de la nueva literatura» presenta Ramón en su calidad de secretario de la sección de literatura del Ateneo de Madrid, y que, en realidad, representa el primer manifiesto del vanguardismo literario español (García de la Concha [1977]), completado después por «Mis siete palabras» —«¡Oh!, si llega la imposibilidad de deshacer»—, glosadas proféticamente por Silverio Lanza (Granjel [1964]), con cuyo agrio humorismo comulga Ramón (Granjel [1966]) y por *El libro mudo*. A sólo un mes de la publicación en París del manifiesto futurista de Marinetti, Ramón da cuenta de él desde la capital francesa en *Prometeo* y le solicita un «Manifiesto futurista para España» que, en efecto, aparece pocos meses más tarde con un programa específico de cambio político y de tarea revolucionaria para los escritores (M. Verdone [1971], M. W. Martin [1968], G. Lista [1976]).

A su regreso de París, se mueve Ramón —años 1910 y 1914— en los círculos de los modernistas sociologizantes, en cuya literatura se mezclan nietzscheanismo, anticlericalismo, pansexualismo y toda una mitología subversiva que popularizan los Vargas Vila, Vidal i Planas, Gálvez, Trigo, etcétera, estudiados en el capítulo 2 de este mismo volumen, y a quienes, según documenta Granjel [1963 *a*], él considera correligionarios. Muchos de ellos, sobre todos, claro, su compañera Colombine, serán colaboradores de la revista y animadores de los actos programados: tertulias, «Homenaje a Larra»... Subrayo esto porque hoy vemos con claridad, si bien el tema aguarda aún estudio detallado, que el vanguardismo nace de las cenizas de ese magma modernista, rebrote último de la veta revolucionaria romántica, que circula por toda la novela del folletín. La elevación de un modernista folletinesco, Rafael Cansinos-Assens, al sumo pontificado vanguardista, resulta, en esta línea, suficientemente expresiva. El exhaustivo estudio de Cansinos novelista, poeta, crítico, ensayista y traductor, realizado por Fuentes Florido y del que sólo se ha publicado un extracto [1979], demuestra bien a las claras la urgencia de una reivindicación ya postulada por Gullón [1975-1976]. Con todo, Ramón se independiza pronto y, al tiempo que repudia sus primeras producciones y avasalla la totalidad de la revista (Granjel [1963 *c*]), configura, dentro de los «ismos» (A. Espina [1965]), un «ismo» propio, el «ramonismo», cuya teoría y práctica aparecen ya patentes en las primeras *Greguerías* (1914), *Primera proclama de Pombo* (1915) y *El Rastro* (1915). Se justifica de este modo la categorización acuñada por Melchor Fernández Almagro, «la generación unipersonal de Gómez de la Serna».

Toda la crítica concuerda en que la clave del interés y el éxito de Ramón radica en su peculiar escritura: «es el gran escritor español; el escritor o, mejor, la escritura», dice Octavio Paz [1967]. Francisco Ynduráin ha visto con acierto [1965] que en la base se halla una particular manera de mirar. Es la superación de la perspectiva tradicional. Ramón mismo lo ha explicado en el ya citado «Prólogo» a *Ismos* (1931), donde, con formidable capacidad de síntesis, formula el nuevo planteamiento de aprehensión común a toda la vanguardia, y en el que antepuso a la sexta edición de *Greguerías* [1960]: un mundo incoherente no puede tener otra expresión que la de la fragmentación y la incoherencia; el hombre debe, además, convencerse de que es un ser marginal y, más que referir las cosas a sí, debe buscarse a sí mismo en las cosas. Cuando, por enfatizar la fuerza creadora de la escritura ramoniana, se insiste en la carencia ideológica, convendría tener en cuenta que tampoco la propone el cubismo, con el que Ramón se considera y está directamente emparentado (De Torre [1962 *c*], García de la Concha [1977]). Basta, sin embargo, repasar los citados prólogos o los ensayos publicados en la *Revista de Occidente* —«Gravedad e importancia del humorismo» [1930], «Las cosas y el "ello"» [1934 *a*], «Las palabras y lo indecible» [1936]— o en *Cruz y Raya* —«Ensayo sobre lo cursi» [1934 *b*]— para percatarse de que ese nuevo modo de mirar, lo que él llama «el punto de vista de la esponja», que trasciende la perspectiva unilateral mimética del realismo, se proyecta desde una filosofía del mundo como caos, y de la vida como entreverada de muerte, que Gaspar Gómez de la Serna [1963 *b*] y, más precisamente, J. Marías [1957] han esbozado. De ella brota la imagen ramoniana —«expresión de la relatividad del mundo»— que sirve de soporte universal (Mazzetti Gardiol [1971]) a su literariedad.

Aunque el término proceda de los costumbristas madrileños, cuya tradición renueva Ramón en una larga lista de libros, la *greguería* es la célula básica del «ramonismo». Debemos, una vez más, al propio autor [1960] una excelente declaración de la naturaleza y objetivos del género. En Gaspar Gómez de la Serna [1963 *b*] se encuentra un elenco de categorizaciones críticas, muy ampliado por dos excelentes tesis doctorales, la de M. González-Gerth sobre estructuras aforísticas [1973] y la reciente y exhaustiva de César Nicolás [1983] sobre la filiación del 27 respecto de Ramón. Debemos cuidarnos de considerar la greguería como género o fórmula creada *ex nihilo*. Dejando a un lado las semejanzas con el haiku japonés estudiadas por Rodríguez-Izquierdo [1972] o con las qasidas (Aguirre [1955]), Díaz-Plaja [1971] ha señalado el precedente de Jules Renard, que Ramón [1955] rechazó con energía, y R. Cardona [1979] apunta las concomitancias con el imaginismo lanzado por Ezra Pound, a quien Ramón pudo conocer por medio de J. Laforgue. Hay, con todo, otra dirección retrospectiva de mayor fecundidad. Ya Cernuda [1957], distinguiendo cuidadosamente entre imagen, fuente de imaginación creadora, y metáfora, producto del ingenio, y apoyándose en la definición avanzada por el propio Ramón —«metáfora + humor = greguería»—, había remarcado el entronque con la tradición barroca: aunque bastantes greguerías provienen de una condensación de imágenes y equivalen a poemas concentrados, la mayor parte son, según él, producto de la agudeza y arte de ingenio. Rastreando en *Lope viviente* algunos elementos autoidentificadores de la biografía ramoniana, Gerardo Diego [1964] ha mostrado paralelismos entre Ramón y Lope, que Alcina Franch, estudiando las *Gollerías* [1968], proyecta sobre el marco más amplio del Barroco y que López Estrada [1977] centra en el cotejo con Enmanuele Thesauro. Con ello viene Ramón —y con él la vanguardia literaria hispánica y, poco más tarde, la llamada generación del 27— a sintonizar con la tendencia del *novecento* europeo a entroncar con el Barroco (Anceschi [1960], Hocke [1961] y, para el caso de España, De Torre [1963]).

Atendiendo, sobre todo, a la preocupación por el lenguaje, vincula Senabre [1967] a Gómez de la Serna a la generación de 1914, pero, por más que haya sido él quien acuñó el eslogan de «la gobernación intelectual de España», sus preocupaciones estéticas y literarias responden a una motivación específicamente diversa. De otro lado, fue Cernuda [1957] el primero en reconocer la filiación ramoniana de la imagen del 27 que, como acabamos de ver, se encauza en una trayectoria más larga y ancha. La afirmación de Cernuda queda ahora ampliamente confirmada por el estudio de César Nicolás [1983].

Cabe preguntarse si la *greguería* constituye un género independiente o es tan solo la variante estilística de un género dado. Sobre la primera hipótesis, aceptando el juicio de Ramón, trabaja R. Lawson Jackson [1967], que clasifica la greguería [1965] en cinco categorías: alteración de frases hechas, puramente fonéticas, fonético-conceptuales, greguerías que implican una división de las palabras, y formaciones y contracciones que generan nuevas palabras. Viene a coincidir, de este modo, con Senabre [1967], que clasifica las técnicas de experimentación verbal en cuatro grupos: falsa etimología, paronomasia, parodia de locuciones y dilogía. González Gerth [1973], para quien las greguerías son, de manera básica, aforismos descriptivos o narrativos, analiza las formas sintácticas en ellos predominantes y categoriza varios esquemas básicos de construcción en los que se moldea la peculiar mirada ramoniana y de los que puede verse un apretado resumen en R. Cardona [1979]. Debemos ahora a C. Nicolás [1983] el más exhaustivo y lúcido análisis de la morfología de la greguería, de sus formas y funciones, muy preferible al realizado por López Molina [1981], que conjuga significados y formas.

La irresistible atracción que experimenta el arte nuevo hacia los objetos más vulgares de la vida cotidiana (P. Raffa [1968]) aparece clara en las greguerías, combinada con un fuerte sedimento de tradición culta. En finísimo ensayo demuestra A. San Vicente [1983] la intención pictoricista de la greguería —Goya, «disparates» y «caprichos», al fondo—. Pero, como ha demostrado exhaustivamente Daus [1971], en toda la obra de Ramón es la vida el foco último de atracción, y no por caso, en esta línea, gran parte de su escritura gravita hacia lo autobiográfico, al tiempo que muchas de sus biografías se construyen por constelación de greguerías (Mazzetti Gardiol [1970]).

Falta todavía un estudio sistemático de la novelística de Ramón. En su ya clásico estudio, E. de Nora [1962] sienta la tesis de que, más que crear novelas, Ramón engarza libros narrativos extensos en los que, en última instancia, la realidad es escamoteada. Tal supuesto relativiza, ya de entrada, la clasificación en tres etapas —de búsqueda, 1913-1921; de madurez, 1922-1928; de reiteración y disolución, 1930-1949—, bastante discutible, por lo demás. ¿Cómo cabe aceptar, en efecto, la connotación peyorativa que suponen los calificativos asignados a la última producción para una novela experimental del porte de *El hombre perdido* (1964), que, según acertada apreciación de Cardona [1979], anticipa posiciones de Lacan? Es obvio, por lo demás, que la reserva básica está formulada desde una concepción de la novela como narración comprometida con lo histórico. Cabe, entonces, repetir en este punto lo dicho a propósito del instrumento crítico aplicable a Miró; en esa necesidad de una metodología apropiada insisten F. Ynduráin [1980] y C. Richmond [1982], que, en su excelente análisis de *La quinta de Palmyra*, subraya la necesidad de que el lector colabore en la construcción de la novela. La fragmentación y el desorden que se denuncian en las novelas de Ramón, estructuralmente estudiadas por González Gerth [1973], reflejan, en última instancia, la conciencia filosófica ya mencionada. Convendría insistir en el estudio de dos grandes líneas vertebradoras de buena parte de su novelística: la reflexión sobre el propio género, evidente en *El novelista* (1924) o en *Seis falsas novelas* (1927) y la dignificación estética de la materia folletinesca, de la que constituyen buen ejemplo las tan populares *El torero Caracho*

(1926) o *La nardo* (1930). Un buen análisis de la significación y función que en ellas cumple el erotismo puede verse en Mainer [1972]; aporta, también, algún dato de interés S. Vilas [1968] sobre el sentido general del humorismo en las novelas.

En un somero análisis de dos revistas culturales, *Los Quijotes* y *Cervantes*, en la etapa 1916-1918, he tratado (García de la Concha [1981 *b*]) de perseguir la evolución desde el modernismo posromántico hasta el vanguardismo manifiesto. Demasiado ceñida al estudio básico de De Torre [1925], Gloria Videla [1963] ha tratado de configurar una historia del ultraísmo español. Útil como síntesis de datos ya aportados por el gran crítico-protagonista, suscita la reserva de no distinguir en la práctica las tendencias poéticas ultraísta y creacionista, que Gerardo Diego presenta como específicamente diversas en una temprana intervención —otoño de 1919— en el Ateneo de Santander (García de la Concha [1981 *c*]). Acababa de hacer —primavera del mismo año— su presentación en el Ateneo de Sevilla la plana mayor de «Vltra», movimiento que se definía como postulado de renovación en todos los campos de la ideología y las artes.

Coincidentes en su desarrollo cronológico —mediados de 1918 a 1922, aproximadamente— ultraísmo y creacionismo arrancan del mismo propósito básico, el rechazo de la poesía mimética realista; comparten idéntica obsesión por el cultivo de la imagen aislada, mostrando una clara seducción por imágenes y léxico ligadas al mundo del cine, del deporte y lo dinámico; utilizan, en fin, algunas técnicas comunes, tal, por ejemplo, la de una nueva disposición tipográfica del poema, potencialmente caligramática. Pero debajo de la superficie aparentemente uniforme, la lírica creacionista presenta un planteamiento específicamente divergente, a partir de los modelos importados por Vicente Hiudobro.

Llegó éste a Madrid en el verano de 1918 y Cansinos-Assens [1919] saludaba su presencia, equiparando su alcance al de la estancia de Rubén Darío en otro momento clave de evolución de la literatura española. Según Cansinos, lo que Huidobro traía consigo era una combinación de Góngora y Mallarmé. Gerardo Diego, uno de los primeros en conectar con el chileno, explica [1968] que el creacionismo hunde sus raíces en la retórica aristotélica, liberadora de la palabra, y tiene como modelo la pintura de Juan Gris. Esta concreta vinculación de la literatura creacionista a la plástica del cubismo ha sido estudiada por De Torre [1962 *a*]. Basta hojear las revistas que condujeron el avance del vanguardismo literario español —*Grecia*; *Cervantes* en su segunda etapa; *Reflector*, cuyo único numero ha sido reimpreso en facsímile (Jorge Campos [1975]); y, en menor medida, *Cosmópolis*, pendientes todas ellas de un estudio sistemático—, para confirmar el principio activo del maridaje de las artes.

Una larga polémica se ha empezado en dilucidar la paternidad —Huidobro o Reverdy— del movimiento creacionista: Undarraga [1957], De Torre [1962 *a*], Marie Laffranque [1962], Bajarlía [1964], Ana Pizarro [1971]. René de Costa, que también terció en la discusión [1975 *b*], ha estudiado posteriormente —y ello nos interesa más como paradigma del caso español— la evolución de Huidobro desde unos principios modernistas hacia posiciones cercanas a la del Grupo Nord-Sud, cuyo estilo asimilará y adaptará al genio de la poesía hispánica durante su estancia en París (David Bary [1963], Caracciolo Trejo [1974]). Es la misma línea que cabe advertir en el malogrado José de Ciria y Escalante, el «Giocondo» de Lorca (Rodríguez Alcalde [1950]) y, mucho más marcadamente, en Juan Larrea.

Gerardo Diego, cuya poesía se estudia en el capítulo 9 de este mismo volumen, nos ha dejado la más exacta definición del poema creacionista y de su núcleo, la imagen creada, en las notas introductorias a su libro *Imagen* (1918-1921 [1974]), no por caso dedicado a Juan Larrea, a quien él mismo había conectado (G. Diego [1970]) con el creacionismo: vacío ideológico, supresión de toda anécdota y depuración de sentimientos; creación de una imagen sin referente real alguno, sustentada en su pura forma y originada con apoyo en la pura fonética o en ilaciones semánticas inéditas; nueva concepción de la construcción del poema, por yuxtaposición de imágenes que, al modo de las facetas del cubismo, resbalan unas sobre otras, creando una convergencia predominantemente connotativa; nueva disposición tipográfica, creadora de ritmo del poema... Carecemos todavía de un buen estudio de los caligramas españoles producidos en esa época: al somero esbozo de J. M. Bonet [1978 *a*] es preferible, en su brevedad, la introducción de J. Ignacio Velázquez [1983] a la edición bilingüe de caligramas de Apollinaire, que reseña abundante bibliografía sobre ellos.

Reconoce De Torre [1968] que la causa última del fracaso del ultraísmo estuvo en su planteamiento puramente destructor y en el metaforismo a ultranza. Un análisis de su libro *Hélices*, prototípico del movimiento, permitiría añadir otros motivos: obsesión por el mundo de la máquina y regodeo en el léxico esdrújulo científico y técnico; barroquismo perifrástico en cuyo follaje se encubre un discurso perfectamente dialéctico, etcétera. En cierto modo, la poesía ultraísta española, de la que puede verse una amplia muestra en la revista del mismo nombre —*Vltra*— (reedición última de Anthony Leo Geist), supone la realización de los postulados futuristas. El creacionismo, por el contrario, supo destruir construyendo, guiado por los modelos de Huidobro y los poetas franceses.

La parva selección de textos de poesía castellana que realizó Juan Larrea [1966], incrementada por García de la Concha [1980] con una serie de primeros poemas exhumados de las revistas de vanguardia, y el hecho de que el resto de su poesía fuera escrito en francés, motivó un largo desconocimiento de la obra creadora de un autor cuyo influjo en los poetas de la llamada generación del 27 ha sido, según documenta G. Diego a V. Bodini [1963], decisivo. Constituyó un hito importante en su proceso de evolución (Vivanco [1970]) y de magisterio la publicación de *Favorables París Poema* (J. Urrutia [1982]) que, en 1926, supuso un grito convulsivo hacia la exploración surrealista.

Documenta Buñuel en sus *Memorias* [1983] (véase, también, Sánchez Vidal [1982]) la voluntad de compromiso sociopolítico que animaba a algunos de los jóvenes —él entre ellos— que militaban con Cansinos-Assens en los primeros pasos de la explosión vanguardista de «Vltra». Pero el propio Cansinos ridiculizará pronto en su novela *El movimiento V.P.* (J. M. Bonet [1978 *b*]), claramente inspirada en *Le poète assassiné* de Apollinaire, a buena parte de sus conmilitones, presentándolos como «muñecos de farsa». La contestación del movimiento «Vltra» fue, en efecto, absorbida muy pronto por el sistema; pero el ultraísmo como experiencia de búsqueda, bien que desviada, está pendiente de una evaluación justa (R. Gullón [1975-1976]), que sólo podrá derivar del estudio de un corpus hoy disperso y, en gran parte, desconocido, en el que no se descubrirán obras importantes pero donde se hallará una serie de *topoi* imaginativos que pasaron al acervo de los poetas del 27; éstos, con todo, deben mucho más —y es mucho lo que deben— al creacionismo.

La evolución de la lírica en los primeros años veinte puede documentares en revistas (D. Paniagua [1970]) como *Alfar*, la más rica de todas, ahora reimpresa (García de la Concha [1971]), *Ronsel* (García de la Concha [1973], E. Correa Calderón [1982]), *Parábola* y *Horizonte*.

BIBLIOGRAFÍA

Aguirre, J. M., «Originalidad de la greguería. Hai-kais y qasidas», *Índice*, n.º 81 (junio de 1955), p. 4.

Alcina Franch, Juan, «Estudio preliminar» a la edición de Ramón Gómez de la Serna, *Gollerías*, Bruguera, Barcelona, 1968.

Anceschi, Luciano, *Barocco e novecento*, Rusconi e Paolazzi, Milán, 1960.

Bajarlía, Juan Jacobo, *La polémica Reverdy-Huidobro: origen del ultraísmo*, Devenir, Buenos Aires, 1964.

Bary, David, *Huidobro o la vocación poética*, CSIC, Granada, 1963.

Bodini, Vittorio, *Los poetas surrealistas españoles*, Tusquets, Barcelona, 1963.

Bonet, Juan Manuel, «El caligrama y sus alrededores», *Poesía*, Madrid, n.º 3 (1978), pp. 8-26.

—, «Prólogo» a la edición de Rafael Cansinos-Assens, *El movimiento V.P.*, Hiperión, Pamplona, 1978.

—, ed., *Ramón en cuatro entregas*, Museo Municipal, Madrid, 1980: 1) Siete aproximaciones desde su tiempo; 2) *Prometeo*: *Entrando en fuego*. La sagrada cripta de Pombo; 3) La obra: de *El Ruso* (1913) a *¡Rebeca!* (1936).

Vanguardistas, humoristas y discípulos en general. Europa; 4) De la América soñada. Junto a la tumba de Larra.

Bozal, Valeriano, *La construcción de la vanguardia: 1850-1939*, Edicusa, Madrid, 1978.

Buckley, Ramón, y John Crispin, eds., *Los vanguardistas españoles (1925-1935)*, Alianza, Madrid, 1973.

Buñuel, Luis, *Mi último suspiro*, Plaza y Janés, Barcelona, 1983.

Calinescu, M., «"Avant-Garde": Some terminological considerations», *Yearbook of Comparative and General Literature*, 23 (1974), pp. 83-96.

Camón Aznar, José, *Ramón Gómez de la Serna en sus obras*, Espasa-Calpe, Madrid, 1973.

Campos, Jorge, «*Reflector*: la revista de José de Ciria y Escalante», *Peñalabra*, n.° 18 (invierno 1975-1976), pp. 22-24.

Cansinos-Assens, Rafael, «Un gran poeta chileno: Vicente Huidobro y el creacionismo», *Cosmópolis*, n.° 1 (enero de 1919); recogido en R. de Costa [1975 *b*].

Caracciolo Trejo, E., *La poesía de Vicente Huidobro y la vanguardia*, Gredos, Madrid, 1974.

Cardona, Rodolfo, *Ramón. A study of Gómez de la Serna and his works*, Eliseo Torres and Sons, Nueva York, 1957.

—, «Introducción a la Greguería», en Ramón Gómez de la Serna, *Greguerías*, Cátedra, Madrid, 1979.

Cernuda, Luis, «Gómez de la Serna y la generación poética de 1925», en *Estudios sobre poesía contemporánea*, Guadarrama, Madrid, 1957, pp. 165-177.

—, «Ramón Gómez de la Serna», en *Poesía y Literatura*, Seix Barral, Barcelona, 1971.

Cirlot, Eduardo, *Diccionario de Ismos*, Argos, Barcelona, 1956².

Correa Calderón, Evaristo, «Cincuenta años después. Pequeña historia de una revista», en *Ronsel. Revista de Arte*, reedición facsímil, Ediciones Sotelo Blanco, 1982, pp. XV-XXVI.

Corvalán, Octavio, *Modernismo y vanguardia*, Las Américas, Nueva York, 1967.

Costa, René de, «Nota bibliográfica» a la edición facsímil de *El espejo de agua*, *Peñalabra*, n.° 12 (verano de 1971).

—, «Del modernismo a la vanguardia: el creacionismo prepolémico», *Hispanic Review*, 43 (1975), pp. 261-274.

—, ed., *Vicente Huidobro y el creacionismo*, Taurus («El escritor y la crítica»), Madrid, 1975.

Daus, Ronald, *Der Avantguardismus Ramón Gómez de la Sernas*, Vittorio Klosterman, Frankfurt, 1971.

Díaz-Plaja, Guillermo, «Teoría de la greguería», en *Comentario de textos de literatura española*, Ediciones La Espiga, Barcelona, 1971.

Diego, Gerardo, *Lope y Ramón*, Editora Nacional, Madrid, 1964.

—, «Poesía y creacionismo de Vicente Huidobro», *Cuadernos Hispanoamericanos*, LXXIV, n.° 222 (junio de 1968); recogido en R. de Costa [1975 *b*], pp. 209-228.

—, «Larrea traducido», en Juan Larrea, *Versión celeste*, Barral, Barcelona, 1970, pp. 11-14.

Diego, Gerardo, *Poesía de creación*, Seix Barral, Barcelona, 1974.
Escarpit, Robert, *Littérature et société. Problèmes de méthodologie et sociologie de la littérature*, Université Libre de Bruxelles, Éditions de l'Institut de Sociologie, Bruselas, 1967.
Espina, Antonio, «Ramón y los ismos», en *El genio cómico y otros ensayos*, Madrid, 1965, pp. 127-147.
Fernández Moreno, César, *La realidad y los papeles. Panorama y muestra de la poesía argentina*, Aguilar, Madrid, 1967.
Fuentes Florido, Francisco, *Rafael Cansinos-Assens (novelista, poeta, crítico, ensayista y traductor)*, Fundación Juan March, Madrid, 1979.
García de la Concha, Víctor, «*Alfar*. Historia de dos revistas literarias», *Cuadernos Hispanoamericanos*, n.º 255 (marzo de 1971), pp. 500-534.
—, «*Ronsel*. Revista de Literatura y Arte (1924)», *Papeles de Son Armadans*, n.º CCIII (1973), pp. XIX-XXXVI; recogido en el número conmemorativo del cincuentenario de la publicación, Lugo, enero de 1975, pp. 3-7.
—, «La generación unipersonal de Gómez de la Serna», *Cuadernos de Investigación Filológica*, III (1977), pp. 63-86.
—, «Juan Larrea en su más allá», *El País*, Suplemento Libros, n.º 43 (1980).
—, «Seis poemas recuperados de Juan Larrea», *El País*, Suplemento Libros (12 de octubre de 1980), p. 7.
—, «Anotaciones propedéuticas sobre la vanguardia literaria hispánica», *Homenaje a Samuel Gili Gaya*, Edigraf, Madrid, 1981, pp. 99-111.
—, «Dos revistas cervantinas en las primeras escaramuzas de la vanguardia», *Homenaje a Gonzalo Torrente Ballester*, Biblioteca de la Caja de Ahorros y Monte de Piedad, Salamanca, 1981, pp. 409-423.
—, «Una polémica ultraísta: Gerardo Diego en el Ateneo de Santander (1919)», *Homenaje al Ilmo. Sr. D. Ignacio Aguilera*, vol. I, Institución Cultural de Cantabria, Santander, 1981, pp. 175-195.
Giménez Frontín, José Luis, *Movimientos literarios de vanguardia*, Salvat, Barcelona, 1974.
Gómez de la Serna, Gaspar, «El "ismo" del ramonismo», *Insula*, n.º 196 (marzo de 1963), p. 7; recogido en el item siguiente, pp. 108-114.
—, *Ramón (obra y vida)*, Taurus, Madrid, 1963.
—, «Ramón y el noventa y ocho», en *Entrerramones y otros ensayos*, Editora Nacional, Madrid, 1969.
Gómez de la Serna, Ramón, *El cubismo y todos los ismos*, Biblioteca Nueva, Madrid, 1921.
—, «Gravedad e importancia del humorismo», *Revista de Occidente*, XXVIII (1930), pp. 348-391.
—, *Ismos* (1931), Guadarrama, Madrid, 1975.
—, «Las cosas y el "ello"», *Revista de Occidente*, XLV (1934), pp. 190-208.
—, «Ensayo sobre lo cursi», *Cruz y Raya*, n.º 16 (julio de 1934); recogido en *Lo cursi y otros ensayos*, Editorial Sudamericana, Buenos Aires, 1943.
—, «Las palabras y lo indecible», *Revista de Occidente*, LI (1936), pp. 56-87.
—, *Automoribundia (1888-1948)*, Editorial Sudamericana, Buenos Aires, 1948.
—, *Total de greguerías*, Aguilar, Madrid, 1955.

Gómez de la Serna, Ramón, *Cartas a mí mismo*, AHR, Barcelona, 1956.
—, *Nuevas páginas de mi vida*, Editorial Marfil, Madrid, 1957.
—, «Prólogo» a la 6.ª ed. de *Greguerías*, Austral, Madrid, 1960.
—, *Diario póstumo*, Plaza y Janés, Barcelona, 1972.
González García, Ángel, Francisco Calvo Serraler y Simón Marchán Fiz, *Escritos de arte de vanguardia 1900-1945*, Turner, Madrid, 1979.
González Gerth, Miguel, «Aphoristic and novelistic structures in the work of Ramón Gómez de la Serna», tesis doctoral, Princeton University, 1973.
Granjel, Luis S., *Retrato de Ramón*, Guadarrama, Madrid, 1963.
—, «*Prometeo* (1908-1912)», *Ínsula*, XVIII, n.º 195 (febrero de 1963), pp. 6 y 10.
—, «Ramón en *Prometeo*», *Ínsula*, XVIII, n.º 196 (marzo de 1963), pp. 3 y 6.
—, «Silverio Lanza en el recuerdo de sus coetáneos», *Papeles de Son Armadans*, n.º C (1964), pp. 43-50.
—, «Estudio preliminar» en la ed. de *Obra selecta de Silverio Lanza*, Alfaguara, Madrid, 1966.
Gullón, Ricardo, «Balance del ultraísmo», *Peñalabra*, n.º 18 (invierno de 1975-1976), pp. 18-20.
Hocke, Gustav René, *El manierismo en el arte europeo de 1520 a 1650 y en el actual*, Madrid, 1961.
Ilie, Paul, *Documents of the Spanish Vanguard*, University North Carolina, Chapel Hill, 1969.
Jackson, Richard L., «Toward a classification of the Greguería», *Hispania*, XLVIII (1965), pp. 826-832.
—, «The Greguería of Ramón Gómez de la Serna: antecedents and originality», *Symposium* (1967), pp. 293-305.
Kibedi Varga, A., «Raisons de l'avantgarde», *Revue de Littérature Comparée*, 49 (1975), pp. 561-571.
Laffranque, Marie, «Aux sources de la poésie espagnole contemporaine: la querelle du créationnisme», *Bulletin Hispanique*, 64 bis (1962), pp. 479-489.
Lista, G., *Marinetti et le futurisme: études, documents, iconographie*, L'Âge d'Homme, Lausana, 1976.
López Estrada, Francisco, «Enmanuele Thesauro, un precursor de la greguería ramoniana», *Revista de la Universidad de Madrid*, XXVI, n.º 108 (abril-junio), 1977.
López Molina, Luis, «Nebulosa y sistema en las greguerías ramonianas», *Versants*, 1 (otoño de 1981), pp. 109-120.
Mainer, José-Carlos, «Prólogo» a la edición de *El incongruente*, Picazo, Barcelona, 1972.
Marías, Julián, «Ramón y la realidad», *Ínsula*, XII, n.º 123 (febrero de 1957), pp. 2 y 8; recogido en *El oficio del pensamiento*, Revista de Occidente, Madrid, 1958, pp. 251-258.
Martin, M. W., *Futurist art and Theory, 1909-1915*, Clarendon Press, Oxford, 1968.
Mazzetti Gardiol, Rita, «Some comments of the biographical sketches of Ramón Gómez de la Serna», *Kentucky Romance Quarterly*, XVII (1970), pp. 275-286; resume una parte de su tesis doctoral: «Poetic biography. A study of

the biographical works of Ramón Gómez de la Serna», Indiana University, 1968.
—, «The use of imagery in the works of Ramón Gómez de la Serna», *Hispania*, LIV (1971), pp. 80-90.
—, *Ramón Gómez de la Serna*, Twayne, Nueva York, 1974.
Molas, Joaquim, «La literatura catalana y los movimientos de vanguardia», *Cuadernos de arquitectura*, n.° 79 (1970), pp. 36-42.
Nicolás, César, «Ramón Gómez de la Serna y la generación del 27», tesis doctoral (inédita), Universidad de Extremadura, Cáceres, 1983.
Nora, Eugenio G. de, «Ramón Gómez de la Serna», en *La novela española contemporánea*, Gredos, Madrid, 1962, vol. II, pp. 93-150.
Paniagua, Domingo, *Revistas culturales contemporáneas*, 2: *El ultraísmo en España*, Punta Europa, Madrid, 1970.
Paz, Octavio, *Corriente alterna*, Siglo XXI, México, 1967.
Pizarro, Ana, *Vicente Huidobro, un poeta ambivalente*, Universidad de Concepción, Concepción, 1971.
Poggioli, Renato, *Teoría del arte de vanguardia*, Revista de Occidente, Madrid, 1964.
Ponce, Fernando, *Ramón Gómez de la Serna*, Unión Editorial, Madrid, 1968.
Raffa, Piero, *Vanguardismo y realismo*, Ediciones de Cultura Popular, Barcelona, 1968.
Richmond, Carolyn, «Una sinfonía portuguesa. Estudio crítico de *La quinta de Palmyra*», en R. Gómez de la Serna, *La quinta de Palmyra*, Espasa-Calpe (Selecciones Austral), Madrid, 1982, pp. 13-151.
Rodríguez Alcalde, Leopoldo, «Estudio preliminar» a la edición de *José de Ciria y Escalante*, Antología de Escritores y Artistas Montañeses, Santander, 1950.
Rodríguez-Izquierdo, Fernando, *El haiku japonés*, Guadarrama, Madrid, 1972.
Rozas, Juan Manuel, *La generación del 27 desde dentro (textos y documentos)*, Alcalá, Madrid, 1974.
San Vicente, Ángel, «Un retablo gregueresco de la escritura», *Seminario de Arte Aragonés*, n.° XXXVIII (1983), pp. 283-320.
Sánchez Vidal, Agustín, ed., Luis Buñuel, *Obra literaria*, Ediciones del Heraldo de Aragón, Zaragoza, 1982.
Sanguinetti, E., *Vanguardia, ideología y lenguaje*, Monte Ávila, Caracas, 1969.
Senabre Sempere, Ricardo, «Sobre la técnica de la greguería», *Papeles de Son Armadans*, XLV, n.° 134 (mayo de 1967), pp. 121-145.
Sofovich, Luisa, *Ramón Gómez de la Serna*, Ediciones Culturales Argentinas, Buenos Aires, 1962.
—, ed., *Diario póstumo de Ramón Gómez de la Serna*, Plaza y Janés, Barcelona, 1972.
Torre, Guillermo de, *Literaturas europeas de vanguardia*, Caro Raggio, Madrid, 1925.
—, «La polémica del creacionismo. Huidobro y Reverdy», *Ficción*, Buenos Aires, 35-37 (enero-junio de 1962); recogido en R. de Costa [1975 *b*], pp. 151-165.
—, *La aventura estética de nuestra edad*, Seix Barral, Barcelona, 1962.

Torre, Guillermo de, «Picasso y Ramón», *Hispania*, XLV (1962), pp. 597-611.
—, «Sentido y vigencia del barroco español», en *Studia Philologica, Homenaje a Dámaso Alonso*, III (1963), pp. 489-507.
—, *Historia de las literaturas de vanguardia*, Guadarrama, Madrid, 1965.
—, *Ultraísmo, existencialismo y objetivismo en la literatura*, Guadarrama, Madrid, 1968.
—, «Imagen y metáfora en la poesía de vanguardia», en *Doctrina y estética literaria*, Guadarrama, Madrid, 1970.
Umbral, Francisco, *Ramón y las vanguardias*, Espasa-Calpe (Selecciones Austral), Madrid, 1978.
Undurraga, A. de, «Teoría del creacionismo», en la introducción a la edición de *Poesía y prosa* de Vicente Huidobro, Aguilar, Madrid, 1957.
Urrutia, Jorge, *El novecentismo y la renovación vanguardista*, Cincel, Madrid, 1980.
—, «Introducción» a la reedición facsímil de *Favorables París Poema*, César Viguera Editor, Barcelona, 1982.
Velázquez, J. Ignacio, «Introducción» a *Los Caligramas de Guillaume Apollinaire*, Pliegos y Cierzos del Noreste, Zaragoza, 1983.
Verdone, Mario, *Qué es verdaderamente el futurismo*, Doncel, Madrid, 1971.
Videla, Gloria, *El ultraísmo. Estudios sobre movimientos poéticos de vanguardia en España*, Gredos, Madrid, 1963.
Vivanco, Luis Felipe, «Juan Larrea y su *Versión celeste*», en Juan Larrea, *Versión celeste*, Barral, Barcelona, 1970, pp. 15-41.
Vilas, Santiago, *El humor y la novela española contemporánea*, Guadarrama, Madrid, 1968.
Wingler, Hans M., ed., *Las escuelas de arte de vanguardia 1900-1933*, Taurus, Madrid, 1983.
Ynduráin, Francisco, «Sobre el arte de Ramón», *Revista de Ideas Estéticas*, XXXI (1963), pp. 37-45; recogido en *Clásicos modernos. Estudios de crítica literaria*, Gredos, Madrid, 1969.
—, «Ramón y la novela», introducción a la edición de *Museo de reproducciones* y *Breve silueta de Herrera y Reissig*, Destino, Barcelona, 1980.

Francisco Ynduráin

SOBRE EL ARTE DE RAMÓN

En el año 1925 —ya historia— escribía Ortega y Gasset en *La deshumanización del arte e ideas sobre la novela*, a propósito de la tendencia del arte nuevo por él notada con ese peligroso diagnóstico de «arte deshumanizado», que «los mejores ejemplos de cómo al realismo se le supera —no más que con atender lupa en mano a lo microscópico de la vida— son Proust, Ramón Gómez de la Serna y Joyce». [Esa semejanza o parentesco bien puede estar más en lo negativo, en lo que los tres escritores rechazaron, que en lo que buscaron y hallaron cada uno por su camino. Y además, hay que tener en cuenta que no es la lupa lo que emplean los tres citados escritores al acercarse a las cosas, pues no es visiva su facultad más acusada, ni sus experiencias pueden situarse en el campo que el microscopio explora.] Tanto valdría decir que otra manera de destruir la realidad y crear otra más original sería la de mirar las cosas con un cristal de aumento: macro o microscópica, la visión obtenida sería una sobre-realidad, o una manera de des-realizar, como se decía, modo y meta de las nuevas corrientes literarias, digo, las que fueron nuevas los años de entreguerras. Porque en Ramón no es la observación minuciosa o ampliada de las cosas lo que le caracteriza, sino su visión inédita de las mismas. La visión en profundidad, o si se quiere, la visión poética.

Francisco Ynduráin, «Sobre el arte de Ramón», en *Revista de Ideas Estéticas* (1965); recogido en *Clásicos modernos. Estudios de crítica literaria*, Gredos, Madrid, 1969, pp. 192-201 (192-198).

[Las cosas, en primer lugar: he ahí el nudo del arte de Ramón] y la greguería —a través de tanteos y vacilaciones— el instrumento aprehensor de la esquiva presa. Porque Ramón ha buscado también otro ámbito para su visión, éste más recóndito y no en el plano sensible, sino en el de las ideas y los valores: de ahí sus ensayos, artículos y libros sobre escritores, pintores, músicos, artistas de todo género, o sobre temas tan evanescentes como «La torre de marfil», «Las palabras y lo indecible», «Lo cursi», buscando siempre la dificultad y la esquivez del tema para apresarlo infatigablemente con el portentoso instrumento de su prosa. Con lo cual se indica una de las cualidades relevantes y en grado sumo de nuestro escritor, que lo fue casi por definición exclusiva. No hace falta puntualizar si novelista, dramaturgo, ensayista, biógrafo —aunque fue lo uno y lo otro—, porque en cada uno de esos géneros, si es que no fueron y son una greguería permanente, Ramón descuella como escritor y por escritor. En ello hay una virtud, digo una cualidad positiva, no sin un asomo de reserva, puesto que parece indicarse que sus dotes de fabulador novelesco o de ensayista, o de autor de piezas dramáticas, han sido inferiores a las de estilista escritor. [...]

Con un poco de pedantería escolar le denominaríamos un neobarroco o, mejor, neoconceptista; pero también erraríamos considerablemente la puntería. De los conceptistas le separa, con ventaja, la falta de formalismo y de esquemas retóricos, envejecidos ya en su juventud: Ramón suele ser mucho más libre y muchísimo menos convencional. Por otra parte, no olvidemos que a Gómez de la Serna le interesan las cosas, incluso las más humildes, mientras que los ilustres antecesores creo no estaban interesados sino en los nombres de las cosas, de muy pocas cosas. Ramón les lleva, por otra parte, la ventaja de haberles sucedido y de haber recibido una lección en el uso del lenguaje que los otros no pudieron oír, la de la mayor remoción que haya habido en las letras modernas, la del simbolismo y la insistencia en los valores sugestivos de la palabra, liberada hasta hoy y hasta no sabemos cuándo —¿para siempre?— de la servidumbre lógico-conceptual. [...]

Gómez de la Serna no fue en ningún momento afín con los hombres del 98, aunque vivió muy joven la crisis literaria que estos hombres trajeron. No tuvo nada que ver con el hondo problematismo de esa literatura, ni se contagió del afán, del prurito revisionista. Ni, como Valle-Inclán, puede ser llamado hijo pródigo del 98, de regreso de sus escarceos estetizantes y modernistas. Ramón ha estado siempre en la línea de la literatura pura, con lo que se nos muestra heredero de las corrientes finiseculares de *l'art pour l'art*, o del *art for the art's sake*, aunque, creo, con más gravedad y entrega, pese a lo que hoy nos puedan parecer sus genialidades y rasgos de humor excéntrico, desde el pergeño de su persona —pipa, patillas, tupé— hasta el arreglo de su habitación o las salidas pintorescas. [En ningún momento se creyó llamado a proponer ningún remedio, ni a censurar vicio alguno. Nos confirman esta regla contadísimas excepciones, y como de pasada.]

[Ramón, en general, huye de la falacia patética y no está por lo sentimental.] Por ello, su obra es útil para la teoría de Ortega sobre la deshumanización del arte. ¿Queréis una prueba decisiva? La tenéis en uno de sus libros de que yo más gusto, *Los muertos, las muertas y otras fantasmagorías*, publicado en 1935 y muy poco conocido. Es un elucubrar y greguerizar sobre los cementerios y la muerte: el prólogo se llama «Lauda de entrada», y ni por un momento encontramos el menor asomo de patetismo. Se acepta y hasta se burla la muerte: «es muy usual ducharse con la frase "dentro de cien años todos calvos"». «El español tiene la mosca —la mosca negra— detrás de la oreja. ¿Qué sería de nosotros sin la muerte? Todo tiene exaltación gracias a la muerte... ¡Qué bellos ojos tiene la muerte! Yo la saludo militarmente con sorna y disciplina siempre que la siento pasar ...»

RICARDO SENABRE

TÉCNICA DE LA GREGUERÍA

Una amplísima parcela de las greguerías ramonianas se halla directamente relacionada con la preocupación por la palabra. El propio autor nos ofrece la razón de esta preferencia con toda la claridad deseable: «En el momento de no poder coordinar un ideal hay que lanzarse a lo incordine y se encuentra la belleza de las palabras, y la química de sus combinaciones, trastornando el sentido de cada cosa con un adjetivo lejano que no le corresponde, o poniendo cosa con

Ricardo Senabre, «Sobre la técnica de la greguería», *Papeles de Son Armadans*, XLV, n.º 124 (mayo de 1967), pp. 120-145 (131-133, 135-145). Los ejemplos de greguerías siguen la ed. *Total de greguerías*, Aguilar, Madrid, 1955; los números entre paréntesis remiten a la página.

cosa en una vecindad que supone una tercera cosa dubitante, monstruosa». Piénsese, a la vista de estas palabras, en una greguería como la siguiente: «Dan deseos de unir palabras que retienen una antigua querencia. Así: el minotauro del minutero» (133). La palabra será medio y fin en muchas greguerías ramonianas. Deformaciones, paronomasias, dilogías y procedimientos análogos se agrupan en torno a una técnica que configura la faceta lingüística del género. Examinemos, desde este punto de vista, algunos aspectos de la greguería. [...]

Ramón se coloca en ocasiones frente a las palabras como ante una nueva y maravillosa realidad. Es una actitud ingenua que establece inmediatamente relación lógica entre el significante del vocablo y el concepto por él designado. El choque se producirá porque la correspondencia no se da en la realidad. Esta seudoetimología se produce normalmente a un nivel fónico, en la periferia de la palabra, tal como conviene a la mirada de asombro del neófito. Así, los orfeones serán «grandes huérfanos» (163) o bien «*mentor* parece ser el que enseña a decir mentiras» (647). El procedimiento se revela especialmente apto con las palabras compuestas —o que lo parecen—, cuyos elementos, fáciles de desglosar, se emparejan con realidades muy lejanas: Monomaníaco: mono con manías (714). [Algunas otras relaciones, tan arbitrarias como ésta, atestiguan cómo es el plano fónico de la palabra lo que sirve al escritor de trampolín para sus piruetas. Se parte, por ejemplo, de la falsa conexión entre *luto* y *luterano* para afirmar: «Al decir "luterano" se ve a un caballero más enlutecido y severo que los demás hombres» (40). El juego se produce también con nombres propios, normalmente prestigiosos: «¿Cuál es la mujer más antigua? Antígona» (1.103). La falsa etimología puede, además, desarrollar una metáfora: «Descartes: el que se descartó de muchas ideas para quedarse sólo con las buenas» (1.282).]

Hay que insistir, a la vista de estos ejemplos, en que no se trata de simples juegos de palabras —término demasiado ambiguo, por otra parte—, sino en un tipo de construcción que traduce una específica actitud del autor ante el lenguaje. La lengua se le presenta a Ramón como una avalancha de vocablos y expresiones cuyo sentido se le impone. Pero el escritor puede salvarse de esta esclavitud ejercitando un acto de íntima libertad al rebelarse contra los significados y enfrentarse con el lenguaje adoptando la mirada primeriza e incontaminada de un niño. Sólo el recurso a la pureza inicial vigorizará las palabras hasta hacerlas aptas para nuevos modos de expresión. En algunos grupos artísticos de entreguerras, ideas semejantes a éstas desembocaron en «ismos» de todos conocidos. En Ramón, cuya vinculación a esos grupos siempre fue accidental e insumisa, el resultado fue la greguería. [...]

En su ensayo «Las palabras y lo indecible» —de consulta insoslayable para explicarse muchos aspectos del escritor— comenta Ramón que «de ese reino de las palabras que se combinan por su gusto nos llegan algunas apareadas», y señala, entre otros ejemplos, «funámbulas falenas» y «perinclitó lo períinclito». Es evidente que lo que hay en el primero es una aliteración de *f* y en el segundo una paronomasia. En ambos casos, pues, se trata de combinaciones fónicas, en las que el significado es algo secundario. La consideración no es ociosa, puesto que un nutrido puñado de greguerías se hallan construidas con análoga técnica. El examen de algunas de ellas servirá para corroborar que la greguería consiste muchas veces —y por las razones ya expuestas— en lo que podría denominarse un «juego de significantes».

Aun en los casos más simples, sin embargo, la paronomasia no excluye una coherencia significativa. Lo que sucede es que el escritor, al enunciar algo, ha recurrido deliberadamente a vocablos parónimos para producir el efecto acústico buscado. Un ejemplo aclarará esto. Un enunciado absolutamente trivial puede ser «el aperitivo que estimula el apetito», lo que, por supuesto, no constituye greguería alguna. Ramón toma este banal enunciado y lo transforma. La noción de *estimular* se sustituye por la de *hacer cosquillas*, y el aperitivo se nombra mediante uno de sus posibles elementos: las *quisquillas*. El resultado es una greguería: «Las quisquillas hacen cosquillas al apetito» (912). Por obra y gracia de la paronomasia, una frase irrelevante por completo se ha integrado dentro del «género» peculiar de Ramón. De nuevo, pues, nos hallamos ante un procedimiento puramente lingüístico. [A veces resulta difícil deslindar los campos de la falsa etimología y de la paronomasia, que aparecen unidas en una misma greguería: «¡Tintoretto! La mejor tintorería del arte» (647).]

La paronomasia conduce en ocasiones, como era de esperar, a lo que los manuales de retórica llaman derivación, es decir, un tipo de paronomasia en que, además de la semejanza fonética, los vocablos parónimos ostentan un común origen etimológico. En estos casos suele existir también un juego con los significados. Así, en «exceso de fama: difamación» (62), el autor no ha hecho más que seleccionar uno de los sentidos posibles —claro que el más malicioso— del sintagma «exceso de fama». [...] Finalmente, y sin salir de este apartado, aparecen los casos de paronomasia en que uno de los términos se halla implícito y es necesario reconstruirlo. He aquí un ejemplo como muestra: «Habría que llamar también a los bomberos en caso de infundio» (599). No es necesario insistir en que, para captar el mecanismo de esta greguería, hay que establecer mentalmente la paronomasia *infundio-incendio* sobre la cual se apoya. El procedimiento, pues, continúa siendo el mismo: un jugueteo verbal en el que sólo a veces se traspasa la corteza fónica de las palabras combinadas. O —si se prefiere escrutar las fuentes— un típico juego de ingenio de clara filiación barroca.

Si no fuera una afirmación demasiado tajante, podría decirse que todo escritor que convierte el lenguaje en problema acaba desembocando, más pronto o más tarde, en la parodia y desarticulación de los clichés y locuciones hechas, precisamente porque el carácter inamovible de estas expresiones estereotipadas las convierte en el último reducto en pie ante los embates innovadores del autor. Estas fórmulas fijas, repetidas siempre sin alteración posible, representan un atractivo desafío para Ramón, que se lanza también a probar sus fuerzas en este campo de batalla.

Las locuciones parodiadas son de varios tipos. En primer lugar se hallan los refranes de tradición popular, que Ramón trivializa deliberadamente al convertirlos en greguerías. «Nunca es tarde si la sopa es buena» (316). [...] Otras veces se trata de inversiones rigurosas: «La mano del mar no aprieta, pero ahoga» (1.517). «Más vale soltar el pájaro que tenerlo en la mano» (469). O de la imitación fidelísima de una estructura muy conocida: «Cartas que no llegan, corazón que descansa» (666). No falta la espléndida creación verbal. El refrán «medio mundo trata de engañar al otro medio» se convierte en la siguiente greguería: «Medio mundo vive de ponerle inyecciones al otro medio» (784). [Son también abundantes las deformaciones —no siempre de tono paródico— de frases históricas o literarias que han tenido gran fortuna hasta convertirse en arquetípicas: «Levántate y lávate» (733).]

Un grupo especial lo constituyen las greguerías basadas en la ruptura de un cliché lingüístico: «¿De cuerpo presente? No. De cuerpo pretérito pasado» (1.209). La expresión *columna salomónica* se deshace al tomar del vocablo *columna* su acepción anatómica, en una barroca construcción: «Salomón fue aquel que tenía la columna vertebral salomónica» (549). [...] Como era de esperar, Ramón, después de intentar estas destrucciones —o reconstrucciones— de frases hechas y refranes, da un paso adelante hasta inventar él mismo fórmulas paremiológicas que, naturalmente, no sería posible hallar registradas en ningún refranero. Se trata de hábiles falsificaciones en que se imita la andadura externa de la construcción —brevedad, forma elíptica, rima, etcétera— e incluso sus pretensiones de verdad con validez universal: «Grupo bien cenado, grupo descarado» (691).

Si después de todo esto se recuerda el carácter barroco de estos juegos lingüísticos, apuntado antes, no resultará sorprendente la aparición de greguerías basadas en un recurso peculiar de la literatura barroca: la dilogía, es decir, el uso de un vocablo con dos sentidos al mismo tiempo. Un ejemplo muy expresivo puede ser éste, que ha sido repetidamente imitado. «Era tan moral que perseguía las conjunciones copulativas» (947). Habitualmente, el esquema es el que ya hemos advertido varias veces: la palabra dilógica desencadena una idea acorde sólo con la acepción más imprevista del vocablo. [...] En el fondo de estas construcciones se esconde la misma búsqueda consciente del primitivismo, un deseo idéntico al de tantos ejemplos anteriores de contemplar las cosas con ojos aún sin empañar. Sin embargo, es frecuente que la greguería resulte tan medida y dosificada que su misma perfección traicione la aparente inocencia del autor. En «El defecto de las enciclopedias es que padecen de apendicitis» (789) el autor escamotea, precisamente, el término dilógico *apéndice*, y el juego resulta así más hermético y adulto. [En todos los casos resulta fácil rastrear el camino seguido por el autor. Si la *masa* ('conjunto de gente') se puede agitar, la *masa* ('mezcla de harina con agua') se puede amasar, como hace el panadero. Así se monta la greguería: «Amasador de masas: panadero político» (600).]

Se advierte de inmediato que el escritor se mueve a placer en medio de esta selva de equívocos que vienen a apoyar su desconfianza frente a las «palabras inertes». ¿Puro y simple juego deshumanizado? Es posible; pero no hay que olvidar que también la actitud lúdica traduce un comportamiento ante la realidad. El examen detenido de las greguerías de Ramón —incluidas las más banales— aportaría muchos datos acerca del mundo espiritual del escritor. Por ahora no pasa de ser un *desideratum*. Detrás de las concepciones lingüísticas de Ramón hay algo más: si el lenguaje es ambiguo y engañoso, es porque la realidad también lo es. (Recuérdese que en 1946 publicará el autor una extraña novela titulada *El hombre perdido*.) Y la greguería brota, en gran parte, de estas creencias; [para Ramón, el lenguaje es algo más que un instrumento: es un objeto de experimentación. Es fácil señalar hasta qué punto el escritor madrileño se encuentra inmerso, en lo que se refiere a este problema, en una amplia corriente del pensamiento contemporáneo]. Ramón no teoriza, pero vive dentro de este clima espiritual y confiere a algunas de estas ideas contextura literaria. Si el lenguaje es insuficiente es porque se halla desgastado, y es preciso manipular en él para poder remozarlo. De ahí la lucha contra el cliché lingüístico, la desarticulación de formas usuales, el emparejamiento de otras insólitas, en busca de nuevas asociaciones. Concebida así, la greguería es, sin embargo, un arma de doble filo. Permite plasmar artísticamente unas ideas, pero de tal modo que el lector no pierde en ningún momento la sensación de jugueteo, de *divertimento* inocuo y brillante; así, esta faz superficial se convierte a menudo, con notoria injusticia, en la más conocida y valorada de la obra ramoniana. Es absolutamente indispensable, sin embargo, al estudiar a Ramón, no quedarse en la epidermis. También aquí, como en el hombre agustiniano, la verdad reside en el interior.

FRANCISCO UMBRAL

LOS GÉNEROS FINGIDOS DE RAMÓN

Escritor sin género, veamos cómo Ramón va fingiendo novelas, comedias, biografías. Sus novelas son novelas fingidas, ya de entrada, porque no nacen de una idea novelesca, sino de una idea poética. Idea poética que él va tratando de novelizar a lo largo de páginas y páginas. Ésa es la clave de la novelística ramoniana, clave que nadie ha visto quizá porque esa novelística interesa poco (y en buena medida con razón).

El esfuerzo por novelar una idea que no es novelesca. La lucha de lo dramático contra lo lírico. Así, en *La mujer de ámbar*. El título ya es un enunciado poético, que el autor puebla de sucedidos dramáticos e incluso melodramáticos, sin conseguir nunca evitarnos la impresión de que estamos estudiando una filigrana, no una novela. Así, en *Rebeca*, que es la busca de la mujer ideal, o cosa por el estilo, a través de mujeres todas ellas irreales, e incluso inexistentes, en algunos casos, porque el autor no consigue darles vida ni construirles una existencia sólo a base de greguerías. Así en *Las tres gracias*, «no-

Francisco Umbral, *Ramón y las vanguardias*, Espasa-Calpe (Selecciones Austral), Madrid, 1978, pp. 80-84.

vela madrileña de invierno», donde el verdadero protagonista es el frío de Madrid, aparte la historia de tres hermanas desgraciadas que van pasando a través de un hombre nefasto. La mujer, en estas novelas, es siempre una metáfora de mujer, y el hombre es un vago trasunto del autor o es su oponente odioso. En *El gran hotel* se hace la no-novela, la novela del ocio de un español —significativamente apellidado Quevedo, y al que las francesas llaman «Quevedó»—, de un madrileño que ha recibido una herencia y decide gastarla viviendo como un gran millonario, durante un año, en un gran hotel de Ginebra. Lo que hace este protagonista-autor es observar, poetizar la vida del hotel y mantener algunos amores de *chambre* con las enigmáticas y bellas inquilinas.

En *El gran hotel* asoma algo muy caro a Ramón y a todas las vanguardias que le son afines: el cosmopolitismo, de que luego hablaremos. En *El gran hotel* encontramos asimismo la idea ramoniana —quizá poco expresada por él— de la circunferencia, del espacio acotado por cuya órbita pasea una y otra vez el observador, el andarín. Llega a definir el balcón de una de las bellas inquilinas como «un nido de mujer en el árbol del hotel». Aquí se nos descubre que está viviendo el hotel como una redonda copa de árbol. Su última novela, la última de su vida, escrita en Buenos Aires con nostalgias madrileñas, se titula *Piso bajo* y repite la obsesión ramoniana del espacio acotado, cerrado, entrañable y completo, pues sucede en la plaza del Dos de Mayo, que es una de las plazas más recoletas y herméticas de Madrid, aún hoy. *Piso bajo* es también una novela fingida por cuanto desarrolla un conflicto estático padre-hija. *La nardo*, quizá la más famosa de las novelas de Ramón, no es ni siquiera de las mejores entre las suyas. En *La nardo* hay mucho diálogo, y Ramón sólo sabe hacer hablar a los personajes en greguería, lo cual resulta irritante en el contexto realista-poético del libro. *El torero Caracho* recoge el mundo tópico de los toros, con una tragedia tópica, pero el clima, el fondo narrativo, el ambiente del Madrid taurino llega a tener un espesor literario asombroso en algunos pasajes. *El torero Caracho* es el extremo opuesto de *El gran hotel*, por cuanto representa el esfuerzo de la escritura vanguardista aplicada a un tema costumbrista, casticista, y no al mundo cosmopolita que les era propio a las vanguardias. Poéticas o madrileñistas, metafóricas o cosmopolitas, las novelas de Ramón son todas ellas novelas fingidas por cuanto vemos que el autor está haciendo como que hace una novela, cuando lo que en realidad le importa es hacer literatura y puede que no haya nada más opuesto a hacer una novela que hacer literatura.

La novela poética, o que nace de una idea poética y no novelesca, es la que mejor le va a Ramón, y *La mujer de ámbar* puede ser el modelo al respecto. Las novelas madrileñistas comportan inevitablemente una dosis de realismo costumbrista que Ramón resuelve líricamente en las descripciones, pero que se desajustan escandalosamente en los diálogos y en los sucedidos, que muchas veces, como vengo repitiendo, no son sino una idea lírica dramatizada. *La nardo* y *El torero Caracho* pueden ser el modelo de esta serie. Como *El gran hotel* es, obviamente, el modelo de novela cosmopolita, aquella novela que se hizo mucho y mal en España, por influencia de Paul Morand, y que los autores del género ínfimo o verde, como Insúa o Zamacois (salvadas las distancias de calidad literaria, que no son muchas para un lector de hoy), explotaron al máximo. Ramón tiene el acierto, natural en él, de ver el cosmopolitismo desde el punto de vista palurdo de un madrileño casualmente incrustado en el gran mundo de los años veinte. Este punto de vista le da ya continua ocasión de ironía, ironiza toda la novela, y salva de exotismos pueriles la narración. Sin embargo, Ramón no deja de glosar en infinitas greguerías, con fervor de vanguardista, lo que hoy llamaríamos con guasa los adelantos de la vida moderna. Y se anticipa a la novela *collage*, en *El gran hotel*, intercalando de vez en cuando, en la narración, la carta completa del comedor, en francés.

La novela supone deliberación y Ramón es el menos deliberado de los escritores. Lo suyo es ponerse a escribir a lo que salga. De ahí que sus novelas, aparte de fingidas, le queden desiguales, irregulares y a veces descuidadas. Es siempre el escritor que hace como que hace una novela. Fatalmente, llegaría a escribir *El novelista*, que es la novela de unas novelas.

Queda, pues, de toda su novelística, el empeño bello y torpe por dramatizar una idea poética. La impotencia del poeta para narrar. Ramón sabía que la novela no podía seguir siendo escrita por mozos de cuerda, y estaba en lo cierto, pero quizá no leyó a tiempo a Proust ni Joyce. Buscaba la fórmula y no la encontró. Hay una fundamental disociación entre él y el género novelesco. Son irreconciliables. No nos preguntemos cómo no vio esto Ramón, porque nadie conoce sus límites, y ya escribió Eugenio d'Ors aquello de que «mis límites son mi riqueza». Pero es casi imposible encontrar esa riqueza.

El escritor sin género se acoge a la novela porque en la novela todo vale, y tardará en aprender —quizá no lo aprenda nunca— que eso no es verdad, que en la novela vale todo a condición de no querer hacer una novela. Es el empeño por redondear una novela de alguna manera tradicional lo que lleva al fracaso. Es el fracaso de lo lírico frente a lo dramático. En el teatro español de vanguardia de los años treinta, este fracaso se daría en Casona. Ramón, en el teatro, también hace comedias fingidas. *Los medios seres*, su comedia más famosa, nace de un hallazgo poético-plástico: Ramón pinta a los actores verticalmente de negro, medio cuerpo y medio rostro. Luego no sabe qué hacer con ellos y con este hallazgo. La obra fracasa frente al abrupto público madrileño y Ramón huye de España. Ramón cree que está innovando géneros, pero está fingiendo géneros. Como Azorín.

En los cuentos es donde la narrativa de Ramón queda más cuajada, porque el cuento participa mucho de lo lírico y porque a partir de una idea poética puede desarrollarse un cuento, pero no una novela. Aunque no por eso dejan de tener los cuentos de Ramón, asimismo, algo de cuentos fingidos. Y es que la cuestión no está sólo en la capacidad o incapacidad, sino que hay escritores nacidos para fingir que hacen lo que otros hacen de verdad, como ese imitador de *cabaret* que finge prodigiosamente a Chevalier, pero nunca será Chevalier. Los géneros fingidos nacen, no sólo del escritor equivocado, sino del escritor encerrado en su circunferencia, que jamás ha salido ni saldrá de ella. Ramón es él y su circunferencia, y por eso le saldrán siempre los géneros fingidos, porque no ha nacido jamás a la vida. Lo suyo es andar y andar la circunferencia, recorrerla y contárnosla. Ahí está su genialidad circular y, por lo tanto, limitada; y, por lo tanto, infinita.

CAROLYN RICHMOND

EL PROBLEMA DE LA CREACIÓN LITERARIA EN LA NOVELA DE RAMÓN

[Un análisis de *La quinta de Palmyra* revela que la novela se encuentra estructurada a base de una tensión entre lo transitorio —el desenvolvimiento argumental de los amores de Palmyra— y lo eterno

Carolyn Richmond, «Una sinfonía portuguesa. Estudio crítico de la quinta de Palmyra», en Ramón Gómez de la Serna, *La quinta de Palmyra*, Espasa-Calpe (Selecciones Austral), Madrid, 1982, pp. 13-151 (140-143; 145-151).

—la íntima compenetración de la quinta y su dueña—.] La tensión entre estos dos polos no puede resolverse, pero la relación dinámica entre ambos, producida por una feliz alternancia de fuerzas opuestas, como acción y reflexión, aventura y seguridad, compañía y aislamiento, reforzada por una creciente suspensión interior, le da a la obra una enorme vitalidad que se manifiesta en diversos aspectos, según el ángulo de enfoque desde el que se la contempla: inquietud y tranquilidad, huida y búsqueda, libertad y confinamiento, realidad y fantasmagoría, humor y lirismo, mar y tierra, hombre y mujer, etc. Coexisten estas contraposiciones, pues, en una relación armoniosa aunque dinámica, que es lo que debió de percibir Valéry Larbaud en 1926 cuando, acertadamente a juicio mío, describió *La quinta de Palmyra* como «cette symphonie portugaise». [Hay una estrecha conexión entre estas tensiones y unas dualidades fundamentales de la personalidad humana de Gómez de la Serna, quien se sentía dividido entre —digamos— fuga viajera y hogar, o entre sociedad y soledad.] La materia prima de la obra, las greguerías, en vez de estar sueltas o aparecer gratuitamente, como algunos han creído, se desarrollan dentro de una ordenación que no por ser acaso intuitiva resulta menos sistemática. Las constelaciones de greguerías así formadas tienen por objeto proponerle al lector, con su juego metafórico, diversas interpretaciones alternativas, muchas veces superpuestas. *La quinta de Palmyra*, novela en apariencia sencilla, ha resultado ser, en realidad, una obra cuya complejidad raya en lo infinito, lo cual también responde a las teorías del autor. [...]

Para tratar el difícil tema de la creación literaria en relación con esta obra conviene recurrir una vez más a las teorías expuestas en «Novelismo». [Habla Ramón de la novela nueva en general y de su arte novelesco.] «Hay que agitar la vida, mezclarla con verosimilitud a circunstancias inverosímiles e inconvencionales, agitar todo eso, dar las contestaciones descaradas que son difíciles en la vida o quedan sofocadas bajo su burguesismo o conservadurismo.» Defiende la introducción de lo fantasmagórico, puesto que «la literatura es el consuelo del mundo, y por eso debe mimar con ilusión y la fantasmagoría la piel áspera de la realidad, en contacto de caricia próxima». Sus ideas acerca de cómo lo fantasmagórico debe integrarse dentro de la realidad anticipan en varias décadas el llamado «realismo mágico» de nuestros días: «Todo, hasta lo más inverosímil y arbitrario, debe portarse con naturalidad, teniendo en cuenta que la naturalidad cambia según las épocas, y la naturalidad de estos días no es de ninguna manera la de anteayer». No sólo deben incluirse lo fantasmagórico y lo inverosímil, sino que hay que sorprender al «sagaz» lector de hoy, siguiendo «la ruta de lo inesperado». [...]

El que el autor sepa lo que quiere hacer y lo que está haciendo mientras escribe no priva de libertad al género, ya que la única definición de la novela que Ramón admite es «la que dio de ella Mr. L. M. Forster (*sic*): "cualquier relato imaginario en prosa de más de cincuenta mil palabras"». La afirmación de la libertad de la novela nueva parece ser casi un deseo de creación proteica: «hay que presentar, en estado de paroxismo del decir y del ser, al hombre siempre antediluviano en los valles inmensos de un tiempo, a la vez primero y último».

[Desde su libertad de creador cultiva Ramón la libertad del lector haciendo que penetre y participe en la novela.] La voluptuosa sensualidad ambiental de la novela está comunicada mediante una constante apelación a los cinco sentidos, que opera sobre los personajes ficticios al mismo tiempo que vivifica el conjunto para beneficio del lector. [Pero tacto, olfato, gusto y sonido] que tanto impregnan la atmósfera de la novela, sirven sobre todo para reforzar al quinto y principal de los sentidos, el de la vista. La técnica narrativa de Ramón es fundamentalmente visual; describe todo desde el exterior, enriqueciendo la realidad observada mediante un continuo de greguerías que sorprenden y deleitan. Esta «invasión de multiplicada realidad», como la ha llamado Gaspar Gómez de la Serna, no sólo apela directamente a los ojos del lector sino que es captada también por medio de otros muchos ojos dentro de la novela misma. [Tanto ésta como todas las demás percepciones sensoriales que estimulan la imaginación del lector son transmitidas por la voz narrativa y omnisciente de nuestro autor-creador. En su distanciamiento de los personajes, este narrador no se mantiene siempre a la misma distancia de ellos: a veces se les acerca para compartir su visión o sus sentimientos; otras veces se aleja de ellos, para contemplarlos como hermosos objetos] —tal es el caso de Palmyra—, o no tanto, como por ejemplo, en algunas de sus descripciones de los amantes o en las de los contertulios de la quinta. Esta perspectiva de diábolo, además de incluir las más inauditas combinaciones de lirismo y humor, no permiten que el lector descanse un instante: su imaginación debe cambiar continuamente de enfoque, como el ojo humano. Cada parrafito, pues, requiere un cierto ajuste de nuestra parte.

[En vez de un enfoque único el narrador nos ofrece aquí, pues, una visión plurifacética de la realidad, convidándonos a mirarla desde varias perspectivas para que presenciemos, bajo diferentes ángulos y como invisibles testigos, una intimidad ajena. Hay que señalar el predominio del *voyeurisme* en la obra —un *voyeurisme* no limitado a los seres humanos, y destinado a intensificar esa sensación de lo prohibido que impregna las páginas del libro—. El narrador nos presenta un mundo que invade la intimidad ajena y goza de ella —lo cual puede relacionarse, claro está, con el tema del vicio y el del paraíso perdido—, haciéndonos participar en los placeres del *voyeurisme*.]

Tanto el ambiente de la quinta como la vida de su dueña tienen un carácter exquisito, en la doble acepción de esta palabra que hace que cualquier acción ordinaria aparezca como una refinada ceremonia. Ningún acto resulta aquí ser prosaico, pues cada escena se transforma en una especie de rito exigido por las combinadas fuerzas de dicho ambiente y de la personalidad de Palmyra, las cuales requieren de los recién llegados una adaptación de la mirada en la medida de la capacidad de cada uno. [...] El mundo de la novela está lleno de ojos, cuyas miradas animan los objetos inanimados. Desde el comienzo, se destacan, por ejemplo, las ventanas de la quinta, delante de las cuales Palmyra pasará horas «mirando a través de sus cristalitos». También en los otros hotelitos en medio del campo «se notaba que todo estaba dispuesto (¡que sean más grandes los ventanales, que sean mayores!) para mirar lo que se ha de dejar de ver irremisiblemente, sin que sirvan las atalayas bien dispuestas para verlo más tiempo» (VII). La quinta observa a su vez a las personas, como cuando «miraba a Samuel con la resignación del Museo que acepta al turista que se queda». En otra ocasión Palmyra le dice a Félix: «—Que nos mira el mar con sus ojos azules» (XX), sugiriendo el mismo tipo de voyeurismo por parte del mar que observamos en el caso de aquellos pinos que la miraban en su alcoba. Otro punto de vista es el de Palmyra, a través de cuyos ojos el narrador suele describir el paisaje y a veces a los amantes. [...]

Relacionada con este aspecto *voyeur* de la novela está la fuerte necesidad por parte de la protagonista de ser, ella misma, mirada —una necesidad que proviene de su calidad de «medio ser» y que requiere de los hombres un reconocimiento tanto físico como visual—. Entre los amantes es quizás Armando quien mejor cumple en este aspecto, pues su perspectiva es, de entre los varones, la más parecida a la de Palmyra. Es, sin embargo, tosco: «la miraba como el que se para a contemplar la estatua de mármol mientras la quita el polvo, con mirada burda de doméstico» (V); y frío: «Resultaba hasta inexistente su desnudo en aquella soledad desdichada, huida de la gran ciudad. En vez de tenerla más por completo y más para él solo que nunca, se sentía sin ella como si Palmyra se quitase la camisa en el vacío supremo» (VII). Además, la mira con censura, como cuando la ve con los brazos siempre desnudos: «—¿Pero no ves que es de una gran desvergüenza tener siempre los brazos desnudos?» (V). A Armando suele hacerle falta un estímulo exterior para entusiasmarse —como ocurre cuando ve a Enrique admirando los espejos, lo cual resucita en él «su entusiasmo por el gran palacio» (VIII)—. [...]

Con todas estas miradas que se cruzan y se entrecruzan hay, sin embargo, muchas veces una sensación de separación entre la persona que mira y el objeto de su mirada, separación que puede ser atmosférica —como en el caso del aire—, o material —como en el de los cristales de las ventanas—. En este segundo caso la separación que se establece es sumamente sutil, y varía según el tiempo, convirtiéndose los cristales en una especie de celosía de vidrio cuando hay lluvia (así, Armando se siente dentro de una «pecera»; o las dos amigas, pegadas a la ventana al final, miran las «lágrimas de los cristales»). En otra ocasión los boscajes cerca de la quinta cumplen la función de protegerla de los caminos sirviéndole de «biombo» (XVII). La imagen del biombo trae a la mente unos fascinantes capítulos de *El novelista* (XLIII-XLV) en que se narra la composición de la última novela de Andrés Castilla, titulada *El biombo.* Este mueble está presentado ahí como mirando siempre al personaje protagonista y a través de él tienen lugar varias escenas de *voyeurisme.* Sólo al destruir el mueble fatal puede establecerse en aquella casa la paz y tranquilidad.

[Nosotros, durante toda nuestra lectura no hemos sido otra cosa que amistosos *voyeurs* llevados de las manos del narrador. Sin nuestra mirada, nada en la novela hubiera podido cobrar vida.] La materia está allí para ser animada por los ojos del lector, quien, con plena libertad imaginativa, puede crear su propia novela. No sólo participa con el narrador en ella, sino que puede rebasarla en su propia imaginación. [...] En *La quinta de Palmyra* están integrados de forma intuitiva experiencias vitales, pensamiento teórico e imaginación poética. La calidad de esta imaginación poética es mucho más alta de cuanto ha querido verse hasta ahora, y presenta a veces una intensidad deslumbrante. Por este lado se une el autor a los escritores de la vanguardia. Pero creo que resultará evidente de nuestro análisis que sus intuiciones no son chispazos dispersos como es frecuente en dichos escritores; antes al contrario producen una forma de organización espontánea que cuaja perfectamente en obras novelescas de absoluta originalidad, renovando con ello el género. En la armoniosa combinación de todos los elementos señalados parece consistir el «secreto» del arte ramoniano.

GUILLERMO DE TORRE

GÉNESIS DEL ULTRAÍSMO

¿Fue el ultraísmo un movimiento predeterminado, orgánico, de intenciones unánimes y claramente definidas —en la medida en que puede serlo cualquier revuelta juvenil donde negar importa más que afirmar, deshacer más que construir—? ¿O fue, contrariamente, un producto azaroso que por la confusión de sus orígenes apenas llegó a adquirir vertebración y sentido? [...]

Empezando por la palabra. Ultraísmo. El vocablo calificador de una tendencia literaria no existía. No había por qué buscarlo en el Diccionario de la Academia. (Hoy figura en las últimas ediciones y muy claramente definido: «Movimiento poético, promulgado en 1918, y que durante algunos años agrupó a los poetas españoles e hispanoamericanos que, manteniendo cada uno sus particulares ideales estéticos, coincidían en sentir la urgencia de una renovación radical del espíritu y la técnica».) Tampoco relacionarlo con el *plus ultra* de Carlos V y de las naves colombinas. Ultraísmo era sencillamente uno de los muchos neologismos que yo esparcía a voleo en mis escritos de adolescente. Cansinos-Assens se fijó en él, acertó a aislarlo, a darle relieve.

En torno al autor de *El pobre baby* (una de sus narraciones poemáticas más felices) se agrupaban entonces algunos de los escritores movidos por un afán mayor de novedad —no digo los mejores—. Su amable entusiasmo, su benevolencia con lo nuevo hacían afluir a su tertulia nocturna (alternando con la de Ramón Gómez de la Serna en Pombo), de la madrugada más bien, en un café céntrico de Madrid, entre hampones de la bohemia y galeotes del periodismo, a algunos poetas jóvenes.[1] Quizás en

Guillermo de Torre, «Génesis del ultraísmo», en *Ultraísmo, existencialismo y objetivismo en literatura*, Guadarrama, Madrid, 1968, pp. 56-61; es versión totalmente rehecha de materiales utilizados en su libro *Literaturas europeas de vanguardia*, Madrid, 1925.

1. [Cuando en 1916 muere Rubén Darío, «muere también, va muriendo, el modernismo. En *Prometeo*, la revista que don Javier Gómez de la Serna funda en 1908 para ofrecerle una tribuna a su hijo Ramón, se juntan gentes que luego desempeñarán un papel en la renovación literaria. Figura entre ellos

aquellas reuniones —yo no era asiduo— comenzó a cundir la voz ultraísmo. El hecho es que Cansinos-Assens se posesionó del término. Y *Ultra* tituló un breve manifiesto escrito por él, a cuyo pie un buen día del otoño de 1918 encontré con sorpresa mi firma —pues nada se me había anunciado o consultado—, junto con la de otros siete jóvenes, de tres de los cuales (Fernando Iglesias, Pedro Iglesias Caballero y J. de Aroca) nunca se tuvo ninguna noticia literaria, pues se limitaban a ser contertulios de las reuniones de Cansinos-Assens. Otro, Xavier Bóveda, llevaba y siguió llevando distinto rumbo literario: solamente los tres restantes (César A. Comet, Pedro Garfias, J. Rivas Panedas) sí escribieron en las revistas ultraístas. Cansinos-Assens, por su parte, se inhibía como firmante, pero con el fin de destacar en primer plano su ambicionado papel de guía,

---

el sevillano Rafael Cansinos-Assens (1883-1964), que también será de los catecúmenos que acompañen al inventor de la greguería en los inicios de Pombo, allá por el año 1915. Años iniciales, cargados de dudas, pero también de destellos. Ramón revoluciona el teatro, la prosa, el ensayo. Se relaciona con los cubistas, con Marinetti. Los da a conocer a los cenáculos de Madrid. Como dice Antonio Espina, para Ramón "los ismos fueron un clima ideal. Su disconformidad contra todo un arte que consideraban caducos los jóvenes más avizores, no repite la disconformidad vociferadora de Apollinaire, sino que brota simultánea". Pero sobreviene la ruptura. Cansinos mantiene tertulia propia en el Café Colonial. Ya ha publicado, en 1914, su primer libro, *El candelabro de los siete brazos*. Las novelas, los relatos para las colecciones populares, las traducciones, los prólogos, se suceden ininterrumpidamente. Tienen gran audiencia sus artículos de crítica literaria en *La Correspondencia de España*. Cansinos es, entonces, como diría Sainz de Robles, un *promocionista* y un crítico-novelista. Muy pronto demostraría ser mucho más. Sin abandonar nunca su era islámica y quietista, se convierte, a partir de 1918, en el gran animador de las vanguardias. Otras lenguas peninsulares ya han conocido estas últimas. Las revistas *Troços* y *Orpheu* (Barcelona y Lisboa, respectivamente) que aparecen en 1916, marcan la pauta. Vicente Huidobro arriba a Madrid con *Horizon Carré* debajo del brazo. Cansino piensa que les ha llegado a las letras españolas el momento del "más allá". Aparecen la palabra *ultraísmo* y el manifiesto. "Solitario haciendo de caudillo", como dice Arconada, Cansinos es el maestro reconocido por los jóvenes poetas de vanguardia que acuden a la cita de su "zoco de ideas" y que le dedican versos imbuidos de la más modernista de las retóricas. *Cervantes*, la revista que había fundado Villaespesa, pasa a sus manos, convirtiéndose en el órgano oficioso del nuevo movimiento durante los años 1919 y 1920. Allí publica Borges sus traducciones de los expresionistas alemanes, Guillermo de Torre sus ensayos sobre la vanguardia europea, Larrea su *Cosmopolitano*. Los versos libres de Cansinos, bajo el seudónimo de Juan Las, prueban que su misma obra se vio afectada. Sin embargo, coexisten esos versos con novelas de títulos fatalistas, con ensayos heterológicos como "Estética y erotismo de la pena de muerte", "Ética y estética de los sexos" o "Salomé en la literatura". En verdad

nombrándose en el primer párrafo del documento, redactado con estilo de gacetilla anónima. Comenzaba así: «Los que suscriben, jóvenes que comienzan a realizar su obra, y que, por eso, creen tener un valor pleno de afirmación, de acuerdo con la orientación señalada por Cansinos-Assens en la interviú que, en diciembre último, celebró con él Xavier Bóveda en *El Parlamentario*, necesitan declarar su voluntad de un arte nuevo que supla la última evolución literaria: el novecentismo».

No se había incluido tampoco la firma de algunos otros jóvenes como Mauricio Bacarisse y Alfredo de Villacián, quienes por la circunstancia de contarse entre los amigos madrileños de Vicente Huidobro (el cual pocos meses antes había pasado por Madrid, marcando la huella antes registrada), más próximos podían hallarse de la postulada renovación. ¿Qué hacer en este trance? Vagamente creo recordar mis perplejidades, confiadas a

---

logra Cansinos ser el *président Dada* menos dada de cuantos nombra Tzara en 1920.

»La novela *El movimiento V.P.*, que aparece en 1921, marca la ruptura con el ultraísmo. El profeta se ha cansado de ser moderno por serlo. El novelista se empieza a retirar de la escena pública, cediendo su lugar al crítico. Tras *Poetas y prosistas del novecientos*, tras *Los temas literarios y su interpretación*, tras las monografías sobre José Mas y Concha Espina, los cuatro volúmenes de *La Nueva Literatura*, aparecidos en 1927, representan el momento culminante de un enorme trabajo. Su lectura, su estudio, permiten conocer no sólo infinidad de cosas sobre la literatura española de comienzos de siglo, sino también algo de los compromisos, los errores, los aciertos, las enseñanzas, del autor mismo. Su tertulia, ya menos resplandeciente y trasladada al Universal, la frecuentan novelistas de vanguardia, seducidos por la causa proletaria como Arderius, Díaz Fernández, Arconada y Sender. Es *La Libertad* el diario que publica entonces sus artículos: desde puntuales reseñas de la producción borgiana, hasta comentarios sobre la nueva poesía. De estos últimos cabe deducir que Cansinos y el neogongorismo no congeniaban demasiado. Sus últimos libros importantes antes del desastre serían *El amor en el Cantar de los Cantares* (1930) y *La Copla Andaluza* (1936). Durante la guerra, Cansinos estuvo, sin creérselo mucho, donde tenía que estar. Había simpatizado con las reformas emprendidas por la República, pero nada más ajeno a sus preocupaciones que la toma de partido. Luego comienza un largo exilio interior...

»No hay en los ultraístas verdadera radicalización social o política. Alguna alusión al bolchevismo, a la guerra. Algún proyecto como los *Salmos rojos*. Pero en 1920, importan más a los escritores las novedades de París que las de Moscú. Unos pocos viajantes de comercio de la vanguardia irán trayéndoles a sus deslumbrados compañeros esas *plaquettes* raras, esas revistas misteriosas, esos panfletos tremendos: *Dada*, *Lampes à arc*, *Sic*, *Mont de piété*, *Poèmes élastiques*, *Littérature*, *Calligrammes*, *Les mòts en liberté futuristes*. Rafael Lasso de la Vega arrastra su desesperación de niño grande por la Europa de Barnabooth, mientras en Madrid se escuchan los primeros *jazz-bands*.

algún amigo de la misma edad como Eugenio Montes, casi nonato literariamente (¿pero no lo eran, no lo éramos también todos los demás?), con el cual tampoco se había contado. En cualquier caso, y pese a nuestra primera reacción, el «movimiento» estaba en marcha. Las discrepancias de procedimiento debían ceder ante la identidad inicial de propósitos. La adhesión de Cansinos-Assens suponía contar con la revista sevillana *Grecia* y asimismo con *Cervantes*, que bajo la dirección del mismo escritor, entraba en una nueva época. En cuanto a adhesiones de otro tipo, tampoco dejaban de afluir, sobre todo aquellas que más pueden envanecer a quienes deseen atraer sobre ellos la atención: las contrarréplicas satíricas. Así, por ejemplo, la de un contramanifiesto, impreso en una hoja azul, sin firma o, más exactamente, con los nombres caricaturizados de los que habían suscrito el manifiesto verdadero.

Pero soslayando estas nimiedades vengamos de una vez a puntos más concretos. Precisamente, la única parte concreta del manifiesto ultraísta decía así: «Respetando la obra realizada por las grandes figuras de este movimiento, proclamamos la necesidad de un ultrarís-

---

»El ultraísmo se encomendó una tarea muy determinada, y a la vez superior a sus fuerzas: traer la modernidad. Previo a ello, naturalmente, "torcerle el cuello al cisne" (Enrique González Martínez). Acabar con el modernismo decadente, con los Villaespesa, los Marquina, los Martínez Sierra. Uno de los mayores logros de *El movimiento V.P.* es el haber sabido reflejar (aunque sea con cierta ingenuidad) los balbuceos de esa operación. Porque, paradójicamente, los futuros ultraístas serían los últimos modernistas. En 1918 la mayoría de ellos son mucho menos revolucionarios que los Moreno Villa, los Bacarisse, los Díez-Canedo, los Domenchina. En el diván rojo —en las primeras páginas de la novela— siguen reinando las amadas y las princesas azules. Crepúsculos otoñales, elogios galantes, nácares; los títulos de los libros de aquellos poetas que luego cantarían al aeroplano y al reflector, componen una curiosa galería de emblemas fin de siglo. Hay en sus versos de entonces, mucho más de Emilio Carrere o de Villaespesa (dos poetas, por cierto, no tan malos como se dice a menudo) que de *coup de dés* mallarmeano. Los primeros caligramas de Apollinaire que verían aquellos contertulios, hubieron de tener, sin duda, el efecto que las producciones bizarras de *Renato* tienen sobre los poetas de *El movimiento V.P.* Sería necesario conocer mucho mejor nuestra vida literaria, sus entresijos, sus secretos (y falta *todo* o casi todo para estudiar). Veríamos entonces que los poetas más "modernos" leídos comúnmente hasta 1918, serían los unanimistas, incluidos en la Antología de la poesía francesa publicada en 1913 por Díez-Canedo y Fernando Fortún. Entenderíamos mucho mejor el contagio que sobre la escritura de los colaboradores de *Cervantes*, *Los Quijotes* o *Grecia*, había de producir la vanguardia» (Juan Manuel Bonet, ed., R. Cansinos-Assens, *El movimiento V.P.*, Hiperión, Pamplona, 1978, pp. XI-XV, XXV-XXVII).]

mo ... Nuestra literatura debe renovarse, debe lograr su *ultra*, como hoy pretende lograrlo nuestro pensamiento científico y político. Nuestro lema será *ultra*, y en nuestro credo cabrán todas las tendencias sin distinción. Más tarde estas tendencias lograrán su núcleo y su definición. Por el momento creemos suficiente lanzar este grito de renovación y anunciar la publicación de una revista que llevará este título: *Ultra*, y en la que sólo lo nuevo hallará acogida».

Como se advertirá, el llamado «manifiesto» no pasaba de ser una rudimentaria exposición de propósitos, hecha con una mesura y una cautela muy poco vanguardistas. Además, en los párrafos transcritos existía una patente contradicción, pues si, por una parte, se afirmaba que en ese «credo» cabrían «todas las tendencias sin distinción», por otra parte no se recataba que en la revista *Ultra* «sólo lo nuevo hallaría acogida». Así fue, acertadamente, pues de otra suerte esa publicación y las similares que siguieron no habrían presentado la menor singularidad. Poca cosa habría sido el ultraísmo si inmediatamente después algunos no hubiéramos aportado a tan escasa doctrina algunos gramos de sustancia teórica. Por mi parte, queriendo tanto diferenciar el ultraísmo de las demás tendencias de vanguardia que entonces se extendían como buscar en él un punto de confluencia, yo lo describía a modo de un «vértice de fusión», ya que uno de nuestros objetivos era sincronizar la literatura española con las demás europeas, corrigiendo así el retraso padecido desde años atrás. Y eso, al menos, se logró.

En lo referente a las teorías poéticas del ultraísmo —ya que en este género hubieron de condensarse sus propósitos renovadores—, sintéticamente pueden enunciarse así: reintegración lírica e introducción de una nueva temática. Para conseguir lo primero utilizó, sobrevaloró la imagen y la metáfora, suprimiendo la anécdota, lo narrativo, la efusión retórica. Para lo segundo se proscribió lo sentimental, sólo aceptado en su envés irónico, impura y deliberadamente mezclado al mundo moderno, visto éste nunca de un modo directo, sino en un cruce de sensaciones. Se rompía así con la continuidad del discurso lógico, dando relieve contrariamente a las percepciones fragmentarias, y entendiendo con ello mantener la pureza del flujo lírico. Un afán tan ingenuo como heroico nos dominaba. «La miel de la añoranza —escribía Jorge Luis Borges— no nos deleita y quisiéramos ver todas las cosas en una primicial floración.»

GERARDO DIEGO

EL CREACIONISMO POÉTICO Y HUIDOBRO

Admito que haya otros creacionismos distintos del de Huidobro, los posteriores desde luego, y que le deben todo o casi todo, puesto que casi todo es ya la idea inicial. Y también los rigurosamente contemporáneos y hasta los que de modo más o menos claro le preceden. Lo importante es que el suyo es suyo en él y le nace de dentro. Es inconfundible. Su cristalización definitiva no la debe a ningún poeta sino a la pintura de Juan Gris y a la escultura de Jacques Lipchitz, «recordando nuestras charlas vesperales en aquel rincón de Francia», como reza la dedicatoria a ambos amigos al frente de los *Poemas árticos*. [...]

Que el creacionismo, como escuela poética, como estética o poética, no fue un hecho aislado ni un dogma inventado de la nada en 1914 es cosa tan sabida y natural que parece que huelga advertirlo. Y no sólo no lo fue en la realidad de sus manifiestos o de sus poetas y poemas, pero ni siquiera en la pretensión de sus primeros inventores. Una invención, un invento, no es más que un hallazgo. [...] Lo que sí pretendió la poesía creacionista fue y sigue siendo crear o inventar un sentido nuevo y una técnica nueva, aprendida en parte en la naturaleza misma y en parte en la técnica científica y de las artes plásticas y en la de la música.

[Jürgen von Stackelerg ha señalado que la idea básica de Huidobro cuando dice: «¿Por qué cantáis la rosa —¡oh poetas!? / Hacedla florecer en el poema», y lo de que «el poeta es un pequeño dios», tiene un precedente en algunos ejemplos de preceptistas del Renacimiento. El más curioso es uno de los *Siete libros de poética*, de Julio César Scaligero, que dice así: «El poeta crea otra naturaleza y se hace a sí mismo otro Dios». Y luego añade: «El poeta no se contenta con narrar las cosas, como un histrión, sino, como otro Dios, las crea».] Y no para ahí el precurso de estas ideas creacionistas o fabri-

Gerardo Diego, «Poesía y creacionismo de Vicente Huidobro», en *Cuadernos Hispanoamericanos*, LXXIV, n.° 222 (1968); recogido en René de Costa, ed., AA.VV., *Vicente Huidobro y el creacionismo*, Taurus, Madrid, 1975, pp. 209-228 (220-228).

cacionistas en el Renacimiento. Otro de sus humanistas, el británico sir Phillip Sidney, dice nada menos que esto: «Por la fuerza de su ingenio, el poeta produce en efecto una segunda naturaleza, crea cosas que o bien son mejores que las de la naturaleza, o bien formas que nunca las hubo en la naturaleza». Frase que data de 1595, lo mismo que esta otra: «El mundo de la naturaleza es de bronce; el de los poetas, de oro».

Entonces ¿deduciremos nosotros que Huidobro no innovó nada, que todo su creacionismo era la resurrección de algo pasado y olvidado? No por cierto. No es lo mismo una frase dicha en el siglo XVI que la misma frase nacida de nuevo en el XX. Como no es lo mismo una imagen poética en Homero o en Ausonio que la misma imagen en un poema de Mallarmé o de Huidobro. Las imágenes, la poesía, como la filosofía, son lo que son al pie de la letra, más el contexto y la atmósfera en que están envueltas y la intención con que están dichas. [...]

¿Es posible una poesía creacionista? Mejor dicho, ¿una poesía verdaderamente creada? Los críticos de Vicente Huidobro, como los de los otros poetas creacionistas, han estado casi siempre conformes en que no, en que todo poema con tal pretensión ha de ser forzosamente un fracaso. Y es que no se entiende verdaderamente qué es lo que significa la expresión «poesía creada». El poeta no puede crear de la nada. Crea con palabras y las palabras preexisten y de ellas no puede librarse. Pero un poema creado no es un poema antirrealista, al contrario, es un poema intensamente realista —o, mejor dicho, real— con una realidad acrecentada y magnificada que en la realidad de la vida prende sus raíces. Bastaría que un poema creado, que al pie de la letra no puede justificarse como reproductor de diversas y sucesivas apariencias reales verso a verso, tuviese sin embargo a través de su aparentemente disparatada conexión de imágenes y de palabras una capacidad objetiva de emocionar a varios lectores; a un solo lector, y de emocionarle con el mismo «color» de emoción y exactamente en los mismos parajes del poema que le hicieron sentir la emoción primigenia al poeta, para que estuviera ya demostrada la comunicabilidad de la creación poética y el resultado positivo en boca del poeta con verdadera fe.

Vicente Huidobro empezó a escribir poemas creados desde 1918, y aunque luego fuese abandonando en cierto modo el absolutismo de una intención creadora para dejarse llevar de una tempestuosa y más directa impresión vital, en el fondo y muchas veces en la forma y en la técnica sus poemas de madurez siguen siendo fieles al espíritu creador.

Huidobro, en su período de máxima fe y rigor en el espíritu creacional, trabajó denodadamente para forjarse su propio idioma [...] empleando, único medio posible, las palabras de la tribu, pero dándoles un nuevo alcance para que de ellas naciese el nuevo ser, el nuevo y humano hijo concreto: el poema. La alusión velada a Mallarmé viene muy a punto porque lo que Mallarmé no logró, el perfecto simbolismo, lo consiguen Huidobro y sus discípulos de la primera hora. Apuntando a lo creado, pueden fracasar, pero consiguen gracias al avance de la puntería lo que estaba más cerca: lo simbolista. [...]

En cuanto a las reflexiones de Huidobro, en el año 1920 y un poco antes y un poco después, soy testigo de sus confidencias, que para mí fueron reveladoras y que me descubrió con verdadero desprendimiento de maestro. Voy a recordar una, que pertenece a la labor humilde, aunque ambiciosa, de la gramática, de la gramática poética. Uno de sus libros inmediatos se titularía *Automne régulier*. Vicente me dijo que había estudiado la función de cada categoría gramatical como célula del poema creado. Y así, eligiendo un tema favorito de su poesía el de las estaciones o *saisons* del año, había compuesto cuatro títulos en los que se intentaba crear desde el mismo título, ya embrión de poema o poema concentrado, la posibilidad encerrada dentro del sustantivo, del adverbio, del adjetivo y del verbo. He aquí los títulos de los cuatro poemas: «Relativité du printemps». (Entiéndase bien que «relatividad» en 1920 alude a la teoría de Einstein más que al sentido general de la palabra.) «Eté en sourdine.» «Automne régulier.» «Hiver à boire.» En esta última estación también hay que aclarar al traducirlo al español, que no quiere decir «invierno para beber», para beber una bebida cualquiera, sino precisamente el invierno, en tal creacionistamente que bebida. [...]

Aunque protesten los cegatos o ensordecidos, ¿cómo vamos a negar las posibles nupcias de poesía y pintura, si admitimos las de poesía y música? Una letra de canción, de *mélodie* o de *Lied* no gana en su alianza con la música mayor valor poético. Pero el abrazo de su hermana envolviéndola en su bellísima atmósfera logra para la nueva obra, para la ya indisoluble hermandad de letra y son, una belleza acrecida y de poder emotivo superior. ¿Pues por qué no puede suceder algo parecido cuando se coordinan poesía de palabras y poesía de formas y colores ópticos? Se dirá que la fusión no puede realizarse, que quedan sus componentes aislados y heterogéneos. Y es verdad que la comunidad del fluir temporal otorga al «Lied» un alma única en mayor grado que a la fusión de la poesía —arte oral aunque lo olvide la escritura— con la pintura, arte mudo y quieto. Pero a pesar de todo, en nada puede perjudicar al poema su escritura en el seno de un cuadro o su disposición en imaginaria perspectiva y real policromía sugeridoras de su otra realidad plástica, que así entrando por los ojos puede incrementar su contenido, implícito ya en la sola y austera alineación de palabras. Al fin y al cabo la tipografía no es más que un ensayo tímido de esa colaboración entre las artes gráficas y las verbales. El poema pintado o, si preferís, el cuadro parlante, puede ser una obra excelsa y más rica de elementos y de armas emocionales que la pintura pura o la poesía desnuda. ¿No tenemos en el teatro y el coreograma ejemplos felices de ese acuerdo entre otras artes? [...]

Termino estas consideraciones sobre la poética y la poesía de un siempre querido y añorado amigo reproduciendo un poema pintado en la abstracción inevitable de su solo texto, sin el concurso perdido de distancias, espacios, colores y fulgores:

MINUIT

Un astre a perdu son chemin

Soit bolide ou serpentine
elle est jolie la fête voisine

La lune et mon ballon
se degonflent lentement

Voici l'étoile
nid ou atome

Ici c'est la vallée des larmes et l'astronome.

La distancia entre las anteriores imágenes —dispuestas y repartidas con intermedios y amplios espacios en la parte, el tercio superior, del fondo azul oscuro— y la línea de la base, en el umbral muy bajo, del último verso, dejaba en el vacío de casi todo el rectángulo toda la hondura sugerida de la noche.

LUIS FELIPE VIVANCO

JUAN LARREA Y SU *VERSIÓN CELESTE*

Juan Larrea es poeta de la primera posguerra europea, la de los años veinte, y el planteamiento radical de su poesía debemos buscarlo también a nivel europeo o parisino. Sin embargo, ha empezado a escribir como poeta ultraísta en castellano, sigue escribiendo en castellano como poeta creacionista, para terminar siendo poeta surrealista en francés. Mejor dicho, termina, según confesión propia, no escribiendo más poesía a partir del año 1932. [...] Juan Larrea es un extravagante de nuestra lírica, un poeta que se pasea fuera de nuestros páramos y jardines, y el problema que nos plantea es el de cómo recuperarle para la lengua y la poesía española. Sus primeros poemas, aún vacilantes, los ha publicado Larrea en revistas ultraístas de 1919, principalmente la sevillana *Grecia* y la madrileña *Cervantes*. Al cabo de unos cuantos años de silencio —y de intensa evolución interna en su palabra— edita en 1926, ya trasladado a París, en unión de su amigo peruano César Vallejo y todavía en castellano, los dos números de su revista *Favorables París Poema*, y al mismo tiempo empieza a escribir en francés. Entre los poemas anteriores al año veinte y los que escribe todavía en castellano después del veintiséis hay una fecunda insatisfacción de su palabra imaginista, hasta lograr su plenitud de sintaxis inmediata trascendente. La llamo inmediata por lo que tiene de fidelidad al impulso vital en el lenguaje, y trascendente por lo que tiene de exigencia formal o realidad poemática. En el momento en que Larrea deja de escribir su poesía en español, deja también de publicarla. Y a través de estas dos decisiones de orden existencial se queda fuera de la evolución de nuestra lírica contemporánea en la obra y en la palabra de sus grandes creadores.

[Para Larrea el encuentro con Huidobro en 1921 resultó fundamental. De él arranca la trayectoria de escritura reflejada en los quince poemas castellanos de «Metal de voz» que, junto con otras tres secciones de poemas franceses, compone *Versión celeste.*] Como poeta, Larrea se mueve en el terreno de la lírica pura. Nunca acepta temas

Luis Felipe Vivanco, ed., Juan Larrea, *Versión celeste*, Barral Editores, Barcelona, 1970, pp. 15-41 (15-16, 28-29, 31-35).

impuestos. Los temas le brotan dentro de su trato con la realidad del mundo. La versión la pone el hombre: ¿quién pone lo celeste? En realidad, en la realidad creada del poema, no se pueden separar los dos términos, y la versión del poeta, la poesía, es versión celeste. Por otra parte, según Bodini, Larrea es poeta surrealista «fino alla cima dei capelli» ('hasta la punta de los pelos'). Por lo tanto, Larrea es un surrealista o superrealista que nos da una versión —y no sólo visión— celeste de la realidad. Por eso nos confiesa él mismo, en una carta a Bodini del año sesenta, que aprovechó del movimiento surrealista aquellas tendencias que le eran afines, porque él también quería transferirse a otra realidad, aunque en forma distinta a la de los poetas surrealistas más destacados. Esta forma o manera distinta de transferencia son los poemas de *Versión celeste*. El superrealismo de estos poemas empieza en el título de cada uno, aunque no siempre, pero va a estar sobre todo en la disparidad de elementos que acuden a mantener en activo el crecimiento uniforme de la frase. Cuando ésta empieza, no se sabe hasta dónde va a llegar, y el verso aislado —incluso como renglón tipográfico— queda incorporado a una unidad de aliento mucho más amplia. Unidad sintáctica, desde luego, pero sin que el respeto a la sintaxis lleve aparejado el respeto a la lógica racional del lenguaje. La sintaxis persiste e incluso se enriquece, pero con otra lógica poética dentro. De aquí la aparente «corrección» de la estrofa, regular o irregular, y aun del poema entero, cuando su contenido ha dejado de pertenecer al mundo del discurso racional. Larrea es un poeta muy correcto en la expresión, en el que la procesión, es decir, la aventura creadora, va por dentro. Según él, la vivencia estética personal que da origen a *Versión celeste* la ha llevado a fondo apenas conscientemente. En primer lugar, nos dice que la ha llevado a fondo, es decir que, a pesar de su respeto por la sintaxis, no se ha quedado a medio camino. Y esto va a ser característico de su mundo poético: la explicación discursiva que traspasa sus límites para convertirse en creación suficiente y, a su manera, coherente. La coherencia es la materialidad del lenguaje, que hay que romper con el acierto de la palabra. Lenguaje coherente y palabra acertada, impetuosa hacia una meta, le dan trascendencia al poema, o, para decirlo con Larrea, a la *sucesión de sonidos elocuentes movidos a resplandor*.

El discurso, por tanto, o sonido elocuente, es lo instrumental que hace posible la poesía en el sentido de lo contrario a todo discurso, o resplandor puro. Un primer conato de infinitud se encuentra en el hecho mismo de que aparentemente —gramaticalmente— se respete el discurso sin destruirlo a la manera dadaísta. Y ese conato es la chispa que pone en marcha a la imaginación dentro de la nueva exigencia de espíritu o vivencia estética llevada a fondo en un terreno suprapersonal. Pero Larrea añade: apenas consciente. Y este «apenas» se puede considerar como mucho o como poco, según desde donde se le mire. Larrea se prepara muy conscientemente, creo yo, para su entrega al inconsciente. Precisamente porque sabe que éste es el que va a decir, en cada momento, las últimas palabras. El poema crece generalmente con libertad de metro y de estrofa, pero sometido a intrínseca exigencia formal imaginativa. Y sabe que se pierde a lo largo de su derrotero, para al final encontrarse mejor, llegando a ser, en esas últimas palabras, la criatura gratuita que es. [...]

En la primera parte del libro, la titulada «Metal de voz», Larrea ha incluido seis poemas como muestras de su primera manera de hacer poesía en imágenes sueltas. Llamémosla su manera ultra. Estos poemas, en su construcción fragmentaria —es decir, muy construidos y al mismo tiempo muy fragmentados—, contrastan con los que vienen inmediatamente después y en los que Larrea ha conseguido ya lo que Bodini llama «una carga unitaria que extiende su propio dominio sin explícitos puntos de fuerza sobre todo el arco de su escritura, auténticamente automática». «Cosmopolitano», en su versión completa, es un poema muy largo en el que las breves apreciaciones sobre la realidad se añaden simplemente unas a otras, sin fusión ni función posterior trascendente: «Cuántas veces el alba / cuántas veces / deshojó pensativa las estrellas silvestres». En estos versos se trata todavía de una descripción del amanecer, y en todo el poema —semejante a otros de Huidobro y Diego— la imaginación creadora parte de una base descriptiva. En cambio, «Razón» —que antes se llamó «Juan Larrea» y viene un poco después—, es un poema muy corto, confiado a una sola frase amplificada, en que las pequeñas cargas aisladas, según Bodini, se han convertido en una sola carga uniformemente repartida:

> Sucesión de sonidos elocuentes movidos a resplandor, poema
> es esto
>   y esto
>   y esto
> y esto que llega a mí en calidad de inocencia hoy,
> que existe
>   porque existo
>   y porque el mundo existe
> y porque los tres podemos dejar correctamente de existir.

Comentando este poema Luis Cernuda ha escrito: «cuando los poetas del veinticinco creían que el arte era un juego, Larrea afirma la significancia espiritual de la poesía; cuando algún poeta del 98, como Jiménez, estimándose todavía criatura única, se erguía frente al mundo para intimarle su desprecio, Larrea afirma la insignificancia en el mundo de la vida del poeta y de la obra del mismo. Precisamente es esa significancia de la poesía e insignificancia del poeta lo que parece restituir a ambos a su función y lugar respectivos. En gran parte, ese sería el concepto de la poesía y del poeta que pronto habría de imponerse como característico de esa generación».

Entre uno y otro poema, entre «Cosmopolitano» y «Razón», está el paso del ultraísmo volandero al creacionismo más duradero, pero a través del *Presupuesto vital* de 1926. En este *Presupuesto*, Larrea empieza diciendo: «En lealtad sólo hay un modo de ser, el modo de la pasión». Pero esta apología inicial de la pasión humana como parte integrante de la «energía cósmica e infatigable», termina con el elogio de la claridad y del espíritu científico aplicable al arte. «Sin claridad no existe el artista. Artista es el que, sin desmayos ni transigencias, selecciona y desecha, exigiendo más y más de las potencias proveedoras para conseguir su máximo rendimiento.»

Al leer los poemas en prosa de «Oscuro dominio» nos damos cuenta de la persuasiva intención de universo moral que hay en ellos. Los dos primeros, «Dulce vecino» y «Atienza», bajo su apariencia terrenal y geográfica —Atienza es un pueblo que estaba, pero ya no está, en el mapa de España, y debe estar, como tantos otros pueblos españoles, transferido al mapa de América— se refieren más bien a pretensiones vengativas de la no realidad sobre la realidad, y a las que debe dar acceso a este mundo la palabra poética. [...] No cabe duda de que en «Oscuro dominio», Larrea se adelanta al primer término de nuestra poesía de los años treinta con un mensaje amargo, no amargado, resuelto con plenitud de lenguaje voluntariamente distanciado.

5. LA GENERACIÓN DE 1927: DE LA VANGUARDIA AL SURREALISMO

Fueron publicaciones extranjeras las primeras en presentar, en 1924, como nuevo frente literario orgánico lo que ahora se denomina grupo o generación del 27. Sus jóvenes componentes habían ido entrando en escena, de manera aislada, a través de las revistas de la última vanguardia, de *España* y de *La Pluma.*

Constituye casi un anticipo de presentación conjunta el *Índice* juanramoniano; pero se multiplica la presencia en *Alfar* (1923-1927) (García de la Concha [1971]) y en lo que primero fue *Página literaria* y en seguida *Suplemento literario* del periódico *La Verdad*, de Murcia, estudiados ambos por Díez de Revenga [1975].

A la par se estrechaban relaciones entre sus autores. Libros de memorias como los de Moreno Villa [1944] y Alberti [1959] o Aleixandre [1968]; para el período posterior de los años treinta, las de Neruda [1974]; colecciones de recuerdos, como los escritos por Salinas [1961²] o Gregorio Prieto [1977]; esbozos, en fin, de unos y otros de los protagonistas, recogidos por Rozas [1974] en un indispensable repertorio que completa mucho el esbozo y antología realizados por González Muela y el propio Rozas [1955], facilitan, además de un anecdotario ambiente, datos utilísimos sobre lecturas y afanes compartidos. Junto al magisterio de Juan Ramón, de Ortega —*Revista de Occidente* acoge su producción— y junto a la influencia de Ramón Gómez de la Serna señalada por Cernuda [1957], mientras Max Aub resume: «nos hicimos leyendo *España*». Hay que reseñar además lo que la Residencia supone como catalizador y plataforma de gestación del grupo. Al dar cuenta en *La Época*, en enero de 1927, de la producción literaria del año anterior, Fernández Almagro habla ya de una generación «que todavía no tiene nombre». Son prosistas creadores —Salinas, Jarnés, Edgar Neville y Antonio Marichalar—; ensayistas o críticos —Chabás, Bergamín, Guillermo de Torre, Dámaso Alonso—; autores de teatro —Lorca y Claudio de la Torre—; y poetas: «profesos» como Guillén, Diego, Alberti y Lorca, o «novicios», como Prados y Altolaguirre. Prácticamente, los mismos qué aparecen incluidos en la «Nómina incompleta de la nueva literatura», en los dos primeros números de *Verso y Prosa*, presentada bajo el epígrafe de «Boletín de la Joven Literatura» (Díez de Revenga [1971]).

Junto a esta revista, precedida por *Mediodía* en Sevilla y *Litoral* en Málaga, estudiadas por Musacchio [1980] y Neira [1978], respectivamente, comienzan su andadura en distintas ciudades periféricas otras publicaciones poéticas, evocadas, con alguna que otra imprecisión, por Cossío [1970]. Datos más precisos pueden verse en el catálogo de Santos Torroella [1952] y en Rozas y Torres Nebrera [1980]. Casi todas se consagran por entero a la creación y, salvo en *Verso y Prosa* y *Gallo* o, en una línea más anecdótica, en *Lola*, suplemento de *Carmen*, todas ahora reeditadas o en proceso de inmediata reedición, apenas si se ofrecen disertaciones teóricas sobre el movimiento: el contraste con la vanguardia resulta, en este punto, notorio. Podríamos decir que cubre dicho frente *La Gaceta Literaria* (1927-1932), ahora reimpresa, palestra y crónica —como demuestra Rojo Martín [1982]— de toda la dialéctica estética y literaria de esos años. El estudio de Hernando [1975], que complementa el que él mismo [1974] realizó sobre la prosa de «Gecé» (es decir, Ernesto Giménez Caballero), sobrepasa con mucho la reseña de Meregalli [1952], pero reclama un desarrollo más completo de lo mucho que allí se esboza y que sólo cubre de manera parcial el libro de Sferrazza y Tandy [1977].

El bien documentado estudio de Geist [1980] constituye, sin duda, ahora la mejor guía de consulta sobre el proceso de la génesis de la poética generacional en las revistas de 1918 a 1936.

Representa la *Antología de la poesía española (1915-1931)* de Gerardo Diego, preparada en equipo por los poetas jóvenes incluidos, la primera muestra crítica del colectivo. Nada extraño, por consiguiente, que la denuncia del concepto de «generación del 27» como creación crítica autopropagandística de un grupo de amigos, apunte siempre a ella como punto de partida. La verdad es que, cuando en 1948 Dámaso Alonso redacta lo que debemos considerar como uno de los ensayos básicos constituyentes del concepto [1965], reconoce la ausencia de una motivación histórica, de un preciso influjo literario, de caudillaje, y hasta de una comunidad de técnica o de inspiración; sustenta, en cambio, la validez de denominación generacional en estos elementos: «coetaneidad, compañerismo, intercambio, reacción similar ante excitantes externos». En la misma línea se sitúa inicialmente Guillén [1955] al evocar a Lorca. Tras ellos, varios críticos (Macrí [1952]; Cano [1970]) han insistido en el valor funcional básico de la amistad.

La adopción de esta perspectiva fue descartando a escritores inicialmente incluidos en tales nóminas críticas y contrayendo el amparo de la etiqueta a los poetas: Salinas, Guillén; Lorca, Alberti; Diego, Dámaso;

Aleixandre, Cernuda; Prados y Altolaguirre. Los mismos, a falta de Villalón, que aparecían en la *Antología.* Guillermo de Torre [1962] cuestiona la existencia en esa «nómina ortodoxa» de una «verdadera comunidad estética, una identificación estrecha de preferencias y puntos de vista». No trata con ello de invalidar los esquemas retrospectivos sino de prolongar algunas líneas sus límites líricos y, a la vez, de reinsertar en el cuadro a los prosistas. En cierto modo había anticipado esta postura F. de Onís ([1934, 1961]) al catalogar en su extraordinaria *Antología* a estos poetas bajo el epígrafe de «Poetas españoles del ultraísmo». Si tal apreciación parece excesivamente radical, Guillén [1961] asume, en parte, el planteamiento de De Torre, no sólo por lo que hace a la nómina, sino y principalmente, por la vinculación que establece entre su generación y el experimento creacionista, así como con las corrientes de la poesía pura.

Desde entonces no se ha interrumpido la discusión sobre la licitud de aplicación del concepto generacional y sobre la hipótesis de la existencia de su cifra. Puede verse un buen ejemplo —protagonista y resumen de la polémica— en Debicki [1968] cuya consulta debe complementarse con Rozas [1978 y 1980]. Frente a quienes, como Gaos [1965], estiman que nada autoriza a elevar al *grupo* a categoría de *generación*, se define a favor del término, por entender que precisamente la ausencia de algunos de los factores clásicos petersenianos —dos, según precisa Siebenmann [1973] en su panorámico estudio de los estilos poéticos de nuestro siglo—, evidencia una comunidad de propósito trascendente de la poesía y el deseo compartido de lograr una obra «perfecta, humana y universal». Todo ello los distancia, según él, del ultraísmo y los constituye en un tiempo dialéctico nuevo. Merecería este último punto precisiones críticas. Tejada [1976] ha revelado ampliamente las conexiones del primer Alberti con el ultraísmo, y las mismas en mayor o menor proporción, cabría rastrear, sin contar ya con Diego y sin perder de vista que lo básico fue el creacionismo, en los otros miembros de la generación.

Con Cernuda [1957] y Gullón [1953] entre otros, entiende Debicki [1968] que debe hablarse de «generación de 1924 o 1925», ya que para esa fecha han aparecido o están en el telar libros capitales, al tiempo que Diego y Alberti consiguen el Premio Nacional de Literatura. Cirre [1950] habla de «la generación lírica de 1920», y añade que hacia 1925 se halla ya madura. Se han multiplicado las denominaciones; junto a alguna obviamente desafortunada, «generación de la Dictadura», o meramente convencional, «nietos del 98», se ha preferido, a veces, escoger como dominante algún nombre, «generación de Guillén-Lorca» (González Muela) o características, «poetas universitarios». Siebenmann [1973] propone una muy flexible, «generación de los años veinte», que viene a coincidir con la de Marichal, «generación de 1921-1931»; en el estudio que reproducimos en el cuerpo del capítulo, Rozas [1978] la especifica, proponiendo el título de «generación vanguardista», si bien enfatiza el componente tradicional que permea todo el desarrollo. Entiende Rozas que los años 1927-1928 representan la cresta de la ola y elabora una nómina muy completa en tres niveles que integran el grupo central, el regional, que se asimila al anterior, y, por fin, a lo ancho de los años y de la geografía, la generación. Recientemente, Gullón [1982], rectificando su posición [1953], rechaza la categorización generacional, muy relativizada ya por los propios protagonistas de la nómina consagrada, denunciándola como mero producto de amistad y culpándola de haber contribuido a dejar en el olvido a poetas tan estimables como Domenchina, Baccarisse y, sobre todo, Antonio Espina.

Pero indudablemente, los años 1918 o 1920 a 1935 o 1936 encuadran una unidad dialéctica del proceso literario. Cernuda [1957] lo contempla diversificado en cuatro fases: predilección por la metáfora; actitud clasicista; influencia gongorina, fase que se relaciona con las dos anteriores; y contacto con el surrealismo, que marca la separación. Dámaso Alonso agrupa, en cambio, las tres primeras fases en una: hasta 1927 predomina la preocupación por la perfección técnica, la limpidez y la pureza; a partir de entonces y hasta 1936, la vida y la pasión que circulaban soterradas, se desbordan en el surrealismo y el neorromanticismo. Simplificando este esquema, cuya polaridad reforzó el propio Dámaso [1965] al confesar que las doctrinas estéticas de hacia 1927 a él le «resultaron heladoras de todo impulso creativo» ha llegado a implantarse el dogma crítico de las dos épocas de la generación del 27, ceñidas a la *deshumanización* y a la *rehumanización*. Resultaba muy fácil aplicar las cláusulas del diagnóstico orteguiano, al que venía a sumarse la acusación de intelectualismo —«cartesianismo rezagado»— con que don Antonio Machado apostrofó a los jóvenes.

Ya a fines de 1924, fecha en que cierra su libro sobre la moderna poesía española, indicaba Montesinos [1927] que era la lírica el género literario que manifestaba de manera más clara la sincronía cultural de la España de entonces con Europa.

En un excelente estudio ha documentado Blanch [1976] las vinculaciones con la literatura francesa. En la polémica sobre la poesía pura, la generación del 27 toma partido, al menos en el plano teórico, a favor de Valéry y desestima las tesis de Henri Brémond que Guillén califica de «catequística poética para el domingo por la mañana» [1961]. Infravalorando la inspiración, se exaltaba el oficio poético y se postulaba un retorno a lo clásico, si bien formalizado de manera nueva. Todavía no disponemos de ese «Valéry en España» tantas veces reclamado. Jalona Blanch los hitos principales de sus contactos e influencias y demuestra que Valéry fue aquí más estimado globalmente que conocido en detalle. En un estudio demasiado esquemático sienta Monterde [1953] la tesis de que, en la práctica y a pesar de las protestas guillenianas, estuvo más cerca de Brémond que, en definitiva, evoca un concepto becqueriano.

Inculcaba la Residencia en los estudiantes y allegados la idea que Jiménez Fraud [1948] atribuye a Cossío —en realidad, se debía a Ortega y la generación de 1914— de la necesidad de una educación estética como base para la reforma ética y cívica de los españoles. Cirre [1950], Siebenmann [1973] y Blanch [1976] descubren el ambiente de euforia que se respiraba en España en los años posteriores a 1918. Rozas [1980] traza la «historia interna» de componentes ideológicos y sociales que configuran el mundo generacional. Se hablaba de un nuevo Renacimiento en artes y letras. En poesía sonaba la hora del rigor formal de la retórica y la poética que Diego [1924 *b*] postulaba. Objetivo estético y propósito técnico preparaban el retorno de Góngora. Conviene advertir, sin embargo, que fue el estímulo de Mallarmé el que precedió al entusiasmo por Góngora; Cansinos-Assens presentaba a ambos como paradigma de la nueva lírica creacionista que protagonizaba Huidobro. Lo que Diego admira muy pronto [1924 *a*] en Góngora es, como ha visto Pradal-Rodríguez [1950], puntualmente aplicable a Mallarmé. En este punto hay que añadir que el encuentro de los poetas con Góngora, que Cernuda [1957] se empeña en circunscribir demasiado a un tiempo y unas obras, repercutió decisivamente sobre la crítica cuya orientación cambia y a la que estimula e inspira. Elsa Dehennin [1962] ha recogido en un volumen de consulta indispensable toda la documentación, artículos y crónicas, del movimiento rehabilitador de Góngora que culminó en el homenaje público de la generación del 27. Los gestos externos —incendio simbólico de libros, etcétera— denotan el rechazo de una estética realista miope; los proyectos, sólo parcialmente consumados, connotan un planteamiento de humanismo renacentista: ediciones críticas, ofrendas literarias, creaciones plásticas y musicales. Lorca resumió mejor que nadie, en su conferencia sobre «La imagen poética de Góngora», lo que éste significaba para la generación. Superando la falsa dicotomía crítica de lo popular y lo culto en la tradición poética española, ve en don Luis al poeta que, hastiado de una lírica repleta de sentimientos vulgares y técnicamente imperfecta, también «cansado de castellanos y "color local"», busca crear un mundo bello mediante un remodelamiento del idioma, «sin sentido de la realidad real, pero dueño absoluto de la realidad poética».

Constituyen los capítulos quinto y sexto del estudio de Blanch un buen hilo conductor para el conocimiento de lo que pudiera ser el arte poético de la poesía pura española. A su servicio se ordena una gramática peculiar cuyo estudio sistemático intentó, de modo somero y limitado, González Muela [1954]. Con ser más breves, resultan en extremo sugerentes las anotaciones léxico-sintácticas que Friedrich [1974] agavilla y que ofrecen la ventaja adicional de cotejar los ejemplos de poetas del 27 con sus coetáneos europeos. Por lo que hace a la métrica, el catálogo de Díez de Revenga [1973] demuestra bien lo que el 27 aportó a la renovación poética del 27. Cernuda [1957] destaca el modelo de la greguería ramoniana y Guillén [1961] reconoce la deuda contraída con el creacionismo en cuanto a construcción de un mundo que sólo existe en y por la imagen. Sobre la pauta de Aleixandre, Bousoño [1950] elaboró un esquema de configuraciones imaginativas de los poetas del 27, deslindando, al margen de la metáfora tradicional, las visiones, imágenes visionarias y símbolos. Posteriormente, enmarcó dichas investigaciones en una teoría general [1957] y todavía [1977, 1979] en una consideración específica del irracionalismo en los tiempos de la poesía española, el segundo de los cuales viene a coincidir con la poética pura. Añade Blanch [1976] otra categorización, de la imagen de conocimiento, que viene dada por la semejanza de intuiciones claras y totalizadoras de un objeto y una imagen. El libro de C. M. de Onís [1974], aun proponiéndose como objetivo primordial el análisis de la literariedad surrealista, se limita a un resumen de lo ya dicho y aporta muy pocas cosas. Deben aún estudiarse, sin embargo, los tipos de imágenes conceptuales, ligadas a la herencia ultraísta, y las intelectuales, cercanas al modo de Valéry.

No cabe duda de que dentro de la poesía pura afloró a veces una tendencia que se agotaba en el puro formalismo: es la que corresponde a esa etapa de ejercitación de la técnica nueva. Pero resulta falso reducir a esa tendencia toda la producción hasta 1927; afirma Guillén [1961] que su generación debiera haberse querellado contra Ortega por haber acuñado el concepto equívoco de «deshumanización», «clave o llave que no abría ninguna obra». El final de la carta a Fernando Vela, que Dámaso Alonso finge no entender [1965], es terminante: «poesía pura ma non troppo» (Rozas [1974]). Apoyándose en la poética declarada por los del 27 en aquellos años, refuta Debicki [1968] la etiqueta que los califica de deshumanizados, poniendo, al tiempo, de manifiesto la diferencia que existe entre lo social inmediato, con lo que, desde luego, no estaban por entonces comprometidos, y lo humano, que nunca faltó. El propio Blanch reseña, junto a la tendencia que se resuelve en formalismo, otra realista de apertura al mundo. Basta repasar las ideas de Lorca, en 1922, sobre el cante jondo para comprender que en el poema del mismo título hay algo más que simple formalismo; o repasar su concepto de folklorismo (Rozas [1974]) para adivinar la trascendencia humana, individual y colectiva, mítica en última instancia, del *Romancero gitano*.

Parece discutible la interpretación que Cirre [1950] hace de la euforia española de los años veinte: se debería a su juicio a «la quiebra, con la gran guerra, del materialismo, del concepto burgués de la existencia y de la filosofía positivista, principios extraños a la mentalidad ibérica». Recobrada la confianza en sí misma, añade, busca España una estética nacional que en la generación del 27 comanda el popularismo y el aristocratismo de la tradición poética. Indudablemente, como los dos últimos textos lorquianos insinúan, la corriente popularista traía consigo humanidad. No deja de reconocerlo Dámaso Alonso al afirmar: «ya se había abierto un portillo por donde se le estaba entrando al público de la poesía pura el enemigo en casa». Está todavía por estudiar a fondo el influjo de Lope y de la poesía tradicional en el 27. Con el aliento humano, proviene de esas fuentes el caudal de visionarismo que impregna la poesía de la generación: ya Lorca subrayó la cercanía que se registra entre algunas imágenes populares y las de Góngora.

De otro lado, Friedrich [1974] aclara oportunamente que las posiciones representadas por Valéry —«el poema debe ser una fiesta del intelecto»— y por André Breton —«el poema debe ser una derrota del intelecto»— son antitéticas sólo en apariencia. Ambas significan la superación, a través de vías diversas, de la inteligencia limitada del realismo burgués. Paralela a la línea de influencia Góngora-Mallarmé-Valéry, incide en la generación de los años veinte la que procede de Apollinaire y desemboca en Breton. Resultan capitales en este punto los testimonios de entusiasmo que por Reverdy, miembro destacado del grupo de Nord-Sud, manifiestan Guillén [1963] y Cernuda [1960]. Guillén especifica que en él aprendió a construir poemas sobre objetos exteriores simples y cotidianos, «equivalentes a los que empleaban en sus lienzos algunos pintores contemporáneos suyos, como Braque o Gris». Con este último reconocimiento da pie Guillén a la calificación de cubismo que en el capítulo siguiente tendremos ocasión de examinar; Mortimer Guiney [1972] facilita una documentada información sobre el significado y alcance del comparatismo en este campo, y Brihuega [1979, 1982] ofrece una documentadísima reseña de las vanguardias artísticas en España, en tanto A. Soria [1981] subraya su conexión con las teorías poéticas. El estudio del tema debe completarse con el de la conexión de la nueva poesía con el cine, para lo que pueden servir de guía indicativa los ensayos de De Torre, recogidos por Rozas [1974] y, sobre todo, la obra literaria de Luis Buñuel ahora editada con un excelente estudio por Sánchez Vidal [1982]. También, en la misma línea, deben analizarse las relaciones con la música esbozadas ya por César Arconada (Rozas [1974]).

Al hilo de su bien documentada biografía de Larrea, ofrece Bary [1977] datos de gran interés para el conocimiento de la evolución de la vanguardia española del creacionismo al surrealismo, pero es Geist [1980] quien mejor documenta el tracto. La declaración que Larrea hace a Bodini [1971], quien le considera «padre desconocido del surrealismo en España», de que, a pesar de haber observado este movimiento desde sus comienzos y aun aprovechando tendencias afines, nunca se comprometió con él, se inscribe en una línea de posición compartida por todos los supuestos surrealistas del 27. Aleixandre, según Bodini, «con Juan Larrea el único profesional del surrealismo» —juicio que suscribe Vivanco [1970] en el estudio preliminar a la edición de *Versión celeste*—, afirma [1971] que no ha creído nunca en la base dogmática de este movimiento. Dámaso Alonso [1969] habla de un hiperrealismo difuso por toda Europa, del que el *surrealismo* y el *superrealismo* español serían dos subgrupos paralelos. Es la misma posición que mantiene Guillén [1970]: el surrealismo francés habría servido aquí, según él, sólo como estímulo para la superación del realismo chato mediante la creación de imágenes libres, lo que, por lo demás, venía preparándose desde el creacionismo.

Fue Cernuda [1957] el primero en subrayar la importancia poética e histórica de Larrea en relación con el surrealismo español: Lorca, Alberti (y hasta Aleixandre) le deben, según él, no sólo la noticia de una técnica literaria nueva, sino también un rumbo poético que sus lecturas quizá no hubiesen hallado. A su nombre hay que añadir, sin embargo, el de otro escritor, prosista y poeta, injustamente olvidado, José María Hinojosa, cuyas obras sólo recientemente han sido reeditadas aunque con inexplicables omisiones. Aparte de la excelente tesis de Neira, pendiente de publicación, centrada más bien en la vida del poeta, y apretadamente resumida en la introducción a la edición de *La flor de la California* [1979] y en otro documentado avance [1982], no disponemos de un solo estudio medianamente serio sobre él. Sin duda, resulta excesivo calificarle de «Colón español del surrealismo», como hace Durán [1950] en un libro que, tras la muestra antológica del surrealismo de pre y posguerra realizada por Fuster y Albi en la revista *Verbo*, constituye la primera aproximación rigurosa de conjunto, hoy aún válida, al fenómeno surrealista español. Pero es un hecho que, tras la estancia de nueve meses en París, desde la primavera de 1926, Hinojosa desempeña en Madrid el papel de surrealista oficial en todos los órdenes. Si su libro de versos *Poesía de perfil* sólo presagia el surrealismo, que aún no se logra tampoco en plenitud en *La rosa de los vientos*, *La flor de la California* constituye una de las cimas de escritura surreal. Suele, también, silenciarse que él dirige la segunda etapa —nueve números— de *Litoral*, abriéndola a esta tendencia estética.

Un repaso al repertorio de ediciones elaborado por Blanch, descubre que España siguió con atención la aventura surrealista desde sus comienzos. Se ocupan de probarlo expresamente Bodini [1971]; de modo mucho más amplio, Morris [1972] —cuya obra, aparte su valor interpretativo del que hablaremos, encierra el de ofrecer un excelente corpus de datos y textos sobre el tema—, García de la Concha [1982] y Neira [1983]. Desde posiciones ideológicas opuestas, convergen Octavio Paz [1974] y Juan Larrea [1967] al afirmar el germen de revolucionarismo que la ideología surrealista inicial comportaba: abolir la realidad de una civilización, la occidental, caduca, romper las barreras interpuestas entre el sujeto y los objetos; subversión, en suma, artística y moral. La ya citada edición de la obra literaria de Luis Buñuel, que debemos al cuidado de Sánchez Vidal [1982], viene a completar el cuadro de época y a demostrar las convergencias de la escritura poética y el ámbito surrealista en temas y formas.

En el cuadro del surrealismo español, no cabe, desde luego, hablar de un frente común o de una ideología subyacente; «existe un puñado de poetas surrealistas, pero no existe un movimiento» (Bodini [1971]). Insistiendo en la idea de su tesis de licenciatura, habla Durán [1969] de la afinidad atávica del genio español con lo surreal y lo mágico. Fue esto lo que hizo que, apenas aparecido el surrealismo en el panorama internacional, la cultura hispana lo asimilara de golpe; no sólo en la poesía, aunque con ella lograra el surrealismo cotas que no había alcanzado en Francia, sino en prosa: la antología recopilada por Buckley y Crispin [1973] demuestra hasta qué punto la prosa de 1925 a 1935 se fue impregnando progresivamente de él. En la línea marcada por Durán se inscribe el excelente estudio de Ilie [1972] que, reputando como característica básica del surrealismo el cultivo de estados oníricos, la corriente de conciencia y la violencia psíquica de todas clases, minimiza el influjo histórico del surrealismo francés en el español: éste se generaría, según él, sobre bases estéticas prefiguradas en Góngora y Quevedo, en Goya y Solana, en Machado y Valle-Inclán. Una cierta matización de sus ideas ofrece más tarde [1977] mediante la distinción teórica entre modelo y modalidad: la modalidad surrealista española sería una forma particular de existencia literaria, en un sistema isomórfico con el sistema francés cuyo principio básico consiste en la analogía. Más radical, niega Gullón [1977] la existencia de un surrealismo español; hubo —dice— tan sólo algunos poetas que utilizaron procedimientos surrealistas sin someterse a sus dictados y que lo hacían por pura exigencia creativa sin dar importancia a su procedencia. En el extremo opuesto se sitúa Morris [1972], cuyo planteamiento es rigurosamente positivista histórico. Sobre la pauta de los contactos de pintores, cineastas y literatos españoles con el vasto mundo del surrealismo francés en esos tres campos, va constituyendo el mosaico de nuestro surrealismo. Un mérito inicial del libro —el mejor de conjunto con el de Ilie— es el de incorporar como textos base del estudio no sólo los específicamente literarios sino las muestras plásticas y fílmicas: en efecto, la lectura del surrealismo español se empobrece —diría, incluso, que se hace críptica— si no se coteja con la plástica pictórica o fílmica. El libro de Aranda sobre Buñuel [1974] constituye una prueba contundente, que se ha visto ampliamente reforzada por Sánchez Vidal [1982].

En busca de un método de reducción categorial de la diversidad, aprovecha Buckley [1974] una idea avanzada por Corbalán [1974] en el prólogo de su útil antología. Se trata de una visión regionalista del fenómeno surrealista, que llevaría a distinguir: un grupo surrealista catalán seguidor de la ortodoxia francesa representado por Dalí, Miró, Foix, y cuyo portavoz sería *L'Amic de les Arts* —podría precisarse ya de entrada que sólo el último número de la revista, el 31 (1929), es de clara inspiración surrealista—; el grupo de Madrid, sustancialmente vanguardista pero con incidencias de surrealismo, en el que destacarían Gerardo Diego, Jarnés y otros escritores que se mueven en torno a *La Gaceta Literaria*; un grupo de surrealismo telúrico integrado por los poetas andaluces del 27; y, finalmente, el grupo del surrealismo expresionista canario centrado en la actividad de *La Gaceta del Arte* y cuyo enlace con París es el pintor Óscar Domínguez.

Un análisis riguroso de lo propuesto haría advertir, a mi juicio, diferentes grados de coherencia entre los grupos. El más cohesionado como tal fue, sin duda, el canario cuya pequeña historia ha escrito Pérez Minik [1975]; es, además, el que prolonga por más tiempo la experiencia: 1931-1936. Más discutible parece la estructuración del catalán, pues si Dalí se articula con Sebastià Gasch y con Lluís Montanya, autores los tres del *Manifest groc*, J. V. Foix es ecléctico y Miró converge con uno y otros en el interés por París. Un exacto panorama del surrealismo catalán puede verse en Molas [1983], a cuya contribución sobre Dalí [1974] hay que añadir ahora un útil ensayo de Carnero [1983]. Mucho menos articulada se muestra la configuración de los otros dos grupos: verdadero «cajón de sastre» el madrileño, resulta muy cuestionable la reducción de las escrituras surrealistas de Lorca y Alberti, de Aleixandre y Cernuda, de Prados y Altolaguirre, al componente de andalucismo.

BIBLIOGRAFÍA

Alberti, Rafael, *La arboleda perdida*, General Fabril Editora, Buenos Aires, 1959; Seix Barral, Barcelona, 1978.

Aleixandre, Vicente, *Los encuentros*, Guadarrama, Madrid, 1958; también en *Obras completas*, Aguilar, Madrid, 1968, pp. 1.153-1.227.

—, *Poesía superrealista*, Barral Editores, Barcelona, 1971.

Alonso, Dámaso, «Una generación poética (1920-1936)», en *Poetas españoles contemporáneos*, Gredos, Madrid, 1965, pp. 155-177.

Antología del surrealismo español, en *Verbo*, Alicante, n.° 23 (julio-agosto de 1948); 24 (septiembre de 1948); y 25 (noviembre-diciembre de 1948). Introducciones de Joan Fuster, «El surrealismo y lo demás», n.° 23, y J. Albi, «Una introducción al surrealismo en España», n.° 25.

Aranda, José F., *Buñuel. Biografía crítica*, Lumen, Barcelona, 1974.

Aub, Max, *La poesía española contemporánea*, México, 1954.

Bary, David, *Larrea o la transfiguración literaria*, Planeta, Barcelona, 1977.

Blanch, Antonio, *La poesía pura española. Conexiones con la cultura francesa*, Gredos, Madrid, 1976.

Bodini, Vittorio, *Los poetas surrealistas españoles*, Tusquets, Barcelona, 1971.
Bousoño, Carlos, *La poesía de Vicente Aleixandre*, Gredos, Madrid, 1950.
—, *Teoría de la expresión poética*, Gredos, Madrid, 1952.
—, *El irracionalismo poético (El símbolo)*, Gredos, Madrid, 1977.
Brihuega, Jaime, *Manifiestos, proclamas, panfletos y textos doctrinales. Las vanguardias artísticas en España. 1910-1931*, Cátedra, Madrid, 1979.
—, *La vanguardia y la República*, Cátedra, Madrid, 1982.
Buckley, Ramón, «¿Surrealismo en España?», en *Ínsula*, n.º 337 (diciembre de 1974), p. 3.
—, y John Crispin, *Los vanguardistas españoles (1925-1935)*, Alianza Editorial, Madrid, 1973.
Buñuel, Luis, *véase* Sánchez Vidal [1982].
Cano, José Luis, «La generación de la amistad», en *La poesía de la generación del 27*, Guadarrama, Madrid, 1970, pp. 11-24.
Cansinos-Assens, Rafael, «La nueva lírica», en *Cosmópolis*, n.º 5 (1919), páginas 72-80.
Carnero, Guillermo, «El juego lúgubre: la aportación de Salvador Dalí al pensamiento superrealista», *Cuenta y Razón*, n.º 12 (julio-agosto de 1983), pp. 57-79.
Cernuda, Luis, *Estudios sobre poesía española contemporánea*, Guadarrama, Madrid, 1957; en particular, «Gómez de la Serna y la generación poética de 1925», pp. 167-177, y «Generación de 1925», pp. 181-196.
—, «Historial de un libro», en *Papeles de Son Armadans*, XXV (1959), pp. 123-124; recogido en *Poesía y literatura*, Seix Barral, Barcelona, 1960, páginas 231-280.
Cirre, José Francisco, *Forma y espíritu de una lírica española (1920-1935)*, Gráfica Panamericana, México, 1950, cap. II.
Corbalán, Pablo, *Poesía surrealista en España*, Ediciones Centro, Madrid, 1974.
Cossío, José María de, «Recuerdos de una generación poética», en *Homenaje universitario a Dámaso Alonso*, Gredos, Madrid, 1970, pp. 195-200.
Debicki, Andrew P., «Una generación poética», en *Estudios sobre poesía española contemporánea: La generación de 1924-1925*, Gredos, Madrid, 1968, pp. 17-55.
Dehennin, Elsa, *La résurgence de Góngora et la génération poétique de 1927*, París, 1962.
Diego, Gerardo, «Un escorzo de Góngora», en *Revista de Occidente*, III (1924), pp. 76-84.
—, «Retórica y poética», en *Revista de Occidente*, VI (1924), pp. 282-283.
Díez de Revenga, Francisco Javier, «La revista *Verso y Prosa*, Murcia (1927-1928)», Academia Alfonso X El Sabio, Murcia, 1971.
—, *La métrica de los poetas del 27*, Universidad de Murcia, Murcia, 1973.
—, *Revistas murcianas relacionadas con la generación del 27*, Academia Alfonso X El Sabio, Murcia, 1975.
Durán, Manuel, *El superrealismo en la poesía española contemporánea*, México, 1950.
—, «Love at first sight: Spanish surrealism reconsidered», en *Modern Language Notes*, LXXXIV (1969), pp. 330-334.

Earle, Peter G., y Germán Gullón, eds., *Surrealismo/surrealismos. Latinoamérica y España*, University of Pennsylvania, Filadelfia, 1977.
Friedrich, Hugo, *Estructura de la lírica moderna*, Seix Barral, Barcelona, 1974.
Gaos, Vicente, ed., «Introducción» a la *Antología del grupo poético de 1927*, Anaya, Madrid, 1965.
García de la Concha, Víctor, «*Alfar*, historia de dos revistas literarias: 1920-1927», en *Cuadernos Hispanoamericanos*, n.° 255 (marzo de 1971), páginas 500-534.
—, ed., *El surrealismo*, Taurus (El Escritor y la Crítica), Madrid, 1982.
—, «Introducción al estudio del surrealismo literario español», en [1982], pp. 9-30.
Geist, Anthony Leo, *La poética de la generación del 27 y las revistas literarias: de la vanguardia al compromiso (1918-1936)*, Labor-Guadarrama, Barcelona, 1980.
González Muela, Joaquín, *El lenguaje poético de la generación Guillén-Lorca*, Ínsula, Madrid, 1954, 1955².
—, y Juan Manuel Rozas, *La generación poética de 1927. Estudio y antología*, Alcalá, Madrid, 1955, 1974².
Guillén, Jorge, «Federico en persona», en Federico García Lorca, *Obras completas*, Aguilar, Madrid, 1955, pp. XXVII-XXXIII.
—, «Lenguaje de poema: una generación», en *Lenguaje y poesía. Algunos casos españoles*, Revista de Occidente, Madrid, 1961, pp. 233-254.
—, «Recuerdo de Pierre Reverdy», en *Ínsula*, n.° 207 (1963), p. 9.
—, «El estímulo superrealista», en *Homenaje universitario a Dámaso Alonso*, Gredos, Madrid, 1970, pp. 203-206.
Guiney, Mortimer, *Cubisme et littérature*, Ginebra, 1972.
Gullón, Ricardo, «La generación poética de 1925», en *Ínsula*, 90 (1953), p. 3.
—, «¿Hubo un surrealismo español?», en Earle y Gullón [1977], pp. 118-130; recogido en Víctor García de la Concha [1982], pp. 77-89.
Hernández Valcárcel, Carmen, *La expresión sensorial en cinco poetas del 27*, Universidad de Murcia, Murcia, 1978.
Hernando, Miguel Ángel, *La Gaceta Literaria (1927-1932). Biografía y valoración*, Universidad de Valladolid, Valladolid, 1974.
—, *Prosa vanguardista en la generación del 27 (Gecé y La Gaceta Literaria)*, Prensa Española, Madrid, 1975.
Ilie, Paul, *Los surrealistas españoles*, Taurus, Madrid, 1972.
—, «El surrealismo español como modalidad», en Earle y Gullón [1977], pp. 109-117.
Jiménez Fraud, Alberto, *Ocaso y restauración*, México, 1948, pp. 189-210.
Larrea, Juan, «El surrealismo entre viejo y nuevo mundo» (1944), en *Del surrealismo a Machupichu*, Joaquín Mortiz, México, 1967, pp. 15-100.
Machado, Antonio, «¿Cómo veo la nueva juventud española?», en *La Gaceta Literaria* (1 de marzo de 1929).
Macrí, Oreste, *Poesia spagnola del novecento*, Bolonia, 1952, p. 17.
Meregalli, Franco, «*La Gaceta Literaria*», en *Letterature Moderne*, III (1952), pp. 168-175.
Molas, Joaquín, «Salvador Dalí, entre el surrealismo y el marxismo», en *El*

Urogallo, Madrid, V, n.os 29-30 (septiembre-octubre de 1974), pp. 117-121.
Molas, Joaquim, *La literatura catalana d'avantguarda. 1916-1938*, Antoni Bosch, Barcelona, 1983.
Monterde, Alberto, *La poesía pura en la lírica española*, Universitario, México, 1953.
Montesinos, José F., *Die moderne spanische Dichtung*, Leipzig, 1927.
Moreno Villa, José, *Vida en claro*, El Colegio de México, México, 1944; reimpreso en Fondo de Cultura Económica, México, 1976.
Morris, C. B., *Surrealism and Spain: 1920-1936*, Cambridge University Press, Cambridge, 1972.
Musacchio, Danièle, *La revista «Mediodía» de Sevilla*, Universidad de Sevilla, Sevilla, 1980.
Neira, Julio, *«Litoral», la revista de una generación*, La Isla de los Ratones, Santander, 1978.
—, ed., José María Hinojosa, *La flor de la California*, La Isla de los Ratones, Santander, 1979.
—, «El surrealismo en José María Hinojosa (Esbozo)», en García de la Concha [1982], pp. 271-285.
—, «Notas sobre la introducción del surrealismo en España», *Boletín de la Real Academia Española*, LXIII (1983), pp. 117-141.
Neruda, Pablo, *Confieso que he vivido. Memorias*, Seix Barral, Barcelona, 1974.
Onís, Carlos Marcial de, *El surrealismo y cuatro poetas de la generación del 27*, Porrúa, Madrid, 1974.
Onís, Federico de, *Antología de la poesía española e hispanoamericana*, CEH, Madrid, 1934; edición facsímil, Las Américas, Nueva York, 1961, pp. 1.071-1.126.
Paz, Octavio, *La búsqueda del comienzo*, Fundamentos, Madrid, 1974.
Pérez Minik, Domingo, *Facción española surrealista de Tenerife*, Tusquets, Barcelona, 1975.
Pradal-Rodríguez, G., «La técnica poética y el caso Góngora-Mallarmé», en *Comparative Literature*, II (1950), pp. 269-280.
Prieto, Gregorio, *Lorca y la generación del 27*, Biblioteca Nueva, Madrid, 1977.
Rojo Martín, M.ª del Rosario, *Evolución del movimiento vanguardista. Estudio basado en «La Gaceta Literaria» (1927-1932)*, Fundación Juan March, Madrid, 1982; extracto de un estudio más amplio depositado en la misma Fundación.
Rozas, Juan Manuel, *La generación del 27 desde dentro (Textos y documentos)*, Alcalá, Madrid, 1974.
—, *El 27 como generación*, La Isla de los Ratones, Santander, 1978.
—, y Gregorio Torres Nebrera, *El grupo poético del 27*, cuadernos I y II, Cincel, Madrid, 1980.
Salinas, Pedro, «Nueve o diez poetas», en *Ensayos de literatura hispánica*, Aguilar, Madrid, 1961[2], pp. 342-357.
Sánchez Vidal, Agustín, «Extrañamiento e identidad: de "Su Majestad el Yo" al "éxtasis de los objetos"», en García de la Concha [1982], pp. 50-76.
—, ed., Luis Buñuel, *Obra literaria*, Ediciones del Heraldo de Aragón, Zaragoza, 1982.

Santos Torroella, Rafael, *Medio siglo de publicaciones de poesía en España* (Catálogo de revistas), Primer Congreso de Poesía Española, Segovia-Madrid, 1952.

Sferrazza, M., y L. Tandy, *Giménez Caballero y «La Gaceta Literaria» (o la generación del 27)*, Turner, Madrid, 1978.

Siebenmann, Gustav, *Los estilos poéticos en España desde 1900*, Gredos, Madrid, 1973.

Soria Olmedo, Andrés, «Relaciones entre teoría poética y teoría de las artes plásticas en el ámbito del vanguardismo español: algunas notas (1909-1931)», *1616*, IV (1981), pp. 93-103.

Tejada, José Luis, *Rafael Alberti, entre la tradición y la vanguardia (Poesía primera: 1920-1926)*, Gredos, Madrid, 1976.

Torre, Guillermo de, «Presencia de Federico García Lorca», en *La aventura estética de nuestra edad*, Seix Barral, Barcelona, 1962, pp. 277-281.

Torrente Ballester, Gonzalo, *Panorama de la literatura española contemporánea*, Guadarrama, Madrid, 1956, p. 312.

Vivanco, Luis Felipe, ed., Juan Larrea, *Versión celeste*, Barral Editores, Barcelona, 1970.

DÁMASO ALONSO Y JORGE GUILLÉN

UNA GENERACIÓN POÉTICA

I. [¿Se trata de una generación? ¿De un grupo? No se intenta, en realidad, definir sino sólo mostrar coincidencias, sin olvidar lo mucho que les distingue. Lo primero que hay que notar es que esa generación no se alza contra nada, ni en política ni en literatura: no se abomina de los maestros ya famosos y la filiación respecto a Juan Ramón es evidente. Comienzan a publicar poesía y a relacionarse a comienzos de los años veinte.] Poco a poco, se han ido estableciendo contactos personales, que pronto fraguan en amistad duradera: hay una fluencia de amistad que atraviesa de lado a lado la generación, desde Salinas a Manolito Altolaguirre. En estos comienzos hay, sí, algo de rivalidad entre Federico y Alberti, por sus cercanos modos populares. En realidad, los dos cantan, próximos a la manera popular, lo que han visto, el ambiente en que se han criado (andaluz oriental, andaluz occidental), y la poesía más temprana de Alberti, blanca, azul —mar y salinas—, es un mundo muy distinto del de sueño, presentimiento y tragedia que tiene desde el principio la de Lorca.

Algunos dicen que para que exista generación es necesario caudillaje. Si fuera así, habría que convenir que ésta no fue generación, porque caudillo no lo hubo. Hay, sí, ciertas polarizaciones en la atracción que estos poetas ejercen sobre otros aún más jóvenes. Aparte del grupo, entonces aún no muy numeroso, pero muy brioso y muy compacto, de entusiastas de Federico, por unos seis o siete años, en torno

I. Dámaso Alonso, «Una generación poética (1920-1936)», en *Poetas españoles contemporáneos*, Gredos, Madrid, 1965, pp. 166-169.

II. Jorge Guillén, «Lenguaje de poema, una generación», *Lenguaje y poesía*, Alianza, Madrid, 1972², pp. 183-196 (188-192).

a 1925, ningún influjo sobre los más jóvenes es tan evidente como el de Jorge Guillén (aun antes de aparecer *Cántico*). Esa poesía más tierna se pone delicadamente febril. Y todas las revistas tienen décimas.

Tampoco hay una comunidad de técnica o de inspiración. Salinas cultiva un verso flojo, con voluntarias irregularidades métricas, sin rima o en asonante; la forma en él es más bien interior, una felicidad en el hallazgo del tema, delimitado, equivocante, sorprendente, intuitivo. Su íntimo amigo Guillén, en cambio, construye perfectas estrofas o estrofillas, aconsonantadas o asonantadas, y en ellas la materia poética se repliega y ajusta, con toda precisión, como si fuera su exacto molde, gustosa de haber hallado ese regazo. Gerardo Diego está dividido entre las más libres acrobacias y versos tradicionales (*Versos humanos*), en realidad, más cerca de Lope que de Góngora; pero es en estas formas de la tradición donde muchas veces logra tocar genialmente el corazón de su pueblo. La dispersión de la forma y sus contrastes es la más visible característica del arte de Alberti: entre metros octosílabos de giro popular o evocador de lo popular, pero muchas veces aconsonantados, y recuerdos de los antiguos cancioneros, oscila desde casi el principio; pero su verso largo toma pronto una tendencia a adensarse y abarrocarse. Ni Cernuda ni Aleixandre son más que promesas en su primer libro; pronto se van a lanzar al verso libre, que también será, finalmente, preferido de Alberti y de Federico. La variedad es, por tanto, enorme: hay técnicas comunes a éstos y a estos otros, pero no una manera formal que defina todo el grupo.

Quien haya leído hasta aquí ha sacado, sin duda, la idea de que no empleamos el vocablo debido cuando hablamos de generación. Sí; puede parecer que estamos usando esa palabra en un sentido flojo y vulgar, y no con la precisión científica que desde hace ya muchos años le están queriendo dar sabios varones. Sobre esos cientifismos (que cada vez me asustan menos) habría mucho que hablar. Esquivo toda discusión. Lo que quiero es, simplemente, afirmar que esos escritores no formaban un mero grupo, sino que en ellos se daban las condiciones mínimas de lo que entiendo por generación: coetaneidad, compañerismo, intercambio, reacción similar ante excitantes externos.

Hay algo que me importa más, a lo que no puedo menos de dar más valor que a todos los sobrios razonamientos científicos: mi propia apasionada evidencia de participante en esa amistad y ese intercambio.

No, no importan esos elementos que hemos visto, que parecen tender a desintegrarnos la imagen conjunta, ni tampoco las diferencias de edad entre los miembros, que, medidas en la más amplia latitud, llegaban a unos quince años. Cuando cierro los ojos, los recuerdo a todos en bloque, formando conjunto, como un sistema que el amor presidía, que religaban las afirmaciones estéticas comunes. También con antipatías, en general coparticipadas, aunque éstas fueran, sobre poco más o menos, las mismas que había tenido la generación anterior: se odiaba todo lo que en arte representaba rutina, incomprensión y cerrilidad.

II. Los poetas de los años veinte eran, si no fríos y sólo abstractos, por lo menos difíciles, herméticos, oscuros. Difíciles, sí, como muchos otros poetas. ¿Herméticos? Esta palabra, con la que se suele designar a sus contemporáneos italianos, no prevaleció en España. ¿Oscuros? Es término anticuado. A la larga fue disipándose casi toda la oscuridad, más tolerada en los autores de gran delirio con discurso muy libre —como Vicente Aleixandre— que en los de composición más lógicamente apretada como Jorge Guillén. Sería imposible, además, dividir a estos poetas en dos grupos: los fáciles y los arduos. (División que disgustaba a Lorca.) Verdad es que *Poeta en Nueva York* no parece más sencillo que *La voz a ti debida* o *Cántico*. El lenguaje que presume de ser muy racional —el de la política *verbi gratia*— ¿no encierra ya un semillero de confusiones? Será más fértil en confusiones el lenguaje de quien acude, refiriéndose a su vida más profunda, a la ambigüedad de las imágenes. Aquellos poetas hablaban por imágenes. Y en este punto —la prepotencia metafórica— se reúnen todos los hilos. El nombre americano de *imagists* podría aplicarse a cuantos escritores de alguna imaginación escribían acá o allá por los años veinte. Góngora, Rimbaud, Mallarmé y más tarde otras figuras —de Hopkins a Éluard— son estímulos que conducen a refinar y multiplicar las imágenes. De ese modo, como se dice en el *Romancero gitano*, «la imaginación se quema». Este cultivo de la imagen es el más común entre los muy diversos caracteres que juntan y separan a los poetas de aquellos años, y no sólo a los españoles. *Imagen* se denomina una obra temprana de Gerardo Diego. El cultivo se convierte en un culto supersticioso. Los más extremos reducen la poesía a una secuencia de imágenes entre las que se han suprimido las transiciones del discurso. No quedan más frases sueltas, última condensación de la actividad literaria. Cualquier enlace en función lógica y gramatical es sospechoso de inercia poética. Las imágenes mismas tampoco se someten a relaciones observadas. Superviviente a pesar de todo, la realidad no será reduplicada en copias sino recreada de manera libérrima. Esa libertad expresará más el mundo interior del hombre —«el subconsciente» se le llamaba a menudo— que las realidades según las categorías de la razón. Por supuesto, los grados de equivalencia entre lo real y lo imaginativo varían mucho. Ciertos escritores quieren alzarse a una segunda realidad, independiente de la primera realidad común: autonomía de la imagen.

El poeta siente en su plenitud etimológica el vocablo «poesía». (Pero esta «creación» será, quiéralo o no, segunda respecto a la del primer creador del Génesis. Todos los poetas son *poètes du dimanche*, del domingo que sigue al sábado en que descansó Jehová.) Hay que recoger, para evocar la atmósfera de aquellos años, esta voluntad de poesía como creación, de poema como quintaesenciado mundo. Grave o alegremente, las obras de aquel tiempo apuntan a una meta esencial, y son todo excepto el deporte sin trascendencia que algunos comentaristas vieron en aquella pululación de imágenes. Nada más serio, además, que jugar en serio, y es indudable que en 1925, en 1930, en 1935 se jugó a la mejor poesía asequible con toda ingenuidad. Aquellos poetas no se creían obligados a ejercer ningún sacerdocio, y ninguna pompa religiosa, política, social acartonaba sus gestos. Gestos de espectáculo no había. Sí había propósitos de rigurosa poesía como creación. ¿Y si el poema fuese todo él poético? Esta ambición flotaba difusa en la brisa de aquellas horas. Era preciso identificar lo más posible poesía y poema. Sería falso imaginarse una doctrina organizada. Abundaban, eso sí, las conversaciones —y los monólogos— sobre los aspectos generales de aquel menester o mester. «Ismos» no hubo más que dos, después del ultraísmo preliminar: el creacionismo, cuyo Alá era Vicente Huidobro, eminente poeta de Chile, y cuyos Mahomas eran Juan Larrea y Gerardo Diego, y el superrealismo, que no llegó a cuajar en capilla, y fue más bien una invitación a la libertad de las imaginaciones. Por unos o por otros caminos se aspiró al poema que fuese palabra por palabra, imagen a imagen, intensamente poético.

¿Poesía pura? Aquella idea platónica no admitía realización en cuerpo concreto. Entre nosotros nadie soñó con tal pureza, nadie la deseó, ni siquiera el autor de *Cántico*, libro que negativamente se define como un anti-*Charmes*. Valéry, leído y releído con gran devoción por el poeta castellano, era un modelo de ejemplar altura en el asunto y de ejemplar rigor en el estilo a la luz de una conciencia poética. Acorde al linaje de Poe, Valéry no creía o creía apenas en la inspiración —con la que siempre contaban estos poetas españoles: *musa* para unos, *ángel* para otros, *duende* para Lorca. Esos nombres diurnos o nocturnos, casi celestes o casi infernales, designaban para Lorca el poder que actúa en los poetas sin necesidad de trance místico. Poder ajeno a la razón y a la voluntad, proveedor de esos profundos elementos imprevistos que son la gracia del poema. Gracia, encanto, hechizo, el no sé qué y no *charme* fabricado. A Valéry le gustaba con placer un poco perverso discurrir sobre «la fabricación de la poesía». Esas palabras habrían sonado en los oídos de aquellos españoles como lo que son: como una blasfemia. «Crear», término del orgullo, «componer», sobrio término profesional, no implican fabricación. Valéry fue ante todo un poeta inspirado. Quien lo es tiene siempre cosas que decir. T. S. Eliot, gran crítico ya en los años veinte, lo ha dilucidado más tarde con su habitual sensatez: «Poets have other interests beside poetry —otherwise their poetry would be very empty: they are poets because their dominant interest has been in turning their experience and their thought... into poetry». El formalismo hueco o casi hueco es un monstruo inventado por el lector incompetente o sólo se aplica a escritores incompetentes.

Si hay poesía, tendrá que ser humana. ¿Y cómo podría no serlo? Poesía inhumana o sobrehumana quizás ha existido. Pero un poema «deshumano» constituye una imposibilidad física y metafísica, y la fórmula «deshumanización del arte», acuñada por nuestro gran pensador Ortega y Gasset, sonó equívoca. «Deshumanización» es concepto inadmisible, y los poetas de los años veinte podrían haberse querellado ante los tribunales de justicia a causa de los daños y perjuicios que el uso y abuso de aquel novedoso vocablo les infirió como supuesta clave para interpretar aquella poesía. Clave o llave que no abría ninguna obra. Habiendo analizado y reflejado nuestro tiempo con tanta profundidad, no convenció esta vez Ortega, y eso que se hallaba tan sumergido en aquel ambiente de artes, letras, filosofías. No ha de olvidarse —porque en el olvido habría ingratitud— la ayuda generosa que Ortega prestó a los jóvenes desde su *Revista de Occidente*. En una de sus colecciones —*Nova Novorum*— fueron publicados cuatro libros: *Romancero gitano*, *Cántico*, *Seguro azar*, *Cal y canto.* Es placentero —y melancólico— recordar aquellos años en que la *Revista de Occidente*, según nuestro amigo Henri Peyre, formaba con *La Nouvelle Revue Française* y *The Criterion* la suma trinidad de revistas europeas. ¡Y precisamente fue el gran Ortega quien forjó aquella palabra! No era justa ni referida a las construcciones abstractas del cubismo. ¿Quién sino hombres con muchos refinamientos humanos —Juan Gris, Picasso, Braque— pintaban aquellas naturalezas muertas nada muertas? Se concibe, sí, una pintura no figurativa. Pero la palabra es signo y comunicación: signo de una idea, comunicación de un estado —como repite Vicente Aleixandre. Otra cosa habría sido hablar de antisentimentalismo, de antirrealismo.

Los grandes asuntos del hombre —amor, universo, destino, muerte— llenan las obras líricas y dramáticas de esta generación. (Sólo un gran tema no abunda: el religioso.) Cierto que los materiales brutos se presentan recreados en creación, transformados en forma, encarnados en carne verbal. Cierto que esa metamorfosis evita la grandilocuencia y se complace en la sobriedad y en la mesura. El idioma español posee el vocablo «efectismo». Pues el efectismo es lo que se prohíben estos poetas.

Guillermo de Torre

UNA GENERACIÓN LITERARIA MÁS AMPLIA

No debemos olvidar que en pareja línea innovadora [a la de los poetas incluidos por Dámaso Alonso en la nómina de la generación de 1927], terminando con los rezagados desvitalizados del modernismo, más tempranos habían sido otros poetas pertenecientes al grupo inmediatamente anterior, desde José Moreno Villa, a partir de 1914, con *El pasajero*, hasta Ramón de Basterra, con su último y más expresivo libro, *Vírulo: Mediodía*, en 1927, pasando por «Alonso Quesada» (*El lino de los sueños*, 1915), Mauricio Bacarisse (*El esfuerzo*, 1917), Juan José Domenchina (*Del poema eterno*, 1917), Antonio Espina (*Umbrales*, 1918) y Juan Chabás (*Espejos*, 1921). (Y aunque sea dentro de un paréntesis, o al menos por diferen-

Guillermo de Torre, «Presencia de Federico García Lorca», en *La aventura estética de nuestra edad*, Seix Barral, Barcelona, 1962, pp. 277-281.

ciarme del común de los historiadores y antólogos, voluntaria o involuntariamente amnésicos, no tengo por qué olvidar algunas muestras del ultraísmo, con mis *Hélices* (1923), en primer término, además de *Manual de espumas* (1922) de Gerardo Diego, *Viento del sur* (1927) de Pedro Garfias, *Cruces* (1922) de Rivas Panedas, y los poemas inscritos en libros hoy invisibles o dispersos en revistas, originales de Juan Larrea, José de Ciria y Escalante, Eugenio Montes, Adriano del Valle (en su primera fase), Isaac del Vando-Villar, Rafael Lasso de la Vega y César A. Comet, entre otros.)

Y aunque esta nómina parezca larga, quizá todavía faltan nombres. Faltan o sobran —pensarán otros—, pues l. condición poética es de tal suerte que cada uno de sus miembros suele creerse un todo y soporta a duras penas compartir su hornacina con el prójimo más inmediato. Con todo, soslayando ironías, es incuestionable que los tres grupos de poetas, convergentes en el lapso 1920-1935, tienen los caracteres comunes a una generación, aunque la amalgama cohesiva —no digamos espíritu de clan— privativa de la misma sólo se manifieste [en el que agrupa convencionalmente a la generación del 27].

Mas lo que faltaría por averiguar, cuando observamos tal época por dentro e íntimamente, cuando aquellos que fuimos actores o testigos descartamos balances establecidos a posteriori y nos atenemos a la propia experiencia, es si la afinidad de Federico García Lorca con los poetas del grupo en que habitualmente se le inscribe fue, sobre todo, afectiva o personal —en cuyo caso más bien resultaría dudosa, ya que precisamente la generosa afectividad del poeta se extendió a muy varios sectores, y basta ver las dedicatorias de sus poesías— o supone una verdadera comunidad estética, una identificación estrecha de preferencias y puntos de vista. [...] No se trata, empero, de invalidar los cuadros retrospectivos de la llamada «generación Guillén-Lorca», diseñados con tan finos rasgos por Pedro Salinas [1961²] y Dámaso Alonso [1965]. Importa únicamente prolongar algunas líneas de sus límites estrictamente líricos, a fin de que la figura de Federico pueda ser vista en un marco más amplio, relacionándola —como de hecho estuvo en vida— con otras, con cultivadores de otros géneros; sólo así este ciclo generacional de los quince años que van de 1920 a 1935, resultará cabalmente expresado y podrá mostrarse sin retazos su riqueza, su frondosidad literaria. Sería, pues, menester recordar también la presencia y acción en los mismos años, de otras figuras, algunas de las cuales tal vez ofrezcan mayores afinidades con Lorca que las poéticas.

Así, en la prosa narrativa, apuntamos los nombres que van desde Benjamín Jarnés (cuyo *Profesor inútil* aparece en 1926) a Ricardo Gullón (cuyo *Fin de fiesta* es de 1935), pasando por Valentín Andrés Álvarez (*Sentimental Dancing*, 1925), Rosa Chacel (*Estación, ida y vuelta*, 1930), Francisco Ayala (*El boxeador y un ángel*, 1929), César M. Arconada (*La turbina*, 1930), Max Aub (*Fábula verde*, 1933)...; en la prosa crítica o ensayística, Melchor Fernández Almagro (surgido con *Vida y obra de Ángel Ganivet*, en 1925), Fernando Vela (*El arte al cubo*, 1927), Antonio Marichalar, Ernesto Giménez Caballero (*Carteles*, 1925), José Bergamín, José María Quiroga Pla; en el teatro, Claudio de la Torre, Alejandro Casona, Eduardo Ugarte y Max Aub; inclusive habría que extender la referencia hasta la música y la musicología (con Adolfo Salazar, Ernesto y Rodolfo Halffter, Gustavo Pittaluga), hasta la pintura y escultura (con Salvador Dalí, Maruja Mallo, Gregorio Prieto, Alberto...).

También esta nómina, aun pareciendo larga como la poética, dista mucho de ser completa, ya que tiende únicamente a registrar los principales nombres que muestran, en un momento dado, ciertas afinidades o convergencias estéticas y de época y reúnen algunas de las ocho famosas características señaladas por Julius Petersen para la existencia de una generación. Por ejemplo: fecha no de nacimiento, sino de primeras obras, que es lo que importa; experiencias comunes en la época de formación; coincidencia en revistas, grupos, tertulias juveniles; aceptación de algunos liderazgos (Ortega, Ramón, Juan Ramón, en primer término) y rechazo de otros.

Porque una generación propiamente dicha no puede reducirse a una sola rama literaria, ni tampoco presupone una identidad de niveles. Innecesario, pues, parece advertir que en este intento no crítico, sino de mera reconstrucción panorámica, no se trata estrictamente de aquilatar jerarquías, sino de recordar la fase constitutiva de una generación, con independencia de las evoluciones posteriores de sus componentes. Si algún día —por mi parte, ahora sólo voy de paso— quiere trazarse su historia completa, que se inicia con el período de subversión ultraísta (el recogido en mis *Literaturas europeas de vanguardia*, 1925), continúa con la deshumanización del arte, después con lo que yo he llamado la «entrada de lo social», y termina con la guerra de 1936, a esa perspectiva total, como punto de partida en cualquier intento totalmente valorador, habrá que atenerse.

JUAN MANUEL ROZAS

LA GENERACIÓN VANGUARDISTA

El desprestigio en que en los últimos años han caído los métodos historicistas y las dificultades para obtener criterios firmes y positivos sobre el método de las generaciones, han hecho cauta a la crítica con la denominación de *generación*. Y así, en torno al 27 se ha venido usando, como vimos, también la denominación de *grupo*. Hay, además, otras razones de tipo académico o editorial. A la hora de hacer una antología es evidente que se hace mejor del verso que de la prosa, y que hay que optar por elegir, entre cincuenta, a unos pocos poetas. En los últimos años, los fijos parecen haber sido: Diego, Guillén, Salinas, Alonso, Lorca, Prados, Altolaguirre, Cernuda, Aleixandre, Alberti. Así ese mágico y perfecto número diez, al que yo mismo he contribuido.

Sin embargo, históricamente, la realidad es otra. Lo primero que se nos aparece es la riqueza de los núcleos regionales, donde surgen, en cantidad, grupos y revistas con valor propio, con mayor valor que las madrileñas o nacionales, en muchos casos. En seguida notamos un hermoso quehacer poético y editorial en Andalucía, y dentro de esta región distinguimos dos parcelas, la oriental y la occidental. En la oriental encontramos revistas como *Ambos*, y sobre todo la gran *Litoral*, y un grupo de poetas nacidos en Málaga (Prados, Altolaguirre, Hinojosa, Souvirón), y otro grupo de escritores en Granada (Lorca, Fernández Almagro, Ayala) que construirán su propia revista, *Gallo*. En Andalucía la baja u occidental encontramos las revistas *Mediodía* y *Papel de Aleluyas*, y sobre todo un grupo en torno a ellas y a la Universidad dc Sevilla, con mentores propios, como José María Izquierdo. Ahí están Romero Murube, Collantes de Terán, Villalón, Adriano del Valle, etcétera.

Están los grupos y grupúsculos diseminados por tierras castellanas, tomadas en su sentido más lato. Así, el importante grupo de Santander, del que saldrán *Carmen*, *Lola* y la *Revista de Santander*, empresas muy ligadas a Cossío y Diego; así, el de *Manantial*, de Segovia, bajo la sombra venerable de Antonio Machado; así, el vallisoletano de Luelmo y Pino, con revistas tan importantes como *Meseta*, *DDOOSS* y *A la Nueva Ven-*

Juan Manuel Rozas, *El 27 como generación*, La Isla de los Ratones, Santander, 1978, pp. 35-50.

tura; así, el burgalés de Ontañón, con *Parábola.* También es importante el movimiento en Levante. Sobre todo en Murcia, con *Verso y Prosa,* de la mano de Juan Guerrero y de Jorge Guillén. Más el grupo de *Sudeste,* y luego el de Orihuela, ya sobre gentes de la generación posterior. Esto sin contar los grupos que, por hablar otras lenguas, tienen características propias en su vanguardia, como en Galicia con *Nos*, *Ronsel*, en gallego, y *Alfar*, en castellano. O Cataluña, con la fundamental revista *L'Amic de les Arts*, conducida por Gasch, Dalí, etcétera.

¿Para qué repetir lo muy conocido? Todas estas revistas y grupos tienen sus caracteres propios, con sus tradiciones y antecesores y sus problemas regionales, aunque todas se sientan hermanadas a través de la comunión en la vanguardia y en el arte puro. Estamos en un momento en el que florecen por toda España más de un centenar de escritores y más de dos docenas de buenas revistas, cada una ordenadora de los ideales de un amplio cenáculo. ¿Cómo hablar de un solo grupo y no de movimiento o generación sin empobrecer el panorama cultural español? Cuanto más se estudia la época se va ampliando fatalmente el concepto de grupo al de movimiento o generación. Aunque sea cierto que existió un grupo, el principal, el más importante y visible motor de la generación. Detengámonos a observarlo.

El núcleo central lo forman seis escritores. Los seis grandes poetas, y tal vez los mejores del momento, al menos antes de volar alto Aleixandre, Cernuda y otros. Los seis son: Salinas, Guillén, Alonso, Diego, Lorca y Alberti. En una palabra, los cuatro catedráticos de filología y los dos «primos» andaluces. Todos ellos ligados por un trato personal continuado. Hay seis razones para considerarlos el grupo central:

1. Los seis (más Aleixandre, que está un tanto alejado por su enfermedad) habitan en Madrid fijos (o en frecuentes viajes) desde muy pronto, y en los años claves 1925-1928. Salinas y Alonso son madrileños. Guillén está en íntimo contacto con ellos. Alberti vive en Madrid desde 1917; Lorca reside en la capital como estudiante desde 1919; Diego acaba la carrera en Madrid, y pasa allí muchas temporadas, aunque su instituto esté en Soria, Gijón, Santander (luego en Madrid). 2. Los seis (más Bergamín y Chabás) son los que realizan el acto famoso del Ateneo de Sevilla en 1927, es decir, su manifiesto andaluz. Viajan juntos, actúan juntos. 3. Es fundamental ver que a la hora de firmar las invitaciones para el homenaje a don Luis de Góngora lo hacen exactamente estos seis, y no otros. 4. Junto con varios prosistas, ellos seis son los representantes de la poesía en la fundamental *Nómina incompleta de la joven literatura* que

en el número uno de *Verso y Prosa* publica en enero de 1927 Melchor Fernández Almagro, el crítico de la generación más respetado por todos. 5. Todos ellos tienen parte en la creación y relación con los grupos fundamentales regionales: con Andalucía occidental (Salinas), con la oriental (Lorca), con Levante (Guillén), con Santander (Diego). 6. Los seis, menos Diego, estarán en la revista *Los Cuatro Vientos*, último intento de mantener el grupo en su pureza estética y liberal, pero ya en el segundo número no figura Alberti en la redacción. Alberti, que en esa fecha funda *Octubre*, revista revolucionaria.

Este grupo se movió mucho y en el centro cultural de España, y con ambición, y logró centralizar el concepto de generación. [...] Pero nos hacemos, de pronto, una pregunta, entre cientos de preguntas: ¿La obra de Díaz Fernández, con *La Venus mecánica*, *El blocao*, *El nuevo romanticismo*, su biografía de Fermín Galán, etcétera, dónde se colocan? ¿Y escritores como Hinojosa, Garfias o Chabás...? Examinemos, uno a uno, estos tres casos. ¿Por qué no pertenecen éstos al grupo? Sin duda, porque la muerte o el aislamiento no les permitieron entrar en el molino de la crítica que se ha hecho después de la guerra por los propios poetas del grupo, o por gentes que eran directa o indirectamente sus portavoces.

En efecto, Hinojosa fundó con Altolaguirre la revista *Ambos*. Luego pertenece al consejo de redacción de *Litoral* en su segunda época. Publica media docena de libros desde el año 1925 en adelante, uno de ellos como anejo de *Litoral*, *La rosa de los vientos*. Pasa de la poesía pura con *Poemas del campo* a la surrealista *La flor de California* y *La sangre en libertad*. Luego deja de escribir y en 1936 es fusilado por los republicanos. Estos dos datos de muerte y aislamiento van a ser fundamentales para que Hinojosa quede a un lado. Aparte, naturalmente, su menor calidad en comparación con los poetas más importantes del grupo, aunque no haya tanta diferencia con los de menor interés. Hinojosa construyó un *curriculum* casi perfecto de grupo o generación del 27 y, sin embargo, es dejado a un lado. Luego criterios de calidad o de aislamiento, intervienen en la reducción de la poesía de esa época a un grupo determinado.

Con Garfias el caso no es muy diferente. Aunque funda *Horizonte* y publica pronto *El ala del sur*, luego, por su independencia, y más tarde por darse a la bebida en el exilio, queda un tanto marginado, salvo para un grupo que vive en México. En Garfias no se podrá discutir de calidad. Pedro Garfias es, en el libro citado y en su *Primavera de Eaton Hasting*, un poeta de una enorme categoría. Y en muchos aspectos es un perfecto poeta del 27, en la vertiente inconformista y revolucionaria (de un Prados, o un Alberti, por ejemplo). Pero su aislamiento y su total falta de deseo de figurar le han alejado del grupo que la crítica ha construido.

El caso de Juan Chabás es algo diferente. Colaborador asiduo de la *Revista de Occidente*, publica libros en fecha muy temprana, desde 1921. Pero luego se radicaliza políticamente como Garfias, siendo comisario político. Más tarde se exilia y se aísla en Cuba. A este aislamiento se suma un grave problema teórico: Chabás ha practicado todos los géneros de forma pareja: la crítica, el ensayo, la poesía, la novela. Y es por ello muy difícil de encuadrar. Queda fuera hoy del grupo, aunque en los años veinte estuvo, como Hinojosa, dentro de él.

Es decir, como en su tiempo señaló uno de los testigos (y componente a la vez) de la generación, Melchor Fernández Almagro, que hay tres niveles: primero, el grupo central; segundo, el regional, que se asimila al anterior, y ambos se unen a los otros grupos de la nación. Y, por fin, y tercero, a lo ancho de los años y de la geografía, la generación.

No parece, pues, desechable así por las buenas, la idea de generación aplicada a la literatura del 27, aunque pueda y deba completarse con la idea de grupo —grupo central o nuclear— y grupos regionales. Y parece que las fechas más propicias para denominarla son 1927-1928. Puesto que la primera ya está admitida, dejémosla como nombre más sencillo.

Ahora bien, queda una última pregunta: ¿cómo denominar vital y artísticamente a esta generación? Se la ha llamado «generación de la Dictadura», nombre tremendamente equívoco e injusto, pues la generación era en su mayor parte liberal. Contra este nombre reacciona Cernuda. Tampoco «generación de la República», aunque tenga más sentido, debe llamársela, pues ellos hicieron poco para traerla. Su actividad política se reduce a la de unos pocos miembros hasta la llegada de la guerra civil. La «generación Guillén-Lorca» tiene sentido, desde el punto de vista estilístico, pero es una denominación simplemente accidental y complementaria. Igual sucede con otras bonitas denominaciones, como «Segundo Siglo de Oro» o «generación de la amistad». Si queremos buscar un nombre que sea esencial y que sea justo, hemos de llamarla «generación de la vanguardia». En efecto, los hombres nacidos entre 1891 y 1905 son los encargados de traer y asimilar los *ismos* en España. Ellos trajeron el creacionismo y lo asimilaron al ultraísmo; después, la poesía pura, y el neotradicionalismo —de base autóctona, pero un evidente, si especial, *ismo*—, y luego el superrealismo, etc. Al compás que crece la generación y se va formando se suceden y se hacen carne española los *ismos*. Hasta tuvimos en ella nuestros pujos maquinistas de rechazo de un tardío futurismo. Recuérdese «Seguro azar», de Pedro Salinas, sin ir más lejos.

[De hecho, por añadidura, todos estos poetas se vieron y fueron vistos en su tiempo como algo *nuevo.*] Cabe entonces hacerse una contrapregunta: ¿por qué, si era tan sencillo emplear la denominación de generación de la vanguardia, no ha cuajado entre la crítica? Por una razón de peso. La generación, si se puede y debe llamar la generación de la vanguardia, se puede llamar también generación de la tradición. No rompen con el pasado inmediato —Juan Ramón, Ramón Gómez de la Serna, Ortega, D'Ors— ni mucho menos con el lejano, siendo una de sus metas fundamentales el resucitar escritores y tendencias del Siglo de Oro, como son la poesía tradicional de los cancioneros, de Gil Vicente o de Lope de Vega; la poesía de Góngora o de san Juan de la Cruz. Y, en otro sentido, todos en bloque se pueden llamar discípulos de Bécquer.

He ahí lo que parece a primera vista un contrasentido. Una generación tan atenta a los *ismos* como a la tradición. El resultado podía haber sido un horrible pastiche, pero no lo fue. Un grupo de escritores, muy poseído de una cultura clásica española, hasta el punto de ser catedráticos o profesores muchos de ellos, coincide vitalmente con el nacimiento en Europa de la vanguardia. Ellos, gente de su tiempo, están muy atentos a lo nuevo y lo traen y lo aprovechan, pero siempre —salvo excepciones— bajo la sabiduría de una tradición que les sirve de apoyatura y contrapeso. Y así se produce el fenómeno, tal vez único en nuestra historia, de un equilibrio perfecto, armonioso, entre lo nuevo y lo antiguo. Para mí, ése es el secreto de la generación. Ser maquinistas, creacionistas, surrealistas como impulso, como estímulo, pero no quedarse nunca en el *ismo* por el *ismo*. El *ismo* y la vanguardia como medio y nunca como fin.

Y, para terminar, recordemos que la vanguardia no son sólo formas, sino también ideas. El futurismo y el surrealismo estuvieron muy ligados a las doctrinas de derechas o de izquierdas del momento. Así, designando generación del 27-28, o simplemente del 27, a estos escritores, cabe en ellos desde la novelística ideológica de los Arconada y Salazar Chapela, hasta la poesía del grupo de *Grecia*, capitaneados por Vando Villar. Y esto es lógico. Cité antes a José Díaz

Fernández. Es autor de una novela sobre la guerra de África, *El blocao*, donde denuncia lo sucedido; autor de una novela con grandes elementos vanguardistas, como *La Venus mecánica*; autor de un tratado estético-sociológico sobre el nuevo camino comprometido de la literatura, *El nuevo romanticismo*. Todo ello encaja dentro de la vanguardia, conjunto de novedades estéticas e ideológicas, formales y de contenido. Y todo ello encaja en la generación del 27, si tenemos voluntad de estudiar una época completa y no una selección de un género, la poesía, como hasta ahora casi siempre se ha hecho.

LUIS CERNUDA

DE RAMÓN A LA GENERACIÓN DE 1925

En la visión y lenguaje poético que caracterizan, si no todos, algunos de los poetas entonces jóvenes, al menos en la etapa primera de su labor, se observa una influencia evidente de aquella visión de la realidad introducida en nuestra literatura por Gómez de la Serna bastantes años antes, hacia 1910, cuando todavía el modernismo parecía regir nuestros destinos literarios. Y es que entre la literatura modernista y la que hacia 1920 se llamaría literatura nueva, no hay entre nosotros obra más llena de originalidad, originalidad de pensamiento y de expresión, que la de Gómez de la Serna; estando además representados en ella todos o casi todos los intentos renovadores de los movimientos literarios diversos ocurridos por aquellas fechas fuera de España, y eso no por imitación, sino por coincidencia. Conviene aclarar un punto: aunque en la obra de Gómez de la Serna hallemos un propósito equivalente al de dichos movimientos literarios europeos, desde los inmediatamente anteriores a la guerra de 1914 hasta los posteriores a ésta, quedan, sin embargo, fuera de su alcance el dadaísmo y el superrealismo; es decir, los aspectos rebelde y mágico que

Luis Cernuda, «Gómez de la Serna y la generación poética de 1925», en *Estudios sobre poesía española contemporánea*, Guadarrama, Madrid, 1957, pp. 167-177 (168-177).

animan respectivamente a dichos dos movimientos, los más cercanos a nosotros en el tiempo y los más importantes.

Y es que Gómez de la Serna, quizá por ser el último gran escritor español descendiente en rango e importancia de nuestros grandes clásicos, como Lope o Quevedo, es un realista. [Su obra se halla, por tanto, dentro de las fronteras del temperamento literario español, que con excepciones contadas fue siempre enemigo de indagar lo que pudiera haber tras de nuestra realidad inmediata, de una parte, y de otra (para compensar su falta de imaginación), muy dado a los juegos del ingenio con la palabra.]

El ingenio, pues, es la facultad que crea la greguería, y ésta el eslabón donde se engarzan todos los escritos de Gómez de la Serna, ya sean simples colecciones de greguerías, ya sean, como su teatro, novela y crítica, un compuesto de greguerías. Y como la greguería se integra en una imagen o una metáfora, y éstas (observadas desde el especial ángulo visual del propio autor, como luego trataremos de indicar) no sólo fueron una parte importante, sino un todo, principalmente la metáfora, en los versos escritos por muchos poetas españoles hacia 1925, ello justifica el comentario previo a lo que la greguería es y lo que su hallazgo representó en un momento de nuestra poesía. [...] En la imagen hay mayor creación poética que en la metáfora. En la primera interviene más la imaginación que el ingenio; en la segunda más el ingenio que la imaginación. La metáfora seduce pronto al lector español, y en ella se basaban sobre todo lectores y críticos para discernir preeminencia a los poetas nuevos de 1925; la metáfora estaba de moda, tanto que Ortega y Gasset, con su rara ignorancia en cuestiones poéticas, definió por entonces la poesía como «el álgebra superior de las metáforas».

[En un prólogo de 1943, bastante verbalista, nos facilita Ramón datos sobre la greguería]: «En 1910, en la revista *Prometeo*, y después como epílogo de mi libro *Tapices*, que publiqué con el pseudónimo de "Tristán", aparecieron las primeras greguerías surrealistas». Veremos confirmado luego por otras palabras de Gómez de la Serna, que el superrealismo queda fuera de su órbita literaria. «Hay que dar una breve periodicidad a la vida, hay que darle instantaneidad, su simple autenticidad, y esa fórmula espiritual, que tranquiliza, que atempera, que cumple una necesidad respiratoria y gozosa del espíritu, es la greguería ... Es lo único que no improviso nunca.» (El escritor superrealista improvisa al dictado de su subconsciente.) «Me la concede esa adolescencia de la vida que va pareja de nuestra adolescencia o de nuestra vejez. Tienen que ser lentas y naturales. Son una gota de los siglos que atraviesa mi cráneo.» Por último las define así: «Lo que gritan confusamente los seres desde su inconsciencia» (ahí pudiera hallarse, sin embargo, algún asomo de afinidad con el superrealismo), «lo que gritan las cosas».

Como objeción posible del propio autor contra la asimilación de la greguería al poema en prosa, citaremos: «Las greguerías son cosa más de literato que de poeta». Aunque más adelante, equiparando greguería y metáfora, dice: «Lo único que quedará, lo único que en realidad ha quedado de unos tiempos y de otros, ha sido la gracia de las metáforas salvadas». Diferenciando imagen y metáfora (a favor de la metáfora y en contra de nuestro parecer antes indicado), escribe: «La imagen no es bastante ... La imagen es representación viva y eficaz de cosa por medio del lenguaje». [...] «Es la primera consistencia de lo representado. Pero el búsilis, ese punto en que estriba la dificultad de una cosa, y el fililí, que es el primor y la delicadeza, que es lo que hay que añadir, eso está en la metáfora. Todas las palabras y las frases mueren por su origen correcto y literal, no llegando a la gloria más que cuando son metáforas ... Humorismo + metáfora = greguería.»

Coincidiendo con la actitud primera de la generación poética que nace hacia 1920, dice: «La nueva literatura es evasión» (lo que en la lengua inglesa se llama peyorativamente «escapismo»), «alegrías puras entre las palabras y los conceptos más diversos... desvariar con gracia». [Que Gómez de la Serna escriba sólo prosa y los poetas de la generación escribieran solamente verso, no es obstáculo al parentesco.] Como ejemplo de que la greguería es a veces un minúsculo poema en prosa, vamos a citar algunos: «Cuando una mujer chupa un pétalo de rosa parece que se da un beso a sí misma», greguería que en realidad es una humorada campoamoriana. «La hortensia tiene mojados de cielo sus ojos azules.» «Cuando la luna se pasea por el paisaje nevado parece la novia de larga cola camino al altar.» «Los ojos de los muertos miran las nubes que no volverán.» «Las alas de las palomas cantan al volar.»

Pero otras veces, las más, la greguería llega a la poesía por un camino indirecto: por el juego de ingenio; y ahí también podemos hallar en Gómez de la Serna la filiación para muchos versos escritos después de 1920, que también eran juego de ingenio. Por ejemplo: «Las golondrinas abren las hojas del libro de la tarde como incesantes cortapapeles que nos han traído de Alejandría». «El desierto se peina con peine de viento; la playa con peine de agua.» «La noche está entre pestañas azules.» Y tantas otras que el lector puede buscar por sí mismo. Ese juego de ingenio que muchas veces hay en la greguería relaciona a Gómez de la Serna, por otra parte, con nuestra poesía y prosa culterana y conceptista, las cuales también se conectan con los poetas jóvenes de 1925; y no tanto por «influencia» sino porque el gusto literario español, según indicamos antes, fue aficionado siempre a los rasgos de ingenio: el pájaro que era «flor de pluma / o ramillete con alas» en los versos de Calderón, también podría serlo en una greguería de Gómez de la Serna. Es curioso cómo una constante del gusto nacional ayuda a que parezcan contemporáneos entre sí los escritores de épocas muy distintas. [...]

Ilustran lo que digo fragmentos de frases en verso como estas: «Radiador, ruiseñor del invierno» (Guillén); «Rosa ... la prometida del viento» (Salinas); «La guitarra es un pozo / con viento en vez de agua» (Diego); «Su sexo tiembla enredado / como pájaro en las zarzas» (Lorca); «Cuando la luz ignoraba todavía / si el mar nacería niño o niña» (Alberti); «El eco del pito del barco / debiera de tener humo» (Altolaguirre). Y no insisto; me parece que, como ejemplo, los versos citados son concluyentes, y el lector, si sigue el rumbo que le marcan, puede espigar otros semejantes, comparándolos con la greguería.

Se me dirá que en esos años precisamente el gusto por las frases ingeniosas no sólo se daba en España sino más allá de nuestras fronteras: en Francia, donde en las páginas de escritores de valor muy diferente (entre los cuales el soporífero Giraudoux parece ser el único que aún goza en su tierra de cierta estimación), el *esprit* chispeaba con mayor o menor fortuna, y que dicha moda dejó eco entre bastantes escritores de lengua española. Pero aquella moda me parece que se daba al margen, corroborando la influencia de Gómez de la Serna, y la prueba está en lo ya dicho: de una parte, porque Gómez de la Serna se anticipa a ella; y de otra, sobre todo, porque entre nosotros el juego de ingenio no es una moda sino rasgo permanente del temperamento literario nacional. No se olvide tampoco en este aspecto la coincidencia de la aparición de estos poetas de la generación de 1925 con la celebración en 1927 del tercer centenario de la muerte de Góngora, y su secuela de reediciones y homenajes al mismo, lo cual agudiza en nuestro mundo literario la afición al concepto ingenioso.

ANTONIO BLANCH

LA GENERACIÓN DEL 27 Y LA ESTÉTICA CUBISTA

Por extraño que pueda parecer al principio, se puede afirmar que los poetas franceses del grupo de Apollinaire y de la revista *Nord-Sud* prolongaban en cierto modo la actitud y las preocupaciones literarias de Mallarmé. En efecto, encontramos en estos poetas un esfuerzo personal de renovación de las formas tradicionales de expresión, la búsqueda de una nueva sintaxis y, sobre todo, continuos esfuerzos por descubrir las cualidades propias de las palabras y de las imágenes tanto en sí mismas como en sus «afinidades» con las demás. [La actividad de estos valerosos innovadores anunciaba a los espíritus más jóvenes una nueva etapa de gran pureza artística.]

Es muy probable que, además de la reacción general contra las formas languidecientes del simbolismo, también las nuevas corrientes pictóricas y musicales (Juan Gris, Picasso, Stravinsky, los artistas de la escuela de Praga, etcétera) tuvieran su influjo en el nacimiento de este espíritu nuevo. Jean Cocteau sería uno de los primeros en recibir estas influencias de la Europa central. En España se tienen las antenas muy altas para captar las novedades de esta nueva estética; el poeta Gerardo Diego, por ejemplo, estudia con gran afición la música de Stravinsky y la pintura de Juan Gris. También los movimientos vanguardistas españoles (como el ultraísmo y el creacionismo) nos hacen pensar en ese «mallarmeísmo» extremado y renovador que se expresaba entonces en el «cubismo literario» francés. Los creacionistas pretendían esencialmente una rehabilitación de los elementos más puros del poema (imágenes, metáforas) proscribiendo lo sentimental y creando un nuevo ritmo interior. [...] De todos estos ensayos no resultaron obras importantes; pero seguramente contribuyeron a crear en los poetas españoles nuevas preocupaciones por la construcción, la pureza y la revalorización de la imagen, factores éstos muy característicos del cubismo.

Los poetas de la «nueva estética» o «poetas cubistas» intentaron ante todo hacer una poesía más construida, y esto no según reglas ya conocidas, sino por la creación de nuevas estructuras. Un poema se convierte entonces en un objeto literariamente autónomo. [...] Tam-

Antonio Blanch, *La poesía pura española. Conexiones con la cultura francesa*, Gredos, Madrid, 1976, pp. 227-236.

bién entre los poetas españoles del 27 se encuentra este gusto por la construcción y la claridad; como por ejemplo, en la «Oda a Salvador Dalí» (1926) de Lorca y, sobre todo, en la «imponente arquitectura» del *Cántico* de Guillén. [...] Cada poema de Guillén, como también cada poema de Salinas o de Diego, se convierte en una unidad lírica autónoma, sólida y concentrada; resulta difícil arrancarle una sílaba sin que el todo se derrumbe por completo: todo es necesario en el poema y no tiene ningún valor fuera de él. El ritmo del poema no viene dado tanto por la medida del verso —que se quiebra y cambia a menudo— como por las múltiples relaciones de cada elemento con la estructura total. El lugar que ocupan las palabras en la frase es esencial, ya que las palabras-clave y los silencios (o blancos) son los que constituyen ese ritmo nuevo dentro de una nueva sintaxis. Es cierto, sin embargo, que esta preocupación por la construcción verbal y por el ritmo sintáctico era ya muy notable en la época pura de Juan Ramón Jiménez. Posiblemente fuera Jiménez el primero que empleó en España esta especie de verso libre en función de una arquitectura de conjunto. [...] Los poemas en prosa (de Ernesto Giménez Caballero o de José Bergamín, por ejemplo) fueron en esta época un nuevo indicio de esta misma preocupación general. Cada uno de ellos está perfectamente construido y situado, como los que hacían en Francia un Max Jacob o un Pierre Reverdy. Se podría decir que son el equivalente en literatura de las pequeñas composiciones del pintor Braque. [...]

«Il n'y a que la pureté des moyens qui donne la pureté des œuvres», decía Reverdy. Eso es verdad tanto en poesía como en pintura. Este espíritu de desnudez y de reticencia que aparece en la obra de Reverdy es lo que más ayudó a Luis Cernuda en la redacción de su primer libro de versos, *Perfil del aire*. [...] Los escritores «cubistas», como los pintores, intentaban liberarse de la triste realidad afirmando por medio de la palabra o de la línea y el color otro mundo puro y bello. En Francia Apollinaire fue un soberano ejemplo de esa «pureté poétique naturelle, native, émanant librement d'un certain climat de l'âme», como García Lorca lo sería poco después en España. [...] Pero aún hay otro factor en la influencia estética del cubismo sobre la poesía: el desinterés y la gratuidad de la creación. La obra de arte se concibe como un nuevo objeto impersonal, sin utilidad para la vida corriente. Desinterés que aparece también en el trabajo literario de los jóvenes españoles del 27. Antonio Espina, Pedro Salinas en sus primeros poemas, León Felipe, Francisco Vighi y Benjamín Jarnés no son más que algunos ejemplos, entre muchos otros, de esta manera gratuita, conceptista y desligada de escribir que nos hace pensar en Cocteau. A veces la influencia directa del escritor francés sobre alguno de los españoles es indiscutible.

La impersonalidad y la intemporalidad, atributos de las artes plásticas del cubismo, han actuado también a favor de la poesía pura que elaboraba Guillén antes de 1930, en la que el tiempo parece haber sido excluido como un elemento impuro, y en la que el poeta conserva el extremado pudor de no expresar sus sentimientos personales. Juan José Domenchina ratificó esta actitud al escribir: «Una cosa es, y es la Poesía. De los poetas, por ahora, no hay nada que decir». La estética cubista acentuaba, en fin, la importancia del efecto lírico producido directamente por las imágenes. «L'image —había escrito Reverdy— est une création pure de l'esprit. Elle ne peut naître d'une comparaison mais du rapprochement de deux réalités plus ou moins éloignées.» Las imágenes no se emplean, pues, para hacer sentir la realidad de un objeto; en cierto modo, ellas mismas constituyen el objeto (el poema como creación pura de que ya hemos hablado).

En la gran floración poética española de 1920-1930 encontramos a menudo poemas compuestos según estos principios. Por ejemplo: muchas de las composiciones del *Poema del cante jondo* de Lorca no son más que una acumulación de imágenes simples y claras sostenidas exclusivamente por el fervor de la inspiración. [...] Los poemas creacionistas de *Manual de espumas* de Gerardo Diego serían otro ejemplo clarísimo de esta tendencia hacia el empleo de las imágenes a la manera cubista en el grupo de poesía pura española. Y pensamos asimismo que puede haber una cierta inspiración cubista en la manera con que Jorge Guillén llega a componer a veces imágenes de conocimiento. [...]

Pero aún hay una última característica de la estética cubista (quizá la más importante de todas) que puede descubrirse sobre todo en la obra del Guillén de los años veinte. Se trata de esa alegría, esa exaltación del artista ante las cosas y los objetos más sencillos; contemplación ingenua y maravillada de la realidad, que exige la transferencia en imágenes anti-realistas de las cosas vistas. Veamos cómo concebía Cocteau el papel de la poesía en 1922: «Elle dévoile dans toute la forme du terme. Elle montre nue, sous une lumière qui secoue la torpeur, les choses surprenantes qui nous environnent et que nos sens enregistrent machinalement». Creemos que el mejor efecto que ha producido el Cubismo no han sido sus realizaciones, siempre un poco desconcertantes, sino el hecho de haber enseñado a los artistas a mirar el mundo de una manera ingenua, gozosa y lo más objetivamente posible. [...]

Pero al hacer estas aproximaciones no pretendemos decir que Guillén o García Lorca hayan querido «hacer cubismo» explícitamente. Nuestro fin es mostrar simplemente que hay una curiosa correspondencia entre la poesía pura española y algunos postulados de la estética francesa cubista, que demuestra cuando menos que los artistas de uno y otro grupo tienen en común una misma preocupación fundamental por la pureza literaria. Pero, como el movimiento cubista precedió en algunos años al de la poesía pura española, y visto el gran interés de los españoles hacia la literatura francesa, podemos concluir, sin exagerar, que también el cubismo francés ha podido inspirar y alentar los trabajos hacia una literatura más pura, que emprendían en España por aquellos años los poetas del grupo del 27.

ANTHONY LEO GEIST

LA METÁFORA, ELEMENTO PRIMORDIAL DE LA LÍRICA DEL 27

Un sentido de indeterminación estética es parte de la crisis que atraviesa la poesía a principios de los años veinte. Contribuye a esta inseguridad una pérdida de fe en la metáfora como recurso único de la lírica. Los ultraístas habían invertido por principio todas sus energías poéticas en la creación de imágenes y metáforas que suponían inauditas. Creían que para componer un poema solo había que juntar varias imágenes sorprendentes. Todo lo demás quedaba por sistema excluido; pero ya en 1923, a consecuencia de la publicación de *Hélices* —libro de versos ultraístas de Guillermo de Torre—, el crítico y poeta francés Émile Malespine advirtió que «En la lírica moderna

Anthony Leo Geist, *La poética de la generación del 27 y las revistas literarias: de la vanguardia al compromiso (1918-1936)*, Labor-Guadarrama, Barcelona, 1980, pp. 83-93.

la imagen a ultranza ha sido sólo una etapa. No puede ser otra cosa. Repetida, se transforma en truco. Que él [Torre] desconfíe, por tanto, del procedimiento, de la imagen-truco ... y en sus mejores poemas combina acertadamente la imagen con la descripción indirecta, mediata». Esto que califica Malespine de «imagen-truco» es, seguramente, la imagen creada o múltiple llevada al extremo, tan pregonada por los ultraístas. Aspiraban con ella a crear una nueva realidad, que diferenciara el poema tanto de la poesía tradicional (con su base mimética) como del mundo prosaico circundante. La poética ultraica proscribía la anécdota; Malespine quiere incorporarla de nuevo a la poesía, o al menos la descripción («indirecta, mediata», por cierto) que tendrá el efecto de ligar las imágenes entre sí y al motivo original de su creación, es decir, al objeto real que las inspiró.

El propio Torre llega en 1924 a criticar el uso en demasía de la metáfora «novimorfa» [y] propone más bien que la metáfora contribuya a lo que llama la «nueva arquitectura del poema», sin aclarar precisamente qué entiende por esto. Es evidente, sin embargo, que reconocía que la metáfora por sí sola no puede sostener todo el poema. Con todo, la metáfora seguía siendo elemento principal en la poética de los años veinte. El sentido común de los jóvenes que se asomaban a la poesía por entonces les imponía cierta moderación en el empleo de imágenes. Mas la metáfora que usan los poetas de la generación del 27 con tanto acierto es esencialmente la misma que forjaron los ultraístas en teorizaciones arduas, a menudo contradictorias y hasta insensatas a veces. [...]

Efectivamente, la metáfora es un elemento muy importante en la lírica primeriza de la generación del 27. Sigue todavía anatematizada la «anécdota», aunque se permite ya ese mínimo de descripción que pedía Malespine. Poetas y críticos dejaron constancia en ensayos y reseñas de lo que entendían por metáfora y cómo concebían su función en la poesía. Heredan de los ultraístas el concepto de metáfora como proceso mágico, el acercamiento de dos objetos alejados, lo que crea una relación nueva, supuestamente inexistente en el mundo natural; pero hacen hincapié en la importancia de la inteligencia en la poesía en general y de este tropo en particular. [...] Enrique Díez-Canedo, considerado en su día uno de los primeros críticos españoles, se centra con su acostumbrada perspicacia en el papel de la metáfora en el intrincado juego de inteligencia e incomprensibilidad en la poesía de la época:

El poeta de hoy logra sus imágenes, vehículo principal de su expresión, en un mundo más vario, que no tiene un estado anterior en la literatura, como lo tenía el fondo humanístico en que germina la metáfora gongórica. Para Góngora hay exégetas que aclaran la alusión demasiado sutil; mas precisamente la fuerza de la poesía de Góngora está por delante y por encima de los intérpretes: apenas tocada, se evapora. Un poeta moderno halla su fuerza, precisamente, en no prestarse a tales exégesis profesorales. Llama tan sólo a la penetración intuitiva y no repara en ser explicado torcidamente. Hasta le recrea, en Góngora, el sentido, a sabiendas desviado, que se puede dar a los versos.

Díez-Canedo señala la voluntaria ininteligibilidad de gran parte de la lírica moderna. Esta poesía de construcción intelectual está aparentemente abierta a la comprensión lógica; pero el intelecto sólo es capaz de llevarnos hasta cierto punto y allí falla la lógica. Se requiere una «penetración intuitiva», un salto de la imaginación, no para comprender (intelectualmente) el poema, sino para aprehenderlo de modo intuitivo.

La poesía de la generación del 27 se ha caracterizado comúnmente de «intelectual» o «cerebral». Los términos indican una postura estética, y para algunos críticos (Antonio Machado, por ejemplo) representa un reproche. Para otros, como Ortega y Gasset, constituía un elogio; pero los dos bandos no dudan en atribuirle a la lírica española del momento un carácter netamente intelectual. El intelectualismo estriba en la exclusión de la emoción humana al buscar el poeta resortes cerebrales y no sentimentales para sus poemas. Estos críticos confunden, sin embargo, la exclusión del sentimentalismo y la expresión contenida de la emoción humana con el intelectualismo. Percibían como una manifestación principal de este cerebralismo el uso de la metáfora, que para los ultraístas y los del 27 es un procedimiento que asocia dos o más elementos normalmente alejados con la intención de crear un objeto «nuevo», limpio de connotaciones emocionales. La metáfora es para ellos más que una operación puramente intelectual; es también un proceso mágico, precisamente por su poder creativo. El poema da expresión por medio de construcciones lógicas a una esencia que resulta en último término impenetrable por vía puramente intelectiva. En 1926, Antonio Espina trata de explicar esta peculiar relación de inteligibilidad y misterio. [...]

Los dos aspectos contradictorios de la poesía moderna que presenta Espina en esta discusión de la imagen nueva expresan la tensión disonante entre los elementos intelectuales del poema y su efecto irracional. Este concepto es herencia del simbolismo, filtrada por la vanguardia. La magia lingüística (sugestión) es más importante que el contenido lingüístico; la dinámica de la imagen supera a su significado. La inteligibilidad no es el fin principal de esta poesía. A esto añade el ultraísmo una aversión por lo sentimental y una preferencia por lo intelectual. La imagen sigue siendo foco de estos impulsos contrarios.

Una forma que puede tomar esta tensión es la ironía: la disonancia entre lo que se dice y lo que se quiere decir. Fernando Vela, crítico habitual y secretario de la redacción de la *Revista de Occidente*, observó:

«El arte nunca ha sido ingenuo, aunque a veces lo pareciese. El deleite estético nace siempre de la conciencia de una duplicidad, es decir, de una actitud irónica. Tomemos el ejemplo más sencillo: la metáfora. No existe más que cuando el sujeto posee la conciencia de que los dos objetos comparados son esencialmente distintos y su identificación es capciosa. Ha de lanzar los ojos en dos direcciones opuestas para traer a coincidencia en su visión dos cosas incongruentes. Si creyera en su identidad real, la fruición desaparecería instantáneamente. No; el arte no es nunca ingenuidad, sino ironía. Pero a veces esta duplicidad primera recibe nuevos dobleces: el arte al cubo.»

Ahora bien, afirmar que el arte *siempre* se basa en una actitud irónica es discutible. La poesía romántica, por ejemplo, se tomaba muy en serio. Es significativo, sin embargo, que Vela así lo creyera. Los elementos de la metáfora en esa poesía guardan frecuentemente, como él indica, una relación de contraste irónico entre sí. La premisa de que la similitud entre los objetos comparados no puede ser real si la metáfora va a ser eficaz elimina gran parte de las metáforas tradicionales. [...] Al destacar la duplicidad que él ve como inherente al arte, Vela pone de manifiesto su concepto de poesía como artificio, como algo distinto de la naturaleza y superior a ella. El arte es irreal, no puede existir en el mundo fuera del poema, pues para su eficacia depende de situaciones incongruentes.

Esa incongruencia radica precisamente en el contraste con el mundo objetivo, lo que Franz Roh describe como «La colisión de la realidad verdadera y la realidad aparente (de la habitación con la visión del cuadro)». La poesía no sólo es irreal: «irrealiza» o «desrealiza» los objetos del mundo al asociarlos capciosamente en el poema. La «conciencia de duplicidad» es eso, conciencia del arte como irrealidad y por lo tanto constituye una continuidad con las teorías ultraístas ya examinadas de imagen y metáfora.

Federico García Lorca, en su conferencia de 1927 sobre «La imagen poética de don Luis de Góngora», habla del poeta como «cazador» de imágenes. Lorca también percibe la metáfora como unión de dos contrarios: «La imagen es, pues, un cambio de trajes, fines u oficios entre objetos o ideas de la naturaleza. Tiene sus planos y sus órbitas. La metáfora une dos mundos antagónicos por medio del salto ecuestre que da la imaginación. El cinematográfico Jean Epstein dice que "es un teorema en el que se salta sin intermediario desde la hipótesis a la conclusión". Exactamente». Más adelante, Lorca afirma que la imagen contribuye a separar la poesía del mundo natural: «Naturalmente, Góngora no crea sus imágenes sobre la misma Naturaleza, sino que lleva el objeto, cosa o acto a la cámara oscura de su cerebro y de allí salen transformados para dar el gran salto sobre el otro mundo con que se funden». [...]

Todo esto viene a indicar cómo persiste la metáfora como elemento primordial de la lírica del decenio 1920-1930. Lo que había empezado en manos de unos jóvenes ansiosos de reforma literaria como arma de combate contra la tradición sufre modificaciones cuando llega a la generación del 27; pero a pesar de la moderación en la construcción y el empleo de la metáfora, ésta continúa fiel a su propósito original de crear si no nuevos objetos, al menos nuevas perspectivas en la poesía, maneras inusitadas de percibir y representar el mundo. La imagen y la metáfora nuevas siguen esta trayectoria hasta casi cerrado el ciclo de la generación. En 1935 Dámaso Alonso escribió, a propósito de *La destrucción o el amor*, de Vicente Aleixandre, que «La metáfora, eterno prodigio de la poesía, la metáfora de todos los siglos, siempre se ha fundado en establecer la identidad poética de formas distintas ... Pero aquí la metáfora ya se puede decir que no es un juego literario ni una fiesta de la imaginación, ya no tiene como fin el realzar la cualidad bella de un objeto, ... sino que es una enumeración de verdades cuasiteológicas. La metáfora tiene, pues, en la concepción del mundo de este poeta una realidad objetiva: las formas más dispares de la realidad están vincularmente entrelazadas o co-fundidas».

VITTORIO BODINI

CARACTERÍSTICAS Y TÉCNICAS DEL SURREALISMO EN ESPAÑA

[Si intentamos pesar] las fortunas del surrealismo en la poesía española entre 1926 y 1936, veremos en un plano la absoluta carencia teórica e ideológica, la falta del más pequeño gesto o admisión que revele una toma de posición consciente; en el otro plano, en cambio, tal cantidad de surrealismo realizado poéticamente que tiene poco que envidiar a la poesía francesa correspondiente. Naturalmente, las ambiciones de los surrealistas españoles no van más allá de la creación de un lenguaje poético: no es una nueva psicología, o una nueva moral, o un arma de insurrección poética lo que los poetas españoles piden a las técnicas de lo surreal y del sueño. Falta ese puente que el surrealismo tendió entre vida y poesía, el intento de utilizar conjuntamente la poesía y el arco del consumo sin rescate poético para un fin que los integre, la poesía, para convertirla en un método más entre tantos que sirven para acertar en el blanco del inconsciente y abolir al hombre dividido. Seguramente en España nunca se hubiera suscrito una declaración como la del 27 de enero de 1925: «No tenemos nada que ver con la literatura. Pero, en caso necesario, somos capaces, como todos, de utilizarla». Obviamente no les falta a los españoles, como no le falta a ninguna poesía, la voluntad de cambiar el mundo, pero no está explícita, ni es consciente: será un punto de llegada no buscado, no un punto de partida declarado. Esa falta de cualquier tipo de preocupación dejó su poesía atenta exclusivamente a escuchar la voz interior: fue menos lúdica, menos cerebral, más próxima a las fuentes del ser.

[En España] existe un puñado de poetas surrealistas, pero no existe un movimiento, ya que el eje en torno al que gravitan es el generacional; existe su obra poética, pero no es posible extraer de ella, no digamos una unidad de intenciones, sino ni siquiera la más mínima característica común. Lo cual hace imposible un estudio ge-

Vittorio Bodini, *Los poetas surrealistas españoles*, Tusquets, Barcelona, 1971, pp. 29-43.

neral sobre el surrealismo español, que se deshace con el examen de las obras y de la fisonomía de cada poeta. Efectivamente, realizar un paradigma de las alternativas poéticas de algunos de estos poetas entre las técnicas surrealistas —profecía, sueño, humor negro, satanismo, ironía, objetos surrealistas, cadáveres exquisitos— y calcular el grado de mayor o menor fidelidad en su empleo o, en cada caso, intentar establecer si fue imitación o sólo coincidencia: y, en cualquier caso, el valor de una o de otra en el mecanismo creativo de cada uno, resultaría extraordinariamente confuso.

No obstante, existe una técnica que todos emplearon, y es la más importante y la más típica e inconfundible de la estética surrealista: la escritura automática. Escritura automática y surrealismo se identifican. [...] Pero el automatismo puro no es posible, tanto menos en poesía, donde las propias exigencias del *poiein*, del hacer poético, imponen un mínimo de organización semántica de los mensajes transmitidos por el inconsciente. El propio Breton lo reconoce: «Nunca hemos pretendido dar un texto surrealista cualquiera como ejemplo perfecto de automatismo verbal. Incluso en el mejor texto "no controlado" se advierten, hemos de reconocerlo, ciertas resistencias. En general, un mínimo de control subsiste, en el sentido del *equilibrio poético*». La poesía de los surrealistas españoles pertenece, como la francesa, a ese segundo tipo, en que el poeta se limita a escoger y a reordenar su material irracional, sin preocuparse de hacer que sea coherente: lo que está muy lejos de la hipérbole gongorina, que opera, en cambio, mediante el ocultamiento del plano de la realidad. Pero sería en vano si buscásemos un paso ordenado de una fase a la otra, tratándose como se trata de poetas con una historia propia cada uno, a pesar de la atmósfera común y la amistad recíproca.

[En este período fue cuando el verso largo, que con la multitud de sus sílabas rompe el imperio de la forma controlada y los fáciles encantos del oído, se afirmó en la poesía española, y desde entonces quedó definitivamente implantado. La emancipación métrica, que es el sueño de todas las poéticas de la rebelión, alcanza con el surrealismo el punto extremo de la destrucción de la forma y de la paralela exaltación de los contenidos.] El alejamiento de las bases del sentimiento poético aporta, por tanto, nuevas líneas de fuerza expresivas, y el verso de mero instrumento, al que por tanto era lícito exigir la perfección, pasa a ser un organismo vivo, al que, en razón de esa vitalidad, se puede perdonar toda clase de intemperancias y dejar que encuentre por sí solo su camino y su medida.

En Lorca y Alberti, binomio ejemplar por su divergente extremismo, es donde esa inflación del verso presenta ejemplos más nítidos: el primero salta de repente de los claroscuros del octosílabo popular del *Romancero gitano* a los largos versos irregulares, frenéticos y agresivos, de *Poeta en Nueva York*. El verso más largo está en «Paisaje de la multitud que orina»: «y para que se quemen estas gentes que pueden orinar alrededor de un gemido». La evolución métrica de Alberti, por el contrario, se desarrolla por completo en el interior de *Sobre los ángeles* con una curiosa regularidad, partiendo de un grupo de poesías del metro corto, preferentemente exasílabos y heptasílabos (con los que aparecen mezclados versos bisilábicos y monosilábicos) y va aumentando hasta alcanzar las veintisiete sílabas finales del libro: «y me mataréis esta mala palabra que voy a pinchar sobre las tierras que se derriten», mientras que en el siguiente, *Sermones y moradas*, no son raros los versos que llegan a un centenar de sílabas. Larrea alcanza las treinta y una, Diego veintisiete, Cernuda dieciocho, Moreno Villa diecinueve, Prados treinta y cinco.

[Si la influencia de Larrea fue importante, debemos considerar como capital la de Neruda, que viene a España en 1927 y cuya ruptura métrica traduce la incoherencia de la realidad rota en sí misma.] La aportación de Neruda a la joven poesía española fue muy importante. Un eco más coagulado de su verso largo, bañado de cósmica pena, aparece en toda la poesía de Aleixandre (junto con la común predilección concedida a los sustantivos), mientras que ecos más parciales afloran en Cernuda y, quizás, en Lorca. Como suele ocurrir generalmente, ni siquiera en la métrica se detiene dicha influencia. Ejemplos de enumeración caótica de tipo nerudiano encontramos, aunque no sean frecuentes, en Lorca: «¡Qué no baile el Papa! / ¡No, que no baile el Papa! / Ni el rey, / ni el millonario de dientes azules, / ni las bailarinas secas de las catedrales, / ni constructores, ni esmeraldas, ni locos, ni sodomitas». Otras, aunque menos caóticas, en Cernuda y Moreno Villa, mientras que en Aleixandre alcanzan los altos compendios barrocos: «Día, noche, ponientes, madrugadas, espacios, / ondas nuevas, antiguas, fugitivas, perpetuas, / mar o tierra, navío, leche, pluma, cristal, / metal, música, labio, silencio, vegetal, / mundo, quietud, su forma. Se querían, sabedlo».

Que no se nos reproche estar tratando cuestiones puramente técnicas. Las técnicas son los signos externos que van asumiendo las alteradas relaciones entre el mundo de la realidad y el mundo de la poesía. Piénsese en la sorprendente desaparición del *como* en la poesía pura. Ello no significa que esa poesía haya renunciado a estabilizar parangones entre las cosas, sino al contrario que, estando toda ella hábilmente basada en la analogía entre plano real y plano imaginario, la superposición de esos dos planos no necesita, en los casos más perfectos, de ningún punto de sutura. Su ley es la ambigüedad. Recordemos que en la época en que triunfó en Europa aquella poética, sobre todo su técnica analógica pareció un punto de llegada al que la poesía del siglo xx no habría podido renunciar. Pero de allí a pocos años volvió el antiguo signo ecuacional con los surrealistas más en auge que nunca, a consecuencia de las relaciones más instintivas entre forma y contenido, es decir, del cambio en la función de la nueva poesía.

Al círculo cerrado sucedió, en la poesía española una circulación abierta, una herida abierta entre las cosas del mundo, un perenne traslado de una cosa a otra, y conviene indicar en cada ocasión los puntos en que se produce la salida fuera de los límites. [...]

El sentido de los límites de la poesía, propio del surrealismo, hizo que también los poetas españoles buscasen, fuera del comercio con la musa, otros lenguajes, otros medios para obligar al mundo subliminar a manifestarse. No obstante, hay que decir que se trató de intentos que no superaron el diletantismo. Mientras Dalí y Buñuel llevaban a París la idea, madurada en la Residencia, de los objetos surrealistas, y posteriormente creaban con *Un chien andalou* y *L'âge d'or* el cine surrealista, en 1927 Lorca hizo en Barcelona una exposición de dibujos en color, tiernas oscilaciones entre Dalí y Picasso; hizo también *collages* (y tocaba el piano). Alberti había debutado como pintor, antes que como poeta. También Moreno Villa pintaba y sabemos que durante muchos años Prados se dedicó al *collage*, sin exponer nunca, sin embargo. (Max Ernst expresó bien la importancia que revestía la técnica del *collage* para los surrealistas. El acoplamiento de dos realidades en apariencia inacoplables, en un plano que no les conviene.)

PAUL ILIE

EL SURREALISMO ESPAÑOL COMO MODALIDAD

Tres años antes del primer manifiesto surrealista aparece en Madrid la novela de Cansinos-Assens, *El movimiento V.P.* En el capítulo tres, cuyo título es «El manifiesto V.P.», los jóvenes escuchan al Poeta de los Mil Años:

—Lo importante les decía es que os olvidéis de la lógica y de la simetría. Toda poesía verdadera fue siempre absurda y escandalizó a los profanos. La poesía que no es absurda es simplemente oratoria. Habéis de volver a los antiguos raptos de las sibilas. El estado de poesía es un estado de locura...

Y los poetas, escuchándole, se entregaban ardorosos a la tarea de destruir. Destruían el ritmo y la lógica, decapitaban, descuartizaban sus rimas antiguas y sus inspiraciones de otro tiempo... Ensalzaban la belleza de una musa nueva, engendrada por la mecánica, cuyos ojos eran faros voltaicos; los brazos, calentadores eléctricos, y los senos, bombas explosivas. Deformaban las cosas para verlas de un modo enteramente nuevo, o, más bien, las veían así ya, porque el deslumbramiento de su resurrección había desorbitado sus ojos. Estaban, sobre todo, llenos de una gran audacia.

Este programa muestra una proximidad estética a ciertas normas prescriptivas de Breton; y el paralelismo —o más bien isomorfismo— confirma el hecho de una modalidad surrealista española. [...]

A partir de 1924 el surrealismo fue una escuela francesa encabezada por Breton, pero en 1936 fue percibido de dos maneras distintas. Para los secuaces de Breton seguía siendo una ortodoxia estrictamente definida. Pero esto no fue el caso para observadores independientes como Gómez de la Serna, quien figuraba entre los que practicaban las técnicas surrealistas sin comprometerse con París. Pensaba Gómez de la Serna que el desarrollo mismo del surrealismo le había liberado de sus deslindes históricos. Por eso cuando da explicaciones al lector, ni siquiera se refiere a Breton: «Este superrealismo que, según

Paul Ilie, «El surrealismo español como modalidad», en Peter G. Earle y Germán Gullón, eds., *Surrealismo / surrealismos. Latinoamérica y España*, University of Pennsylvania Press, Filadelfia, 1977, pp. 109-114.

Éluard, "es lo nuevo maravilloso", ya fue aludido por Laforgue cuando refiriéndose a la poesía de Rimbaud "que quiso cambiar la vida en el pleno albedrío", dijo que era un género sonámbulo». Esta identidad nuclear había de persistir a través de los años y tras las fronteras nacionales. Pero de esta caracterización desaparecen ciertas condiciones exteriores, tales como la orientación nacional del movimiento, su anunciado rumbo como tal movimiento, y la fidelidad a los principios estéticos promulgados por un jefe autoritario. Sobre estas condiciones de la escuela francesa dice Gómez de la Serna: «Cuando comenzaron los nuevos estilos nació con ellos una legislación hermética y parecieron de exclusiva pertenencia de los surrealistas». Pero en 1936 añade: «Hemos pasado el momento de hacer caso ... Después de doce años, ya es de dominio público, ya pasó el tiempo de su victoria autoritaria y personal». El surrealismo evoluciona desde su estado sectario hasta ser reconocido como modalidad estética. [...]

El ambiente es una matriz compleja de nutrimentos: psicológicos, socioeconómicos, históricos. Ahora bien, aunque se excluyen los factores socioeconómicos, la matriz continúa siendo un compuesto de ingredientes intelectuales, psicológicos y estilísticos. Ahí está anidando el incipiente modo español, absorbiendo del posmodernismo sus aspectos neurasténicos y patológicos y rechazando sustancias: así por ejemplo la violencia y lo grotesco de la generación del 98 se convierten en catalizadores para la gestación surrealista, mientras que sus temas políticos son sustancias incompatibles. Para demostrar esta actividad con justicia nos hacen falta enormes cantidades de datos. Una sola ilustración nos ayudará sencillamente a vislumbrar el método empleado. [...] La desintegración posromántica en estos países es más homogénea que heterogénea, y sus semillas vestigiales rinden frutos análogos, llámeselos tendencias simbolistas, modernistas, post-*fin-de-siècle*, o antirrománticas. El proceso de diferenciación en cada nación, respondiendo a factores locales, no puede evitar la variabilidad. Sin embargo, los precipitados literarios del proceso son bastante semejantes para ayudarnos por un lado a reconstruir el código genético responsable de la identidad de cada modo, y por otro lado para ayudarnos mediante aquellos precipitados a describir la índole del movimiento. Los estímulos, en algunos casos, fomentan una asimilación con el trasfondo. [...]

Al lado de estos estímulos asimilativos, hay otros catalizadores que inhiben así como excitan, lo cual ocurre en el caso de Aleixandre y su obra no política, que contrasta con el surrealismo políticamente matizado de Lorca. Finalmente, hay estímulos que permiten al movimiento naciente rechazar o escapar de cualquier amenaza que pueda obliterarlo. Tal fue el papel de la teoría de la ficción cuando la desafió Jarnés con su fabricación de fantasías. Estos mecanismos de desarrollo producen diversos resultados cuyos medios complejos exigen un estudio elaborado. Hay que examinar un conglomerado de factores, algunos ya mencionados. Entre ellos se destaca la imaginería, y si tomamos un ejemplo podremos entender una parte del aparato evolutivo y sus implicaciones para los críticos.

Una imagen como la luna es un motivo persistente en la poesía de Occidente, y tal vez es demasiado universal —como la mayoría de las imágenes de la naturaleza— para ser ilustrativa. Sin embargo, la luna simboliza una sensibilidad especial para los escritores rebeldes a comienzos del siglo XX. [...] El poema de Baudelaire, «Tristezas de la luna», por su título mismo descubre su contenido, y tendrá eco en los versos de Verlaine, «En el tranquilo claro de la luna triste y bello, / que hace soñar a los pájaros en los árboles». Muy diferente es el paisaje sonámbulo de Lorca en el «Romance de la luna, luna»: «mueve la luna sus brazos / y enseña, lúbrica y pura, / sus senos de duro estaño». Los estados psicológicos de Lorca no sólo son distintos, sino que la luna surrealista ofrece texturas de superficie ásperas y metálicas, muy opuestas a la luna de Baudelaire: «Así como una belleza, sobre numerosos cojines, / acaricia senos, / sobre la espalda satinada de mullidas avalanchas». Estas imágenes decimonónicas, tanto románticas como simbolistas, pertenecen al suelo común donde se arraigan las nuevas simientes literarias. La imaginería lunar en estos ejemplos, tomados del trasfondo, contrastan con el ejemplo surrealista, y podríamos aún multiplicar los contrastes mediante otros temas e imágenes. En cuanto a la metodología, la distinción es más ampliamente comprensible en la perspectiva evolutiva que en la histórica. No se trata de fuentes y derivaciones; hay que suponer una independencia de influencias inmediatas y, por otra parte, la interdependencia entre generaciones que respiran el mismo aire. Tampoco vienen al caso las relaciones cronológicas con respecto al advenimiento del surrealismo. [...]

De esta forma la morfogénesis de los nuevos modos proceden o dependen orgánicamente del *continuum* morfológico perteneciente al trasfondo lingüístico y literario. No debemos explicar un elemento modal por su semejante en otro modo, meramente a base de la proximidad modal. La yuxtaposición cronológica no determina necesariamente la casualidad. Mientras que existan formas análogas en otras partes del ambiente, éstas requieren un estudio de sus posibles secreciones, cuyos efectos de largo alcance son invisibles durante generaciones. Así los paralelos y las analogías se afirman como posibles elementos isomórficos. Con este método se establece el vínculo entre la imaginería surrealista de Breton y la de Lorca, un vínculo nutrido a través de sus comunes estímulos ambientales. Hay procedimientos parecidos para otras categorías de estudio. Los problemas de una sensibilidad y de una filosofía subyacente en el movimiento, requieren dos etapas de análisis. En la primera, los datos textuales deben apoyar las observaciones globales sobre el surrealismo, datos que deben proceder de todos los miembros del modo nacional. En la segunda, estas observaciones deben ser correlacionadas a través de las fronteras nacionales. La observación transmodal caracterizará el movimiento de la misma manera en que cada modo goza de su propia descripción. Una característica del modo surrealista español es el descenso psicológico a esferas subyacentes. [...]

La analogía es, según lo que queda dicho, un principio de análisis empírico. [...] Una definición significativa del surrealismo abarcará su dimensión espiritual, y habrá que considerar muchos temas que trascienden el movimiento. Es evidente que entre estos temas cuenta el de la autocastración, desde Baudelaire en adelante. Para aislar pragmáticamente este componente esencial, habría que acumular toda la evidencia existente sobre la mutilación. Cualquier esfuerzo mío para citar textos sería parcial e inexacto. No obstante, será útil sugerir algunos ejemplos para tener una idea de lo que se trata. Encontramos dos formas análogas en Breton y Lorca que son de interés especial porque funcionan en varios niveles de significación: en Breton: «un torso de mujer adorablemente pulido aunque estuviera desprovisto de cabeza y miembros». Ahora Lorca: «Marineros que ignoran el vino y la penumbra, / decapitan sirenas en los mares de plomo». Desde aquí se extiende la red semiológica o semioléxica en muchas direcciones: nos sería así posible explorar el concepto de erotismo, o el simbolismo de la belleza, o la subrogación de la impotencia poética, o la imaginería de verdugos y cadalsos en Baudelaire y Machado, o, para volver a Lorca, un ejemplo de diferenciación a base de Mallarmé: «Tan lejos se ahoga una tropa / de ninfas de muchos reveses».

Todas estas instancias impiden la fragmentación del fenómeno de movimientos literarios, y contribuyen a la integración de sus modos. Ningún movimiento surge *ex abrupto*, sino que resiste la asimilación en la continuidad generacional de su contorno literario. Sin el principio de analogía, nada en la historia literaria se sometería a la síntesis, ninguna comparación, ninguna búsqueda de causas o estímulos creadores en el ambiente serían posibles. La analogía es así una técnica heruística, y no un principio autosuficiente. Si identificamos imágenes y temas isomórficos, es para que nos conduzcan a los textos, luego a la sensibilidad ahí reflejada, y así sucesivamente hasta que podamos convertir unas yuxtaposiciones de datos en una originalidad válida. Los fenómenos modales, y entre ellos movimientos como el surrealismo, participan en tales sistemas orgánicamente sintetizables. Desde esta perspectiva la modalidad surrealista española es una forma particular de existencia literaria. Es un sistema cuyos constituyentes son isomórficos a un segundo sistema, el francés, sistema cuyo principio sintetizante consiste en la analogía, un método que hace visible el fenómeno orgánico general.

6. POESÍA DE LA GENERACIÓN DE 1927: PEDRO SALINAS, JORGE GUILLÉN

No eran sólo razones de edad las que movían a Juan Ramón y Cernuda a diferenciar este dúo de poetas dentro de la nómina convencional del 27: el calificativo de «poetas profesores» que les atribuía el primero concuerda con el juicio ya anotado de Marichal quien vincula a uno [1976] y otro [1969] con la generación de 1914. El esbozo biográfico de Pedro Salinas pergeñado por Del Río en un válido ensayo de conjunto [1941] y la matizada interpretación de Marichal [1976] evidencian la impostación intelectual de vida y obra. Salinas, que pretende maridar el rigor filológico menendezpidalino con la proyección trascendente de la literatura, completa su formación universitaria hispánica en París: pensionista de la Junta para Ampliación de Estudios y, en seguida, en 1914-1917, lector en la Sorbona. Estrecha entonces contactos con el simbolismo y la generación de la *Nouvelle Revue Française*, lo que le permitirá ser traductor de sus poetas y novelistas (Gicovate [1960]). De regreso a España, se convierte pronto en catedrático de Sevilla, donde profesa hasta 1936, con el paréntesis de un lectorado, 1922-1923, en Cambridge; simultáneamente, es secretario de la sección de literatura contemporánea del Centro de Estudios Históricos y, de 1932 a 1936, de la Universidad Internacional de Santander. Con la guerra civil comienza su etapa americana en la que —bastaría pensar en su ensayo *El defensor*— se ponen más de manifiesto, si cabe, las preocupaciones generacionales. Añadiré que el «Recuerdo» de Solita Salinas y otras evocaciones recogidas en el colectivo compilado por Debicki [1976] facilitan supuestos críticos de interés en orden a la lectura del poeta.

Devoto de la arquitectura de la creación, advierte Guillén que la obra en verso de su gran amigo, se distribuye en nueve libros, que se agrupan en tres etapas: en la inicial, *Presagios* (1923), *Seguro azar* (1929) y *Fábula y signo* (1931); *La voz a ti debida* (1933) y *Razón de amor* (1936) se articulan en la edición de *Poesías completas* con *Largo lamento*, escrito de 1936 a 1939 y anticipado en sucesivas entregas, antes de aparecer, con el título de *Volverse sombra* en 1957; a la última etapa pertenecen *El contemplado* (1946), *Todo más claro* (1949) y *Confianza*, el cual, publicado póstumo (1955), contiene poemas del período 1942-1944. Con terminología teilhardiana, categoriza Marichal [1976] cada una de las tres fases como tiempos, respectivamente, de *encentración* —tanteo hacia la propia voz y el yo—; *descentración* en el tú de la amada o encuentro del yo al hallar el tú del amor; *sobrecentración* y ampliación de la propia voz al transformarse en la del contemplado.

Resulta perfectamente lícito considerar el ensayo de Salinas sobre «El poeta y las fases de la realidad» como base teórica común de su poética; la poesía aparece como relación entre dos elementos, el hombre y el universo. Pero uno y otro cambian en su relación; las mutaciones que se producen en las diversas fases —psicológica, realidad natural exterior, realidad manufacturada, épica social— condicionan la creación literaria. Apunta de este modo hacia una inserción en el tiempo de historia, que la crítica no ha considerado demasiado hasta ahora. Complementa dicha exposición teórica el «Prefacio» antepuesto por el propio poeta a la edición americana de *Todo más claro*; allí confirma la voluntad de proyectar luz sobre la circunstancia histórica. El tema se expresa con mayor claridad, si cabe, en los poemas de la primera sección del libro, coincidentes con los iniciales de *Presagios*.

A la hora de analizar la actitud ante la realidad, bastantes críticos lo reducen todo a intelectualismo. Pionero de tal lectura, Spitzer [1941] llega, incluso, a convertir a la protagonista de la segunda trilogía en mero *suppositum* para una construcción conceptista. Para Cirre [1966], sin ir tan lejos, el poeta se repliega sobre sí en continua espiral y «su universo es puramente íntimo»; a Salinas, dice Del Río [1941] en la misma línea, sólo le importa crear su propio horizonte (cf., también, Darmangeat [1955]). Gullón [1952], por contra, matiza mucho más: si, de entrada, hace notar cómo los títulos de los libros aluden a una interpretación de los fenómenos, advierte en seguida contra los excesos de la interpretación intelectualista, ya que la percepción sensorial se ensambla con el pensamiento.

Simplifica la crítica de manuales al condensar la íntegra tarea saliniana en el poema «Vocación», donde, en aparente antítesis de Guillén, se elige «cerrar los ojos». González Muela [1958] señala capítulos de oposición entre los dos amigos, pero se trata, añade, de una oposición complementaria: uno y otro prefieren trasmutar la realidad en el sueño. Ha proyectado luz definitiva sobre el problema el propio Guillén [1971] al sentar que dicho poema no debe ser alzado a categoría de norma. Ahora bien, salvada la afirmación entitativa de la realidad, es obvio que el propósito creador se orienta hacia la categorización intelectual.

Con no menor frecuencia, se ha compartimentado la producción de cada etapa, viendo, en concreto, en la primera (Palley [1966] o Cernuda [1957]) un mero juego esteticista de ingenio. Las rectificaciones de Vivanco [1957] y Zardoya [1961] evidenciaron pronto la búsqueda de valores humanos por parte del poeta; en los tres libros Salinas trata de convertir la realidad técnica en una realidad más profunda. Mediante la aplicación del método estilístico, Feal Deibe [1965] descubre, también, algunos de los procedimientos aplicados, tal, por ejemplo, la combinación de lo material y lo abstracto. Debicki [1968] avanza por el mismo camino y muestra la insistencia de determinados modos de forma interior: en efecto, aunque la visión que de las cosas se nos ofrece está siempre elevada a categoría, quien nos la facilita es un protagonista bien concreto enraizado en el espacio y el tiempo y ellos mismos subsisten en sus precisos contornos (Debicki [1971]). De otra parte, ya en *Presagios*, y progresivamente en los dos libros que le siguen, aparece la figura de la amada como puente de acceso a la realidad ulterior. Desarrollando este último punto, Stixrude [1975], en su estudio completo de la primera poesía de Salinas, la contempla como un tiempo en el que alternan ilusiones y desilusiones del mundo exterior pero en el que se adivina ya la salida definitiva: la identificación con un universo reducido a su esencia por el amor. Pienso que la construcción crítica ganaría en consistencia si se insistiera más en el estudio histórico literario: ocupándose de temas preferidos de la vanguardia, no disponemos todavía de un estudio que aclare su significación dentro de ella.

Se inscribe la trilogía amorosa en el reflujo neorromántico que, impulsado por Juan Ramón, asciende, a partir de 1930, y aún antes. La pauta becqueriana del proemio a *La voz a ti debida* subrayada por Gilman [1963] y cuyos precedentes en la primera etapa de Salinas documenta Martins [1956], facilita un método caucional de desvaríos. Las tentaciones seducen aquí a la crítica en sentidos opuestos: del lado de una lectura ceñida a la realidad, hacia el biografismo contra el que prevenía el mismo Salinas; por la vía de la configuración intelectiva se llega, en cambio, a la desrealización propugnada por Spitzer. No duda Guillén [1971] en calificar de «monstruosa» esta última conclusión que reduce el *tú* femenino a «fenómeno de conciencia». Con él, la mayor parte de los críticos aceptan la base de la realidad; González Muela [1962] se atreve a proponer un esquema de narratividad diacrónica de la aventura amorosa, desde el nacimiento de la pasión hasta la ruptura y la meditación subsiguiente. Pudiera resultar aceptable como marco de macroestructura, pero ya Baader [1955] indicaba que en *La voz a ti debida* no hay acción y que lo que pudiera ser principio o fin se entrelaza de continuo; él mismo propone la categorización de «variaciones musicales de un tema», que Gilman suscribe. En todo caso, es innegable una base de realidad, como resulta claro que asistimos a una constante idealización. Para Darmangeat [1955], oscila ésta entre la metafísica y el conocimiento inmediato. En un excelente libro, Dehennin [1957] analiza la metamorfosis simbológica de la amada y, trascendiendo la metafísica, habla de mística: todas las dudas de una analógica noche oscura se funden con la certeza del tú. Convergen hacia el mismo punto las apreciaciones de Palley [1966] sobre la dimensión existencialista de la trilogía. Por lo que hace a su forma expresiva, aparte de las notas estilísticas de Feal [1965], me parecen especialmente importantes los análisis de Dehennin [1957] sobre visiones e imágenes visionarias y el capítulo tercero de Zubizarreta [1969], el más logrado, sin duda, de su estudio sobre la estructura dialogística, y en el que, dicho sea de paso, hallamos la bibliografía más completa, hasta 1968, sobre Salinas.

He afirmado que es en la última etapa cuando probablemente aparece más aguda en Salinas la preocupación generacional. Su producción literaria se multiplica y diversifica entonces, no sólo por llenar el vacío de exilio sino para llenarlo con asedios en busca de la salvación universal: Marichal [1976] lo ha resumido de manera precisa. No parece casual que su primer poema de posguerra sea el apocalíptico «Cero». Cronológicamente se sitúa en primer lugar *Confianza*, en el que Feal [1971] ve certeramente la búsqueda de valores no sujetos a la erosión del tiempo. Debicki [1968] especifica que esto se logra, a menudo, por medio de la contraposición de la belleza natural y la fealdad de lo moderno; se abre, así, una veta temática que se irá ensanchando hasta el final. Un análisis, debido a Lida [1959], de las fases de gestación del poema que presta título al libro, muestra mejor que muchas disquisiciones el objetivo que el poeta se propone y el método utilizado.

Escrito frente al mar de Puerto Rico, *El contemplado* es, sin duda, por su trabazón y altura poética, el libro mejor de la trilogía. La relación entre el hombre-poeta y el mundo natural es llevada, en una progresión análoga a la de *La voz a ti debida* —vale decir, en una estructura dramática y temporal integrada por variaciones (Debicki [1968])—, a los últimos confines de lo misterioso. Queda así implícitamente subrayada (Debicki [1968] y Correa [1952]) la fuerza de la poesía que nos salva de periclitar en lo real y nos transfigura en y con la realidad misma. Avanza Salinas un paso definitivo en la dialéctica central de su obra: lo que en la primera etapa se vislumbraba como vía de solución, el amor, y en la segunda era presentado en su ambigüedad y tensiones, aparece aquí en plenitud de realización. Sugería Baader [1955] como procedimiento útil para el estudio de la obra saliniana el mismo esquema de tradición y originalidad que el poeta adopta en cuanto crítico. Aplicándolo, muestra Marichal [1976] el encuadramiento de *El contemplado*: brota en una precisa circunstancia existencial e histórica, exilio en el país supercivilizado y guerra mundial e, inspirándose en las fuentes de la cultura, constituye una reflexión crítica resuelta en dimensión metafísica, ética y, finalmente, mística (Arce de Vázquez [1947]; Dehennin [1957]). Al servicio de la progresiva transfiguración conjuga el poeta, en alternancia estudiada por Baader [1956], metáforas y símbolos.

Parece, desde luego, excesivo calificar a *Todo más claro* como poesía social. Es cierto que, como señala Young [1962], la crítica de la vida moderna rebasa allí el ámbito de los Estados Unidos y se universaliza contemplando la angustia y la debilidad del hombre de nuestro tiempo. Pero no hay sólo denuncia e ironía, como Young pretende; analizando el «Nocturno de los avisos», Durán [1971] demuestra que a ellas se añade lo que hemos visto como esencial en la poética saliniana, la idealización. Esto es, la poesía triunfa sobre la caótica realidad cotidiana. Lo que todavía no se ha valorado suficientemente, es la aportación de todo el *corpus* a las formas expresivas poéticas principalmente en el nivel léxico: sin olvidar que Juan Ramón fue, también en esto, pionero con Salinas en elevar el lenguaje cotidiano a categoría de arte.

Muestra la biografía de Jorge Guillén (Macrí [1976]) un perfil paralelo al de Salinas, el gran amigo a quien dedica la integridad de su obra poética. De procedencia familiar burguesa, completa también la formación universitaria española —Madrid (Residencia de Estudiantes, 1911-1913: contactos con Ortega y Juan Ramón) y Granada— en Alemania y París, donde sucede a Salinas como lector en la Sorbona de 1917 a 1923. Catedrático de Murcia (1926-1929: encuentro con J. Guerrero y revista *Verso y Prosa*), lector, por igual, en Inglaterra, Oxford, 1929-1931, sucede de nuevo a Salinas en la cátedra de Sevilla, en el período 1931-1936. En ese año es encarcelado por las fuerzas del Alzamiento y a partir de 1938 profesa, hasta su jubilación, en varias universidades americanas. Marichal [1969] resume el significado del intenso *curriculum* diciendo que en el conjunto de la generación de 1914 es el que mantiene más constante fidelidad al principio del esfuerzo vital creador: Guillén «responde muy directamente al dinamismo de la gran burguesía española ... de las tres primeras décadas del siglo». Tal clasificación, compartida recientemente por Bousoño [1978], no contradice, sin embargo, su vinculación con los jóvenes del 27.

Arriba Guillén a la poesía ya intelectualmente maduro y, puede decirse, con una profunda intuición unitaria de la que van fluyendo: *Cántico*, en cuatro entregas sucesivas (1928, 1936, 1945, 1950); *Clamor*, en tres tiempos —*Maremagnum* (1957), ... *Que van a dar en la mar* (1960), *A la altura de las circunstancias* (1963)—; y *Homenaje* (1967). Son los tres libros que integran la obra completa —*Aire nuestro* (1968)—, fruto de un dictado común (Rozas [1978]). A ella vendrán a sumarse, para unas obras nunca completas, *Guirnalda civil* (1970), ... *Y otros poemas* (1973), que incluye el anterior, y *Final* (1982) que agavilla la producción poética de los años 1973-1981 y que recibirá, en ampliación, hasta el último latido del verso guilleniano. Frente a quienes han querido ver rupturas dentro de la obra, asignando a *Cántico* un sentido de negación crítica social, Guillén aclara a Couffon [1963] la «unidad que oscila entre dos niveles»: «ya en *Cántico* hay su parte de *Clamor*, como en *Clamor* hay su parte de *Cántico*». Bastantes críticos han analizado los niveles que en esta unidad se producen. Cuando aún no ha aparecido *A la altura de las circunstancias*, Forradellas [1966] señala que *Cántico* y *Clamor* se unifican en el concepto de voz, variando sólo en el tono. Uno, *Fe de vida*, y otro, *Tiempo de historia*, corresponden a una oposición tópica del pensamiento contemporáneo, que en los libros se condensa hasta en las simétricas dedicatorias. Junto a los ensayos de Rozas [1978], Darmangeat [1969] o Debicki [1973] en torno al tema, me parece decisivo el estudio de Alarcos Llorach [1974] sobre evolución y unidad en la lengua guilleniana.

Es un hecho que la crítica de los años veinte vio en Guillén al Valéry español. Tal actitud es continuada por algún que otro crítico más reciente, tal Pleak [1952] que habla de influencia avasallante, o Friedrich [1974] que, sin ir tan lejos, considera la poesía guilleniana heredera directa de Mallarmé y Valéry. Son muchos, sin embargo, los que cuestionan una fácil adscripción indiscriminada. Ya en 1948, Dámaso Alonso [1951] calificaba de ingenuo el «comparar un bello edificio, admirable y muy limitado [Valéry], con un mundo, Guillén»; la clave de la diferenciación era la actitud ante la realidad. Sobre lo mismo insistían, después, Darmangeat en un libro de fino comentario [1966] y Vigée [1960], el cual explica con más detalle lo que separa a la ideología guilleniana de la que subyace en el simbolismo francés; su objetivo es radicalmente contrario: salvar, por la palabra, este mundo concreto. Concha Zardoya [1968] adopta una nueva perspectiva sobre el tema: mediante el cotejo de textos valérynianos y traducciones de Guillén, construye las poéticas diferenciales y fija la autonomía creadora del poeta español. Más moderado, Blanch [1976] ve en la técnica común de pureza formal un punto de convergencia de dos visiones del mundo que, en sí, son opuestas. Añadamos en este punto de influencias que fue Reverdy el inspirador de la atracción poética de los objetos cotidianos, como Huidobro representó un modelo de temas y formas; pero esto, en definitiva, no supone borrar la confesada admiración (Guillén [1972]) por Valéry.

Cuajó también muy pronto —Amado Alonso [1929] y, tras él, Xirau [1962]— la categorización de Guillén como poeta esencialista. Bousoño [1978] la ha reelaborado mediante el cotejo de *Cántico* con la segunda época juanramoniana. Guillén ve la imperfección del mundo e inventa, reactivamente, una perfección que no existe y que proyecta sobre la realidad objetiva. Atajando cualquier intento de interpretación al margen de lo humano, Dámaso Alonso [1948] evidencia los impulsos elementales que actúan en el poeta. No es sólo la esencia intelectual de las cosas lo que a él le interesa: canta el gozo de *ser en la existencia*. Por eso, su poema asciende casi siempre a la abstracción sistematizadora desde sensaciones muy primarias, elementales. Nos hallamos así ante un poeta intelectual y, a la vez, «humanísimo y casi "animalísimo"».

Entre estos dos polos, artículos de los dos Alonso, se mueven, en torno a 1950, sendos ensayos de dos poetas-filósofos-críticos literarios: Valverde y Frutos. Para el primero [1951], Jorge Guillén, «poeta metafísico», es «el poeta más eleático de la historia, casi el único porque el poeta suele ser heraclitiano». Frutos [1950] habla, en cambio, de un existencialismo guilleniano objetivo y jubiloso, por cuanto el poeta tiende hacia el prójimo concreto y hacia los concretos entes, según se le patentizan actualmente en la sensación. Para él, como para Heidegger o Sartre, las cosas son opacidades a las que salvamos cuando las nominamos. Todavía en este nivel ideológico, Aranguren [1974] interpreta *Fe de vida* como la construcción de una cosmología; más aun, de una ontología y de una ética humana y cívica. Ya Ivar Ivask [1969] había calificado a la obra de Guillén de poesía integral, al modo goetheano, en una era de desintegración moral y formal. Desde otra perspectiva de modernidad, Casalduero [1971] contempla toda la suma poética como vinculada al cubismo.

A lo largo de sus estudios críticos el poeta-profesor ha ido dejando preciosas indicaciones sobre la propia estética literaria (Chiarini [1974]).[1] Las referencias se hacen, sin embargo, más frecuentes, como es lógico, en la obra creadora. Aquí y allá, en *Aire nuestro*: basten como ejemplos el soneto «Hacia el poema», que sirve de punto de partida a Alvar [1975] para la sabia confrontación de teoría literaria y realidad poética, o el «Más allá» que abre el libro y que González Muela [1962] comenta en el mismo sentido. Pero pienso en la sección «Tiempo de leer» de *Homenaje*, sobre todo en «Res poetica», de ... *Y otros poemas*, pendiente, todavía, de un estudio riguroso. Una lectura repasada de sus veintisiete composiciones enseña más que bastantes discursos teórico-críticos. Es tan central en el conjunto de poemas el tema de la naturaleza, forma y función de la creación literaria, que gran parte de quienes se ocupan de ellas, esbozan sistematizaciones, casi siempre coincidentes, de la poética guilleniana. Puede

1. La crítica literaria del propio Guillén, aparte muchos ensayos dispersos (así [1971] y [1972]), se concentra principalmente en *Lenguaje y poesía* (Revista de Occidente, Madrid, 1961, y reediciones en Alianza Editorial), aparecido primero en inglés, como texto de las conferencias dictadas en la cátedra C. Eliot Norton de la Universidad de Harvard, 1957-1958; y en *Hacia «Cántico». Escritos de los años 20* (Ariel, Barcelona, 1980), que contiene además la que cabe considerar prehistoria poética guilleniana.

verse un buen resumen en los capítulos II y X del libro de Debicki [1973], que constituye, al tiempo, una muy útil guía de conjunto para el conocimiento de *Cántico* y *Clamor*; y asimismo la concentrada exposición de Lázaro Carreter [1978].

Respetando la autonomía de lectura, insiste Guillén varias veces («Res poetica», «Poesía integral») en la conveniencia de que el lector considere la interpretación que el creador pueda dar de su obra. A pocos años de haber completado el *Cántico* (1950), ofrece él una lectura personal del mismo [1961], que completa más tarde [1969]: se trata, ante todo, de un cántico a la esencial compañía, que comporta un imperativo ético, conectar intensamente el ser hombre, más allá del propio caos, con el ser del mundo más allá del suyo. Todos los puntos de la pauta habían sido, en realidad, antefijados por la crítica, la cual ha optado en la mayor parte de los casos por un estudio sincrónico, prescindiendo del análisis de la evolución interna en las sucesivas entregas. Y, sin embargo, los intentos de Gil de Biedma [1960] por esclarecer, en su rica lectura, los tiempos dialécticos de la gestación —véase, por ejemplo, su capítulo VII—, abrían caminos más que sugestivos, por los que después han avanzado Dehennin [1969], atenta a rastrear el desarrollo del núcleo semántico de claridad; Pettit [1972], el cual amplía el ámbito de observación de temas e imágenes; y, en fin, Macrí [1976], en quien sólo es de lamentar que el hilo documental positivo se pierda demasiadas veces entre el comentario de textos. La magnífica edición de Blecua —*Cántico* (1936) [1970]—, que debiera extenderse a la totalidad del libro, constituye sólida base para la construcción histórico-literaria.

Forzado a señalar jalones de lectura sincrónica, comenzaría por subrayar la oportunidad de una fijación rigurosa de núcleos semánticos básicos en orden a evitar construcciones arbitrarias: *alma*, *sueño*, *fábula* (González Muela [1962]); *despertar* (Puccini [1978]); *aire* (Durán [1971]); *claridad*, *luz* (Dehennin [1969], completado con el estudio de otras palabras-clave [1978]); o el polivalente *ser* (Casalduero [1974]). Todos ellos constituyen componentes básicos que se dinamizan formalmente entre las coordenadas de tiempo y espacio. La consideración del tiempo en Guillén se ha concentrado en tres perspectivas: una ideológica, que atiende al desarrollo instante-eternidad (Vivanco [1971^2]; Couland [1978]); otra, que contempla el ciclo diario amanecer-caída de la tarde o noche como marco donde se produce la relación del alma con el mundo y en el que se inscribe la creación guilleniana (Casalduero [1974]; Rozas [1978]); y, finalmente, la que persigue el tiempo histórico que permea la longitud del *Cántico* (Macrí [1976]). En cuanto al espacio, Gil de Biedma [1960] analiza el juego de planos y perspectivas dramáticas. Ya Lind [1955] había prestado atención, en su trabajo pionero, a la función generadora poética de las perspectivas así como a los concretos núcleos semánticos imaginativos de orden espacial: la línea, la curva, el perfil, la cúpula, etcétera. Varios de los críticos citados coinciden, también, en señalar que el tema amoroso supone en *Cántico* mucho más que un capítulo yuxtapuesto: Debicki [1973], que lo estudia en los tres libros básicos guillenianos, y Macrí [1976] explican el carácter trascendente de temas y poemas que, apoyados en vivencias concretas, reflejan la armonía de función en el mundo.

Toda una perfecta trabazón dialéctica se refleja diáfana en la construcción formal de *Cántico*. Desde la arquitectura del conjunto (González Muela [1962]) a las simetrías de ritmos y estrofas o el encuadramiento de los poemas (Casalduero [1946], Blecua [1970]), todos los esquemas formales se pliegan, con exactitud minuciosa, hacia la expresión del significado íntimo del libro (Debicki [1973]), y crean, en convergencia con los de *Clamor*, la estructura superior de *Aire nuestro* que, tal como ha demostrado Prat [1974] en el estudio más completo, es un portentoso ejemplo de densidad de relaciones en todos los niveles. En el fónico, Navarro Tomás [1973] exalta la variedad de la métrica guilleniana a la par de su equilibrio; Howard [1971] y Lida [1958] analizan, ya en particular, la maestría de las décimas, y Salinas [1958] la de los romances. No pensemos en puro virtuosismo: Macrí [1976] ha integrado las anteriores aportaciones en una consideración conjunta del simbolismo fónico. En el nivel morfosintáctico, cabe decir que buena parte de los rasgos atribuidos por González Muela [1958] al lenguaje de la generación, estaban tomados de *Cántico*; disponemos ahora del valioso estudio sistemático de Bobes [1974] ligado a su análisis semiológico del poema que sirve de excelente pauta de inserción de consideraciones más monográficas —tales, por caso, las de Lapesa [1978] sobre los sustantivos no actualizados, las de Dehennin [1969] sobre la evolución diacrónica de la adjetivación, las sincrónicas de Sobejano [1956] sobre la epítesis o las de Ciplijauskaite [1978] sobre la tensión adverbial «aún-ya»—. En fin, en el orden semántico, aparte de lo reseñado sobre núcleos básicos y prescindiendo de los artículos monográficos sobre configuraciones imaginativas —del tipo de la realizada por Frutos sobre la circularidad [1969]—, destacaría como muestra de genética semántica, el largo capítulo de Alvar en torno a la composición de «Doble amanecer» [1976] y, junto a la aportación semiótica de Bobes, la tesis general de MacCurdy [1972].

Apenas se repasa un elenco bibliográfico guilleniano —el muy completo de Macrí [1976] o el más selectivo de Debicki [1973]— salta a la vista la parvedad de estudios críticos específicamente consagrados a cada uno de los libros del *Tiempo de historia* o a su conjunto. No faltan, desde luego, descripciones sintéticas, del tipo de la de Darmangeat [1966] que interpreta el tiempo de historia en el sentido de «revelación del hombre como artesano de su propio destino, creador de un ser nunca acabado y cada vez más hombre en su "señorío de piel"». Se ha documentado con amplitud, ya lo hemos visto, la continuidad temática y lingüística respecto de *Cántico*, y subrayado de manera fácil (Palley [1966], por ejemplo) la inflexión de Guillén hacia la poesía social o, Combet [1961], su inserción en esta corriente de la lírica moderna. Pero incluso estos dos últimos temas han de ser estudiados, aún en el plano formal, para individuar el orden y alcance de las influencias. Los capítulos de Macrí son, en realidad, artículos redactados al ritmo de aparición de cada uno de los tres libros: de ahí que la segunda parte de su análisis aparezca menos coherente. Más totalizador en la sincronía, Prat [1974] profundiza en la organización simétrica y logra uno de sus más finos análisis en el tratamiento de la elegía, núcleo de *Clamor*. A estas aportaciones se suman dos estupendos estudios que sitúan la gran trilogía guilleniana dentro de unas rigurosas coordenadas de originalidad: hablo del análisis estilístico que Zardoya [1969] ha hecho de *Maremagnum*, fácilmente extensible a los otros dos libros, y del de su discípulo Debicki [1973], que reduce las peculiaridades al punto de vista desde el que se proyecta el *Tiempo de historia*.

En un breve pero lucidísimo ensayo en torno a *Homenaje*, señala Gullón [1969] que este tercer libro supone una continuación y constituye un *continuum* con *Clamor* cuyos temas profundiza a nueva luz. Claro que, a su vez, *Clamor* desempeña la misma función analógica respecto de *Cántico*, con lo que se cierra el círculo. Prat sostiene, incluso, que «desde el punto de vista de su estructura y por su situación en *Aire nuestro*, *Homenaje* presenta más afinidades con *Cántico* que con *Clamor*» y hacia esta lectura se inclinaba ya, en cierto modo, Ivask [1969] que, sin embargo, contempla el libro como tercera dimensión de la obra del «Bach de la poesía». Una enorme variedad de temas y nombres se estructuran, una vez más simétricamente, en cinco partes, que reproducen la fórmula clásica guilleniana. Macrí [1976] ha intuido certeramente la fuerza de la simple nominación. No he podido ver la tesis doctoral de Terrades dirigida por el malogrado Noël Salomon. Pero debo señalar también aquí la carencia de estudios orgánicos, sólo suplidos hoy por la proyección sobre *Homenaje* de las investigaciones realizadas a propósito de *Cántico*. Tal tipo de subsidiaridad se aplica más difícilmente a *... Y otros poemas* cuyo peculiar carácter marginal reclama con urgencia una atención que no bastan a satisfacer la nota de Casalduero [1971] sobre *Guirnalda civil*, el último capítulo de Macrí [1976] sobre su componente elemental o los apuntes de Aranguren [1978] sobre la crisis de identidad del yo empírico en esta última, por ahora, entrega guilleniana.

Por lo que respecta a *Final*, el propio Guillén ha aclarado que los temas esenciales que lo componen estaban ya tratados, de manera que los poemas constituyen, en realidad, continuaciones, aclaraciones o, simplemente variaciones de la trilogía fundamental, «porque todo —concluye— es continuidad y una especie de síntesis que se va formando». En la apretada nota editorial Prat [1982] advierte, oportuno, que en la metapoesía del «estilo de vejez» se conjuga el arte de ingenio aforístico con la potencia lírica y el deslumbramiento ante lo creado.

BIBLIOGRAFÍA

Alarcos Llorach, Emilio, «La lengua de Jorge Guillén: ¿unidad, evolución?», en *Revista de Occidente* [1974], pp. 39-57; recogido en *Ensayos y estudios literarios*, Júcar, Madrid, 1976.

Alonso, Amado, «Jorge Guillén, poeta esencial», en *La Nación*, Buenos Aires (21 de abril de 1929); reimpreso en *Ínsula*, n.º 45 (octubre de 1949); incluido en *Materia y forma en poesía*, Gredos, Madrid, 1955; recogido en Ciplijauskaite [1975], pp. 117-122.

Alonso, Dámaso, «Pasión elemental en la poesía de Jorge Guillén», en *Ínsula*, n.º 26 (febrero de 1948); reelaborado en «Los impulsos elementales en la poesía de Jorge Guillén» (1951), en *Poetas españoles contemporáneos*, Gredos, Madrid, 1952, pp. 207-243; 1965[3], pp. 201-231.

Alvar, Manuel, «*Cántico*. Teoría literaria y realidad poética», discurso de ingreso en la Real Academia Española, Madrid, 1975; incluido en *Visión en claridad. Estudios sobre «Cántico»*, Gredos, Madrid, 1976, pp. 13-65.

Aranguren, José Luis L., «La poesía de Jorge Guillén ante la actual crisis de los valores», en *Revista de Occidente* [1974], pp. 21-38; recogido en Ciplijauskaite [1975], pp. 255-272.

—, «El yo empírico y su identidad, y el motivo de Narciso en la poesía de Guillén», en *Homenaje* [1978], pp. 33-38.

Arce de Vázquez, Margot, «Mar, poeta, realidad en *El contemplado*», en *Asonante*, III (1947), pp. 90-97.

Baader, Horst, *Pedro Salinas. Studien zu seinem dichterischen und kritischen Werk*, Kölner Romanistiche Arbeiten, Colonia, 1955.

—, «Symbol und Metaphor in Salina's *El contemplado*», en *Romanische Forschungen*, LXVII (1956), pp. 252-273.

Blanch, Antonio, *La poesía pura española*, Gredos, Madrid, 1976.

Blecua, José Manuel, «Introducción» a Jorge Guillén, *Cántico* (1936), Labor (Textos Hispánicos Modernos), Barcelona, 1970, pp. 7-74.

Bobes, María del Carmen, *Gramática de «Cántico» (Análisis semiológico)*, Planeta, Barcelona, 1974.

Bousoño, Carlos, «Nueva interpretación de *Cántico* de Jorge Guillén (El esencialismo juanramoniano y el guilleniano)», en *Homenaje* [1978], pp. 73-96.

Casalduero, Joaquín, «El poeta y la guerra civil», en *Hispanic Review*, 39 (1971), pp. 133-140.

—, *Jorge Guillén. «Cántico»*, Cruz del Sur, Santiago de Chile, 1946; ampliado en *«Cántico» de Jorge Guillén y «Aire nuestro»*, Gredos, Madrid, 1974.

Cernuda, Luis, «Pedro Salinas (1891-1951)», en *Estudios sobre poesía española contemporánea*, Guadarrama, Madrid, 1957, pp. 197-206.

Ciplijauskaite, Biruté, ed., *Jorge Guillén*, Taurus (El Escritor y la Crítica), Madrid, 1975.

—, «Tensión adverbial "aún-ya" en la perfección del círculo guilleniano», en *Homenaje* [1978], pp. 103-120.

Cirre, J. F., «Pedro Salinas y su poética», en *Homenaje a Rodríguez Moñino*, I, Castalia, Madrid, 1966, pp. 91-97.

Combet, I., «*Maremagnum*, ou l'inquiétude. L'engagement histori-social chez Jorge Guillén et la jeune poésie espagnole», en *Les Langues Néo-latines*, LV, n.º 158 (1961), pp. 25-46.

Correa, Gustavo, «*El contemplado*», en *Hispania*, XXXV (1952); recogido en Debicki [1976], pp. 142-151.

Couffon, Claude, *Dos encuentros con Jorge Guillén*, Centre de Recherches de l'Institut d'Études Hispaniques, París, 1963.

Darmangeat, Pierre, *Pedro Salinas et «La voz a ti debida»*, Librairie des Éditions Espagnoles, París, 1955; versión española en *Antonio Machado. Pedro Salinas, Jorge Guillén*, Ínsula, Madrid, 1969.

—, «De *Cántico* à *Clamor*, ou la continuité d'un poète», en *Mélanges à la memoire de Jean Sarrailh*, Centre de Recherches d'Études Hispaniques, París, 1966, pp. 291-298; incluido en [1969].

—, «Jorge Guillén ante el tiempo de historia», en *Revista de Occidente* [1974], pp. 58-75.

Debicki, Andrew P., *Estudios sobre poesía española contemporánea. La generación de 1924-1925*, Madrid, 1968; en particular, «La visión de la realidad en la poesía temprana de Pedro Salinas», pp. 56-83, y «La poesía como tema: tres libros de Salinas», pp. 84-110.

—, «*Cántico*, *Clamor* and *Homenaje*: The concrete and the universal», en Ivask y Marichal [1969], pp. 53-74; incluido como cap. 1 en [1973].

—, «La metáfora en algunos poemas tempranos de Salinas», en *Ínsula*, n.os 300-301 (1971); recogido en [1976], pp. 113-117.

—, *La poesía de Jorge Guillén*, Gredos, Madrid, 1973.

—, ed., *Pedro Salinas*, Taurus (El Escritor y la Crítica), Madrid, 1976.

Dehennin, Elsa, *Passion d'absolu et tension expressive dans l'œuvre poétique de Pedro Salinas*, Romanica Gandensia, Gante, 1957.

—, *«Cántico» de Jorge Guillén. Une poésie de la clairté*, Presses Universitaires de Bruxelles, Bruselas, 1969.

—, «Des mots-clès aux configurations stylistiques. (Surtout à propos de *Maremagnum*)», en *Homenaje* [1978], pp. 185-210.

Durán, M., «Pedro Salinas y su "Nocturno de los avisos"», en *Ínsula*, n.os 300-301 (1971); recogido en Debicki [1976], pp. 163-167.

—, «Una constante en la poesía de Jorge Guillén. El aire luminoso y respirable», en *Homenaje* [1978], pp. 213-234.

Feal Deibe, Carlos, *La poesía de Pedro Salinas*, Gredos, Madrid, 1971.

Forradellas, Joaquín, «Las tres estatuas de Jorge Guillén», en *Quaderni Ibero-Americani*, 33 (1966), pp. 26-33; recogido en Ciplijauskaite [1975], pp. 157-168.

Friedrich, Hugo, *Estructura de la lírica moderna*, Seix Barral, Barcelona, 1974.

Frutos, Eugenio, «El existencialismo jubiloso de Jorge Guillén», en *Cuadernos*

Hispanoamericanos, n.º 18 (noviembre-diciembre de 1950), pp. 411-426; incluido en *Creación filosófica y creación poética*, Juan Flors, Barcelona, 1958, pp. 88-128; recogido en Ciplijauskaite [1975], pp. 189-206.
—, «The circle and its rupture in the poetry of Jorge Guillén», en Ivask y Marichal [1969], pp. 75-81.
Gicovate, Bernard, «Pedro Salinas y Marcel Proust: seducción y retorno», *Asomante*, XVI, n.º 3 (1960), pp. 7-16.
Gil de Biedma, Jaime, *«Cántico». El mundo y la poesía de Jorge Guillén*, Seix Barral, Barcelona, 1960; reimpreso, con revisiones, en *El pie de la letra. Ensayos 1955-1979*, Crítica, Barcelona, 1980.
Gilman, Stephen, «El proemio a *La voz a ti debida*», en *Asomante*, XIX (1963), pp. 7-15; recogido en Debicki [1976], pp. 119-127.
González Muela, Joaquín, «Poesía y amistad: Jorge Guillén y Pedro Salinas», en *Bulletin of Hispanic Studies*, XXXV (1958), pp. 28-33; recogido en Debicki [1976], pp. 197-206.
—, *La realidad y Jorge Guillén*, Ínsula, Madrid, 1962.
Guillén, Jorge, *El argumento de la obra*, All'Insegna del Pesce d'Oro, Milán, 1961; incluido en *El argumento de la obra*, Ocnos/Llibres de Sinera, Barcelona, 1969, pp. 47-96.
—, «Poesía integral» (discurso leído en 1962 al recibir el Grand Prix International de Poésie); incluido en [1969], pp. 99-105.
—, «Prólogo» a la edición de Pedro Salinas, *Poesías completas*, Barral Editores, Barcelona, 1971, pp. 11-41.
—, «Valéry en el recuerdo», epílogo de *Paul Valéry: algunos poemas*, Barcelona, 1972, pp. 65-89.
Gullón, Ricardo, «La poesía de Jorge Guillén», en R. Gullón y J. M. Blecua, *La poesía de Jorge Guillén. Dos ensayos*, Zaragoza, 1949, pp. 13-140.
—, «La poesía de Pedro Salinas», en *Asomante*, VIII (1952), pp. 32-45; recogido en Debicki [1976], pp. 85-98.
—, «Variations on *Homenaje*», en Ivask y Marichal [1969], pp. 107-123.
Homenaje = *Homenaje a Jorge Guillén*, Wellesley College, Ínsula, Madrid, 1978.
Howard, Robert G., «Las décimas tempranas de Jorge Guillén», en *Bulletin of Hispanic Studies*, n.º 48 (1971); repr. en Ciplijauskaite [1975], pp. 317-332.
Ivask, Ivar, «On first locking into Guillén's *Homenaje*», en Ivask y Marichal [1969], pp. 124-130.
—, «Poesía integral en una era de desintegración», en Ciplijauskaite [1975], pp. 31-46.
—, y Juan Marichal, eds., *Luminous reality. The poetry of Jorge Guillén*, University of Oklahoma Press, Norman, 1969.
Jiménez, Juan Ramón, *Españoles de tres mundos*, Aguilar, Madrid, 1969.
Lapesa, Rafael, «El sustantivo esencial en la poesía de Jorge Guillén», en *Homenaje* [1978], pp. 303-314.
Lázaro Carreter, Fernando, «Una décima de Jorge Guillén (como pretexto para tratar de su poética)», en *Homenaje* [1978], pp. 315-326.
Lida, Raimundo, «Sobre las décimas de Jorge Guillén», en *Cuadernos Americanos*, n.º 100 (julio-octubre de 1958), pp. 476-487; recogido por Ciplijauskaite [1975], pp. 317-332.

Lida, Raimundo, «Camino del poema: *Confianza*, de Pedro Salinas», *Filología*, V (1959); recogido en Debicki [1976], pp. 169-193.

Lind, Georg Rudolf, *Jorge Guillén's «Cántico»: Eine Motivstudie. Analecta Romanica*, I, Vittorio Klostermann, Frankfurt, 1955.

MacCurdy, G., *A simbological analysis of Jorge Guillén's «Cántico»*, King's College, Londres, 1972.

Macrí, Oreste, *La obra poética de Jorge Guillén*, Ariel, Barcelona, 1976.

Marichal, Juan, «The Spain of Jorge Guillén's poetry», en Ivask y Marichal [1969], pp. XXI-XXVI; recogido con el título de «Historia y poesía en Jorge Guillén» por Ciplijauskaite [1975], pp. 23-29.

—, *Tres voces de Pedro Salinas*, Taller de Ediciones JB, Barcelona, 1976.

Martins, Hélcio, *Pedro Salinas: ensaio sôbre sua poesia amorosa*, Ministerio de Educação, Río de Janeiro, 1956.

Navarro Tomás, Tomás, «Maestría de Jorge Guillén», en *Los poetas en sus versos: desde Jorge Manrique a García Lorca*, Ariel, Barcelona, 1973; recogido en Ciplijauskaite [1975], pp. 337-342.

Palley, Julian, «*Presagios* de Pedro Salinas», en *Hispania*, XLVIII (1965), pp. 437-441; recogido en Juan Marichal, ed., Pedro Salinas, *Poesías completas*, Madrid, 1955, pp. 99-107.

—, *La luz no usada: la poesía de Pedro Salinas*, De Andrea, México, 1966.

Pettit, C., *Evolution of themes and images in Jorge Guillén's «Cántico»*, King's College, Londres, 1972.

Pleak, F. A., *The poetry of Jorge Guillén*, Princeton University Press, 1952.

Prat, Ignacio, *«Aire nuestro» de Jorge Guillén*, Planeta, Barcelona, 1974.

—, «Nota editorial» a la edición de Jorge Guillén, *Final. Aire nuestro* (quinta serie), Barral Editores, Barcelona, 1982.

Puccini, Dario, «A proposito d'un campo metaforico nel *Cántico*», en *Homenaje* [1978], pp. 417-434.

Revista de Occidente, XLIV, n.º 130 (enero de 1974); número extraordinario dedicado a Jorge Guillén, dirigido por Claudio Guillén y Jaime Salinas.

Río, Ángel del, «El poeta Pedro Salinas: vida y obra», en *Revista Hispánica Moderna*, VII (1941).

Rozas, Juan Manuel, «Jorge Guillén. Que sean tres los libros e uno el dictado», en *El 27 como generación*, La Isla de los Ratones, Santander, 1978, pp. 51-84.

Salinas, Pedro, «El romano y Jorge Guillén», en *Ensayos de literatura hispánica*, Aguilar, Madrid, 1958; recogido en Ciplijauskaite [1975], pp. 333-336.

—, *La realidad y el poeta*, Ariel, Barcelona, 1976.

Salinas de Marichal, Solita, «Recuerdo de mi padre», recogido en Debicki [1976], pp. 35-42.

Sobejano, Gonzalo, *El epíteto en la lírica española*, Gredos, Madrid, 1956.

Spitzer, Leo, «El conceptismo interior de Pedro Salinas», en *Revista Hispánica Moderna*, VII (1941), pp. 33-69; recogido en *Lingüística e historia literaria*, Gredos, Madrid, 1961², pp. 188-247.

Stixrude, David L., *The early poetry of Pedro Salinas*, Princeton University-Castalia, 1975.

Valverde, José María, «Plenitud crítica de la poesía de Jorge Guillén», *Clavi-*

leño, n.º 4 (1951); incluido en *Estudios sobre la palabra poética*, Rialp, Madrid, 1952; recogido en Ciplijauskaite [1975], pp. 215-230.

Vigée, Claude, «Jorge Guillén y la tradición simbolista», *Cuadernos*, París, n.º 45 (1960), pp. 53-59; recogido en Ciplijauskaite [1975], pp. 72-92.

Vivanco, Luis Felipe, «Pedro Salinas, fluyendo intemporal en su palabra», en *Introducción a la poesía española contemporánea*, Guadarrama, Madrid, 1957, pp. 108-115.

—, «Jorge Guillén, poeta del tiempo», en *Introducción a la poesía española contemporánea*, Guadarrama, Madrid, 1971², I, pp. 79-107.

Xirau, Ramón, «Lectura de *Cántico*», en *Cuadernos Americanos*, CXXI, n.º 21 (marzo-abril de 1962); recogido en Ciplijauskaite [1975], pp. 129-140.

Young, Howard T., «Pedro Salinas y los Estados Unidos, o la nada y las máquinas», *Cuadernos Hispanoamericanos*, XLIX (1962), pp. 5-13.

Zardoya, Concha, «La "otra" realidad de Pedro Salinas», en *Poesía española contemporánea*, Guadarrama, Madrid, 1961, pp. 251-260.

—, «Jorge Guillén y Paul Valéry», en *Poesía española del 98 y del 27. Estudios temáticos y estilísticos*, Gredos, Madrid, 1968, pp. 207-254.

—, «Jorge Guillén: Teoría y práctica poética», en *Papers of the Midwest Modern Language Association*, n.º 1 (1969), pp. 145-152.

—, «*Maremagnum*: peculiaridades estilísticas», versión inglesa en Ivask y Marichal [1969]; incluido en *Poesía española del siglo XX*, Gredos, Madrid, 1974; recogido en Ciplijauskaite [1975], pp. 385-417.

Zubizarreta, Alma de, *Pedro Salinas: el diálogo creador*, Gredos, Madrid, 1969.

Jorge Guillén

LA PRIMERA TRILOGÍA DE PEDRO SALINAS

[Desde el primero al último libro de Salinas encontramos una voz que intensifica la vivificación del mundo. El hombre afronta un mundo incompleto que reclama perfección. La poesía de Salinas es eso: un mundo profundamente acompañado por un alma. El poeta siente un impulso que le conduce a ello en movimiento de presagio. Y la metamorfosis se conseguirá yendo de la fábula al signo: transformando los seres en «almas».] Tímido y exigente, Pedro Salinas escribió durante varios años sin apenas aparecer ante un posible público. Por fin seleccionó cincuenta poesías y se las llevó a Juan Ramón Jiménez. Él fue quien ordenó *Presagios*; y como eje central puso tres sonetos. Las formas fijas no convinieron a nuestro poeta nunca o casi nunca, a gusto en el verso fluctuante, no atenido a patrón determinado. Era la nueva libertad del verso libre. También Salinas buscaba así la más fiel expresión. «De ahí los componentes sentimentales, patéticos, humanísimos de aquellas primeras poesías.» En un interior doméstico «La niña llama a su padre "Tatá, dadá", / Al ver las sopas / la niña dijo / "Tatá, dadá"». En otro poema: «Pronto cambiará la luna, / porque me duele la pierna». Otro cuadro: «Este hijo mío siempre ha sido díscolo ... / Se fue a América en un barco de vela, / no creía en Dios, / anduvo con mujeres malas y con anarquistas, / recorrió todo el mundo sin sentar la cabeza ...». Inmediata situación anecdótica, lenguaje coloquial, giro prosaico... [...].

Jorge Guillén, «Prólogo» a la edición de Pedro Salinas, *Poesías completas*, Barral Editores, Barcelona, 1971, pp. 11-41 (12-18).

En este volumen hay mucho más, por supuesto, que este primer plano del vivir. «La palabra postrera de la enferma fue, "Agua".» Momento de crisis: es una agonía. Se recurre al agua en servicio seriamente práctico. Otro momento: «Agua en la noche, serpiente indecisa, / silbo menor y rumbo ignorado ...». Las palabras suenan a un nivel de mayor elevación. Agua, noche, serpiente, silbo, rumbo en atmósfera desconocida. Es una visión, y de enigma, que exige preguntas y diálogo. «Dime.» Y el agua responde. La imaginación entra en marcha y se produce esa metamorfosis que se suele llamar «poesía». ¿Juego? Se remueve más honda realidad: «porque yo he sido hecha / para la sed de los labios que nunca preguntan». Y se vuelve al inmediato punto de partida. (Era una corriente de agua entrevista por la noche desde un tren.) [...]

«Posesión de tu nombre, / sola que tú permites, / felicidad, alma sin cuerpo. / Dentro de mí te llevo / porque digo tu nombre, / felicidad, dentro del pecho. / "Ven", y tú llegas quedo, / "vete", y rápida huyes. / Tu presencia y tu ausencia / sombra son una de otra, / sombras me dan y quitan. / (¡Y mis brazos abiertos!) / Pero tu cuerpo nunca, / pero tus labios nunca, / felicidad, alma sin cuerpo, sombra pura.» ¿No existe la felicidad sino como ilusión? Existe como idea, viva en su nombre con vigor que puede ser poseído. Sin embargo, «felicidad», cuerpo de sílabas, no es bastante cuerpo, y se convierte sólo en alma insuficiente. «Dentro de mí te llevo»; y la felicidad, ideada, nombrada, a manera de sombra, va y viene: también es energía. «Sombra» pertenece al sumo vocabulario del poeta. Movilidad de luz por claroscuro irá encarnando situaciones anímicas y físicas, siempre con sentido cambiante. Aquí la sombra se mueve como una existencia muy delgada que no se podría abrazar. «¡Y mis brazos abiertos!» El impulso de la espera se concilia con una desesperanza anhelante. «(¡Y mis brazos abiertos!)» entre paréntesis. «Pero ...» Desilusión final. «Pero tu cuerpo nunca.» Este mundo incorpóreo se acomoda a la cadencia ligera del heptasílabo: gran acierto [por cuanto supone el entronque en la anacreóntica].

Presagios se publica, según la fecha impresa, en 1923. Pedro Salinas, casi ya de treinta y dos años, aparecía a punto para unirse en amistad y en aficiones a la generación de los años veinte. En 1929 salió *Seguro azar*. El paradójico título anunciaba más sutilezas de intelecto y sentimiento. Salinas dirigía la mirada —sobre todo la mirada— a un orbe más extenso y siempre intenso. Resurge el tema de la ciudad paseada: «Inaccesibles entre / su guardia de cristales / perla, flor o pintura, / corazón de las tiendas». («Pasajero apresurado.») Se aplica la atención al objeto en su densidad, «Don de la materia», y en su calidad, «La concha». «Tersa, pulida, rosada ...»

Poesía más compleja con sus arabescos mentales y sensibles, también más concentrada. [...]

Hay que abrir los ojos como Salinas, maestro de ese ejercicio ocular, aunque algún texto pretenda contradecir el principio básico. «Vocación» presenta un contraste: «Abrir los ojos» en la luz del día, ya perfecto, y «Cerrar los ojos» dentro de lo que entonces constituye «un mundo sin acabar». Y el poeta se decide: «En aquella tarde clara ... / escogí: el otro. / Cerré los ojos». Salinas no vivió ni escribió así. Ni la persona ni el poeta jamás escogieron la tarde oscura en vez de la tarde clara. Salinas no ha mostrado nunca afición a la realidad caótica. El escritor cierra los ojos tal vez un momento, pero tendrá que abrirlos en seguida, imantado por la claridad. Este poema, «Vocación», no debe ser alzado a categoría de norma.

Son poemas, y no sólo estos del tercer volumen, que van de la fábula al signo: la animación del objeto descubre —o crea— un alcance trascendente. El agua, por ejemplo, ofrecerá, «el mundo de lo prometido», y lo que el suelo firme niega —o admite con dificultad— «triunfa gozoso en el agua». Salinas tuvo, pues, que buscar su jardín reflejado en un estanque, y lo encontró en El Escorial. Se refiere al gran monasterio «Jardín de los frailes». «Del aire te defendiste, / el tiempo nunca te pudo, / pero te rindes al agua.» El edificio se define como geometría: «cuatro ángulos rectos, rectas, planos». El tiempo se rebaja a materia sometida: «los siglos rectilíneos». El Escorial se yergue ante su observador como símbolo del espacio sólido, inmóvil, concluso, muerto. Y emerge la fábula: un segundo edificio soñado que se refleja en el estanque. Ocurrió que se quebraron las rectas y se arquearon los planos para vivir, semejantes a un pecho. En el adusto Escorial yacía una «querencia»: la de escapar a su sino, a su geometría. Y el alma —distante, oculta— se soltó de su cadáver, flotó sobre lo verde. «El agua te sacó el alma», imagen desenvuelta según la tradición religiosa de Castilla. (Santa Teresa, san Juan de la Cruz.) Esa tradición del agua —y del reflejo— no ha cesado en la literatura moderna. Sostiene Bachelard: «il semble ... que le reflet soit plus réel que le réel parce qu'il est plus pur». Es lo que llama «l'absolu du reflet».

Entre las fábulas y los signos está irrumpiendo el vivir actual con sus máquinas: evocación que no provenía de fuente impresa. (El futurismo.) También al poeta como a la criatura que en él subsistía le regocijaban los juguetes. Juguetes eran para él la luz eléctrica, el funicular, automóviles, escaparates, almacenes, un «reló pintado», un maniquí, letreros luminosos, anuncios en tranvías, el radiador, el teléfono... «Underwood girls». ¿Quiénes serán? A veces el enigma contribuye a montar una segunda máquina en el poema: «Quietas, dormidas están / las treinta, redondas, blancas». Continúa la comparación femenina. Hasta la máquina de escribir sirve para jugar: «Por fin, a la hazaña pura, / sin palabras, sin sentido, / *ese*, *zeda*, *jota*, *i* ...». El juego constituye, no hay duda, una categoría radical de la existencia hasta en algunos animales. Entre los elementos de natura van aireándose con gracia, con agilidad perfiles y luces de este siglo XX que en nuestro poeta suscitaba fervor y crítica. «Fábula y signo» es de 1931. Su colofón señala una fecha: «el día 14 de abril». Y concluye la primera etapa.

JULIAN PALLEY

PRESAGIOS DE PEDRO SALINAS

Presagios, la primera colección poética de Pedro Salinas, apareció en 1923. Su título es significativo. El libro acusa influencias de Bécquer, Juan Ramón Jiménez y Antonio Machado. Pero además de estas huellas de poetas anteriores hay poemas que, aunque perfectos en sí mismos, presagian la plenitud que vendría después. Los grandes temas de la poesía de Salinas están ya planteados en este su libro primerizo, aunque a veces sólo en ciernes: *el amor* expresado por la antigua dialéctica del amado y amada; la idea de *la nada, lo desconocido*, es decir, un mundo que existe detrás del mundo real o más adentro del alma; el tema de *voluntad-poder*, de asir lo inasidero, todos se encuentran, con más o menos vigencia, en *Presagios*. Y también hallaremos elementos que Salinas luego excluiría de su obra subsiguiente: los románticos, clásicos, populares y satíricos, el contacto inmediato con el mundo de los sentidos, la música externa, es decir, todo lo superficial heredado o copiado de sus coetáneos, que Salinas iba a eliminar de un modo más absoluto que cualquier poeta de su generación: su poesía desnuda, más des-

Julian Palley, «*Presagios* de Pedro Salinas», en *Hispania*, XLVIII (1965), pp. 437-441; recogido en Juan Marichal, ed., Pedro Salinas, *Poesías completas*, Madrid, 1975, pp. 99-107 (99-102, 104-107).

nuda que la de Jiménez, desterró no sólo la rima y la música externa, sino también las imágenes y las metáforas: porque tan sólo así pudo expresar su visión interna, inmediata y personal de la realidad. Lo más sorprendente de su acierto es que hiciera poesía auténtica y honda empleando un mínimo, casi una ausencia, de materias poéticas. En *Presagios*, sin embargo, el estilo escueto del Salinas maduro no predomina. Todavía emergía de las influencias modernistas y románticas, y las de Jiménez, Machado y Unamuno, el gran trío lírico del posmodernismo.

El elemento popular, con raíces quizás en Jiménez, tan brillantemente desarrollado por García Lorca y Alberti, aparece aquí y allá en *Presagios*: «El río va a su negocio / corre que te correrás ...». El mundo de las cosas se hace cada vez menos importante en la lírica de Salinas. Más que las cosas, le interesan sus propias reacciones a las cosas, o la relación entre él, el mundo y lo desconocido. Sin embargo, no era subjetivo en el sentido romántico; aunque indagaba en sí mismo y en sus propias reacciones, siempre fue antes el sentimiento de la objetividad que el de la participación directa. Pero, claro está, no era un Valéry, un narcisista, como habría sido un artista menos dotado y menos inspirado que Salinas. Después de *Presagios*, Salinas vuelve su vista pocas veces al mundo de las cosas, y el poema de observación directa, escasea. [...]

El tríptico de sonetos (23, 24, 25) no sólo es un experimento interesante en una forma a la cual nunca volvería, sino que traza en términos exactos la orientación estética que iba a seguir. El primer soneto nos amonesta: «Deja ya de admirar la arquitectura / que va trazando el fuego de artificio / en los cielos de agosto. Lleva el vicio / en sí de toda humana criatura: / vicio de no durar ...» (p. 30). El «fuego de artificio» significa, sin duda, el mundo de los sentidos del cual se alejaba el poeta. «Hay que buscar lo más durable», afirma en el primer terceto. ¿Dónde? En «esta noche de estío» con sus «innumerables luces». La noche puede significar muchas cosas: la psique, el mundo onírico, la noche oscura de San Juan: «... amable más que el alborada».

Está claro que el poeta renunciaba a los sentidos a favor de ese mundo interior que parece hallarse más allá de los sentidos. El segundo soneto es un rechazo (quizá provisional) de los aspectos formales de la literatura (¿tal vez las alusiones de la literatura tradicional?): «Cerrado te quedaste, libro mío. / Tú, que con la palabra bien medida / me abriste tantas veces la escondida / vereda que pedía mi albedrío, / esta noche de julio eres un frío / mazo de papel blanco ...» (p. 31). Pero el final es optimista:

«el oro que guardaba tu venero / hoy que está libre en mí, no en ti cautivo, / y lo que fingiste tantas veces, / aquí en mi corazón lo siento vivo». Guarda la esencia, pues, de la literatura, sin el bagaje. El último soneto, con su gongorino «El lírico hipogrifo sueños pace» clarifica el sentido del primer soneto, y declara su dirección escogida: «La vida al interior panal se rinde / y libre al fin de la atadura extraña / dentro de sí sus horizontes crea» (p. 32).

Además de los elementos populares y clásicos, lo romántico y lo afectivo tampoco están ausentes de esta obra. [Pero hay otros] poemas que son más profundos y más auténticos que los susodichos, en el sentido de que forman los primeros riachuelos de una corriente que crecerá y que llegará a dominar la lírica del poeta madrileño. Estos poemas ya han suprimido lo romántico y lo tradicional, y apuntan hacia dentro, a la psique del poeta, en vez de hacia afuera, al mundo de los sentidos. El tema de *voluntad-poder*, la frustración eterna y final de nuestros deseos más hondamente sentidos, empieza a mostrarse en *Presagios*. Es el tema principal de varias de las obras teatrales del poeta, y el mismo Salinas lo señala como el tema, con matices románticos, de la poesía de Luis Cernuda [...]: «imposibilidad de contacto absoluto y posesorio con la realidad».

[El poema número 5 muestra la expresión acabada del estilo de Salinas. En un lenguaje austero y sencillo el mundo real exterior es abstraído al plano de los pronombres]: «(¡Y mis brazos abiertos!) / Pero tu cuerpo nunca, / pero tus labios nunca, / felicidad, alma sin cuerpo, sombra pura» (p. 18). El juego de ideas y de conceptos es típico de su arte. Posesión absoluta de la felicidad es imposible, no puede «asir lo inasidero». La felicidad y su ausencia son sombras una de la otra. No puede poseer más que su nombre, no la realidad; y la felicidad sigue siendo alma sin cuerpo, «sombra pura». El mismo tema de *voluntad-poder* ocurre en el breve poema que empieza: «el alma tenías / tan clara y abierta / que yo nunca pude / entrarme en tu alma ...» (p. 23). [...]

La búsqueda de lo desconocido, lo incognoscible, es, en cierto modo, el objeto de toda poesía. Recordemos la definición de la poesía que nos dio el propio Salinas en la antología de Gerardo Diego: «La poesía es una aventura hacia lo absoluto». En varios poemas de *Presagios*, Salinas evoca ese mundo desconocido. El número 20, por ejemplo: «Estos dulces vocablos con que me está hablando / no los entiendo, paisaje, / no son los míos. / ... / Y ansioso y torpe, a tu vera me quedo / esperando que tú me enseñes el lenguaje / que no es mío, con unas incógnitas palabras / sin sentido. / Y que me lleves a la claridad de lo incognoscible, / paisaje dulce, por vocablos desconocidos» (p. 28).

El número 15 recuerda ciertos poemas de Jiménez, pero su estilo, con su combinación de lo conversacional y lo musical, es íntimamente el de Salinas, desprendiéndose de la vaguedad de Juan Ramón: «—¿Lloverá otra vez mañana? / —¿Alma, tú me lo preguntas? / Yo no lo sé ...» (p. 24). Este poema evoca extrañamente un trasmundo, o un mundo futuro desconocido. Es quizás esta frase cotidiana, fuera de un contexto específico, nunca explicada o contestada, que ejerce tan poderosa fuerza en el lector. [...]

En sus libros posteriores, Salinas estará cada vez más preocupado por la idea de la nada; el total de su obra demuestra un conflicto entre el amor y la nada. Estas fuerzas opuestan están todavía en ciernes en *Presagios*, aunque la idea de la *ausencia* aparece ya en varios poemas. El número 28, una descripción de Ávila, depende por su efecto de la ausencia del enemigo de esta ciudad construida tan claramente como fortaleza: «Ciudad torreada, / buena veladora / de siglos y tierras: / ¿y tus enemigos?» (p. 33). [La nada no fue siempre para Salinas un objeto de angustia existencial, sino a veces algo profundamente deseado, como lo era también para el Santo de Ávila.]

El último, y acaso el mejor, poema del libro demuestra un juego casi metafísico de la presencia y la ausencia de la amada.

No te veo, bien sé
que estás aquí detrás
de una frágil pared
de ladrillos y cal, bien al alcance
de mi voz, si llamara.
Pero no llamaré.
Te llamaré mañana
cuando al no verte ya,
me imagine que sigues
aquí cerca, a mi lado,
y que basta hoy la voz
que ayer no quise dar.
Mañana... cuando estés

allá detrás de una
frágil pared de vientos,
de cielos, y de años (p. 46).

Este poema, de una fragilidad casi increíble, contiene todos los elementos propios del Salinas maduro: el empleo de los pronombres, la idea de la ausencia (la nada); el tono de la conversación; el uso de preposiciones y adverbios como *detrás*, *atrás*, *más allá* (como señalando un mundo desconocido). «No te veo —dice el poeta— pero ahora la seguridad de tu presencia física me basta. No te deseo porque sé que eres alcanzable, porque tengo la seguridad de tu amor.» [...] El acierto de Salinas radica en decir tanto con un mínimo de recursos tradicionales. Aquí no hay ni rima ni alusiones mitológicas. La métrica es irregular, basada en el verso heptasilábico. Hay una sola metáfora sugerida, la de pared-muerte en los últimos versos. No hay palabras raras ni paisaje ni símbolo. Sólo las frases más sencillas: *no te veo*; *te llamaré mañana*. Y de esta sencillez y desnudez crea el poeta el mundo matizado y rico de su amor.

Hay dos transiciones abruptas: la primera del tiempo presente al futuro, donde la palabra «hoy» es proyectada en el futuro; la segunda, de su actitud de confianza en el futuro, al espectro súbito de la pérdida y la nada. Los únicos recursos técnicos son los encabalgamientos delicados, las pausas frecuentes, y las cesuras. De estos recursos ha hecho Salinas una música delicada e indeleible, donde las palabras corrientes —hoy, mañana, llamaré— están invadidas de una luz nueva, de «una luz no usada».

STEPHEN GILMAN

EL PROEMIO A *LA VOZ A TI DEBIDA*

Un subtítulo genérico de una palabra, «poema», nos advierte que *La voz a ti debida* no es una colección de poesías. Sin embargo, tampoco es un solo poema largo para ser leído sin interrupción. Una ojeada a la edición de 1933 revela la cuidadosa separación tipográfica que de los segmentos individuales hizo Pedro Salinas. Cada

Stephen Gilman, «El proemio a *La voz a ti debida*», en *Asomante*, XIX (1963); recogido en A. P. Debicki, ed., *Pedro Salinas*, Taurus, Madrid, 1976, pp. 119-127.

«poesía» comienza en una página nueva sin que ninguna ocupe espacio en la página en que termina la anterior. ¿Cómo debemos entonces leer el libro? ¿Cómo relacionar sus partes dentro de un todo que tenga sentido, es decir, dentro del subtítulo «poema»? La respuesta obvia es temática, el tema de un único amor que se extiende a través de las páginas entretejiéndolas hasta darles unidad sentimental. Pero una «unidad» no es lo mismo que un «todo», y es esto último lo que la palabra «poema» nos invita a buscar. Quizá la idea de una especie de totalidad biográfica encuentre sus defensores; quizás algún crítico neorromántico del futuro (como los editores de Gustavo Adolfo Bécquer) haga un nuevo arreglo del libro dándole una secuencia narrativa. Pero es muy poco probable que la intención de Salinas fuera que leyéramos *La voz a ti debida* de esta manera. Los «poemas» en que la persona amada está presente y aquellos otros en que está ausente se alternan con tal rapidez que parece que el poeta premeditadamente inclina al lector a no forjarse una trama. Sospecho que la verdad es que la ambigüedad en cuanto a forma —poema o poemas, un todo o partes— se usa como un elemento esencial del libro. Hay aquí un enigma sin solución (o por lo menos sin una solución fácil o predeterminada) que ayuda a mantener una tensión y expectativa continuas según salimos de un trozo de poesía sin título y comenzamos otro. El misterio del amor, a la vez completo e incompleto (el «Thou wonder, and thou beauty, and thou terror» de Shelley es el segundo epígrafe), encuentra aquí su contrafigura de misterio formal.

Tal presuposición de las intenciones de Salinas necesariamente dirige nuestro análisis al «poema» inicial o proemio. Es en éste donde más razonablemente podemos esperar encontrar algo que nos guíe en el reino poético que nos aguarda. Es allí donde el misterio, la tensión y la ambigüedad formal deben tener su centro. Al leer este proemio, nuestra atención queda presa en su primera y última palabras: «Tú» y «yo». Es una indicación inicial de que el «poema» mayor no tiene sólo una unidad temática, sino también una unidad en cuanto a su trayectoria gramatical. Cada página del libro contribuye a esta situación, a esta única trayectoria del «yo» al «tú», y sin faltar a la justicia podría volverse a formular su título como «La voz a ti dirigida». ¿Poesía epistolar? Quizá, pero hay pocas indicaciones de un estilo escrito. Preguntas, exclamaciones, oraciones declarativas cortas con insinuaciones de admiración, todas parecen exigir que se pronuncien por lo menos con la imaginación a fin de comprenderlas.

La voz a ti debida, por su título mismo, parece buscar nuestros oídos, no nuestros ojos. En lugar de una serie de cartas hay en el poema la integridad del monólogo, un monólogo que fluye a través de los trozos individuales como una corriente ininterrumpida. A menudo el «tú» no es la amada («¿por qué tienes nombre tú / día, Miércoles?»), pero hay siempre una oyente en segunda persona hasta quien sin remedio cada verso debe llegar. Es un fluir que comienza al principio, en el «tú» del epígrafe y en el primer «tú» de la primera poesía, y que sólo puede terminar en lo que Byron una vez llamó «the ocean woman» —«esta corporeidad mortal y rosa / donde el amor inventa su infinito».

Pese al hecho de que la segunda persona actúa formalmente más como una dirección que como una persona, y aun cuando se refiere a otras cosas y cualidades, sin remedio nos recuerda ese «tú» personal a quien la voz del poeta debe su existencia misma —el «tú» sumo silenciosamente presente detrás de los otros. ¿Quién es ella? ¿Qué aspecto tiene? ¿Es realmente una ella? ¿Es que estamos en presencia de un aspecto de la divinidad o aun de otro ser abstracto del cual el «tú» femenino es un símbolo? Sin embargo, Salinas está sumergido en el misterio último del amor y pasmado ante él, y no elige el distraerse de él con misterios innecesarios y artificiales. Por lo tanto el proemio contesta a estas preguntas con una presentación directa y explícita de la amada. [...] No hay ambigüedad posible. Este «tú» no es ni más ni menos que una mujer, de carne y hueso, que, como toda criatura carnal, está determinada y limitada por el tiempo y el espacio. «El tierno cuerpo rosado», «la arena» y el «reló» son las representaciones inequívocas de estos tres aspectos centrales de la condición humana. No debemos equivocarnos en cuanto a esto, parece advertirnos Salinas. La amada es humana y femenina. De otro modo, las evasiones verbales y el juego poético que nos aguardan podrían ser engañosos.

No se contenta Salinas con esto, sin embargo. El proemio nos ofrece mucho más que una identificación meramente genérica. De él sacamos también una impresión aguda del «tú» como una personalidad: decidida («tú vives siempre en tus actos»); agresiva («te arrojas / sobre proas, sobre alas»); vital («La vida es lo que tú tocas»); directa («Andas / por lo que ves»); segura de sí misma («Tú nunca puedes dudar»); certera por intuición ante la realidad («Y nunca te equivocaste, / más que una vez, una noche / que te encaprichó una sombra»).

[Bécquer, como Salinas, en la mayoría de los casos, dirigía sus poemas de la primera a la segunda persona, la amada mostrándose como la oyente huidiza, evanescente, evasiva, de las palabras.] Naturalmente a esta fuente tradicional volvió Salinas al trazar la trayectoria humana de su propia poesía amorosa. Pero el «tú» a quien le canta «a solas» está, como hemos visto, muy distante del incorpóreo, intangible «vano fantasma de niebla y luz» a quien Bécquer clama, «¡Oh, ven; ven tú!». En realidad, ella es justamente lo contrario —una antítesis que Salinas explota y exalta al convertir su primer poema en una serie de variaciones en contrapunto sobre los temas de las más conocidas de las *Rimas*—. «La mano de nieve» que sabe «arrancar» las cuerdas del arpa nunca aparece; sabemos de su dueña sólo a través de la insinuación de su ausencia. ¡Cuán diferente a la amada de Salinas que, usando el mundo entero como su instrumento, «arrancas ... tu música»! La reminiscencia becqueriana ha reforzado y aclarado a la vez la caracterización del pronombre inicial.

De hecho, en la primera estrofa hay una fusión hábil de este eco de la rima séptima con otro de la primera: «Con la punta de tus dedos / pulsas el mundo, le arrancas / aurora, triunfos, colores, / alegrías; es tu música». Los últimos dos componentes de la serie —«colores, alegrías»— derivan de los «colores y notas» que deben poseer las palabras para expresar el «himno gigante y extraño». [...]

Una segunda inversión de la imagen becqueriana sigue inmediatamente: «De tus ojos, sólo, de ellos / sale la luz que te guía / los pasos. Andas / por lo que ves. Nada más». Esto nos recuerda aquellos ojos inquietantes que brillan y llamean en la rima catorce: «Adondequiera que la vista fijo, torno a ver tus pupilas llamear ...». Para Bécquer estos ojos son una imagen que lo aleja de la realidad; su misma luz es en cierta forma interior, comparable a «la mancha oscura, orlada en fuego, / que flota y ciega, si se mira el sol». Para Salinas, por el contrario, la relación visual de la amada con el mundo inmediato es tan intensa que parece como si la luz fluyera de sus ojos para guiarla en su paso infalible, seguro, a través de la realidad. A fin de dar aún mayor énfasis a la antítesis poética, Salinas termina su estrofa con las mismas dos palabras que terminan la de Bécquer: «Nada más».

Hasta donde se me alcanza, las siguientes dos estrofas centrales abandonan esta técnica del eco calculado. Se refieren, sin embargo, a dos lugares comunes tradicionales en la poesía del amor, lugares comunes que son sumamente originales y de vital importancia en las *Rimas*: la duda del amante y el misterio de la amada. [...]

En la última estrofa Bécquer vuelve una vez más al subsuelo del proemio, retorno que tiene por objeto asombrar. Sólo en una ocasión, comenta Salinas, perdió su amada el sentido de la proporción. Fue en la noche fatal en que cometió el error de dejarse hechizar por una sombra e intentó abrazarla. La situación es paralela a la de Bécquer, «Tú, sombra aérea que cuantas veces / voy a tocarte, te desvaneces ...». Pero ¿cuál fue el error de la amada? ¿Quién es su amante fantasma? Para contestar estas preguntas y para resolver el breve misterio, debemos leer hasta la estrofa final: «Y era yo». La novedad extraordinaria es que en *La voz a ti debida* no es la amada sino el amante el que está en la sombra impalpable. Es el amante quien, queriendo poner de relieve por contraste la realidad carnal de su amada, se describe así a sí mismo. Así como su voz no es realmente la suya, sino la de ella, se siente como una sombra e insustancial al compararse con ella.

Podemos también observar que la identificación está significativamente situada. Al esperar hasta el verso agudo final para revelar lo que los sociólogos denominarían una inversión en los papeles, Salinas termina el proemio con máxima tensión y énfasis alusivo: «Y era yo». El propio Bécquer se había servido de esta técnica a menudo. Un ejemplo oportuno es el último verso de la siguiente estrofa de la misma rima: «ansia perpetua de algo mejor / eso soy yo». De modo que al definir el «tú», ambos poetas, aunque sea en sentido negativo, definen el «yo». Ambos completan el paradigma poético, no sólo para dar marco y dirección al fluir de las palabras, sino para que cada una de sus personas —«tú» y «yo»— dé apoyo a la otra.

Ya que estos ecos resuenan con tanta nitidez (desde que empezamos a escuchar), podemos preguntar: ¿por qué no han sido observados por los distintos críticos de *La voz a ti debida*? Mi respuesta sería, precisamente porque se supone que no los escuchamos. De haber estado Salinas influenciado por Bécquer, sin duda todos los oídos profesionales le hubieran pedido cuentas. Precisamente en descubrir influencias se adiestra el crítico. Pero aquí la situación es otra: las líneas e imágenes individuales de Bécquer han sido primero buscadas y luego sepultadas cuidadosamente bajo la superficie poética desde la cual pueden operar sin ser vistas. Su trabajo es sencillo: guiarnos hacia el poema mayor. En dos formas llenan este cometido. Por una parte, nos recuerdan la tradición de la poesía del amor directamente dedicado, y por otra nos advierten más o menos subconscientemente que no identifiquemos esta amada con su más famosa predecesora. Por esa razón Salinas hace uso de las más populares de las *Rimas*, que resuenan en las mazmorras y torreones de toda conciencia hispánica.

Aunque el lector no descubra la influencia, el eco de Bécquer a través de palabras y frases lo prepara para lo que ha de venir. Con agudeza ha observado Horst Baader [1955] cómo la creación poética de Salinas a menudo justifica sus doctrinas críticas de tradición y originalidad. Sin embargo, los ecos que acabamos de escuchar escasamente representan complejidad biológica, o una tradición que actúe como la habitación natural del poeta. No tanto porque las *Rimas* sean la habitación natural del poeta se traen a colación aquí, sino porque son nuestra habitación natural como lectores. Eros en castellano —del *Libro de buen amor* al *Diario de un poeta recién casado*— es la gran tradición de Salinas, su penetrante «atmósfera» poética. Esta área becqueriana particular se ha aislado aquí deliberadamente desde el principio, a fin de proporcionar una puerta de entrada al poema, trazar su curso al fluir poético, y presentar a la amada. Es la manera que tiene Salinas para que con seguridad nos demos cuenta de que su musa, al igual que la de Rubén Darío, es de carne y hueso. En cuanto la conocemos como mujer, estamos preparados para la alquimia poética —destilar, instilar, extraer el «tú», esencial— de su próxima metamorfosis.

Gustavo Correa

EL CONTEMPLADO

La contemplación [del mar] con sus elementos intelectuales repliega el alma del poeta sobre sí misma y de este repliegue surge un conocimiento que se evidencia como luz de propia conciencia. Aparecen así simbologías que se intercambian, de vida interior a confidente, y viceversa. De esta amalgama de lo «sensitivo» y lo «intelectivo» brota la verdad final en pos de la cual iba el poeta con magnética ansiedad: la verdad poética [éste es el sentido final de *El contem-*

Gustavo Correa, «*El contemplado*», en *Hispania*, XXXV (1952); recogido en Andrew P. Debicki, ed., *Pedro Salinas*, Taurus (El Escritor y la Crítica), Madrid, 1976, pp. 144-151 (144-145, 147-151).

plado]. El poema se compone en su totalidad de catorce variaciones con un poema introductorio que es el tema. Cada variación lleva a su vez un subtítulo que le sirve a modo de epígrafe temático. Las catorce variaciones son catorce visiones diferentes del mar, catorce tonalidades diferentes que en su conjunto constituyen un todo de delicada estructuración sinfónica. En el coloquio continuado, los protagonistas son, desde luego, el poeta que habla y contempla y el mar que escucha y es contemplado. Mas el mar no está solo. El cielo, ese otro eterno compañero, está ahí, dando y recibiendo en perpetua colaboración. La fusión de los dos no tiene solución de continuidad como que el uno refleja la faz del otro. El azul del uno es el azul del otro, y entre los dos: nubes, espuma, celajes, aire, luz, sonidos, arena, playa, islas... Estos últimos constituyen los materiales plásticos del poema, que se organizan en cada caso en un sistema de metáforas que dan tono y unidad a cada una de las variaciones.

En esta pareja indispensable de cielo y mar hay una intrusa que viene a dar la lección definitiva de armonía, y es la luz. La luz con su henchido sentido de polivalencias señala el camino a los ojos del cuerpo, a los de la imaginación y a la conciencia misma. La visión última de mayor sabiduría la da la luz en su momento máximo de esplendor. La luz hace posible el eterno perpetuarse del milagro poético. Así la pareja cielo y mar se ha convertido en magnífica trilogía. Y el poeta situado ante la grandiosa trinidad cósmica contempla lo que es uno y vario al mismo tiempo.

El poeta ha plasmado su verdad intuida en una serie de planos que estructuran el conjunto articulado de *El contemplado*. Observamos en primer término el plano de la realidad sensible con su evidente despliegue de materiales cósmicos, nubes, espumas, ondas y playas. Un segundo plano, el de la realidad metafórica que transforma los materiales del primer plano en el mundo mágico de una realidad poética atemporal e inefable. Un tercer plano, el de la realidad interior del hombre, manifestado en una serie de correspondencias entre el mar y la conciencia. Finalmente, un cuarto plano en el cual se da expresión a una tendencia estimativa de las nociones captadas con sentidos de orden anagógico y puramente espiritual.

En cuanto al primer plano sólo debemos observar que los materiales del poema son de orden cósmico y que el mar con todos sus arreos se presenta como símbolo global de todo el universo. El poeta, pues, en trance de poetizar está situado frente al universo. El segundo plano, el de la realidad creada, cristaliza el clima puramente estético del canto. A este mundo adimensional de mágica superrealidad llegamos gracias a una serie de correspondencias que a modo de puentes nos conducen de los elementos cósmicos del primer plano a este nuevo mundo. Son notables por su riqueza metafórica los siguientes poemas: «Primavera diaria» (II), «Por alegrías» (IV), «Las ínsulas extrañas» (VII), «Tiempo de isla» (IX), «Circo de la alegría» (X) y «Civitas Dei» (XII). En «Primavera diaria», por ejemplo, contemplamos un vergel celeste cultivado de rosales. Es la primavera que viene después de la oscuridad del invierno (la noche), revelándose diariamente el milagro de la siembra, el crecimiento y la cosecha, gracias a la labor de aquella madrugadora campesina, la aurora: «Antes que llegue el día, labradora, / la aurora se levanta, / y empieza su quehacer: urdir futuros». El tema de la siembra y el jardín florecido informa todo el poema [que se estructura en un marco de correspondencias léxicas. En contraste con el mundo de la realidad sensible que permanece siempre el mismo, el plano de la superrealidad aparece en muy diversas configuraciones metafóricas en las que predominan las nociones de «atemporalidad» e «inconmensurabilidad»].

El tercer plano se manifiesta en series de correspondencias entre la vida interior del hombre-poeta y el mar. Poemas característicos de este aspecto de *El contemplado* son «Todo se aclara» (VI), «Renacimiento de Venus» (VIII) y «El poeta» (XI), que en realidad no son sino metáforas para evidenciar el proceso de las operaciones intelectivas de la conciencia, el replegarse del alma en sí misma y el contemplar los propios afanes de la creación poética. En «Todo se aclara» obtenemos la impresión de un amanecer oscuro de horizontes vagos con sólo breves claridades de relámpago: «¿Qué claridades se hallan por la prisa? / La breve del relámpago». Surge entonces la equivalencia entre la vaga oscuridad del amanecer y el vago pensamiento que asoma allá en el fondo de la conciencia: «En el confín te nace de tus aires / un pensamiento vago». El aclararse de la mañana corresponderá al aclararse de la idea. Y de nuevo tenemos, de una parte: nubes, distancias, mañana, esplendor, olas, espacios, noche, aurora, luz, espuma, y de otra: pensamiento vago, misterio, enigma, intérpretes, diafanidad, texto, signos, rasgos, incógnitas. [...]

«Renacimiento de Venus» es uno de los poemas de mayor pureza contemplativa y de traslación a un mundo de esencias intemporales. De la quietud y claridad absolutas en el momento culminante del día, el presente se revela con toda su fuerza expresiva, renunciando a ese «error» del tiempo que son «las horas». En ese momento del «radiante mediodía» el mundo todo es «espejo» y el alma escapada de su cuerpo puede contemplarse a sí misma, en su esencia: es la verdadera Venus que surge del fondo del mar. Al advenimiento de la plena claridad se llega por sucesiva eliminación de posibles imperfecciones y por la acumulación progresiva de la misma cualidad que ha de alcanzar el grado sumo perfecto. He aquí el azul del cielo en este momento de diáfana claridad: «Absoluto celeste, azul unánime / sin ave, sin su anécdota. / ... / El mar va por el mar buscando azules / y a un azul los eleva. / Le basta un color solo a tanto espacio, / sin vela que disienta».

La quietud tiene como eco la quietud misma: «Al célico sosiego otro marino / sosiego le contesta». La conciencia del hombre queda libre de futuro y de pasado: «Dentro del hombre ni esperanza empuja / ni memoria sujeta». [El momento del reconocimiento del alma llega: «Radiante mediodía. En él el alma / se reconoce: esencia». «El poeta» es la variación que nos sitúa directamente frente al proceso interior de la creación poética. Momentos después del amanecer, el paisaje marino es de perfecta armonía.]

Movido por el «más» que tiene el alma, y porque «algo» se lo «pide desde adentro», comienzan las alteraciones de su superficie. Pero es el punto en que precisamente se nos insinúa el tema del hombre-poeta o más bien del proceso interior de la gestación y alumbramiento poéticos. Los términos que anuncian operaciones volitivas del alma se multiplican. [...] En la fase siguiente del poema, el mar se presenta en plena actividad creadora. Convoca «obreros» que acuden desde sus honduras y que descienden del firmamento: «luces», «sombras», «celajes», «vientos», «cristales», «centellas». Y hasta la tierra aporta sus «materiales sin estreno»: «hojas de la orilla» que traen «verdes abrileños», «nieves tibias» que por los ríos vienen de los «roquedos», y hasta existen «escuadrones de luceros» almacenados en prevención de ayuda. Estos obreros cósmicos trabajan en el gran taller cósmico que es también el «gran taller del gozo». [...]

El acierto total se cumplirá cuando la humanidad comprenda la razón última de la creación poética: el amor de los dos en renuncia serena de lo contingente: «El acierto ... / Vendrá cuando al universo / se le aclare la razón / final de tu movimiento: / no moverse, mediodía / sin tarde, la luz en paz, / renuncia del tiempo al tiempo. / La plena consumación / —al amor, igual, igual— / de tanto ardor en sosiego».

El cuarto plano que pudiéramos llamar el plano trascendente eleva *El contemplado* a la categoría de una mística religión. Religión que es poesía y poesía que es religión a su vez. Todo el poema lleva la tonalidad de este signo espiritual, pero las variaciones en que más se evidencia son «Pareja muy desigual» (V), la segunda y tercera partes de «Civitas Dei» (XII), «Presagio» (XIII) y «Salvación por la luz» (XIV). Dentro de este marco la característica más notable es el concepto de eternidad del mar. Todo parece transitorio y contingente ante esa «duración de siglos», ante ese «algo» que «queda» y que sirve «de fondo a todos los pasos».

El mar es superior a nosotros, superior al poeta por su «eternidad», y gracias a su «eternidad» se convierte en el dios de una religión. A él acudirá siempre el poeta para que su mirada se impregne de eternidad. El mar, además, es la síntesis de todo lo que constituye una religión. El mar es «dador» generoso, distribuidor de «dádivas». Al mar nos acercamos pobres y retornamos con nuestra mirada preñada de ganancias: «Cuando vuelve, vuelve toda / encendida de regalos». [Por el mar llegamos a una jerarquización de valores.] También el mar es salvación, como que el sentido último de toda religión es la salvación. El último poema, «Salvación por la luz», es una honda invocación para que de su mirada brote nuestra salvación para la eternidad. Mas, ante todo, *El contemplado* es una mística. A él hay que llegar con deseos enamorados de mirada perpetua. El místico es un enajenado y así el poeta en estado de arrobamiento queda poseído por una super-mirada que es superior a su propia voluntad. Esa super-mirada es la mirada de todos los hombres anteriores al poeta que miran el mar con «querencia muy antigua». En toda religión existen, además, las relaciones de criatura a creador, de individuo a divinidad. El medio más seguro de acercamiento es la confidencia con la propia divinidad. Y *El contemplado* no es después de todo más que una prolongada confidencia entre el poeta y el mar.

El contemplado es, pues, una religión. Es al mismo tiempo dios, dogma, guía, jerarquización de valores y salvación; el poeta es criatura, sus confidencias con el mar, confidencias de criatura con la divinidad y su mística la mística de la religión de *El contemplado*. Mística contemplativa cargada de arrobamientos, de miradas perpetuas y de esotérico lenguaje.

FERNANDO LÁZARO CARRETER

UNA DÉCIMA Y LA POÉTICA DE JORGE GUILLÉN

[El esquema estrófico cumple literariamente la función de depurar la inspiración, incitar al descubrimiento y liberar el lenguaje. A ello se prestan de modo especial las estrofas cortas por las que Guillén muestra clara preferencia, perceptible también en el voluntario acortamiento de las estrofas indefinidas y, por lo mismo, difusas, como el romance. Las dimensiones escasas concedidas al discurso poético fuerzan a su reinvención. Guillén escribe para receptores cualificados, capaces de prescindir de los estereotipos para entender. No hay más que lenguaje de poema, de cada poema convertido en sede de nuevos artificios al servicio de la transustanciación de experiencias sensoriales en términos abstractos. La voluntad de liberación del material lingüístico, contrarrestada por una firme construcción mental, se manifiesta palmaria en el tratamiento de las rimas.]

Cualquier poema de *Cántico* serviría para ofrecer una demostración [de lo dicho]. Si he preferido una décima es por su brevedad y carácter autónomo; y si he elegido precisamente «Verde hacia un río», ello se debe a que, con su perfecto dominio de la lírica guilleniana, José Manuel Blecua [1970] la destaca como «ejemplo perfecto» de algunos artificios del poeta: esta décima, asegura, «ofrece todas las características mejores de encabalgamiento, rotura de una melodía para iniciar otra, exclamaciones, interrogaciones, impresionismo en las nominaciones, enumeración, etcétera, etcétera». Dice así:

Pasa cerca, le adivino.
Con él cantan, y en follajes
Aún más sonoros —¡no bajes
De prisa!— pero sin trino,
5 Los pájaros. Es más fino
Su gorjeo infuso en masa

Fernando Lázaro Carreter, «Una décima de Jorge Guillén (como pretexto para tratar de su poética)», en *Homenaje a Jorge Guillén*, Wellesley College, Ínsula, Madrid, 1978, pp. 315-326.

Vegetal... ¿Quién acompasa
La dicha?... Desciende el monte
Muy despacio. Ven. Disponte
10 Ya a lo mejor. ¡Cerca pasa!

El carácter de unidad clausurada por un cierre previsto que un poema posee, se refuerza en éste por la repetición simétrica de la primera oración (*Pasa cerca*) al final (*¡Cerca pasa!*). Esa reiteración actúa a modo de marco que aprieta el contenido y lo deslinda como mensaje de pretensión literal. En esta ocasión, el efecto delimitativo está confiado a dos únicas palabras que constituyen oraciones muy simples; en otros, ese artificio es mucho más complejo. Andrew P. Debicki [1973] ha notado cómo «abundan en *Cántico* poemas de estructura circular. Generalmente contienen un número impar de estrofas; la primera y la última se parecen o se relacionan encuadrando la obra». Y pone como ejemplo el poema «Sazón», que discurre entre estas dos estrofas simétricas y enmarcadoras:

El vaivén de la esquila
De la oveja que pace...
En su punto la tarde:
Fina monotonía ...

En su punto la tarde:
Fina monotonía...
El vaivén de la esquila
De la oveja que pace.

Del *Pasa cerca* al *¡Cerca pasa!*, Jorge Guillén desarrolla la aventura de descender por una arboleda hacia un río que, aún sin verse, discurre por la hondonada. Se trata de una aventura exaltante, puesto que la simple aserción inicial se ha convertido en emoción exclamativa al cerrar el poema. En vano buscaremos correspondencia entre las posibles distribuciones sugeridas por las rimas de la estrofa y el contenido que se acomoda en ésta. Es más, se trata de un contenido heterogéneo, con componentes diversos casi milagrosamente fundidos por el autor en tan limitado espacio. Porque hay uno descriptivo (el rumor del río, el gorjeo de los pájaros en el follaje); otro performativo, de acción sobre un interlocutor, tal vez una mujer que acompaña al poeta en el descenso y en el descubrimiento, caracterizado por una serie de formas imperativas: *no bajes*, *desciende*, *ven*, *disponte*; y aun un tercero (*¿Quién acompasa / la dicha?*) que implica la introversión lírica del escritor en una de las frecuentes preguntas, entre realmente inquisitivas y puramente asombradas, que tanto abundan en *Cántico*.

Los tres componentes se entremezclan según su azarosa aparición en el ánimo del poeta, y no conforme a ningún esquema dictado por el metro. Así, el conativo interrumpe la descripción entre los versos 3 y 4; y reaparece en el 8, tras el inciso lírico en que ha desembocado la descripción. Queda claro, pues, el tratamiento que Jorge Guillén da a la décima, no como agregado de partes, sino como un todo autónomo. Y es esa libertad con que distribuye la plural sustancia poética de la obra en el reducto tan estrecho que se ha concedido, un factor fundamental del dinamismo que el lector percibe. Libertad y dinamismo, por otra parte, que distan de producir un resultado caótico. Desde la adivinación del río pasa el poeta a la contemplación de la hermosura que lo rodea: pájaros y fronda mezclando su rumor con el del agua. El poeta contempla, pero no está solo, y se preocupa solícitamente de que quien va con él dilate el gozo del momento. Pero vuelve a sus propias observaciones: aquellos pájaros no trinan, no se lucen solitariamente; o son tantos, que apenas se perciben sus variaciones, porque se conjugan en un gorjeo general, sin estridencias, más fino al infundirse o repartirse en una masa vegetal. Aún se encierra más el poeta consigo mismo para preguntarse por el misterioso agente de aquella —¿de toda la?— dicha. Los puntos suspensivos que flanquean la pregunta (versos 7 y 8) marcan gráficamente el aislamiento, el ensimismamiento del autor. Del cual sale en seguida, y ya hasta el final, para aconsejar, guiar y preparar el ánimo de la persona que con él va a contemplar «lo mejor»: la aparición del río al final de ese descenso que se ha ido produciendo lentamente, pero sin cesar, verso a verso. Ningún caos, pues, en la ordenación del contenido: va trenzando los cabos de modo magistral, hasta quedar como dominante último el performativo, rematado con la exclamación *¡Cerca pasa!* que restituye al punto de partida, sellando la unidad de la décima, pero transformada la observación en conmovida expectativa.

¿Cómo puede dudarse de los efectos positivos, decididamente creadores que las constricciones ejercen en el poema? Alguna se la ha impuesto el propio autor, como la rima acategorial, que sólo tiene la excepción *acompasa-pasa.* Esa rima es responsable del plural enfático *follajes,* inducido por el verbo singular *bajes*; y del singular *trino,* obligado por *adivino. Trino,* por su parte, ha sugerido una oposición semántica con *gorjeo* (los pájaros cantan allí, no con *trino,* sino con *gorjeo*) que probablemente no es obvia en la competencia lingüística hispana. Y sin embargo, establecida tal oposición, el lector ha de acudir a conferirle sentido, situado como está ante un lenguaje nuevo; y ha de hacerlo como nosotros antes (atribuyendo una connotación de 'estridencia' a *trino,* frente a la 'finura' que el poeta asocia con *gorjeo*) o de otro modo: no podrá permanecer inactivo, mero receptor de un mensaje que con tal alarde de invención se le presenta.

De igual modo *acompasa*, elegido para rimar con *masa*, con su ambigüedad (y es bien sabido cómo la ambigüedad constituye una propiedad constante de la lengua poética); porque si es unívocamente descifrable al interpretar la oración como '¿quién acompasa los cantos con que los pájaros proclaman su dicha?', ya no lo es si de esa dicha —como también es posible entender— participa el poeta, y debemos interpretar así el inciso: '¿quién hay detrás de la dicha que reina en esta sonora arboleda y, en general, de la dicha del mundo?'. De nuevo, un lenguaje liberado por el posible equívoco de un vocablo inducido por la rima, y cuyo desentrañamiento obliga a la participación activa, esencialmente poética, del lector. Todavía otra observación lingüística que confirma el poder creador de los obstáculos; en este caso, no de la rima sino del metro. Me refiero al verso 6: «Su gorjeo *infuso* en masa», donde hallamos ese extraño participio sobre el cual asegura el Diccionario de la Academia: «Hoy sólo tiene uso hablando de las gracias y dones que Dios infunde en el alma». No cabía *infundido* en el verso, y el poeta acude a un cultismo inusitado para que nazca de nuevo y viva allí, pero significando otra cosa: lo mismo que *infundido*, con algo propio: el aura de extrañeza y misterio que *infuso* posee en sintagmas como «saber infuso». Y así, ese hecho, que de modo tan mecánico intento explicar, se convierte a mi entender en la mejor proeza verbal del poema.

Escaso comentario exige la abundante hipermetría. Prácticamente, sólo el primer verso queda libre de ella; en todos los demás, la frase corre a topar con la pausa métrica y rebota en ella para pasar al verso siguiente. Un comentario «expresivo» de la décima haría notar los efectos de adecuación descriptiva que existen en los versos 3 y 4 (*¡no bajes / De prisa!*), 7 y 8 (*Desciende el monte / Muy despacio*) y tal vez en algunos más: son efectos secundarios que se inscriben en la intención general de producir un conflicto entre pausa métrica y cadencia sintáctica, [con resultados liberatorios y extrañadores]. De igual modo, cualquier lector será sensible a ciertas aliteraciones que surgen por la acción condensadora del cierre a corto plazo, la cual fuerza a una densidad de efectos fónicos con los que el verso queda sólidamente estructurado como texto literal: «Aún má*s* sono*r*o*s* —¡no baje*s* / De p*r*i*s*a!— pe*r*o *s*in t*r*ino / Lo*s* pája*r*o*s*. E*s* má*s* fino / *S*u go*r*jeo infu*s*o en ma*s*a / vegetal...».

Estas y otras observaciones sugiere el apretado y nervioso cuerpo de la décima. Lo que ocurre es que, como tales observaciones, carecen de interés científico si no se las somete a un principio explicativo que no sólo delate su presencia, sino que también justifique su por qué. Es lo que hemos intentado hacer en estas notas, proponiendo como clave la función cocreadora del metro y de la estrofa con sus exigentes constricciones, que se produce en todos los poetas, pero de modo eminente en Jorge Guillén, con su genial aceptación de las dificultades formales como recurso para purificar y, a la vez, estimular su invención, y para crear un idioma que viva sola y exclusivamente en el poema.

José Manuel Blecua

ENTRE LA EMOCIÓN Y LA INTELIGENCIA (NOTAS SOBRE EL ESTILO DE JORGE GUILLÉN)

Lo que singulariza el estilo [de Jorge Guillén], desde los sustantivos y su colocación a las metáforas o imágenes, va a ser precisamente la expresión de la lucha entre la más pura emoción y la inteligencia. Esa búsqueda de un equilibrio, sostenido con sabiduría ejemplar, dará a *Cántico* su mayor originalidad estilística, y hasta su aparente, y a veces real, dificultad. El vocabulario de *Cántico* se puede colocar en dos columnas, agrupadas bajo las enseñas de la emoción y de la inteligencia, como en estos ejemplos:

Asombro	Exactitud
Ansia	Equilibrio
Avidez	Estilo
Ardor	Nivel
Afluencia	Perfección
Brío	Perfil
Dicha	Línea
Gozo	Recta
Frenesí	Término
Presentir	Equilibrar
Soñar	Limitar
Vibrar	Ceñir

José Manuel Blecua, «Introducción» a Jorge Guillén, *Cántico* (1936), Labor (Textos Hispánicos Modernos), Barcelona, 1970, pp. 7-74 (40-41, 46-54). Las citas de versos guillenianos siguen la misma edición.

Estas dos fuerzas tan claras, y tan contrarias, al menos en apariencia, darán origen a una serie de recursos estilísticos originalísimos. Podemos enlazar perfectamente el estilo a su visión del mundo y a su comprensión.

Al preguntarse el poeta «¿Qué es ventura?» y responderse a sí mismo «Lo que es» (64/10), se sitúa ya ante un mundo que le asombra y subyuga, que, literalmente, le pasma. Este asombro y esta emoción pasan íntegros a *Cántico* y se traduce en esa fórmula exclamativa, tan frecuente a lo largo de *Cántico*. Guillén no reprime ese impulso elemental, aunque vigile atent: 1ente su ímpetu: «¡Luz! ¡Asombro! ¡Día! ¡Salve!» son cuatro exclamaciones que condensan todo el poema «Más allá», de donde proceden. Esta violencia elemental, tan bien estudiada por Dámaso Alonso [1943], se traduce a veces en tiradas de versos exclamativos, sin nexos y sin verbos, como ocurre al final de «Salvación de la primavera», cuyos veinte versos últimos no contienen ni un solo verbo, para terminar, además, con unas repeticiones insistentes.

[Junto a la repetición admirativa hay que anotar la narrativa o descriptiva, la anafórica y la que se establece en síntesis entre el comienzo y el final del verso. La admiración eleva su tono muchas veces con el uso de *cuánto* y *tanto* inicial o interno, y lo mismo sucede con el adverbio *más* y el *sí* jubiloso que llega incluso a personificarse. En relación muy estrecha con el *sí*, el *ya* que revela el gozo de llegar a descubrir y gozar la verdadera realidad. Al servicio del logro de una visión total de la realidad, Guillén recurre con frecuencia al *pero*, así como al acicate de la interrogación constante. Paréntesis y guiones marcan los distintos tonos del discurso.

Señalemos que la palabra poética en *Cántico* está funcionando exclusivamente dedicada a nombrar con exactitud y precisión el mundo de la realidad. Quiero decir que la palabra guilleniana no es sugeridora, ni intensificadora, sino algo mucho más simple: palabra denominadora y buscada, entre todas las posibilidades, con agudeza mental extraordinaria, para que diga sólo aquello que quiere decir el poeta, sin adherencias de ninguna clase. Pero, y este pero es fundamental, aunque Guillén odia lo vago y busca lo preciso y exacto, cuida exquisitamente, y con un oído musical sorprendente, el ritmo y evita la dureza del simple nominar. Mil veces le veremos recurrir a la aliteración y con efectos bellísimos. Porque si una vez leemos: «Retumbos. La resaca / Se desgarra en crujidos / Pedregosos. Retumbos. / Un retroceso arisco / Se derrumba, se arrastra» (115, 1-5); otra vez, en cambio, la aliteración será muy tenue, tanto que casi pasará inadvertida: «Damas altas, calandrias» (120, 1). O produce, muy deliberadamente, claro está, una rima interna llena de gracia: «¡Alta luz! ¡Altitud / De claridad altiva!» (119, 5-6).

Este gusto por la palabra exacta, por la desnudez y limpidez, podando la frondosidad, como un perito en otoños, es el que le lleva a la *nominación*, recurso que Guillén prodiga a lo largo de *Cántico*. La ausencia de verbos, a su vez, es lógica en una poesía donde la actividad es mínima comparada con el gozo de ordenar un mundo visible: «Castillo en la cima, / Soto, raso, era, / Resol en la aldea, / Soledad, ermita» (18, 5-6). [Esta desnudez, tan elaborada, se percibe también en un tipo de oración nominal que no es exclamativa y que en muchos casos aparece como un resumen o explicación o aclaración de todo lo anterior.] El ejemplo más bello de este recurso, y el más completo, es el poema «Niño», donde en veinte versos no aparece un solo verbo, con la particularidad de que todas las cuartetas ofrecen el mismo esquema: el verso cuarto cierra, como un resumen, lo dicho en los tres anteriores: «Claridad de corriente, / Círculos de la rosa, / Enigmas de la nieve: / Aurora y playa en conchas» (22, 1-4).

Gil de Biedma [1960] anotó también otro recurso muy simple, pero muy agudo: «Más allá de la nominación y de la enumeración, quizá la más simple de las fórmulas guillenianas —sujeta, claro está, a infinitas inversiones, modificaciones y ampliaciones— pudiera sintetizarse así: *sustantivo (pausa) cópula verbo*. O sea exactamente tal y como la encontramos en los dos siguientes versos: «Días... Y transcurren. / Espaldas —y se olvidan». «En seguida vemos que la disociación de lo que en rigor constituye una oración sola no se ordena a otro fin que el darnos, a la vez que la idea, el acto de pensarla en dos fases sucesivas. Tras la constatación inicial, una pausa, un cambio de actitud y un principio de articulación de lo constatado dentro de un contexto discursivo.» [...]

Pero cualquier lector atento descubre que la poesía de Guillén puede ofrecer —y con abundancia— un esquema discursivo infinitamente más complicado, con abundantes oraciones incidentales, incluidas muchas veces entre guiones o paréntesis, que rompen una melodía para incluir otra, como ya notó Casalduero [1946]: «al llegar a un inciso, a un verdadero paréntesis, Guillén no se sirve de una curva rítmica que dé a la entonación su carácter parentético, sino que inserta una segunda melodía que interrumpe la principal»: «Después de aquella ventura / Gozada: y no por suerte / Ni error —mi sino es quererte, / Ventura, como madura / Realidad que me satura / Si de veras soy—, después / De la ráfaga en la mies / Que ondeó, que se rindió, / Nunca el alma dice: no. / ¿Qué es ventura? Lo que es». [...]

Si volvemos a coger la aguja de navegar que nos guía por este mundo poético, en seguida apuntará de nuevo a la metafísica del poeta: la inmersión en el acorde total. Por amar tanto la realidad, todo en *Cántico* tiende a una vivificación; todo se personifica y adquiere virtudes humanas: «La esfera, / Tan abstracta, se aflige» (23, 19-20). [...]

Junto a esta vivificación total de la realidad, donde hasta «se excita la exactitud», podemos colocar otro recurso, también muy querido por nuestro poeta: su gusto por los comienzos oracionales —y también de versos— con adjetivos calificativos o con sustantivos abstractos. Si hasta ahora nos hemos movido en el campo de la emoción o de la impresión, ahora deberemos acercarnos al mundo de la inteligencia, o mejor aún, de la imaginación y de la inteligencia unidas. [...] De este gusto por la abstracción, nacerán las que yo llamé hace muchos años «imágenes para ojos mentales», para distinguirlas de las imágenes puramente ópticas o sensoriales. Si Guillén dice una vez que «el poder esencial lo ejerce la mirada», otra vez dirá que «inteligencia es ya felicidad». ¿Y por qué no? (Desdichadamente estamos demasiado acostumbrados a valorar más ciertos aspectos humanos que la pura inteligencia.) Esta inteligencia —y Guillén es un intelectual extraordinario— tiene también sus ojos, ojos que verán un mundo inusitado, dando origen a multitud de imágenes o de metáforas infrecuentes en la poesía española. En el famoso poema, tantas veces citado por todos los estudiosos, «Naturaleza viva», casi llega a formular su teoría: «¡Tablero de la mesa / Que, tan exactamente / Raso nivel, mantiene / Resuelto en una Idea / Su plano: puro, sabio, / Mental para los ojos / Mentales!» (3, 1-7). [...]

Muy cercanas a estas construcciones son otras en las que Guillén, cuyo amor por lo escueto y lineal es bien patente, usará términos de tipo matemático, porque él puede ver hasta la «exactitud ya tierna». Las palabras *curva*, *recta*, *esfera*, *círculo*, *línea*, *plano*, etcétera, no son difíciles de hallar en fórmulas como éstas: «Incorruptibles curvas / Sobre el azul perfecto» (23, 5-6). «¡Simultáneos / Apremios me conducen / Por círculos de rapto!» (27, 74-76). «Por una red de rumbos / Clarísimos de la tarde, / Van exactas delicias» (29, 16-18).

Un hombre tan sensible a lo perfecto y exacto, con un oído musical muy cultivado y deseoso siempre de vencer con obstinado ahínco las dificultades, era lógico también que se sintiese a gusto venciendo las dificultades de la palabra en el verso, de las rimas y de las estrofas.

Su mérito por esta lucha es mayor si tenemos en cuenta que Jorge Guillén inicia su labor poética en un momento en que se están derrumbando las formas tradicionales en la poesía europea, que están comenzando los *ismos* y que algún poeta español poco citado, como Lasso de la Vega, hacía años que escribía en el propio París una poesía muy nueva, bastante más nueva que la de un Juan Ramón Jiménez. Guillén no se incorporó a ninguno de los movimientos poéticos (ultraísmo, creacionismo, surrealismo) de 1919 a 1936. Desde un principio halló un mundo poético cuya expresión requería el manejo más hábil y riguroso de los elementos formales y con él aparece de nuevo en la poesía española el amor por las variadas soluciones estróficas o combinaciones de versos de muy distinta medida. A partir de 1923, Jorge Guillén va a dominar los moldes más difíciles y nos ofrecerá una espléndida colección de estrofas poco frecuentes en la poesía española de todos los tiempos, desde un pareado en versos de tres sílabas a otro de endecasílabo y pentasílabo, pasando por sonetos estupendos o romances o décimas.

JAIME GIL DE BIEDMA

EL POEMA GUILLENIANO

[El desarrollo de la forma poética guilleniana, todavía incipiente en 1928, llega a su plenitud en 1936 y 1945 e inicia en ese instante un proceso de transformación] que finalmente dará lugar a la aparición de modalidades nuevas, en apariencia sujetas a las mismas leyes de estilo, pero que en realidad traen aparejada la crisis de los supuestos constitutivos de éste. [Las formas típicas del poema guilleniano] son a mi juicio fundamentalmente tres, que denominaré «poemas de la totalidad», «poemas del objeto» y «formas tardías»; las etiquetas no dicen gran cosa, pero de algún modo hay que empezar para entenderse. [Ahora se atenderá sólo a los «poemas de la totalidad».]

Jaime Gil de Biedma, *El pie de la letra. Ensayos 1955-1979*, Crítica, Barcelona, 1980, pp. 169-176.

Todo poema pasa en un cierto lugar y en un cierto momento, y por lo tanto en todo poema pasa algo; el discurso poético arranca de una composición de lugar y responde a una situación de hecho, sea ésta real o imaginada. Y esa característica ya sabemos que se encuentra en Guillén extraordinariamente potenciada; en sus poemas, el lugar y el momento no sólo constituyen factores esenciales de la situación de hecho, sino que muy a menudo adquieren tal relieve que la acción del discurso queda prácticamente subsumida en ellos. La vehemencia, la inmediatez sin ninguna clase de reservas mentales con que el protagonista se entrega a su mirada determina, en efecto, la obnubilación de toda conciencia de su propia acción de mirar y, consecuentemente, la elisión en el poema de todo sujeto en primera persona.

Ocurre aquí como en cierta película de Robert Montgomery —*La dama del lago*, se tituló en España— en que la cámara se sustituía a los ojos del personaje principal, de modo que salvo por un breve instante —al mirarse en un espejo— éste permanecía invisible para el espectador. Esa elisión del protagonista es sobre todo frecuente en la edición de 1928. Véase, por ejemplo, el romance final, «Festividad»: al leerlo, o al recordarlo, lo que de inmediato se presenta a nuestra mente es la visión de una jubilosa mañana de junio, así que de primera intención nos inclinaríamos a catalogarle dentro del género de las descripciones convencionales. No hallamos, en efecto, un solo verbo en primera persona. ¿Y hay acaso alguna acción, a cargo de algún protagonista? ¿Quién dice el poema, si no es el poeta mismo?

Y sin embargo hay en «Festividad» un protagonista y una acción, la de mirar, que es el factor determinante de la estructura del discurso. Entre lo que podríamos llamar dos panorámicas —los cuatro versos iniciales y los cuatro últimos, que son la reiteración, una octava más alto, de aquéllos—, el discurso poético, al compás de los sucesivos desplazamientos de la mirada, adopta fundamentalmente una forma enumerativa. Seres y cosas se suceden ante nosotros rapidísimos y sin aparente ilación, sólo porque la mirada se posó primero en uno, después en otra. No hay aquí descripción, sino nominación y —para la voz que habla— denotación. La sincopada rapidez con que cada oración es desplazada por la siguiente, esos adversativos —«pero los cielos difusos», «pero en ápice de crisis»— que carecen casi por completo de todo valor de adversación, no tienen por finalidad la proyección y articulación lógico-sintáctica de una realidad sensible, sino que refieren al mismo discurrir de la mirada, constantemente desplazándose de una cosa a la otra. Ahora bien, el discurrir de la mirada es ya el discurrir de la mente; hay en él, pues, implícita, una composición de lugar. La vehemencia enumerativa de Guillén no es en ningún modo caótica —para emplear el adjetivo de Spitzer—, sino que define el ámbito de una situación de hecho dentro de la cual la realidad exterior aparece siempre por relación al sujeto de la mirada. La realidad «rinde» sus cimas. ¿A quién? A mí, protagonista, que la miro.

Resulta interesante la comparación de «Festividad» con otro poema de la misma edición, «Relieves», idéntico en estructura y motivación, pero en el que la elisión del protagonista es mucho menos completa:

Rendición: relieves.
¡Qué míos, qué puros
Todos! Uno a uno
Resaltan, ascienden.

Castillo en la cima,
Soto, raso, era,
Resol en la aldea,
Soledad, ermita.

En el río, niña,
Niña el agua verde,
Señorón el puente,
Y la aceña en ruinas.

La tarde caliza
Que fue polvareda
Se extrema, se entrega,
Diáfanas vistillas.

¡Oh altura envolvente!
Rondan los vencejos
Sin cesar. ¡Oh cercos!
Posesión: relieves.

La coincidencia estructural y temática es casi perfecta, pero el tono, reflejo de la actitud mental del protagonista, difiere sensiblemente. La vehemencia enumerativa, en «Festividad», tendía a convertir la nominación desprovista de artículos —caballos, vientos, muchachas— en un rosario de vocativos; en este otro poema, por el contrario, la lista de sustantivos sin artículo expresa claramente la consideración de cada objeto denotado —castillo, soto, raso, era— como parte o relieve de la unitaria totalidad real, presente también y sobre todo a los ojos mentales en cuanto situación de hecho. De modo mucho más aparente, la realidad sensible se nos da aquí referida al sujeto de la acción de mirar, en quien también se manifiesta ahora una mayor conciencia del poder esencial que su mirada ejerce. La subsunción casi completa de la acción del discurso en el lugar y el momento tiende a desaparecer y, correlativamente, cesa la elisión del protagonista.

[En la edición de 1936, de excepcional importancia,] el poema de la totalidad alcanza el pleno desarrollo de sus posibilidades. El poeta ha descubierto la subjetividad, el fuero mental o interno del protagonista, como factor determinante —juntamente con el lugar y el momento— del ámbito objetivo de esa situación de hecho a cuya verificación y formulación responde la acción del discurso. De modo ya bien definido, el poema guilleniano aparece haciéndose a compás de la incesante interacción entre realidad sensible y realidad mental —inmediatez y reflexión—, cuyo alternativo predominio configura la estructura del discurso. El esquema enumerativo, que en «Festividad» y «Relieves» constituía el cuerpo central del poema, representa ahora nada más que uno de los momentos del discurso, el caracterizado por el predominio de la realidad sensible, y, tan pronto es superado éste —para volver a renacer, claro está—, se ve desplazado por esquemas que podríamos llamar iterativos, o propiamente discursivos, correspondientes al momento de la realidad mental. Véase, por ejemplo, en «Más allá»:

El balcón, los cristales,
Unos libros, la mesa.
¿Nada más esto? Sí,
Maravillas concretas.

Material jubiloso
Convierte en superficie
Manifiesta a sus átomos
Tristes, siempre invisibles.

El entero poema adquiere a partir de ahora una mayor discursividad, y su estructura es menos cerrada precisamente por ser más compleja. Así, de la reiteración final, tan notoria en «Festividad» y «Relieves», sólo queda en «Más allá» un tenue rastro en la alusión al despertar, que todavía nos refiere a la obertura de la pieza:

Toda la creación,
Que al despertarse un hombre
Lanza la soledad
A un tumulto de acordes.

«Más allá» resulta demasiado extenso para un estudio en detalle. La siguiente edición, de 1945, nos ofrece un ejemplar de extremada perfección y pureza, y cuya brevedad permite el análisis estrofa por estrofa; se trata de «Vida urbana».

Calles, un jardín,
Césped —y sus muertos.
Morir, no, vivir.
¡Qué urbano lo eterno!

Losa vertical,
Nombres de los otros.
La inmortalidad
Preserva su otoño.

Vemos cómo ambas estrofas se disponen en mitades claramente diferenciadas. En cada caso, los dos primeros versos se limitan a la escueta enumeración de unos datos de la realidad sensible. Después una pausa, y una brusca transición: cuando el discurso reanuda nos encontramos en el momento de la realidad mental, que representa la integración de esos datos en el ámbito de una particular y concreta situación de hecho. Conviene señalar cómo a pesar de la tajante separación en dos momentos, realidad sensible y realidad mental, la actitud expresa en éste se hallaba implícita en aquél: el uso de guión y posesivo («—y sus muertos») y el hecho de que los nombres en la losa nos aparezcan como «nombres de los otros» connotan, en la verificación de los datos sensibles, un determinado modo cuyo sentido atenderán a desarrollar las inmediatas reflexiones del protagonista.

> ¿Y aquella aflicción?
> Nada sabe el césped
> De ningún adiós.
> ¿Dónde está la muerte?

Estamos a la mitad justa del poema. Y aquí parece como si el momento de la realidad mental hubiera desplazado por completo al otro. Pero en seguida advertimos que lo que presta coherencia a esos versos es un único dato sensible, el césped, al que viene referida la acción del discurso, la cual supone una correlativa ojeada a la fúnebre pradera en torno. Y la pregunta «¿dónde está la muerte?» paradójicamente representa una provisional formulación de la situación de hecho, una primera tentativa de síntesis.

La cuarta estrofa marca un regreso al primitivo esquema dual:

> Hervor de ciudad
> En torno a las tumbas.
> Una misma paz
> Se cierne difusa.

Pero el antagonismo queda ahora atenuado, entre otras razones, porque los datos sensibles aparecen sometidos a un intenso proceso de subjetivación. «Hervor de ciudad» constituye, en efecto, la elaboración resueltamente imaginativa de un complejo de datos visuales y auditivos cuya interrelación y simultaneidad se considera especialmente cargada de significación. De manera inversa, la segunda mitad responde a un momento reflexivo de la mente, pero a la vez resulta casi descriptiva: «una misma paz» viene a ser la proyección objetivadora de ciertos sentimientos del protagonista; y la exteriorización es reforzada por el verbo y el adjetivo —«se cierne difusa»—. El conjunto de esos cuatro versos prosigue la acción iniciada en la estrofa anterior —la ojeada en torno— con la visión, sobre todo mental, de la ciudad en tanto que totalidad de la cual las tumbas forman parte integrante.

La estrofa final consta de una sola oración, resolutoria de la espera engendrada por la casi total ausencia de verbos en las primeras mitades de estrofa. Del punto, que en todas las cuartetas anteriores, a excepción de la central, señalaba una fuerte transición entre los versos segundo y tercero, queda un eco ligerísimo en la breve pausa marcada por una coma:

> Juntos, a través
> Ya de un solo olvido,
> Quedan en tropel
> Los muertos, los vivos.

Mientras que en la primera época —«Festividad», «Relieves»— el lugar y el momento eran preponderantes, hasta el punto de quedar la acción prácticamente subsumida en ellos, es ahora la subjetividad, el fuero mental del protagonista, quien pasa a primer plano. La simultánea y contradictoria conciencia de la realidad del vivir y de la realidad de la muerte constituye, en «Vida urbana», el principal factor de la situación de hecho. Merece la pena observarse cómo, a pesar del carácter resolutorio y unificador de la estrofa postrera —un solo olvido, un solo tropel, una sola oración para toda la estrofa—, el último verso nos devuelve todavía un eco de la anterior dualidad y es la enunciación escueta —«los muertos, los vivos»— de los dos términos de esa contradicción nunca de modo expreso formulada, pero a cuya resolución precisamente responde la entera acción del discurso.

«Más allá», en 1936, no sólo nos ofrece el primer exponente diferenciado y maduro del poema guilleniano de la totalidad, sino que a la vez señala la aparición, ya con entera claridad, del sentimiento y la conciencia de ser, núcleo central de la temática de Guillén. Nueve años más tarde, en 1945, «Vida urbana» quizá represente el ejemplar más puro y más perfecto de la especie. Pero algo ha variado, entre tanto, y la diferente importancia objetiva de ambos poemas dentro del universo de *Cántico* es indicio de esa variación: «Más allá» marca un momento decisivo en la historia de la poesía guilleniana; «Vida urbana», con todo y ser una de las mejores piezas que Guillén haya escrito en su vida, es sólo un maravilloso subproducto; su misma excepcional pureza y perfección tiene algo de *overbred*, de fin de raza. Y es que en 1945 los supuestos determinantes del poema de la totalidad, y en general del estilo guilleniano, han comenzado a desvirtuarse.

ORESTE MACRÍ

MAREMAGNUM: EXPERIENCIA DEL NEGATIVO OBJETIVO

El segundo tiempo de la poesía guilleniana dura catorce años (1949-1963) bajo el título *Clamor*, común a las tres colecciones que lo especifican (en el segundo frontispicio: *Clamor / Tiempo de historia*): *Maremagnum*, 1957; *... Que van a dar en la mar*, 1960; *A la altura de las circunstancias*, 1963. [...] De los tres libros, el primero es el más significativo por su carga histórico-objetiva y, por consiguiente, introductivo en ese sentido, además de la estrecha cronología que es común durante varios años. En efecto, en el segundo (*... Que van a dar en la mar*) se recogen poesías de los mismos años (verano de 1949-1950) del primer libro (*Maremagnum*), del mismo modo que en el tercero (*A la altura de las circunstancias*) hay poesías de los años (1950-1960) del segundo libro. De ahí que nuestra exposición deba seguir la intención editorial de cada colección en su redacción crítica del gran tríptico del hombre posbélico amenazado por la desintegración (*Maremagnum*), agónico y personal entre pasado y futuro (*... Que van a dar en la mar*), reconstruido al nivel de sus principios eternos y de su historia auténtica (*A la altura de las circunstancias*). Veremos que temas iguales, contemporáneos y residuos del primer libro en el segundo y del segundo en el tercero, se cualifican en gran parte en el interior de cada intención editorial. [...]

Oreste Macrí, *La obra poética de Jorge Guillén*, Ariel, Barcelona, 1976, pp. 297-310.

El poeta no ha cambiado en su esencia; permanece el yo guilleniano en su dimensión trascendental unitaria del ser y de la verdad; lo que cambia profundamente es la fenomenicidad poemática del compromiso por parte del sujeto poético que *parece*, que está en peligro de conflagrarse, fragmentarse, alienarse en los negativos de la historia y de la naturaleza mortal. [...] Es sintomático el desgarramiento de formas y contenidos. El sujeto se proyecta hacia fuera y se fragmenta entre máximo y mínimo: los largos poemas («Potencia de Pérez», «El encanto de las sirenas», «Luzbel desconcertado», «La hermosa y los excéntricos», «Dolor tras dolor») contrastan con la pulverización humoral en las siete series de tréboles, tercetos y cuartetos. Los negativos, que en *Cántico* se subordinaban incluso formalmente a los positivos, se liberan a menudo de la síntesis armónica y se aíslan, alternando y mezclándose dramáticamente con los positivos en una visión, digamos, *clamorosa y magmática* del mundo posbélico (por ejemplo, «Aire con época»). A la dialéctica gradual y global de *Cántico* sucede una especie de empirismo estratégico de objetivación en la realidad constatada en sus discordias y desfases de la verdad, de la razón, de la libertad; la unidad del canto está sometida a duras pruebas de rupturas sectoriales (por ejemplo, el dictador en «Potencia de Pérez» es autónomo y se desenfrena con toda su negativa carga semántica); la unidad del canto, en resumen, resiste a menudo en la base, en la corriente psíquica de la participación apasionada del poeta-hombre tras la máxima *corrección* para con el enemigo que hay que destruir en la absoluta pureza de su negatividad; así, el poeta-hombre se debate entre resignación y protesta, júbilo de la naturaleza conseguida y exhortación a la resistencia en la libertad, abandono a la belleza exterior y horror a un sino inevitable, imploración y rebeldía.

A la variación métrica y temática se añade el desnivel de los géneros de composición, del mítico («Dafne a medias») al alegórico («Potencia de Pérez»), del bíblico-fabuloso («La hermosa y los excéntricos») al realístico casi expresionista (la sirena de los bomberos en «Dolor tras dolor»), del religioso («Viernes Santo») al obsceno en la epigrafía de los urinarios en «Pared». En cuanto a los ejemplares literarios, es natural que, rotos los modelos orgánicos del Renacimiento, del Barroco y del simbolismo, el espíritu literario guilleniano retroceda a los clásicos de la Edad Media hispánica, de las *Danzas de la Muerte* a Juan Ruiz, de Berceo al *Mingo Revulgo*, del *Cancio-*

nero de obras de burlas a Manrique, de Sem Tob a *La Celestina*, sincronizando con esos clásicos la copla popular o el romance y el refrán, el trozo de crónica y el proverbio en el gusto gótico-nacional de un Valdés y de un Cervantes.

[El protagonista del] poema cósmico-teológico «Luzbel desconcertado», de 1954-1956, alegoría arquetípica del yo egotista es el personaje mayor de *Maremagnum* y de *Clamor* en el área negativa. Habla siempre el yo Luzbel, que se compara a Dios y a los hombres. Él es la persona simbólica de una especie de *Anticántico* («Cánticos no me engañan», VII), sublimación retroversa del orgullo narcisista, de la esterilidad mental (y sexual), del purismo estético y del nihilismo filosófico, de la lógica de la no-creación y del no-compromiso. Se caracteriza sobre todo en la parte tercera cuando dice: «¿Para qué pervertir / La Nada, maravilla perfectísima? ... Todo el impulso dure en mí, latente, / Invulnerable, límpido. / Yo soy más que mis obras ... Honor a la esterilidad del exquisito». Es, en fin, el extasiado esteta antiaristotélico y anticristiano del «arranque / Sin sucesión», de la potencia pura inactualizada, bella en sí, contemplada y saboreada; el Narciso del último *Cántico* hiperbolizado hasta el «egocentrista» de *Homenaje* («*"Ego..." ¿Qué?*»).

Es evidente la extracción literaria de tal personaje. En la parte quinta el «Gran Poeta» dialoga con el Gobernador; rechaza los elogios; se avergüenza de ser el primero en su miserable país; considera las propias obras inferiores al numen divino: es una mezcla de Góngora (de quien el pobre Cervantes en *Viaje del Parnaso*, capítulo segundo, dice: «temo / agraviar en mis cortas alabanzas / aunque las suba al grado más supremo») y de don Américo Castro —único intérprete autorizado de la historia española y pontífice del ateísmo absoluto (tiene que ser él el «Visionario» de un trébol de A que «ha visto / bajo un relámpago al No-Dios» y que «¡Con cuánta fe saca su cristo!»—, pronto a reprochar al poeta si en alguno de sus poemas alude mínimamente al Padre Eterno); de Juan Ramón Jiménez, dictador de la poesía pura y hermética, por muchos años implacable contra don Jorge y don Pedro Salinas... (el «Luzbelillo» del trébol «—Con el límite» era apodo dado por Juan Ramón a algunos poetas jóvenes respecto a su divinidad de supremo Luzbel).

Ahora bien, nadie como Guillén ha admirado y admira a estos genios de la poesía y del pensamiento, y él mismo salió de alguna costilla de don Luis y de Juan Ramón. Quiero decir que el objeto satánico aborrecido no es Fulano o Zutano específicamente, sino una situación general de la *intelligentsia* hispánica, en especial la emigrada, anquilosada, precisamente en su rencor satánico, agotada y sin recambio dentro de su tradición laica, republicana y liberal, a la cual el propio Guillén está íntimamente unido; pero no se avergüenza de ser, a pesar de todo, ciudadano español, no considera España un tema problemático o un juego acabado, no cree en lo inefable ni en lo confuso de iglesias y mafias personales...

El mal humor se dirige también a la intelectualidad francesa de moda. En la parte tercera se reconoce a Sartre en el joven espectador de la puesta de sol en la ventana, a quien le da asco el paisaje, «lindo caos» ofrecido al «público Pintor»; el joven contestatario está afligido por la angustia y la náusea metafísica, va al café y niega el mundo al que se somete trabajando («¡Traidor!»).

Lógico existencialista es el suicida en la parte segunda, que noble y loco se arroja por la ventana (la ventana de *Cántico*, apertura al orbe creado). He ahí al nihilista fijo, antes de matarse, en el vacío del universo y en la pureza del éxtasis: «Yace desierto el mundo. / La nulidad de todo / Le corroe sus almas, / Sus fines. / Aunque nada le ocurra a este viviente, / La vida / Va huyendo de su pecho. / Espanto irrespirable: / Se vuelve hacia la luz y ve un vacío / Tan absoluto que se ahoga, tiembla. / Visión del gran vacío. Puro el éxtasis».

En el aspecto teológico y cosmológico, el Luzbel guilleniano, antibíblico, es el despreocupado de la obra divina de la creación, de la cual le place mostrar el caos y el fracaso dentro del verdadero infierno que es sólo humano: guerra, multitud de trabajadores, peste, materia atómica, varias políticas para la felicidad, dictadura («La cruzada y sus crímenes»), las dos civilizaciones rusa y americana extrañamente aliadas («que en sus aras te ofrecen / Glorioso privilegio de holocausto»), azar, injusticia, miseria... [...] En fin, Luzbel se positiviza parcialmente en su negatividad, que expresa no a Guillén en persona, sino un momento dialéctico del propio espíritu guilleniano: las razones del libre individuo partícipe de la protesta de una humanidad oprimida y traicionada; las razones del individuo que cree sólo en la «crítica» y en la «inteligencia irreductible». En la parte cuarta se puede decir que el ángel rebelde, no caricatura de Dios ni ruda imagen del hombre, es, en cierto momento, el propio Guillén, en quien a la *Armonía* dictatorial se opone el *Clamor* de los oprimidos, al *Maremagnum* de la ciudad moderna, la nítida luz que alumbra la verdad: «¡Clamor! / Clamor doliente de los más opresos, / Clamor sin llanto de los capitanes ... Clamor con rabia oscura o claridad / Rabiosa ... Y todos van resonando bajo el firmamento, / Y en más luz se convierten: la más nítida. / Es ella quien alumbra / Sin engaños divinos la verdad, / La gran verdad que no nos encarcela ... Es grato el maremágnum de estas calles. /

¡Ciudad, / Inventario atractivo, / República del ágil! / El maremágnum vibra, se refunde, / Lo absorbe todo ... ». [...]

La ciudad amenazada es cantada no sólo en «Luzbel desconcertado», sino también en otras poesías: en los alejandrinos sueltos de «... Que no»: muchedumbre y rascacielos, jardines apartados, voluntad ilimitada, suicidios atómicos asegurados por compañías americanas, juego de la cláusula final: «—Posible sí sería (la destrucción atómica). —...Que no. —Tal vez— ¡No, no!»; en los cuartetos corales en asonante de «Los intranquilos»; [y en la prosa en versículos «Ruinas con miedo»].

Tres amplias poesías se dedican expresamente al tema. En la canción libre «Guerra en la paz», la Amenaza aferra a la ciudad ilustre y perenne; la Amenaza inminente y temblorosa que se atreve; la guerra, moscardón monstruoso, «con su rigor de erre, erre, erre» (el tema se combina con el de los «directores del mundo», que en «Todos o casi todos los hombres», cuentan con nuestra muerte y nos quieren para ahogarnos); hombres esclavos y engranajes trabajan prolija y sectorialmente, y los técnicos obedecen al protector benéfico con su máscara pacífica.

La historicidad de *Maremagnum*, primera fase de *Clamor*, es el reflejo psíquico y figurado (directo y terrible) de la llamada *guerra fría.* [...] Todos dependemos del Satanás atómico, de su desolación hidrogenada; es el Calvario de una nada inventada por el hombre; durante el tránsito de la alienación en el clamor dentro de los silencios unidos, en la nube anónima contra los muchos clamantes en clamor silencioso, quedan sometidos los más correctos a los poquísimos invisibles. La cláusula final del poema («Feroz, feroz la vida / Tras su esperanza siempre») deriva del espectral paisaje atómico, líricamente diferenciado en el esqueleto de su nada:

> Va estallando el absurdo
> Con ímpetu de bomba.
> Y se rinden los seres
> A una luz invisible,
> Que trocándose en humos sin testigo
> Tritura
> La materia a esa orilla
> Posible de la nada.
> Orilla con espectros,
> Después difícilmente campo triste,
> Campo entre sus muñones,
> Sus añicos nocturnos,

Su polvo:
Duna de un mar ya seco
Bajo un gris de abolidas calaveras,
Calvario de una nada
Que el hombre inventaría.

Otra canción libre, «Aire con época», presenta un modelo de optimista y brillante civilización industrial con su *boom* económico (incluso el morir bien) en espera de la conflagración; en el sistema aliterativo de débil estruendo de la célula verbal *bombas* entre otro vocablo (opuesto a *libertad*), *dogmas*, en la antepenúltima estrofa: «Hay dogmas entre bombas. ¡Dogmas, bombas!». En la misma amalgama fonosimbólica de oclusivas sonoras es coherente el complejo holoestético de nuestro divertido planeta (nos recuerda el arte deportivo orteguiano de las vanguardias): «El Globo es una bola bien jugada». En la estrofa final se dibujan indicios de la inminente nube atómica, que se cierne en las calles de la ciudad moderna, brillante, joven, hasta pueril, omnipotente, rica de comercios, magia, fábulas, publicidad, escaparates, aviones, *ismos*, viajes espaciales, agostos, desnudos, bultos abstractos de edificios..., y la ninfa Penicilina a la cabeza de tan ilustre coro de la nueva mitología de consumos y política, compras y muertos felices. Retorna el motivo de los pocos que nos gobiernan; aquí son pulidos a *electric shave*, es una tipología industrial de *public relations*: estupendos «Rasurados semblantes» de nuestros jóvenes amos. Mefistófeles en «Al margen de Marlowe» (H), después de haber asegurado a Fausto que la Historia impondrá su fatal desenlace, concluye riendo: «Y las bombas disolverán todo. Eres mío, Doctor Fausto».

El tercer poema, «Dolor tras dolor» es también canción libre. Aquí el *clamor* se condensa en la *sirena* de los bomberos y se empareja con *dolor* en series alternas de sonido y pensamiento, evocación de todo el dolor entrañable y magmático, del mundo actual de los desprovistos frente a la inercia, a los prisioneros sin semblante y sin saliva de la cárcel de Pamplona, de los campos de concentración a las cámaras de gas racionales («cámaras / De gas y de razón»), del humo de los incendios no apagados al silencio de los miserables, a los pobres y a los gusanos harapientos de los desvalidos y dominados en esta vida, «Nauseabunda vida vomitada». Es el dolor flagelado por el grito brutal, el dolor que silenciosamente, casi lorquianamente, protesta: «Alzando las columnas de sus iras / Pide su libertad / De ser entre los seres, / Sin cesar soñadores de salud / Entre asedio de injustos».

JUAN MANUEL ROZAS

HOMENAJE EN EL DICTADO GUILLENIANO

Guillén, como un dios de su obra, ha gobernado su destino de poeta, tal vez más que ningún otro en las letras españolas. Ha podido decir, con entereza: «¡Dure yo más! La obra sí se acaba. / Ay, con más versos quedaría obesa. / Mi corazón murmura: cesa, cesa. / La pluma será así más firme y brava». Y con el poema «Obra completa», del cual son esos cuatro versos, ha visto perfectamente impresas sus poesías, su obra completa —no sus *obras completas*, o juntas, en acarreo editorial—: labor acabada, cerrada, completada. [...] Toda en tres libros. Uno, *Cántico* (1928-1936-1945-1950), dividido en cinco partes; otro, *Clamor*, dividido y publicado en tres: *Maremagnum* (1957), ... *Que van a dar en la mar* (1960) y *A la altura de las circunstancias* (1963), y un tercero, el más extenso, *Homenaje* (1967), dividido en cinco partes más una, pues la última se llama «Fin», y es la despedida de toda su obra. Todo perfecto, y con un montaje que —despistada y precipitadamente— parece llevarnos a la Edad Media del simbolismo numeral y la interpretación alegórica: tres libros (cinco partes, tres partes, cinco partes y un final). Como son tres lugares los pies de imprenta (Madrid, Buenos Aires y Milán); como muchos de sus poemas, tiene cinco apartados, y aun cada parte cinco estrofas. Simetría de números impares, simbólicos y cristianos, que se completan con las dedicatorias iniciales y finales, los lemas, los títulos y subtítulos —verdaderas exégesis— de sus volúmenes. Muchos símiles se pueden hacer, con sus tres libros, también desde un sentido religioso, si no se nos pide demasiado rigor. *Cántico* trata de lo creado; *Clamor*, de la caída, el caos y la «posible esperanza», y *Homenaje* es la luz de la poesía, el pentecostés del arte. *Cántico* es la fe en la vida; *Clamor* es la esperanza (se subtitula *Tiempo de historia*); *Homenaje* es la caridad (se subtitula *Reunión de vidas*). [Su obra es una de las respuestas posibles del hombre del siglo XX a su vida y a su mundo, en la doble vertiente de hombre universal y hombre español que ha pasado por unas circunstancias universales y nacionales.]

Juan Manuel Rozas, «Que sean tres los libros e uno el dictado», en *El 27 como generación*, La Isla de los Ratones, Santander, 1978, pp. 51-84 (66-79).

Homenaje, aclara imperiosamente al poeta: porque le cierra de una forma total, y porque ese cierre responde directamente a cosas que antes sólo había cantado de manera indirecta. Así, este libro que de lejos puede parecer de poesía de circunstancias, ha de verse mejor como una guía para entender al Guillén total. Incluso tiene bastante de diario íntimo, de documento interior, si bien ha de entenderse que es el diario de un hombre con poca pasión por lo anecdótico y con horror al vulgar sentimentalismo.

El poeta ha ordenado estas poesías —que argumentalmente pueden ser de circunstancia, pero no temáticamente— con la misma intensidad estructural que *Cántico* o *Clamor*. Y tienen una unidad interna de poema a poema: son la suma de presentes con los que Guillén ha visto el mundo, siempre fiel a unos principios de forma y contenido. Los tres títulos de Guillén son conscientemente análogos: son tres solitarias palabras de tono lírico: *Cántico*, *Clamor*, *Homenaje*. Los tres llevan subtítulos, artística y sintácticamente análogos: *Fe de vida*, *Tiempo de historia*, *Reunión de vidas*. Dentro de este mismo férreo montaje ha metido sus poesías «circunstanciales».

Este tercer volumen es un homenaje a los vivos y a los muertos, a los objetos y a las ciudades y campiñas y al amor, a todo lo que ha vivido al lado de Guillén, y le ha hecho vivir. La unidad temática del libro está, pues, en esa reunión, en ese conglomerado. La unidad interna es la vida según la visión del poeta, su gran unidad mental ante hechos, personas y cosas. Su mundo poético en una palabra. Tiene seis partes: «Al margen», «Atenciones», «El centro», «Alrededor», «Variaciones» y «Fin». En realidad, como dije, cinco y una despedida, de ese libro y de toda su obra, bien explícita en su dedicatoria final, «al amigo futuro, al amigo de siempre». Dedicatoria en simetría con las también finales de *Cántico* y *Clamor*, a Pedro Salinas, su gran amigo, en vida y muerte, respectivamente. La dedicatoria inicial es *a todas las musas*, de acuerdo con la materia del libro que trata de poetas, hombres y cosas que le inspiraron, y que nos lleva a pensar en la dedicatoria de *Cántico*, «a mi madre en su cielo». Madre de su cuerpo y madres de su poesía, una con un término cristiano, pero acompañada del relativista posesivo *su*, y otra en términos paganos.

Si dejamos esta sexta parte, y atendemos a las otras cinco, cinco como en *Cántico*, e impares como en *Clamor*, es decir, con una parte central, nos hallamos ante una fuerte simetría. La parte tercera se llama «El centro», lo que comprueba que el final es una despedida, aunque aquí alude, evidentemente, al centro que ha sido el amor en su vida de hombre y poeta. La parte primera, «Al margen», la componen glosas y comentarios a autores y obras que han significado mucho para él. La parte quinta la forman sus traducciones e imitaciones de poetas que han tenido para él especial relieve. Ninguna de las dos tiene subdivisiones.

La segunda parte, «Atenciones», y la cuarta, «Alrededor», se equilibran desde el título, *atención* a lo que hay *alrededor*, tanto en la vida como en la literatura. Hay un evidente equilibrio entre los cuatro apartados de «Atenciones», que no llevan título, y los cuatro que resultan de sumar el primero de «Alrededor», sin título también, y los tres en que se divide el segundo, también sin nombre: «Yo y yo», «Tiempo perdido» y «El viaje a Cíteres». Las «Atenciones» van dirigidas: la primera, hacia los grandes poetas españoles que le han hecho vivir la poesía, y no son glosas ni comentarios, sino visiones totales de los hombres que fueron: Juan Ruiz, fray Luis, Lope de Vega, Rubén Darío, Machado y Juan Ramón. Destaca entre todos el poema de fray Luis, uno de los mejores del libro. La cuarta parte final se empareja con esta primera, pues recoge en ellas las elegías a los poetas muertos de su generación: Moreno Villa, Salinas, Prados, Lorca (con un recuerdo a Hernández) y Altolaguirre. Falta Cernuda, uno de los más altos del grupo. El poema más bello y sentido —y no es casualidad— es el dedicado a Pedro Salinas, número dos, como el de fray Luis en la parte primera. Las dos partes centrales son mucho más difíciles de definir. La segunda podría llamarse *paisajes y ciudades*; la tercera, *conceptos y personas*, algunas de las cuales son casi breves epístolas, finas atenciones del autor a amigos. «Alrededor» tiene unos poemas que sirven de prólogo y otros que hacen de epílogo. En ambos grupos la inquietud principal es el tiempo, con un sentido a veces religioso, como en el titulado «La gran aventura», poema muy relacionado con *Hombre y Dios*, de Dámaso Alonso. La segunda parte nos habla de «Yo y yo», «Narciso», «Narcisa», «Ifis y Anaxárete» y «El viaje a Cíteres». Su *yo* se refleja ahora, como hombre y como poeta en la tradición latina, en las *Metamorfosis* de Ovidio, que no había aparecido en «Al margen» ni en «Variaciones». Destaca aquí el dominio del tono clásico en «Ifis y Anaxárete», poema largo conocido ya desde 1958 y que tendrá que ser estudiado con detalle por el que busque ahondar en la personalidad de Guillén.

La parte central, «El centro», que ya he dicho trata del amor, tiene tres núcleos. El primero, «Figuras y casos», nos habla del amor y de amores en plural. Se encabeza con «Preparación de...», poema clásico por la forma y romántico en su contenido, pues es un presentimiento del amor: Alguien vendrá. Ya viene. Ya está aquí. El segundo núcleo, «Amor a Silvia», es, como su nombre indica, un cancionero renacentista con la fuerte unidad argumental de narrarnos en muchos poemillas los diferentes momentos por los que pasa un amor. Es un cancionero petrarquista en su estructura, pero marinista en su contenido, pues el amor no se detiene en la mera contemplación ni se queda en el psicologismo, sino que se consuma pleno en cuerpo y alma. He dicho marinista en recuerdo de los *baci* del italiano y también podríamos llamarlo manierista. Su detallismo, su cuidado estilístico, su desproporción entre tema y argumento y la búsqueda de lemas apropiados así lo indican. La primera parte lleva un lema de Tasso, que define la inquietud y la espera del poeta: «Silvia m'attende ignuda e sola?». El segundo, de Nerval, indica la convivencia ya placentera de las sonrisas: «Son oeil étincelait toujours dans un sourire». Y, por fin, la tercera nos muestra la dicha del amor compartido en alma y cuerpo, desde la cita de Leopardi, «All'apparir del veno». Estas dos últimas citas pertenecen a «Silvie» y «A Silvia», respectivamente. El tercer núcleo, «Repertorio de junio», tiene cohesión con el anterior. Misma forma de poemas breves y numeroso en versos cortos, y tal vez temáticamente aludan a un mismo capítulo de la vida del poeta. Estos tres núcleos de «El centro» se abren con tres poemas como prólogo y se cierran con otros tres.

7. POESÍA DE LA GENERACIÓN DE 1927: FEDERICO GARCÍA LORCA, RAFAEL ALBERTI *

No es nuevo decir que la bibliografía sobre la obra lorquiana es verdaderamente abrumadora. La reunida por Colecchia [1979] ostenta 1.884 entradas. Un segundo volumen, dedicado a fuentes primarias, también de Colecchia [1982], ofrece 1.311. Ambos trabajos completan un repertorio anterior, de Laurenti y Siracusa [1974]. No obstante, el crecimiento de esa masa bibliográfica sigue imparable, más allá de las fechas de cierre de los citados inventarios. La creación, en Estados Unidos, de una *García Lorca Review* es ya bien sintomática. Devoto [1976] ha esbozado un panorama crítico, con algún juicio un poco cáustico, sobre algunos puntales de esa producción. Pero resulta evidente que buena parte de tal alud de títulos es mucho más un fenómeno de sociología literaria que de crítica y de investigación. Por otra parte —nunca se subrayará de modo suficiente—, Lorca es un escritor complejísimo, que exige de sus críticos una adecuada preparación filológica. En este sentido no se le puede negar la razón a Devoto. Abunda en esa bibliografía demasiado lorquismo mimético y de aficionado; y es necesario cribar los materiales con tanta atención como exigencia.

Frente a la explosión apologética de la primera hora, en la onda suscitada por el asesinato del poeta, el lorquismo responsable del momento presente ha comprendido la impostergable necesidad de la labor ecdótica. La transmisión de la poesía lorquiana ha sido complicada y azarosa; los textos se ofrecen muchas veces deturpados por erratas —antiguas o nuevas—, por correcciones injustificadas y por lagunas; se sospecha que una

* Para la selección de los textos críticos correspondientes a los capítulos 7-14, he tenido muy en cuenta las sugerencias y observaciones de los autores de las respectivas introducciones; pero, atendiendo al equilibrio del volumen en conjunto —y, en varios aspectos, también a la coordinación con los tomos 6 y 8 de *HCLE*—, he optado por asumir personalmente la responsabilidad de la sección antológica. VÍCTOR G. DE LA CONCHA.

parte de la poesía, seguramente pequeña, se ha perdido; por último, existe todavía un buen número de poemas inéditos (sobre todo del período anterior al *Libro de poemas*), al margen de la edición francesa de Belamich [1981], que tiende a considerarse el más amplio *corpus* publicado hasta la fecha. El problema de las pérdidas atañe en especial a poemas sueltos. Inéditos dispersos no faltan, como van mostrando hallazgos menores, pero el número más importante se encuentra en manos de los herederos del poeta, que han impulsado el proyecto, actualmente en marcha, de una edición crítica de la poesía lorquiana.[1]

1. Quedaron en principio inéditos tras la muerte del poeta *Suites*, *Odas*, *Poemas en prosa*, *Poeta en Nueva York*, *Tierra y Luna*, *Diván del Tamarit* y *Sonetos*. El *Diván* fue editado en la *Revista Hispánica Moderna*, VI, 3-4 (1940), si bien se habían conservado las capillas —impresas, por tanto— del prólogo y la primera sección del libro; cf. Hernández [1981 *a*]. *Poeta en Nueva York* conoció dos primeras ediciones prácticamente simultáneas: Norton, Nueva York, y Séneca, México, 1940. Las dos partían originalmente, a pesar de sus llamativas divergencias textuales (Martín [1972, 1974, 1976]) del original entregado por Lorca a Bergamín en julio de 1936. Las *Suites* se conocían parcialmente, por los poemas editados en vida del autor o por la publicación de manuscritos diversos. La serie de sonetos amorosos, conocidos tradicionalmente como *Sonetos del amor oscuro*, ha sido editada completa por mí (once poemas, seis de ellos inéditos) sobre la base de los autógrafos conservados en los archivos familiares (García-Posada, *ABC*, 17 de marzo de 1984). Excluidos los dos libros editados en 1940, así como los *Sonetos*, los restantes poemas adscribibles a los títulos dados a conocer por el autor aparecían en las *Obras completas* de Losada y Aguilar (Hoyo [1980[21]]) organizados hipotéticamente, algunos como poemas sueltos. Parece ser que nunca fueron terminados, aunque puede intentarse su reconstrucción.

El hallazgo, por Martín, de un índice manuscrito de *Tierra y Luna* le lleva [1974] al desgajamiento de *Poeta* en dos series independientes, deducida la de Nueva York de los poemas mencionados o aludidos en la conferencia-recital sobre el libro. Lo apoya Menarini [1978], ataca sus posiciones Eisenberg [1976] y yo las he matizado (García-Posada [1981]), aun admitiendo la bipartición de *Poeta*, con limitación de su alcance filológico al período 1932-1934.

A partir de 1981 se inicia la edición crítica de la poesía lorquiana en la editorial Ariel: *Poeta en Nueva York*, *Tierra y Luna*, ed. E. Martín, 1981; *Libro de poemas*, ed. I. A. Gibson, 1982; *Suites*, ed. A. Belamich, 1983. La edición de Gibson, la menos sujeta a polémica en principio, adolece de la sistemática normalización de la puntuación de los textos, que es importante respetar —al menos en cierto grado— en una poesía de transmisión oral como es la lorquiana. En este aspecto, Belamich ha sido mucho más fiel, aunque su reconstrucción de *Suites* se presta sin duda a la discusión: restitución de poemas de *Canciones*, en la versión primitiva que ofrecen los borradores, o eliminación del volumen *Primeras canciones*, que queda parcialmente integrado en el conjunto, aparte de que no siempre resulta fácil la identificación de los poemas

Es evidente que los mencionados problemas textuales proceden en lo esencial del truncamiento de la vida del poeta en plena madurez, pero tampoco se puede ignorar el peso de su actitud ante el hecho literario. Como «bardo anterior a la Imprenta» lo ha definido Jorge Guillén [1959], fijando una fórmula que han repetido varios de quienes lo trataron. Lorca no sólo se nutre de una tradición oral, sino que de algún modo la continúa en sus modos de manifestarse, vitales y literarios. Francisco García Lorca [1981] se refería a la dificultad de reunir y editar la obra toda de su hermano, tan inclinado como éste fue a regalar originales, a veces sin

---

como «suites». La bipartición de *Poeta* en la edición de Martín ha sido objetada por Millán [1982] y Anderson [1983]. Yo la he suscrito con ciertas modificaciones en cuanto a la ordenación de la serie de Nueva York, pero he intentado ir más lejos en el establecimiento de textos definitivos de los poemas mediante la aplicación del método lachmaniano y sobre la base de la adopción del texto Norton por estar más próximo al arquetipo, es decir, el misterioso manuscrito que Bergamín tuvo en su poder (García-Posada [1982 *b*]). Al mismo tiempo, he editado, como apéndice complementario, el texto Séneca. Por motivos diversos, tanto en el restablecimiento crítico de Martín como de Belamich los borradores manuscritos se han impuesto sobre los textos inicialmente transmitidos. En cualquier caso, lo que parece claro es que la discusión sobre los complejos problemas textuales del libro máximo de Lorca debe hacerse desde posiciones filológicas y con aporte de documentos, no desde actitudes mitologizantes, que parecen estar de espaldas al hecho de que la cuestión dista de ser nueva en el dominio de la transmisión textual: valgan los casos de San Juan de la Cruz, Herrera o Bécquer.

Junto a la citada edición de Ariel, otras dos ediciones anotadas y críticas en cierto sentido están actualmente en curso de publicación: la de Hernández [1981 ss.] y la preparada por mí mismo. La de Hernández, en volúmenes sueltos, con amplia revisión de manuscritos e impresos, es sin duda muy correcta. El editor ha tenido un acceso muy fluido a los archivos lorquianos, que ha facilitado grandemente su tarea. Por mi parte, he recogido toda la poesía en dos tomos, intentando la máxima estructuración posible y teniendo especial cuidado en respetar la aludida transmisión oral de la lírica lorquiana. Me gustaría poder decir que he recibido todos los apoyos necesarios, pero sería inexacto. Resta, en fin, mencionar la aún inédita edición crítica realizada por Anderson [1982 *a*]. Inédita asimismo permanece la de Paepe [1973] del *Poema del cante jondo*, hecha al margen de los archivos familiares (como en el caso de M. Massoli [1982]).

Sin duda todavía queda por avanzar mucho, pero también es verdad que el camino recorrido ha sido largo. Las ediciones facsimilares facilitarán las necesarias revisiones: hasta ahora contamos con los ochenta y siete poemas y tres prosas publicados por Martínez Nadal [1975] y, entre otros, con el facsímil de la versión manuscrita del *Llanto* regalada por Lorca a José María de Cossío (D. Alonso *et al.* [1982]).

reservarse copia. Pero esa entrega de manuscritos poéticos, como de dibujos, constituye una faceta más de la propagación de la obra lorquiana ya en vida del autor. Según observa Mora Guarnido [1958], desde fechas tempranas Lorca necesita oyentes de su poesía, y va renovándolos según los «desgasta». Algún amigo le advertirá el peligro de «envejecimiento» de algunos poemas (Hernández [1981 *a*]), poemas que habían suscitado imitadores incluso antes de su edición en libro. Y es que esta transmisión oral, paralela a los recitales y a las conferencias (del *Romancero*, de *Poeta en Nueva York*), tiene su complemento en la continua edición suelta de poemas, tanto en las grandes revistas de la generación como en otras revistas y periódicos de España y América. Un caso límite es el número de veces que se editó suelto, entre 1928 y 1936, el «Romance de la casada infiel», del que Lorca casi llegaría a renegar. Si esas ediciones del romance pudieron producirse en más de un caso sin la anuencia del autor, éste publica al menos siete veces (Hernández [1981 *a*]) el «Madrigal á cibdá de Santiago», de *Seis poemas galegos*, entre 1932 y 1935. Lorca insistía sin embargo en el deseo de no ver sus poemas impresos en libro, muertos o momificados para él de esta manera. Esta afirmación, que tanta fortuna ha tenido entre la crítica, es en parte una máscara; pero no se trata, en realidad, de que Lorca mienta, sino de una de las caras distintas de una personalidad enormemente rica y compleja. Cabría distinguir dos momentos en la actitud del poeta ante la edición de su obra: el primero abarcaría hasta 1928, fecha de edición del *Romancero*; el segundo se extendería hasta el año de su muerte. En la primera etapa Lorca proyecta y gestiona la edición de sus libros, como delata el epistolario conocido; en la segunda, en cambio, se muestra más remiso en la entrega de sus textos a los editores. Es sintomático el testimonio de Pablo Suero (1940), exhumado por Martín [1977]. Estas etapas no presentan entre sí solución de continuidad, pero sirven para iluminar un proceso cuyo centro está marcado por el éxito del *Romancero*. Satisfecho del libro, en definitiva, le molestaba que fuera leído en clave pintoresca. El autor del ciclo neoyorquino era consciente del salto cualitativo que representaban los poemas que había traído de Estados Unidos. Se acentúa entonces en Lorca un creciente afán de comunicación directa y personal con el público de oyentes y de espectadores, desconfiando el poeta de otras mediaciones y atento, como ha indicado Laffranque a propósito de las conferencias [1976], a «esa maravillosa cadena de solidaridad espiritual a que tiende toda obra de arte, y que es el fin único de palabra, pincel, piedra y pluma». Son palabras de Lorca. Como advierte la misma investigadora, éste obedece a una «doble demanda, social y personal, conscientemente formulada». No es extraño, así, que de este Lorca oral aparentemente despreocupado hayan subsistido múltiples imágenes y recuerdos.

Velado y hasta desfigurado el poeta por la leyenda, ahogada su imagen más real en medio de una inundación bibliográfica de escaso fondo, la aproximación a su espejeante personalidad no se ha producido sin dificultades. Son especialmente valiosos los a veces penetrantes testimonios de los poetas de la generación, entre ellos el importantísimo de Aleixandre [1937], el de Guillén [1959], atento al contexto generacional y a la personalidad creadora, y el recopilatorio, rico en anécdotas, de Dámaso Alonso [1982], además de la evocación de G. de Torre [1967²]. Del lado americano, Zalamea [1966] y Neruda [1978] —que cinceló poéticamente a Lorca en la memorable «Oda a F. G. L.»— se refieren con profundidad de visión a lecturas, éxitos y terrores secretos del poeta. Brickell [1945] traza sus recuerdos sobre la estancia norteamericana, como hará más débilmente en época tardía Adams [1977]. Marinello [1965] esboza un buen panorama de la estancia en Cuba, con importantes aportaciones textuales. Eisenberg [1977] ha perfilado la cronología del viaje a Estados Unidos y Cuba. Iluminan zonas biográficas, junto al estudio de la obra, A. de la Guardia [1944], Durán Medina [1974] y, notablemente, Francisco García Lorca [1981], por más que sus memorias se detengan en 1919. Mención especial merece el penetrante Ángel del Río [1952, 1955], cuyos estudios, modelos de síntesis, han sido indispensables durante años. Quedan por citar biografías específicas. En ellas podría entrar el diario de Morla [1957], reflejo de Lorca y del mundo literario madrileño entre 1928 y 1936. Pero el libro ha sido montado seguramente *a posteriori*, con poda de páginas y revisión de datos, por lo que ha de ser contrastado con otras fuentes. Aun escrito de memoria y a vuelapluma es de importancia, por su exactitud, sobre todo para los años juveniles, el libro de Mora Guarnido [1958]. Está bien documentado el libro de Cano [1962], pese a la ausencia de fuentes expresas; pero, sobre todo, el de Auclair [1968], con recuerdos personales y testimonios de importancia, fue la primera biografía en que de modo digno y equilibrado se abordó la insoslayable cuestión del amor homosexual en el poeta, indecentemente manipulada por Jean-Louis Schonberg [1956], en libro que, sin embargo, ha tenido más adhesiones de las deseables, hasta configurar la imagen de un Lorca maldito (Umbral [1968]), que dista de responder a la densa realidad del personaje. Martínez Nadal [1980] ha aducido brevemente algunos de sus recuerdos de amistad: la actitud negativa de Lorca ante la técnica surrealista, el problema amoroso. Antonina Rodrigo [1975] ha explorado con valioso aporte de documentos la relación de Lorca con el mundo catalán. Amplio valor documental tiene también su libro [1981] sobre Lorca-Dalí. Falta aún el estudio biográfico de la estancia en Buenos Aires y Montevideo (1933-1934), esbozado parcialmente en algunos artículos (García-Posada [1982 *c*]), así como una investigación más profunda del decisivo viaje a Estados Unidos. Es de esperar que unas y otras lagunas queden cubiertas por la biografía en dos volúmenes que prepara Gibson. El primero de ellos, ya escrito, se cierra con la partida para Nueva York, desde Inglaterra, en 1929. Pero el perfil biográfico «definitivo» del poeta sólo será posible cuando, sin duda sobre la base de una documentación sólida —que en lo sustancial ya está recogida— se aborde su personalidad multivalente, sin enfoques parciales, integrando todas las vertientes que en ella concurrieron: su histrionismo, pero también su profundo equilibrio creador que le permitió producir una obra copiosa en sólo dieciocho años; su rostro de luz, pero también su cara de sombra, de gran angustiado ante los enigmas de la vida, y no sólo «obsesionado» por una presunta frustración erótica. No se ha entendido la honda verdad que encierra su afirmación de 1928 de que «la luz del poeta es la contradicción». Tal es el sentido del retrato que he trazado (García-Posada [1982 *a*]). Bastante de todo ello se traduce en el epistolario (muy abundante hasta 1931) que conocemos, ya bien cuidado por Maurer [1983], quien además acaba de editar las conferencias [1984]. También aportan datos de importancia, aunque ya muy reelaborados, las ingenuas pero conmovedoras memorias de su adolescencia, hasta ahora sólo parcialmente conocidas en castellano (Francisco García Lorca [1981], Martín [1982]), aunque accesibles en francés (Belamich [1981]).

Un último apartado de esta literatura biográfica lo constituyen los estudios sobre los motivos y circunstancias que rodearon la muerte del poeta. La minuciosa reconstrucción de Gibson [1981] es válida en sus líneas generales y en el análisis de las razones políticas que determinaron el asesinato del poeta en un contexto de represión generalizada. Gibson partía de las investigaciones anteriores de Couffon [1962] y Auclair. Añade nuevos datos el libro de Molina Fajardo [1983], póstumo, e informe en su acumulación de entrevistas y documentos, bases de un trabajo que quedó inconcluso y que es dolorosamente autoexculpatorio. Al margen de los planteamientos sobre el día exacto de la muerte —19 o 17 de agosto de 1936—, Molina Fajardo reunió documentos de importancia, desde un escrito de Luis Rosales a las autoridades granadinas hasta hojas supuestamente probatorias de la pertenencia de Lorca a la Asociación de Amigos de la Unión Soviética y a la masonería, bajo el nombre de «Homero», que no son en realidad sino documentos policíacos destinados a justificar el incalificable asesinato. En todo caso, hoy el lamentable libro de Schonberg y el postrer alegato absolutorio del Régimen lanzado por Vila-San Juan [1975] pueden quedar enteramente olvidados.

Se ha avanzado mucho en el establecimiento de una cronología rigurosa, de decisiva importancia para el análisis de la producción poética. Han sido vitales en este sentido las bases cronológicas establecidas por Laffranque [1963, 1967], a las que debe agregarse el valioso trabajo de fijación cronológica de poemas y obras realizado por Comincioli [1970]. La labor en este terreno no está aún concluida, como demuestran las cronologías particulares o generales, que han trazado entre otros, Belamich [1981], Hernández [1981 *a*, 1982 *b*, 1983, 1984], Anderson [1981 *a*, 1982 *a*], y yo mismo [1979 y 1982 *a*]. La cuestión estriba en que estos datos son claves para conocer la génesis y el proceso de construcción de los libros lorquianos. El problema es fundamental para aquellos de edición póstuma, con su accidentada historia textual. Los proyectos poéticos de Lorca sufrieron un largo proceso de superposiciones y entrecruzamientos, lo que hace a veces dudosa o problemática la adscripción de tal o cual poema a un determinado libro póstumo. Hemos trabajado sobre el debatido *Poeta en Nueva York* —cronología y etapas del proyecto— Eisenberg [1976, 1977], Menarini [1978], García-Posada [1981] y Anderson [1981 *b*, 1983]. El punto de partida reside en los ya aludidos planteamientos de Martín, inicialmente drásticos. Cito por último, como cronología de las estancias en Galicia y de los *Seis poemas galegos*, la de Franco y Landeira [1974], con nuevas precisiones en Hernández [1981 *b*].

No es posible seguir explicando la difusión universal de la obra lorquiana por razones accidentales, desde el asesinato del poeta y su utilización política antifascista hasta la lectura «exótica» de determinadas parcelas de su obra, que prolongaría la imagen de España creada por el Romanticismo europeo. Se hace necesario operar con criterios más sólidos. Y aquí topamos con un hecho de indiscutible importancia y, en cierta medida, sorprendente: la «traducibilidad» de Lorca. Tan ligada al idioma, esa lengua poética de imágenes tan deslumbrantes como herméticas se diría destinada a extinguirse fuera de la sustancia matriz en que fue engendrada. Varios son los factores que, a mi juicio (García-Posada [1979, 1982 *a*]), explican esa singular capacidad de la poesía y la obra lorquiana para verterse en códigos lingüísticos que le son extraños. El primero y fundamental es su radical compromiso con la *tradición*. A la cabeza de todos los vanguardismos, la obra lorquiana se arraiga con firmeza en el subsuelo de la tradición. Ya lo señaló hace años Jorge Guillén [1959]. Pero Lorca nos obliga a ampliar ese concepto. Por supuesto que toda una gran literatura gravita sobre el poeta, y al peso de la literatura culta hay que agregar el del folklore (Devoto [1950, 1959]). Sin embargo, lo decisivo es aquí que, sea bajo el estímulo de los elementos folklóricos, sea guiado por una intuición que sin hipérbole puede ser calificada de genial, el poeta entra en contacto con motivos viejísimos y sabe captar el pálpito de un *humus* casi desaparecido. Hay, sorprendentemente, como una especie de revigorización de los estratos profundos de la mente, que pone al poeta cara a cara con los arquetipos junguianos. El excelente libro de Ramos-Gil [1967] es penetrante en el rastreo de la tradición profunda que alimentó al poeta. Ya Álvarez de Miranda [1959] había dejado espléndida constancia de la presencia en Lorca de temas y motivos de las religiones arcaicas: la relación sangre-fecundidad-muerte, los valores de la luna, la fascinación ritual del cuchillo, en suma, la sacralidad de la vida. En dirección similar se mueve Correa [1957, 1960, 1970], quizá menos atento al «juego» poético. Se han ocupado también de la cuestión Valente [1971, 1976], con extraordinaria penetración, y Allen y Caballero [1977]. Se trata ciertamente de una cuestión clave en los estudios lorquianos, que todavía reaparecerá más adelante.

Pero este arrastre de fondos milenarios se conjuga con la posesión de una cultura vastísima. La crítica tiene la obligación de desmontar uno de los tópicos que han hecho más fortuna: el de un poeta intuitivo, que lee poco, etc. La verdad es justamente la contraria: Lorca es acaso el poeta más culto de nuestra literatura. Y basta una lectura medianamente profunda de los textos lorquianos para obtener un cúmulo sorprendente de referencias literarias, artísticas, plásticas. Pero esa cultura está perfectamente integrada, asimilada y convertida en sustancia propia. Resta por hacer ese índice de referencias culturales que con razón ha pedido Martínez Nadal [1974²], quien ha avanzado en esta visión del poeta. Esta transustanciación de elementos ajenos hace muy delicada la cuestión de las fuentes en Lorca, como ya advirtió Del Río [1955]. Falta un estudio sistemático sobre el asunto, aunque se hayan hecho calas parciales en los diversos libros. Es posible avanzar, sin embargo, algunas grandes canteras de materiales: la Biblia, conocida incluso en la tradición apócrifa (Marcilly [1962 *a*], García-Posada [1981]), y Shakespeare que, si valioso para el dramaturgo, no lo fue menos para el poeta último, como he adelantado en la edición provisional de los *Sonetos*.

«Cultura en la sangre»: tal es la formulación lorquiana de todo lo que antecede. Al mismo tiempo, Lorca se apodera de todas las novedades técnicas de las vanguardias, y el resultado es una síntesis única porque procede de una actitud singular ante el arte y la literatura. Por eso, se falsea, a mi juicio, la imagen del poeta cuando se habla de un Lorca cubista o surrealista. El poeta no fue nunca un «vanguardista», y es sintomática al respecto su ruptura con Buñuel y Dalí, cuya causa fue, en definitiva, el «tradicionalismo» lorquiano, como revelan de modo incontestable los documentos exhumados por Rodrigo [1975]. A partir de 1921 —año del *Poema del cante jondo*— hay un Lorca ya íntegramente formado que evolucionará en distintas direcciones, de acuerdo con las necesidades de cada planteamiento, pero fiel siempre a sus postulados estéticos.

Lorca, en efecto, es dueño de una poética muy precisa y coherente, además de abundante, cuyo sistematismo ha sido puesto de relieve por Laffranque [1967]. A partir de la consideración del arte como fenómeno de comunicación —aquí, de nuevo, el Lorca oral (Laffranque [1976, 1980])—, forja un concepto clave: *interpretación*, que se encuentra ya en el alevín de escritor y es esencial para entender que la comunicación poética no se va a producir nunca en términos realistas. A los oyentes de 1932-1934 les advertirá que en sus poemas de Nueva York no les va a decir «lo que es Nueva York *por fuera*». Tampoco su Andalucía está vista desde fuera: he aquí el abismo que lo separa del andalucismo de, por ejemplo, un Manuel Machado. El punto de partida es la realidad, pero ésta es sometida a un proceso de transformación descrito finalmente con precisión en la «Teoría y juego del duende» (1933) (véase ahora la edición y buen prólogo de Maurer [1984]).

Esta coherencia teórica se ve refrendada por un universo poético cuyo sistematismo ya fue notado por Díaz-Plaja [1948] y Del Río [1952] y diseñado con rigor por Ramos-Gil [1967], aunque las visiones fragmentarias hayan sido demasiado frecuentes. Pero basta examinar con alguna atención las concordancias publicadas por Pollin [1975] —por desgracia ya anticuadas, aunque todavía útiles: se hicieron sobre la décimoquinta tirada de la edición Aguilar de *Obras completas*—, para darse cuenta de ello. Esa unidad y sistematismo son captables, referidos también a la obra dramática, en Honig [1963[2]] y en Belamich [1983 *b*], aunque con preferente atención a los contenidos; y, por mi parte, los he tratado de señalar, en el doble plano de la expresión y del contenido, a partir de [1979]. Como sea, a nadie puede ocultársele que toda la obra lorquiana —poesía, teatro, prosa (A. Soria [1980]), dibujos (Gebser [1949], Fourneret [inédito y 1976]), incluso cine (Power [1976])— forman un tramado indisociablemente unido, por más que conveniencias expositivas aconsejen limitarnos aquí a la presentación de la poesía, cuyo valor de paradigma del mundo íntegro de Federico, por otra parte, es asimismo difícilmente discutible.

El universo poético lorquiano está vertebrado por unos cuantos temas nucleares que se reiteran a lo largo de toda la obra, hasta constituir una admirable maraña obsesiva. No siempre la crítica les ha prestado la atención debida, deslumbrada quizá por los motivos más escenográficos; pero el resultado es que, contra las apariencias, la obra de Lorca ha sido bastante mal leída (Valente [1976]). Si algún tema tiene derecho a ser considerado central, es el de la frustración. Importa subrayar, como lo ha hecho Belamich, el doble plano en el que se proyecta: el ontológico y el social, el metafísico y el histórico. No siempre son disociables; a veces, aparecen unidos en estrecha interdependencia; pero es necesario señalar su doble naturaleza, si no se quiere falsear al escritor. La crítica de orientación marxista ha tratado en este sentido de forjarse un Lorca a su medida, e incluso libros tan admirables como el de Laffranque [1967] se resienten de ese escoramiento unilateral. Pero una lectura basada en la hermenéutica clásica —de solidaridad con el mundo del autor— debe concluir necesariamente con la constatación de que las pesadillas de la Historia se dan la mano, en la obra lorquiana, con los fantasmas metafísicos o telúricos del tiempo, la muerte, el amor, la fecundidad, etc. *Poeta en Nueva York* es la máxima expresión de esa doble orientación, claramente demostrada por los dos libros en que primero se estructuró el material poético neoyorquino. Belamich ha visto esa doble orientación en términos de oposición desgarrada y, sin embargo, integrada conceptualmente.

Un mero repaso de esos temas nos enfrenta primero con el del amor, formulado y asumido en una dimensión cósmica, tal como lo ha señalado Martínez Nadal [1974²], con su concreción en un evidente pansexualismo amoroso, que disuelve la oposición entre el amor heterosexual y el homosexual. Lorca se enfrenta al sexo como un primitivo, sintiendo y cantando su fascinación, y sin trasvestismos ni equívocos que autoricen esa literatura propiciada por el señor Schonberg [1956]; como admite mal, dado su grado de elaboración artística, un enfoque psicoanalítico, que, a mi juicio, no ha alcanzado resultados convincentes (valga citar la monografía de Feal Deibe [1973] o las aproximaciones de Michèle Ramond [1980]). Pero el *mot d'ordre* ha sido dado, y en los próximos años asistiremos seguramente a una aglomeración en este terreno, sea estrictamente psicoanalítica o simplemente sexualista (Anderson [1982 *b*]; lo uno y lo otro, con incrustaciones junguianas, en Serrano Poncela [1965] y Aguirre [1967]). El mítico título y concepto del «amor oscuro», al que los estudios lorquianos no deben renunciar, ha sido, sin embargo, objeto ya de un impecable análisis por F. Lázaro Carreter [1984], en un primer enfoque filológico que indica cuál es el rumbo correcto.

Otros dos temas esenciales y muy conectados son los de la esterilidad y la infancia, vinculado el primero al «amor oscuro», pero no únicamente a él, y sentido el segundo como la cara opuesta de la esterilidad (Valente [1976] y los apuntes de Babín [1976] sobre el narcisismo). El tema de la muerte ha suscitado una considerable atención; sigue siendo válido el análisis de Salinas [1958] —la vida sentida por vía de la muerte—, y es muy perspicaz el enfoque de Francisco García Lorca [1947] al abordar la consideración lorquiana de la muerte como un asesinato. Pero hay también en Lorca una vida de los muertos, de rostro espantoso, avizoramente señalada por Belamich [1983 *b*], y en la que yo he tratado de ver las huellas de Baudelaire (García-Posada [1978]). En relación con estas cuestiones debe señalarse la complejidad del pensamiento religioso del poeta. Marcilly [1957, 1962 *a*] ha analizado su heterodoxia, pero es indudable que no puede negarse la persistencia de un fondo cristiano, como ya apuntó Del Río [1952]. Lo que parece claro es la existencia de un Lorca metafísico, obsesionado con los temas de la muerte, el tiempo (Eich [1958], Loughran [1978]), la destrucción del principio de identidad... Martínez Nadal [1974²] ha trazado un buen panorama. Naturalmente, estos temas no son entre sí compartimentos estancos: es paradigmática, así, la relación amor-muerte.

Pero el Lorca metafísico y mítico es capaz de tocar de modo estremecedor los temas de la revolución y de la injusticia, vistos desde el ángulo de la represión implacable, como en el *Romancero gitano* (cuyo doloroso trasfondo histórico se registra documentalmente en el libro de Francisco García Lorca [1981²]), o de la apelación a la revuelta, formulada desde una sorprendente asimilación del discurso marxista —así el concepto de alienación— en los versos de *Poeta en Nueva York* (García-Posada [1981]). Hay en Lorca una agudísima y siempre ascendente conciencia de solidaridad con todos los desposeídos y humillados de este mundo (del proletario «clásico» a los marginados raciales y sexuales) que amplifica considerablemente el alcance de su voz poética, sobre todo en la medida en que no se alimenta, porque los trasciende, de los postulados socialrealistas. Laffranque [1967, 1973] ha examinado la cuestión de modo preciso, y Marcilly [1980] la ha enmarcado en la revuelta total que en este sentido representa la poesía y la obra entera lorquiana. Son los suyos, en todo caso, temas que a menudo se oponen tanto cuanto se vinculan: y la constante tendencia al enfrentamiento de contrarios (vida / muerte, fecundidad / esterilidad, etc., etc.) remite en definitiva al motivo de la frustración, que es, de por sí, un concepto dialéctico.

La mayor hazaña artística de Lorca —como la de todo gran poeta— es la creación de una lengua poética propia. No han sido hasta ahora demasiado abundantes los estudios estilísticos. El estudio de conjunto de Flys [1955] representa un esfuerzo meritorio, aunque en parte esté anticuado. El rasgo que mejor define el estilo lorquiano es lo que Honig [1963²] llamó «el triunfo de la realidad sensual» y, desde una perspectiva lingüística, yo he denominado «un discurso de lo concreto» (García-Posada [1979, 1982*a*]), es decir, la renuncia a la expresión conceptual, abstracta, la formulación —y contemplación— poética de la realidad desde una conciencia que en cierto sentido puede ser denominada sensorial (Cernuda [1957] habló de orientalismo). De ahí la decisiva importancia de todas las formas de animación y personificación en este sistema expresivo y la trascendencia de la metáfora como procedimiento conector de planos y campos semánticos múltiples (Huber [1967], Zardoya [1974]). Es evidente la relación de este sistema estilístico con el peculiar primitivismo lorquiano, como ha probado Ramos-Gil [1967]. La filiación barroca, gongorina, de la metáfora lorquiana es en este punto un hecho central, al que he prestado la atención precisa en mi estudio sobre *Poeta en Nueva York*, extendiéndolo al resto de la obra, y que, sin formularse en estos términos, se deduce claramente de los magistrales análisis de Paepe [1973] sobre el *Poema del cante jondo*. Las especulaciones sobre el surrealismo expresivo de Lorca (Onís [1974]) parecen, pues, desenfocadas, y no sólo por testimonios anecdóticos, aunque reveladores (Martínez Nadal [1980]), sino por la misma hermenéutica clásica que permiten, fenómeno sin precedentes en la poesía surrealista. La dificultad lorquiana, pienso, nada tiene que ver con la surreal. Que Lorca persiga la novedad estética mediante choques imaginativos (Bosch [1964]) no es sino la manifestación de una filosofía del extrañamiento común a toda la literatura occidental a partir del Renacimiento. Son inequívocas las contradicciones en que incurren al respecto incluso críticos como Siebenmann [1973]. Barroco es asimismo el uso de la alusión, aunque incomparablemente más difícil que la gongorina, por la libertad de horizontes del poeta moderno. La complejidad de la técnica metafórica y perifrástica lorquiana se conjuga con técnicas de condensación expresiva de filiación quevedesca —elipsis, elusiones—, que arrojan buena luz sobre la naturaleza del hermetismo de Lorca. Hermetismo indudable que se potencia con la adopción por el poeta del cifrado simbólico de determinadas palabras privilegiadas, en buena parte procedentes de la poesía tradicional, como han puesto de relieve Devoto [1950] y Ramos-Gil [1967]. Se configura así un sistema simbólico a la vez polivalente y preciso, cuyos elementos centrales son la luna, el agua, la sangre (Sesé [1963]), el caballo (Cirre [1952], Martínez Nadal [1974²]), las hierbas, los metales (Xirau [1953]), que remite sin duda a aquella «tremenda lógica poética» de la que hablaba el autor. El rigor constructivo de la poesía lorquiana se manifiesta también en la frecuente utilización de la alegoría —las *Suites* son quizás el mejor ejemplo— y en la adopción de técnicas paralelísticas (Bosch [1962] y Yahni [1964]; compárese A. Hauf [1971]). Todo este complejo sistema se proyecta finalmente sobre complejas estructuras y elementos de alcance translingüístico: es decir, los mitos. Pero es mucho lo que hay que avanzar en el campo de los estudios estilísticos, indispensables para la adopción de interpretaciones seguras. Ha estudiado el adjetivo Lara Pozuelo [1973]; el empleo de los tiempos verbales, Cano Ballesta [1965] y Szertics [1969], y ambos ponen de relieve su vinculación con el Romancero (compárese, con respecto a Alberti, Siles [1982]); y, en fin, el maestro Leo Spitzer [1942] se ocupó de los usos lorquianos del *que*.

La carrera literaria de Lorca dura 18 años. La prosa precede al verso (cf. A. Soria [1980]), pero la orientación poética se perfila con precisión ya en las páginas primerizas, pero tan germinales, de *Impresiones y paisajes* (1918), que ya ha sido objeto de una monografía (Klibbe [1983]). El *Libro de poemas* (1921) es el resultado de una selección antológica llevada a cabo sobre el material poético acumulado hasta finales de 1920. En noviembre de 1921, haciendo un alto en la composición de las *Suites*, se redacta el núcleo central del *Poema del cante jondo*, que sólo aparecería diez años más tarde, tras un largo proceso de reelaboración. El libro de *Canciones* comienza a dar sus primeros pasos en ese año, del que data también la redacción inicial de la «Burla de Don Pedro a caballo». Basta ver este entrelazamiento de proyectos para darse cuenta de la dificultad de trazar una clasificación estrictamente cronológica de la poesía lorquiana. Por eso, en mi opinión, y sin perjuicio de otras matizaciones, lo más pertinente es considerar como referencia o etapa central el período neoyorquino (1929-1930), sin duda el momento más intenso y de mayor fecundidad, hacia el que debe referirse lo escrito antes y después, como ha puesto de relieve Valente [1976].

Con esa óptica, la primera madurez lorquiana (cf. J. Hierro [1968]), ya anunciada en algunas grandes composiciones del *Libro de poemas*, recubre el *Poema del cante jondo*, las *Suites*, *Canciones* y el *Romancero gitano*, para culminar en estos dos últimos libros, que son los publicados en los años 20. Por encima de tópicos y mixtificaciones, el *Romancero* sigue siendo el acierto supremo del primer Lorca, capaz de hacer gran poesía con materiales vulgares, hasta recrear una Andalucía mítica y multivalente, con un metaforismo deslumbrante y una portentosa intuición de los mundos oscuros. Los conjuntos de esa época, por otra parte, poseen una coherencia estilística común: sujeción predominante a moldes métricos tradicionales o posmodernistas, objetivación de la experiencia poética en esquemas cancioneriles, en diseños de orientación alegórica y en mundos narrativos, con un embridamiento de la efusión personal que es tributario de la «poesía pura». A esta etapa, quizá como un apéndice terminal, puede adscribirse la «Oda a Salvador Dalí».

Pero de 1927 datan algunos de los *Poemas en prosa*. Estamos ya en la fase de transición al período neoyorquino. De 1928 data la redacción parcial de la «Oda al Santísimo Sacramento del Altar». Ese año, Lorca proclama, en carta a Jorge Zalamea, que la suya es ya «una poesía de *abrirse las venas*». Y así, en el marco de una doble crisis estética y sentimental, propiciada por el éxito ambiguo del *Romancero gitano*, que se suma a la disolución de la poesía pura y el triunfo del irracionalismo —del que los «ángeles» albertianos eran mensajeros deslumbradores—, Lorca escribe en Nueva York el gran ciclo poético traspasado por el dolor, la revuelta, que expresa una imaginación tan vertiginosa como profunda. A su regreso de América, y pese a la maduración y reelaboración de los poemas neoyorquinos, es claro que el teatro le va ganando tiempo a la poesía. De *Tierra y Luna*, de todos modos, van a desgajarse algunos poemas que integrarán el *Diván del Tamarit*, cuya gestación comienza a producirse en 1931 y alcanzará seguramente hasta 1935 (Hernández [1981 *a*]), con un año clave de «precipitado» poético: 1934. El vuelo ilimitado de la voz neoyorquina se reduce ahora, con una adopción dominante de esquemas formales más tradicionales; pero la materia poética sigue teniendo sobrecogedora intensidad, vertebrada por la pasión amorosa y la angustia de la muerte, lo que permitirá la redacción del estremecedor *Llanto por Ignacio Sánchez Mejías* (1934). Un neopopularismo trascendido alimenta desde el 31 la escritura, *en gallego* (Blanco-Amor [1959]), de los *Seis poemas*. En fin, en 1935 se comienza la serie de los *Sonetos del amor oscuro*, parte finalmente de un libro de *Sonetos* —*Jardín de los sonetos*, ya con el trasfondo de la guerra civil— que quedaría inconcluso. Un poema épico, *Adán*, aguardaba, entre otros proyectos, al desgraciado poeta.

La evolución de la poesía da cuenta de varios datos esenciales: la casi ilimitada capacidad de esta voz para tocar todos los registros, su profunda versatilidad estilística, en los antípodas de la repetición de formas y tonos, y su maestría total en el uso de la tradición métrica española (Navarro Tomás [1968]).

No conviene acabar nuestro repaso sin una ojeada muy selectiva a las aportaciones bibliográficas de mayor interés —a veces sólo factual— suscitadas por cada uno de los libros poéticos lorquianos. Menos atendido que el resto de los poemarios, el *Libro de poemas* fue estudiado por A. del Río [1935], interesado mayormente por los influjos modernistas; Ory [1967] ha examinado bien la dependencia de estos poemas respecto a la poesía de Salvador Rueda; Devoto [1967] se ha ocupado de la relación de Lorca con Rubén Darío; Gibson [1969] ha estudiado el tema de la disarmonía sexual en la «Balada triste»; yo mismo he comentado «Aire de nocturno» (Miguel García-Posada [1980]); y Marco Massoli [1982] ha proporcionado una edición con útiles anotaciones. De la crítica sobre el *Poema del cante jondo* hay que destacar a Paepe [1973], con un extraordinario análisis de carácter estilístico y hermenéutico y la adopción de una metodología de contextualizaciones sumamente valiosa. Hay que agregar el muy sistemático artículo sobre símbolos y códigos expresivos de Profeti [1977] y la monografía de Miller [1978]. Señalo también la edición anotada de A. Allen y Caballero [1977], menos profunda de lo deseable en cuanto notas. Un primer enfoque ordenador de las *Suites* se encuentra en Belamich [1981]. Respecto a *Canciones*, han sido los poemas aislados, más que el conjunto, los que han suscitado mayor interés crítico. Destacaré el excelente comentario de la «Canción de jinete» («Córdoba. Lejana y sola») a cargo de Francisco García Lorca [1947]; Valente [1971] ha explorado la famosa canción en su dimensión mítica. Bousoño [1973] ha analizado «Malestar y noche». A varias canciones (y al *Poema del cante jondo*) ha atendido también Debicki [1981]. De la abundantísima y no siempre feliz bibliografía sobre el *Romancero gitano* señalaré las consideraciones de Soria [1949] en torno a lo gitano, el escrutinio por Alvar [1970] de las fuentes orales, los ya citados artículos de Cano Ballesta [1965] y Szertics [1969]. Dentro del campo interpretativo, es de obligada lectura el artículo de Marcilly [1957] sobre la «Burla de Don Pedro a caballo», con discusión en Hernández [1983], que niega la interpretación alegórica; Francisco García Lorca [1973] dio una fina lectura de «Preciosa y el aire» (cf. también Bary [1969]); y yo me he ocupado de analizar globalmente el «Martirio de Santa Olalla» (García-Posada [1978]). Indico asimismo la edición anotada de Allen y Caballero [1977]. J. M. Aguirre [1979] ha estudiado el influjo gongorino y el de Zorrilla. En relación con el proyectado libro de *Odas* siguen siendo fundamentales los análisis por Laffranque [1967] de la «Oda a Salvador Dalí» y de la «Oda al Santísimo Sacramento del Altar». Una primera aproximación de conjunto a los *Poemas en prosa* fue intentada por Babín (1962, ahora en [1976]). Pero el conjunto permanece prácticamente virgen, exceptuada alguna lamentable monografía que merece no ser consignada; una excepción es Y. González-Montes [1972]. Un joven lorquista, Huélamo Kosma, prepara un estudio importante.

La atención fervorosa ha desplazado el olvido y la incomprensión que durante años rodearon *Poeta en Nueva York*. El trabajo de partida fue el de A. del Río [1955]; Marcilly le ha dedicado dos estudios impecables [1962 *a*, *b*]; desde una perspectiva mítica ha sido analizado por Correa [1970], y el enfoque marxista se halla en Menarini [1972, 1975]. Inédita todavía, tiene interés la memoria de Thuillier [1970]. Harris, tras su artículo sobre el tema religioso [1976], aborda un breve examen del libro en [1978], subrayando su surrealismo; hay varias observaciones interesantes en el epílogo de Eisenberg [1976]. En [1980] Predmore publicó una monografía que ha sido cuestionada. Yo he ensayado el enfoque integral de todos los poemas y en todos los niveles del análisis estilístico, marco en el que he afrontado su interpretación (García-Posada [1981]); en las conclusiones he negado su surrealismo formal. Al *Diván del Tamarit* le ha dedicado Devoto [1976] un libro con valioso estudio de fuentes y modelos métricos. M. Hernández [1976] ha comentado la «Casida de la muchacha dorada» e indagado [1981 *a*] la fuente de la «Casida de la mano imposible». Ya me he referido antes a los artículos de Ramond [1980] y Anderson [1982 *b*]. La cuestión del orientalismo, en sentido neto, que preocupó a la crítica quizás innecesariamente, parece hoy resuelta en sentido negativo. En fin, García Gómez [1982] ha refrescado sus recuerdos sobre el libro, al que tan ligado estuvo. Los *Seis poemas galegos* han sido objeto de un trabajo, sugestivo en ciertos puntos, de Feal Deibe [1971]; el lorquismo italiano se ha sentido atraído por el libro (Caucci [1977]), pero el alcance de estos poemas exige aún más atención. De la bibliografía sobre el *Llanto por Ignacio Sánchez Mejías* siguen siendo fructíferas las orientaciones de A. del Río [1952]. Caravaggi [1962] lo ha interpretado con detenimiento y riqueza de análisis, y, desde su perspectiva mítica, lo ha enfrentado Correa [1970], en tanto que Francisco García Lorca [1981²] realizó un excelente análisis integrador; observaciones interesantes se deben aún a Henry [1958], Cannon [1963] y Jones-Scanlon [1972]. Los llamados *Sonetos del amor oscuro* han sido agudamente desbrozados, en una clarificación preliminar, por F. Lázaro Carreter [1984], que a ciertos propósitos los sitúa en la tradición petrarquista. Por mi parte, y en una interpretación de urgencia, he subrayado este punto de vista y he detectado en los *Sonnets* de Shakespeare el modelo decisivo, intentando una perspectiva globalizadora que ahonda en otras páginas anteriores (García-Posada [1984]). Muy estimulante promete ser la contribución de Hernández [1984] al respecto, a juzgar por lo avanzado en [1981 *a*]. Rozas [1976] anatomiza con rigor el soneto «A Carmela, la peruana».

En el estudio de los poemas sueltos, cabe llamar la atención sobre el hermoso artículo de M. Zambrano [1976] sobre el gran poema «Infancia y muerte». Análisis de los libros de poesía se encuentran, además, en los estudios de conjunto —y ya se ha hecho referencia a algunos de ellos— de Díaz-Plaja, que es siempre muy preciso, del ya citado A. del Río, de Correa, así como en la versión francesa de Belamich, en la edición de Hernández, en las introducciones de la mía y, por supuesto, en el gran libro de Laffranque [1967].

El nacimiento de Rafael Alberti (Puerto de Santa María, 1902) en el seno de una familia de bodegueros en decadencia, y en un contexto social y político muy agitado, da ya las primeras pistas para entender la parábola que llevaría al poeta desde el desclasamiento a la militancia obrera y comunista. El propio autor se ha encargado de suministrar e interpretar los datos precisos [1959], y otras contribuciones han configurado con bastante exactitud la andadura vital del lírico gaditano (Dámaso Alonso [1963], Albornoz [1977, 1984], Velloso [1977], González Martín [1980], Laffranque [1984]). Marcará al poeta de modo especial, como a otros escritores españoles, su educación en el colegio de los jesuitas del Puerto de Santa María. Es también crucial en su biografía su traslado a Madrid en 1917, inducido por la declinante suerte familiar. En la capital de España, Alberti que, al contrario de sus compañeros de promoción, no cursa carrera universitaria, se dedica a la pintura, que abandonará finalmente por su definitiva vocación de escritor. Esta dedicación pictórica, que rebrotará más tarde, en sus años de madurez y ancianidad, está al fondo, sin duda, de la permanente orientación plástica de su poesía (Manteiga [1978]).

Entre 1920 y 1923, escribe Alberti sus primeros poemas, aún balbuceantes, que han sido recogidos en posterior edición en 1969 y por Marrast [1982^2]. Con sorprendente precocidad, hacia 1923 el poeta en agraz cuaja en lírico maduro. Un dato básico en este punto: la lectura de Gil Vicente y de los cancioneros de los siglos XV y XVI desencadena la escritura de *Marinero en tierra*, que obtiene el Premio Nacional de Literatura de 1924 y significa la consagración de Alberti como una de las figuras de la «nueva poesía».

Este libro abre el primer ciclo de la poesía albertiana, constituido, además, por *La amante* y *El alba del alhelí.* Su afinidad temática y formal es manifiesta, y toda la crítica ha sido unánime en este punto (S. Salinas [1968], Senabre [1977]). Tal como señaló P. Salinas en un temprano trabajo [1934], Alberti se sitúa en la *tradición* de los cancioneros, entendiendo el término de modo no mimético, es decir, como adopción creadora de unos esquemas expresivos y conceptuales.

Una nueva *tradición* sucederá a la cancioneril: la de Góngora. El resultado es *Cal y canto* (1926-1927), título de explicitado hermetismo. El gongorismo está aquí en la profunda transfiguración estilística a la que se someten los temas, procedan éstos de la historia literaria, como en alguno de los espléndidos sonetos inaugurales, o sean facilitados por el mundo moderno en transustanciada asimilación del fervor futurista. Ciclo éste de un solo libro: ciertos soterrados o a veces explícitos tonos sombríos lo veteaban más allá del rigor constructivo. La grave crisis personal que sacude a Alberti entre 1927 y 1928 precipita la ruina del gongorismo. La crisis individual del poeta ha de verse, en todo caso, en el marco de la crisis estética común a todo el arte occidental —lo mismo le sucede a Lorca—. El resultado es *Sobre los ángeles*, seguramente el libro mayor de Alberti, con el que el poeta gaditano se situaba a la cabeza del vanguardismo español. La imaginería clásica salta deshecha y, aunque todavía los esquemas tradicionales impongan su presencia, el versolibrismo hace su irrupción triunfante. *Sermones y moradas* (1929-1930) amplifica y prolonga los tonos y estilos de indudables resonancias surrealistas (Connell [1965]), en cuyo ámbito se sitúa también *Yo era un tonto y lo que he visto me ha hecho dos tontos.*

La identificación de conducta privada y pública que para A. Soria Olmedo [1980] constituye un rasgo definitorio del surrealismo se traduce en Alberti en una toma de posición ideológica cercana al anarquismo, que deja definitivamente atrás al despreocupado poeta de los primeros años 20, del que han testimoniado sus amigos (Vivanco [1957]), y lo conduce al ámbito de la poesía civil, cuya primera manifestación notable es la «Elegía cívica» «Con los zapatos puestos tengo que morir», violentísimo poema iconoclasta y antimonárquico.

Con la llegada de la Segunda República, el poeta se escora gradualmente hacia las posiciones del marxismo revolucionario. En 1934, al publicar su poesía de 1924-1930, declara que su vida y obra están al servicio de la revolución proletaria y considera esos libros poéticos una contribución irremediable al ciclo ya cerrado de la poesía burguesa. Los poemas de estos años serán recogidos en *De un momento a otro*, *Trece bandas y cuarenta y ocho estrellas*, y *Capital de la gloria*, en lo que luego (1938) el propio autor llamaría *El poeta en la calle*, título que es también un emblema. Alberti se convierte, otra vez a la cabeza de su generación, en uno de los grandes cultivadores de la poesía social y de agitación política (véase abajo, caps. 12 y 14).

Obligado al exilio tras la guerra civil, permanecerá fuera de España hasta 1977, en que regresa y es elegido diputado a Cortes. En 1983 se le otorga el Premio Cervantes, que supone el reconocimiento oficial de la España democrática. El poeta vuelve a su país con más de diez nuevos libros, entre los que destacan obras de repercusión considerable, como *Entre el clavel y la espada*, *A la pintura*, *Retornos de lo vivo lejano*, *Ora marítima* o *Baladas y canciones del Paraná*. El problema que plantea la obra poética de Alberti posterior a la guerra civil es si, calidades al margen, constituye una evolución artística real respecto a la de preguerra. Todo parece indicar que no, tal como ha señalado con agudeza Valente [1971]. El poeta regresa a una lírica de moldes tradicionales y contenidos subjetivos, en la órbita formal de los años 20. En esta línea se entiende el desajuste estético de que dan fe las *Coplas de Juan Panadero* o *La primavera de los pueblos*, productos de una contradicción no resuelta entre formas y contenidos (cf. Lloréns [1974]).

Este proceso sumariamente descrito del desarrollo de la lírica albertiana ha sido aceptado por la mayoría de la crítica; así, Gullón [1963, 1965] señala cinco momentos: neopopularismo, gongorismo, surrealismo, poesía política y estallido de la nostalgia. Por su parte, J. C. Rodríguez [1982] traza un ajustado recorrido de la trayectoria poética e ideológica de Alberti, iniciada en el clima de una «problemática vitalista», común a toda Europa, que inclina al poeta en un primer momento a concentrarse en lo poético como reino de lo puro, con una pasión por la forma, en poesía y pintura, que no le abandonará nunca, y a entregarse a la estilización del popularismo y el andalucismo, con el conocido recurso a la tradición cancioneril; en un segundo momento, tras el punto álgido de *Sobre los ángeles* (libro de ruptura estética —surrealismo— e ideológica —fruto de una lucha contra los ángeles y los «demonios familiares»—) se encamina hacia la política, aunque no sin ambigüedades, pues una nueva situación histórica, que afectó a muchos otros poetas europeos, la presión del «dogma» del realismo socialista, agostó la posibilidad de poner en tela de juicio la escritura poética y conseguir «una transformación revolucionaria de todas las prácticas ideológicas» al proponer una elección drástica: o se es revolucionario en el «mundo» (es decir se acepta el «compromiso») o se es revolucionario en el «lenguaje» (y por tanto un «formalista», un «reaccionario»). Ante esta disyuntiva histórica, Alberti opta por el compromiso y por la tradición, aunque no de modo lineal y sin abandonar su vitalismo.

El más abarcador estudio de conjunto de la producción albertiana es el de S. Salinas [1968]. Sobre las bases en él trazadas Senabre [1977] ha profundizado en la indagación estilística con análisis muy operativos, y Tejada [1977] ha estudiado el ciclo neopopularista. Otros trabajos de conjunto son los de Delogu [1972], Alfaya [1977], Manteiga [1978], González Martín [1980], Wesseling [1981] y Zuleta [1981[2]]. Compilaciones de artículos han corrido a cargo de Bayo [1974] y Durán [1975]. Panoramas bibliográficos específicos se encuentran en Marrast [1953, 1955, 1957], Becco [1961], García Montero [1983] y *Doctor R. Alberti* [1984].

Con la normalización de la vida cultural española, las ediciones han comenzado a producirse con abundancia e íntegras. Todavía en 1972 la editorial Aguilar lanzaba un tomo de poesía que distaba de ser completo, por lo que había que seguir recurriendo a la edición Losada de 1961. Seix Barral ha publicado en volúmenes sueltos prácticamente toda la obra no dramática de Alberti, incluida *La arboleda perdida.* En este sentido, la recuperación del poeta es ya plena. Faltan, sin embargo, ediciones anotadas y críticas, que hasta ahora se circunscriben al ciclo neopopular, a cargo de Marrast [1982[2]], y a *Sobre los ángeles*, por Morris [1981].

A la luz de las investigaciones arriba citadas, y de otras como la de Ophey [1972], ha de convenirse que el tema vital —para decirlo con S. Salinas— que vertebra el mundo albertiano es la búsqueda del paraíso perdido, de modo que el resto de los temas, incluso el muy sobresaliente del mar (Zardoya [1974]) se presentan como derivados suyos. Otro punto en el que la investigación se muestra unánime es la constatación de la variedad de registros estilísticos de Alberti, capaz de adoptar los tonos más diversos y de cultivar todos los esquemas métricos. Esta variedad se aloja incluso en el mismo cuerpo de alguno de sus libros, como S. Salinas ha demostrado para los dos primeros. Zardoya [1974] ha estudiado en esta línea los complejos mecanismos de transposición metafórica en *Marinero en tierra.* El tema central del paraíso añorado domina toda la obra albertiana, incluso la surrealista (Soria [1980]). De hecho, el mar es aquí más que el símbolo de la libertad al modo baudeleriano. Es el símbolo de un pasado pleno que ya sólo vive en la memoria, hecho pasto de la nostalgia (Spang [1973] y May [1978]). Tal continuidad temática es observable desde *Marinero en tierra* hasta *Ora marítima.* Pero, en definitiva, se vincula al gran *leitmotiv* del paraíso perdido, que puede verificarse hasta en un libro como *Roma, peligro para caminantes* (cf. J. C. Rodríguez [1983]), en el que el tema italiano tiene evidente conexión con la evocación del antiguo linaje del poeta, que ya se expresaba en algún soneto de *Marinero en tierra.*

Alberti ha sido capaz de expresar este mundo con una «flexibilidad, elegancia y gracia» (Salinas [1934]) indiscutidas siempre y a las que debe buena parte de su prestigio más seguro. El ágil diseño rítmico de las canciones se conjuga con la palabra elaborada pero precisa del momento barroco, la violencia acerada del ciclo surrealista, la tersura de los mejores poemas de *Retornos de lo vivo lejano* o las cabriolas verbales de *A la pintura.* En este sentido, su acercamiento a la tradición española ha sido ejemplar por lo que ha tenido de asimilación no mimética de los mejores tonos y registros de nuestra lengua literaria (comp. el excelente ensayo de J. Siles [1982]). No hay duda alguna acerca de su relación con la poesía del Romancero, así como de los Cancioneros, que S. Salinas [1968] y Wesseling [1981] han estudiado en detalle. La incidencia del Barroco fue señalada por Proll [1942], y ha sido ampliada en relación con Quevedo por Morris [1959]; con Góngora, por Dehennin [1962] y Jammes [1984]; de los poetas modernos, su ostensible y proclamada deuda con Bécquer ha sido también analizada (Lorenzo [1975]). Tampoco, aunque ya desde otro ángulo, existen dudas sobre la asimilación por Alberti de los simbolistas franceses, Baudelaire y Rimbaud en especial. La huella de este último ha sido rastreada en el ciclo surrealista, aunque la dependencia es común a toda la poesía del momento. Especial relieve tiene por otra parte el influjo de la Biblia, del Antiguo Testamento, en el gran verso libre de la tercera parte de *Sobre los ángeles* y de *Sermones y moradas*, e incluso en alguna de sus ideaciones conceptuales; y el tono tiene mucho que ver con los profetas paleotestamentarios, Isaías a la cabeza, como han señalado S. Salinas, A. Soria Olmedo [1980] y Morris [1981]. De la debatida cuestión del influjo surrealista se hablará más tarde.

Los libros de Alberti que más han atraído la atención de la crítica son los del período 1924-1930, aunque no faltan calas en los posteriores. Así Manteiga [1978], que estudia *A la pintura*, objeto también de un artículo de Crespo [1963], y las páginas de Warner [1973] sobre *Baladas y canciones del Paraná.* El libro más popular de Alberti, *Marinero en tierra*, ha merecido, además de la cuidada edición y anotación de Marrast, que se extiende a *La amante* y *El alba del alhelí*, la atención de Arrabal [1979] y de Meñaca [1984]. La perspectiva crítica de hoy tiende a poner de relieve la complejidad formal y conceptual de la obra, por encima de su aparente sencillez —así en los estudios de S. Salinas o Senabre—. Hay en el neopopularismo que lo sustenta una actitud visionaria, de sueño, que da al poemario su sentido artístico más alto. De esa actitud procede la mitificación del mar —que se contrapone al mundo real y cotidiano—, convertido en un jardín submarino que preside la mítica «sirenilla» a la que busca «el marinerito» cuya desbordada imaginación es, en definitiva, la que «crea» el mar de los poemas. Menor interés ha despertado *Cal y canto*, pese a la acogida de Bergamín [1929 *a*], aunque recientemente se ha ocupado del libro González Montes [1982] y Senabre ha abordado su complejidad de significado y de elaboración.

No obstante, es *Sobre los ángeles* el libro de Alberti que ha despertado más la atención de la crítica, en eco justísimo a su ambición artística. El propio poeta ha descrito, en páginas muy precisas [1959], el estado en que surgieron los poemas. No ha sido difícil detectar en él elementos autobiográficos (Connell [1963]), aunque la valoración última de esos elementos quede por hacer: en su raíz estaría, según Vivanco [1957], una crisis amorosa, confirmando así lo dicho por González Muela [1952]. Fuera ése o no el estímulo concreto, el caso es que las palabras del propio Alberti traducen una crisis mucho más compleja, en que se integraban componentes de desclasamiento social y, no hay que olvidarlo, una crisis estética profunda (cf. aun Morris [1960 y 1966]).

Sin duda, el libro representa el gran *tour de force* artístico de Alberti. A partir de sus propios supuestos —los ángeles de *Cal y canto*, las estructuras de libros anteriores (Horst [1966], Morris [1981])—, el poeta consigue dar en la diana de una nueva perspectiva artística: los ángeles como *objetivación* de las fuerzas del espíritu (Onís [1974], que subraya el propio Alberti). Las discusiones sobre el origen de los ángeles albertianos hoy parecen definitivamente esclarecidas: es manifiesta su dependencia de la angeología del Antiguo Testamento, según las visiones de los profetas, y parecen definitivamente descartables las referencias a Rilke y Cocteau (S. Salinas y A. Soria Olmedo [1980]; los valiosos comentarios de J. Jiménez [1982], que insisten en los ingredientes platónicos, quedan a menudo un tanto imprecisos). Todo el libro está estructurado como una especie de drama, que no por azar guarda relaciones con el auto «sin sacramento» del propio Alberti, *El hombre deshabitado* (1930) (vid. A. Soria Olmedo [1979] y cap. 10). Producto de una crisis, el libro es su historia y también su resolución: es claro que la figura del poeta se enmascara tras el «ángel superviviente», el único entre todos los ángeles, del poema final. La novedad estilística que en su momento representó *Sobre los ángeles* era absoluta, sin que la probable huella de Larrea conspirara en contra. La densidad de las imágenes, la violencia del verso, la creación poética de un mundo onírico e infernal, fueron un auténtico aldabonazo en los círculos literarios del momento, como registró Bodini [1963]. El agrio y cáustico retrato que del poeta trazara entonces Juan Ramón Jiménez [1929] es un testimonio extremo del impacto producido. No hay duda de que era la primera expresión poderosa y orgánica del «sobrerromanticismo» del que hablaba maliciosamente Juan Ramón Jiménez, o el neorromanticismo al que se referiría Dámaso Alonso. En fin, se trataba lisa y llanamente del primer producto de envergadura del surrealismo español. Este carácter surrealista de *Sobre los ángeles* ha sido negado, negación que hay que reconducir metodológicamente a la cuestión no cerrada de la definición del surrealismo español. Para Bowra [1949] el poemario es de naturaleza simbólica. Vivanco [1957] niega ese surrealismo, y de la misma opinión es Monguió [1960], para quien el poemario registra asociaciones poéticas libres, entonces vigentes, pero siempre bajo control. Algo similar venía ya a decir P. Salinas [1929, 1934]; en el mismo sentido negativo se manifiesta Sarriá [1978], y toca también la cuestión Millán [1977]. Como ha señalado Onís [1974], es abusiva la identificación entre surrealismo y automatismo, pese a lo cual este crítico rechaza el carácter surrealista de las dos primeras partes del libro, escritas en esquemas métricos deudores de la tradición, y sólo concede la presencia de elementos surreales en la tercera parte, de versolibrismo desatado. Pero su unidad de visión, la economía expresiva y la naturaleza simbólico-alegórica de la imagen desmienten en su opinión un rotundo parentesco surrealista del poemario. El Alberti surrealista sólo se producirá, dice, en *Sermones y moradas.* Desde una perspectiva distinta, Soria afirma su surrealismo, por la identificación, ya señalada antes, que el poeta lleva a cabo de vida privada y pública: es decir, por la rebeldía contra la sociedad burguesa que impulsa el libro —juicio que me parece impecable— y también por el carácter inconsciente de su imaginería (sobre lo cual puede verse también el juicio de S. Salinas y de Heisel [1975]). Esa rebelión es decisiva: en ella cobra sentido el mensaje anticlerical e incluso anticristiano que alienta en muchos poemas.

De libro profundamente español lo calificó el propio poeta, aludiendo a los elementos tradicionales e incluso sociológicos que lo integran: la educación religiosa, la literatura ascética, la Biblia, el influjo de Quevedo, la decisiva ascendencia de Bécquer, y hasta los contextos inmediatos de la época —periodísticos (Dennis [1980]), artísticos, etc.—, que Morris [1981] ha anotado con rigor. El evidente hermetismo del poemario ha dado lugar a interpretaciones divergentes a veces, como las de Senabre y Wesseling [1981] ante los celebrados «tres recuerdos del cielo». La anotación de Morris se extiende también a *Yo era un tonto...* —sobre el que puede también consultarse Bergamín [1929 *b*], Pérez [1966], Morris [1980].

Roma, peligro para caminantes, el último gran hito en la poesía albertiana, ha sido valorado recientemente por J. C. Rodríguez [1983], quien, mediante el análisis de un soneto, investiga el «paganismo» de Alberti como «inversión» del catolicismo tradicional, ya patente, con un sesgo más duro, en la juventud del poeta (no en vano *El hombre deshabitado*, de 1930, era un «auto sacramental» sin sacramento), pero ahora encarnado alegremente en el escenario idóneo de las calles de Roma (a este respecto se podrían precisar las relaciones de Alberti y G. B. Gelli, cuyas citas encabezan todos los poemas del libro). Este «paganismo» se muestra en la fascinación por las cosas de la calle, por la basura, en última instancia por lo sensible entendido como cruce de una visión «estética», centrada en la contemplación, con la tendencia a la transformación del mundo, más allá de la mera toma de partido. En este libro, Alberti da muestras de coherencia y madurez, al conseguir plasmar «un vitalismo inscrito ... en sus auténticas coordenadas reales, sociales».

MIGUEL GARCÍA-POSADA

BIBLIOGRAFÍA

Adams, Mildred, *García Lorca: Playwright and Poet*, Braziller, Nueva York, 1977.

Aguirre, José María, «El sonambulismo de F. G. L.», *Bulletin of Hispanic Studies*, 44 (1967), pp. 267-285; reimpr. en Gil [1973], pp. 21-43.

—, «Zorrilla y G. L.: leyendas y romances gitanos», *Bulletin Hispanique*, 81 (1979), pp. 75-92.

Alberti, Rafael, *La arboleda perdida. Libros I y II de Memorias*, Fabril Editora, Buenos Aires, 1959; Seix Barral, Barcelona, 1975.

Albornoz, Aurora de, «Por los caminos de R. A.», *Ínsula*, n.os 368-369 (1977), pp. 7 y 39.

—, «Los poemas cubanos de R. A.», en *Dr. Rafael Alberti* [1984], pp. 45-53.

Aleixandre, Vicente, «Federico», *Hora de España*, n.º 7 (1937), pp. 43-45; y como «Epílogo», en A. del Hoyo [1980²¹].

Alfaya, Javier, *Alberti: un poeta en la calle*, Cuadernos para el Diálogo, Los Suplementos, n.º 81, Madrid, 1977.

Allen, Josephs, y Juan Caballero, eds., F. G. L., *Poema del cante jondo. Romancero gitano*, Cátedra, Madrid, 1977.

Alonso, Dámaso, «Rafael entre su arboleda», *Ínsula*, n.º 198 (1963), pp. 1 y 16; reimpr. en *Poetas españoles contemporáneos*, Gredos, Madrid, 1978³, páginas 179-187.

— y otros, en F. G. L., *Llanto por Ignacio Sánchez Mejías*, ed. facsímil con textos de D. A., Jorge Guillén, Gerardo Diego, Rafael Alberti, José María de Cossío, Rafael Gómez, Diputación Regional de Cantabria, Madrid, 1982.

Alvar, Manuel, «G. L. en la encrucijada. Erudición y popularismo en el romance de Thamar», en *El Romancero. Tradicionalidad y pervivencia*, Planeta, Barcelona, 1970, pp. 239-245.

Álvarez de Miranda, Ángel, «Poesía y religión», en *Obras*, tomo 2, Cultura Hispánica, Madrid, 1959, pp. 49-111; reimpr. como *La metáfora y el mito*, Taurus, Madrid, 1963.

Anderson, Andrew A., «García Lorca en Montevideo: un testimonio desconocido y más evidencia sobre la evolución de *Poeta en Nueva York*», *Bulletin Hispanique*, 83 (1981), pp. 145-161.

—, «Lorca's "New York Poems": a Contribution to Debate», *Forum for Modern Language Studies*, 17 (1981), pp. 256-270.

—, «Análisis de la "Gacela del amor imprevisto" del *Diván del Tamarit*», en *Hommage à F. G. L.*, Toulouse, Université de Toulouse-Le Mirail, 1982, pp. 189-196.

—, *A Study of the poetry of F. G. L., 1931-1936 (with, in Appendix, a Critical*

Edition of the Poems), St. Anne's College, Oxford, 1982; tesis doctoral inédita.

—, «The evolution of G. L.'s Poetic Projects 1929-1936 and the Textual Status of *Poeta en Nueva York*», *Bulletin of Hispanic Studies*, 60 (1983), páginas 221-246.

Arrabal, Luce, «Quelques réflexions sur *Marinero en tierra*», *Iberia. Cahiers Ibériques et Ibéroamericains*, 2 (1979), pp. 27-40.

Auclair, Marcelle, *Enfances et mort de G. L.*, Seuil, París, 1968.

Babín, M.ª Teresa, *Estudios lorquianos*, Editorial Universitaria, Puerto Rico, 1976.

Bary, David, «Preciosa and the English», *Hispanic Review*, 37 (1969), páginas 510-517.

Bayo, Manuel, *Sobre Alberti*, CVS, Madrid, 1974.

Becco, Horacio Jorge, «Bibliografía de R. A.», en R. A., *Poesías completas*, Losada, Buenos Aires, 1961, pp. 1100-1127.

Belamich, André, ed., F. G. L., *Oeuvres complètes*, I, Bibliothèque de la Pléiade, Gallimard, París, 1981.

—, ed., F. G. L., *Suites*, Ariel, Barcelona, 1983.

—, *Lorca*, Gallimard, París, 1983².

Bergamín, José, «El canto y la cal en la poesía de R. A.», *La Gaceta Literaria*, 54 (1929); reimpr. en Bayo [1974], pp. 125-133.

—, «De veras y de burlas», *La Gaceta Literaria*, 71 (1929); reimpr. en Bayo [1974], pp. 118-121.

Blanco-Amor, Eduardo, «Los poemas gallegos de F. G. L.», *Ínsula*, n.ᵒˢ 152-153 (1959), p. 9.

Bodini, Vittorio, *I poeti surrealisti spagnoli*, Einaudi, Turín, 1963; trad. C. Manzano, Tusquets, Barcelona, 1971.

Bosch, Rafael, «Los poemas paralelísticos de G. L.», *Revista Hispánica Moderna*, n.º 28 (1962), pp. 36-42.

—, «El choque de imágenes como principio creador de G. L.», *Revista Hispánica Moderna*, n.º 30 (1964), pp. 35-44.

Bousoño, Carlos, «En torno a "Malestar y noche"», en Varios Autores, *El comentario de textos*, Castalia, Madrid, 1973, pp. 305-342.

Bowra, Cecil Maurice, «R. A.: *Sobre los ángeles*», en *The Creative Experiment*, Macmillan, Londres, 1949, pp. 220-253.

Brickell, Hershell, «A Spanish Poet in New York», *Virginia Quartely Review*, 21 (1945), pp. 386-398.

Cano, José Luis, *G. L. Biografía ilustrada*, Destino, Barcelona, 1962.

Cano Ballesta, Juan, «Una veta reveladora en la poesía de F. G. L. (Los tiempos del verbo y sus matices expresivos)», *Romanische Forschungen*, 77 (1965), pp. 75-107; reimpr. en Gil [1973], pp. 45-75.

Cannon, Calvin, «Lorca's *Llanto por Ignacio Sánchez Mejías* and the Elegiac Tradition», *Hispanic Review*, 31 (1963), pp. 229-238.

Caravaggi, Giovanni, «Il *Llanto por Ignacio Sánchez Mejías* di F. G. L.», *Revista di Letterature Moderne e Comparate*, 15 (1962), pp. 116-145.

Caucci, P. G., *I «Seis poemas galegos» di FGL*, Ed. Volumnia, Perugia, 1977.

Cernuda, Luis, «F. G. L.», en *Estudios sobre poesía española contemporánea*,

Guadarrama, Madrid, 1957, pp. 209-220; reimpr. en *Prosa completa*, ed. D. Harris y L. Maristany, Barral, Barcelona, 1975, pp. 443-452.
Cirre, José Francisco, «El caballo y el toro en la poesía de G. L.», *Cuadernos Americanos*, 6 (1952), pp. 231-245; reimpr. en Gil [1973], pp. 77-91.
Colecchia, Francesca, *G. L. A selectively annotated bibliography or criticism*, Garland Publishing, Nueva York y Londres, 1979.
—, *G. L. Annotated primary bibliography*, Garland Publishing, Nueva York y Londres, 1982.
Comincioli, Jacques, *F. G. L. Textes inédits et documents critiques*, Rencontre, Lausana, 1970.
Connell, George W., «The autobiographical element in *Sobre los ángeles*», *Bulletin of Hispanic Studies*, 40 (1963), pp. 160-173; reimpr. en Durán [1975], pp. 155-169.
—, «The end of a quest: Alberti's *Sermones y moradas* and three uncollected poems», *Hispanic Review*, 33 (1965), pp. 290-309.
Correa, Gustavo, «El simbolismo de la luna en la poesía de G. L.», *Publications of the Modern Language Association*, 72 (1957), pp. 1060-1084.
—, «El simbolismo del sol en la poesía de F. G. L.», *Nueva Revista de Filología Hispánica*, 14 (1960), pp. 110-119.
—, *La poesía mítica de F. G. L.*, Gredos, Madrid, 1970.
Couffon, Claude, *A Grenade, sur le pas de G. L.*, Seghers, París, 1962.
Crespo, Ángel, «Realismo y pitagorismo en el libro de Alberti *A la pintura*», *Papeles de Son Armadans*, 88 (1963), pp. 93-126.
Debicki, Andrew P., «F. G. L.: estilización y visión de la poesía», «Códigos expresivos en el *Romancero gitano*» y «El "correlativo objetivo" en la poesía de R. A.», en *Estudios sobre poesía española contemporánea*, Gredos, Madrid, 1981², pp. 225-304.
Dehennin, Elsa, «Hommage et recréation. 1. F. G. L.; 2. R. A.», en *La résurgence de Góngora et la génération poétique de 1927*, Didier, París, 1962, pp. 103-179.
Delogu, Ignazio, *Rafael Alberti*, La Nuova Italia, Florencia, 1972.
Dennis, Nigel, «R. A., Bergamín y la Eva Gúndersen de *Sobre los ángeles*», *Nueva Estafeta*, 15 (1980), pp. 60-70.
Devoto, Daniel, «Notas sobre el elemento tradicional en la obra de G. L.», *Filología*, II, 3 (1950), pp. 292-341; reimpr. en Gil [1973], pp. 115-164.
—, «Lecturas de G. L.», *Revue de Littérature Comparée*, 33 (1959), pp. 518-528.
—, «G. L. y Darío», *Asomante*, XIII, 3 (1967), pp. 22-31.
—, *Introducción al «Diván del Tamarit» de F. G. L.*, Ediciones Hispanoamericanas, París, 1976.
Díaz-Plaja, Guillermo, *F. G. L.*, Kraft, Buenos Aires, 1948; Espasa-Calpe, Madrid, 1968⁴.
Doctor Rafael Alberti. El poeta en Toulouse. Poesía-teatro-prosa, Université de Toulouse-Le Mirail, 1984.
Durán, Manuel, ed., *R. A.*, Taurus (El escritor y la crítica), Madrid, 1975.
Durán Medina, Trinidad, *FGL y Sevilla*, Diputación Provincial de Sevilla, Sevilla, 1974.

Eich, Christopher, *F. G. L., poeta de la intensidad*, Gredos, Madrid, 1976[8].

Eisenberg, Daniel, *«Poeta en Nueva York»: historia y problemas de un texto de Lorca*, Ariel, Barcelona, 1976.

—, «A Cronology of Lorca's visit to New York and Cuba», *Kentucky Romance Quarterly*, 24 (1977), pp. 235-250.

Feal Deibe, Carlos, «Los *Seis poemas galegos* de Lorca y sus fuentes rosalianas», *Romanische Forschungen*, 83 (1971), pp. 555-587.

—, *Eros y Lorca*, Edhasa, Barcelona, 1973.

Flys, Jaroslaw, *El lenguaje poético de F. G. L.*, Gredos, Madrid, 1955.

Fourneret, Patrick, *F. G. L. Oeuvre graphique. Étapes historiques de l'œuvre graphique. Lorca et l'art contemporain. Catalogue critique et raisonné. Essai critique*, Faculté de Lettres, Besançon; *memoire de maîtrise*, inédita.

—, «Los dibujos humanísticos de F. G. L.», en *Trece de Nieve*, 2.ª ép., n.os 1-2 (1976), pp. 159-164.

Franco Grande, J. L., y Landeira Yrago, «Cronología gallega de F. G. L. y datos sincrónicos», *Grial*, 45 (1974), pp. 280-307.

García Gómez, Emilio, «Lorca y su *Diván del Tamarit*», *ABC* (5 de febrero de 1982), p. 3.

García Lorca, Francisco, «Córdoba, lejana y sola», *Cuadernos Americanos*, 34 (1947), pp. 233-244; reimpr. en Gil [1973], pp. 187-197.

—, «Una metáfora del romance de "Preciosa y el aire"», *Exilio*, 7 (1973), pp. 119-123.

—, *Federico y su mundo*, ed. y prólogo Mario Hernández, Alianza, Madrid, 1981[2].

García Montero, Luis, «Introducción a la bibliografía fundamental de la poesía de R. A.», *El libro español*, 305 (1983), pp. 54-58.

García-Posada, Miguel, «Un romance mítico: el "Martirio de Santa Olalla", de G. L.», *Revista de Bachillerato*, Cuaderno monográfico 2 (1978), pp. 51-62.

—, «La vida de los muertos: un tema común a Baudelaire y Lorca», *1616. Anuario de la Sociedad Española de Literatura General y Comparada*, 1 (1978), pp. 109-118.

—, *F. G. L.*, Edaf, Madrid, 1979.

—, «Air nocturne», *Europe*, n.os 616-617 (1980), pp. 51-56.

—, *Lorca: interpretación de «Poeta en Nueva York»*, Akal, Madrid, 1981.

—, ed., F. G. L., *Poesía, 1* (*Obras*, I): *Libro de poemas, Poema del cante jondo, Suites, Canciones*, Akal, Madrid, 1982[2].

—, ed., F. G. L., *Poesía, 2* (*Obras*, II): *Romancero gitano, Odas, Poemas en prosa, Poeta en Nueva York, Tierra y Luna, Diván del Tamarit, Seis poemas galegos, Llanto por Ignacio Sánchez Mejías, Sonetos, Poemas sueltos, Otros poemas*, Akal, Madrid, 1982.

—, « G. L. en Uruguay», *Triunfo*, n.os 21-22 (1982), pp. 82-88.

—, ed., F. G. L., *Sonetos*, con una presentación («Un monumento al amor»), en *ABC* (17 de marzo de 1984), pp. 43-44.

Gebser, Jean, *Lorca, poète-dessinateur*, GLM, París, 1949.

Gil, Ildefonso Manuel, ed., *F. G. L., Taurus* (El escritor y la crítica), Madrid, 1973.

Gibson, Ian, «Lorca's "Balada triste": Children's songs and the theme of sexual disharmony in *Libro de poemas*», *Bulletin of Hispanic Studies*, 46 (1969), pp. 21-38.
—, *Granada en 1936 y el asesinato de G. L.*, Crítica, Barcelona, 1979; ed. ampliada, *El asesinato de F. G. L.*, Bruguera, Barcelona, 1981.
—, ed., F. G. L., *Libro de poemas*, Ariel, Barcelona, 1982.
González Martín, Jerónimo P., *R. A. (Estudio)*, Júcar, Madrid, 1980.
González-Montes, Yara, «Los ojos en Lorca a través de Santa Lucía y San Lázaro», *Hispanic Review*, 40 (1972), pp. 145-161.
—, *Pasión y forma en «Cal y canto»*, Abra, Nueva York, 1982.
González Muela, Joaquín, «¿Poesía amorosa en *Sobre los ángeles*?», *Ínsula*, n.° 80 (1952).
Guardia, Alfredo de la, *G. L. Persona y creación*, Sur, Buenos Aires, 1941; Schapire, Buenos Aires, 1944.
Guillén, Jorge, *Federico en persona. Semblanza y epistolario*, Emecé, Buenos Aires, 1959.
Gullón, Ricardo, «Alegrías y sombras de R. A. (primer momento)», *Ínsula*, n.° 198 (1963); reimpr. en Durán [1975], pp. 65-74.
—, «Alegrías y sombras de R. A., segundo momento», *Asomante*, 2 (1965), pp. 22-35.
Harris, Derek, «The religious theme in Lorca's *Poeta en Nueva York*», *Bulletin of Spanish Studies*, 54 (1976), pp. 315-326.
—, *G. L.: «Poeta en Nueva York»*, Grant and Cutler, Londres, 1978.
Hauf, A. G., «Les transformacions», en N. D. Shergold, ed., *Studies of the Spanish and Portuguese ballad*, Tamesis Books, Londres, 1971, pp. 25-51.
Heisel, Margaret, «Imagery and structure in R. A.'s *Sobre los ángeles*», *Hispania*, 58 (1975), pp. 864-873; trad. en V. García de la Concha, ed., *El surrealismo*, Taurus, Madrid, 1982, pp. 224-239.
Henry, Albert, «Émotion et mythe dans le *Llanto por Ignacio Sánchez Mejías*», en *Les grands poèmes andalous de F. G. L.*, Romanica Gandesia, Gante, 1958, pp. 263-266.
Hernández, Mario, «La muchacha dorada por la luna», en *Trece de Nieve*, 2.ª ép., n.os 1-2 (1976), pp. 211-220.
—, ed., F. G. L., *Diván del Tamarit* (1931-1935), *Llanto por Ignacio Sánchez Mejías* (1934), *Sonetos* (1924-1936), Alianza, Madrid, 1981.
—, ed., F. G. L., *Primeras canciones*, *Seis poemas galegos*, *Poemas sueltos*, *Colección de canciones populares antiguas*, Alianza, Madrid, 1981.
—, ed., F. G. L., *Canciones*, Alianza, Madrid, 1982.
—, ed., F. G. L., *Poema del cante jondo* (1921), *seguido de tres textos teóricos de F. G. L. y Manuel de Falla*, Alianza, Madrid, 1982.
—, ed., F. G. L., *Primer romancero gitano* (1924-1927), *Otros romances del teatro* (1924-1935), Alianza, Madrid, 1983².
—, «Jardín deshecho: los "Sonetos" de G. L.», *Anuario de Filología Española*, 1 (1984), en prensa.
Hierro, José, «El primer Lorca», *Cuadernos Hispanoamericanos*, n.° 75 (1968), pp. 437-462.

Honig, Edwin, *G. L.* (1963²), Laia, Barcelona, 1974.
Horst, H. Ter, «The angelic prehistory of *Sobre los ángeles*», *Modern Language Notes*, 81 (1966), pp. 174-194.
Hoyo, Arturo del, ed., F. G. L., *Obras completas*, Aguilar, Madrid, 1980²¹.
Huber, Egon, *G. L. Weltbild und metaforische Darstellung*, Wilhelm Fink Verlag, Munich. 1967.
Jammes, Robert, «La *Soledad tercera* de R. A.», en *Dr. Rafael Alberti* [1984], pp. 123-137.
Jiménez, José, *El ángel caído. La imagen artística del ángel en el mundo contemporáneo*, Anagrama, Barcelona, 1982.
Jiménez, Juan Ramón, «Rafael Alberti (1929)», en *Españoles de tres mundos*, ed. R. Gullón, Aguilar, Madrid, 1969, pp. 189-190.
Jones, R. O., y Geraldine M. Scanlon, «Ignacio Sánchez Mejías: the "mythic" hero», en Glendinning, Nigel, ed., *Studies in modern Spanish Literature and Art presented to Helen F. Grant*, Tamesis Books, Londres, 1972.
Klibbe, Laurence H., *Lorca's «Impresiones y paisajes»: The Young Artist*, J. Porrúa, Madrid, 1983.
Laffranque, Marie, «Pour l'étude de F. G. L. Bases chronologiques», *Bulletin Hispanique*, 65 (1963), pp. 333-377; versión esp.: «Bases cronológicas para el estudio de F. G. L.», en Gil [1973], pp. 411-459.
—, *Les idées esthétiques de F. G. L.*, Centre de Recherches Hispaniques, París, 1967.
—, «Puertas abiertas y cerradas en la poesía y el teatro de G. L.», en Gil [1973], pp. 249-269.
—, «Una cadena de solidaridad. Federico, conferenciante», en *Trece de Nieve*, 2.ª ép., n.ºˢ 1-2 (1976), pp. 132-140.
—, «Poète et public», *Europe*, n.ºˢ 616-617 (1980), pp. 115-126.
—, «R. A., réfugié espagnol», en *Dr. Rafael Alberti* [1984], pp. 243-260.
Lara Pozuelo, Antonio, *El adjetivo en la lírica de F. G. L.*, Ariel, Barcelona, 1973.
Laurenti, J. L., y J. Siracusa, *The world of F. G. L.: A general bibliography survey*, The Scarecrow Press, Metuchen, N. J., 1974.
Lázaro Carreter, Fernando, «Poesía de G. L. recuperada», *ABC* (17 de marzo de 1984), p. 3.
López-Morillas, Juan, «G. L. y el primitivismo lírico: reflexiones sobre el *Romancero gitano*», *Cuadernos Americanos*, 53 (1950), pp. 238-250; reimpr. en Gil [1973], pp. 287-299.
Lorenzo-Rivero, L., «Vivencias becquerianas en Alberti», *Estudios Ibero-Americanos*, 1 (1975), pp. 291-298.
Loughran, D. K., *F. G. L.: the Poetry of Limits*, Tamesis Books, Londres, 1978.
Lloréns, Vicente, «R. A., poeta social: historia y mito», en *Aspectos sociales de la literatura española*, Castalia, Madrid, 1974, pp. 199-214; reimpr. en Durán [1975], pp. 297-307.
Manteiga, Robert C., *The poetry of R. A. A visual approach*, Tamesis Books, Londres, 1978.
Marcilly, Charles, «Notes pour l'étude de la pensée religieuse de F. G. L.: Essai d'interprétation de "Burla de Don Pedro a caballo"», *Les Langues Néolatines*, n.º 141 (1957), pp. 9-42.

Marcilly, Charles, «Notes pour l'étude de la pensée religieuse de F. G. L.: "Crucifixión"», *Bulletin Hispanique*, 64 bis, Mélanges offerts à M. Bataillon (1962), pp. 507-525.

—, *Ronde et fable de la solitude à New York. (Prélude à «Poeta en Nueva York» de F. G. L.)*, Ediciones Hispanoamericanas, París, 1962.

—, «Il faut passer les ponts...», *Europe*, n.os 616-617 (1980), pp. 29-50.

Marinello, Juan, *G. L. en Cuba*, Ediciones Especiales, La Habana, 1965.

Marrast, Robert, *Bibliographie de R. A.*, edición del autor, Burdeos, 1953.

—, «Essai de bibliographie de R. A.», *Bulletin Hispanique*, 57 (1955), pp. 147-177; «Addenda et corrigenda», *ibid.*, 59 (1957), pp. 430-435.

—, «Un reportage inédit sur son voyage en URSS», *Bulletin Hispanique*, 71 (1969), pp. 335-353.

—, ed., R. A., *Marinero en tierra. La amante. El alba del alhelí*, Castalia, Madrid, 1982².

—, «Cuatro poemas, una entrevista y un dibujo desconocidos de R. A.», *Ínsula*, n.° 431 (1982), pp. 3-4.

Martín, Eutimio, «¿Existe una versión definitiva de *Poeta en Nueva York* de Lorca?», *Ínsula*, n.° 310 (1972), pp. 1 y 10.

—, *Contribution à l'étude du cycle poétique newyorkais: «Poeta en Nueva York», «Tierra y luna» et autres poèmes. (Essai d'édition critique)*, 2 tomos, Universidad de Poitiers, 1974; tesis doctoral inédita.

—, «Tierra y luna»: ¿un libro adscrito abusivamente a "Poeta en Nueva York"», en *Trece de Nieve*, 2.ª ép., n.os 1-2 (1976), pp. 125-131.

—, «Un testimonio olvidado sobre G. L. ...», en *Trece de Nieve*, n.° 3 (1977), pp. 74-88.

—, ed., F. G. L., *Poeta en Nueva York. Tierra y luna*, Ariel, Barcelona, 1981.

—, ed., F. G. L., «Mi compadre pastor», *Études Hispaniques*, 5 (1982), páginas 227-259.

Martínez Nadal, Rafael, *«El público». Amor y muerte en la obra de F. G. L.*, Joaquín Mortiz, México, 1974² (1.ª ed., The Dolphin Book, Oxford, 1970).

—, ed., F. G. L., *Autógrafos. Facsímiles de 87 poemas y tres prosas*, The Dolphin Book, Oxford, 1975.

—, *Cuatro lecciones sobre F. G. L.*, Fundación J. March/Cátedra, Madrid, 1980.

Massoli, Marco, ed., *F. G. L. e il suo «Libro de poemas»*, Università degli Studi-C. Cursi, Florencia-Pisa, 1982.

Maurer, Christopher, ed., F. G. L., *Epistolario*, 2 vols., Alianza, Madrid, 1983.

—, ed., F. G. L., *Conferencias*, 2 vols., Alianza, Madrid, 1984.

May, Bárbara Dale, *El dilema de la nostalgia en la poesía de Alberti*, 1978.

Menarini, Piero, «Emblemi ideologici del *Poeta en Nueva York*», *Lingua e Stile*, 7 (1972), pp. 181-197; trad. en V. García de la Concha, ed., *El surrealismo*, Taurus, Madrid, 1982, pp. 255-270.

—, *«Poeta en Nueva York» di F. G. L. Lettura critica*, La Nuova Italia, Florencia, 1975.

—, «*Poeta en Nueva York* y *Tierra y luna*: dos libros aún "inéditos" de G. L.», *Lingua e Stile*, 13 (1978), pp. 283-293.

Meñaca, Marie de, «*Marinero en tierra*: estructura y génesis», en *Dr. Rafael Alberti* [1984], pp. 55-103.

Millán, María Clementa, *En torno a la estética surrealista: algunos aspectos estilísticos de la generación del 27*, Universidad Complutense, Madrid, 1977; tesis doctoral inédita.
—, «Hacia un esclarecimiento de los poemas americanos de F. G. L. (*Poeta en Nueva York* y otros poemas)», *Ínsula*, n.º 431 (1982), pp. 1 y 15.
Miller, M. C., *G. L.'s «Poema del cante jondo»*, Tamesis Books, Londres, 1978.
Molina Fajardo, Eduardo, *Los últimos días de G. L.*, Plaza & Janés, Barcelona, 1983.
Monguió, Luis, «The poetry of R. A.», *Hispania*, 43 (1960), pp. 158-168.
Mora Guarnido, José, *Federico García Lorca y su mundo*, Losada, Buenos Aires, 1958.
Morla Lynch, Carlos, *En España con F. G. L. Páginas de un diario íntimo (1928-1936)*, Aguilar, Madrid, 1957.
Morris, C. B., «Parallel Imaginery in Quevedo and Alberti», *Bulletin of Hispanic Studies*, 36 (1959), pp. 135-145.
—, «*Sobre los ángeles*: A Poet's Apostasy», *Bulletin of Hispanic Studies*, 37 (1960), pp. 222-231.
—, *R. A.'s «Sobre los ángeles»: Four Major Themes*, Universidad de Hull, 1966.
—, *This Loving Darkness. The Cinema and Spanish Writers (1920-1936)*, Oxford University Press, 1980.
—, ed., R. A., *Sobre los ángeles. Yo era un tonto y lo que he visto me ha hecho dos tontos*, Cátedra, Madrid, 1981.
Navarro Tomás, Tomás, «La intuición rítmica en F. G. L.», *Revista Hispánica Moderna*, 34 (1968), pp. 363-375; reimpr. en *Los poetas en sus versos: desde Jorge Manrique a G. L.*, Ariel, Barcelona, 1973, pp. 358-378.
Neruda, Pablo, «F. G. L.» y «Querían matar la luz de España», en *Para nacer he nacido*, Seix Barral, Barcelona, 1978, pp. 68-73, 107-108.
Onís, Carlos Marcial de, *El surrealismo y cuatro poetas de la generación de 1927*, J. Porrúa, Madrid, 1974.
Ophey, Bernward, *Rafael Alberti als Dichter des verlorenen Paradieses*, Vittorio Klostermann, Frankfurt del Main, 1972.
Ory, Carlos Edmundo de, *Lorca*, Éditions Universitaires, París, 1967.
Paepe, Christian de, *F. G. L. Poema del cante jondo. Análisis y síntesis*, Universidad de Lovaina, 1973; tesis doctoral inédita.
Pérez, Carlos A., «Rafael Alberti: sobre los tontos», *Revista Hispánica Moderna*, 33 (1966), pp. 206-216.
Pollin, Alice M., *A Concordance to the Plays and Poems of F. G. L.*, Cornell University Press, Ithaca y Londres, 1975.
Power, Kevin, «Una luna encontrada en Nueva York», en *Trece de Nieve*, 2.ª ép., n.os 1-2 (1976), pp. 141-152.
Predmore, Richard L., *Lorca's New York Poetry*, Duke University Press, Durham, N. C., 1980.
Profeti, Maria Grazia, «Repertorio simbolico e codice nel *Poema del cante jondo*», *Lingue e Stile*, 12 (1977), pp. 267-317.
Proll, Eric, «The Surrealist Element in R. A.», *Bulletin of Spanish Studies*, 18 (1941), pp. 70-82; en García de la Concha, *El surrealismo*, pp. 211-223.

Proll, Eric, «Popularismo and Barroquismo in the Poetry of R. A.», *Bulletin of Spanish Studies*. 19 (1942), pp. 59-86.
Ramond, Michèle, «Les rapports de l'écriture et de l'inconscient dans le poème liminaire du *Diván del Tamarit*», *Europe*, n.os 616-617 (1980), pp. 71-82.
Ramos-Gil, Ramón, *Claves líricas de G. L.: ensayos sobre la expresión y los climas poéticos lorquianos*, Aguilar, Madrid, 1967.
Río, Ángel del, «El poeta F. G. L.», *Revista Hispánica Moderna*, 1 (1935), pp. 174-184.
—, *Vida y obras de F. G. L.*, Heraldo de Aragón, Zaragoza, 1952.
—, «*Poet in New York*: Twenty-five Years After», en *Poet in New York*, Grove Press, 1955, pp. IX-XXXIX; «*Poeta en Nueva York*: pasados veinticinco años», en *Estudios sobre literatura contemporánea española*, Gredos, Madrid, 1972, pp. 251-293.
Rodrigo, Antonina, *García Lorca en Cataluña*, Planeta, Barcelona, 1975.
—, *Lorca-Dalí. Una amistad traicionada*, Planeta, Barcelona, 1981.
Rodríguez, Juan Carlos, «Alberti, 80 aniversario. Las etapas poéticas de un poeta en la calle», *Argumentos*, n.º 54 (1982), pp. 42-50.
—, «Un modo de lectura textual. Para un análisis de la poética de Alberti a través de un soneto de *Roma*», *Nueva Estafeta*, n.º 53 (abril, 1983), pp. 35-45.
Rozas, Juan Manuel, «El soneto "A Carmela, la peruana"», en *Trece de Nieve*, 2.ª ép., n.os 1-2 (1976), pp. 165-172.
Salinas, Pedro, «Sobre los ángeles», *La Gaceta Literaria*, 49 (1929); en Bayo [1974], pp. 122-125.
—, «La poesía de R. A.», *Índice Literario*, 9 (1934), pp. 183-187; *Ensayos completos*, I, Taurus, Madrid, 1983, pp. 155-159.
—, «García Lorca y la cultura de la muerte», *Ensayos de literatura hispánica*, Aguilar, Madrid, 1958, pp. 387-394; en *Ensayos completos*, III, pp. 279-284.
Salinas de Marichal, Solita, *El mundo poético de R. A.*, Gredos, Madrid, 1968.
Sarriá, F. G., «*Sobre los ángeles* de R. A. y el surrealismo», *Papeles de Son Armadans*, n.os 271-272-273 (1978), pp. 23-40.
Schonberg, Jean-Louis, *F. G. L., l'homme, l'œuvre*, Plon, París, 1956.
Senabre, Ricardo, *La poesía de R. A.*, Universidad de Salamanca, 1977.
Serrano Poncela, Segundo, «Lorca y los unicornios» (1965), en Gil [1973], pp. 337-341.
Sesé, Bernard, «Le sang dans l'univers imaginaire de F. G. L.», *Langues Néo-Latines*, 165 (1963), pp. 1-44.
Siebenmann, Gustav, *Los estilos poéticos en España desde 1900*, Gredos, Madrid, 1973.
Siles, Jaime, «Aspecto verbal y estructura poemática (a propósito de "Se equivocó la paloma")», en *Diversificaciones*, Fernando Torres, Valencia, 1982, pp. 83-95.
Soria, Andrés, «El gitanismo de G. L.», *Ínsula*, n.º 45 (1949), p. 8.
—, «La prosa de los poetas (apuntes sobre la prosa lorquiana)», en *De Lope a Lorca y otros ensayos*, Universidad de Granada, 1980, pp. 213-297.
Soria Olmedo, Andrés, «De la lírica al teatro: *El hombre deshabitado* de R. A., en su entorno», en *Estudios ... al profesor E. Orozco Díaz*, Universidad de Granada, 1979, vol. III, pp. 389-400.

Soria Olmedo, Andrés, «El producto de una crisis: *Sobre los ángeles*, de R. A.», en *Lecturas del 27*, Universidad de Granada, 1980, pp. 157-198.
Spang, Kurt, *Inquietud y nostalgia. La poesía de R. A.*, Eunsa, Pamplona, 1973.
Spitzer, Leo, «Notas sintáctico-estilísticas a propósito del español *que*», *Revista de Filología Hispánica*, 4 (1942), pp. 105-126.
Szertics, Joseph, «F. G. L. y el romancero viejo: los tiempos verbales y su alternancia», *Modern Language Notes*, 84 (1969), pp. 269-285.
Tejada, José Luis, *R. A. entre la tradición y la vanguardia (Poesía primera: 1920-1926)*, Gredos, Madrid, 1977.
Torre, Guillermo de, «Estela de F. G. L.», en *Las metamorfosis de Proteo*, Revista de Occidente, Madrid, 1967[2], pp. 120-135.
Thuillier, Annie, *Essai d'analyse de «Poeta en Nueva York» de F. G. L.*, Facultad de Letras de Rouen, 1970; *mémoire de maîtrise* inédita.
Umbral, Francisco, *Lorca, poeta maldito*, Biblioteca Nueva, Madrid, 1968.
Valente, José Ángel, «Lorca y el caballero solo», «La necesidad y la musa», en *Las palabras de la tribu*, Siglo XXI, Madrid, 1971, pp. 117-126 y 161-169.
—, «Pez luna», en *Trece de Nieve*, 2.ª ép., n.os 1-2 (1976), pp. 191-201.
Velloso, José Miguel, *Conversaciones con R. A.*, Sedmay, Madrid, 1977.
Vila-San Juan, José Luis, *G. L. asesinado. Toda la verdad*, Planeta, Barcelona, 1975.
Vivanco, Luis Felipe, *Introducción a la poesía española contemporánea*, Guadarrama, Madrid, 1957, pp. 223-258.
Warner, I. R., «Subjective Time and Space in Alberti's "Baladas y canciones de la Quinta del mayor loco"», *Bulletin of Hispanic Studies*, 50 (1973), pp. 374-384.
Wesseling, Pieter, *Revolution and Tradition: The Poetry of R. A.*, Ediciones Hispanófila, Valencia-Chapel Hill, 1981.
Xirau, Ramón, «La relación metal-muerte en la poesía de G. L.», *Nueva Revista de Filología Hispánica*, 7 (1953), pp. 364-371; en Gil [1973], pp. 343-352.
Yahni, Roberto, «Algunos rasgos formales en la lírica de G. L.: función del paréntesis» (1964), en Gil [1973], pp. 353-372.
Zalamea, Jorge, « F. G. L., hombre de adivinación y vaticinio», *Boletín Cultural y Bibliográfico*, 9 (1966), pp. 1507-1513.
Zambrano, María, «El viaje: infancia y muerte», en *Trece de Nieve*, 2.ª ép., n.os 1-2 (1976), pp. 181-190.
Zardoya, Concha, «La técnica metafórica de F. G. L.» y «Los espejos de F. G. L.», en *Poesía española del siglo XX. Estudios temáticos y estilísticos*, tomo III, Gredos, Madrid, 1974, pp. 9-74, 75-119.
—, «La técnica metafórica albertiana (en *Marinero en tierra*)» y «El mar en la poesía de R. A.», *ibid.*, pp. 398-445, 446-478.
Zuleta, Emilia, *Cinco poetas españoles*, Gredos, Madrid, 1981[2], pp. 303-432.

Pedro Salinas

EL MUNDO DE LORCA

Apenas se aventura el lector por el mundo poético que Lorca labró con sus poemas líricos y dramáticos, siéntese sobrecogido por una extraña atmósfera. Ambiente, al parecer, natural, con escenas y gentes del pueblo perfectamente reconocibles; pero está el aire como trémulo de presentimiento y amenaza: súrcanlo aves de misterioso agüero, rápidas metáforas. Así, el verano «... siembra / rumores de tigre y llama». Cual si su advenimiento se hubiera de sentir como fuego de consunción y herida de garras. La aurora accede por rarísimo modo: «Grandes estrellas de escarcha / vienen con el pez de sombra / que abre el camino del alba». ¿Qué verá, el que en medio de la heterogénea festividad de los gitanos, en su ciudad mire los espejos? «Por los espejos sollozan / bailarinas sin caderas». La metáfora estremece con la premonición de lo que está llegando, la Guardia Civil, la fuerza destructora del júbilo nocturno. Y también los guardias civiles se imaginan ver en el estrellado cielo «una vitrina de espuelas».

La función de estas metáforas no es decorativa, sino significante, reveladora. Son anunciadoras de lo desusado, de lo misterioso, que este mundo poético tiene en su fondo, y que cobrando formas de personaje o hecho, caerá sobre el escogido a la hora fatal. Avisan de una inminencia, de un algo que se prepara en lo que va a venir, inexorable. Y es que el reino poético de Lorca, luminoso y enigmá-

Pedro Salinas, «García Lorca y la cultura de la muerte», en *Ensayos de literatura hispánica, del «Cantar de Mio Cid» a García Lorca*, Aguilar, Madrid, 1958, pp. 287-397; reimpr. *Ensayos completos*, tomo III, Taurus, Madrid, 1983, pp. 279-284.

tico a la vez, está sometido al imperio de un poder único y sin rival: la Muerte. Ella es la que se cela, y aguarda su momento, detrás de las acciones más usuales, en los lugares donde nadie la esperaría. Tiene escrito el poeta: «La muerte / entra y sale, / y sale y entra / la muerte». Lo aplica a una taberna: pero cumple extenderlo a la vida entera de los humanos, a la representación de la existencia del hombre. En un poema juvenil dijo: «¿Cuántos hijos tiene la Muerte? / Todos están en mi pecho». A lo largo de su producción el poeta ha ido desahogándose el pecho de ese sofoco de muertos, convirtiéndolos en criaturas poéticas.

La famosa imagen del jinete, del caballista, tan natural a la campiña andaluza, cargada va de significación mortal. El jinete nunca llegará a su término de viaje, porque desde las torres de Córdoba le avizora la muerte: «¡Ay, que la muerte me espera / antes de llegar a Córdoba!». Ese, el morir, era su verdadero destino, que él descubre en el último viaje como otro de tantos, con las alforjas llenas de aceitunas. Espera, en el célebre «Romance sonámbulo», la gitana a su amante, que corre la noche, a caballo: «Ella sigue en su baranda, / verde carne, pelo verde, / soñando en la mar amarga». Pero la extraña doncella del cuerpo verdoso y su amante jamás se reunirán en amor y vida, porque cuando el caballista alcanza su meta, la casa de ella, el pecho lo trae desgarrado por mortal herida, y la gitana flota muerta sobre el agua, sostenida en el reflejo helado de la luna. Si se juntan, es en la muerte.

El mismo fin que a los individuos acecha a los grupos humanos, a las ciudades. Inventa Lorca en el «Romance de la Guardia Civil española» una de las más fabulosas urbes, de confitería y tragedia, juego y sino, artificio y misericordia. Ciudad de la fiesta, la titula. Pero ya se presenta, presagiante, un caballo: «Un caballo malherido / llamaba a todas las puertas». Y luego, la Guardia Civil, símbolo aquí de la potencia destructora, que arrasa las torres de canela y las inocentes alegrías. Ni siquiera esta ciudad, obra de la imaginación, se evade de la fatalidad de la muerte. Cuando años más tarde vaya a Nueva York, urbe nada imaginaria y poco festiva, se le transparenta al poeta, detrás de esos fingimientos de vida, de esas formas atropelladas de actividad, la tremenda verdad: que llevan la muerte dentro. Debajo de las cantidades, de la grandeza cuantitativa, lo que hay es sangre: «Debajo de las multiplicaciones / hay una gota de sangre de pato; / debajo de las divisiones / hay una gota de sangre de marinero; / debajo de las sumas, un río de sangre tierna». [...]

La visión de la vida y de lo humano que en Lorca luce y se trasluce está fundada en la muerte. Lorca siente la vida, por vía de la muerte.

DANIEL DEVOTO Y LEO SPITZER

TRADICIONES Y TÉCNICAS EN LA POESÍA DE LORCA

I. En *Canciones*, el primer libro definitivo de García Lorca, se cruzan la tradición clásica y la tradición española popular. La versificación de estos poemas responde plenamente a su descendencia de los antiguos cancioneros, y sus metros cortos —a veces fragmentados en dos o tres líneas—, el juego aéreo de los estribillos (y hay canción que es casi solamente estribillo) unidos apenas por el hilo de araña de la asonancia, se complementan con repetidas alusiones y giros populares. [Así, por ejemplo,] la llave «de plata fina», que viene del romancero; la evocación del «río de Sevilla» —tan cantado por Lope—, donde «cinco barcos se mecían / con los remos en el agua / y las velas en la brisa», recuerdo seguro de las seguidillas antiguas: «Salen de Sevilla barquetes nuevos / que de verde haya llevan los remos», «Río de Sevilla, / de barcos lleno...»; los torerillos «delgaditos de cintura», [expresión que,] como la usa García Lorca o ligeramente variada, aparece en un sinnúmero de cantares tradicionales. [...]

En *Poema del cante jondo*, *Romancero gitano* y *Llanto por Ignacio Sánchez Mejías*, libros de profunda estilización, el documento

I. Daniel Devoto, «Notas sobre el elemento tradicional en la obra de García Lorca», *Filología*, II (1950), pp. 292-341; reproducido en I. M. Gil, ed., *Federico García Lorca*, Taurus, Madrid, 1973, pp. 115-164 (130-131, 139-146, 163-164).

II. Leo Spitzer, «Notas sintáctico-estilísticas a propósito del español *que*», *Revista de Filología Hispánica*, IV (1942), pp. 105-126 (105-109, 115-116, 123).

tradicional se confunde y esfuma con los elementos surgidos directamente de la fantasía del poeta. Así como Falla llega a la creación de falsas melodías populares, García Lorca elabora falsos versos tradicionales. [No parte ya de la materia tradicional, sino que la encauza y la hace aflorar.]

En el *Romancero gitano*, con su repetido paisaje andaluz de barandas altas, [la actitud es apenas más avanzada que en el *Poema*]. Igual utilización de la frase popular, apareada con metáforas de otra procedencia: «El toro de la reyerta / se sube por las paredes» («Reyerta»); «... dime: ¿a ti qué te importa?» («Romance de la pena negra»); «—¡Ay, San Gabriel de mis ojos! / ¡Gabrielillo de mi vida!» («San Gabriel»); y «la pena negra», la «noche que noche nochera», hermana de la «luna lunera» del *Libro de poemas*; las milagrosas «torres de canela», semejantes a la que hacía el gitano de la «Escena del teniente coronel» (*Poema del cante jondo*); y el llamar «la benemérita» a la Guardia Civil.[1] También el «Míralo por dónde viene» («Preciosa y el aire») repite un verso tradicional ya aparecido en el *Libro de poemas*. [...]

La influencia del romancero clásico se percibe en un cierto tono y una manera comunes, más que por expresiones directamente emparentadas. Hay apenas unas «sábanas de holanda» («Romance sonámbulo»), ese «emperador coronado» («San Gabriel»), ese «rumor... de flecha recién clavada» («Thamar y Amnón»), que consuena con el de algunas saetas y con el temblor de la lanza del rey, su tío, en el cuerpo de Tristán; y esa pregunta inicial del «Muerto de amor»: «—¿Qué es aquello que reluce / por los altos corredores?», que tanto recuerda una de las del rey don Juan al moro Abenámar: «¿Qué castillos son aquéllos? / ¡Altos son, y relucían!».

Mayor es, siendo poco y no directo, el empleo del material tradicional. La comparación del viento que persigue a Preciosa con San Cristobalón (ya en el «Madrigal de verano» del *Libro de poemas* se habla de «un San Cristóbal campesino» de muslos sudorosos y hermosos que sería preferido al poeta por Estrella la gitana) se basa sobre la devoción popular que hace de San Cristóbal un buen casamentero; y García Lorca no ignoraría el cuento de la vieja gitana que iba a injuriar al santo: «San Cristobalón, / manazas, patazas...».[2] Cabra, cuyos puertos aparecen en el «Ro-

1. «El tema de la Guardia Civil —dice Díaz-Plaja— es insólito en la poesía culta, pero no en el folklore. En el gaditano suenan coplas así: "¡Viva la media naranja! / ¡Viva la naranja entera! / ¡Viva la Guardia Civil / que va por la carretera!".» [...]

2. [«El romance de "Preciosa y el aire", que Amado Alonso refería a la fábula ovidiana de Bóreas y Orithya, es un ejemplo cabal de la independencia

mance sonámbulo», es lugar recordado en juegos, cantares y refranes; «por donde retumba el agua», que para Díaz-Plaja es «evidente reflejo lopesco» al que quizás haga proceder de la conocida canción «¡Cómo retumban los remos, / madre, en el agua!...», puede no ser tan evidentemente lopesco: la expresión es mucho más clara en varias canciones populares en las que el agua, y no los remos, retumba: «Que retumbe / el agua y el arena... / Debajo de la puente / retumba el agua...»; y el mismo «grupo expresivo *retumbar el agua*» aparece asociado a una canción que García Lorca parafrasea en *Canciones*: «Tres hojitas tiene, / madre, el arbolé... / Verde era la hoja, / seca era la rama, / debajo del puente / retumba el agua». [...]

Los versos «En el musgo de los troncos / la cobra tendida canta» («Thamar y Amnón») marcan el límite último de la estilización en el

---

de Lorca frente a sus fuentes. La tela de fondo —¿es necesario recordarlo?— viene del mejor Cervantes: "Cuando Preciosa el panderete toca / y hiere el dulce son los aires vanos..." (*La Gitanilla*). Y no parece mero azar el hecho de que, en la edición (de la «Biblioteca de Autores Españoles») que citamos (la más corriente de *La Gitanilla*), la misma columna contenga otro poemita, cerrado por la formulilla tradicional de "Dios delante / y San Cristóbal gigante".

»Sobre este bastidor cervantino el poeta hilvana materiales de diversa procedencia: "míralo por dónde viene" es verso de saeta; "el cónsul de los ingleses", primo del Pedro Domecq del "Romance de la Guardia Civil española", responde a un idéntico gusto de neoprimitivismo; la tradición del santo con nombre en aumentativo es también popular; el asalto amoroso del viento, empreñador de yeguas (y, por lo menos hasta el siglo XVIII, también de mujeres) es un mitologema —para usar la voz cara a Kerényi— viejo como la noche. Y hasta parecería haber aquí, además, la colaboración de otro gran clásico español: Lope.

»El tercer centenario de la muerte de Lope de Vega (1935) encuadra, con el homenaje a Góngora (1927), lo más extraordinario de la floración poética española de este siglo. Ambas celebraciones sirven de contraseña a los jóvenes poetas, y encarnan a la vez las dos características dominantes de la escuela: oscuridad solitaria, y comunión con el tono y las formas populares. (Por razones similares, aunque diferentes, Garcilaso es hoy [1959] módulo y tótem de la joven poesía de España.) Lope se transparenta más de una vez en la obra de Lorca —que es, de todos los poetas de hoy, quien mejor ha sabido recoger su herencia aristocráticamente popular—, y Belisa-Lolita rinde honores explícitos al Fénix (*Canciones*, *Amor de Don Perlimplín*). Pero —como siempre que se trate de las influencias en Lorca— hay que andarse con tino y pies de plomo; si se sienten tentaciones de restituir a Lope dos de los más hermosos versos de "La casada infiel" ("con el aire se batían / las espadas de los lirios") pensando en "Echen las mañanas, / después del rocío, / en espadas verdes / guarnición de lirios" (*Peribáñez*), conviene no olvidar que la asociación espada-lirio es tan antigua como la fitonomástica (cf. espadaña, o gladio o gladíolo), y que el impacto lorquiano está en ese "con el aire se batían", aligerado por el verso impar.

Romancero gitano: la «asiatización» de la culebra asturiana que canta en la danza prima y en ciertas versiones del romance de Don Bueso, creando la misma atmósfera de seducción prohibida y de deseo incestuoso que no desesperamos de considerar alguna vez más extensamente.[3]

El *Llanto por Ignacio Sánchez Mejías* recoge una vez más esos «que» y «que no» del canto de las coplas, hace una breve inclinación —la señala Díaz-Plaja— al recuerdo de Jorge Manrique y otra a los proverbiales toros de Guisando, y lleva al paroxismo un procedimiento popular usado por García Lorca en otras ocasiones: señalar, insistiendo, una hora precisa, reiterando incesantemente ese «Viento estancado / a las cinco de la tarde» («Tres historias del viento»). Partiendo de la ingenua precisión popular, el poeta llega a hacer girar el universo alrededor de una sola hora ciega y fija. Ya puede cantar en cualquier orilla del mundo, porque ya ha hecho suya la sal de su tierra. [...]

No creemos excesivo afirmar que García Lorca encuentra, en el folklore literario de su país, el módulo y la razón de su estilo propio. Toda su obra primera está atravesada por «las bandadas de coplas» que hacen un verso de su «Elegía del silencio» (*Libro de poemas*); y es de señalar, en toda esta obra, la preponderancia del elemento folklórico infantil. [...]

»No es imposible, sin embargo, que el germen de "Preciosa y el aire", que cabe en ocho versos exactos ("Al verla se ha levantado / el viento que nunca duerme. / San Cristobalón desnudo, / lleno de lenguas celestes... / El viento-hombrón la persigue / con una espada caliente... / ¡Preciosa, corre, Preciosa, / que te coge el viento verde!..."), surgiera de una decena de versos lopescos: "Viendo a san Cristóbal / forma de gigante, / me dieron mil veces / desmayos mortales... / ...nunca salí fuera / que el aire sonase, / y si me cogía / el aire en la calle, / daba dos mil gritos: / ¡que me lleva el aire!" (Belisa, en *La dama melindrosa*, jornada II, escena I).

»" 'Preciosa y el aire' —escribía Lorca a Jorge Guillén en 1926— es un romance gitano, que es un *mito* inventado por mí." La afirmación del poeta es exacta: el "romance gitano", como género, le pertenecía exclusivamente. Pero además del género en sí, el preciso poema que nos ocupa, con su ensamblaje perfecto de tantas cosas apenas rastreables —la inquietud que inspira el santo un poco acromegálico, y la desazón que el viento enciende en la doncella no son invento de nadie—, le pertenece también por entero. La composición de "Preciosa y el aire" es totalmente suya; y, como en la música, *composición* quiere decir aquí *creación*» (D. Devoto [1959], pp. 519-521).]

3. [Véase ahora D. Devoto, «Un no aprehendido canto. Notas sobre el estudio del romancero tradicional y el llamado "método geográfico"», *Abaco*, 1 (1969), pp. 11-44.]

Cuando el poeta encuentra su tono justo, la cita folklórica, injertada antes en el cuerpo del poema, se hace carne con él y ganamos esas delicias de estilización que son las *Canciones*. Pero el poeta sigue adelante. Su obra de madurez no debe prácticamente nada a la poesía popular. Su gran teatro registra —y es inevitable, presentando máscaras y caracteres que quieren ser españoles— modismos y giros del habla popular, pero nada más. El elemento estético tradicional es reemplazado por la creación poética puramente lorquiana, nacida, eso sí, y reafirmada por su roce con la lírica del pueblo. Pero García Lorca tampoco se detiene aquí; sólo la muerte corta su evolución, cuando separándose de lo tradicionalista —y hasta de lo realista— va enriqueciéndose con galas de otros paraísos.

II. Muerto se quedó en la calle
con un puñal en el pecho.
No lo conocía nadie.
¡Cómo temblaba el farol!
Madre.
¡Cómo temblaba el farolito
de la calle!
Era madrugada. Nadie
pudo asomarse a sus ojos
abiertos al duro aire.
Que muerto se quedó en la calle
que con un puñal en el pecho
y que no lo conocía nadie.

(«Sorpresa», *Poema del cante jondo*)

El poeta ha querido evidentemente renovar la tradición ininterrumpida del romance español tratando un hecho contemporáneo de la crónica diaria en la forma tradicional, que ofrece, para los hechos violentos, corrientes en la vida moderna, esos relatos abreviados productores de angustia, esos bruscos sobresaltos de la emoción alternando con los hechos en bruto secamente referidos, esa perspectiva fragmentaria que sugiere en el lector el conjunto fragmentado de nuestra civilización, esa concisión tensa y jadeante de la forma que provoca en nosotros un ansia de distensión acabada, sólo cumplida una vez la lectura. El género del romance, con su libertad relativa (asonancia-no rima perfecta; tirada-sin estrofas), ha recurrido siempre al paralelismo sintáctico o al estribillo, especie de armadura elástica que se relaja o se pone tensa según el curso de nuestra emoción, y que no llega jamás ni a las libertades de las escuelas de lirismo moderno ni a la rigidez que impone el *rondeau*, forma antigua 'redonda' como ninguna, que encierra a la poesía hasta sofocarla. El romance es la forma métrica más apropiada que se haya creado el individualismo mesurado del español. Pero también es claro que García Lorca ha asimilado sensiblemente el romance al *rondeau* al hacer retornar el final de la poesía a su comienzo,[1] lo cual produce una especie de efecto de encuadramiento, [como enmarcando una realidad de sueño: la trasposición de una realidad a un sueño, pero organizado].

En nuestra poesía la realidad desnuda está contenida en los tres primeros versos; después se manifiesta la emoción del poeta, muy condensada y contenida, escapándose, como sin darse cuenta, por la exclamación (*madre*), las repeticiones (*cómo temblaba el farol* ... y *calle*), y quizá también por el uso del imperfecto soñador, que provoca la atmósfera de sueño. Ya no es el hecho crudo lo que «sorprende»: es la emoción punzante, tal como la siente el poeta «sorprendido», sumido en el estupor que exhala lo inaudito. Pero esta emoción personal no se propaga a otros seres humanos (solamente una cosa, el farol, es sensitivo y vibra al diapasón del acontecimiento): en la frialdad áspera de esa mañana de aire puro no hubo nadie (es un hecho por así decir histórico: *pudo*, *se quedó*) que se inclinara sobre el cuerpo desamparado. La descripción ha llegado a

1. Es evidente que estos «regresos al comienzo» son lo más frecuentes en García Lorca [con ejemplos en «Romance de la Guardia Civil española», en «Muerte de Antoñito el Camborio», en «La casada infiel»]. Más complicada es la técnica del «Romance sonámbulo», que comienza con los versos siguientes: «Verde que te quiero verde. / Verde viento. Verdes ramas. / El barco sobre la mar / y el caballo en la montaña. / Con la sombra en la cintura / ella sueña en su baranda, / verde carne, pelo verde, / con ojos de fría plata. / Verde que te quiero verde. / Bajo la luna gitana, / las cosas la están mirando / y ella no puede mirarlas». Es, pues, la visión que tiene de una muerta el poeta «sonámbulo». Al comienzo de las secciones siguientes las palabras *verde* y *baranda* se repiten como *leitmotiv*; en el curso del relato se comprende por qué la joven, que en vida había tenido *cara fresca, negro pelo*, está ahora «verde»: está lívida, con el entumecimiento de la muerte. Los cuatro primeros versos se repiten al final. Hay, pues, un doble «encuadramiento» en la poesía entera (el comienzo responde al final) y en el interior de las secciones (por ejemplo, el verso *Verde que te quiero verde* repetido en el fragmento inicial citado más arriba). Todos estos paralelismos producen a maravilla una ondulación de ensueño que corresponde al estado de «sonámbulo».

su fin. El motivo del tercer verso (*no lo conocía nadie*) está explotado hasta su extrema potencia: el universo es duro con el muerto. Y el estribillo cierra la poesía con una frialdad más dura que al comienzo: el hecho (*muerto se quedó en la calle*) nos impresiona ahora muy de otro modo, después del rodeo que hemos hecho, después de la emoción del poeta, no compartida por ningún ser viviente: ahora es cuando lo vemos como un hecho ineluctable, definitivo, fatal. La «sorpresa» sólo era inicial: ahora el crimen ha llegado al estado de los hechos adquiridos, que no sorprenden ya a nadie. No queda más que el estupor sufrido por el poeta ante el hecho aún más brutal que el crimen mismo: *no lo conocía nadie*; y *nadie* es la última palabra. [...]

¿Pero qué significan en la poesía de García Lorca los tres *ques* introductores de los tres versos finales, que no son —como ya lo hemos señalado— más que la repetición textual de los tres versos del comienzo? ¿Cuál es el valor poético de esos *ques*, y por qué el *y* del último verso? [...]

Para mí es evidente que estamos ante un *que* que llamaremos por el momento narrativo y que se encuentra en español (generalmente repetido varias veces) cuando el narrador quiere referir los dimes y diretes de otro (aun el chismorreo) de una manera vaga, esquivando la responsabilidad sobre la veracidad del contenido. [Lorca se ha inspirado en el cantar lopeveguesco de *El caballero de Olmedo*: «*Que* de noche le mataron...».] La expresión con *que* retiene de un *dicen que* justamente lo necesario para indicar sujetos hablantes, indeterminados, verdaderamente anónimos, que no aparecen con su personalidad y que se borran lo bastante para no invadir el contenido material de la declaración. Con el *que* repetido cada fragmento de frase resulta un «dicho» independiente en el interior de esos «dichos» colectivos: el fragmento de frase *con un puñal en el pecho* está sintácticamente separado de *muerto se quedó*, como una observación individual, autónoma, sobre el mismo nivel que *muerto* ..., que emerge por un momento y vuelve a sumergirse en seguida en los «decires». Ahora comprendemos el *y* del miembro final: sirve para poner término al charloteo, a ceñir lo que había tendido a relajarse: la escena es materialmente la misma que al comienzo del poema, pero después de haber pasado por la boca de las gentes (pero no por su corazón: *nadie* se conmueve; el charloteo incoloro es la única reacción de los hombres; el *farolito*, al menos, había temblado por simpatía) el poeta ordena los elementos: con el *y* es él quien interviene, es él quien critica, sugiriendo más o menos lo siguiente: 'éstos son los elementos precisos que quedan de la escena, y no quedan por otra parte más que en bocas anónimas, pero he aquí la enumeración c o m p l e t a: estos tres rasgos y nada más'. La precisión enérgica del *y* contrabalancea la vaguedad de los *que*: por ese *y* el poeta encierra en un cuadro lo que tendía a desbordarle: no permite a la poesía disolverse en la vaguedad.

Piero Menarini y Ángel del Río

SOBRE *POETA EN NUEVA YORK*

I. La estructura de *Poeta en Nueva York* es manifiestamente dialéctica: se dispone y ordena según una oposición básica entre *naturaleza* y *civilización*, que Lorca desarrolla a lo largo del libro con una gama infinita de variaciones, muchas de las cuales son claramente préstamos surrealistas. En un conocido poema, «La aurora», se pueden leer estos versos: «La luz es sepultada por cadenas y ruidos / en impúdico reto de ciencia sin raíces». El paradigma de Nueva York, tal como lo ve y vive García Lorca, está formulado ya del todo: la naturaleza, simbolizada en el elemento *luz*, ha perdido su batalla contra la civilización que avanza; ha quedado sepultada bajo las cadenas de una ciencia sin raíces, es decir, completamente antinatural, abstracta, metafísica. Pero esto no es suficiente: el atributo *impúdico* revela y subraya la falta total no sólo de vergüenza, sino de todo sentimiento; se trata, pues, de una ciencia a la que nada le queda de humano, una ciencia deshumanizante, la ciencia de la alienación. El proceso de alienación y ajenación, que en estos versos García Lorca

I. Piero Menarini, «Emblemi ideologici del *Poeta en Nueva York*», *Lingua e Stile*, 7 (1972), pp. 181-197; traducción en *El surrealismo*, ed. Víctor G. de la Concha, Taurus, Madrid, 1982, pp. 255-270 (257, 259, 262-263, 268-270).

II. Ángel del Río, «*Poeta en Nueva York*: Pasados veinticinco años», en *Estudios sobre literatura contemporánea española*, Gredos, Madrid, 1972, pp. 251-293 (276-277).

centra en la polaridad del binomio *luz/cadenas*, puede considerarse como una de las constantes estructurales de toda la colección.

[En «Cementerio judío», Lorca presenta a «*tres mil* judíos» que lloran una absoluta desposesión: uno sólo tenía «la rueda de un reloj», «y otro una lluvia nocturna cargada de cadenas».] La lluvia, fecundadora de la tierra, símbolo milenario de fertilidad, está cargada y atada con cadenas, volviéndose así inofensiva, inocua, inerme. La pérdida de sí mismo, de la propia identidad, de la propia esencia humana, que afecta a los negros, a los judíos, a los niños y al mismo poeta, es total en este momento y parece acometer al universo entero. [...] El verso se presenta como paradigmático por su inmediata referencia a la estructura latente de *Poeta en Nueva York*. Los dos hemistiquios de que se compone adquieren, en última instancia, el mismo carácter dicotómico y dialéctico que corresponde a la realidad de la experiencia neoyorquina de Lorca: por un lado, la *lluvia*, la naturaleza, y, por el otro, las *cadenas*, la civilización.

Pero la presencia de las cadenas no podía quedar limitada a estas dos oposiciones, pese a ser sintomáticas y esenciales. En efecto, en el «Grito hacia Roma», una de las dos odas que representan el momento culminante de *Poeta en Nueva York*, podemos leer: «No hay más que un millón de herreros / forjando cadenas para los niños que han de venir».

El cuadro no podía resultar más completo: la *luz*, la *lluvia* y los *niños* son sometidos a un mismo proceso de violencia y desnaturalización. Hay más: la civilización prepara conscientemente una humanidad (*un millón de herreros*) que, para sobrevivir —y en esto consiste el *clímax* de la contradicción—, tiene que destruir, en el mismo momento en que nace, lo que de más humano posee: la libertad de su propio cuerpo, de sus propios pensamientos, de sus propios sentidos. En trágica comunión, luz, lluvia y niños se funden en una única, desesperada visión: la de una naturaleza (geográfica y humana) agonizante e impotente. Y es interesante notar cómo las cadenas no son la única presencia metálica vinculante de este poema: en efecto, además del hierro, símbolo de la civilización de las máquinas, también el oro (*monedas*), producto y productor de la civilización, aparece con frecuencia en el léxico americano de Lorca. Sustancialmente, se trata de los dos metales de la alienación, de los instrumentos conscientes y nunca casuales de la violencia institucional preparada en contra de los niños, con el fin de impedir y frustrar desde el primer momento su libertad (contagiosa) de oír, ver y elegir el mundo: «A veces las monedas en enjambres furiosos / taladran y devoran abandonados niños». [...]

Lorca no tiene ninguna duda en identificar a los «gitanos» de la situación, en medio del enorme gentío de Nueva York: es decir, los negros, los judíos, los excluidos del bienestar, los oprimidos, en una palabra, de cualquier color y sexo. Cabe aquí una reflexión: el llamado «gitanismo» de Lorca, que tan a menudo utiliza la crítica como prueba manifiesta de su *hispanidad*, en el contexto neoyorquino es, en cambio, revelador de la clara e irrefutable adhesión del poeta a una problemática que en absoluto es exclusiva de España, y que, por el contrario, es producto de la evolución de los más maduros movimientos de vanguardia europea de comienzos de siglo (primitivismo, negrismo, infantilismo, etc.).

Por tanto, el «gitanismo» de Lorca no es un hecho meramente español, no es fórmula folklorística de apego morboso al patriotismo popular nacional, sino expresión particular de una época que, a través del discurso artístico, intenta rechazar la sociedad constituida y, con ella, el arte oficial. [...] Entonces no es casualidad que, recién llegado a América, García Lorca se dirija a las clases marginadas de la sociedad civil, identificables, sobre todo, en los negros: en ellas, por estar apartadas parcial o totalmente de la fruición del «bienestar», y, por consiguiente, de los esquemas del correcto vivir burgués, reencuentra las instancias primitivas de ingenuidad, pureza, moralidad natural y, sobre todo, libertad instintiva que ya había apreciado en los gitanos. Y a este nivel de ruptura hay que reconducir la otra gran unidad dialéctica de *Poeta en Nueva York*, el binomio *blanco/negro*, que funciona como contrapunto o, si se prefiere, como variante con respecto a la de *civilización/naturaleza*, ya examinada.

[Declaraba Lorca en 1933: «Yo quería hacer el poema de la raza negra en Norteamérica y subrayar el dolor que tienen los negros de ser negros en un mundo contrario». En la segunda sección del libro, «Los negros», describe el desarraigo de todo un grupo étnico. Así, en «Norma y paraíso de los negros», frente al «pleamar de la blanca mejilla» (= «plenitud y opulencia de la civilización americana, del hombre blanco»), se expresa ya la sorda desesperación de quienes se ven obligados a añorar el paraíso perdido sin la esperanza de poder reconquistarlo. Asoma también el tema del «vacío», uno de los más queridos por el Lorca de *Poeta en Nueva York*: «las nubes vacías» «el hueco de la danza sobre las últimas cenizas». En la «Oda al rey de Harlem» Lorca presenta la visión de un rey que cumple un rito grotesco y salvaje —«arrancaba los ojos de los cocodrilos»—, al mismo tiempo que patéticamente ridículo e inútil —«golpeaba el trasero de los monos»—. Nadie querrá seguir al «gran rey prisionero con un traje de conserje». El poeta recalca lo que los negros han perdido frente a la naturaleza: quieren identificarse con el blanco, se prostituyen ante su dinero, tienen vergüenza de pertenecer a otra raza. El juicio de los blancos se desplaza hacia lo que han conquistado con la civilización: ellos son los «rubios vendedores de aguardiente», «los que beben whisky de plata / junto a los volcanes», aquellos cuyas mujeres «llevan niños y monedas en el vientre». No ha de olvidarse que un poema como «Danza de la muerte» está escrito en diciembre de 1929, y que a finales de ese año las consecuencias del hundimiento de la Bolsa de Nueva York empezaban a adquirir proporciones gigantescas y alarmantes:

> El mascarón bailará entre columnas de sangre y de números,
> entre huracanes de oro y gemidos de obreros parados
> que aullarán, noche oscura, por tu tiempo sin luces,
> ¡oh salvaje Norteamérica! ¡oh impúdica! ¡oh salvaje,
> tendida en la frontera de la nieve!]

La pareja inicial de valores contrapuestos y antagónicos, esquematizada en la fórmula *civilización/naturaleza*, se puede, pues, sobreponer perfectamente a las nuevas oposiciones descubiertas: *blanco/negro*, *opresores/oprimidos*.

II. En cuanto al estilo, las características relevantes del libro, perceptibles en una sola lectura, sin necesidad de un minucioso análisis, son la riqueza, la confusión y una sustitución de símbolos lingüísticos llevada al extremo. No hemos hecho ningún recuento; pero tenemos la impresión de que en esta obra, más que en ninguna otra de las de Lorca, la forma predominante es el sustantivo. Estos sustantivos son rara vez nombres abstractos: se refieren a todos los seres y cosas orgánicos e inorgánicos que existen —animales, minerales, plantas, fenómenos naturales, objetos del mundo mecánico creado por la mano del hombre—, y también al mundo de los deseos y de las emociones humanas. Los adjetivos son rara vez descriptivos y más rara vez los que se esperaría asociar con los nombres a que modifican. Lo mismo se podría decir de la abundancia de las frases adverbiales y, en general, de casi todas las palabras. Un gran número de verbos son, según creemos, verbos de movimiento que expresan ideas de cambio y de destrucción con un significado muy dinámico: *ir*, *buscar*, *tropezar*, *disolver*, *trepar*, *agitar*, *derrumbarse*, *erizar*. La palabra tiene por lo común un fuerte contenido sensorial más que sentimental o ideológico, y casi todas están utilizadas en un sentido metafórico y dentro de un sistema, basado principalmente en asociaciones distantes e inconcebibles: se unen las formas más inconexas entre sí; con frecuencia, las propiedades, las cualidades y las funciones atribuidas a los objetos están en total oposición con su naturaleza. Así, lo concreto se transforma en abstracto; lo físico se humaniza; lo sentimental se transforma en inerte o mecánico o automático, y viceversa. La tierra, el cielo, el agua, el fuego, los pájaros transformados en bueyes, los peces cristalizados, las golondrinas con muletas: todo pierde su identidad.

Así, el estilo de todo el libro se caracteriza por una muy violenta *metagoge* que, unida a la enumeración caótica, a una sensación constante de alucinación, trasmite la idea de que el mundo está en incesante tumulto regido por una permanente metamorfosis. Casi todo esto se ha atribuido corrientemente al surrealismo; y, en verdad, se podría decir que Lorca sigue aquí fielmente el concepto del arte definido por Lautréamont, y que los surrealistas hacen suyo: «El arte es un encuentro fortuito de una máquina de coser y un paraguas en una mesa de disección».

La diferencia aquí es que el libro de Lorca no tiene nada de caprichoso, nada de irónico, a menos que se trate de una ironía trascendental. [...] Como poeta que era, Lorca no se paró a analizar ni a describir: *sintió*, y su sentir adoptó la forma de imágenes temáticas. Algunas aparecen ya en los primeros poemas y se repiten constantemente, hasta transformarse en motivo dominante: «cosas sin raíces», «fuga y disolución de las formas», «olvido del cielo», «falta de salida», «lucha» y, especialmente, «hueco», «vacío», «vacuidad».

MIGUEL GARCÍA-POSADA

EL *LLANTO POR IGNACIO SÁNCHEZ MEJÍAS*

[En el *Llanto por Ignacio Sánchez Mejías*] hay una deliberada voluntad de restaurar —o mejor: de reintroducir— el canon elegíaco de amplio aliento; es sintomática la extensión del poema, doscientos veinte versos, el más extenso de Lorca. (Cuatrocientos ochenta versos tienen las *Coplas* manriqueñas, si bien todos los versos son de arte menor.) El término que encabeza la composición, *Llanto*, resulta paradigmático. Lorca no sólo «traduce» el medieval *planto*, con efectos artísticos claros, sino que ecos y huellas del viejo género se perciben en el poema moderno. Así, el elogio del héroe («¡Qué gran torero en la plaza! / ¡Qué buen serrano en la sierra!», etc. —vv. 114-121—) reproduce en su estructura interrogativa, e incluso semántica —dada la común utilización de antónimos—, la de los vv. 301-312 de las *Coplas*: «... ¡Qué enemigo d'enemigos! / ¡Qué maestro d'esforçados / e valientes!».

Las cuatro partes del poema están organizadas y ensambladas de acuerdo con unas ciertas pautas musicales, al modo de los cuatro tiempos de una sonata [Del Río, 1952]. Esa raigambre musical se manifiesta, formalmente, en los modelos métricos elegidos, diferenciados para cada una de las partes, y poseedores, a su vez, de modulaciones internas muy precisas. [...]

El *Llanto por Ignacio Sánchez Mejías* es el poema más completo de Lorca, en el sentido —fatal, por otra parte— de que supone la integración plena de todos los elementos que constituyen su poética y de todas las modulaciones estilísticas de la obra anterior. El orbe andaluz ha sido pasado por el tamiz del neoyorquino; de ahí esa grandiosidad cósmica del poema, que, sobre todo, en «La sangre derramada» alcanza su punto máximo, con la intervención de la luna succionando la sangre de Ignacio, la lucha de éste con su muerte, el modo como la noticia llega a todos los confines del universo... Metáfora y símbolo se conjugan con total armonía. [...] El simbolismo

Miguel García-Posada, ed., introducción a Federico García Lorca, *Poesía, 2* (*Obras*, II), Akal, Madrid, 1982, pp. 114, 123-129.

de raíz mítica es máximo, y asoma por doquier. Correa [1970] ha diseñado con precisión la estructura de ritual, de ceremonia sacrificial, que posee en este sentido el poema. Basta con cerciorarse del concepto litúrgico que el poeta tenía de la corrida para comprender la coherencia que con él manifiesta esta estructura. El ritualismo se evidencia con el mismo comienzo del poema, con el emplazamiento horario, la traída de la sábana funeral y la indicación de que la tumba ya está preparada («Una espuerta de cal ya prevenida»), todo ello delante del coro tribal («En las esquinas grupos de silencio»); en la segunda parte, asistimos a la ceremonia del derramamiento de sangre, con la intervención de la luna, mientras la víctima sube las gradas de la plaza, el circo del sacrificio. Fatalmente, Ignacio se convierte en un nuevo Cristo, cuya sangre corre ilimitada: «Que no hay cáliz que la contenga ...». En la «Crucifixión» de *Poeta en Nueva York*, se aduce una imagen casi análoga: «La sangre bajaba por el monte y los ángeles la buscaban / pero los cálices eran de viento ...». Esta identificación cristológica da a esa presencia tribal unos matices especiales de significado: Lorca ha visto inútil el sacrificio de Cristo, *otra* muerte violenta, y ha identificado el coro tribal con el público en la obra del mismo título, un público ávido de muerte. Por eso, aquí, cuando Ignacio agoniza, «el gentío rompía las ventanas», y cuando la víctima sube por las gradas, su sangre derramada, el poeta habla con horror de «ese chorro que ilumina / los tendidos y se vuelca / sobre la pana y el cuero / de *muchedumbre sedienta*».

El ritualismo posee un sentido profundo, sobre el que no se ha insistido suficientemente. El poeta no *quiere ver* ese chorro; pero no se trata sólo de un gesto instintivo de horror: es que rechaza el sacrificio de la vida como terapéutica de salvación; la muerte conduce a la muerte. [...] De ahí la violencia con que ante el cuerpo presente de Ignacio advierte el autor sobre cualquier posibilidad de consuelo, o de autoengaño: «¿Quién arruga el sudario? ¡No es verdad lo que dice!». Ya desde otro ángulo, en la primera parte del verso podemos ver apuntada una característica importante del poema, mediante la cual éste desborda los ámbitos de la intimidad para hacerse coral y épico. Estas apelaciones e implicaciones son abundantes. Se encuentran sugeridas en el carácter noticiero, puntual, con que se anuncia la muerte; y después: «Avisad a los jazmines»; «¿Quién me grita que me asome?»; «No me digáis que la vea»; «Ya se acabó; ¿qué pasa?». «Contemplad su figura»; «¿Qué dicen? ... Estamos con un cuerpo ...»; «Yo quiero ver aquí los hombres de voz dura ...»; «Yo quiero que me enseñen ...». [...]

En la enfermería, la agonía de Ignacio es terrible —y se poetiza lo que fue un hecho real [Auclair, 1968]—: «Las heridas quemaban como soles». («Sed, tengo sed», fueron palabras obsesivas de Ignacio.) Una fascinante metáfora verbal ha expresado el declinar del torero: «El cuarto se *irisaba* de agonía». El verbo concuerda con la tarde, porque la agonía es el poniente de la vida de Ignacio. Todo, pues, converge —óxido de la luz, humo, yodo— hacia un ocaso de tinieblas. De ahí el verso final: «¡Eran las cinco en sombra de la tarde!», de construcción «agramatical», que se corresponde con las «cinco en punto». Ambos términos son equivalentes en lo esencial, porque la muerte ha acudido puntual a su cita, de modo fatídico. Esta «puntualidad» es la clave, en lógica poética, de la simultaneidad de sucesos y motivos de esta parte.

La plaza es el ámbito de las tres secuencias estróficas iniciales de «La sangre derramada». Mas la desrealización, ya señalada, se hace aquí aun más fuerte, si es posible. En efecto, sobre la arena de la plaza donde fue cogido Ignacio, se «superpone» *otra* plaza: «y la plaza gris del sueño / con sauces en las barreras». «Sueño» es una metáfora de la muerte, y los sauces son árboles funerales, los «árboles de lágrimas» de «Cuerpo presente». Es decir, el coso taurino ha sido convertido en un espacio irreal, entre la vida, que pasó, y la muerte total, la que expresará la piedra. [...]

La muerte tiene agentes varios. Primero es la luna, hecha vaca —según una configuración antiquísima—, la que succiona la sangre; y, de algún modo, la acompañan los dos «toros de Guisando», con un mugido terrorífico («como dos siglos / hartos de pisar la tierra»). Los becerros totémicos se han asimilado al mundo lunar, y celebran, en consecuencia, la llegada de la luna, a la que querrían acompañar. El desplazamiento de lo taurino a lo lunar dota a la muerte de dimensiones cósmicas —en un sentido casi literal—. Supuesto este principio, es coherente el que las constelaciones de Taurus y el Boyero —implacable lógica poética— participen de la noticia: «Y a través de las ganaderías / hubo un aire de voces secretas, / que gritaban a toros celestes / mayorales de pálida niebla». Lo gongorino amplificado cumple una función trascendente (Francisco García Lorca [1981]). Entre esos agentes del «viejo mundo», hay unos especialmente terribles; al producirse la cogida, «las madres terribles / levantaron la cabeza». Son las Parcas, que asienten al hecho, según una configuración cuya fuente goethiana parece indiscutible (R. Martínez Nadal [1970]). Es la expresión de la fatalidad lo que significan aquí las diosas de la mitología. Y parece congruente pensar que si desde el infierno donde habitan pasamos hasta lo alto, lo celeste, es que también este mundo se liga a esa idea del sino, de la colaboración del cielo en la tragedia —como si poetizara, en cierto modo, que esta muerte estaba escrita en las estrellas, etc. [...]

De la apoteosis de la sangre, quisiera llamar la atención sobre dos puntos ligados entre sí. Personificación de Ignacio, la sangre repta sin salida por los dominios de la muerte; pero se trata —como ha señalado Cirre [1952]— de una especie de «más allá» taurino, que enlaza, por tanto, con las imágenes de Taurus y el Boyero, y que Lorca expresa mediante su conocido recurso imaginativo consistente en trasponer tierra a cielo. Esos dominios celestes constituyen una suerte de infierno. El pensamiento poético es de suma precisión: la sangre se arrastra por «marismas y praderas» —cielo inmenso—, «cuernos ateridos» —frío de la luna y de la muerte—, «miles de pezuñas» —eco de la imagen anterior—; su movimiento es torpe, cercano a la parálisis: resbala, vacila, tropieza. Es «como una larga, oscura, triste lengua»: los adjetivos especifican el encauzamiento imposible, la falta de vida, el apagamiento; su anteposición al sustantivo y el ritmo trocaico del verso subrayan, de modo inequívoco, el doloroso contenido que se transmite. El ciclo de la sangre se cierra al formar un «charco de agonía», perder ya todo movimiento y no haber podido, en suma, «superar los confines del tiempo» (Caravaggi [1962]). Ningún signo de liberación debe verse, por tanto, en que ese «charco» se forme «junto al Guadalquivir de las estrellas», probable alusión a la Vía Láctea.

[En «Cuerpo presente»] Ignacio no sólo tiene ya el color amarillo de la muerte («pálidos azufres»), sino que ésta «le ha puesto cabeza de oscuro minotauro». Culmina en esta imagen el proceso de identificación con la muerte que se había iniciado en la sección primera, donde la cogida era dada con una referencia muy precisa («Y un muslo con un asta desolada»), para pasar después a señalar el triunfo del toro («¡Y el toro solo corazón arriba!»), y ver al torero absolutamente dominado por el bramido («Huesos y flautas suenan en su oído», «El toro ya mugía por su frente»). Contigua a esta identificación está la imaginería del «más allá» taurino. Esta metamorfosis tiene una consecuencia capital en el significado del poema, porque en ella late ya la idea del desconocimiento, de la incomunicación absoluta entre los muertos y los vivos, ya que el muerto *es otro*. Por eso, enunciada la metamorfosis, las imágenes de la putrefacción son ya posibles: la boca de Ignacio no se cierra a la lluvia, y el aire abandona el «pecho hundido». Todo es muerte y está dominado por el toro y sus paisajes; yace helado el Amor en que consiste la vida, esclavizado por el poder irresistible: «y el Amor, empapado con lágrimas de nieve, / se calienta en la cumbre de las ganaderías». La imagen del minotauro parece, además, estar presente tras la insinuación del mito del laberinto que late en la pregunta de «dónde está la salida / para este capitán atado por la muerte». («Capitán» es término de resonancias whitmanianas y sirve a la exaltación del héroe.) Y con esta imagen conecta el deseo de dispersión del cuerpo de Ignacio, «sin escuchar el doble resuello de los toros», el «caliente bramido».

Este deseo se formula a través de una metáfora muy barroca, un *tópoi* de la estilística del siglo XVII: «yo quiero que me enseñen un llanto como un río». [...] La conclusión se impone: «Duerme, vuela, reposa: ¡También se muere el mar!». Y es desoladora, pese a todo; no nos engañe *volar*, sinónimo de morir en la poética lorquiana. La segunda mitad del verso tampoco se opone a esa desolación. Ha sido interpretada como la muerte de la misma muerte (Francisco García Lorca [1981]); o como la muerte de la vida (Eich [1976[a]]). Más cercano a esta segunda lectura, entiendo que se trata, en primer lugar, de que el mar «muere» a cada momento, con la llegada de las olas a la orilla. Si muere el mar, la máxima fuerza del mundo, ¿por qué no Ignacio? El cotejo tácito implica la subrepticia magnificación de Sánchez Mejías. Pero, descartado este elemento, el pesimismo es total. Y basta ver la apertura de la última sección, con la firme insistencia en el desconocimiento que hay ya de Ignacio, como de todo muerto, para comprobar que esa exclamación no es sino un patético encogerse de hombros y aceptación de la fatalidad. Porque el amigo ha sido despedido («Vete, Ignacio») para siempre. Los estribillos lo repiten despejando cualquier duda. Tan definitivamente muerto está que no lo conoce ni el niño que trajo el sudario, e, incluso, es difícil de recordar: «No te conoce tu recuerdo mudo ...».

RAFAEL MARTÍNEZ NADAL

EL ÚLTIMO LORCA: AMOR Y MUERTE

En doble vertiente surgirá de nuevo el tema del amor carnal en las «Casidas» y «Gacelas» de *El diván del Tamarit.* Gran parte de los *Sonetos del amor oscuro*, pero no todos, podrían aludir al amor a los muchachos; varias de las gacelas están claramente dirigidas a una muchacha, p. ej., «Casida de la muchacha dorada». Y sin embargo, la mayoría de estos poemas parecen más bien inspirados por un amor genérico que abarca ambos sexos.[1] Son las gacelas «Del

1. [A propósito de los *Sonetos*, observa F. Lázaro Carreter [1984] que un verso como «Huye de mí, caliente voz de hielo» no supone que el poeta desee «alejar la llamada del amor oscuro por ser éste oscuro, sino por ser amor. Es el amor humano, visto como una fuerza que precede a su diferenciación sexual, el que empuja primero, lleno de turbiedad. De él sólo cabe salvación huyendo, apartándolo o apartándose. [...] Oscuro el amor, ¿por qué? Se impone una interpretación obvia; demasiado obvia para declararla exclusiva en poeta tan complejo. Lorca vivió con dramatismo su condición; le angustiaba —hay claros indicios en *El público*— el destino estéril de esa pasión de amor, y apenas si alcanzaba a consolarle que el amor fecundo sólo produce semillas de muerte; una huella de tal pesar es el verso undécimo del soneto "Ay voz secreta del amor oscuro" [en el que se halla la línea ya citada]: "donde sin fruto gimen carne y cielo". Sin embargo, y con esa pesadumbre, Lorca acepta el amor como en él se produce, y asume su derecho a vivirlo en la intimidad de su cuerpo y de su alma. Para él es sólo amor, sin adjetivos. Lejos de su intención, me parece, abatirlo con un adjetivo degradante. Oscuro fue desde sus orígenes míticos, cuando del Caos nacieron la Noche y el Erebo, aquel reino de la lobreguez. [...] León Hebreo puntualizaba que la pasión erótica se engendra en la cara "escura" del alma; ese amor carece de "propia luz", "deja la luz por la sombra", "sigue umbrosas imágenes" y "se anega en el agua turbia". Petrarca mismo, enamorado, confesará "che'l nostro stato è inquieto e fosco". Ésta, la pasión en cuanto tal, es la oscura; opera en las lobregueces del alma, que los místicos han de abandonar para buscar la Luz. Reducir lo *oscuro* de los asombrosos sonetos lorquianos a la trivialización en que algunos caen, probablemente le hubiera indignado; aunque Federico no rehuyó el equívoco, ese adjetivo, en su intención decía mucho más. Se refería esencialmente al ímpetu indomable y a los martirios ciegos del amor, a su poder para encender cuerpos

Rafael Martínez Nadal, *El público. Amor, teatro y caballos en la obra de F. G. Lorca*, The Dolphin Book, Oxford, 1970, pp. 189-191.

amor imprevisto», «De la terrible presencia», «Del amor desesperado», «Del mercado matutino». En todas ellas aunque el amor sea el tema central, toma características propias, fluye por otras riberas, con frecuencia fundido o confundido con el tema de la muerte.

Prototipo de esta tendencia, en su nota más fuerte, es la «Casida de la mujer tendida»:

> Verte desnuda es recordar la tierra.
> La tierra lisa, limpia de caballos.
> La tierra sin un junco, forma pura
> cerrada al porvenir: confín de plata.
>
> Verte desnuda es comprender el ansia
> de la lluvia que busca débil talle,
> o la fiebre del mar de inmenso rostro
> sin encontrar la luz de su mejilla.
>
> La sangre sonará por las alcobas
> y vendrá con espada fulgurante,
> pero tú no sabrás dónde se ocultan
> el corazón de sapo o la violeta.
>
> Tu vientre es una lucha de raíces,
> tus labios son un alba sin contorno,
> bajo las rosas tibias de la cama
> los muertos gimen esperando turno.

El primer cuarteto no ofrece dificultad. El poeta compara el desnudo de la mujer —por deducción joven virgen— con la tierra también en

y almas, y abrasarlos como hogueras que se queman y destruyen de su propio ardimiento. [...] Se trata de un amor improductivo, no contribuye al crecimiento del Universo según el plan divino. Pero no niega que sea amor. Y como tal —insisto: sólo como amor— lo trata nuestro genial poeta, libre para convertir su vida en arte. [...] No queramos saber qué sangre es la que tanto se nombra y brota en estos versos. Leamos, simplemente, que es la incesante herida del amante atormentado, la que mana en la mitología y en la lírica de todos los tiempos. Igual que en el primer soneto ("¡Esa guirnalda! ¡pronto! ¡que me muero!"), corría sangre por el muslo de Adonis ("Bebe en muslo de miel sangre vertida ...") cuando agonizaba en brazos de Afrodita (Adonis, cuya flor es la anémona, en ese poema también nombrada: "... espesura de anémonas levanta ...") Garcilaso la vertía, al irle empujando amor. Góngora dejaba un reguero ("... ya nos siguen los pastores / por los extraños rastros que en el suelo / dejamos, yo de sangre, tú de flores")».]

hipotético estado de perfecta virginidad, sin animal. flor, ni fruto, esto es: «pura», y por tanto, «cerrada al porvenir». En el segundo cuarteto el poeta equipara el deseo que el desnudo femenino inspira en el hombre, al ansia de la lluvia de alimentar o contribuir a la germinación de las plantas. El sentido telúrico de estos dos versos resulta claro y tiene antecedentes en la obra del poeta. La idea en que se inspira no está muy lejos del famoso «grito de la especie». Más difícil de captar resulta el sentido de los dos versos siguientes. Se percibe la fuerza, casi cósmica, de ese mar debatiéndose en eterno desasosiego por encontrar algo que le es ajeno. En el tercer cuarteto el poeta alude a la inevitabilidad del encuentro de los dos sexos —de nuevo la espada como símbolo fálico— sin que la mujer sepa dónde se oculta la raíz del burdo deseo o del verdadero amor. El último cuarteto recoge, resume y contesta a los tres cuartetos anteriores. Al primer cuarteto corresponde el verso «Tu vientre es una lucha de raíces». Al segundo verso «tus labios son un alba sin contorno»; al tercero, «bajo las rosas tibias de la cama», alusión al rosado rostro y senos, así como a los lazos rosados de las colchas de la recién casada. El verso final sintetiza y resume la consecuencia última de la unión carnal con la conclusión definitiva: «los muertos gimen esperando turno».

Ver la muerte como único y verdadero fruto del amor o el amor como una añagaza de la muerte es nota persistente en la obra del poeta. La reunión final de esos aparentes antitéticos obsesiona a Lorca desde sus primeros escritos. Nada mostrará mejor el camino recorrido por el poeta y el artista que la comparación de los perfectos versos de esta casida —posiblemente de 1935—, la riqueza de ideas y sugerencias que encierra en su elegante gravedad, con el ingenuo decir de adolescente, tan a la moda en los últimos años del segundo decenio y que vemos en el *Prólogo* a *El maleficio de la mariposa*, de 1919. Nada mejor tampoco para demostrar la temprana aparición de los temas lorquianos. «¡Y es que la Muerte se disfraza de Amor! —escribe en ese prólogo—. ¡Cuántas veces el enorme esqueleto portador de la guadaña, que vemos pintado en los devocionarios, toma la forma de una mujer para engañarnos y abrirnos las puertas de su sombra! Parece que el niño Cupido duerme muchas veces en las cuevas vacías de su calavera.»

Del «¡Cuántas veces!» o del «muchas veces» de ese prólogo a la definitiva afirmación de la Casida hay un largo camino cuya línea divisoria la marcan [ciertos poemas] del libro *Canciones* alusivos al anillo de boda. Antes de esos poemas casi se diría que el poeta se limita a una mera conciencia del «morir habemos», despertada en contacto con los apetitos de la carne. Cuando en la *Balada de la Placeta* los niños preguntan al poeta «¿Qué sientes en tu boca roja y sedienta?» el poeta contesta con un claro oscuro de Ribera: «El sabor de los huesos de mi gran calavera». En los poemas posteriores a *Canciones* el sabor de calavera lo percibirá también en las bocas que besa, en las caricias dedicadas al recién nacido: «No hay noche que, al dar un beso, / no sienta la sonrisa de las gentes sin rostro, / ni hay nadie que, al tocar un recién nacido, / olvide las inmóviles calaveras de caballo».

La ecuación final, amor = muerte o muerte = amor, es lo que da a su poesía amorosa, posterior al libro de *Canciones*, tan inconfundible y grave intensidad. El dominio de la forma presta clásica belleza a versos que, a primera vista, podrían parecer meros guiños surrealistas. Esa ecuación, conviene precisarlo, no debe nada a la presencia de las dos vertientes del tema central del amor. Tampoco la motiva la inclinación personal que pueda percibirse en favor de una u otra ni, en contra de lo que pudiera creerse, origina el tema del amor homosexual el menor sentimiento de odio hacia la mujer, víctima, como el hombre, de igual destino.

SOLITA SALINAS DE MARICHAL

CANCIONES DEL PRIMER ALBERTI

Los protagonistas de *Marinero en tierra* (1925) son dos niños: el marinerito, aún bajo la tutela de padre y madre, y la sirenilla, «mi hortelanita», «mi niña virgen del mar». Como niños que son, la actividad que les absorbe es la del juego: «En un carrito, tirado / por un salmón ¡qué alegría / vender bajo el mar salado, / amor, tu mercadería!». En este mundo, abundante en diminutivos, aparece la sirena «niña», así como la «niña rosa» sentada en su balcón, la niña de la falda blanca. Otra niña, de cuento, es la que hace una breve

Solita Salinas de Marichal, *El mundo poético de Rafael Alberti*, Gredos, Madrid, 1968², pp. 22, 25, 62-64, 97-98, 99-102, 105.

aparición: «Blanca-nieve se fue al mar». El mar mismo se hace más asequible, más cercano al niño, al cambiar de artículo: «El mar. La mar. / El mar. ¡Sólo la mar!». [...]

El concepto mar-huerto, la existencia de naranjos en paraísos submarinos, están arraigados en la tradición folklórica. La naranja, su pregón, la niña del primer amor soñado junto al mar, que se convierte en la sirenilla, están igualmente arraigados en el recuerdo del poeta. La materia poética en que se apoya aquí la ensoñación es materia orgánica. De ahí que el cruce de imágenes que sitúa la vida primera recordada en el jardín submarino tenga una solidez perfecta. La conjunción de fruto y primer amor bajo las aguas intensifica la impresión que busca traducir el poeta en este su primer libro de que todo él es un sueño de niño, hecho de recuerdos de la infancia. «Sueño de marinero» se llama el primer poema, y en uno de los últimos de *La amante*, en que se cierra este ciclo, dirá: «Duerme, / que en el mar, huerto perdido...» y acentuará el porqué del sueño en el mar-cuna, señalando la forma de su movimiento natural: «Duerme, mi amante, / porque va y viene». Este mar de infancia está perdido para siempre. La relación mar-vida estaba rota hacía ya algunos años, cuando Rafael Alberti escribe *Marinero en tierra.* Como dice en sus memorias, cuando vuelve a sus orillas en 1916 en breve viaje, éstas le parecen, sobre todo, tristes. Pero puede revivir en la tumba-cuna que es el agua, a través de su ritmo de nana. En el mundo líquido la nostalgia queda atenuada por la maleabilidad de la materia misma, estilizada y reducida a un mínimo de gesto y voz, como el canto de la nana: ea, ea, ea; eliminado el choque de las consonantes, queda, reina del verso, como única expresión la vocal *a* prolongada, que parece obedecer a la voz misma del elemento. [...]

Es la *a* la vocal más frecuente en *Marinero en tierra*, y domina su sonido en un gran número de versos: «¡Quien cabalgara la mar!», «... ¡A las altas torres altas ...», «¡Alegría! / ¡Ya la mar está a la vista!», y en la vocal del adverbio preferido por el poeta, «¡ya!», que marca precisamente la irrupción del mundo nuevo. La sirenilla cristiana canta por alegrías el triunfo de la creación recién lograda. La estilización del impulso creador, traducida en *aes* prolongadas y exclamativas, crea la ilusión del amanecer, nos lleva al mundo naciente de la alborada tradicional: «Al alba», dice la canción de la lírica anónima, también empinada en las exclamaciones y en la *a* repetida. Y lo mismo Alberti desde su primera poesía («A la mar») y ya en ella, a la alegría de vivirse en el huerto submarino recién conquistado por la palabra. [...]

Los temas son variados y múltiples, dentro de una unidad total: la del mar. A los tradicionales marinos, hay que añadir, en *Marinero en tierra*, el de las nanas, que repiten con su movimiento el del vaivén de las olas. En *La amante*, la canción de camino, hacia el nuevo mar, se distrae y demora en el camino mismo, y revive los antiguos temas de la alborada, de serranilla, de amor en el ambiente natural de montes y bosques, eco de la canción de romería; de vida pueblerina en sus quehaceres y oficios. Canciones de mínimo argumento y forma mínima. «En este libro —dice Pedro Salinas— está tratado el mar no en su magnitud épica sino como un tesoro de sugestiones poéticas breves, aladas, y graciosas, como un sartal de cantares marineros.» Es *Marinero en tierra*, como dice Alberti, un libro lleno «de muchas cosas pequeñas», pero concebido como una totalidad: «desde mis días iniciales —dice, hablando de su primera poesía— pretendí que cada una de mis obras fuese enfocada como una unidad, casi un cerrado círculo en que los poemas, sueltos y libres en apariencia, completaran un todo armónico y definido». [...]

Marinero en tierra refleja, con el frecuente uso del subjuntivo, el proyecto que muchas veces queda sin realizar: que no pasa de ser sueño. Más que aventuras, las breves canciones de este libro reflejan el ansia, la sed de aventura. A veces, en estado puro: «sin partir»: el mismo punto de partida del «Romance del Conde Arnaldos». Es el romance del Conde Arnaldos la canción española de tema marino más lograda de la lírica anónima, y en ella encuentra Alberti un precedente a su aventura por el mar. [En tres canciones recrea motivos del «Conde Arnaldos»: en la «Elegía del niño marinero», de longitud inusitada —40 versos— en este libro de poemas brevísimos, y en las canciones 35 y 43.] El romance del Conde Arnaldos empieza con un verbo en subjuntivo: «¡Quién hubiera tal ventura!». Y en subjuntivo están muchos de los poemas-proyectos de *Marinero en tierra* y de *La amante*: «Branquias quisiera tener ...», «Si me fuera, amante mía ...», «Si Garcilaso volviera ...». El subjuntivo expresa una nueva situación en este mundo de deseos relámpagos; el del sueño no realizado y quizá no realizable. Pero con frecuencia en el mundo dinamizado de *Marinero en tierra* dentro de la misma canción hay un cambio de tono, y de la melancolía inicial expresada en el subjuntivo: «Tan bien como yo estaría ...» se pasa al grito alegre de logro: «—¡Algas, algas de la mar!». La nostalgia existe en el mundo de preguntas y proyectos de la primera poesía albertiana. [...]

El mar vivido de Cádiz y el ritmo de la canción popular se traduce en *Marinero en tierra* con la voz fresca, incanjeable de lo recién creado. Alberti (según José F. Montesinos) «lo popular se lo inventa todo, lo contrahace con un refinamiento admirable». Recoge también Alberti la tradición renacentista de los poetas de las églogas, las corrientes de la nueva poesía española y europea. Popularismo y cultismo. Pasado y presente lírico. Tradición que es originalidad porque todo este mundo marino, desde el mar del mito al de la telegrafía sin hilos, está dominado y estilizado por la lucidez y la gracia que caracterizan a Alberti como poeta. El esfuerzo poético de Alberti se podría traducir en la imagen de Péguy: «el árbol de la gracia, enraizado en lo hondo».

ANDRÉS SORIA OLMEDO

SOBRE LOS ÁNGELES

[Esta suerte de «autobiografía ideológica» nace] de una crisis personal, determinada, sin embargo, por la coyuntura ideológica que atraviesa España a fines de los años veinte y que afecta también a otros poetas, los cuales escriben textos atravesados por una complejidad interna y un desgarramiento paralelo al de *Sobre los ángeles*; se trata de *Poeta en Nueva York*, o *Un río, un amor*. Son libros en los que se acentúa la marginación, que desembocará en posturas de compromiso político por parte de sus autores. Este compromiso, claro está, revestirá formas dispares, en cada uno de los casos, pero en todas estas obras puede rastrearse el mismo rechazo de formas y hábitos anteriores, que en todo caso habrá que identificar con la protesta y el desprecio que al poeta moderno le producen los aspectos más utilitarios de la ideología burguesa. [...]

Andrés Soria Olmedo, «El producto de una crisis: *Sobre los ángeles*, de Rafael Alberti», en *Lecturas del 27*, Universidad de Granada, 1980, pp. 157-198 (157, 158-159, 165, 167-175, 179, 180-181, 190).

Alberti en estos momentos se acerca al surrealismo en este punto concreto: su rebeldía, su agresividad contra las trabas de la moral burguesa, su malditismo, serán ahora más intensos que nunca, y se expresarán por todos los medios, el poético, el periodístico, el teatral (son importantísimas las coincidencias, incluso de calco de frases, entre su «auto sacramental sin sacramento» *El hombre deshabitado*, cuyo tema central es la rebelión contra el catolicismo). La resolución de la crisis estribará en su adhesión a la causa de la clase obrera, que devolverá al poeta una visión del mundo consistente, aunque de signo inverso. La obra teatral y la poética son jalones de una especie de terapia que alinea a la obra albertiana con los grandes poetas modernos, desde Baudelaire («dominar artísticamente una lengua equivale a ejercer una especie de conjuro mágico») hasta el florecimiento de las vanguardias. [...]

La dificultad de *Sobre los ángeles* no reside tanto en su estructura, que es sencilla, cuanto en su imaginería, variada y unitaria a la vez. El lenguaje no es oscuro, más bien el hermetismo procede de la acumulación de matices emocionales. No hay en el libro apenas comparaciones (nunca se utiliza el «como») sino visiones directas y estructuradas, al modo de la Biblia.

En cuanto a la métrica, las dos primeras partes del libro conservan el primitivo gusto de Alberti por el metro corto, pues en ellas predominan los versos de siete sílabas, intercalando algunos endecasílabos. Por otro lado, la estructura estrófica en estas primeras partes es de tipo paralelístico, con repetición de versos que aluden a situaciones parecidas (véase «Canción del ángel sin suerte»). Cada poema suele aparecer como una pequeña pieza dramática, donde las imágenes se suelen expresar mediante frases enunciativas, en contraste con los verbos, que con frecuencia aparecen en imperativo, aludiendo a situaciones que el poeta quiere poner de relieve. Prácticamente hasta la tercera parte no hacen su aparición los versículos de hasta veinte sílabas, propios de la poesía surrealista, una de cuyas conquistas formales es la de liberar al verso de toda atadura métrica que no sea el ritmo impuesto por el inconsciente. En esta tercera parte el verbo también actúa de contrapeso («mirad», «ved», «acordaos», etc.) a la «acumulación caótica» de imágenes expresadas en oraciones de estructura sintáctica simple (prácticamente no hay oraciones subordinadas circunstanciales), paratácticas. [...]

Los ángeles plantean una serie de problemas: ¿qué se quiere simbolizar con ellos?, ¿son religiosos o no?, ¿cuál es la naturaleza de su relación con la tradición cristiana? Las declaraciones del autor niegan toda relación entre sus ángeles y los cristianos, aunque esta relación, más que negada, debe ser matizada en sus justos términos.

Los estudiosos se dividen a este respecto; para la mayoría de ellos los ángeles simbolizan fuerzas espirituales (lo cual es verdad). Como dice Eric Proll [1941], pueden ser clasificados de diversas maneras y siguiendo diferentes escalas de valores: pueden ser buenos, malos, neutros, pueden ser clasificados materialmente o abstractamente, etcétera. Se podría decir que cada matiz emocional, cada aventura dentro de este mundo poético exige un ángel diferente, y de ahí que los adjetivos aplicados a los ángeles tengan mucha importancia, ya que pueden ser expresión del tema de los versos que llevan ese título. Tanto Bowra [1949] como Bodini [1963] y Spang [1973] los definen desde este punto de vista psicológico, negando su relación estrecha con los ángeles de la religión. [...]

Es difícil estimar el papel de la religión en *Sobre los ángeles*, pues sin tratarse de poesía religiosa, por supuesto, los elementos cristianos tienen una abundancia tal que impregnan el libro en su totalidad. También resulta insuficiente la explicación que se para en divagaciones imprecisas de carácter psicológico sin más. Por eso acierta Solita Salinas [1968] al afirmar «que los ángeles de Alberti están vinculados de raíz a la tradición poético-religiosa; son tradición, como lo es toda la poesía de Alberti».

El origen de estos ángeles está pues, sin duda, en las nociones tradicionales que conoce cualquier persona que haya sido educada en el catolicismo, más la lectura de la Biblia, que Alberti realizó probablemente durante su retiro a Tudanca. Fiándonos de sus propias declaraciones, podemos arrojar alguna luz sobre detalles relativos a las fuentes e influencias recibidas en *Sobre los ángeles*. Dice Alberti: «*Sobre los ángeles* marca en mi obra afinidades bien distintas: los poetas bíblicos Ezequiel, Isaías y san Juan; Baudelaire, Rimbaud y Bécquer». [A estos nombres habría que añadir el de Juan Larrea, que le tendió el puente hacia el surrealismo y a ciertas actitudes y planteamientos técnicos.]

Así, tanto en Ezequiel como en san Juan se alude, en sus visiones celestiales, a ángeles de cuatro alas, completamente cubiertos de ojos, que pueden haber servido de punto de partida a la utilización de los ojos en «Los ángeles sonámbulos»: «Ojos invisibles, grandes, atacan. / Púas incandescentes se hunden en los tabiques. / Ruedan pupilas muertas, / sábanas. / Un rey es un erizo de pestañas».

Naturalmente, es clara la analogía entre los serafines de la visión de Isaías y los «espíritus de seis alas», de «Los ángeles de la prisa». Por eso da en el clavo Pedro Salinas al comparar los ángeles de Alberti con los bárbaros emisarios de los Beatos medievales, pintados precisamente según las indicaciones bíblicas, y diferenciarlos de los amables ángeles de la tradición católica y popular (que no obstante aparecen también en el libro).

Otro pasaje de la misma visión de Isaías puede haber dado pie a los siguientes versos de «El cuerpo deshabitado»: «Yo te arrojé de mi cuerpo, / yo, con un carbón ardiendo», justamente aquel en que el serafín, con su tizón, purifica al profeta (Isaías, 6, 6: «y voló hacia mí uno de los serafines, teniendo en su mano *un carbón encendido*, tomado del altar con unas tenazas»; 6, 7: «y tocando con él sobre mi boca dijo: He aquí que esto tocó tus labios, y es quitada tu culpa y limpio tu pecado»). Lo que ocurre es que Alberti manipula el texto bíblico para indicar la pérdida del alma mediante el mismo procedimiento del fuego purificador, dando una imagen pesimista, de carencia, al contrario de la plenitud que sugiere el pasaje bíblico.

Asimismo, el tema de la falta de los cinco sentidos (recordemos su importancia en *El hombre deshabitado*) puede tener su base en la imprecación de Ezequiel, 12, 2: «hijo de hombre, tú habitas en medio de casa rebelde, cuyas gentes tienen ojos para ver y no ven, tienen oídos y no oyen, porque son casa rebelde».

Igualmente, la visión de los mares de sangre que aparece en el poema «Castigos»: «Es cuando golfos y bahías de sangre, / coagulados de astros difuntos y vengativos, / inundan los sueños», puede haberse basado en un pasaje de la visión apocalíptica (S. Juan, 16, 2): «El segundo ángel derramó su copa sobre el mar, y éste se convirtió en sangre como de muerto; y murió todo ser vivo que había en el mar».

Todos estos datos demuestran que Alberti leyó la Escritura con bastante atención y profundidad, y que por lo tanto el tema de la crisis religiosa es crucial para nuestro poeta. [...]

Además del «homenaje a Gustavo Adolfo Bécquer», subtítulo del largo poema «Tres recuerdos del cielo», que abre la tercera parte del libro de Alberti, hay algunas rimas que convendría recordar aquí como fuentes de inspiración. [Por ejemplo, la XLVII y la LVI: «El alma, que ambiciona un paraíso...». Ésta ofrece gran cantidad de analogías con «Paraíso perdido». En la rima LXXIV aparece el «huésped de las nieblas», que Alberti convierte en subtítulo de cada uno de los apartados del libro. Su tono general onírico y misterioso le impresiona decisivamente.]

Bajo el epígrafe «Entrada», como introducción a todo el libro, se destaca un poema en tercetos de heptasílabos, «Paraíso perdido», muy importante, porque en la noción de pérdida del paraíso se configura la nostalgia de la poesía albertiana durante este período. [El paraíso, por supuesto, no es un paraíso religioso, sino un conjunto de virtudes definidas por vía negativa.]

Observamos que la obra entera está basada sobre dicotomías: pureza, impureza, armonía, desarmonía. Estas dicotomías fundamentales, sin embargo, no se presentan abstractamente, sino como un conjunto de dicotomías parciales, más concretas: alma / cuerpo, cielo / infierno, aire-luz / sombra, y otras que ya se encontraban en sus obras anteriores: frío/calor, Norte/Sur, mar/tierra, campo (naturaleza)/ciudad, etc. En *Sobre los ángeles* predominan las que tienen su origen en la temática religiosa, que constituye un entramado que recorre toda la obra, aunque no falten las de los otros tipos. [...]

En toda la primera parte el solo respiro concedido al poeta es la aparición de los ángeles buenos. [Hay tres poemas con este título, dos de ellos en la primera sección.] La intervención de los ángeles buenos, intercalada a lo largo del libro, marca como unos reflujos en el largo y penoso viaje a través del infierno.

La pérdida de identidad que afecta al yo poético no se relata en abstracto, sino bajo la forma de la pérdida (condenación) del alma. [Antes y después de *Sobre los ángeles*] Alberti trata de conservar su espíritu, cuya expresión es la voz, la voz poética. Lo que trata de hacer en esta obra —como en *El hombre deshabitado*— es desacralizar el espíritu, al que apresan fuerzas de orden religioso, sobre todo las fuerzas del mal. Contra ellas es la más fuerte lucha del poeta en *Sobre los ángeles*, pues la sustitución de un paraíso más religioso por otro más laico vendrá después, como sustento del compromiso político.

VICENTE LLORÉNS

ALBERTI Y LA BUCÓLICA DE LA REVOLUCIÓN

[Como Victor Hugo y Unamuno], también Alberti ha separado en sus publicaciones una parte de su poesía de destierro de la estrictamente social. Sin embargo, la relación entre una y otra es en su caso muy estrecha. Por encima del acontecer histórico concreto, que apenas sobrepasa la sátira política, Alberti ha tendido siempre a mitificar situando la realidad fuera del tiempo y valiéndose de imágenes permanentes. [...] Así ocurre en *Ora marítima.* Este libro, glorificación poética de Cádiz, es por una parte una evocación de la infancia del poeta, como *Marinero en tierra*, y al mismo tiempo la proyección de esa infancia feliz en un Cádiz mucho más lejano: el Cádiz primigenio de los mitos griegos, que quedan ya propiamente fuera de la historia.

Si no me equivoco, fue William Empson, en sus estudios sobre la poesía pastoril inglesa, el primero que señaló hace muchos años el carácter proletario y social de la literatura pastoril renacentista. La española —que Empson desconocía seguramente— no sólo justifica sus observaciones, sino que permitiría completarlas. Ni el estilo, tan refinado y poco popular, ni el ser obra de cortesanos o de quienes estaban a su servicio, le quitan a la literatura pastoril su tendencia antiaristocrática. (Más tarde, la literatura antiburguesa habría de ser a su vez obra de burgueses.)

«Assaz desfavorecido de los bienes de la naturaleza —se dice en la *Diana* de Montemayor— está el que los va a buscar en los pasados.» Lo cual significa que nada tienen que ver con el linaje los únicos bienes importantes, o sea los otorg·dos por la Naturaleza. Sólo éstos cuentan, y no los de Fortuna.

El personaje esencial que da nombre a esta literatura es el pastor, es decir, la más humilde figura de la escala social. Pero sobre él recaen las virtudes que fueron un día privilegio del noble, muy en primer tér-

Vicente Lloréns, «Rafael Alberti, poeta social: historia y mito», en su libro *Aspectos sociales de la literatura española*, Castalia, Madrid, 1974, pp. 199 214 (207-210, 212-214).

mino el amor. Lope de Vega, cuyo drama rural es afín al mundo pastoril, dejará estupefacto al lector de *Fuenteovejuna* haciendo que unos pobres campesinos, Barrildo, Mengo y Laurencia, entren en sutil disquisición sobre la naturaleza del amor, citando nada menos que a Platón, para mostrar que el entendimiento amoroso no es exclusivo de una clase social superior; del mismo modo que otorgará al plebeyo el sentido del honor propio del caballero.

La literatura pastoril es también antiguerrera. El pastor simboliza la paz. El guerrero Garcilaso, primer poeta pastoril castellano, es también el primero en condenar la guerra: «la inhumana / furia infernal, por otro nombre guerra». En realidad, toda la literatura pastoril es una exaltación de la paz, y no podía ser de otra manera puesto que se funda en el amor y en la armonía de la naturaleza. Por eso restaura el mito de la edad de oro, de aquella Arcadia feliz en donde, como decía don Quijote a los cabreros, «todo era paz y contento».

No faltan, pues, motivos para poner en relación esa nostalgia de la perdida felicidad humana con las utopías políticas de los tiempos modernos. Ya es un indicio significativo que nacieran al mismo tiempo (*Arcadia* de Sannazaro, 1504; *Utopía* de Moro, 1516). Claro está que una de las principales diferencias consiste en que el ideal de perfección social lo coloca la poesía renacentista al principio de la historia (o más bien, antes de empezar, puesto que la Arcadia pastoril está, en presente perpetuo, fuera del tiempo), mientras que en las utopías se sitúa al margen o al final de la historia, tras la «lucha final» que dice el más conocido de los himnos proletarios (con lo cual es de suponer que se acabe también la historia).

Sin embargo, el eslabón intermedio, el paso de la edad de oro primigenia a la del futuro, aparece bien claro en el siglo XVIII, principalmente en el máximo revolucionador de su tiempo, Juan Jacobo Rousseau. Rousseau hereda del Renacimiento la idea del hombre naciente, del salvaje que los viajes de la época dieron a conocer, equiparándolo al hombre primitivo, más feliz que el civilizado, entre otras cosas por desconocer la propiedad. [...]

En *Ora marítima* hay un poema titulado «La Atlántida gaditana» en donde la felicidad humana de un ayer remoto se enlaza con la del porvenir. Quien habla en primera persona es Alberti:

> Iba alegre, en un coche de caballos
> hacia la Santa Luz, hacia Sanlúcar,
> sin saber que los campos de los viejos abuelos,
> que las huertas marinas de tomates
> y soleadas calabazas eran,

ya ante las aguas y los aluviones
del Guadalquivir, playas,
dunas del sueño de Platón, vestigios
de su perdido reino azul de los Atlantes.

Esto ocurrió antes, durante la infancia alegre del poeta. Ahora, desterrado, desde la otra orilla del mismo mar, quiere volver y sumergirse en el sol misterioso de aquel perdido reino azul:

Lejos, sentado ahora en las contrarias
orillas, recibiendo
las mismas oceánicas olas, me voy con ellas,
llego con ellas y mis ojos hundo,
todo yo me sumerjo en tan antiguo
sol misterioso, isleña
raza potente desaparecida.

Et in Arcadia ego. Sumergirse en tan antiguo sol, ser partícipe de aquella potente raza. Pero la estrofa siguiente —que no puede leerse sin recordar la «Salutación del optimista» de Rubén Darío— inicia una transición:

Álzate, surge, sube, asciende de los hondos
despeñaderos submarinos. Véate
pura y viril poblar la nueva tierra.
Renovadas se ostentan tus remotas virtudes.
Hombros inexpugnables, corazones
incorruptibles, manos inmáculas emerjan.
Corra tu ardor por la cansada sangre.

Ese mundo originario no está ahí fijado para siempre en el mito para ser evocado luego nostálgicamente. Tiene que volver otra vez para renovar con su ardor, con sus hombres puros y fuertes, a una raza decaída. El poeta aspira a un mundo mejor:

Pechos doblados sufren hoy el mundo,
prestos a henchirse de tan limpios hálitos.
Puedan los hombres respirar tranquilos,
mirar al cielo sin beber la muerte.
Ancha morada, límites sin llaves,
de par en par se extiendan para todos.

Sueño no sea, estrella de una noche,
sino solar imagen que presida,
alta y perenne luz, los continentes.
Así temblores, así cataclismos,
primitivas catástrofes un día
no podrán de la tierra hacer de nuevo
la perdida isla azul de los Atlantes.

Entonces, cuando los hombres sujetos hoy a un yugo vivan en paz, sin temores ni prisiones, iluminados por una luz radiante, el poeta reanudará su marcha: «Y otra vez, en un coche de caballos, / volveré alegre a ir por mis caminos / hacia la Santa Luz, hacia Sanlúcar».

El poema termina como empieza, pero pasando del «iba» al «volveré», del pasado feliz a un futuro que no lo será menos. La edad de oro originaria queda así enlazada a ese mañana al que aspira la humanidad.

O mejor dicho, la aspiración se ha convertido en realidad. En uno de los poemas sobre la China se dice:

¡Qué vaivén! Bulle el agro. Se abren nuevos caminos
por donde se derrama la verde agricultura.
En esta nueva Arcadia ni el eco escucharía
los alternados cantos de los viejos pastores.

Una Arcadia nueva con campesinos en vez de pastores, pero Arcadia al fin, y tan feliz como la otra. El viejo sueño se ha realizado.

Es curioso observar que en los poemas a la China revolucionaria de nuestro tiempo, apenas entra en juego la historia, y que el tono combativo ha desaparecido casi por completo. Lo que domina en esa China sonriente de Alberti es una visión idílica poblada de flores y jardines (varias poesías llevan título floral) y en donde la palabra «primavera», imagen de lo nuevo y juvenil, se repite constantemente:

Y sufrí por ti entonces y di por ti mi sueño
y bregué como pude para tu nueva vida
y despertarme un alba bajo el jardín risueño
de tu maravillosa primavera florida.

En la poesía española del siglo XX, Rafael Alberti podría ser considerado —sin detrimento alguno de su intención política— como el poeta bucólico de la revolución.

RICARDO SENABRE

LA POESÍA DEL EXILIO EN ALBERTI

Resulta curioso comprobar cómo repite Alberti la organización de sus libros. La obra que inicia su primera etapa —*Marinero en tierra*— comienza con un prólogo y varios sonetos. *Cal y canto*, que supone un giro importante y la inauguración de la nueva manera, se inicia también con cuatro sonetos que podríamos calificar de programáticos, entre ellos «Amaranta». *Entre el clavel y la espada* (1941) comienza con el prólogo y la serie de poemas titulada «Sonetos corporales» [el primero de los cuales, significativamente, está referido al momento de nacer. Desde este momento] la obra de Alberti es un continuo retorno. En 1944 publica *Pleamar*, una de cuyas secciones, titulada «Arión», está constituida por versos sueltos dirigidos al mar. Desde el otro lado del Atlántico, el poeta vuelve de nuevo imaginativamente a sus raíces originarias. Otra sección del libro, titulada «Cármenes», contiene brevísimos poemas, aforismos sobre el propio quehacer poético, a la manera de Antonio Machado. [...]

En 1948 aparece la primera edición de otro de los libros significativos de esta época, del que ya el poeta había ofrecido un breve anticipo tres años antes, en una corta impresión privada: *A la pintura*. Aparentemente, la obra está constituida por una serie de poemas en los que Alberti trata de hallar la equivalencia literaria de determinados estilos, obras y artistas, lo que se hallaría en consonancia con el subtítulo del libro —*Poema del color y la línea*— y con la dedicatoria a Picasso, como arquetipo o resumen de todas las tendencias pictóricas. [...]

A la pintura no es sólo —aunque ya sería suficiente— una muestra ejemplar de cómo pueden transcribirse mediante el lenguaje las líneas, los colores y el mundo que en cada caso representan. Hay también en el libro una serie de composiciones «teóricas», no referidas a artistas concretos: «A la pintura», «A la retina», «A la línea», «Al color», «A la composición», etc. En total, veinte poemas, distribuidos a lo largo del libro con un sentido compositivo merecedor de

Ricardo Senabre, *La poesía de Rafael Alberti*, Universidad de Salamanca, 1977, pp. 78-86.

un estudio detallado. Significativamente, todos estos poemas «teóricos» revisten la forma cerrada y clásica del soneto: el arte se somete a normas. Así, Alberti ve la composición, en el soneto correspondiente, como una «sólida trama que una ley sanciona, / suma de acordes que entre sí aprisiona / en su red ideal la geometría», lo que no está lejos de aquella «precisión de lo claro o de lo oscuro» exigible al artista «dueño, a caballo, dominante» que se plasmaba en uno de los aforismos de *Pleamar*.

No obstante todo lo anterior, y sin dejar de reconocer los significados del libro aquí expuestos, hay un sentido último en *A la pintura*, coherente con el desarrollo vital y sentimental de Alberti, que me parece perceptible en algunos versos del poema-prólogo titulado «1917»:

> Mil novecientos diecisiete.
> Mi adolescencia: la locura
> por una caja de pintura,
> un lienzo en blanco, un caballete...
> ¡El Museo del Prado! ¡Dios mío! Yo tenía
> pinares en los ojos y alta mar todavía
> con un dolor de playas de amor en un costado
> cuando entré al cielo abierto del Museo del Prado...
> ¿Por qué a mi adolescencia las antiguas figuras
> le movieron el sueño misteriosas y oscuras?
> Yo no sabía entonces que la vida tuviera
> Tintoretto (verano), Veronés (primavera),
> ni que las rubias Gracias de pecho enamorado
> corrieran por las salas del Museo del Prado.

Basta con estos fragmentos —aunque no son los únicos que podrían aducirse— para advertir que Alberti vuelve a la pintura como vuelve, una y otra vez, al mar: en busca de la adolescencia perdida, haciendo un desesperado esfuerzo por reanudar los vínculos con un tiempo irremediablemente pasado. El mar abandonado y evocado se sitúa en el mismo plano simbólico que la dedicación pictórica interrumpida (y vuelta a reanudar también en los últimos años, cuando ya arte y vida se confunden): son asideros a los que el poeta se aferra en un tenaz y continuo retorno. El mismo título de un libro inmediatamente posterior (1952) es significativo: *Retornos de lo vivo lejano*. Suscitados por recuerdos de momentos concretos, los nostálgicos poemas de *Retornos* producen la impresión de que el autor intenta completar y cerrar poéticamente el ciclo de sus remembranzas. Pero el destino de Alberti parece ser ya, irremediablemente, recordar. En 1953 compone *Ora marítima*, largo poema concebido como una recreación mítica de Cádiz, a manera de homenaje a la tierra natal del poeta y en el que, sin embargo, se deslizan inevitables evocaciones personales. [...]

Algo análogo cabría decir del libro siguiente, *Baladas y canciones del Paraná*. Alberti abandona toda pretensión experimental y distribuye entre las composiciones del libro algunas reflexiones sobre el quehacer artístico, como ésta, cuya formulación recuerda inevitablemente el conocido «Credo poético» de Unamuno: «Sentimiento, pensamiento. / Que se escuche el corazón / más fuertemente que el viento». [...]

En consonancia con la utilización casi exclusiva, en este libro, del «verso que dicen viejo» y la vuelta sistemática a estructuras populares, reaparecerá también la imagen del mar [...], claro equivalente del «corazón» o el sentimiento sincero sin el cual el verso «no es nada». Una vez más, el mar actúa como imagen arquetípica, como compendio de los recuerdos, sentimientos y experiencias acumulados durante treinta años de labor creadora. En el Paraná, como en los *Retornos de lo vivo lejano*, Alberti sólo escucha ecos de voces antiguas, y la realidad circundante funciona como resonador de íntimas añoranzas:

> Noche turbada de mugidos.
> ¡Si estaré acaso en las dehesas!
> Los toros bravos se responden.
> La luna atónita los ciega.
> ¿Son las marismas? ¿Es el mismo
> bramar antiguo el que me llega?
> ¿Cuándo la tierra en que no estoy
> me hará sentirme en otra tierra?

La elección del verso eneasílabo, no muy frecuente en Alberti, y la rima asonante, así como la agrupación de los versos en secuencias de dos unidades, recuerdan la organización general de ciertas canciones paralelísticas de la lírica tradicional. El rechazo de módulos más populares, como el romance, no provoca, sin embargo, la adopción de metros más solemnes; la composición se mantiene, así, en un tono medio entre la expresión espontánea y la elaboración cuidadosa y meditada.

Se trata de un «nocturno». De acuerdo con una tradición ya consagrada, la noche favorece la meditación y la fantasía; por eso, las sensaciones vagas e inconcretas se mezclan a lo largo del poema con enunciados que traslucen una actitud reflexiva y meditabunda. La noche impide ver las cosas, y, en consecuencia, las impresiones exteriores son meramente auditivas (*mugidos*, *responden*, *bramar*). Ya desde el comienzo, el silencio nocturno se ve turbado —es decir, alterado, interrumpido— por los mugidos. Pero, a la vez, estas impresiones acústicas *turban* al poeta. Dicho de otro modo: *turbada* funciona al mismo tiempo en la frase como participio («turbada *por* mugidos») y como adjetivo («noche *turbada* —y no por ejemplo, **serena*— y llena de mugidos»). Con este último valor, la «turbación» de la noche no hace más que reflejar la inquietud y el desasosiego del poeta; de ahí que brote inmediatamente el segundo verso, que no es una interrogación, sino la expresión de una duda, reforzada por el uso de la fórmula *si...acaso.* [...] El súbito poder evocador de los elementos del paisaje —el mugido de los toros, la luna— acarrea la aparición de preguntas que delatan la creciente inmersión del poeta en el ensueño: «¿Son las marismas? ¿Es el mismo / bramar antiguo el que me llega?». «Las marismas» son, como «las dehesas» del verso segundo, las que Alberti lleva grabadas en el recuerdo. Como ya sucedía en *Marinero en tierra*, la realidad inmediata suscita el rebrote de sensaciones pertenecientes a otro ámbito vital, que renacen merced al establecimiento de analogías y relaciones psicológicas fácilmente rastreables. [...] Alberti personifica el destino del perpetuo desplazado: en Madrid recuerda la bahía gaditana; en la «tierra» crítica de la juventud añora el «cielo» de la infancia y la adolescencia; en tierras americanas busca las concomitancias con la tierra natal, distante y, sin embargo, sentimentalmente próxima: «¿Cuándo la tierra en que no estoy / me hará sentirme en otra tierra?». Esta poesía que es una vuelta continua a las raíces, una búsqueda ininterrumpida de la «arboleda perdida».

8. POESÍA DE LA GENERACIÓN DE 1927: VICENTE ALEIXANDRE, LUIS CERNUDA

Reúno en este capítulo a dos poetas convergentes en largos tramos de su escritura y en buena medida del espíritu, llamémosle de momento, romántico que la anima, y muy diversos, en cambio, por lo que hace a su modo vital de ser poetas. Mientras en Cernuda vida y obra se identifican hasta el extremo de no ser ésta sino su autobiografía espiritual, representa Aleixandre un caso de paradoja.

Autor de una obra poética que se proyecta en dimensiones cósmicas, Vicente Aleixandre es un hombre de biografía mate, sin apenas relieves exteriores, que Leopoldo de Luis [1978] ha resumido con fervor. Desde los veintisiete años en que le acosa la enfermedad, vive hacia adentro. No introvertido; porque ningún poeta de su generación ha conversado, enseñado y compartido tanto como él. *Los encuentros*, a la par que constituyen un espléndida galería de retratos, cuya estructura analiza finamente Zardoya [1961], testimonian la apertura hacia cuanto culturalmente vive. Tuvo lugar el primero con Dámaso Alonso en 1917 y esa fecha marca el comienzo de la producción poética aleixandrina. Un álbum inédito, del que el propio Dámaso Alonso [1978] ha dado noticia, contiene cincuenta y tres composiciones inéditas anteriores al primer libro, que documentan un titubeante proceso formativo con predominio sucesivo de influencias de Rubén, Juan Ramón Jiménez y Machado; un único ejercicio ultraísta aparece, con seudónimo, en *Grecia* (De Luis [1978]).

Desde el básico estudio de Bousoño [1950, 1977⁴] —doblemente importante por la acertada comprensión de la obra de Aleixandre y como muestra práctica de la neoestilística hispánica— la crítica viene distinguiendo dos grandes etapas: una primera, estructurada sobre la idea de lo elemental como única realidad afectiva del mundo, que va de *Ámbito* (1924-1928) a *Nacimiento último* (1953), incluyendo *Pasión de la tierra* (1935), *Espadas como labios* (1932), *La destrucción o el amor* (1935), *Mundo a solas* (1936) y *Sombra del paraíso*; y otra que abarca de *Historia del corazón* (1954) a *En un vasto dominio* (1962) y *Retratos con nombre* (1965), tiempo en que se contempla la vida humana como historia. Dejando a un lado los poemas sueltos, habría ahora que insistir en que los dos libros posteriores, *Poemas de la consumación* (1968) y *Diálogos del conocimiento* (1974), forman una tercera etapa bien definida. En todo caso y sin reservas respecto de la mutación que marca cada etapa, quizá sea oportuna la llamada de atención que Leopoldo de Luis [1978] hace sobre la convergencia de todo el proceso creador hacia la unidad; porque un hilo conductor engarza y vivifica las tres etapas: la vivencia de solidaridad con el mundo físico o con el mundo de los hombres.

Hasta hace poco tiempo, *Ámbito*, escrito entre 1924 y 1927, era un libro olvidado de la crítica. El propio Aleixandre lo consideraba en 1944 —«Prólogo» a la segunda edición de *La destrucción o el amor*— y en 1946 —«Introducción» a la segunda edición de *Pasión de la tierra*— como algo que quedaba «atrás, distinto, inconexo», fuera del desarrollo de su personalidad de poeta. Eran claras, desde luego, sus vinculaciones con la lírica tradicional entonces dominante. Pero ofrecía aspectos que no encajaban en el esquema prefabricado como paradigma de análisis de un libro del 27; el resultado es ese olvido que menciono. Ya en 1956 —«Prólogo» a *Mis mejores poemas*— Aleixandre rectifica su propia lectura y recomienda leer *Ámbito* «a la luz de lo escrito más tarde». Así lo hace Galbis [1974] configurando en el libro una primera visión cósmica; poco más tarde, es Gimferrer [1975] el que ofrece un catálogo de anticipaciones temáticas y formales; completan esa línea de estudio Granados [1977] en su útil aproximación descriptiva a los cinco, donde se detiene a analizar aspectos de la formalización lingüística —métrica, calificativos, etcétera— de *Ámbito* y, de manera más categorizadora, Carnero [1979], según el cual el vitalismo naturalista no sólo enlaza ese primer libro con los posteriores sino que también lo acerca a los planteamientos del surrealismo francés por el énfasis puesto en el repudio de la represión que la sociedad efectúa contra la realización del hombre en el terreno de lo instintivo. De este modo, sin olvidar la vinculación a la línea tradicional dominante en los años de la composición, *Ámbito* comienza a ser leído ahora en sintonía con la actitud general de la que emana. Y ello obliga, a la vez, a replantear la relación de Aleixandre con el surrealismo.

En los capítulos 4 y 5 quedaron marcadas las líneas críticas que subrayan la consideración de este movimiento como culminación del proceso de irracionalidad —Bousoño [1979]— acentuado por los vanguardismos —García de la Concha [1979]—. Evadirse, en el sentido de romper con las ataduras del pensamiento poético tradicional, era la consigna del irracionalismo creacionista de Gerardo Diego y Juan Larrea. En 1928 Aleixandre, que a las lecturas de este último une las de Joyce, Rimbaud y Lautréamont, se encuentra con la obra de Sigmund Freud donde atisba vías insospechadas para la huida. Escribe entonces *La evasión hacia el fondo*, libro que, por avatares editoriales, aparecerá en 1935 con el título de *Pasión de la tierra*. Aquel primero reflejaba bien la perspectiva adoptada por Bousoño en la configuración de la cosmovisión aleixandrina: el rechazo de todo lo agresor, la huida hacia lo desnudo elemental y la pasión por lo natural telúrico. Justifica Valente [1971] el cambio de título —hubo otro intermedio, proyectado, *Hombre de tierra*— en el sentido de que lo que se produce es una «invasión de la superficie por las formas reptantes del fondo en una liberación de lo oprimido»; de ahí que el símbolo onírico predominante en *Pasión de la tierra* y en el ciclo que inaugura, sea el arquetípico de la serpiente. Ambas perspectivas devienen, en realidad, convergentes y así lo confirma la pauta de lectura que Aleixandre facilita en el prólogo a la segunda edición.

Con acierto formula Colinas [1972, 1977] lo que es ya coincidencia generalizada de la crítica: Aleixandre nace con el surrealismo y no a causa de él. Sin militar en ningún bando y rechazando cualquier dogmatismo teórico, la actitud ética que sustenta el libro coincide con la rebelión del surrealismo aunque en última instancia sea reducible a un neorromanticismo, tal como ven algunos críticos tras las huellas de Dámaso Alonso, que, empeñado muy pronto [1932; ahora 1952] en negar cualquier influencia francesa, lo proyecta todo sobre un ambiente de hiperrealismo difuso en la literatura europea. Así Salinas [1941] e Ilie [1972], para quien Aleixandre es un surrealista sin saberlo o, más exactamente, que quiere serlo porque no puede ser romántico.

En ese «camino hacia la luz» que es la poesía de Aleixandre en su primera época y que constituye, a la par, «un lento movimiento natural hacia la clarificación expresiva», *Pasión de la tierra* se reduce a una zona primaria, oscura y agrietada, de difícil acceso al lector. En uno de sus ensayos más lúcidos, el dedicado a la palabra poética que teje este libro, sienta Vivanco [1971[2]] las bases para una doble lectura que, de forma más expresa, propone después Villena [1977], la simbólica y la estética. Consiste esta última en abandonarse al oleaje de la mera expresión dejándose mecer por el conjunto de impresiones y sensaciones, y encuentra su justificación en el hecho objetivo de la preocupación de Aleixandre, que analiza muy bien Morelli [1972], por los logros de fragmentos de belleza. Pero cada uno de los símbolos, como tales oscuros y bastantes de ellos herméticos, tiene su clave particular, y cada poema, aún en su composición rota, se alza sobre una estructura bien precisa. El lector puede y debe, según eso, esforzarse en la búsqueda, a sabiendas de que el resultado no será casi nunca un mensaje dialéctico expreso antes bien un estado emotivo.

No disponemos todavía —y ello constituye un reto para los estudiosos— de una guía detallada de lectura. Con aportar interesantes lugares paralelos de Breton, Lautréamont, etcétera, la descripción de Granados resulta ecléctica y difusa; la crítica se ha reducido a abordar *Pasión de la tierra* sólo en conjunto. Así, Morelli [1972] esboza un sistema de correlaciones internas —de léxico, rítmico sintácticas y temáticas— que configuran un posible núcleo germinal del libro; siempre en esa línea de contemplación global, analiza más tarde [1974] la tensión que se advierte entre una tendencia general a la abstracción y la precisa puntualización de la imagen del cuerpo humano dibujado a veces con realismo. Bastantes identificaciones de signos particulares de indicio y de su convergencia hacia un núcleo central ofrece también Puccini [1971] en uno de los mejores libros de conjunto sobre la producción aleixandrina. A estas aportaciones hay que añadir las realizadas desde la perspectiva del análisis surrealista; aparte de la muy exigua de De Onís [1974], es Ilie [1972] el primero en precisar núcleos concretos de figuración: tales los símbolos de inmersión y antinarcisismo —ligados al examen de la personalidad poética y la actividad—, los de la decapitación, amputación y castración, los más lúdicos, como el de la baraja; o el tan obsesivo del ojo ciego o desvanecido; por no citar ya la obvia dimensión surrealista de la imagen erótica, cercana a la metamorfosis primitiva de Dalí. Amplían mucho el repertorio Morris [1972], con la ventaja adicional de indicar la frecuencia de uso por parte de los poetas o artistas coetáneos, Depretis [1976] de quien interesan especialmente los capítulos dedicados a la simbología de los animales y el espejo, Schwartz [1974] y Yolanda Novo [1980] que ofrece un buen resumen del estado de la cuestión. Y existe todavía un tercer grupo de estudios que facilita el acceso a la comprensión de *Pasión de la tierra.* Me refiero a aquellos que analizan la técnica de la escritura irracional o, más específicamente, surrealista. Al margen del trabajo descriptivo y poco categorizador de Galilea [1971], cabría señalar las páginas de Villena [1978] y Novo [1980], pero sobre todo el estudio de Bousoño sobre superrealismo poético y simbolización [1979] que viene a complementar los capítulos sobre visión y símbolo del estudio sobre Aleixandre, el consagrado al irracionalismo, y que, además, se apoya todo él en el análisis de *Pasión de la tierra.*

Mucha mayor fortuna crítica han tenido los dos libros siguientes, *Espadas como labios* (1932) y *La destrucción o el amor* (1933). Saludaba Dámaso Alonso [1932] el primero de ellos como muestra clara de la irrupción de un neorromanticismo, si bien ligado al ambiente de hiperrealismo difuso en la literatura europea, y subrayaba poco más tarde [1935] la estrecha relación que une a ambos dentro de un progreso de clarificación en temas y formas expresivas. Aun reconociendo el contagio de surrealismo en algunas de éstas, Salinas [1941] enfatiza la lógica interna que las estructura anclándolas en el romanticismo. Uno y otro crítico perciben con claridad que el tema central es el de vida y muerte articulado sobre el amor visto como fuerza destructora que produce la confusión con lo cósmico. Desarrolla Bousoño [1979] de manera exhaustiva todo ese complejo núcleo en los capítulos IV y V de su monografía aleixandrina: la exaltación de lo desnudo y natural, el amor como pasión telúrica y el sentido destructor de su realización, la muerte como vida o, en fin, el misticismo panteísta de raigambre hispánica, tema este último discutido y sobre el que ha proyectado luz Bourne [1974]. Reclaman la atención sobre algunos otros aspectos que, en realidad, vienen a constituir variaciones de ese gran tema central, Gimferrer [1975], que enfatiza la unidad cósmica de los seres articuladora de la expresión en todos sus niveles, y De Luis [1978], que persigue a lo largo de esa etapa la idea poética de hipogeo natural. En un temprano y excelente artículo recorre Valverde [1945] el camino que va de la sintaxis aleixandrina a la visión del mundo; en concreto, de la disyunción a la negación. Pero a Bousoño debemos un estudio exhaustivo sobre la función identificativa de la «o», de la fórmula «todo es» o, ya en el plano de las imágenes, en la fuerza fusionadora de las imágenes visionarias, las visiones y los símbolos. Quisiera recordar que, como se ha señalado en el capítulo 5, estos procesos unificadores responden a formas de aprehensión surrealista bien analizadas por Pertonneaux [1980]. Y es que, pese al indudable progreso en la clarificación temática y expresixa, los dos libros comulgan con ella. Véanse al propósito las anotaciones comparatistas de Puccini [1974] sobre la vinculación de las imágenes de *Espadas como labios* y *La destrucción o el amor* a la iconografía de la pintura metafísica y surrealista. En direcciones opuestas han analizado C. Barral [1958] y V. Gaos [1958] la relación de algún poema de *Espadas como labios* con la poesía social de posguerra y la dependencia de fray Luis de León que Aleixandre manifiesta en modos de escritura de *La destrucción o el amor*.

En contraste con esos dos libros, *Mundo a solas* tiene mala fortuna: escrito en 1935, no ve la luz hasta 1950 y no ha logrado concentrar en sí la atención de las críticas. Sin duda, en gran parte, por ese mismo desfase editorial. Y, sin embargo, representa un paso decisivo en el avance de Aleixandre hacia una dialéctica de comunicación, que, como Cano Ballesta [1972] ha documentado —véase el capítulo 11—, domina el ambiente literario de la preguerra crecientemente polarizado hacia Pablo Neruda. Al tiempo que se intensificaba la angustia existencial, el poeta explora las vías de acceso a los demás. Muy pronto la contienda civil impondrá silencio. Aleixandre aportará tan sólo al caudal épico algunas muestras recogidas en el *Romancero general de la guerra civil española* (Rosenthal [1975]).

A fines de 1939 recomienza su escritura justo donde la había interrumpido la guerra; porque *Mundo a solas*, libro al que puede cuadrar el calificativo de surrealista existencial acuñado por Comincioli [1974], es la cruz de una moneda cuya cara va a representar *Sombra del paraíso*

(1944). Allí, tristeza y negación total; aquí, una visión paradisíaca proyectada en sombra sobre el fondo de la angustiosa cueva en que nos movemos. Protagonista de la renovación de la poesía en aquellos momentos, Nora [1944] testimonia la revolución que el libro desencadenó. Junto con Dámaso Alonso por su *Hijos de la ira,* Aleixandre se convierte en maestro y pauta de las generaciones jóvenes, en concreto de quienes pensaban en la obligación de compromiso del poeta con su entorno temporal histórico. Hay críticos —tal Félix Grande [1970]— que dudan que una «visión beatífica» como la de *Sombra del paraíso* pudiera resultar revulsiva y dinamizadora. Dos textos teóricos aleixandrinos —«Confidencia literaria» y «Carta a Dámaso Alonso», ambos de 1944— revelan la sintonía de propósito con la poesía más joven. Me parece que resulta excesiva la lectura de De Luis [1976] al adivinar en el libro claves a sucesos y personas de la España de guerra y posguerra. Precisamente, Lázaro Carreter [1979] entiende que Aleixandre rehusó a las particularizaciones «para hacer más universal, por menos anecdótico, el canto», sin duda ligado al espacio vital en que se eleva. Y el propio Lázaro Carreter ofrece una fecunda interpretación al estructurar, al hilo de las seis partes del libro, el desarrollo del mito primigenio del paraíso. Recorriendo el camino en sentido inverso y rastreando las huellas de referencias implícitas a relaciones históricas, en concreto las ligadas a Málaga, desconstruye Alvar [1975] el mito de la ciudad del paraíso. Ya Dámaso Alonso [1944] había apuntado que el poeta refleja la unitaria visión límpida del paraíso sobre realidades muy diversas: el mundo auroral, la ciudad mágica, el paisaje de los trópicos. De nuevo la unidad elemental de los seres evocada en la más espléndida visión de su hermosura. Baste como ejemplo el análisis que Zardoya [1961] hace de la presencia femenina en el libro. Pero, en contraste con ese esplendor, resalta la insistente negación de cualquier esperanza para el hombre que sufre la tensión de ser tierra y desterrado. De manera generalizadora, la crítica ha visto *Nacimiento último* (1953, pero escrito en 1945) como aprovechamiento de «restos de serie» y, en efecto, aparte de una sección de retratos, las otras dos series de poemas enlazan con la temática de *Espadas como labios* y de *Sombra del paraíso,* respectivamente.

Unos aforismos de 1950, el discurso de ingreso en la Academia el mismo año y la lección inaugural del curso en el Instituto de España (1955) cuyos resúmenes categoriza Granados [1977], revelan la evolución de la poética aleixandrina desde la idea básica de comunión cósmica —palabras que disuelven las realidades particulares en una realidad totalizadora— a la de comunicación humana, «poesía es comunicación», palabra que fundamenta la comunidad del hombre. *Historia del corazón* (1945-1954) es el primer fruto granado de ese cambio de actitud que se enmarca en el cuadro del neorrealismo literario, y artístico en general, predominante en la cultura española de la época o, en un ámbito más amplio contemplado por José Olivio Jiménez [1963], de potenciación historicista. De nuevo la unidad elemental de los seres evocada en una estructura bien definida por Bousoño: el tema central es ahora el del vivir del hombre en su transitoriedad; el unitario «hombre natural», contemplado por un ojo sintetizador, se ve suplantado por hombres históricos de diversas edades y condiciones seguidos en su movimiento por una pupila analítica. Permanece, con todo, la voluntad fusionadora, sólo que, en vez que de comunión en el cosmos, se hablará de una fraternidad humana que hallará su mejor plasmación en la realización del amor, visto ahora como fuerza congregadora. Se acentúa, en consecuencia, la carga de pensamiento y, frente al pesimismo con que se cerraba *Sombra del paraíso*, se afirma aquí una esperanza de raíz ética (Jiménez [1963]) y de parcial connotación religiosa. Al servicio de una pauta narrativa casi novelesca, que a Bousoño [1950] le parece indicio de poscontemporaneidad, la forma expresiva se aclara y facilita. Un sutil análisis de los temas, estructura y expresión del libro puede hallarse en Zardoya [1961] quien resume su estilo diciendo: «Expresión en esta obra equivale a *manifestación*».

En un vasto dominio (1962) viene a ensamblar las dos grandes etapas aleixandrinas al insistir en la unidad social de los hombres sobre la base de la unicidad elemental de la materia. Al hilo de la lectura del libro saltan, aquí y allá, recuerdos de lugares y poemas de libros anteriores que ahora cobran más pleno sentido; con técnica en cierto modo cinematográfica (De Luis [1978]), vemos a la materia incorporarse y preñarse de sentido histórico hasta alcanzar la plenitud del ser que supone el conocimiento. De ahí que, según bien exacta apreciación de Jiménez [1963], casi todos los poemas del libro respondan a una estructura dual: las cosas vistas en su individualidad y superficie, y, al tiempo, en su relación dinámica, histórica con los demás. Diversos retratos, esbozados de forma discontinua, se articulan así en *Retratos con nombre* (1965) como complemento natural del discurso poético de la segunda época. En apretada nota abstrae Jiménez [1972] los estímulos predominantes en cada retrato, confluyentes todos en una perspectiva original que Aleixandre revela en el poema introductorio, «Diversidad temporal»: exaltación de la conciencia del hombre y profunda unidad de los destinos.

Elogia Valente [1978] la clarividencia artística con que Aleixandre realiza un continuo proceso de desconstrucción de su propia obra: «la obra, si está viva, crece ... por abolición incesante de sí misma». Constituyen en tal sentido los dos últimos libros —*Poemas de la consumación* (1968) y *Diálogos del conocimiento* (1974)— un ejemplo formidable. Desde la atalaya de la vejez considera Aleixandre la vida e inquiere el sentido último del mundo y del valor de la propia conciencia. Ha subrayado G. Carnero [1973] las muchas semánticas de «conocer» y «saber» como vectores que guían el nuevo discurso poético y le entroncan en la escritura precedente. La forma expresiva, en cuyo análisis han incidido Gimferrer [1974] y De Luis [1978], presenta cambios notables respecto de aquellos: abandono casi completo del versículo y flexibilización hacia una métrica contenida, multiplicación de aforismos generalmente alógicos, juegos de palabras, y rimas internas, junto con la inhibición del sujeto poético y la cesión de protagonismo a otros dialogantes, todo contribuye a crear una poesía metafísica de propósito y aliento parejos al genial *Espacio* juanramoniano. Tal vez lo más admirable sea la rapidez de maduración producida entre uno y otro libro. La innegable dificultad de comprensión que los *Diálogos* suponen, está retrasando estudios críticos que el alto valor poético reclama (cf. J. O. Jiménez [1982]).

La reticente respuesta con que la crítica, salvo Bergamín, acoge en 1927 *Perfil del aire*, de Luis Cernuda, motejado como guilleniano, se trueca en entusiasmo general ante la primera edición de *La realidad y el deseo*: desde el costado de la pureza —Juan Ramón Jiménez— al de la revolución —A. Serrano Plaja—, desde Pedro Salinas a Lezama Lima —todos ellos ya en 1936—, por no hablar de Lorca, que reclamaba para Cernuda el calificativo de «divino». Todo será después en la posguerra un largo silencio crítico, apenas roto por los recuerdos personales de Juan Ramón Jiménez (1943) y Salinas (1945), los artículos generalizadores de Gullón [1950] y Cano [1954], o la evocación arqueológico-sentimental de Cirre [1950]. Remando contra la corriente avasalladora de la poesía social, son los poetas cordobeses del grupo Cántico los primeros en rendir a Luis Cernuda un homenaje (1955), en el que le señalan como paradigma de un compromiso auténtico con la lírica y de ésta con la realidad social. Juan Goytisolo explicará más tarde [1964] la naturaleza de tal compromiso y denunciará la injusta incomprensión padecida por el poeta. La verdad es que para entonces la mal llamada segunda generación de poesía social, la de los años cincuenta, había ya declarado en otro número-homenaje, el excelente de *La Caña Gris* [1962], su filiación cernudiana: Valente [1962] admira la capacidad de dar al verso español una inflexión meditativa; realiza Francisco Brines un extenso análisis de las poesías completas y Gil de Biedma [1980] le señala como maestro en el arte de maridar la reflexión sobre la existencia moral y la poética. Complementariamente, Otero [1963], cuyo estudio [1959] había supuesto la primera tesis doctoral sobre Cernuda, le proclama por moderno al modo de Cervantes, poeta de Europa. En la bibliografía crítica, desde entonces incesante, destacan los estudios realizados por poetas capitales —baste citar, uno por todos, a Octavio Paz [1964]— lo que revela la variedad y riqueza de su obra (y cf. *Ínsula* [1964] y *Cuadernos Hispanoamericanos* [1976]).

De modo certero, la crítica viene impostando el estudio de Cernuda sobre dos presupuestos básicos: la consistencia de su poética y el estrecho maridaje entre su vida y su obra (Coleman [1969]). Emana aquélla de una reflexión muy temprana —véase «El espíritu lírico» (1932) ahora recogido en Harris y Maristany [1975]— y desarrollada tanto en el planteamiento de los estudios de poesía ajena —el propio poeta declaraba: «la crítica no es para mí sino producto marginal de la actividad poética»— como en la meditación directa sobre la propia obra, «Palabras antes de una lectura». Según Cernuda, el poeta obedece a una «razón fatal ... que le lleva a escribir versos» y, lo que es más, la aceptación de ese sino convierte progresivamente a la poesía no en «la razón principal sino única de su vida». Tiempo, soledad, amor y unidad son para Muller [1962] los componentes elementales del mundo cernudiano cuyo desarrollo formal en *La realidad y el deseo* estudia. De otro lado categoriza Muñoz [1962] la abstracción metodológica del poeta en tres momentos: experiencia, mirada y expresión. No se trata de exhibir experiencias personales sino de contemplarlas en su proyección sobre las de la colectividad; el instinto hace al poeta percibirlas de una manera más profunda y la perspectiva poética las construye en visión creadora. Es el contraste entre la voluntad de eternidad y la instalación en un tiempo fugaz lo que, tal como vieron Molina [1955], Jiménez [1962 *b*] y otros, confiere a la poesía cernudiana una dimensión universal de elegía. Eso convierte, también, a Cernuda, sobre todo en su etapa de madurez, en un poeta metafísico (Valente [1962]) con dimensión existencialista. Cercano a Heidegger lo contempla, de manera más bien superficial, Arana [1965], pero Silver, que primero [1965] veía la sed de eternidad como base del mito que da forma a la existencia del poeta, concretada en el anhelo de volver a integrarse en la madre naturaleza y de reconquistar así el paraíso perdido en el origen, descubre [1975] un segundo y sombrío sentido bajo el aparentemente paradisíaco lema de «Et in Arcadia ego»: «también la muerte vive en la Arcadia»; la poesía de Cernuda arrancaría, según eso, de la experiencia y contemplación de la división del ser, lo que la configura como ontológica. J. Talens [1975] explica que los binomios soledad-amor, tiempo-muerte no son antitéticos sino correlativos, de modo que estudiar uno de ellos equivale a afrontar el conjunto de la obra cernudiana. El análisis cuantitativo léxico de Bellón Cabazán [1973] ofrece un útil contrapunto a las categorizaciones aludidas.

Pero la poesía como dialéctica metafísica entre la realidad y el deseo está animada por un propósito ético: la mirada ha de esforzarse en desvelar el ser esencial de las cosas y ante ellas, como ante sí mismo, el poeta está obligado a adoptar una posición moral como conciencia alerta. Trascendiendo las limitaciones que las erosionan, sólo el poeta puede referirlas al paradigma platónico: «la mirada es quien crea / por el amor, el mundo». Todo este proceso se proyecta, a la vez, en una dimensión social bien analizada por Harris [1973]. El problema metafísico y existencial de la disociación entre el yo y el mundo provoca la evasión del jardín de los sueños —la naturaleza y el mundo de los mitos— y la autoafirmación, en medio de la realidad hostil ambiente, de todas las dimensiones de la propia personalidad, incluida la de la homosexualidad. Frente a la convencionalidad social burguesa Cernuda adopta la rebelde y despectiva actitud del *dandy*.

Si bien, lógicamente, es la forma expresiva la que experimenta mayor evolución, también en ella cabe señalar constantes básicas ligadas a los anteriores principios poéticos. Sin duda, la primera señalable es el esfuerzo por ofrecer al lector no los resultados sino los datos de un concreto proceso dialéctico entre realidad y deseo, a fin de que él mismo lo reconstruya. La comunicación rehúye de ese modo el avasallamiento personal de lo subjetivo, que en la contextura autónoma y objetivamente creada del poema no deja más que el aliento de la autenticidad virgen. Por fidelidad a la esencia dialéctica, la lógica del poema impone cierta frialdad y modera la tentación de excesos expresivos. Las evidentes concomitancias de la poética cernudiana con el romanticismo —como la reducción a su más pura esencia del lirismo romántico español la consideró Salinas [1936]— se encuentran desde el principio, y, sobre todo, tras el conocimiento de T. S. Eliot, compensadas por el afán de mesura. Por lo mismo, y por paradójico que resulte, el poeta que en *Ocnos* explica, en línea romántica simbolista, las vinculaciones entre música y poesía, y concibe el acorde —al fondo el neoplatonismo de fray Luis— como germen formal del conocimiento poético, propende a una expresión no cantada sino hablada; Paz [1964] advierte, sin embargo, que a veces habla como un libro.

El proceso biográfico de Cernuda constituye la espina dorsal de su creación poética. Aunque como crítico él se proponía en la línea de T. S. Eliot (Goytisolo [1976]) flexibilidad y aproximación, no cabe duda de que la lucidez cernudiana se ve no pocas veces ofuscada por la pasión visceral. Permitido esto *ad cautelam*, digamos que, al igual que Guillén, Cernuda nos dejó en *Historial de un libro* una preciosa autobiografía literaria que podemos completar con algunas otras aportaciones de primera mano —el delicioso epistolario mantenido con Higinio Capote, recogido en el estudio de J. M. Capote [1976]— o con los datos aportados por Silver [1965 (1972)]; y véase F. Ortiz [1981] y R. Martínez Nadal [1983]. Diversas páginas de *Ocnos* revelan —Ramos Ortega [1982]— aspectos decisivos de su trayectoria vital; así, en «la familia» refleja la alienación que experimentaba respecto de la suya, como «El poeta y sus mitos» nos facilita la clave de su temprano encuentro con la mitología clásica.

Son bastantes los críticos que han planteado sus estudios de forma diacrónica paralela a la del *Historial*. Así, Otero [1959; 1966] que distingue dos etapas, una primera formativa con tres fases —la inicial: *Perfil* y *Égloga*; la surrealista: *Un río*, *Los placeres prohibidos*; y la tercera, de corte romántico: *Donde habita el olvido* e *Invocaciones*—, y una segunda época, de plenitud, con dos fases, la correspondiente a poesía en la guerra —*Las nubes, Ocnos, Como quien espera el alba*— y la segunda, de poesía escrita en América —*Vivir sin estar viviendo, Variaciones sobre un tema mexicano* y *Con las horas contadas*— que analiza temáticamente. Perfila cronológicamente el cuadro Maristany [1970], quien considera la guerra civil como frontera divisoria entre las dos etapas, que resume de manera breve y sugestiva. Análogo procedimiento utiliza Zuleta [1971], que proporciona sugerencias dignas de nota. Pero el estudio más completo en esa línea es, hoy por hoy, el de Delgado [1975], el cual prefiere deslindar seis etapas configuradas sobre la pauta de otros tantos sucesivos estímulos de lectura. Extraordinariamente sugestivo es el planteamiento de Paz, que, además de ver en *La realidad y el deseo* la «biografía espiritual» de un autor deslindando en ella cuatro etapas lo considera, al tiempo, como la biografía de una conciencia poética europea en nuestro siglo. Su análisis temático, al igual que el de Silver [1972] pueden enriquecer cualquier perspectiva de análisis diacrónico.

Saliendo al paso de la adscripción al guillenismo que la crítica le asignaba, declara Cernuda (Harris y Maristany [1975]) que junto a la lectura de los clásicos —Garcilaso sobre todos— guiada por Salinas, la influencia más decisiva en sus primeros poemas fue la ejercida por Mallarmé, ahora bien estudiada por Correa [1975]. Por supuesto que al fondo alienta el magisterio básico de Juan Ramón Jiménez, bien patente, como Aguirre [1966] señala, en una atmósfera de indolente emoción en las continuas alusiones, bien que con matices diferenciales señalados por Delgado [1975], a la noche y los sueños. La huella de Pierre Reverdy, a quien Cernuda conoce ya en 1924, ha sido bien estudiada por McMullan [1975] y creo que delimita bastante la de Guillén, más inmediato desde luego pero también en deuda con el creacionista. Cernuda reconocía haber aprendido de éste el ascetismo poético. Una completa valoración de los distintos aspectos compositivos de *Perfil del aire* puede verse en la edición de Harris [1971].

De manera análoga a como Alberti halla salida a su crisis personal en la transición del clasicismo a la convulsión de *Sobre los ángeles*, Cernuda canaliza su propia subversión hacia *Un río, un amor* y *Los placeres prohibidos*, libros que escribe mientras trabaja en la librería de Sánchez Cuesta. Afirma Ilie [1972] que Cernuda es, junto con Hinojosa, el surrealista español más cercano al modo francés y estima que acepta la nueva vía por cuanto amplía una serie de necesidades de composición. La opinión es más que discutible: me parece que aciertan más Bodini [1971] y Delgado [1975] al distinguir entre el recurso a las técnicas de escritura propias del surrealismo, que Cernuda abandona muy pronto, y el principio de visión poética surrealista al que permanece fiel. Aclara Octavio

Paz que si Gide le había llevado a reconciliarse consigo mismo, con su propia anomalía sexual, el surrealismo le empuja a insertar su rebeldía psíquica en una rebeldía total.

En última instancia el surrealismo continuaba la corriente de los poetas malditos —Baudelaire, Mallarmé, Nerval— y en ella se inscribe Cernuda cada día más disconforme con la realidad social española. Si desde el comienzo había revelado un parentesco espiritual con Bécquer (Cano [1950]), la relectura de Gustavo Adolfo en el marco de un retorno que yo mismo he estudiado (García de la Concha [1972]) le empapa del mejor romanticismo que fructifica en *Donde habita el olvido* y que va a completarse, mediada ya la redacción de las *Invocaciones a las gracias del mundo*, con el descubrimiento de los románticos alemanes y de parte del romanticismo inglés. En todos ellos reconoce Cernuda un ejemplo de conducta y Hölderlin, a quien traduce, le enseña (Silver [1965]; Coleman [1969]) a proyectar la tragedia, insalvable en términos humanos, sobre el ámbito del mundo no erosionable de los grandes mitos de Occidente.

En Lechner [1968] puede documentarse la vinculación de Cernuda a la poesía políticamente comprometida. Si su afiliación al comunismo resultó esporádica, no fue tal una clara ideología republicana que le lleva a viajar con las Misiones Pedagógicas o, ya en plena guerra, a unirse esporádicamente a las milicias populares. El primer exilio en Inglaterra es tan doloroso en el orden personal como fecundo para su poética. Wilson [1972] ha documentado las deudas contraídas con los metafísicos ingleses, en las que aprende la sumisión de la palabra al ritmo del pensamiento poético, aquí ensayaba antes tan sólo por Unamuno y que Ferraté [1960] analiza en varios poemas cernudianos; en Wordsworth descubre Cernuda la potencia expresiva del lenguaje que le induce a escribir como se habla. Browning significa la posibilidad de abrir una zanja de separación entre el poeta y su escritura, lo que constituye un punto de partida para superar la subjetividad; en esa línea analiza Vivanco [1957] la función objetivadora de la figura como integración personificadora de un conjunto de imágenes. Yeats le enseña el juego de las máscaras (Silver [1972]; Delgado [1975]), al tiempo que Eliot le facilita la forma de desdoblamiento del monólogo en diálogo dramático. Es la época en que concluye *Las nubes* (1937-1940) y redacta *Como quien espera el alba* (1941-1944), libros en los que encontramos algunos de los mejores poemas que en todo el ámbito de creación hispánica se han escrito durante y sobre la guerra y el exilio. La penosa situación de exiliado y una agudizada conciencia del paso de su tiempo vital se reflejan (Harris [1973]) en los títulos de *Vivir sin estar viviendo* (1944-1949) y *Con las horas contadas* (1950-1956) donde se inserta la serie de «Poemas para un cuerpo», fruto de una apasionada experiencia amorosa que el poeta vive en 1951.

Sólo cuando abandona el para él insufrible ambiente de los Estados Unidos y llega a México deja Cernuda de ser un desterrado. El recuerdo elegíaco de la patria cede entonces a la evocación de la infancia (Silver [1972]) y a una evocación simbólica de la misma (Harris [1973]). El equilibrio ambiental no eliminará, sin embargo, la tensión interna que se desborda en *Desolación de la quimera* (1962), justamente calificado por Jiménez [1972] como revisión final de cuentas y que, en su espléndida factura, es, acaso, el libro más influyente en los poetas españoles contemporáneos (Muller [1964]).

Toda esta segunda etapa significa el desarrollo en plenitud de lo que el propio poeta, sentando las bases para una lectura (Valente [1964]), calificó como «mito de la existencia». Desempeña en ella la naturaleza un papel capital bien analizado por Debicki [1968] y Silver [1972]. Queda así su obra enmarcada entre los dos polos de *Ocnos* —la infancia como presente eterno— y las *Variaciones*, que vienen a ser la reconquista del edén. En el centro, toda la tensión entre realidad y deseo que halla un punto de intersección en el amor. Conviene subrayar a este propósito la afirmación de Octavio Paz [1964] de que la homosexualidad constituye el arranque de la creación poética cernudiana, ya que el sondeo y la aceptación de esa verdad le llevan a descubrir la verdad de los otros.

BIBLIOGRAFÍA

Aguirre, J. M., «La poesía primera de Luis Cernuda», en *Hispanic Review*, XXXIV (1966), pp. 121-134; recogido en Harris [1977].

Alonso, Dámaso, *Poetas españoles contemporáneos*, Gredos, Madrid, 1952, 1965³. Bajo el epígrafe «La poesía de Vicente Aleixandre» recoge, pp. 267-297, artículos publicados en *Revista de Occidente* y *El Español* con motivo de la aparición de los siguientes libros: *Espadas como labios* (1932), *La destrucción o el amor* (1935) y *Sombra del paraíso* (1944).

—, «Poemas inéditos de Vicente Aleixandre (de un álbum muy viejo: 1918-1923)», *Ínsula*, n.os 374-375 (1978), pp. 1 y 29.

Alvar, Manuel, «Análisis de *Ciudad del paraíso*», en *Pliegos de Cordel*, Instituto Español de Lengua y Literatura de Roma, Roma, I, n.º 1 (1975); recogido en Cano [1977], pp. 221-243.

Arana, María Dolores, «Sobre Luis Cernuda», en *Papeles de Son Armadans*, XXXIX (1965), pp. 311-328.

Barral, Carlos, «Memoria de un poema. Homenaje a Vicente Aleixandre», *Papeles de Son Armadans*, XI (1958), pp. 394-400; recogido en Cano [1977], pp. 144-147.

Bellón Cazaban, J. A., *La poesía de Luis Cernuda* (estudio cuantitativo del léxico de *La realidad y el deseo*), Universidad de Granada, Granada, 1973.

Bodini, Vittorio, *Los poetas surrealistas españoles*, Tusquets, Barcelona, 1971.

Bourne, Louis M., «The spiritualization of matter in the poetry of Vicente

Aleixandre», en *Revista de Letras*, Universidad de Puerto Rico, n.º 22 (1974).

Bousoño, Carlos, *La poesía de Vicente Aleixandre. Imagen. Estilo. Mundo poético*, Ínsula, Madrid, 1950; Gredos, Madrid, 1977⁴, edición aumentada.

—, «La correlación en el verso libre: Luis Cernuda», en *Seis calas en la expresión literaria española*, Gredos, Madrid, 1951, pp. 283-289.

—, «Dos ensayos. El término "gran poesía" y la poesía de Vicente Aleixandre», *Papeles de Son Armadans*, XI (1958), pp. 245-255.

—, «Sentido de la poesía de Vicente Aleixandre», prólogo a Vicente Aleixandre, *Obras completas*, Aguilar, Madrid, 1968.

—, *El irracionalismo poético (El símbolo)*, Gredos, Madrid, 1977.

—, *Superrealismo poético y simbolización*, Gredos, Madrid, 1979.

Brines, Francisco, «Ante unas poesías completas», *La Caña Gris* [1962], pp. 117-153.

Cano, José Luis, «Bécquer y Cernuda» (1950); reunido junto a otros tempranos artículos sobre Cernuda en *La poesía de la generación del 27*, Guadarrama, Madrid, 1970; recogido en Harris [1977], pp. 89-95.

—, «La poesía de Luis Cernuda», en *De Machado a Bousoño*, Ínsula, Madrid, 1954, pp. 121-163.

—, «La poesía de Vicente Aleixandre», en *Poesía española del siglo XX*, Guadarrama, Madrid, 1960; *La poesía de la generación del 27*, Guadarrama, Madrid, 1970.

—, ed., Vicente Aleixandre, *Espadas como labios. La destrucción o el amor*, Castalia (Clásicos Castalia, 43), Madrid, 1972.

—, ed., *Vicente Aleixandre*, Taurus (El Escritor y la Crítica), Madrid, 1977.

Cano Ballesta, Juan, *La poesía española entre pureza y revolución*, Gredos, Madrid, 1972.

Caña Gris, La, n.ºˢ 6-8 (otoño de 1962); número homenaje a Luis Cernuda.

Capote, José María, *El período sevillano de Luis Cernuda*, Gredos, Madrid, 1971.

—, *El surrealismo en la poesía de Luis Cernuda*, Universidad de Sevilla, Sevilla, 1976.

Carnero, Guillermo, «"Conocer" y "saber" en *Poemas de la consumación* y *Diálogos del conocimiento*», en *Cuadernos Hispanoamericanos*, n.º 276 (junio de 1973); recogido en Cano [1977], pp. 247-282.

—, «*Ámbito* (1928): razones de una continuidad», en *Cuadernos Hispanoamericanos*, n.ºˢ 352-354 (1979).

Celaya, Gabriel, «Cantata en Aleixandre» (1959), en *Poesías completas* (prólogo de Vicente Aleixandre), Aguilar, Madrid, 1969, pp. 715-756.

Cirre, José Francisco, «Trascendentalismo poético», en *Forma y espíritu de una lírica española (1920-1936)*, México, 1950, pp. 124-134; recogido en Harris [1977], pp. 96-101.

Coleman, John A., *Other voices: A study of the late poetry of Luis Cernuda*, University of North Carolina, Chapel Hill, 1969.

Colinas, Antonio, «Con ocasión de la poesía superrealista de Vicente Aleixandre», en *Trece de nieve. Revista de poesía*, 3 (1972), pp. 28 ss.

Colinas, Antonio, «Sobre *Poemas de la consumación*», en *Revista de Letras*, n.º 22 (1974), pp. 251-267.
Colinas, Antonio, *Conocer. Aleixandre y su obra*, Dopesa, Barcelona, 1977.
Comincioli, Jacques, «Surrealismo existencial en Vicente Aleixandre», *Revista de Letras*, n.º 22 (1974), pp. 200-203.
Correa, Gustavo, «Mallarmé y Garcilaso en Cernuda», en *Revista de Occidente*, n.º 145 (1975); recogido en Harris [1977], pp. 228-243.
Cuadernos Hispanoamericanos, n.º 316, X (1976): homenaje a L. Cernuda.
Debicki, Andrew P., «Luis Cernuda: la naturaleza y la poesía en su obra lírica», en *Estudios sobre poesía española contemporánea. La generación de 1924-1925*, Gredos, Madrid, 1968, pp. 285-306.
Delgado, Agustín, *La poética de Luis Cernuda*, Editora Nacional, Madrid, 1975.
Depretis, Giancarlo, *Lo zoo di spechi*, Universitá, Turín, 1976.
Ferraté, Juan, «Luis Cernuda y el poder de las palabras» (1960), en *Dinámica de la poesía*, Seix Barral, Barcelona, 1968, pp. 335-358; recogido en Harris [1977], pp. 269-285.
Galbis, Ignacio R., «The scope of *Ambito*: Aleixandre's first cosmic vision», *Revista de Letras*, n.º 22 (1974), pp. 219-224.
Galilea, Hernán, *La poesía superrealista de Vicente Aleixandre*, El Espejo de Papel, Santiago de Chile, 1971.
Gaos, Vicente, «Fray Luis de León, fuente de Aleixandre», en *Papeles de Son Armadans*, XI (1958), pp. 344-363; recogido en *Temas y problemas de la literatura española*, Guadarrama, Madrid, 1959, pp. 339-359.
García de la Concha, Víctor, *La poesía española de posguerra. Teoría e historia de sus movimientos*, Prensa Española, Madrid, 1972, pp. 55-60.
—, «Anotaciones propedéuticas sobre la vanguardia literaria hispánica», *Homenaje a Samuel Gili Gaya*, Bibliograf, Barcelona, 1979.
Gil de Biedma, Jaime, *El pie de la letra*, Crítica, Barcelona, 1980.
Gimferrer, Pedro, «La poesía última de Vicente Aleixandre», en *Plural*, n.º 22 (1974).
—, «Prólogo» a Vicente Aleixandre, *Antología total*, Seix Barral, Barcelona, 1975.
Goytisolo, Juan, «Homenaje a Luis Cernuda» (1964) y «Cernuda y la crítica» (1967); recogidos en *El furgón de cola*, Seix Barral, Barcelona, 1976.
Granados, Vicente, *La poesía de Vicente Aleixandre (Formación y evolución)*, Planeta-Cupsa, Madrid, 1977.
Grande, Félix, *Apuntes sobre poesía española de posguerra*, Taurus, Madrid, 1970.
Gullón, Ricardo, «La poesía de Luis Cernuda», *Asomante*, VI (1950), pp. 49-71; recogido en Harris [1977], pp. 71-88.
—, «Itinerario poético de Vicente Aleixandre», *Papeles de Son Armadans*, XI (1958), pp. 195-234.
Harris, Derek, «Ejemplo de fidelidad poética: el superrealismo de Luis Cernuda», *La Caña Gris* [1962], pp. 102-108.
—, ed., Luis Cernuda, *Perfil del aire*, Tamesis Books, Londres, 1971.
—, *Luis Cernuda. A study of the poetry*, Tamesis Books, Londres, 1973.
—, ed., *Luis Cernuda*, Taurus (El Escritor y la Crítica), Madrid, 1977.

Harris, Derek, y Luis Maristany, eds., Luis Cernuda, *Poesía completa*, Barral, Barcelona, 1975; ofrece la más completa bibliografía.

Ilie, Paul, *Los surrealistas españoles*, Taurus, Madrid, 1972; en particular «Descenso y castración (Aleixandre)», pp. 67-88, y «La órbita francesa (Cernuda, Hinojosa)» (apéndice), pp. 293-302.

Ínsula, n.° 207 (1964): homenaje a Luis Cernuda.

Jiménez, José Olivio, «Emoción y trascendencia del tiempo en la poesía de Luis Cernuda», en *La Caña Gris* [1962], pp. 45-83.

—, «Vicente Aleixandre en dos tiempos (De *Historia del corazón* a *En un vasto dominio*)», en *Revista Hispánica Moderna*, XXIX (1963), pp. 263-289; reproducido en *Cinco poetas del tiempo*, Ínsula, Madrid, 1964; recogido en Harris [1977], pp. 79-112.

—, «Dos libros "circunstanciales" de Vicente Aleixandre: *Presencias* y *Retratos con nombre* (1965)», en *Diez años de poesía española 1960-1970*, Ínsula, Madrid, 1972, pp. 331-337.

—, «La poesía actual de Vicente Aleixandre», en *Revista de Occidente*, n.° 26 (1969), pp. 212-230.

—, «Desolación de la quimera», en *Diez años de poesía española*, Ínsula, Madrid, 1972; recogido en Harris [1977], pp. 326-335.

—, *Vicente Aleixandre. Una aventura hacia el conocimiento*, Júcar (Los Poetas, 33), Madrid, 1982.

Lázaro Carreter, Fernando, «El versículo de Vicente Aleixandre», en *Ínsula*, n.os 374-375 (1978), p. 3.

—, *Introducción a la poesía de Vicente Aleixandre*, Fundación Universitaria Española, 1979.

Lechner, J., *El compromiso en la poesía española*, I: *De la generación de 1898 a 1939*, Universitaire Pers Leiden, 1968.

López Estrada, Francisco, «Estudios y cartas de Cernuda», en *Ínsula*, n.° 207 (1964), pp. 3, 16-17.

Luis, Leopoldo de, ed., Vicente Aleixandre, *Sombra del paraíso*, Castalia (Clásicos Castalia, 71), Madrid, 1976.

—, *Vida y obra de Vicente Aleixandre*, Espasa-Calpe (Selecciones Austral), Madrid, 1978. En la segunda parte, «Algunas consideraciones sobre su obra» recoge varios artículos y notas avanzadas en revistas y periódicos.

Maristany, Luis, «La poesía de Luis Cernuda», en Luis Maristany, ed., *Crítica, ensayos y evocaciones*, Seix Barral, Barcelona, 1970; recogido en Harris [1977], pp. 185-202.

Martínez Nadal, Rafael, *Españoles en la Gran Bretaña. Luis Cernuda. El hombre y sus temas*, Hiperión, Madrid, 1983.

McMullan, Terence, «Luis Cernuda y la influencia emergente de Pierre Reverdy», en *Revue de Littérature Comparée*, XLIX (1975); recogido en Harris [1977], pp. 244-268.

Molina, Ricardo, «La conciencia del tiempo, clave esencial de la poesía de Luis Cernuda», en *Cántico*, n.os 9-10 (1955); recogido en Harris [1977].

Morelli, Gabriele, *Linguaggio poetico del primo Aleixandre*, Cisalpino-Goliardica, Milán, 1972.

Morelli, Gabriele, «La presenza del corpo umano in *Pasión de la tierra*», en *Revista de Letras*, n.º 22 (1974); recogido en Cano [1977].

Morris, C. B., *Surrealism and Spain 1920-1936*, Cambridge University Press, 1972.

Muller, Elizabeth, *Die Dichtung Luis Cernuda*, Librairie Droz, Ginebra, 1962.

—, «Die Bedeutung der Kunst in Luis Cernudas *Desolación de la quimera*», en *Romanische Forschungen*, LXXVI (1964).

Muñoz, Jacobo, «Poesía y pensamiento poético en Luis Cernuda», en *La Caña Gris* [1962], pp. 154-166; recogido en Harris [1977], pp. 111-123.

Nora, Eugenio G. de, «Aleixandre, renovador», en *Corcel*, n.ºs 5-6 (1941), pp. 31-32.

Novo, Yolanda, «El surrealismo aleixandrino: *Pasión de la tierra* y *Espadas como labios*», en *Ínsula*, n.ºs 374-375 (1978), pp. 20, 29.

—, *Vicente Aleixandre, poeta surrealista*, Universidad de Santiago de Compostela, 1980.

Onís, Carlos Marcial de, *El surrealismo y cuatro poetas de la generación del 27*, Porrúa, Madrid, 1974.

Ortiz, Fernando, *Epistolario inédito*, Compás, Sevilla, 1981.

Otero, Carlos P., «La poesía de Luis Cernuda: temas, poemas, lenguaje», tesis doctoral presentada en la Universidad de Berkeley en 1959, inédita.

—, «La tercera salida de *La realidad y el deseo*», en *Papeles de Son Armadans*, XVIII (1960); recogido en *Letras*, I, Tamesis Books, Londres, 1966.

—, «Variaciones de un tema cernudiano», en *La Caña Gris* [1962], pp. 39-44.

—, «Cernuda, poeta de Europa», en *Papeles de Son Armadans*, XXIX (1963); recogido en [1966], y en Harris [1977], pp. 129-137.

Paz, Octavio, «La palabra edificante», en *Papeles de Son Armadans*, XXXV, n.º 103 (1964); recogido en Harris [1977], pp. 138-160.

Personneaux, Lucie, *Vicente Aleixandre ou une poésie de suspens. Recherches sur le réel et l'imaginaire*, Université Paul Valéry, Montpellier, 1980.

Puccini, Dario, *La parola poetica di Vicente Aleixandre*, Bulzoni, Roma, 1971; 1976; trad. cast.: *La palabra poética de Vicente Aleixandre*, Ariel, Barcelona, 1979.

—, «*Espadas como labios*: alcune note», en *Revista de Letras*, n.º 22 (1974), pp. 235-241; recogido en Cano [1977], pp. 222-227.

—, «Hacia una tipología de la contradicción», en *Papeles de Son Armadans*, CCXLI (1976).

Ramos Ortega, Manuel, *La prosa literaria de Luis Cernuda: el libro «Ocnos»*, Publicaciones de la Diputación Provincial, Sevilla, 1982.

Rosenthal, Marilyn, *Poetry of the Spanish civil war*, New York University Press, Nueva York, 1975.

Ruiz Silva, Carlos, *Arte, amor y otras soledades en Luis Cernuda*, Ediciones de la Torre, Madrid, 1979.

Salinas, Pedro, «Luis Cernuda, poeta», en *El Sol* (mayo de 1936); recogido en *Literatura española del siglo XX*, Alianza, Madrid, 1970, pp. 213-221.

—, «Vicente Aleixandre entre la destrucción y el amor», en *Literatura española. Siglo XX*, Séneca, México, 1941; reed. Alianza, Madrid, 1970.

Schwartz, Kessel, «The Isakower phenomenon and the dream screen in the early poetry of Vicente Aleixandre», en *Revista de Letras,* n.° 22 (junio de 1974), pp. 210-218.
Silver, Philip, *«Et in Arcadia ego»: A study of the poetry of Luis Cernuda,* Londres, 1965; trad. cast.: *Luis Cernuda, el poeta en su leyenda,* Alfaguara, Madrid, 1972.
—, «Cernuda, poeta ontológico», Introducción a la *Antología poética* de L. Cernuda, Alianza, Madrid, 1975; recogido en Harris [1977], pp. 203-211.
Talens, Jenaro, *El espacio y las máscaras. Introducción a la lectura de Cernuda,* Anagrama, Barcelona, 1975.
Urrutia, Jorge, «La palabra que estalla (a la vista): "El vals", de Aleixandre», *Ínsula,* n.os 368-369 (1977).
Valente, José Ángel, «Luis Cernuda y la poesía de la meditación», *La Caña Gris* [1962], pp. 29-38; recogido en [1971] y en Harris [1977], pp. 303-313.
—, «Luis Cernuda en su mito», en *Ínsula,* n.° 207 (febrero de 1964).
—, «El poder de la serpiente», en *Las palabras de la tribu,* Siglo XXI, Madrid, 1971, pp. 170-184; recogido en Cano [1977], pp. 168-176.
—, «Desconstrucciones», en *Ínsula,* n.os 374-375 (1978), pp. 7, 9.
Valverde, José María, «De la disyunción a la negación en la poesía de Vicente Aleixandre. (Y de la sintaxis a la visión del mundo)», en *Escorial,* n.° 52 (1945), pp. 447-457; recogido en Cano [1977], pp. 66-75.
Villena, Luis Antonio de, «Vicente Aleixandre, el surrealismo y *Pasión de la tierra*», estudio introductorio a Vicente Aleixandre, *Pasión de la tierra,* Narcea Ediciones (Bitácora), Madrid, 1977, pp. 11-95.
—, «Vicente Aleixandre y los poetas jovencísimos», en *Ínsula,* n.os 374-375 (1978), p. 15.
Vivanco, Luis Felipe, *Introducción a la poesía española contemporánea,* Guadarrama, Madrid, 1957, 1971²; en particular, «El espesor del mundo en la poesía de Vicente Aleixandre», pp. 339-384, y «Luis Cernuda en su palabra vegetal indolente».
Wilson, Edmund M., «Cernuda's debts», en *Studies in modern Spanish literature presented to Helen F. Grant,* Tamesis Books, Londres, 1972; trad. cast.: «Las deudas de Cernuda», *Entre las jarchas y Cernuda,* Ariel, Barcelona, 1977.
Zardoya, Concha, «De *La destrucción o el amor* a *Los encuentros*», en *Poesía española contemporánea,* Guadarrama, Madrid, 1961, pp. 437-598; recoge los artículos: «La presencia femenina en *Sombra del paraíso*» (1949), «Los tres mundos de Vicente Aleixandre» (1954), «*Historia del corazón*: historia del vivir humano» (1955), a las que añade «Las visiones cósmicas de Vicente Aleixandre» y «*Los encuentros*».
Zuleta, Emilia de, «La poética de Luis Cernuda», en *Cinco poetas españoles,* Gredos, Madrid, 1971, pp. 396-458.

CARLOS BOUSOÑO

COSMOVISIÓN SIMBÓLICA Y COSMOVISIÓN REALISTA EN VICENTE ALEIXANDRE

[Dentro de la dispersión cosmovisionaria que caracteriza la lírica moderna, Aleixandre no sólo se contradistingue de sus compañeros de generación sino que se diferencia de sí mismo a cada libro y, más violentamente aún, a cada serie de libros. Frente al estilo «cósmico» de la primera época, el de la segunda es «histórico». Fruto del individualismo, ese constante cambio engendra una gran brillantez.]

Es evidente que la gran originalidad del mundo alexandrino hace que todos o casi todos los elementos que lo constituyen en su primera época estén bastante alejados de la experiencia humana ordinaria. Así, el trato de favor que se concede a la elementalidad, estimada en esta poesía muy por encima de lo que normalmente recibe nuestro mayor aprecio; la idea de la unidad del mundo, y más aún, la de que sea el amor, dentro de esa unidad, la sustancia de todos los seres, incluso de los inanimados; la concepción de que el amor se manifiesta como destrucción, no en el sentido vulgar de que nos haga sufrir, sino en otro más esencial y profundo; y, sobre todo, esa diversa y más audaz concepción con que Aleixandre cierra, dentro de la primera parte de su obra, el amplísimo arco de su interpretación de la realidad: la muerte como vida y amor, como el amor definitivo y absoluto, pese a ser la muerte para él disolución del individuo en la materia universal.

¿Cómo es posible que estas ideas, tan opuestas a nuestro modo

Carlos Bousoño, *La poesía de Vicente Aleixandre*, Gredos, Madrid, 1977[4], pp. 146-156.

común de entender el mundo, puedan ser por nosotros plenamente «asentidas»? [Por supuesto el lector, para otorgar eso que acabo de llamar «asentimiento pleno», no necesita creer lo que el poeta cree: basta con que eso que el poeta cree le parezca *posible* en un hombre cabal. Ahora bien: decir, como dice Aleixandre, que la muerte, esa que llamamos «muerte para siempre», es «gloria, vida» («El enterrado»), o decir, y no por pesimismo, que destruir es amar («amarlos con las garras estrujando su muerte»; «mientras cuchillos aman corazones»), etcétera, ¿no es ir más allá de ese holgado margen de que el poeta, en cuanto a la «veracidad» de sus palabras, dispone?]

La solución de estas cuestiones es, sin embargo, si no me engaño, muy sencilla. Si partimos de que un poema emociona y sin embargo sus ideas no pueden ser del todo «creídas» por ninguna persona normal, evidentemente ello sólo puede ser porque tales ideas, pese tal vez a su apariencia contraria, *no se ofrecen*, en realidad, *para ser creídas*, sino sólo *como medios* para transmitirnos, ocultamente y por vía irreflexiva, otras perfectamente sustentables. Dicho de modo diferente y más preciso: esas ideas se manifiestan, en rigor, como *símbolos*. [...] Y, como les ocurre a los símbolos, lo que se nos quiere decir a su través sólo aparece emotivamente en nosotros, aunque esa emoción lleve dentro de su atmosférica masa emotiva un núcleo duro de tipo conceptual, o dicho mejor, la equivalencia funcional de uno o varios conceptos, que el análisis (innecesario, claro es, desde el punto de vista estético) puede extraer hasta la conciencia lúcida.

Nótese que aunque esos conceptos o equivalencias de conceptos no sean percibidos por nosotros en el momento de la lectura, *están* en nuestra psique, al implicarse en las emociones. La emoción que sentimos *supone* la existencia de esos conceptos, y *sin ellos no existiría*. Y ocurre que el asentimiento o el disentimiento del lector se refiere no a las ideas símbolos, sino, a través de las emociones implicitadoras, a esos conceptos de que hablo, a los que podemos ya denominar «ideas simbolizadas». De ahí que aunque el pensamiento poético aleixandrino de la primera época nos cueste trabajo sentirlo como verdaderamente «creíble» en todos sus puntos en la vida real de alguien, nuestro asentimiento fluya con naturalidad y sin embarazo alguno.

Se nos plantea aquí otro importante problema. Puesto que el sistema aleixandrino de la primera época se ofrece como una vasta red de relaciones entre elementos simbólicos, diríase, a primera vista al menos, que habría de darse tras ella, otra red paralela de elementos «reales» (llamémoslos de este modo) que entre sí se encadenarían, uno a uno, como perfectos homólogos de los primeros. Y sin embargo no es así. Lo que en último término «signifique» en Aleixandre la preferencia por lo elemental, lo que signifiquen la unidad del mundo, el amor sustancial, la ecuación amor = muerte y muerte = amor, etcétera, no son ingredientes relacionados entre sí del mismo modo que lo están las coberturas simbólicas respectivas que acabo de nombrar. Y ello precisamente porque una visión del mundo no es un conjunto alegórico sino un conjunto simbólico.

[A diferencia de lo que acontece en la alegoría, el desarrollo de un núcleo simbólico no *traduce* un plano real.] El sistema aleixandrino de la primera época se comporta, en este sentido, como un vasto símbolo E que se desarrollase en otros símbolos menores e_1 e_2 e_3, que son los sucesivos elementos de que se compone tal sistema (amor a lo elemental, unidad del mundo, amor = destrucción, destrucción = amor, etcétera). Estos elementos se relacionan entre sí por conexiones lógicas que no tienen otra justificación que la visible en el plano simbólico E [...]: la sucesiva filiación que nosotros hemos llegado a determinar, dentro de la cosmovisión aleixandrina de la primera época, entre, por ejemplo, la primacía de lo elemental (e_1), la unidad panerótica del mundo (e_2), el amor como destrucción (e_3), la destrucción como amor (e_4), etcétera, no halla paralelo en otras relaciones idénticas de sus respectivos significados a_1 a_2 a_3. Quiero decir que a_1 (significado, por ejemplo, de e_1, la primacía de lo elemental) no se relaciona con a_2 (significado, digamos, de e_2, la unidad panerótica del mundo), con a_3 (significado de e_3, amor como destrucción) o con a_4 (significado de e_4, la destrucción como amor) en el mismo sentido y modo en que se relacionan entre sí sus «símbolos» respectivos e_1 e_2 e_3 e_4.

Tal falta de correlación entre lo que sucede en E y lo que sucede en A no es una extravagancia de los poetas contemporáneos, sino que, al contrario, se nos aparece como resultado de una mayor espontaneidad en el proceso creador, fruto, a su vez, de un individualismo más intenso. Prueba de ello sería el paralelo que de pronto, y no sin sorpresa por nuestra parte, nos es dado establecer en este punto con respecto a lo que pasa en el sueño. La elaboración onírica, según señala Freud, se realiza, precisamente, introduciendo entre «ideas latentes» y «contenido manifiesto» un «desorden» muy semejante al que hemos visto en la poesía aleixandrina. Merece la pena copiar un párrafo de *La interpretación de los sueños*:

«Los elementos que se nos revelan como componentes esenciales del contenido manifiesto están muy lejos de desempeñar igual papel en las ideas latentes. E inversamente, aquello que se nos muestra sin lugar a dudas como el contenido esencial de dichas ideas, puede muy bien no aparecer representado en el sueño. Hállase éste como diferentemente *centrado,* ordenándose su contenido en derredor de elementos distintos de los que en las ideas latentes aparecen como centro. Así, en el sueño de la monografía botánica, el centro del contenido manifiesto es, sin disputa, el elemento "botánica", mientras que en las ideas latentes se trata de los conflictos y las complicaciones resultantes de la asistencia médica entre colegas, y luego, del reproche de dejarme arrastrar demasiado por mis aficiones, hasta el punto de realizar excesivos sacrificios para satisfacerlas, careciendo el elemento botánico de todo puesto en ese nódulo de las ideas latentes».

Tras la lectura de estas líneas del creador del psicoanálisis, será muy difícil reprochar a Aleixandre, o a los poetas que como él ostentan cosmovisiones simbólicas, arbitrariedad alguna en su manera de expresarse. La «naturalidad» (si es que tal término tiene sentido preciso dentro del campo artístico) con que puede darse este modo de creación es, al parecer, tanta, por lo menos, como su contrario, que, justamente, es el que nos sorprende en la segunda etapa aleixandrina y en toda la poesía española de los últimos veinticinco años. [...]

Aunque no podamos decir que el tipo simbólico de cosmovisión sea muy frecuente en la época contemporánea, no hay duda de que, en cambio, la caracteriza, puesto que con toda evidencia tiene tanto significado en ella como el mucho que a todas luces posee el uso del símbolo en sentido estricto y su modo específico de desarrollo.

Pues bien las cosmovisiones no simbólicas sino «realistas» son propias del nuevo período. Y como el segundo Aleixandre es uno de los representantes de ese nuevo período, su respectiva cosmovisión será realista también. En efecto: nada de lo que hemos dicho de la visión del mundo inicial de nuestro poeta vale para la última. Ésta, al contrario de la otra, se nos hace directamente «creíble» en todos sus términos. [Por tanto, también en este importante aspecto, coherentemente, la poética actual manifiesta un claro «realismo». Su pupila (la del segundo Aleixandre) ve más y mejor que la nuestra, pero no es, en esencia, distinta; no se sitúa en un plano más alto, o más guarecido o más solemne para mirar un mundo diferente del habitual. Es un hombre a la intemperie que mira como cualquiera, aunque salga de su contemplación más enriquecido que nosotros por el espectáculo múltiple de la realidad cotidiana.]

En consecuencia, las dos cosmovisiones aleixandrinas (la cósmica y la histórica) son, insisto, de distinta índole: la primera es simbólica y la segunda no lo es. Esa diferencia entre ambos mundos no impide que ambos puedan integrarse en la concepción más amplia y abarcadora de *En un vasto dominio*, donde, en efecto, la visión naturalista del primer Aleixandre y la historicista de *Historia del corazón* se funden armónicamente en lo que llamaríamos un «naturalismo historicista». Pues ocurre que al contactar de ese modo que digo, el realismo cosmovisionario del segundo orbe contagia al primero, que se hace también así inmediatamente «creíble». Y no sólo «creíble»: ciertos elementos de la inicial visión del mundo que *En un vasto dominio* recoge, como, por ejemplo, la unidad material del universo, al ser contemplados ahora por una pupila historicista, precipitan un resultado que viene a coincidir con la verdad objetiva, o al menos con lo que desde la ciencia actual o desde el pensamiento de la mayoría de los científicos representativos de hoy, y en especial, de algunos de entre ellos, puede llamarse así. El parecido, digamos, entre lo que Aleixandre viene a decirnos acerca de la evolución de la materia unitaria, como resultado de un «proyecto», encarnado en esa materia, que se dirige a la aparición del ser humano, y lo que dice Teilhard de Chardin es hasta pasmoso. Por su realismo cosmovisionario, precisamente, *En un vasto dominio* es, pues, un libro plenamente inserto en la época segunda, [pese a que abarque los dos fundamentales momentos aleixandrinos: el de *Historia del corazón* y el anterior, que va desde *Ámbito* a *Nacimiento último*.]

DARIO PUCCINI

HACIA *LA DESTRUCCIÓN O EL AMOR*

En *Pasión de la tierra* yo vislumbro solamente una primera, cálida y auténtica adhesión a los modos convulsos de la fantasía superrealista y tal vez más aun a los modos demiúrgicos del creacionismo, y un vistoso reflejo de la lectura de Freud, pero no veo —como se

Dario Puccini, *La palabra poética de Vicente Aleixandre*, Ariel, Barcelona, 1979, pp. 32, 68-72, 74-78, 84, 86, 94-103.

ha continuado diciendo hasta ahora— el punto máximo de la inmersión de Aleixandre en lo irreal. Y creo que tampoco aquí, en su «evasión hacia el fondo», el poeta se ha abandonado completamente al curso torrencial de los impulsos instintivos e irracionales, ya que nunca ha perdido de vista un cierto orden interior y dado que ha demostrado siempre una conciencia vigilante de sus propios medios y sobre todo de sus propios fines. [...]

Parafraseando la célebre definición de Hans Sedlmayr —que ve en la *Verlust der Mitte*, en la «pérdida del centro», la característica central de todo el arte moderno— podemos decir que en *Espadas como labios* estamos todavía ante un tipo de poesía surrealista claramente desprovista de un «centro» o tal vez en busca de un «centro»; mientras que el fenómeno que caracteriza *La destrucción o el amor* es el descubrimiento de un «centro» irradiante: por lo menos en el sentido parcial por el cual, en el nuevo libro, Aleixandre consigue acotar una visión unitaria y orgánica, delimitada por un campo semántico bien definido.

Se pueden citar dos estrofas —que pertenecen respectivamente a un poema de *Espadas como labios* y a otro del libro siguiente, *La destrucción o el amor* (1932-1933)— que parecen documentar, con significativo relieve, el paso de un estadio a otro: del estadio «inorgánico» (usando un término muy del gusto de Sedlmayr) al «orgánico». Primer ejemplo (de «Poemas de amor», de *Espadas*):

> Peces, árboles, piedras, corazones, medallas,
> sobre vuestras *concéntricas* ondas, sí, detenidas,
> yo me muevo y, si giro, me busco, *oh centro, oh centro*,
> camino, viajadores del mundo, del futuro existente
> más allá de los mares, en mis pulsos que laten.

Segundo ejemplo (de «Soy el destino», de *La destrucción*):

> Soy el destino que convoca a todos los que aman,
> mar único al que vendrán todos los radios amantes
> que buscan a su *centro*, rizados por el círculo
> que gira como la rosa rumorosa y total.

En la primera estrofa, Aleixandre parece invocar un «centro» unificador y organizador («oh centro, oh centro»), si bien reconoce en los numerosos seres un espontáneo movimiento concéntrico; en la segunda, en cambio, ya no hay signo ni de invocación ni de auspicio ni de profecía, ya que el poeta-protagonista se ha adjudicado la parte y el papel de «centro», capaz de atraer hacia sí a «todos los que aman» y «todos los radios amantes ...».

El hecho es que toda *La destrucción* sale o más bien prorrumpe exactamente de aquel protagonismo y vitalismo lírico que en *Espadas* aparecía vagamente afirmado: o sea, de aquella zona subterránea de donde brotaba una especie de himno a la vida y a la muerte, con una inarticulada y turbulenta llamada al amor. Ahora la aventura en los estratos de lo profundo se ha acabado, pero no el impulso surreal y metafísico. Porque Aleixandre vuelve a la superficie como un buzo cubierto de algas: todavía sucio (valga la metáfora) de todos los residuos de la inolvidable, inagotable y embriagadora inmersión. Las informaciones biográficas dadas por el mismo autor hablan de «un verdadero renacer de fuerzas y apetito vital» tras la larga y grave enfermedad. Pero no es éste el tipo de datos que interesa. Lo que importa es conocer la causa espiritual de ese «renacer» y saber adónde conduce al poeta, ya que de ahí se puede obtener una respuesta [a una pregunta imprescindible]: ¿se baja a los abismos para volver a subir o se baja para permanecer? O más concretamente: ¿se baja casi como para prepararse mejor a realizar el camino dantesco hacia la trascendencia, hacia Dios o hacia el «centro» creador, o sólo para consumar una experimentación integral, ontológica o cognoscitiva? Respuesta casi conclusiva: el camino que emprende Aleixandre es ciertamente el segundo. En efecto, la experiencia abismal-ascensional del poeta no se parece ni al programa (ortodoxo) de resurrección dibujado por la fantasía autoliberadora de un Góngora («Con la muerte librarnos de la muerte, / y el infierno vencer con el infierno»), ni al «matrimonio» ansiado por el misticismo apocalíptico de Blake; ni tampoco, en modo alguno, a la redención «*from fire by fire*» —incluso hacia lo divino— largamente meditada por Eliot. La recuperación que Aleixandre emprende agónicamente consiste en una ansiosa carrera hacia el absoluto vital, amoroso, elemental, telúrico y sobrehumano; consiste en una perspectiva metafísica exaltante y turbadora a la que le está negada, descreída o excluida toda calificación divina. [...]

Es pagana y metafísica su concepción del amor, núcleo activo y propulsor del libro.

El amor expresado por Aleixandre —escribió Bousoño— es el amor-pasión y, más concretamente aun, la acción misma erótica en su trascendencia metafísica, que consiste en relacionar al amante con lo absoluto telúrico. Porque es el amor un acto de deslimitación que quebranta nuestros límites, absorbe nuestro yo y parece como que por un instante lo reincorpora a la naturaleza indivisible. El amor es entonces destrucción, sobrecogedor aniquilamiento de cada uno de los amantes que quieren ser el otro, enigma de una consumación en que la pareja busca unificarse rompiendo sus fronteras. «Símbolo feroz y dulce de la muerte es el amor», por medio del cual puede sentirse «la revelación, la luz cegadora, visita de lo absoluto» que es la naturaleza unitaria, nuncio de la desaparición de la personalidad. Sólo después del acto erótico se recobra la forma, perdida antes por ese misterioso contacto de vida y muerte. Entonces parece como si cada uno de los que se han amado naciese del otro, espuma y Venus a un tiempo mismo.

A pesar de ello, la visión cósmica de Aleixandre —tal vez como todas las cosmologías— comprende más bien una mitología que una concepción del mundo o una filosofía. Recuérdense las palabras de Valéry como comentario al *Eureka* de Poe: «Univers, donc, n'est qu'une expression mythologique». Y ya antes: «Comme la tragédie fait à l'histoire et à la psychologie, le genre cosmogonique touche aux religions, avec lesquelles il se confonde par endroits, et à la science, dont il se distingue nécessairement par l'absence de vérifications». De la mitología entendida en ese sentido, la visión general de Aleixandre tiene, en efecto, los caracteres primarios: un fondo de robusta y al mismo tiempo vaga religiosidad, un amplio uso de la simbología sacra y de la terminología ritual, un substrato seriamente literario e incluso libresco, y un color cientifista que se relaciona con el naturalismo presocrático.

Algunos de estos caracteres ya han sido señalados en la exégesis más atenta de la *poiesis* aleixandrina. Citemos sólo dos ejemplos. [Carlos Bousoño] recuerda, por ejemplo, «los antiguos eléatas» a propósito de una frase del poeta: «El mundo todo es uno». Pero hubiera podido recordar también el *panta rei* de Heráclito al margen de estos versos:

> Todo pasa.
> La realidad transcurre
> como un pájaro alegre.
> Me lleva entre sus alas
> como pluma ligera ...

O en estos otros: «todo lo que es un paño ante los ojos, / suavemente transcurre en medio de una música indefinible». Y hay que decir, además, que según Aleixandre algo que fluye como agua, más exactamente como río, es la mujer en cuanto que objeto de amor: «Cuerpo feliz que fluye entre mis manos ...», «Cuando contemplo tu cuerpo extentido / como un río que nunca acaba de pasar».

[El símbolo aleixandrino de «mujer-agua»] vive y se justifica enriqueciéndose en fuentes distintas pero no divergentes (Nietzsche, Freud, Valéry, Unamuno, etc.), en el símbolo más amplio y comprensivo «madre-agua» (o mar). [...] Un «agua madre», según una visión tan amplia como tradicional, está en la base del poema «Hija de la mar» (y *mar* en femenino):

> Vive, vive como el mismo rumor de que has nacido;
> escucha el son de tu madre imperiosa;
> sé tú espuma que queda después de aquel amor,
> después de que, agua o madre, la orilla se retira. [...]

Puesto que las cosas y los elementos de la naturaleza son portadores de valores emotivos y de facultades decisorias, es lógico que el protagonista-poeta intente ansiosamente y a todo coste parecerse a ellos, e incluso anularse en ellos. Y es lógico también que su ansia se coloree con una semejante imaginería de absolutos, principalmente puntuada por los verbos *ser* y *querer* (las formas *soy* y *no soy*, *quiero* y *no quiero* son bastante frecuentes en *La destrucción*, y se disponen a menudo en series continuas, de modo que trazan numerosas y significativas metáforas). La analogía entre las dos formas, *soy* y *quiero*, está marcada por el sabor veleidoso, voluntarístico, nietzscheano («humano, demasiado humano», es la fórmula que, hasta ahora, se asigna a Aleixandre) del primer término:

> Calla, calla. No soy el mar, no soy el cielo,
> ni tampoco soy el mundo en que tú vives.
> Soy el calor que sin nombre avanza sobre las piedras frías ...

Y prosigue: «Soy el sol que bajo tierra ...»; «Soy esa amenaza a los cielos ...»; «Soy el brillo de los peces ...», etc. [...] Claro que el ansia de co-fusión y de anulación (aun en la muerte-amor) se articula y se compone aun más en libre metaforismo en la forma del *quiero* (o del *no quiero*), que puede ser un *quiero morir*:

Quiero amor o la muerte, quiero morir del todo,
quiero ser tú, tu sangre, esa lava rugiente
que regando encerrada bellos miembros extremos
siente así los hermosos límites de la vida ...

O puede ser un *quiero vivir* (*saber*, *pisar*, etc.):

Quiero vivir, vivir como la hierba dura,
como el cierzo o la nieve, como el carbón vigilante,
como el futuro de un niño que todavía no nace,
como el contacto de los amantes cuando la luna los ignora. ...

Ese ser o querer ser algo ajeno, ese compenetrarse con las cosas, ese disolverse en el amor-muerte y ese abandono en lo cósmico y en lo insignificantemente pequeño (lombrices, escarabajos, etc.), así como el espectáculo de la vida autónoma —variopinta y tornasolada, emocionada y febril— de los elementos de la naturaleza, presuponen en el poeta un estado de máxima e ininterrumpida exaltación, y dan a su lenguaje y a su palabra ese «énfasis» especial que ya observó Dámaso Alonso. [...]

Corrientemente se ha olvidado que una de las secciones del volumen lleva el significativo subtítulo de «Elegías y poemas elegíacos». Y que el intento y el tono elegíacos, que ahí apenas se distinguían por un tenue vestigio de memoria (entonces tan secreta y privada como para no diferenciarse del resto) y por una nítida huella de tristeza, son la puerta a través de la cual entra el sentimiento del tiempo (sólo en dos o tres composiciones aparece el verbo en pasado), y el clima melancólico, blando y extenuado que incluso podemos calificar de neorromántico.

En cambio, nada de espontáneo, en el significado (equívoco) que se suele dar a los modos románticos, puede encontrarse en el ámbito de la fantasía fundamentalmente libresca de Aleixandre y de su compleja y controladísima urdimbre imaginativa. Todo ello ha sido demostrado ampliamente en la minuciosa investigación de Bousoño, tanto por lo que respecta a las «complicaciones» de la estructura externa y de la estructura interna de la imagen aleixandrina, como en lo que concierne a las normas que regularizan desde lo profundo el verso libre de este poeta, así como en cuanto a las numerosas peculiaridades de su originalísima sintaxis. Si acaso, y tomando alguna indicación de Bousoño y de otros críticos, habría que examinar mejor los varios efectos fonéticos presentes en el contexto de

La destrucción, desmintiendo así la falsa opinión según la cual, hasta este libro inclusive, Aleixandre ha compuesto versos empujado por una fuerza tumultuosa, violenta y caótica. No se trata sólo de poner en evidencia alguna de las ya bien estudiadas onomatopeyas del tipo de: «Cobra sobre cristal / chirriante como navaja fresca que deshace a una virgen»; ni sólo de alinear otros casos de repetición de *r* en función imprecatoria o para expresar sentido de potencia, además de los ya alegados por Bousoño (sobre todo por lo que se refiere a *Sombra del paraíso*). Se trata más bien de poner de manifiesto otras combinaciones de fonemas y sonidos: de las simples, como las siguientes (basadas respectivamente en la insistencia de la consonante *p* y de la vocal *e*): «*p*ájaro de *pap*el en el *p*echo»; «qu*e* pu*e*d*e* s*e*r un p*e*cho»; a las menos simples, como la siguiente (unión de la alveolar *s* y de la interdental *z* y repetición aliterante del grupo *bra*): «som*bra* de lo*s* *brazos* au*s*ente*s*»; o como ésta (repetición aliterante de *en* y de *r*): «mi*en*t*r*as se si*en*te la podero*s*a ga*rr*a *en* la tie*rr*a»; o como ésta (dos series vocálicas semejantes en el mismo verso: *e*, *a*; *e*, *e*; [*u*], *a*, *a* — *e*, *a*; *e*, *e*; *a*, *a*, [*e*]), con efecto ondulatorio: «mientras mientes un agua que parece la sangre»; o, en fin, como ésta (predominio de la dental *d* y de las líquidas *r*, *l*, *ll*): «*dolor*osa *l*á*gr*ima *d*on*d*e bri*ll*a un *l*ucero». O también aislar los numerosos casos de varia aliteración, como «llega como lluvia lavada», «traspone crespones transparentes», «contempla temblando», «caliente aliento», etc. O sea, poner en evidencia una vez más los varios ejemplos de asonancias internas, como las siguientes (con 2, 3 y 6 asonancias respectivamente): «como una superf*icie* que un solo esqu*ife*»; «cuando amar es l*u*ch*a*r con *una* forma imp*ura*»; «vient*o* n*e*gr*o* s*e*cr*e*t*o* qu*e* s*o*pla entr*e* l*o*s hu*e*s*o*s».

MANUEL ALVAR

«CIUDAD DEL PARAÍSO»

Si nos atenemos al relato del poema, [unos de los más significativos de *Sombra del paraíso* (1939-1943)], todo quedaría reducido al elogio de una ciudad por la nostálgica evocación del artista. Cierto que esto es verdad y cierto que apenas si descubrimos otra cosa que

Manuel Alvar, «Análisis de *Ciudad del paraíso*», en *Pliegos de Cordel*, Instituto Español de Lengua y Literatura, Roma, I, n.º 1 (1975).

el encadenamiento de una riquísima variedad de connotaciones de una sola palabra, «ciudad»; sin embargo, la sencillez de todo esto nos lleva a un mundo mucho más complejo. De una parte, el contenido sencillo —casi trivial diríamos— aparece enunciado de una determinada manera, con unos valores semánticos particulares, distintos de la semántica del texto aunque colaboran en su realización; de otra, junto a la idea sustentadora, se van disponiendo otras condicionadas por ella o que se le subordinan. Más aún, la esencia poética del texto no es el sentido añorante de la evocación ni es nada de lo que pertenece al mundo de la llamada preceptiva literaria. Con todos estos ingredientes se han escrito siempre malísimos poemas; la eficacia del que tenemos bajo los ojos, lo que lo convierte en criatura perdurable, es la selección de unos elementos que dejan de ser puramente retóricos para transfigurarse en poéticos gracias a la correlación entre los planos de la expresión y del contenido. O dicho de otro modo, la necesidad de que la semántica del texto se exprese de la única manera posible para que se realice con plena virtualidad. Ahora bien, esto no bastaría si, además, no se produjeran unas denotaciones recurrentes sobre esos planos; pues sin ellas el mensaje no sería poético. Expresión y denotación unidas es lo que modifica el talante lingüístico normal para convertirlo en el metalenguaje de la poesía, que —de una parte— está limitado por una serie de restricciones tanto expresivas (el enunciado se hace en un determinado orden que no es el común) cuanto semánticas (la denotación se convierte en connotación), pero que —de otra parte— está ampliado por lo que se ha llamado «la valorización de las redundancias que se hacen significativas». Tal vez nada tan eficaz en el análisis de nuestro poema como descubrir su palabra clave y verla en el funcionamiento que el poeta le hace tener.

Doce veces ocurre «ciudad» en el texto y todas ellas trascendida de su propia denotación. He aquí las presencias: «ciudad de mis días marinos» (I, 1); «ciudad de mis días alegres» (II, 2); «ciudad madre y blanquísima» (II, 3); «angélica ciudad» (II, 4); «ciudad graciosa» (IV, 1); «ciudad honda» (IV, 2); «ciudad prodigiosa» (IV, 2); «ciudad voladora entre monte y abismo» (VII, 2); «[ciudad] blanca en los aires» (VII, 3); «ciudad no en la tierra» (VII, 4); «ciudad que en él [cielo] morabas» (VIII, 4); «ciudad que en él [cielo] volabas» (VIII, 5).

La enumeración se ha hecho siguiendo el estricto orden del poema. Resulta entonces que el poeta ha partido de un enunciado subjetivo: la ciudad es el cobijo donde se cumplieron una serie de hechos biográficos; frente a la vida de tierra adentro, en ella pasó el poeta unos años de experiencia marinera («mis días marinos»), que coinciden con el gozo de una edad dichosa («mis días alegres»). Pero esta visión íntima se transfunde hacia la persona de la ciudad, pues cada ciudad —como dirían los teóricos del urbanismo— tiene su propia lengua, nos habla de modo distinto a las demás ciudades cuando tiene personalidad; el poeta establece la tensión yo-tú y el objeto del amor se manifiesta en sus connotaciones específicas, ya no vistas desde fuera, sino como identificaciones ontológicas que trascienden del propio ser humano: hay un nexo que pudiera unir el subjetivismo, que afecta sólo al alma del narrador, con las esencias que la ciudad posee. En el verso 3 de la estrofa II, se dice «ciudad madre y blanquísima»; percibimos aún el arrastre subjetivo («madre»), pero ya los atributos específicos de la ciudad que se inician con la parataxis («y blanquísima») para no interrumpirse en una catarata de requiebros: *angélica, graciosa, honda, prodigiosa.* Y el trasunto desasido: el poeta no puede ver la ciudad en lo que fue para sí mismo ni en lo que es en la realidad, la convierte en un mito digno de la más atrevida metamorfosis: *voladora entre monte y abismo, blanca en los aires, no en la tierra*, moradora en el cielo por el que vuela. El mito se ha cumplido. Faltaba la epifanía final al mundo de los valores absolutos, donde la realidad, virginal e intacta, es: allí no existe denotación ni connotación: ambos conceptos son el resultado de la trivialización lingüística, que busca su propia salvación en la palabra; allí las cosas son esencias y no contingencias, la palabra no ha padecido desgastes y sirve para nombrar a las cosas, que tampoco ha perdido la exactitud de su perfil. El título es el anticipo de todo este desarrollo de significantes y significados, «Ciudad del paraíso», resultado de la evasión que en el poema se va calizando puntualmente, pero cuyo arribo no se nos dice. El discurso poético se clausura con un salto: todas las denotaciones llevan a una conclusiva que, ausente en el relato, es precisamente la que lo inaugura desde el título.

[«Ciudad del paraíso»] tiene un contenido de escasa complejidad, pero —sin embargo— la forma de ese contenido sí que resulta compleja, más aun, crea un poema bellísimo con los elementos que pudieran ser información que hoy diríamos turística y, ayer tan sólo, de la más trivial Andalucía. Para que esto sea así, cada una de las palabras significativas se ha apartado de los contextos manidos y parece virginalmente intacta. De pronto, el poeta ha descubierto un mundo al que llamaríamos paradisíaco y ha empezado a poner nombre a las cosas: la «reja» es 'reja', la «flor» es 'flor' y la «guitarra» es 'guitarra'. Lejos el tópico o el folklorismo, tan sólo unas pocas esencias inalienables. Porque en ellas está el mundo no gastado al que el niño se asoma y al que el hombre quisiera repristinar. Al contrario de tanto poeta que quiere desmitificar las palabras, Vicente Aleixandre quiere devolverles sus contenidos más genuinos que, en un mundo adulterado por el consumo, se convierten en auténticos mitos. Muy al contrario de lo que defendería Furio Jesi, el poeta español encuentra en el mito la historia verdadera apoyada en la realidad: la ciudad mítica es una ciudad concreta y bellísima, en un marco preciso e inigualable, con una historia vivida por el niño que fue Vicente Aleixandre y con un recuerdo que dura en el hombre que él mismo es. El mito es la esencia de la realidad, como la metáfora el intento de su aprehensión más exacta. Todo el mundo al que se transpone el poema es un mundo mítico expresado por medio de intenciones. [...]

No pretendo decir que en «Ciudad del paraíso» la metáfora esté ausente, sino algo más significativo. La metáfora no es elemento básico del poema; lo fundamental es la transposición a un plano mítico de unas cuantas contingencias. Y en él, como enlace entre la realidad y el mito, las metáforas juegan igual que bisagras que permitieran entreabrir una puerta. En el poema de Aleixandre, poema de intensión y no de extensión, lo que importa no es cambiar el significado habitual de las palabras según las exigencias del contexto, sino intensificar esos significados, reducirlos en su campo semántico y dejar de ellos el único nódulo incontaminado e incontaminable: «flor», «jardín», «reja», no son realidades indiferentes, sino aquellas otras —únicas y singularísimas— que se dan en Málaga y que se convierten en símbolos inconfundibles de una ciudad inconfundible. Resulta entonces que la economía expresiva alcanza los límites extremos y, en servicio de ella, la forma del contenido se expresa en numerosos sintagmas nominales, que hasta rompen la estructura del verso imponiendo sus valoraciones intensivas. Y creo que es ésta una nueva maestría del poeta: la adjetivación sirve para crear un plano ideal en el que inscribe a la ciudad; la nominalización actúa de contrapeso, y fuerza a descubrir la esencia de la realidad, sin gangas adventicias. Si hubiera que aclarar con alguna referencia pensaría en san Juan de la Cruz, alta cima de poesía, donde el recurso también se aplica. Ahora pueden entenderse versos como «Calles, apenas leves, musicales» o «Jardines, flores» o, conforme se acrecienta la emoción, «¡Oh ciudad no en la tierra!», para terminar casi con «Pie desnudo en el día. / Pie desnudo en la noche. Luna grande. Sol puro».

El camino en busca del símbolo no ha sido el de la intelectualización, sino el de la emoción. [...] Nada de cuanto analizamos en «Ciudad del paraíso» es ajeno a la función mítica que se crea: si asoma una metáfora («Mar alentando *como un brazo que anhela a la ciudad voladora*») lo es dentro del antropomorfismo de la cosmogonía que acaba de nacer: la ciudad blanca sobre las espumas recuerda el nacimiento de Afrodita; el mar se convierte en otro Urano, personificación genesíaca capaz de engendrar nuevas vidas, pero el mito no es retórica, sino historia: si Venecia sellaba cada año sus nupcias con el mar, Málaga trasciende la realidad hodierna para ser el símbolo de la unión deseada de tierra y mar o de cielo y espumas. Bucéfalo es arqueología porque no ha sabido superar la contingencia de su ser real; Málaga se ha trascendido y es, hacia el pasado, la consagración de un mito; hacia el futuro, el sueño liberado de quienes en ella pusieron su amor. [...]

Desde aquí es fácil la comprensión cabal del poema de Aleixandre: movido el poeta por un recuerdo emocionado, busca transmitir al lector sus recuerdos de una ciudad a la que ve en unos rasgos esenciales. Entonces la palabra colabora con él en la selección de algunos elementos que hacen criatura inalienable e inconfundible a la ciudad en que vivió. Logrado este primer proceso con un vocabulario que nada tiene de sorprendente o extraño, se identifica con unas cuantas cosas que son reales, pero que por su carácter diferenciador hacen que la ciudad sea inconfundible. Pero el poeta vibra con el temblor de sus recuerdos, y esos objetos, que por ser añorados se cargan de belleza, obliga a una nueva selección, la de una adjetivación llena de alegrías y fruiciones: la mano que salva a la ciudad es «dichosa»: las olas que esperan, «amantes»; las calles, «leves y musicales»; las palmas, «juveniles»; los labios, «celestiales»; las islas, «mágicas»; la piedra, «amable»; las paredes, «rutilantes», etcétera. Los elementos denotativos desempeñan ahora el mismo papel que desempeñaron al caracterizar a la ciudad; todos transponen la realidad vulgar a un plano de belleza desasida; los elementos concretos crean ahora belleza en su propia entidad; antes el desprendimiento se había logrado desde unos razonamientos muy precisos: del subjetivismo personal, a la realidad contingente; de ésta, a la evasión. Todo converge sobre el mismo plano, y la ciudad es una huida a un mundo celeste. Huida tal vez sea palabra demasiado precisa para un arte que practica la discreción. Porque el poeta recurre a una adjetivación fuertemente significativa para establecer el plano del desasimiento; luego recurre a unas notas nada precisas, pero esfumadamente sugeridoras: la ciudad que desciende del «monte imponente» se queda detenida en el aire, presidiendo las espumas que la anhelan;

no de otro modo a como Venus nació desnuda y virginal sobre el lienzo o en el mármol, y, también como en Citerea, los vientos humanados mecen las cabelleras sueltas. Pienso en Botticelli: con su criatura detenida en las aguas, quieta y eterna, sin llegar a evadirse ni a sumergirse de nuevo, acariciada por los vientos que no perturban el fiel de su equilibrio.

Arte de la discreción que apunta sólo —pero nos eterniza el momento— a los jóvenes que se deslizan como en un ballet imposible sobre piedras que ya han perdido su dureza, o paredes enjalbegadas que no reverberan, sino besan a la multitud —discretamente sentida— que se remansa en el tiempo y que en el tiempo vive. Reiteradamente, el mito surge en su plenitud intemporal; los engarces con la realidad conducen a la eternización de cada instante y el tiempo no cuenta: la súbita canción que oye el niño está «suspendida en el tiempo», la noche está quieta, aun más quieto el amante, la luna eterna «instantánea transcurre», la ciudad tiene «calidad de pájaro suspenso» y vuela en el cielo con sus «alas abiertas».

En el poema de Aleixandre, sólo un momento se perturba la armonía de perfecciones. En la estrofa VI, «un soplo de eternidad pudo destruirte». ¿Qué misterio hizo que los hombres vivieran y no vivieran por un sueño? ¿Qué les hizo pasar, semejantes a un soplo divino? No cabe menos carga real para insinuar la mayor tragedia de la historia de la ciudad. Pero la tragedia fue un sueño malo; rompió el equilibrio de aquella armonía tan difícilmente lograda y pasó de la mente de los hombres. El poeta sigue en su transposición con elementos reales que —de nuevo— simbolizan cuanto ha hecho nacer el amor a la ciudad: «jardines», «flores», «mar alentado»... Y el recuerdo atenazado a la mano que hizo que los ojos del poeta se abrieran a la vida y que consiguió que cada paso descubriera un valor perdurable en las realidades circundantes. La guerra es la perturbación del orden y la quiebra del amor. Sólo queda —1944— la angustia de que el Paraíso hubiera sido aniquilado.

GUILLERMO CARNERO

CONOCER Y SABER EN *POEMAS DE LA CONSUMACIÓN* Y *DIÁLOGOS DEL CONOCIMIENTO*

Con *Poemas de la consumación* irrumpe en el mundo de Aleixandre un nuevo elemento: la vejez. No es de extrañar que vaya cargada de tintes sombríos si tenemos en cuenta el énfasis que los ocho primeros libros (los constitutivos de la llamada primera etapa) han puesto en la vida y el amor, dones de la juventud. La edad margina: «... quien pasa a solas, protegido / por su edad, cruza sin ser sentido» («Los años», de *Poemas de la consumación*), y convierte a los seres en una caricatura grotesca: «... cuando el viejo exhibe su hilarante visión se ve entre rejas / degradado, el recuerdo de algún vivir, y asoma / la afilada nariz, comida o roída, el pelo quedo, / estopa, la gota turbia que hace el ojo, y el hueco o sima / donde estuvo la boca ...» («Rostro final»). La vejez es pervivencia de una existencia incompleta, porque vivir es amar y ser amado: «Quien pudo ser no fue. Nadie le ha amado» («Quién fue»). El mundo es, por obra del amor, «lira del mundo, abierta» («Los amantes jóvenes»). La vida va unida a la juventud, que es su requisito indispensable: «Vida es ser joven y no más» («No lo conoce», de *Poemas de la consumación*). «Fui joven y miraba, ardía / tocaba, sonaba» («Sonido de la guerra»). Y la enseñanza de los años es una paradoja: que sólo cabe esperar inmortalidad, permanencia inalterada en el tiempo, a lo que es negación de la vida: son las cosas muertas las que permanecen en su estado, y ese estado es el único invulnerable al tiempo: «... las hojas reflejadas caen. Se caen y duran. Viven» («Si alguien me hubiera dicho», de *Poemas de la consumación*).

En *Poemas de la consumación* se dice taxativamente: «Conocer no es lo mismo que saber» (primer verso del poema «Un término»). A medida que se avanza en la lectura del libro se va haciendo evi-

Guillermo Carnero, «"Conocer" y "saber" en *Poemas de la consumación* y *Diálogos del conocimiento*», en *Cuadernos Hispanoamericanos*, n.º 276 (junio de 1973).

dente que ambos términos están revestidos de un significado que no es el habitual: Aleixandre va puliendo ese significado a lo largo del libro, que desde esta perspectiva resulta ser su progresiva concreción. Asistimos a ese proceso de definición por el que la actitud de Aleixandre ante el mundo queda determinada por la oposición entre «conocer» y «saber». En función de estos dos términos, y de otros derivados, como el de «verdad», hace el poeta balance de su vida, expone un nuevo tipo de relación con el mundo y, además, asume una actitud concreta ante el problema de la escritura. Voy a intentar exponer el contenido semántico de esas dos palabras-eje: una vez determinado, *Poemas de la consumación* revela un concreto significado. [...]

El verbo conocer tiene en el contexto aleixandrino un valor imperfectivo, reforzado por el mismo valor de otro verbo que le está, en ese mismo contexto, estrechamente vinculado: el verbo «mirar». «Conocer» y «mirar» encarnan el proceso no terminado, la aspiración no satisfecha, el camino no concluido, del mismo modo que luego «saber» y «ver» indicarán terminación y conclusión. Mirar es la actitud interrogante e inquisitiva de quien desea aprehender un significado que todavía desconoce, y «mirar» está asociado, en el texto aleixandrino, a la juventud: «quien miró y quien no vio ... la juventud latiendo entre las manos» («Pero nacido», de *Poemas de la consumación*); «Conocer, penetrar, indagar: una pasión que dura todo lo que la vida» («La oscuridad», de *Historia del corazón*); «quien tienta, vive» («Sonido de la guerra»). Por eso conocer, que equivale a estar vivo, equivale también a no tener certeza sobre lo que se intenta conocer: en el poema «Los amantes jóvenes» (que creo inspirado en la historia de Calixto y Melibea), dice él: «... La entreví: la conozco / Y este jardín me cela tras los muros su forma / no su fulgor». El amor, que nace de un deslumbramiento, de un «fulgor», impulsa a aprehender el significado de la persona amada, y en esa aprehensión está su fin, porque con la terminación del proceso cognoscitivo viene también la terminación del estímulo que lleva hacia lo amado: «Conocer es amar. Saber, morir / Dudé. Nunca el amor es vida» («Los amantes viejos»).

Mientras no ha sido aprehendido el significado de lo que se ama, el que ama tiene ante sí un proyecto lleno de futuro porque inacabado, una investigación que llevan a cabo a la vez la inteligencia y los sentidos. Y si el amor dura lo que ese proceso, y termina con él, y si el amor es estar vivo, «sólo quien duda existe», «Dudo, hermoso confín que se dibuja. / ... Oh, realidad, porque dudo en ti crezco», «Pues no creo. Pues dudé, vivo cierto» («El lazarillo y el mendigo»); «Soy quien duda» («Los amantes viejos»). Y la vida dura tanto como el deseo de aprehender el mundo no ha sido plenamente saciado: «Qué insistencia en vivir. Sólo lo entiendo / como *formulación* —lo destacado es mío— de lo imposible: el mundo / real» («Los amantes viejos»). Destaquemos la palabra «formulación»: fórmula es una condensación de significado, que damos por definitiva: la fórmula es obra de la razón, y la razón es propia del viejo, porque emite sus dictámenes cuando el proceso cognoscitivo ha terminado: «Sólo el niño conoce» («El cometa», de *Poemas de la consumación*); «Soy joven y conozco» («Los amantes jóvenes»).

Cuando el proceso cognoscitivo ha terminado, el que lo emprendió se encuentra provisto de una sabiduría: conocer es una actividad y saber un resultado inmóvil. Esa sabiduría viene con la edad, y puesto que la vejez es incompatible con la vitalidad, y la sabiduría se adquiere una vez que el camino del conocimiento ha sido recorrido, esa sabiduría se opone a la vida: «Quien duda existe. Sólo morir es ciencia» («Sin fe», de *Poemas de la consumación*); «Ignorar es vivir. Saber, morirlo» («Ayer», de *Poemas de la consumación*) —quiero destacar la transitivización del verbo morir. Ese «lo» no es la vida biológica del poeta, sino lo que «vida» significa en el contexto aleixandrino; y el valor transitivo de «morir» demuestra que esa muerte no es un estado, sino el resultado de una actividad; quiere decir Aleixandre que no se trata de la muerte de su cuerpo (eso sería «morirse»), sino de la aniquilación de algo más amplio que ese cuerpo, pero tan unido a su supervivencia que no puede el poeta decir «matarlo», porque al matarlo también él muere: de ahí la gran riqueza, por síntesis, de «morir-lo».

La sabiduría es incompatible con la juventud y la vida, como ya he dicho: «Porque lo sé no existo» («Tienes nombres», de *Poemas de la consumación*). Saber es nacer a la ciencia cuyo objeto es el mundo, y es a la vez morir para la vida. Lo que Aleixandre nos está dando a entender es que considera irreconciliables la evolución de la mente y la del cuerpo: avanza el cuerpo a lo largo del tiempo, impulsado por los sentidos y el afán de conocer, y va proporcionando a la mente datos y experiencias de los que ésta va induciendo una sabiduría. Cuando el cuerpo detiene su carrera hace la mente balance y proporciona sus conclusiones: no hay conclusiones hasta que se ha cerrado la adquisición de experiencia: esas conclusiones (saber) demuestran que ha terminado la inmersión en la vida (conocer): en el momento en que se «nace» (al saber) se «muere»: «Más jóvenes se ven. Son los no muertos, / pues no nacidos» («Los jóvenes», de *Poemas de la consumación*); dice Swann, en *Aquel camino de Swann*: «... Yo recorrí la escala / de ese conocimiento. Pero pensé qué inútil / era saberlo...». Entonces, una vez en posesión de ese saber, pierde el mundo su novedad, porque cada nueva experiencia resulta explicable y previsible por obra del saber: «mirar» equivale a «ver», y el intento de «conocer» una nueva realidad queda frustrado en el «re-conocimiento» de que esa realidad es semejante a otra anterior codificada por la sabiduría. [...]

El anhelo de saber resultó de una idea equivocada: considerar que el mundo había de ser aprehendido en términos de ciencia, que no bastaba el contacto sensorial, que había que nombrarlo y proclamar una formulación de él: «Poner los labios en tu idea es sentirte / proclamación. Oh, sí, terrible, existes. / Soy quien finó, quien pronunció tu nombre, como forma / mientras moría» («Presente, después», de *Poemas de la consumación*). Así resulta que saber es «una mancha»: «quien no nació [a la sabiduría] no mancha» («Los jóvenes», de *Poemas de la consumación*). Y saber equivale a estar muerto: «porque sé ya me duermo» («El lazarillo y el mendigo»); «quien recuerda es quien muere» («Los amantes jóvenes»; aquí «recordar» en el sentido expuesto más arriba, de «reconocer»); «quien sabe ya ha vivido» («Los amantes viejos»). Y la auténtica sabiduría sería, como he dicho antes, haber sabido mantener una relación impremeditada con el mundo, relacionarse con él en un perpetuo «conocer» nunca dado por definitivo, como el Rubén Darío que traza Aleixandre en «Conocimiento de R. D.» (*Poemas de la consumación*).

[Podemos, pues, establecer dos series de términos análogos en función de los cuales se expresa y ordena la visión del mundo del último Aleixandre: conocer — juventud — vida — mirar — experiencia de los sentidos, por una parte; por otra, saber — vejez — muerte — ver — conclusiones del pensamiento. Si se emprende una lectura de *Poemas de la consumación* y de los *Diálogos del conocimiento* en función de estas dos series maestras, emerge su más profundo sentido.]

Si la sabiduría se formula en palabras, tendrá Aleixandre que haberse planteado el problema de la expresión y de la escritura, y que haberlos considerado bajo una óptica esencialmente desencantada. Las palabras no son siempre signos de la muerte, no lo son cuando surgen espontáneamente como una manifestación más de vitalidad: «... palabras dichas / en momentos de delicia o de ira, de éxtasis o abandono / cuando, despierta el alma, por los ojos se asoma» («Palabras del poeta», en *Poemas de la consumación*). En otros casos, la mayoría, tienen las palabras una virtud esterilizadora: «... son sólo palabras / las que te arrastran, sombra polvorosa, / humo estallado, humo que resultas / como una idea muerta tras su nada» («Sonido de la guerra»). Ya en *Espadas como labios* había establecido Aleixandre la naturaleza antitética de palabras y seres elementales: «Flor tú, muchacha, casi desnuda, viva, viva / (la palabra, esa arena machacada) ... (la palabra, la palabra, la palabra, qué torpe vientre hinchado)» (en el poema «Palabras»). En «Mensaje», de *Sombra del paraíso*, leemos: «... arrojad lejos, sin mirar, los artefactos tristes / tristes ropas, palabras, palos ciegos ...». La palabra viva se caracteriza por ser una formulación no definitiva, un intento de formulación; la expresión demasiado experta es síntoma de que se ha alcanzado el estadio de sabiduría. Las palabras vivas se ordenan en virtud de una lógica propia, «más como luz que cual sonido experto», «no con virtud suprema, / pero sí con un orden, infalible, si quieren» («Las palabras del poeta»). El anhelo del sabio será que sus palabras, expertas, recobren el temor y la falibilidad que tenían cuando vivas. Porque la sabiduría según la entiende Aleixandre proporciona un tipo de verdad que el poeta rechaza, después de haberla perseguido: sólo la verdad incompleta e imperfecta del conocer tenía valor, irradiaba luz y vida: «... si se apaga, está muerta» («La maja y la vieja»).

Octavio Paz

LA PALABRA EDIFICANTE DE LUIS CERNUDA

[*La realidad y el deseo* puede verse como una biografía espiritual, sucesión de momentos vividos y reflexión sobre experiencias vitales. De ahí su carácter moral.] ¿Puede ser poética una biografía? Sólo a condición de que las anécdotas se trasmuten en poemas, es decir, sólo si los hechos y las fechas dejan de ser historia y se vuelven ejemplares. Pero ejemplares no en el sentido didáctico de la palabra sino en el de «acción notable», como cuando decimos: ejemplar úni-

Octavio Paz, «La palabra edificante», en *Papeles de Son Armadans*, XXXV, n.º 103 (octubre de 1964).

co. O sea: mito, argumento ideal y fábula real. Los poetas se sirven de las leyendas para contarnos cosas reales; y con los sucesos reales crean fábulas, ejemplos. Los peligros de una biografía poética son dobles: la confesión no pedida y el consejo no solicitado. Cernuda no siempre evita estos extremos y no es raro que incurra en la confidencia y en la moraleja. No importa: lo mejor de su obra vive en ese espacio, real e imaginario, del mito. Un espacio ambiguo, como la figura misma que sostiene. Fábula real e historia ideal, *La realidad y el deseo* es el mito del poeta moderno. Un ser distinto, aunque sea su descendiente, del poeta maldito. Se han cerrado las puertas del infierno y al poeta ni siquiera le queda el recurso del Edén o de Etiopía; errante en los cinco continentes, vive siempre en el mismo cuarto, habla con las mismas gentes y su exilio es el de todos.

[Todas las edades del hombre aparecen en *La realidad y el deseo.* Todas, excepto la infancia que sólo es evocada como un mundo perdido y cuyo secreto se ha olvidado.] El libro de poemas de Cernuda podría dividirse en cuatro partes: la adolescencia, los años de aprendizaje, en los que nos sorprende por su exquisita maestría; la juventud, el gran momento en que descubre a la pasión y se descubre a sí mismo, período al que debemos sus blasfemias más hermosas y sus mejores poemas de amor —amor al amor—; la madurez, que se inicia como una contemplación de los poderes terrestres y termina en una meditación sobre las obras humanas; y el final, ya en el límite de la vejez, la mirada más precisa y reflexiva, la voz más real y amarga. Momentos distintos de una misma palabra. En cada uno hay poemas admirables pero yo me quedo con la poesía de juventud (*Los placeres prohibidos*, *Un río, un amor*, *Donde habite el olvido*, *Invocaciones*) no porque en esos libros el poeta sea enteramente dueño de sí sino precisamente porque todavía no lo es: instante en que la adivinación aún no se vuelve certidumbre ni la certidumbre, fórmula. Sus primeros poemas me parecen un ejercicio cuya perfección no excluye la afectación, cierto amaneramiento del que nunca se desprendió del todo. Sus libros de madurez rozan un clasicismo de yeso, es decir, un neoclasicismo: hay demasiados dioses y jardines; hay una tendencia a confundir la elocuencia con la dicción y no deja de ser extraño que Cernuda, crítico constante de esa inclinación nuestra por el «tono noble», no la haya advertido en sí mismo. En fin, en sus últimos poemas la reflexión, la explicación y aun el improperio ocupan demasiado espacio y desplazan al canto; el lenguaje no tiene la fluidez del habla sino la sequedad escrita del discurso. [...] Estamos ante un hombre que en cada palabra que escribe se da por entero y cuya voz es inseparable de su vida y su muerte; al mismo tiempo, esa palabra nunca se nos da directamente: entre ella y nosotros está la mirada del poeta, la reflexión que crea la distancia y así permite la verdadera comunicación.

[Biografía de un poeta moderno de España, *La realidad y el deseo* es también la biografía de una conciencia poética europea. Porque Cernuda es un poeta europeo, en el sentido en que *no* son europeos Lorca o Machado, Neruda o Borges.] Cernuda es antiespañol por dos motivos: por españolismo polémico y por modernidad. Por lo primero, pertenece a la familia de los heterodoxos españoles; por lo segundo, su obra es una lenta reconquista de la herencia europea, una búsqueda de esa corriente central de la que España se ha apartado desde hace mucho. No se trata de influencias —aunque, como todo poeta, haya sufrido varias, casi todas benéficas— sino de una exploración de sí mismo, no ya en sentido psicológico sino de su historia.

Cernuda descubre el espíritu moderno a través del surrealismo. El mismo Cernuda se ha referido varias veces a la seducción que ejerció sobre su sensibilidad la poesía de Reverdy, maestro de los surrealistas y también suyo. [En él aprendió dos cosas que van a ser claves en su estilo: el ascetismo de medios expresivos y la *reticencia.*] Para Cernuda el surrealismo fue algo más que una lección de estilo, más que una poética o una escuela de asociaciones e imágenes verbales: fue una tentativa de encarnación de la poesía en la vida, una subversión que abarcaba tanto al lenguaje como a las instituciones. Una moral y una pasión. Cernuda fue el primero, y casi el único, que comprendió e hizo suya la verdadera significación del surrealismo como movimiento de liberación —no del verso sino de la conciencia—: el último gran sacudimiento espiritual de Occidente. A la conmoción psíquica del surrealismo hay que agregar la revelación de André Gide. Gracias al moralista francés, se acepta a sí mismo; desde entonces su homosexualismo no será ni enfermedad ni pecado sino destino libremente aceptado y vivido. Si Gide lo reconcilia consigo mismo, el surrealismo le servirá para insertar su rebelión psíquica y vital en una subversión más vasta y total. Los «placeres prohibidos» abren un puente entre este mundo de «códigos y ratas» y el mundo subterráneo del sueño y la inspiración: son la vida terrestre en todo su taciturno esplendor («miembros de mármol», «flores de hierro», «planetas terrenales») y son también la vida espiritual más alta («soledades altivas», «libertades memorables»). El fruto que nos ofrecen estas duras libertades es el del misterio, cuyo «sabor ninguna amargura corrompe». La poesía se vuelve activa; el sueño y la palabra echan abajo las «estatuas anónimas» y en la gran «hora vengativa, su fulgor puede destruir nuestro mundo». Más tarde Cernuda abandonó las maneras y tics surrealistas, pero su visión esencial, aunque fuese otra su estética, siguió siendo la de su juventud. [...]

En una tradición que ha usado y abusado de las palabras, pero que pocas veces ha reflexionado sobre ellas, Cernuda representa la conciencia del lenguaje. Un caso semejante es el de Jorge Guillén, sólo que mientras la poesía de este último vive, para emplear la jerga de los filósofos, en el ámbito del ser, la de Cernuda es temporal: la existencia humana es su reino. En los dos, más que *reflexión*, hay meditación poética. La primera es una operación extrema y total: la palabra se vuelve sobre sí misma y se niega como significado del mundo, para significar sólo su propia significación y, así, anularse. A la reflexión poética debemos algunos de los textos cardinales de la poesía moderna de Occidente, poemas en los que nuestra historia simultáneamente se asume y se consume: negación de sí misma y de los significados tradicionales, tentativa por fundar otro significado. Los españoles pocas veces han sentido desconfianza ante la palabra, pocas veces han sentido ese vértigo que consiste en ver al lenguaje como *signo de la nulidad*. Para Cernuda la meditación —en el sentido casi médico: cuidar— consiste en inclinarse sobre otro misterio: el de nuestro propio transcurrir. La vida, no el lenguaje. Entre vivir y pensar, la palabra no es abismo sino puente. Meditación: mediación. La palabra expresa la distancia entre lo que soy y lo que estoy siendo y, asimismo, es la única manera de trascender esa distancia. Por la palabra mi vida se detiene sin detenerse y se ve a sí misma sin verse; por ella me alcanzo y me sobrepaso; me contemplo y me cambio en otro —*un otro yo mismo* que se burla de mi miseria y en cuya burla se cifra toda mi redención.

La tensión entre vida ignorante de sí y conciencia de sí, se resuelve en palabra transparente. No en un más allá imposible sino aquí, en el instante del poema, pactan realidad y deseo. Y ese abrazo es de tal modo intenso que no sólo evoca la imagen del amor sino la de la muerte: en el pecho del poeta, «idéntico a un laúd, la muerte, únicamente la muerte, puede hacer resonar la melodía prometida». Pocos poetas modernos, en cualquier lengua, nos dan esta sensación escalofriante de sabernos ante un hombre que *habla de verdad*, efectivamente poseído por la fatalidad y la lucidez de la pasión. Si se pudiese definir en una frase el sitio que ocupa Cernuda en la poesía moderna de nuestro idioma, yo diría que es el poeta que habla no para todos, sino para el cada uno que somos todos. Y nos hiere en el centro del cada uno que somos —«que no se llama gloria, fortuna o ambición», sino *la verdad de nosotros mismos.* La poesía de Cernuda es un conocerse a sí mismo pero, en la misma intensidad, es una tentativa por crear su propia imagen. Biografía poética, *La realidad y el deseo* es algo más: la historia de un espíritu que, al conocerse, se transfigura.

Es ya una costumbre decir que Cernuda es un poeta del amor. Es cierto y de este tema brotan todos los otros: soledad, aburrimiento, exaltación del mundo natural, contemplación de las obras humanas... Pero hay que empezar por decir algo que él nunca ocultó: su amor es uranista y no conoció ni habló de otro. En esto no hay equívoco posible; con admirable valentía, si se piensa en lo que son el público y los medios literarios hispanoamericanos, escribió muchacho ahí donde otros prefieren usar sustantivos más inciertos. «La verdad de mí mismo», dijo en un poema de juventud, «es la verdad de mi amor verdadero». Su sinceridad no es gusto por el escándalo ni desafío a la sociedad (es otro su desafío): es un punto de honor intelectual y moral. Además, se corre el riesgo de no comprender el significado de su obra si se omite o se atenúa su homosexualidad, no porque su poesía pueda reducirse a esa pasión —eso sería tan falso como ignorarla— sino porque ella es el punto de partida de su creación poética. Sus tendencias eróticas no explican a su poesía pero sin ellas su obra sería distinta. Su «verdad diferente» lo separa del mundo; y esa misma verdad, en un segundo movimiento, lo lleva a descubrir otra verdad, suya y de todos. [Cernuda se acepta diferente; el pensamiento moderno, especialmente el surrealismo, le muestra que todos somos diferentes. Homosexualismo se vuelve sinónimo de libertad; el instinto no es un impulso ciego: es la crítica hecha acto. Todo, el cuerpo mismo, adquiere una *coloración moral.*]

La verdad verdadera, la suya y la de todos, se llama deseo. En una tradición que con poquísimas excepciones —se pueden contar con los dedos, de *La Celestina* y *La Lozana andaluza* a Rubén Darío, Valle-Inclán y García Lorca— identifica «placer» con «sensación agradable, contento del ánimo o diversión», la poesía de Cernuda afirma con violencia la primacía del erotismo. Esa violencia se calma con los años pero el placer ocupará siempre un lugar central en su obra, al lado de su contrario-complementario: la soledad. [...] Entre deseo y realidad hay un punto de intersección: el amor. No hay amor sin deseo pero el único deseo verdadero es el del amor.

Sólo en ese desear un ser entre todos los seres el deseo se despliega plenamente. Aquel que conoce el amor no desea ya otra cosa. El amor revela la realidad al deseo: esa imagen deseada es algo más que un cuerpo que se desvanece: es un alma, una conciencia. Tránsito del objeto erótico a la persona amada. Por el amor, el deseo toca al fin la realidad: el otro existe. Esta revelación casi siempre es dolorosa porque la existencia del otro se nos presenta simultáneamente como un cuerpo que se penetra y como una conciencia impenetrable. El amor es la revelación de la libertad ajena y nada es más fácil que reconocer la libertad de los otros, sobre todo la de una persona que se ama y desea. Y en esto radica la contradicción del amor; el deseo aspira a consumarse mediante la destrucción del objeto deseado; el amor descubre que ese objeto es indestructible... e insustituible. Queda el deseo sin amor o el amor sin deseo. El primero nos condena a la soledad: esos cuerpos intercambiables son irreales; el segundo es inhumano: ¿puede amarse aquello que no se desea? Cernuda fue muy sensible a esta condición de veras trágica del amor, de todo amor. [...]

En la poesía de Cernuda hay tres vías de acceso al tiempo. La primera es lo que él llama el *acorde*, descubrimiento súbito a través de un paisaje, un cuerpo o una música de esa paradoja que es *ver* al tiempo detenerse sin cesar de fluir: «instante intemporal ... plenitud que, repetida a lo largo de la vida, es siempre la misma ... lo más parecido a ella es ese adentrarse por otro cuerpo en el momento del éxtasis». Todos, niños o enamorados, hemos sentido algo semejante; lo que distingue al poeta de los demás es la frecuencia y, más que nada, la conciencia de esos estados y la necesidad de expresarlos. Otro camino, distinto al de la fusión con el instante, es el de la contemplación. Miramos una realidad cualquiera —un grupo de árboles, la sombra que invade un cuarto al anochecer, un montón de piedras al lado del camino— miramos sin fijarnos, hasta que lentamente aquello que vemos se revela como lo nunca visto y, simultáneamente, como lo siempre visto: «mirar ... mirar: la naturaleza gusta de ocultarse y hay que sorprenderla mirándola largamente, apasionadamente ... mirada y palabra hacen al poeta». ¿Miramos o nos miran las cosas? ¿Y eso que vemos son las cosas o es el tiempo que se condensa en una apariencia y luego la disuelve? En esta experiencia interviene la distancia; el hombre no se funde con la realidad exterior pero su mirada crea entre ella y su conciencia un espacio, propicio a la revelación. Lo que llama Pierre Schneider: la mediación. La tercera vía es la visión de las obras humanas y de la obra propia. A partir de *Las nubes* es uno de sus temas centrales y se expresa en dos direcciones principalmente: el doble (personajes del mito, la poesía o la historia) y las creaciones del arte. Por ella accede al tiempo histórico, humano.

En una nota que precede a la selección de sus poemas en la *Antología* de Gerardo Diego (1930), señala que la única vida que le parece digna de vivirse es la de los seres del mito o de la poesía, como el *Hiperión* de Hölderlin. No debe entenderse esto como un desafío o una salida de tono; siempre pensó que la realidad diaria adolece de irrealidad y que la verdadera realidad es la de la imaginación. [...] ¿Con quién habla el poeta cuando conversa con un héroe del mito o la literatura? Cada uno de nosotros lleva dentro un interlocutor secreto. Es nuestro doble y es algo más: nuestro contradictor, nuestro confidente, nuestro juez y único amigo. Aquel que no habla a solas consigo mismo será incapaz de hablar *verdaderamente* con los otros. Al hablar con las criaturas del mito, Cernuda habla para sí pero de esta manera habla con nosotros. Es un diálogo destinado a provocar indirectamente nuestra respuesta. El tiempo real no es el cotidiano de la conversación mundana sino el de la comunicación poética: el instante de la lectura, un ahora en el cual, como en un espejo, el diálogo entre el poeta y su visitante imaginario se desdobla en el del lector con el poeta. El lector se ve en Cernuda que se ve en un fantasma. Y cada uno busca en el personaje imaginario su propia realidad, su verdad. Su demonio, en el sentido socrático.

[Junto a personajes históricos, evoca Cernuda obras de arte.] Al contemplar esta o aquella creación, adivina esa fusión entre la voluntad individual del artista y la voluntad, casi siempre inconsciente, de su tiempo y su mundo. Descubre que no escribe sólo para decir la «verdad de sí mismo»; su verdad verdadera es también la de su lengua y la de su gente. El poeta da voz «a las bocas mudas de los suyos» y así los libera. Los «otros» se han vuelto «los suyos». [...] El ciclo iniciado en los poemas de juventud se cierra: negación del mundo que llamamos real y afirmación de esa realidad real que revelan el deseo y la imaginación creadora; exaltación de los poderes naturales y reconocimiento de la tarea del hombre sobre la tierra: hacer vida del tiempo muerto, dar significado al transcurrir ciego; rechazo de una falta tradición y descubrimiento de una historia que aún no cesa y en la cual su vida y su obra se insertan como un nuevo acorde. Al final de sus días, Cernuda duda entre la realidad de su obra y la irrealidad de su vida. Su libro fue su verdadera vida y fue construido hora a hora, como quien levanta una arquitectura. Edificó con tiempo vivo y su palabra fue *piedra de escándalo*. Nos ha dejado, en todos los sentidos, una obra *edificante*.

DEREK R. HARRIS

EJEMPLO DE FIDELIDAD POÉTICA: EL SUPERREALISMO DE LUIS CERNUDA

Lo que Cernuda intenta expresar en *Un río, un amor* es el caos emocional producido por el choque ante la pérdida del amor [un amor concreto, que dará origen a *Los placeres prohibidos*]. La violencia de aquellas emociones exigía y necesitaba de una expresión inmediata, aun por encima de cualquier esperanza posible de recuperar lo perdido. En su poesía anterior, cuyo tema era la adolescencia, el poeta estaba distanciado de las condiciones emocionales del poema, pero en *Un río, un amor*, dada la urgente necesidad expresiva, el poeta es coetáneo de las emociones que expresa. Este cambio de perspectiva entre el poeta y su poesía intensificó el descontento respecto de *Égloga, elegía, oda*: la honda perturbación no cabía en silvas garcilasistas. Así, pues, en *Un río, un amor* coinciden ambas crisis, poética y existencial, en su punto máximo.

Cernuda necesitaba una forma y un estilo en los que dar curso a su caótico estado emocional, satisfaciendo al mismo tiempo su necesidad de inmediata expresión. Esta forma nueva y este nuevo estilo los encontró en el *surréalisme*. Se sintió inclinado el poeta hacia la asunción de aquel ímpetu destructor de la facultad discursiva del pensamiento, en un momento en el que, casi loco de congoja: «Telarañas cuelgan de la razón / En un paisaje de ceniza absorta; / Ha pasado el huracán de amor, / Ya ningún pájaro queda».

Las emociones caóticas impiden toda filtración racional antes de hallar su expresión verdadera. Dado lo cual, Cernuda, paralelamente a los *surréalistes*, buscó la ruptura de «las leyes que presi-

Derek R. Harris, «Ejemplo de fidelidad poética: el superrealismo de Luis Cernuda», en *La Caña Gris*, n.os 6-8 (otoño de 1962), pp. 102-108.

den la unión» de las palabras, con el fin de hallar nuevas asociaciones capaces de intensificar la palabra hasta esa necesaria expresión directa.

Pero Luis Cernuda nunca ha sido poeta pasivo ante cualquier posible influencia. Tomó el *surréalisme* para modificarlo hasta hacer de él cabal vía de expresión de sus propias exigencias poéticas. Llegó, en su búsqueda de la palabra nueva, hasta el umbral mismo del automatismo, pero sin penetrar jamás en él. Logró así un raro equilibrio entre sus propias necesidades expresivas y los límites del arte. Con su seguro instinto para lo justamente poético, supo ver en todo momento que el automatismo es una mera voluntad de expresión, y lo rechazó en pro de una voluntad de creación consciente y de una comunicación verdadera.

La repulsa del automatismo en *Un río, un amor* es evidente tanto en las imágenes como en la construcción de los poemas. Cernuda mismo ha confesado que al comenzar este libro sentía cierta dificultad en el uso del verso libre, de modo que los primeros poemas escritos lo fueron en cuartetos endecasilábicos. Esta prosodia formal, aunque entraña una cierta dificultad expresiva, muestra bien la base de creación consciente del poema. En estos poemas que expresan emociones violentas en imágenes superrealistas, no hay conflicto alguno entre forma y contenido. El superrealismo cabe, pues, perfectamente dentro del endecasílabo, en contradicción categórica con el desdén por «toute préoccupation esthétique».

Aun en el momento mismo en que Cernuda adopta por fin el verso libre, su voluntad de creación artística prosigue. Algunos poemas están construidos por entero, y otros muchos en parte, a base de una repetición evidentemente premeditada. A veces el poeta emplea la repetición para crear una tensión en el poema que luego se cumple produciendo un gran efecto poético (véanse para ello «Como el viento» y «Todo esto por amor»). Otra forma de construcción consciente es la separación del verso final de un poema, casi al modo de estribillo, para condensar el tema (véanse «Daytona», «Habitación de al lado», «Duerme, muchacho», «Carne de mar»).

En las imágenes individuales la voluntad artística queda a veces escondida bajo el esfuerzo de intensificación emocional de la palabra. Pero, aunque persiguen una expresión directa, las imágenes retienen una base consciente, sin llegar nunca a la arbitrariedad y autonomía absolutas de las imágenes de los *surréalistes.* Algunas imágenes son casi convencionales (véase, por ejemplo, la comparación del poeta con el viento acongojado y desnortado que gime por las esquinas en «Como el viento»). Debe hacerse notar también la aparición frecuente de las imágenes de luz y de tinieblas, ya existentes en la anterior poesía cernudiana: imágenes de luz por el deseo del poeta, o su inocencia, y de tinieblas —«sombras, nubes, nieblas»— por la tristeza y las fuerzas que se oponen al deseo. Pero en *Un río, un amor*, el afán de encontrar expresión directa triunfa muchas veces sobre las asociaciones establecidas.

Las asociaciones establecidas en la poesía anterior son un obstáculo a la expresión directa, porque sugieren muchas veces un mundo distinto al del caos emocional al que ha llegado el poeta. Así, pues, Cernuda intenta crear imágenes que adquieren su significación del contexto mismo del poema, significación que fuera de él no resulta válida. Para cortar toda conexión con las asociaciones anteriores, evitando de este modo todo recuerdo de las mismas, llega incluso a emplear palabras escogidas arbitrariamente, palabras carentes de todo contacto lógico con lo que representan, o puede también emplear, a veces, alguna imagen anterior, pero provista de nuevas asociaciones. Ejemplo extremo de este proceso lo tenemos en el poema «Sombras blancas», en donde la misma palabra aparece en dos imágenes con asociaciones contradictorias. Las viejas asociaciones anímicas suscitadas por el sustantivo «sombras» son destruidas por el adjetivo «blancas», llegando así ésta a ser una imagen de amor y de dicha en un paraíso «de azar abolido». Pero fuera de este paraíso, la luz, que es ahora la luz de la «Realidad» y no del «Deseo», da sombras de tristeza y de congoja, «sombras azules».

En sus imágenes superrealistas Cernuda no intenta propiamente destruir las apoyaturas lógicas y conceptuales, sino más bien dispersarlas, creando así una palabra nueva, una palabra que nunca hubiera tenido la actual significación, ni tampoco sus asociaciones actuales. En realidad, la imagen llega a ser un símbolo, pero un símbolo superrealista, de base conceptual destruida. El propio poeta ha explicado que sus imágenes son símbolos. En «Linterna roja» la búsqueda del amor inalcanzable reduce al poeta a mendigo, a sombra, a rey sin corona; sabemos, sin embargo, que estas imágenes simbolizan su agonía emocional: «Mas las sombras no son mendigos o coronas, / Son los años de hastío esta noche sin vida». Este confesado empleo de símbolos revela la escasa adhesión de Cernuda a las normas estrictas del *surréalisme*. El símbolo, con sus implicaciones conceptuales, sufrió anatema por parte del *surréaliste* verdadero, quien, además, encontraba totalmente recusable la explicación de las imágenes.

De todos modos, aunque algunas imágenes de *Un río, un amor* sean símbolos y tengan base conceptual, más o menos remota, no deben ser comprendidas conceptualmente. La imagen superrealista es creada con palabra nueva, de intensificada expresión y total ausencia de esas asociaciones conceptuales que halla la razón y consagra el uso. Su comprensión debe ser, por tanto, emocional. Un ejemplo de esta palabra nueva, puramente emocional, puede verse en las imágenes, tan características de estos poemas, que emplean el color como elemento primero. El concepto convencional, conceptual, de color, se destruye al ser asociado con elementos que lógicamente nada tienen que ver con él: «color amargo, color de olvido, color de verdades».

Al yuxtaponer dos elementos diferenciados, el poeta despierta asociaciones nuevas. Dicha yuxtaposición sirve, por otra parte, para anular toda posible comprensión conceptual de la imagen, cuya base sí es, por el contrario, conceptual. «Color amargo» es imagen de una honda amargura. «Color» es empleado en lugar de «estado» o «situación», porque la unión de «color» y «amargo» alcanza un gran poder desorientador de las asociaciones conceptuales. Entre ambos elementos, tan distintos, se establece una analogía emocional, de tal modo que la imagen sólo es comprensible emocionalmente. Lo que equivale a decir que ha alcanzado una expresión directa.

A pesar de esta búsqueda de una expresión directa, y a pesar de la citada supresión del eje conceptual, las imágenes de *Un río, un amor* son comprensibles. El poeta ha sabido mantener su voluntad artística de comunicación. A veces, las imágenes pueden parecer arbitrarias, pero resultan más bien escasas las que en realidad lo son. Véanse estos versos de «Vieja ribera»: «Tanto ha llovido desde entonces, / Entonces cuando los dientes no eran carne, sino días / Pequeños como un río ignorante / A sus padres llamando porque siente sueño».

«Llovido» es una forma intensificada del «pasar», denotando así que el tiempo que ha pasado iba lleno de tristeza. Los dientes sin carne son una inversión de las encías sin dientes del niño inocente. «Días pequeños» es una imagen que revela la inconsciencia del fluir temporal en la niñez. El «río ignorante» es un símbolo, escogido acaso arbitrariamente, pero que en el contexto donde se encuadra significa «niño inocente». La base conceptual de las imágenes ha sido suprimida; pero la yuxtaposición de las mismas entraña un concepto ampliado de tristeza, la tristeza nacida al recordar la pasada inocencia. El concepto alcanza así una gran fuerza emotiva, conservando al mismo tiempo la posibilidad de ser comprendido. Algunas imágenes superrealistas de *Un río, un amor* son verdaderos hallazgos. Por ejemplo, ésta de «Dejadme solo», imagen de las consecuencias nacidas de la pérdida del amor: «Verdades o mentiras / Son pájaros que emigran cuando los ojos mueren».

Quisiera hacer hincapié otra vez en el hecho de que esta modificación del *surréalisme* llevada a cabo por Cernuda no es suya exclusiva. Es característica del superrealismo español en general. Lo que sí resulta singular es el equilibrio que en su caso existe entre la influencia *surréaliste* ejercida y la realmente aceptada. En realidad, *Un río, un amor* está, quizá, más lejos del *surréalisme* que otros libros superrealistas de la generación del 25. Luis Cernuda jamás se deja dominar por las influencias que en un momento dado puedan atraerle, ya sea la del *surréalisme*, la de Bécquer, la de Hölderlin, o la poesía inglesa. *Busca* la influencia porque así lo exige una necesidad expresiva que de ningún otro modo puede ser satisfecha.

Una honda necesidad expresiva es el eje fundamental de la poesía cernudiana. Necesidad expresiva que el poeta sabe poner siempre en equilibrio con su voluntad artística de comunicación. Así, en *Un río, un amor*, busca una expresión inmediata, inspirada por la estética *surréaliste*, pero rechaza el proceso antiartístico del automatismo, alcanzando una palabra de gran intensidad expresiva y, a la par, comprensible.

La voluntad de expresión es signo de fidelidad a sí mismo; la voluntad de comunicación es señal de fidelidad a la poesía. Durante la crisis en que fue escrito *Un río, un amor*, Luis Cernuda supo guardar ambas fidelidades. Recordemos cómo de todos los poetas del 25 Cernuda es aquel para quien la poesía más necesaria resulta. Sus poemas *deben* ser escritos, obligado el poeta a la expresión por una honda necesidad vital. La poesía le ofrece así no sólo un camino de expresión, sino, sobre todo, una vida por y para ella, desde su hondura y sinceridad expresivas. Esta deuda vital para con la poesía la paga Luis Cernuda con la fidelidad: «El mozo luego, enamorado, conocía / Tu poder sobre él, y lo ha servido / como arma en la vida, contra todo».

CARLOS P. OTERO

VARIACIONES DE UN TEMA CERNUDIANO

Hay en la obra de Cernuda tres poemas, muy concentrados y sencillos, que se prestan admirablemente al comentario. A modo de variaciones sobre el mismo tema, la rara luz que se proyectan ofrece extraordinario interés a quien los confronta.

1

XXIII

Escondido en los muros
Este jardín me brinda
Sus ramas y sus aguas
De secreta delicia.

Qué silencio. ¿Es así
El mundo? Cruza el cielo
Desfilando paisajes,
Risueño hacia lo lejos.

Tierra indolente. En vano
Resplandece el destino.
Junto a las aguas quietas
Sueño y pienso que vivo.

Mas el tiempo ya tasa
El poder de esta hora;
Madura su medida
Escapa entre sus rosas.

Y el aire fresco vuelve
Con la noche cercana,
Su tersura olvidando
Las ramas y las aguas.

2

Jardín antiguo

Ir de nuevo al jardín cerrado,
Que tras los arcos de la tapia,
Entre magnolios, limoneros,
Guarda el encanto de las aguas.

5 Oír de nuevo en el silencio,
Vivo de trinos y de hojas,
El susurro tibio del aire
Donde las almas viejas flotan.

Ver otra vez el cielo hondo
10 A lo lejos, la torre esbelta
Tal flor de luz sobre las palmas:
Las cosas todas siempre bellas.

Sentir otra vez, como entonces,
La espina aguda del deseo,
15 Mientras la juventud pasada
Vuelve. Sueño de un dios sin [tiempo.

Carlos P. Otero, «Variaciones de un tema cernudiano», en *La Caña Gris*, n.os 6-8 (otoño de 1962), pp. 39-44.

Además de variaciones sobre el mismo tema, en su condensada brevedad son casi exactamente iguales: 5 y 4 estrofas, 20 y 16 versos, 140 y 144 sílabas. Hasta es casi igual la proporción de dáctilos y troqueos (uno a tres, aproximadamente). Los apoyos rítmicos, en su intrincada distribución (¿se ajusta al sentido?), producen un latir vivo, sutil (acelerado y entrecortado en los heptasílabos, más demorado y continuo en los eneasílabos), acallando suavemente el tictac de la pauta métrica. Nada más lejos de sonsonetes y rimbombancias. El tono, aunque diverso, es apagado, íntimo, en ambos casos: un susurro tibio, al oído.

La misma lírica asonante, el mismo tipo de estrofa, la misma intención de canto. Los dos podían servir de modelo de poema-canción: canción de primavera o canción de otoño, poco importa. No que el poema sea cantable o musicable, sino que él mismo es canción, es decir, un equivalente fónico, poético, de canción musical. La gran profusión de asonancias internas (de efectos sutiles a veces, a veces marcados) parece querer subrayar la intención de canto. Dentro de estrofa: *ramas-aguas*, *silencio-(cielo)-risueño-(lejos)*, *indolente-resplandece*, *tierra-quietas*, *sueño-pienso*, *tasa-escapa*; *guarda-aguas*, *cerrado-arcos-encanto*, *vivo-trinos-tibios*, *ver-vez*, *cielo-lejos*, *cosas-todas*, *sueño-tiempo*. De estrofa a estrofa (eco que recorre el poema y sigue vibrando): *muros-mundo*, *desfilando-vano*, *sueño-pienso-tiempo*, *madura-tersura*, *ir-oír-sentir*, *limoneros-nuevo-silencio*, *aguas-almas-palmas-pasada*, *donde-torre*, *viejas-esbelta*, *luz-juventud*, *bellas-mientras*... ¿Son todas estas asonancias fortuitas? ¿Las hay superfluas, perjudiciales? ¿Refuerzan la línea melódica? ¿Contribuyen a la estructuración del poema, ligando o aproximando elementos o partes?

En cuanto a la sintaxis, la diferencia es bien notoria. El poema número uno consta de una serie de oraciones yuxtapuestas (once en veinte versos), todas (semánticamente) dependientes del elidido *yo* de «sueño y pienso», que es el *a mí* de «me brinda». Y aunque este *yo* tácito no se planta en medio de todo, el punto de vista es subjetivo. El *yo* habla más que nada para sí, y se dice una cosa tras otra, erráticamente. Al completar cada una de las oraciones, el lector se interrumpe y vuelve a empezar.

Por el contrario, el poema número dos consiste en una oración única, casi toda sujeto (hasta «vuelve»). Lo que no es sujeto es atributo, porque el verbo principal está sobreentendido. La construcción resulta así esquemática como una ecuación. Y esta ecuación única, sin verbo, va del principio al fin sin tropiezos, de un tirón, como precipitándose en la marcha. Por el camino, en el orden preciso, incorpora a su sujeto múltiple y ramificado todo lo que se encuentra. Los signos de puntuación, casi siempre engañosos, aquí lo son aun más. Claro que nadie se llamará a engaño. A pesar de los puntos que le salen cuatro veces al paso, haciendo guiños de entonación descendente, el lector mantiene en vilo su voz hasta la última palabra. Cada verso le remite al siguiente, al siguiente, hasta que se cae de bruces en el silencio. Sólo al final se completa el hilo del discurso.

Pero tal vez lo más singular de esta sintaxis está en el uso de los infinitivos. En primer lugar, el sujeto queda totalmente fuera del poema. Aunque es un alguien, o sea un hombre, quien lo piensa o lo dice, no hay ni siquiera un *yo* tácito como en el número uno. En segundo lugar, las acciones, como la espada de Damocles, quedan en el aire, en suspenso, mentadas e intactas, sin iniciar. Ni *yendo* (acción en marcha) ni *ido* (acción exhausta), sino «ir». A la gramática corresponde aquí, en buen grado, tanto la estremecedora descarga poética final como la serenidad reticente del tono levemente elegíaco, tan libre de aspavientos sentimentaloides. Lo que estaba en potencia, en el aire, se esfuma, como fantasma que era, en el *anticlimax* del último verso. A esta descarga poética final contribuye la gradación ascendente (y de fuera a dentro, de «ir» a «sentir»), acelerada, de las estrofas, y el cambio enfático de metro en el verso 13 y en el 16. Es de notar que el *anticlimax* («Sueño de un dios sin tiempo») casi desaloja por completo, como si dijéramos, un último verso que la pauta de las estrofas anteriores nos había predispuesto a esperar. Tras el encabalgamiento (tan significativo), sin permitir que el engaño se prolongue una milésima de segundo, la *realidad* se atraviesa (interrupción súbita), cerrando abruptamente el paso al *deseo.*

El lenguaje es, en ambos poemas, claro, conciso, sencillo. El léxico, usual y frecuente, está al alcance de todos. Sin estridencias ni oropeles, la dicción se ciñe a los temas. Quizá ciertas metáforas, especialmente las verbales, presentan alguna dificultad: el cielo *desfila paisajes* (¿que quiere decir esto?), *el destino resplandece en vano* (¿por qué?), *la hora escapa entre sus rosas* (¿entre qué rosas?), *las ramas y las aguas olvidan su tersura.* Ni el cielo es *risueño,* ni la tierra *indolente,* ni *tibio* el susurro: los adjetivos están transferidos, «desplazados». [...]

Pero, a fin de cuentas, ¿que nos dicen estos poemas? Porque el jardín podrá ser el mismo, pero la situación es bien diferente. El «yo» tácito del poema número uno ¿no parece estar soñando el futuro, sin presente, en su ahora? Claro que este jardín («où le bonheur est marié au silence», diría Baudelaire) tiene mucho de edén, de secreta delicia natural. Con todo, no pasa de sueño quieto, mientras el tiempo escapa. La vida debe de ser otra cosa.

En el poema número dos se trata de ir *de nuevo, otra vez* (implícitamente *nevermore*, 'nunca más') al *jardín antiguo* (¿por qué va pospuesto el adjetivo?), aquel jardín remoto donde *entonces*, antaño, punzaba (mejor dicho, punzó) el deseo juvenil. Ya no está el jardín *escondido en los muros*, para que el mozo solitario se lo apropie por unos instantes, sino *cerrado*, inaccesible, *tras los arcos* («para un andaluz, la felicidad aguarda siempre tras de un arco») de la *tapia* que sólo un *dios sin tiempo* (¿cómo *sin*?) podría volver a traspasar. No puede el hombre llegar de nuevo allí como no sea a través de los arcos del recuerdo («¿no es el recuerdo la impotencia del deseo?»). El sueño o ensueño de futuro es ahora evocación de pasado fenecido, arrastrado en la ráfaga del tiempo, como la juventud del mozo, como los cuerpos de las *almas viejas*, presagiosas.

¿Cuál es, en síntesis, el impacto total de un poema y del otro? ¿Pretenden contagiarnos una emoción o, por el contrario, sondear, ante nuestros ojos atónitos, la zona de sombra que hay en la vida? ¿Hasta qué punto es expresable, puntualizable, lo que transmiten? ¿Podrían verterse en prosa? ¿Cabe aislar los efectos que produce ésta o aquella piececita? ¿Operan diversamente en cada poema los ingredientes comunes: *jardín*, *aguas*, *silencio*, *cielo*, *lo lejos*, *sueño*, *tiempo*, *aire*, *vuelve*?... ¿Son importantes los contrastes: *escondido-cerrado*, *risueño-hondo*, *hacia-a*, *fresco-tibio*, *aire-juventud*?... ¿Qué añaden los elementos privativos de cada poema: *ramas*, *mundo*, *paisajes*, *tierra indolente*, *destino*, *aguas quietas*, *poder de esta hora*, *noche cercana*, por un lado; por otro, *arcos de la tapia*, *magnolios*, *limoneros*, *trinos*, *hojas*, *susurro del aire*, *almas viejas*, *torre esbelta*, *espina del deseo*?... Haya simbolismo, adecuación, en el ritmo, o no, ¿se ciñe al sentido la materia fónica, los sonidos? [...]

En *Ocnos* (1942) hay una tercera variación, en prosa y con el mismo título del poema número dos, del que debe ser casi gemela. En la confrontación de estos dos poemas gemelos pudiera aprenderse algo sobre lo que es el verso y la prosa poética, al menos en este autor. Yo voy a limitarme a citar lo que corresponde a las tres primeras estrofas del poema anterior:

3

Jardín antiguo

Se atravesaba primero un largo corredor oscuro. Al fondo, a través de un arco, aparecía la luz del jardín, una luz cuyo dorado resplandor teñían de verde las hojas y el agua de un estanque. Y ésta, al salir afuera, encerrada allá tras la baranda de hierro, brillaba como líquida esmeralda, densa, serena y misteriosa. ...

En el silencio circundante, toda aquella hermosura se animaba con un latido recóndito, como si el corazón de las gentes desaparecidas que un día gozaron del jardín palpitara al acecho tras de las espesas ramas. El rumor inquieto del agua fingía como unos pasos que se alejaran.

Era el cielo de un azul límpido y puro, glorioso de luz y de calor. Entre las copas de las palmeras, más allá de las azoteas y galerías blancas que coronaban el jardín, una torre gris y ocre se erguía esbelta como el cáliz de una flor.

Como se ve, los tres poemas describen un jardín real, concreto, que los ojos de la cara o los del recuerdo tienen delante. Pero eso no es todo. En los tres casos se trata de lo que suele llamarse símbolo literal (o símbolo «bisémico»). El jardín es literalmente así y es, además, por asociación, un mundo de cosas. ¿Qué cosas? Lo excepcional en nuestro caso es que el poema en prosa nos da, en su segunda parte, la clave del simbolismo de los tres poemas:

Hay destinos humanos ligados con un lugar o con un paisaje. Allí en aquel jardín, sentado al borde de una fuente, soñaste un día la vida como embeleso inagotable. La amplitud del cielo te acuciaba a la acción; el alentar de las flores, las hojas y las aguas, a gozar sin remordimientos.

Más tarde habías de comprender que ni la acción ni el goce podrías vivirlos con la perfección que tenían en tus sueños al borde de la fuente. Y el

> día que comprendiste esa triste verdad, aunque
> estabas lejos y en tierra extraña, deseaste volver
> a aquel jardín y sentarte de nuevo al borde de la
> fuente, para soñar otra vez la juventud pasada.

Aunque por vías diferentes [entre las dos primeras median tres lustros], los tres poemas vienen así a converger en el tema central de toda la obra de Cernuda: el conflicto entre realidad y deseo, entre apariencia y verdad, esencia de todo lo poético. No faltan las más importantes ramificaciones del tema central: el tema de las gracias del mundo, el del vivir sin estar viviendo, el de las horas contadas. Queda así admirablemente resumido el mundo poético cernudiano.

JUAN FERRATÉ

LECTURA CERNUDIANA

[El poema «Estoy cansado», de *Un río, un amor* nos permite detectar cómo opera el arte de Cernuda construyendo un sentido sobre el derrumbamiento del sentido:]

> Estar cansado tiene plumas,
> Tiene plumas graciosas como un loro,
> Plumas que desde luego nunca vuelan,
> Mas balbucean igual que loro.
>
> 5 Estoy cansado de las casas
> prontamente en ruinas sin un gesto,
> Estoy cansado de las cosas
> Con un latir de seda vueltas luego de espaldas.
>
> Estoy cansado de estar vivo,
> 10 Aunque más cansado sería el estar muerto;
> Estoy cansado del estar cansado

Juan Ferraté, «Luis Cernuda y el poder de las palabras», en *Dinámica de la poesía*, Seix Barral, Barcelona, 1968, pp. 335-358 (337-341).

Entre plumas ligeras sagazmente,
Plumas del loro aquel tan familiar o triste,
El loro aquel del siempre estar cansado.

Lo que tiene de chocante este poema es que se consigue en él mantener la apariencia de un enunciado complejo que va articulándose en un progresivo desarrollo, y al propio tiempo no se siente que se falsee en modo alguno el tenor mismo del enunciado, la circunstancia de desaliento profundo que se expone desde el mismo título. Muy al contrario, tenemos la impresión de que el desarrollo del poema es la articulación misma del cansancio, de que dicho desarrollo se ajusta progresivamente y cada vez más y mejor a la situación íntima descrita, de que es su reflejo y representación genuinos.

Todo está en que lo único que de verdad el poema nos da es la repetición tozuda, en niveles distintos, del enunciado inicial, pero bajo la apariencia de la variación y el simulacro de raciocinio. El arte del poeta está en haber sabido sustentar en cierta justa medida una apariencia de energía y firmeza y en saber permitir que al fin dicha energía aparente se revele auténtica laxitud. La ironía que de entrada estremece la superficie de las palabras del poeta barre al final con todo resto de expresión «seria» y no deja a la vista más que el desnudo dolor, cuando, de todos modos, ya la mirada exterior se ha cerrado y el espíritu no sabe sino mirar hacia dentro.

Probablemente el medio más eficaz que ha encontrado el poeta para dar la impresión de energía sea la imagen inicial, con su inquietante extravagancia y su aparente ilogismo. No tenemos por qué darnos cuenta al principio de que el poeta ha recurrido a ella por ser el loro idiomáticamente el tipo de la repetición, como el mono lo es de la imitación. Antes de que caigamos en la cuenta de que lo que el poeta nos está dando no es más que la repetición insistente y por todos los medios y en todos los niveles del enunciado inicial, la ecuación del «cansancio» con el «loro» nos habrá soliviantado, y atraído y fascinado sobre el tema.

Todo el poema está montado, como ya he dicho, sobre la apariencia de que se nos dice algo articulado progresivamente en un sentido, y sobre la destrucción de ese sentido incoado y el regreso del espíritu al mismo nivel de postración inicial.

Así, empezando por el principio, la repetición de la expresión «estar cansado», la cual, sin contar el título, aparece siete veces en catorce versos —cuatro de ellas en forma personal, en versos alternos y en posición anafórica (vv. 5, 7, 9 y 11), y las otras tres en forma infinitiva (vv. 1, 11 y 14)—, y que todavía en el verso 10 se presenta bajo otra forma pero casi con las mismas palabras («más cansado sería»), parece, ya desde el primer verso, el cual adopta un aire de descripción magistral, que se justifica por el intento reiterado de añadir nuevos rasgos a la formulación adecuada de lo que la expresión denota; y, sin embargo, dicha repetición insistente no tiene al fin más valor que el de ser digno de por sí del mismo hastío que la expresión describe, sin que represente ningún progreso en la descripción propia del hastío.

De la misma manera, hay sólo una apariencia de progreso en la repetición en los versos 1 y siguientes de «tiene plumas», y de «plumas» otra vez en el verso 3; la frase parece que avanza por tirones sucesivos que representarían sucesivos tanteos; y se diría que, después de cada estrepada, la frase tiene que ceder sólo para cobrar de nuevo el ánimo perdido, y poder volver a la carga. Pero, de hecho, no avanzamos nada. Al progreso gramatical, hecho de la adición de sucesivas determinaciones que la lengua por su misma naturaleza no puede dejar de articular linealmente, no corresponde un progresivo enriquecimiento y mayor determinación a lo largo de la línea del sentido, sino sólo una apariencia de articulación que por sí misma se destruye.

El mismo efecto se produce en los versos 12 y siguientes, otra vez con el mismo «plumas», y en los versos 13 y siguientes con «el loro aquel». De la misma manera, en los versos 5 y 7, donde se repite el mismo grupo de fonemas al final de la misma expresión, con la sola variación de una vocal («casas / cosas»), lo que desde luego supone que tenemos dos palabras distintas, sin embargo, la diferencia de significación entre ellas apenas importa, sino tan sólo el efecto de agotamiento físico y mental producido por la nueva repetición y la consiguiente destrucción del sentido incoado y nunca plenamente articulado.

No importa tampoco que en algunos lugares se nos dé algo así como un razonamiento, como en las expresiones concesivas de los versos 3 («desde luego») y 10 («aunque»), o en los giros causales de los versos 5 y 7 (donde lo que enuncia en ambos casos el verso siguiente sobre el objeto del cansancio parece querer justificar el cansancio en cuestión) y de los versos 9 y 11, o que se nos dé, si no un razonamiento, por lo menos algo parecido al raciocinio en la adversativa del verso 4 y en la disyuntiva del verso 13 («tan familiar *o triste*»). De hecho todos estos giros se derrumban por sí mismos en su pretensión de sentido tan pronto miramos al sentido a que aspiran. Lo único que nos dejan entre las manos es lo mismo de siempre, no más que «el loro aquel del siempre estar cansado».

De todo esto, que parece debería ser sólo negativo, sale, sin embargo, al fin algo positivo, y es ello la propia articulación, irónica y sesgada, pero auténtica y veraz, del cansancio profundo del ánimo postrado. El poeta, usando de los medios que la lengua misma le ofrece, aunque sólo con la condición de que los burle, ha logrado su objeto de dar sentido a la destrucción del sentido. Dándole la iniciativa a la lengua y «soltándola» para que ella misma se organice en una pretensión de sentido al fin fallida, ha encontrado el modo de lograr la representación poética de la inefable postración y el mudo descaecimiento del ánimo. El fallo del sentido, fundado —importa subrayarlo— en la *apariencia* del sentido, es, aquí, el éxito de la expresión.

9. POESÍA DE LA GENERACIÓN DE 1927: DÁMASO ALONSO, GERARDO DIEGO, EMILIO PRADOS, MANUEL ALTOLAGUIRRE

La localización de Dámaso Alonso en el marco de la poesía de los años veinte resulta harto singular. Como acertadamente apunta Vivanco [1967], su poesía —los dos primeros libros son de 1921 y 1944— queda fuera de los principales planteamientos poéticos de la generación. A pesar de ello, Dámaso Alonso —tanto o más por sus estudios gongorinos que por sus versos— ejercerá un importante papel en la evolución poética de ésta. Comenzando por el retrato de Aleixandre [1958], todos los que se han ocupado de trazar la semblanza de Dámaso Alonso coinciden en valorar su «dimensión humana» como la nota más relevante de una biografía que aúna al profesor de filología (Ferreres [1958]), con el crítico de literatura (Lázaro Carreter [1958], García Morejón [1961]), con el teórico del lenguaje literario (Alvar [1977], Bousoño [1951] y Romero [1972]), y con el poeta (Gullón [1965]). Hay plena coincidencia también en afirmar que, frente a sus otras palabras, la palabra poética de Dámaso Alonso —a pesar de la enorme carga de cultura literaria que soporta— responde a una necesidad de dar forma a «regiones del alma» a las que no tiene acceso por otro camino (Vivanco [1974]).

No es mucha la producción poética de Dámaso Alonso, ni muy rectilínea la trayectoria que describe. Ello no impide, sin embargo, que su obra sea —entre las de su generación— la que mayor influjo ejerció en la inmediata posguerra. Después de 1921, fecha en que aparece *Poemas puros, poemillas de la ciudad*, Dámaso Alonso, en desacuerdo —según propia confesión [1952]— con las doctrinas estéticas de los años veinte, centra casi toda su dedicación en la crítica. Su creación poética, de 1921 a 1940, es escasa y accidentada. Las cosas cambian tras el impacto que supone la guerra civil, y en 1944 da a la luz *Oscura noticia* e *Hijos de la ira*, libros que constituyen —sobre todo el último— un verdadero acontecimiento literario (Alarcos Llorach [1958]) y que, como puntualmente demuestra

García de la Concha [1973], vendrán a ser decisivos en la evolución de la poesía de posguerra. Lo que era grito en *Hijos de la ira* (bien editado por Rivers [1970]), se torna reflexión en *Hombre y Dios* (1959) y en *Gozos de la vista* (editado en 1981 junto a *Poemas puros y otros poemas*, pero que recoge versos elaborados en torno a 1956 y ya publicados por separado en diversos medios). Las *Canciones a pito solo* —libro inédito y en marcha del que tenemos alguna muestra a través de la antología *Poemas escogidos* [1969] que, sobre otras excelencias, lleva unos estupendos comentarios en prosa de Dámaso Alonso a sus propios versos— ponen por ahora el punto final a esta labor creadora.

Entre los escasos estudios que encaran la obra poética de Dámaso Alonso en su conjunto, Debicki [1974], tras señalar una serie de ecos literarios —Góngora, Juan Ramón, el ultraísmo, la Biblia, las corrientes existencialistas de los años cuarenta, el surrealismo, los poetas ingleses, como T. S. Eliot, Hopkins o Yeats— hace hincapié en la esencial unidad temática y estilística de toda su poesía. En el mismo sentido opina Gaos [1959]. Desde luego, todo intento de dividir a Dámaso Alonso en dos poetas —el formalista y el humanizado— es absolutamente improcedente. Pero Flys [1968], a partir de un meticuloso análisis del léxico, estructuras e imágenes de los distintos libros, distingue una clara evolución, en tres etapas que define como *contemplativa* (*Poemas puros*), *emotiva* (*Hijos de la ira*) y *conceptual* (*Hombre y Dios* y, con matizaciones, *Gozos de la vista*). Se acepte o no tal clasificación, es evidente —como el propio Debicki reconoce— que Dámaso Alonso, de *Poemas puros* a *Hombre y Dios*, evoluciona en su manera de entender la poesía. Su primer libro responde a una concepción de la poesía como creación de una nueva realidad mediante la duplicación metafórica de la misma. Inicialmente, la poesía es para Dámaso Alonso búsqueda de significación y de orden para la realidad. A partir de *Hijos de la ira*, sin embargo, se afirma una concepción más romántica —plenamente moderna— de la poesía, a la que se confiere ahora la función de recoger y comunicar los problemas del hombre de su tiempo. El proceso evolutivo que traza Ferreres [1976] permite seguir con claridad el accidentado recorrido de esta poesía «a rachas». Si hay que buscar un punto de partida común para toda la poesía de Dámaso Alonso, éste se localiza en la humanizada y permanente actitud contemplativa del poeta frente a su circunstancia, actitud que, primero, se concreta en lo puramente visual, para irse complicando, luego, en una dirección metafísica. El poema «Mi tierna miopía», de *Hombre y Dios*, sintetiza este proceso de adensamiento en la mirada (Debicki [1966]).

Poesía religiosa es la de Dámaso Alonso, según propia afirmación; pero, poesía religiosa asentada en su totalidad sobre el eje de lo humano. Toda ella nace de una ilimitada curiosidad inquisitiva hacia lo real y de una moderna necesidad de buscar sentido a la existencia. Flys [1968] ha puesto de relieve la raíz existencial que, desde *Oscura noticia*, preside el pensamiento de Dámaso Alonso. Ante el mundo y el ser que se le ofrecen como ininteligibles, ante Dios que no se revela y ante el tiempo que empuja hacia la muerte, el hombre se encuentra absolutamente incomunicado. Sobre este cañamazo se elaboran todos los temas que recorren la poesía damasiana. La radical soledad del hombre, más el sentimiento de la injusticia metafísica de la existencia, se plasma en una visión dualista y monstruosa del universo, cuya raíz bíblica ha señalado Vivanco [1974] y cuyo significado analiza minuciosamente Díaz Márquez [1967] e interpreta Flys [1968]. Náusea y absurdo son dos de los elementos característicos del universo poético de Dámaso Alonso. Pero la actitud existencialista que tales elementos revelan para Belchior [1958], no anula la persecución de «amarras esenciales» que toda la poesía de Dámaso Alonso encarna.

En búsqueda de expresión para una emotividad angustiada, la lengua poética de Dámaso Alonso abre la puerta al léxico científico; introduce a menudo elementos cómicos, con intención irónica; y no evita nombrar la realidad cotidiana, incluso en sus aspectos más groseros (Bousoño [1958]). Da paso así —sobre todo desde *Oscura noticia*— a una poesía antirretórica, claramente distanciada tanto de la estilística purista a la que había servido su generación en los años veinte, como del angosto garcilasismo de la inmediata posguerra. Flys [1968], en el análisis más completo que de la lengua poética de Dámaso Alonso poseemos hasta la fecha, estudia en extensión el funcionamiento y la retórica de la imagen, para concluir que esta poesía es predominantemente simbólica, como corresponde a la continua búsqueda de sentido para el mundo que a través de ello se realiza. A la misma conclusión llega Debicki [1964]. Uno y otro apuntan el fondo surrealista de algunos de los procedimientos imaginativos de Dámaso Alonso. Ahora bien, ni el «realismo» léxico, ni la posible filiación surrealista de las imágenes, deben ser mal interpretados. Ni siquiera *Hijos de la ira* puede ser llevado, como hace Castellet [1960], a la gavilla de lo social. De un lado, los problemas que Dámaso Alonso se plantea en su poesía nos remiten a un plano metafísico, no social (Lázaro Carreter [1958]). De otro, la rica amalgama de imágenes y símbolos, que dan cuerpo a tales problemas, se encierra en una rigurosa estructura alegórica, que no se orienta hacia la subconsciencia, sino que —retomando un camino unamuniano— busca ascender el conocimiento de lo humano hacia fuera; hacia las preguntas que están más allá de los límites del hombre (Flys [1968]). Al servicio de una medida arquitectónica poemática, que discurre desde unos comienzos realistas y circunstanciales hacia unos finales climáticos y de gran adensamiento emotivo o conceptual, pone Dámaso Alonso una variada gama de recursos expresivos, como son el paralelismo y la correlación (Alonso y Bousoño [1951]), la superposición

(Bousoño [1970]), el contraste, la gradación, la reiteración, la ironía y la digresión (Flys [1968]). Constante de toda la poesía damasiana es el gusto por la construcción del poema en cuadros plásticos —de varia tonalidad en cada etapa— con intención descriptiva, visionaria o simbólica.

Poemas puros, poemillas de la ciudad (1921) es un libro que, junto a claras tonalidades sentimentales de origen modernista —Rubén Darío, Villaespesa, Antonio Machado, Juan Ramón (Ferreres [1976])—, testimonia una búsqueda de nuevos caminos, sobre todo en la sección que lleva por título «Poemillas de la ciudad». La tonalidad sentimental de las otras secciones queda, en ésta, como disimulada o frivolizada, bajo una capa de imágenes humorísticas y bajo un léxico «realista» y feísta, que Varela [1960] sitúa en las huellas del elegante *spleen* de algunos libros de Manuel Machado. Ferreres [1976] amplía la referencia a Pedro de Repide, a Carrere, al Valle-Inclán de *La pipa de Kif* y al Baroja de *Canciones del suburbio.* Pero no es éste el único camino que recorre el primer libro de Dámaso Alonso, sino que se abre también al gusto que por las cancioncillas tradicionales de los siglos XV y XVI pone de moda la revista juanramoniana *Índice*, y se sirve —aisladamente— de recursos tipográficos habituales en los poemas ultraístas y creacionistas (Vivanco [1974]). El fondo es, con todo, modernista, tanto en el diseño circular que tiende a dar a sus poemas, como en la inclinación a convertir la realidad contemplada en símbolo de un mundo interior (Flys [1968]). Para Debicki [1974], este libro, con su conflicto entre una visión idealizada del mundo y otra ásperamente realista, prefigura ya el choque que, entre un concepto religioso y otro existencial de la vida, iluminan los libros posteriores.

Las tres primeras secciones de *Oscura noticia* (1944) —«Estampas de primavera» (1919-1924), «El viento y el verso» (1924) y «Tormenta» (1926)— continúan, de alguna manera, la línea de *Poemas puros.* Libre aún de la preocupación existencial, en los poemas de estas secciones, el autor juega a doblar imaginativamente la realidad en una acumulación múltiple de perspectivas e imágenes (Flys [1968]). Pero, en toda una serie de poemas contemporáneos a la aparición del libro (1933-1943), da ya entrada a la angustia ante la soledad o la injusticia existencial. Y, al cambiar los significados, cambia también el lenguaje, que —a través de oraciones directas (segunda persona del singular o del plural)— abre el poema hacia lo dialógico y le confiere una disposición dramática. La urgencia de darse, de comunicarse y de comulgar con su circunstancia, que testimonian estos poemas (Varela [1960]), exige una expresión apasionada, directa, no descriptiva, ni narrativa, las exclamaciones y admiraciones de poemas anteriores se tornan en crispadas interrogaciones, que, sin embargo, cristalizan preferentemente en estrofas —sonetos, sobre todo—, símbolos y motivos de ascendencia barroca (Vivanco [1967]), cuyo funcionamiento dentro del poema analiza bien Debicki [1974].

Hijos de la ira, aparecido también en 1944, confirma la tendencia manifiesta ya en la última parte de *Oscura noticia*. Con Bousoño [1958], hay que leer *Hijos de la ira* como un libro que aúna la indagación y la protesta contra la radical soledad del hombre, contra la ininteligibilidad del mundo y contra la monstruosa injusticia que preside la existencia. En la dimensión cósmica de esta protesta se engloban, no obstante, otras varias iras parciales: una no oculta inquietud ética —aunque el libro no pueda ni deba considerarse «poesía social»— y un evidente rechazo estético, que se manifiesta en una triple dirección: en la liberación de la métrica, sustituyendo el soneto por el verso libre (Ballesteros [1967]), contra el neoclasicismo de *Garcilaso*; en la apertura del léxico a toda impureza, contra el esteticismo de la poesía de preguerra; y en la racional coherencia que preside la expresión, contra el surrealismo. *Hijos de la ira* ofrece un original replanteamiento de problemas y temas fácilmente localizables en la tradición filosófico-religiosa judeocristiana, pero lo hace a través de una palabra marcada por una tonalidad dialógica, conversacional y localizada históricamente (Rivers [1970]). La estructura del libro —concebido como un monólogo sabiamente orquestado del yo lírico con los «monstruos» que son su circunstancia— revela una cuidadosa ordenación de los poemas, según un proceso que va desde el grito a la oración; desde la inicial constatación de los horrores del mundo y de la muerte a la constatación de la propia abyección, y, de allí, a una visión final más amplia y esperanzada, que pasa por la aceptación de la monstruosa circunstancia (Debicki [1974]). Para Vivanco [1967], *Hijos de la ira* alterna dos tipos de poemas: los «simbólicos», que desbordan lo circunstancial, y los «confesionales», construidos sobre el eje de lo autobiográfico. Debicki [1974], en una sugerente interpretación de la significación y funcionalidad estructural de las presencias autobiográficas en el texto, demuestra que los atributos personales del autor, proyectados sobre el yo lírico, de ninguna manera eliminan la función simbólica de éste, sino que sirven para dotar al símbolo de concreción histórica, abriendo la lectura del libro en un doble plano. Un rasgo esencial de la lengua poética de *Hijos de la ira* reside en la riqueza y variedad de imágenes —desde la metáfora tradicional a la visión— utilizadas. Éstas se reiteran y acumulan hasta crear amplios esquemas alegóricos. En opinión de Flys [1968], la alegoría, que en este libro es el eje organizador del resto de procedimientos poéticos, actúa como vehículo a través del cual desarrolla Dámaso Alonso los grandes temas existenciales. Poemas como «Mujer con alcuza» o «La isla», que Ferreres [1976] estudia en sus conexiones con la tradición literaria, son un buen ejemplo de ello. A la lectura de *Hijos de la ira* como desarrollo del esquema mítico de un paraíso invadido por un Caín violento —el odio, la injusticia, la muerte— y convertido en habitáculo de seres «monstruosos» (Rivers [1970]), ofrece una sugerente alternativa Silver [1970], para quien este libro ensaya una alegoría secularizada del proceso místico; un contrafactum del proceso que el propio Dámaso Alonso describe y analiza, dos años antes, en su monografía sobre *La poesía de san Juan de la Cruz (Desde esta ladera)*.[1]

Hombre y Dios (1955) es una compleja inquisición poética acerca del papel del hombre en el universo. Arrancando en muchos de sus planteamientos de las posiciones alcanzadas en *Hijos de la ira*, acentúa los contenidos religiosos y, en parte, supone una superación de la angustia presente en aquél (Flys [1968]). A las mismas conclusiones llega Sobejano [1955], al señalar que *Hombre y Dios*, respecto a *Hijos de la ira*, representa el triunfo de la claridad sobre el fervor. Posee este libro una marcada inflexión conceptual, que se percibe claramente en el lenguaje poético: abundan las expresiones filosóficas y predomina el tono de concentrada presentación conceptual (Bousoño [1958]); el verso busca esquemas más regulares; la expresión se hace más directa y se limitan al mínimo los recursos artificiosos (Flys [1968]). El carácter conceptual que define este libro se plasma también en su estructura: una parte central —compuesta por cinco comentarios— que intenta reducir a síntesis las visiones antitéticas del «Prólogo» y del «Epílogo». Para Varela [1960] es éste el libro más laboriosamente estructurado y meditado por Dámaso Alonso. Debicki [1974], partiendo de Macrí [1958], insiste en la disposición dialéctica de los poemas en el libro. Su estructura se caracteriza por la yuxtaposición —al servicio de la cual menudea el uso de técnicas dramáticas— de diversas consideraciones contrapuestas sobre la situación del hombre y su relación con Dios. Lo que ofrece el libro es una visión multiforme y no una respuesta. Cada poema de la parte central desarrolla un aspecto complementario del problema nuclear: la necesidad de superar, en una visión más completa, la exclusivista perspectiva teocéntrica del «Prólogo» y la no menos limitada concepción antropocéntrica del «Epílogo». De interés son también las reflexiones de Vivanco [1967] acerca de la alternancia presente/memoria que estructura la parte central de *Hombre y Dios*. Tanto Varela [1960] como Macrí [1958] insisten en la deuda unamuniana, que si ya era visible en otros libros, se acentúa en éste.

Gozos de la vista (1981) combina la mayor carga conceptual de *Hombre y Dios* con la mayor densidad emotiva y mayor inmediatez de *Hijos de la ira*. Para Varela [1960], en la línea de afirmación de la suficiencia vitalista del «Epílogo» de *Hombre y Dios*, este libro abre un nuevo clamor ante la vida, bella o no. Su estructura, lejos definitivamente de los modelos arquitectónicos de los primeros libros, se basa en el desarrollo dialéctico y progresivo de sus partes: las cuatro primeras secciones son una

1. Sobre *Hijos de la ira*, véase también el texto de Emilio Alarcos Llorach incluido en *HCLE*, VIII, pp. 146-150.

afirmación de los valores y dignidad del hombre, a la vez que un análisis de su fragilidad; las dos siguientes remiten este esquema a la realidad concreta e inmediata; y las cuatro últimas cantan un tipo de hombre que, asumiendo sus limitaciones, las trasciende (Debicki [1974]). Los pocos poemas que conocemos de *Canciones a pito solo* —libro iniciado en 1922 y aún en marcha— vienen a sumarse a esa línea amarga y de protesta que siempre ha sido uno de los ejes de la poesía damasiana.

Aunque a él le gusta autocitarse como poeta de segundo orden dentro de los de su generación, Gerardo Diego ejerce un relevante papel en la poesía de los años veinte. Tres jalones altamente significativos en la historia de la generación del 27 —aceptación e hispanización del creacionismo, redescubrimiento de Góngora y elaboración de la primera antología conjunta del grupo del 27— llevan el sello impulsor de Gerardo Diego, lo que convierte a éste —es la opinión de Bodini [1963]— en eje de la renovación poética española en la etapa anterior a la guerra civil. La puntillosa biografía que Gallego Morell [1956] traza de Gerardo Diego encuentra una magnífica ilustración y complemento en los propios versos del poeta —de manera especial se citan, en este sentido, las treinta y una décimas de «La novela de una tienda», de *Mi Santander, mi cuna, mi palabra* (1961)— y en la «imagen múltiple» que de Gerardo Diego —poeta, profesor de literatura, concertista, pintor— dibujan la serie de semblanzas recogidas por Arturo del Villar [1980 *a*].

A lo largo de más de sesenta años de creación literaria, Gerardo Diego ha elaborado una extensa y multiforme obra poética que ofrece al investigador no pocas dificultades textuales. No siempre es fácil orientarse en una lista que roza el medio centenar de títulos (Blas Vega [1976]). El carácter antológico de muchos de sus libros explica que poemas, e incluso secciones completas, pasen de un título a otro. En otros casos los libros son organismos en continuo crecimiento (Miró [1972, 1977]). Tan sólo la poesía de creación cuenta con una edición que puede considerarse completa (Diego [1974]). Por todo ello, parece lógico pensar que la tantas veces anunciada edición de la poesía completa de Gerardo Diego ha de ser previa a cualquier intento de estudio de conjunto de la misma. Hasta este momento, los trabajos existentes no van más allá de la biografía o de la descripción temática (D'Arrigo [1955], Gallego Morell [1956]). Los más recientes de Manrique de Lara [1970] y Arturo del Villar [1981], aunque son punto obligado de partida, por su carácter divulgativo, distan mucho de abordar en profundidad los problemas que la poesía de Gerardo Diego plantea. Escaso alcance ha obtenido, al seguir inédita, la tesis doctoral de Lena [1971].

Las características de la obra poética de Gerardo Diego imposibilitan todo intento de trazar en la misma una división cronológica, por etapas. El propio Gerardo Diego [1958] impone para su obra otro enfoque, distinto al cronológico, al apuntar el doble camino que, desde sus comienzos, emprende ésta: por un lado marcha su «poesía relativa», directamente apoyada en la realidad; por otro, su «poesía absoluta», apoyada en sí misma y sólo en segundo grado dependiente del universo real. Pero no se reducen a este punto los dualismos observables en el universo poético del santanderino. Desde muy pronto, Espina [1923] eligió la obra de éste como ejemplo del «morbo intelectual» de una época, tentada por igual por lo viejo y por lo nuevo. De poeta «maniqueo» le tacha Montes [1925] por el idéntico aprecio que su obra demuestra hacia las formas tradicionales y hacia las innovaciones creacionistas. Ricardo Gullón [1976] eleva a categoría crítica la visión dual de un Gerardo Diego que evoluciona «de la aventura al orden», distinguiendo en su producción entre una poesía de creación y una poesía de expresión. No obstante, Cossío [1941], en temprano ensayo de contemplar en su conjunto la obra poética del santanderino, aventuró el juicio —después generalmente aceptado (Debicki [1968])— de que sus mejores poemas eran aquellos que intentaban conjugar las dos maneras, revitalizando las viejas formas estróficas tradicionales con contenidos creacionistas. Nuevos matices añade Nora [1948] a esta apreciación, apuntando la existencia de tres ciclos que, si hacemos extensivas sus conclusiones a los libros posteriores a la fecha de redacción de este trabajo, nos darían la siguiente clasificación: una poesía «instintiva», adolescente, que acoge libros como *Iniciales* (1919-1943), *El romancero de la novia* (1920) y *Nocturnos de Chopin* (1920-1963); una poesía de «tendencia absoluta» con libros como *Limbo* (1919-1921), *Imagen* (1922), *Manual de espumas* (1923), *Poemas adrede* (1926-1943), *Biografía incompleta* (1925-1966) y *Biografía continuada* (1971-1972); y, finalmente, una poesía de «contraste en las formas clásicas», que, con dos libros centrales —*Alondra de verdad* (1941) y *Ángeles de Compostela* (1941-1961)—, abarca una larga lista de títulos, desde *Versos humanos* (1925) a *Carmen jubilar* (1975). La variación (Dámaso Alonso [1952]) es la nota distintiva de una poesía que, como ésta, acierta a conjugar, en rica gama temática, los materiales más dispares. La poesía de Gerardo Diego no está respaldada por un mundo poético propio, sino que responde a pluralidad de emociones dispersas, que nunca llegan a configurar un sistema riguroso (Gullón [1958], Vivanco [1974]). Con todo, al margen de lo que la diversificación supone, es posible encontrar algunos rasgos constantes en el quehacer poético de Gerardo Diego: la desvinculación —a diferencia de lo que es la tónica de su generación— de toda actitud y preocupación trascendentalista (Vivanco [1974]), lo que le lleva a buscar el motivo de sus poemas en la realidad local, en episodios vividos o en personas por él conocidas o admiradas (Debicki [1968]); la flexibilidad y destreza con que maneja el instrumento verbal, junto a una continuada y constante preocupación por los problemas formales (Gullón [1958]); la tendencia permanente a la clasicidad, tendencia que se manifiesta en el equilibrio de la forma y en el control artístico ejercido sobre los contenidos humanos (Nora [1948]).

La primera «manera» de Gerardo Diego —con un tiempo de escritura que Nora [1948] sitúa entre 1917 y 1920, aunque a través de *Amazona* (1949) o de los romances de *La fundación del querer* (1970) perdura más allá de estas fechas— revela una influencia bien asimilada de Enrique Menéndez Pelayo y de Juan Ramón Jiménez (Cossío [1941]). La poesía de *El romancero de la novia* o de los *Nocturnos* es una poesía sencilla y sentimental, que se define por una acusada economía de recursos, en la expresión, y por un cierto intimismo becqueriano, en la entonación. Provincianismo decimonónico y sentimentalidad modernista marcan las coordenadas estéticas de estos dos libros (Debicki [1968]). Sólo *Iniciales*, libro que no se editó como tal hasta 1944, y alguno de los *Nocturnos* se escapan de este marco y ofrecen una mayor variedad métrica y temática.

Por las mismas fechas de redacción de estos libros inicia Gerardo Diego su aventura vanguardista. Muy tempranos son sus contactos con el ultraísmo y sus colaboraciones en revistas como *Grecia*, *Cervantes*, *Tableros*, *Reflector* y *Alfar*. Su experiencia parisina de 1922, que señala el inicio de una fecunda amistad con Vicente Huidobro, le permite, asimismo, conocer de cerca el cubismo. Fruto de todo ello son una serie de libros que, de *Imagen* (1922) a *Biografía continuada* (1972), trazan un arco de más de medio siglo de poesía de creación (March [1981]). En general todos estos libros se avienen a lo que Gerardo Diego entiende por poesía absoluta: el poema se desliga del universo real, pierde referencialidad y se erige en realidad sustantiva (Nora [1948], Gullón [1976]). Aunque no han faltado quienes prefieren calificar los poemas más antiguos —*Evasión*— de ultraístas (Videla [1971]), ni quienes han querido ver en los más recientes, de *Biografía incompleta*, concomitancias surrealistas (Fuster [1950]), la crítica ha coincidido a la hora de etiquetar esta producción con el rótulo de creacionista. Las posibilidades que ofrece el uso de la rima en la obra creacionista de Gerardo Diego nunca son desarrolladas con vistas a solicitar respuestas del inconsciente, sino como simple estímulo acústico de la imaginación (Bodini [1963]). Es evidente, sin embargo, que, dentro de los límites del creacionismo, Gerardo Diego evoluciona y varía ampliamente sus presupuestos de unos libros a otros. Así, en *Imagen* (1922) y *Limbo* (1919-1921, aunque no se publica como tal libro hasta 1951) todavía un leve hilo temático o una vaga trascendencia simbolista anudan las imágenes desgranadas en el poema (Dámaso Alonso [1952]); todavía las imágenes proceden de una materia sentimental anterior al poema, que la palabra desea mantener (Vivanco [1974]). *Manual de espumas* (1924), en la pretensión —según afirmación del propio poeta— de lograr una trasposición poética del cubismo, ensaya la fusión de dos o tres temas en un mismo poema; ahora, las imágenes ya no arrancan de situación anímica preexistente, sino que —como hace patente el estudio de temas y recursos expresivos que de este libro hace Dittmeyer [1959]— quieren provocarla y configurarla plásticamente. En *Biografía incompleta* las imágenes adquieren un mayor grado de abstracción y sólo en contadas ocasiones se abandona la falsilla de la estrofa o de la rima (Vivanco [1974]). Un caso muy particular, dentro de la poesía de creación de Gerardo Diego, lo encontramos en la fórmula ensayada en la *Fábula de Equis y Zeda* (1926-1929) y en los *Poemas adrede* (1926-1943), libros que hay que leer en relación con la revalorización del mensaje formal del Barroco, que alcanza su culminación en 1927 y que desemboca en la búsqueda de un compromiso entre tradición y vanguardia. La sextina real, la décima, la lira, la octavilla italiana y toda la tradición retórica del Barroco se pone ahora al servicio de la palabra creacionista. Formas métricas y esquemas de construcción ya consagrados sirven de punto de apoyo para la expresión de una situación interior todavía no clara y, a la vez, de recipiente que congrega a las «palabras en libertad» que son el poema creacionista (Stefano [1974]). Desde los tempranos trabajos de Cossío [1941] y Nora [1948] quedó evidenciada la reacción contra la palabra sentimental gastada que el creacionismo de Diego comporta. Vivanco [1967] hace extensible tal reacción a la poesía de temas trascendentes y poco vitales. El juego y artificio verbales —sin negar la densidad humana subyacente (Valente [1953])— suplen en esta poesía la falta de toda preocupación trascendente. No resulta esto, sin embargo, tan evidente, después del espléndido comentario que de «Azucenas en camisa» —de *Poemas adrede*— realiza Stefano [1974], para quien, detrás de la agresividad imaginativa, este poema encubre una dolorida negación de los aspectos contradictorios del mundo moderno, cuyos componentes materiales y mecánicos inciden amenazadoramente sobre el sistema natural. Formalmente, la base del lenguaje creacionista —lo mismo en Diego que en Huidobro— es la imagen doble o múltiple (Diego [1919]), elaborada, preferentemente, sobre un léxico de la realidad concreta y sometida a una sintaxis musical (Vivanco [1967]). Se atenúa la función representativa de la palabra, a la vez que se acentúan sus posibilidades connotativas (Gullón [1976]). El más importante de los hilos conductores del poema, la musicalidad, tiene uno de sus apoyos más importantes, microestructuralmente, en la rima (Villar [1977; 1980 *b*]) y, macroestructuralmente, en el diseño del poema según una técnica que recuerda el contrapunto musical (Stefano [1974]). Las imágenes tienen una dimensión —a diferencia de las imágenes visionarias surrealistas— preeminentemente conceptual (Debicki [1968]). La disposición tipográfica del poema se pone al servicio de la creación de un espacio poético en el que lo esencial queda resaltado y lo secundario se elimina (Gullón [1976]).

El bloque cuantitativamente más importante de la producción poética de Gerardo Diego se acoge a la categoría de lo que él mismo llama poesía relativa. Es ésta una poesía de circunstancias que evidencia la incapacidad del autor para renunciar a ningún tema y, en palabras de Dámaso Alonso [1952], persigue una doble función: cerner para el lector el oscuro paso del pasado y orientar su sensibilidad hacia el porvenir. No se trata ya de crear nuevas realidades, sino de expresar las ya existentes; por eso, quizá, la etiqueta que mejor cuadre a esta poesía sea la de expresión (Gullón [1976]), aunque sobre la palabra puramente expresiva, progresivamente, va ganando terreno la palabra artística al servicio de un tema impuesto desde fuera. La estrofa, ahora, es receptáculo de vivencias, recuerdos o contemplaciones que, para evitar el peligro de caer en excesos sentimentales, se organizan en estructuras arquitectónicas o rítmicas cuidadosamente diseñadas (Debicki [1968]). Es en esta línea de la poesía de Gerardo Diego donde mejor se aprecia ese algo «de repaso escolar» que Eugenio Montes [1925] reconocía en ella: en las «Odas» de *La suerte o la muerte* se presiente el esquema subyacente de la fábula mitológica barroca (Dámaso Alonso [1952]) y ecos modernistas y becquerianos se reconocen en *Hasta siempre* (Nora [1948]). La variación, rasgo definidor de la lírica de Gerardo Diego, se hace más evidente todavía en lo que se refiere a los temas: hasta nueve grandes grupos temáticos distingue Arturo del Villar [1976]. El tema amoroso, que ya había alentado el juvenil *Romancero de la novia*, es el eje organizador de libros como *La sorpresa* (1944) o *Amor solo* (1958) y, desde una perspectiva menos existencial, reaparece en el tono galanteador de las *Canciones* (1959) y *Sonetos a Violante* (1962); el tema religioso que —a través de motivos tomados del Antiguo y Nuevo Testamento, de la hagiografía y de la tradición popular— recibe un largo tratamiento en *Versos divinos* (1971), libro que engloba *Vía Crucis* (1931) y poemas cuyas fechas hay que situar entre 1938 y 1971; una muestra de poesía, que puede calificarse de social, se encuentra en *Odas morales* (1966); excelente ejemplo de la precisión retratista de Diego (Zubiaurre [1976]) lo da *Vuelta del peregrino* (1966); el humor, nunca ausente del todo en esta poesía, se hace especialmente evidente en la serie de «jinojepas» que recoge *Carmen jubilar* (1975); los temas y paisajes españoles (Zardoya [1974]) están bien representados en libros como *Mi Santander, mi cuna, mi palabra* (1961), *Soria* (1923, 1948, 1977) y *El jándalo* (1964); de temática taurina son *La suerte o la muerte* (1963) y *El «Cordobés» dilucidado* (1966); la muerte recibe un amplio tratamiento en la primera parte de *Cementerio civil* (1972); su afición a la música adquiere expresión poética en *Preludio, aria y coda a Gabriel Fauré* (1967). No faltan tampoco, en tan amplia obra, libros de carácter misceláneo, como *Hasta siempre* (1949), *Paisaje con figuras* (1966) —libro que recoge poemas como «Segundo sueño», homenaje a sor Juana

Inés de la Cruz reseñado por Cabañas [1954]— o *La rama* (1961). Entre los libros que la crítica ha juzgado claves en la evolución de esta línea poética, *Versos humanos* (1925) significa la vuelta a un neoclasicismo no arqueológico, sino apoyado en experiencias íntimas (Nora [1948]), vuelta semejante a la del neopopularismo patente en otros libros (Cirre [1950]). Para Gómez de Baquero [1929], la serie de sonetos de *Versos humanos* —entre los cuales está el dedicado al «Ciprés de Silos», especialmente apreciado por la crítica (Hernández-Vista [1970])— representan la búsqueda de un camino para que el creacionismo dé sus frutos más allá de la mera experimentación vanguardista. Con mayor perspectiva, Vivanco [1967] piensa que en *Versos humanos* Diego ensaya un camino clásico de superación del modernismo, en actitud paralela a la emprendida por las vías del creacionismo. *Alondra de verdad* (1941) es, como libro de conjunto, la cumbre del neoclasicismo iniciado en el libro de 1925 (Nora [1948]), ejerciendo un influjo importante —claramente manifiesto entre los poetas de la «juventud creadora»— en el gusto por el soneto que se despertó al inicio de los años cuarenta. *Ángeles de Compostela* (1936, pero ampliado en edición de 1961) es el conjunto concebido con mayor voluntad de arquitectura. Todo el libro conforma un solo poema religioso, a modo de retablo románico en dos órdenes: el celeste y el poético (Villar [1982, 1981]). Lo que en *Alondra de verdad* era panteísmo se hace aquí aspiración mística (Gullón [1958]). Lo mejor de toda esta línea poética reside en su sentido ascensional —desde la anécdota a la categoría; desde lo vivido en la realidad a lo vivido en el prodigio del sueño (Dámaso Alonso [1952])— y en la suma variedad de matices que se consiguen gracias a la precisión expresiva lograda por el poeta (Gullón [1958]).

Emilio Prados ofrece, dentro de la nómina generacional en la que se le circunscribe, unos rasgos claramente diferenciados (Blanco Aguinaga [1962]). Aunque la biografía que de él traza Blanco Aguinaga [1961] —y que completan con nuevos datos el *Diario íntimo* del propio Prados (Cano [1966]) y los trabajos de Sanchis-Banús [1977, 1979] y Villar Ribot [1977 *b*]— dibuja un camino coincidente en muchos pasos —Residencia de Estudiantes, vanguardia, compromiso y exilio— con el de otros miembros del grupo del 27, y aunque a través de *Litoral* participa muy activamente en la obra generacional, su peculiar personalidad —como apuntan las semblanzas de Gullón [1962] y Aleixandre [1962]— lo embarca en un itinerario poético que resulta difícil ajustar a ninguna estética de grupo. De lo singular de la posición de Prados dentro del 27 nos hablan tanto su negativa a figurar en la *Antología* de Diego, como sus reiteradas huidas del mundillo literario madrileño. Cernuda [1970] lo define como «el más apasionado» de los poetas de su tiempo; Salinas [1961], como «místico de la soledad». La superposición de ambas visiones nos da un perfil humano que quizá convenga contemplar sobre las coordenadas de su sólida formación intelectual (Rozas y Torres Nebrera [1980]): el estudio de los presocráticos, la influencia de Platón —a través de las enseñanzas del profesor Morente— y la lectura de Freud.

Fruto de una dedicación constante a la poesía, Emilio Prados ha dejado una amplia obra que ofrece no pocos problemas textuales y de lectura, pues, en el momento de su muerte, a la larga lista de libros editados hubo de sumarse una relevante cantidad de materiales inéditos. Muy importante ha sido la labor ya realizada tanto en la catalogación de los papeles de Prados (Blanco Aguinaga [1967]), como en la edición de sus *Poesías completas* (Blanco Aguinaga [1975]). No se han resuelto, sin embargo, todos los problemas textuales, ya que Prados corrige sin cesar sus poemas e incluso, a veces, modifica la estructura de libros ya editados, como estudia Rozas [1977] con *Mínima muerte* y como evidencia la *Antología* de 1954, antología que para Sanchis-Banús [1979] sigue siendo la mejor vía de introducción a la lectura de Prados. No se han resuelto tampoco todos los problemas de lectura suscitados por una rica producción que —en difícil proceso de creación, cuyo *modus operandi* (en *La piedra escrita*) analiza Sanchis-Banús [1979] y Zambrano [1982] traduce en términos de filosofía— acierta a congregar al poeta surrealista (Santos Silva [1977]), al poeta comprometido (Cano Ballesta [1970] y al «místico, sucesor de san Juan» (Larrea [1946]).

Se ha puesto de relieve muchas veces la esencial unidad que preside toda la producción poética de Emilio Prados: todos sus libros están coloreados por la misma tonalidad emocional de la melancolía (Zardoya [1974]); responden a la misma concepción de la poesía como «don ofrendado a los demás» (Sanchis-Banús [1977]); y son desarrollo de un único tema: búsqueda por distintos caminos —desde el grito apasionado a la indagación metafísica— de una visión unitaria y armónica del hombre y del cosmos (Debicki [1968]). Es claro, sin embargo, que desde *Tiempo* (1925) a *Signos del ser* (1962) experimenta, en formas como en contenidos, una evolución altamente significativa. *Tiempo* (1925), *Canciones del farero* (1926), *Vuelta* (1927), *Memoria de poesía* (1926-1927), *El misterio del agua* (1926-1927), *Nadador sin cielo* y *Seis estampas para un rompecabezas*, son títulos básicos de lo que se ha considerado la primera etapa poética de Emilio Prados. De toda su obra, es a través de estos libros donde el contacto con la estética generacional se hace más evidente. En este sentido, pueden señalarse el gusto por la imagen que revelan *Tiempo* (Carreira [1970]) y *Canciones del farero* (Villar Ribot [1977 *b*]); la presencia en *Vuelta* de la boga intelectual y abstracta de la época (Diego [1927]); el influjo surrealista visible en *Seis estampas* (Blanco Aguinaga [1975]); y las huellas de Guillén —tal como señala Sanchis-Banús [1979]— en *Nadador sin cielo*. Todos estos libros responden a un intento de objetivar su necesidad de unidad y armonía interior en la unidad intuida por encima de las luchas de los cuerpos de la naturaleza. Desde una actitud quietista y contemplativa ante las «presencias» de la naturaleza, intenta, reconstruyendo las correspondencias «ausentes» de las cosas, descubrir las formas de un universo en cíclica y armónica transformación, lejos de los efectos del tiempo destructor. Visible es en estos libros la huella de toda la poesía francesa desde el simbolismo al surrealismo (Rozas y Torres Nebrera [1980]). El libro clave en esta primera etapa de la producción de Prados es *Cuerpo perseguido* (1926-1927, pero no editado hasta 1946), obra que hay que situar en la transición hacia los libros de la segunda etapa. Con *Cuerpo perseguido* (Blanco Aguinaga [1971]) hace acto de presencia el amor humano que involucra al poeta en el juego de contrarios de toda la naturaleza; el poeta ya no es contemplador de la guerra en otros cuerpos, sino actor de una nueva lucha entre el yo y la *otredad* irreductible del ser de la amada. Apunta ya en este libro el inicio de la crisis personal que teñirá su poesía de los años treinta.

Por la crisis interior, suscitada por el amor, se abre paso en la obra de Emilio Prados toda una serie de preocupaciones sociales. El anhelo de armonía y unidad, que los primeros libros de Prados plantean en su dimensión metafísica, se personaliza —a través del tema amoroso— en *Cuerpo perseguido* y gana una dimensión social en libros como *Andando, andando por el mundo* (1931-1935), *Calendario completo del pan y del pescado* (1933-1934) y *La voz cautiva.* El activismo social y político que, desde 1930, desarrolla entre los pescadores de El Palo, o entre los impresores de Málaga, encuentra expresión en una palabra poética que Prados siente como una deuda hacia la clase que no tiene voz. La expresión de la crisis espiritual, localizada en torno a 1930, y la formulación de sus preocupaciones sociales se hallan todavía equilibradas en estos libros. Pero progresivamente, con la guerra civil, las circunstancias políticas van ganando terreno en su poesía, y *Llanto en la sangre* (1937) y *Destino fiel* (1938) son, ya, libros de poesía plenamente circunstancial (Sanchis-Banús [1979]). La reiteración de esquemas paralelísticos es el rasgo más destacado de la sintaxis de Prados en los libros anteriores a 1936. Con gran maestría se sirve de este tipo de construcción para dar vida a sus significados. La configuración del poema a base de sintagmas paralelísticos, no progresivos, le es a Prados de gran utilidad lo mismo para resaltar los límites diferenciales de la presencia de las cosas, que para trazar sus «ausentes» correspondencias (Debicki [1968]).

De *Mínima muerte* (1944) a *Cita sin límite* (1963), una larga lista de títulos —entre los que necesariamente hay que destacar *Jardín cerrado* (1946), *Río natural* (1957) y *Circunscisión del sueño* (1957)— constituye el tercer momento creador de Emilio Prados. Arranca la poesía de esta nueva etapa de la memoria de la soledad y de la muerte, y camina hacia un voluntario recogimiento interior. La anhelante búsqueda del equilibrio y armonía se interioriza ahora. En los libros que siguen a *Mínima muerte*, Prados abre un largo y visionario recorrido dentro de sí, en lucha por conseguir, roto el cordón umbilical con sus soñadas armonías, un nuevo equilibrio con el cosmos. Tal proceso, que anima toda su poesía del exilio, se hace especialmente visible en *Jardín cerrado*. Tras la pérdida del «jardín soñado» en la obra primera, se refugia Prados en un *jardín interior*, en busca de una realidad que sea mejor que la vivida, aunque asuma ésta. A través de breves explosiones líricas, unas veces, o a través de largas meditaciones, otras, se va tejiendo en este libro la esforzada lucha del poeta para, más allá de la nostalgia, salvar del olvido su pasado; para saldar pasadas fracturas vitales y poderse encarar, entero, con la nueva existencia (Blanco Aguinaga [1975]). La misma problemática, proyectada ahora sobre el tema del tiempo, anima *La piedra escrita* (1961). La unidad que se persigue en este libro es la del pasado con el futuro en un presente eternizador, en que «grano muerto» y «germen de nueva vida» sean una misma cosa (Sanchis-Banús [1979]). En lo que se refiere a la lengua poética, se observa en esta última etapa de la obra de Prados, junto a una vuelta al esquema de la canción de sus primeros libros, un gusto no disimulado por el conceptismo expresivo de la tradición. Tal afición ha de entenderse desde su lucha por encontrar un pensamiento exacto con el que someter a control la visión caótica con que se le ofrece el mundo, rota la armonía vislumbrada como posible en los primeros libros. Antítesis y paradojas —que hunden sus raíces en la tradición bíblica, en el barroco o en la copla popular— le sirven para dar expresión a la ambigüedad de su realidad de desterrado (Blanco Aguinaga [1975]).

Manuel Altolaguirre, impresor y promotor de revistas —como *Ambos* (1923), *Litoral* (1926) (Neira [1978]), *Poesía* (1930) (Rozas [1979]), *Héroe* (1931), *1616* (1933), *Atentamente* (1940), *La Verónica* (1942)— y de colecciones de poesía —como «Litoral», «La Tentativa Poética», «Héroe» y «El Ciervo Herido»—, vistió con letra de molde una parte muy importante de la producción poética de sus compañeros de generación (Smerdou Altolaguirre [1973]). Los títulos citados jalonan una biografía que se desarrolla por distintos puntos de la geografía española, francesa, inglesa, cubana y mexicana, y que el propio Altolaguirre resume en *El caballo griego*, libro de memorias del que sólo se conocen cortos fragmentos aparecidos en *Hora de España*, *Atentamente*, *Nivel* y *Papeles de Son Armadans*. Fuera de la imprenta, Altolaguirre reparte su actividad entre la poesía, el teatro y el cine. Es además traductor de Hugo y Shelley, editor de Garcilaso y autor de una valiosa antología de la poesía romántica. Las semblanzas que de Altolaguirre nos han dejado sus compañeros de generación (Esteban [1977]) retratan a un hombre de generosidad sin límites, con un corazón bondadoso y en estado de perpetua niñez. «Como un ángel, que de un traspiés hubiera caído en la tierra y que se levantara aturdido, sonriente ... pidiendo perdón», lo describe Aleixandre [1977]; y como un ser «angelical, inútil ... colgando milagrosamente sobre la tierra de un hilo que siempre sostiene alguien», lo presenta Salinas [1961].

De la labor teatral de Altolaguirre, ciñéndose a las dos únicas obras accesibles —*Tiempo a vista de pájaro* (1937) y *Las maravillas* (1958)— se ha ocupado Torres Nebrera [1977]. Es el suyo un teatro centrado sobre dos temas esenciales: el del tiempo, eternizado y visto por encima de las «fronteras aparenciales» —vida y muerte— y el de la rebelión desenmascaradora contra las apariencias y convencionalismos sociales (Smerdou Altolaguirre [1978]). Su trabajo como guionista y realizador de cine, a pesar de recibir varios premios en los años cincuenta, ha permanecido casi totalmente olvidado. No ha corrido mejor suerte su poesía que, fuera de las monografías de Hernández de Tréllez [1974] y Álvarez Harvey [1972], cuenta con muy escasa bibliografía. Escasos son, también, los espacios que antólogos y críticos de la generación del 27 dedican al malagueño. Una buena ocasión de ofrecer una visión de conjunto de Altolaguirre poeta se ha perdido con la reciente edición de sus *Poesías completas* (Smerdou Altolaguirre y Arizmendi [1982]), que difiere muy poco de la preparada por Cernuda y Martí Soler [1960], y que tiene el demérito de ir precedida de una introducción absolutamente ilegible —al menos en su primera parte— por su vacuo verbalismo.

La poesía de Altolaguirre se sitúa en el espacio limitado por tres puntos de referencia: un fondo neorromántico, que modelan el magisterio juanramoniano y la palabra hermana de Salinas. Desde este punto de partida es comprensible que el malagueño defina la poesía como «fuente de conocimiento», como realización existencial y ontológica, y, a la vez, como vehículo de comunicación entre los seres (Altolaguirre [1959]). De «abatido platónico» califica Brown [1976] a Altolaguirre, viendo su poesía como un intento de establecer —a través de símbolos casi siempre localizables en la tradición— contactos íntimos entre lo visible y lo invisible; entre la naturaleza y las esencias que subyacen bajo la superficie de las cosas. Para Cernuda [1970] —el mejor lector que hasta el presente ha conocido Altolaguirre— la poesía de éste es, por su «poder visionario» y por su calidad de «inspiración», única e insólita en el contexto de su generación: nadie, como él, consigue transmitir esa sensación de «misterio penetrado» que alumbra en sus mejores poemas.

En tres etapas se ha cifrado la evolución de la poesía de Altolaguirre. A la primera etapa, hasta 1936, pertenecen *Las islas invitadas y otros poemas* (1926), *Ejemplo* (1927), *Soledades juntas* (1931) —que es en realidad una recopilación antológica de los libros anteriores con pocos poemas nuevos—, *La lenta libertad* (1935) y *Las islas invitadas* (1936) —que es también una recopilación de los libros anteriores, con sólo (de un total de 137) 24 poemas de nueva creación. A la segunda, que acota los años de la guerra civil, pertenece un reducido conjunto de poemas circunstanciales, marcados todos ellos por la trágica situación histórica y aparecidos en revistas como *Hora de España*, *El Mono Azul* y *Granada de las Letras y de las Armas*. Y cierra su producción una serie de libros escritos en América: *Nube temporal* (1939), *Poemas de las islas invitadas* (1944), *Nuevos poemas de las islas invitadas* (1946), *Fin de un amor* (1949), *Poemas de América* (1955) y *Últimos poemas*, título con el que en la edición de las *Poesías completas* (1960) se recogen los poemas que a la muerte de Altolaguirre estaban inéditos aún. Dejando a un lado la poesía circunstancial de los años de la guerra, el paso de formas métricamente abiertas y simples a estructuras cerradas, más complejas, y un incremento del sentimiento religioso, definen la evolución de esta poesía (Smerdou Altolaguirre [1973]). Es, sin embargo, la poesía de Altolaguirre —de entre la de todos sus compañeros de generación— la menos influida y condicionada por las modas y novedades literarias del momento, revelando, desde los primeros hasta los últimos poemas, una radical unidad. Apenas se encuentran en ella ecos del «gongorismo», ni del surrealismo (Cernuda [1970]).

Pero es, sobre todo, en los temas, donde se hace perceptible la esencial continuidad de esta lírica. Tomando como punto de referencia *Las islas invitadas* (1936) —libro que recapitula y recopila lo más granado de la primera etapa de la poesía de Altolaguirre—, Rozas y Torres Nebrera [1980] trazan el campo temático —la relación poeta-naturaleza, el correlato amor-muerte, el sentimiento de soledad, el paso destructor del tiempo— en que se mueve la poesía del malagueño hasta 1936. Tales temas se polarizan en torno a tres actitudes básicas, que se concretan en un autoanálisis del mundo interior; en un anhelo de ascensión hacia una meta ultraterrena, que busca expresión en la palabra de nuestra tradición místico-ascética y que sitúa su creación entre la aprehensión del mundo de la naturaleza y la esencialización de los objetos de dicho mundo (Morris [1971]); y, finalmente, en un intento de establecer un «diálogo creador» —generalmente conformado a partir de fórmulas muy próximas a la poesía amorosa saliniana— con el mundo y con el hombre que lo habita.

Con muy pocas modificaciones de fondo, los libros de la última etapa continúan el desarrollo de los mismos temas y planteamientos básicos de los de la primera. Sólo *Nube temporal* (1939) —testimonio de la herida bélica— y *Fin de un amor* (1949) —libro construido sobre el eje de la crisis sentimental que produce su ruptura con Concha Méndez— suponen una ampliación temática efectiva del mundo en que se mueve la poesía de Altolaguirre. En lo que a la lengua poética se refiere, el rasgo distintivo más relevante de esta poesía viene dado por el predominio del estilo nominal, resuelto en frecuentes elipsis verbales. La enumeración, el paralelismo y la anáfora son, a su vez, los ejes sobre los que se levanta la arquitectura del poema (Rozas y Torres Nebrera [1980]). Técnicamente, la poesía de Altolaguirre debe muy poco a la reflexión y corrección ulterior a la experiencia súbita de la que surge el poema, quizá por ello evita las formas tradicionales, excepto el romance y, al final, el soneto (Cernuda [1970]).

FRANCISCO JAVIER BLASCO

BIBLIOGRAFÍA

Alarcos Llorach, Emilio, «*Hijos de la ira* en 1944», en *Ínsula* [1958], p. 7; recogido en *Ensayos y estudios literarios*, Júcar, Madrid, 1976.

Aleixandre, Vicente, «Dámaso Alonso, sobre un paisaje de juventud», en *Ínsula* [1958], pp. 1-2.

—, «Emilio Prados en su origen», en *Ínsula*, n.° 187 (1962), pp. 1-2.

—, «Manolito, Manolo, Manuel Altolaguirre», en *Ínsula*, n.os 368-369 (1977), p. 5.

Alonso, Dámaso, *Poetas españoles contemporáneos*, Gredos, Madrid, 1952.

—, *Poemas escogidos*, Gredos, Madrid, 1969.

—, y Carlos Bousoño, *Seis calas en la expresión literaria española*, Gredos, Madrid, 1951.

Altolaguirre, Manuel, «Confesión estética», en *Papeles de Son Armadans*, XLI (1959), p. 154.

Alvar, Manuel, *La estilística de Dámaso Alonso (herencias e intuiciones)*, Universidad de Salamanca, Salamanca, 1977.

Álvarez Harvey, María Luisa, *Cielo y tierra en la poesía de Manuel Altolaguirre*, University of Mississippi, 1972.

Ballesteros, Rafael, «Algunos recursos rítmicos de *Hijos de la ira*», en *Cuadernos Hispanoamericanos*, n.° 215 (1967).

Belchior, María de Lourdes, «Podredumbre y esperanza en *Hijos de la ira*», en *Ínsula* [1958], p. 8.

Blanco Aguinaga, Carlos, *Emilio Prados: Vida y obra*, Hispanic Institut in the United States, Nueva York, 1961.

—, «Notas para la historia de una generación», en *Ínsula*, n.° 187 (1962), pp. 1 y 10.

—, *Lista de papeles de Emilio Prados*, The Johns Hopkins Press, Baltimore. 1967.

—, ed., Emilio Prados, *Cuerpo perseguido*, Labor, Barcelona, 1971.

—, ed., Emilio Prados, *Poesías completas*, Aguilar, México, 1975.

Blas Vega, José, «Gerardo Diego. Bibliografía», en *Estafeta Literaria*, n.os 594-595 (1976), pp. 37-40.

Bodini, Vittorio, *I poeti surrealisti spagnoli*, Einaudi, Turín, 1963; trad. cast. de Carlos Manzano: *Los poetas surrealistas españoles*, Tusquets, Barcelona, 1971.

Bousoño, Carlos, «Estilística y teoría del lenguaje», en *Cuadernos Hispanoamericanos* (1951), pp. 113-126.
—, «La poesía de Dámaso Alonso», en *Papeles de Son Armadans*, III, XXXII-XXXIII (1958), pp. 253-300.
—, *Teoría de la expresión poética*, Gredos, Madrid, 1970.
Brown, G. G., *Historia de la literatura española. El siglo XX*, Ariel, Barcelona, 1976.
Cabañas, Pablo, «Gerardo Diego. "Segundo sueño" (homenaje a sor Juana Inés de la Cruz)», en *Poesía Española*, n.º 29 (1954), p. 115.
Cano, José Luis, ed., Emilio Prados, *Diario íntimo*, Guadalhorce, Málaga, 1966.
—, «Los poemas escogidos de Dámaso Alonso», en *Ínsula*, n.º 270 (1969), pp. 8-9; reimpreso en *La poesía de la generación del 27*, Guadarrama, Madrid, 1972.
Cano Ballesta, Juan, «Poesía y revolución: Emilio Prados (1930-1936)», en *Homenaje universitario a Dámaso Alonso*, Gredos, Madrid, 1970, pp. 231-248.
Carreira, Antonio, «La primera salida de Emilio Prados», en *Homenaje universitario a Dámaso Alonso*, Gredos, Madrid, 1970, pp. 221-230.
Castellet, José María, *Veinte años de poesía española (1939-1959)*, Seix Barral, Barcelona, 1960.
Cernuda, Luis, *Crítica, ensayos y evocaciones*, Seix Barral, Barcelona, 1970.
—, y Martí Soler, eds., Manuel Altolaguirre, *Poesías completas (1926-1959)*, Fondo de Cultura Económica, México, 1960.
Cirre, José Francisco, «Creacionismo y superrealismo», en *Forma y espíritu de una lírica española*, Gráfica Panamericana, México, 1950, pp. 103-146.
Cossío, José María de, «La poesía de Gerardo Diego», en *Escorial*, V (1941), pp. 440-451.
D'Arrigo, Miledda C., *Gerardo Diego. Il poeta di «versos humanos»*, G. Giappichelli, Turín, 1955.
—, «Gerardo Diego: Biografía incompleta», en *Poesía Española*, n.º 39 (1955), pp. 17-22.
Debicki, Andrew P., «Symbols in the poetry of Dámaso Alonso, 1921-1944», en *Hispania*, XLVII (1964), y en *Estudios sobre poesía española contemporánea*, Gredos, Madrid, 1968.
—, «Dámaso Alonso's views on poetry», en *Hispanic Review*, XXXIV (1966), pp. 111-120.
—, «Temas íntimos salvados por el arte: algunos poemas de Gerardo Diego», en *Estudios sobre poesía española contemporánea*, Gredos, Madrid, 1968, pp. 262-284.
—, *Dámaso Alonso*, Cátedra, Madrid, 1974.
Díaz Márquez, Luis, «La temática de la poesía de Dámaso Alonso», en *Cuadernos Hispanoamericanos*, n.º 209 (1967), pp. 231-265.
Diego, Gerardo, «Posibilidades creacionistas», en *Cervantes* (octubre de 1919).
—, «Emilio Prados. *Vuelta*», en *Revista de Occidente*, n.º 17 (1927), páginas 384-387.
—, *Primera antología de sus versos*, Espasa-Calpe, Madrid, 1958.
—, *Poesía de creación*, Seix Barral, Barcelona, 1974.

Dittmeyer, Hannelore, «Gerardo Diego: Dichtung und Welthaltung *Manual de espumas* als Ausdruck einer Dichterpersönlichkeit», en *Romanistisches Jahrbuch*, IX (1959), pp. 331-353.

Espina, Antonio, «Gerardo Diego, *Soria* (poesías)», en *Revista de Occidente*, n.° 1 (1923), p. 118.

Esteban, José, «Altolaguirre, visto por sus compañeros de generación», en *Ínsula*, n.os 368-369 (1977), p. 5.

Ferreres, Rafael, «Dámaso Alonso: catedrático en Valencia», en *Ínsula* [1958], p. 15.

—, *Aproximación a la poesía de Dámaso Alonso*, Bello, Valencia, 1976.

Flys, Miguel J., *La poesía existencial de Dámaso Alonso*, Gredos, Madrid, 1968.

Fuster, Joan, «El tercer Diego (incompleto)», en *Verbo*, n.os 19-20 (1950).

Gallego Morell, Antonio, *Vida y poesía de Gerardo Diego*, Aedos, Barcelona, 1956.

Gaos, Vicente, «Itinerario poético de Dámaso Alonso», en *Temas y problemas de literatura española*, Guadarrama, Madrid, 1959.

García de la Concha, Víctor, *La poesía española de posguerra*, Prensa Española, Madrid, 1973.

García Morejón, Julio, *Límites de la estilística: el idearium crítico de Dámaso Alonso*, Facultad de Filosofía, Ciencias y Letras, Asís, 1961.

Gómez de Baquero, E., «Los versos de Gerardo Diego», en *Pen Club. Los poetas*, Renacimiento, Madrid, 1929, pp. 75-81.

Gullón, Ricardo, «Aspectos de Gerardo Diego», en *Ínsula*, n.° 137 (1958), páginas 1 y 4; e *Ínsula* [1958], pp. 3 y 20.

—, «Septiembre en Chapultepec», en *Ínsula*, n.° 187 (1962), pp. 1 y 10.

—, «El otro Dámaso Alonso», en *Papeles de Son Armadans*, XXXVI (1965), pp. 167-196.

—, «Gerardo Diego y el creacionismo», en *Ínsula*, n.° 354 (1976), pp. 1 y 10.

Hernández de Tréllez, Carmen, *Manuel Altolaguirre: Vida y literatura*, Universidad de Puerto Rico, 1974.

Hernández-Vista, Eugenio, «Gerardo Diego: "El ciprés de Silos" (estudio estilístico estructural)», en *Prohemio*, I, n.° 1 (1970), pp. 19-46.

Ínsula, n.os 138-139 (1958); número extraordinario dedicado a Dámaso Alonso.

Ínsula, n.os 368-369 (1977); número extraordinario dedicado a la generación de 1927.

Lapesa, Rafael, «El magisterio de Dámaso Alonso», en *Ínsula* [1958], pp. 1 y 4.

Larrea, Juan, «Ingreso a una transfiguración», en *Cuadernos Americanos*, n.° 29 (1946), pp. 289-299.

Lázaro Carreter, Fernando, «Dámaso Alonso y el *formalismo*», en *Ínsula* [1958], p. 6.

Lena, Giorgio di, «Temas y técnicas en la poesía de Gerardo Diego» (tesis inédita), University of Texas, 1971.

Macrí, Oreste, «Estructura y significado de *Hombre y Dios*», en *Ínsula* [1958], p. 9.

Manrique de Lara, José G., *Gerardo Diego*, Epesa, Madrid, 1970.

March, Kathleen N., «Gerardo Diego: la poesía como laberinto original», en *Ínsula*, n.° 411 (1981), p. 3.

Miró, Emilio, «Gerardo Diego. Francisca Aguirre», en *Ínsula*, n.° 313 (1972), p. 6.
—, «Reediciones y nuevos libros de Gerardo Diego», en *Ínsula*, n.° 373 (1977).
Montes, Eugenio, «Gerardo Diego: *Manual de espumas*», en *Revista de Occidente*, n.° 10 (1925), pp. 125-127.
Morris, C. B., *A generation of Spanish poets (1920-1936)*, Cambridge University Press, 1971.
Neira, Julio, *«Litoral», la revista de una generación*, La Isla de los Ratones, Santander, 1978.
Nora, Eugenio G. de, «La obra de Gerardo Diego a través de su primera *Antología*», en *Cuadernos Hispanoamericanos*, n.° 4 (1948), pp. 135-149.
Rivers, Elías L., ed., Dámaso Alonso, *Hijos de la ira*, Labor, Barcelona, 1970.
Romero, Héctor R., «El método estilístico de Dámaso Alonso y su interpretación de Góngora», en *Kentucky Romance Quarterly*, XIX (1972), pp. 211-221.
Rozas, Juan Manuel, «¿Una nueva versión de *Mínima muerte*?», en *Ínsula*, n.os 368-369 (1977), p. 18.
—, ed., *Poesía*, Turner, Madrid, 1979, edición facsímil.
—, y Gregorio Torres Nebrera, *El grupo poético del 27*, Cincel, Madrid, 1980, vol. II.
Salinas, Pedro, *Ensayos de literatura hispánica*, Aguilar, Madrid, 1961.
Sanchis-Banús, José, «Cuatro cartas inéditas de Emilio Prados a don Alfonso Roig», en *Ínsula*, n.os 368-369 (1977), p. 13.
—, ed., Emilio Prados, *La piedra escrita*, Castalia, Madrid, 1979.
Santos Silva, Loreina, «Emilio Prados: aproximación al surrealismo», University of Brown, 1977, tesis inédita.
Silver, Philip, «Tradition as originality in *Hijos de la ira*», en *Bulletin of Hispanic Studies*, XLVII (1970), pp. 124-130.
Smerdou Altolaguirre, Margarita, ed., Manuel Altolaguirre, *Las islas invitadas*, Castalia, Madrid, 1973.
—, «El engaño a los ojos. Un motivo literario», en *1916*, I (1978), pp. 41-46.
—, y Milagros Arizmendi, eds., Manuel Altolaguirre, *Poesías completas*, Cátedra, Madrid, 1982.
Sobejano, Gonzalo, «Nuevos poemas de Dámaso Alonso», en *Cuadernos Hispanoamericanos*, n.° 71 (1955), pp. 237-241.
Stefano, Gianfranco di, «Clasicismo y creacionismo en los *Poemas Adrede* de Gerardo Diego», en *Prohemio*, V, n.os 2-3 (1974), pp. 253-270.
Torres Nebrera, Gregorio, «Manuel Altolaguirre, dramaturgo», en *Segismundo*, n.os 25-26 (1977), pp. 349-379.
Valente, José Ángel, «Gerardo Diego, a través de su *Biografía incompleta*», en *Cuadernos Hispanoamericanos*, n.° 15 (1953), pp. 112-114.
Varela, José Luis, «Ante la poesía de Dámaso Alonso», en *Arbor*, n.° 172 (1960), pp. 38-50, y en *La polvera y la llama*, Prensa Española, Madrid, 1967.
Videla, Gloria, *El ultraísmo*, Gredos, Madrid, 1971, pp. 127-134.
Villar, Arturo del, ed., Gerardo Diego, *Ángeles de Compostela. Vuelta del peregrino*, Narcea, Madrid, 1976.

Villar, Arturo del, «Una rima creacionista de Gerardo Diego», en *Ínsula*, n.os 368-369 (1977).
—, ed., *Imagen múltiple de Gerardo Diego*, El Toro de Barro, Madrid, 1980.
—, «Gerardo Diego, poeta creacionista», en *Cuadernos Hispanoamericanos*, n.os 361-362 (1980).
—, *Gerardo Diego*, Ministerio de Cultura, Madrid, 1981.
—, «Imágenes y alegorías en el viaje a Compostela de Gerardo Diego», en *Nueva Estafeta*, n.os 45-46 (1982).
Villar Ribot, Fidel, «El itinerario poético de Emilio Prados», en *Peña-Labra*, n.os 24-25 (1977), pp. 1-4.
—, «Emilio Prados, una vocación hacia el mar (*Canciones del farero*)», en *Ínsula*, n.os 368-369 (1977), pp. 18 y 25.
Vivanco, Luis Felipe, «La generación poética del 27», en Díaz-Plaja, ed., *Historia general de las literaturas hispánicas*, Vergara, Barcelona, 1967, t. VI, pp. 464-563.
—, «La palabra artística y en peligro de Gerardo Diego», en *Introducción a la poesía española contemporánea*, Guadarrama, Madrid, 1974, vol. II, pp. 177-220.
Zambrano, María, «El poeta y la muerte. Emilio Prados», en *España: sueño y verdad*, Edhasa, Barcelona, 1982.
Zardoya, C., *Poesía española contemporánea*, Guadarrama, Madrid, 1961.
—, «Una existencia temática: Castilla en la obra de Gerardo Diego», en *Poesía española del siglo XX*, Gredos, Madrid, 1974, vol. II, y «Emilio Prados, poeta de la melancolía», vol. III.
Zubiaurre, Antonio de, «Sobre Gerardo Diego retratista, y de un retrato ejemplar», en *La Estafeta Literaria*, n.os 594-595 (1976), pp. 12-16.

Dámaso Alonso

LA POESÍA DE GERARDO DIEGO

Lo primero que llama la atención en la poesía de Gerardo Diego a quien la considera en su conjunto, es su variación, sus variaciones. Alguien las creería barquinazos. No han sido nunca tentones casuales del que camina sin luz. El lector de la reciente *Primera antología poética*, de Gerardo Diego, ve cómo se suceden en ella los «versos tradicionales / y versos raros, nuevos y diversos». Pero el poeta sabe adonde quiere ir y que se trata de dos caños de un mismo manantial. A un lado, los *Versos humanos*; a otro, *Imagen* y *Manual de espumas*. Mas lo mismo el verso tradicional que el puro experimento lírico brotan humanamente del corazón, son voces diversas de una sola y total armonía. [...]

Ignoro muchas de las distinciones que los que vivieron de cerca el ultraísmo y el creacionismo explican con —relativa— claridad. Gerardo Diego, a ruego mío, me mostraba hace poco la diferencia de técnica y de intención que más o menos confusamente observa el lector al pasar de *Imagen* a *Manual de espumas*. Lo que sí sé es que de todo aquel vocinglero estrépito de *Ultra* lo único que nos queda son esos dos libros, juveniles, primaverales, llenos de ingenio, de fuerza intuitiva, pero también de fresca y jugosa emoción. Las imágenes de poderosa (y a veces muy extravagante) novedad están, sobre todo en el primero, sueltas, desgranadas, sin la unión de partes más neutras. Pero la unión temática suele ser continua, o con quiebras fácilmente vadeables. [...]

Dámaso Alonso, «La poesía de Gerardo Diego», en *Poetas españoles contemporáneos*, Gredos, Madrid, 1971, pp. 233-255 (233, 235-243, 246-252, 255).

En *Manual de espumas* comienza, en parte, una técnica distinta. «Ese libro —me venía a decir Gerardo Diego— nace de un conocimiento más directo del verdadero creacionismo y de Vicente Huidobro, todo ligado con mi primera visita a París. En esos poemas quiero hacer una transposición poética de lo que entonces era el cubismo. Así como en el cubismo, en un mismo cuadro, se funden formas diversas, así, en mi *Manual de espumas*, dos o tres temas distintos en un mismo poema.» Sí, en el cubismo y en esta poesía, lo que comenzaba como mujer hermosa podía terminar en pez. El iniciado abría la boca, cercano al arrobo, pero el *Arte poética* del viejo Horacio quedaba en pie: el buen público no podía contener la risa. (¡Y, sin embargo, qué bellas son esas sirenas!) Estos intentos generosos tenían además de su hermetismo otro grave inconveniente: una barrera invencible, levantada por las condiciones fonéticas del lenguaje. Frecuentemente se ven forzados a resolverse en fáciles aleluyas, de metro irregular, con tintineo metálico (que hoy nos suena a hierro viejo). ¡Pero cuánta juventud, cuánta alegría creadora y cuánta emoción en estos versos! Yo, personalmente, prefiero estos libros al de *Versos humanos*, donde, si hay sonetos que anuncian al hondo y maestro poeta de *Alondra de verdad*, hay también bastante ganga sin valor. Y creo a Gerardo Diego cuando repetidamente nos asegura las humanísimas raíces de sus intentos hacia una poesía absoluta.

[En *Alondra de verdad* son cuarenta y dos sonetos los que se han juntado. Se habrían juntado en libro, aun contra la voluntad del poeta. Algún legítimo hermano que no entró en el cómputo —el primer «Ciprés de Silos»— no ha tenido más remedio que arrezagarse en las notas. Un mismo fervor les une, una misma maestría de poeta en el ápice de su clímax. Todos, poesía vivida. Alondra: «poesía luminosa y alada». Y, a la vez, de verdad: «auténtica y vivida». Título que podía cubrir, no a este libro (que tan bien lo representa), sino a toda la poesía, a la verdadera poesía.]

Aquella generación de 1920 a 1936 no podía ser infiel al rasgo tal vez más constante de las letras de España: ser reconcentrada expresión de lo hispánico. Son dos grandes poetas de entonces los que más resaltan en tal sentido. ¡Quién lo diría! Aquella poesía a la que se tenía por cerebral, inhumana, se mete por lo popular con calor amoroso, con una intensidad y un poder de intuición como desde Lope no se había dado. Los metros irregulares y estrofas populares de la Edad Media y del Siglo de Oro (canciones paralelísticas, zéjeles, seguidillas, letrillas, etcétera), y los vívidos giros idiomáticos, reviven ahora con tal brillo, que el poeta, a veces, no parece un escritor culto que busca lo popular, sino anónimo artista que canta desde el corazón del pueblo, o cuya obra ha sido filtrada y cernida en lentos siglos de tradición. Esta tendencia roza también a Gerardo Diego. [En el centenario de Góngora, Gerardo Diego tiene una destacada intervención. A él se debe la recopilación de la *Antología en honor de Góngora*, si bien lo que hay de gongorismo en su poesía es sólo un delicioso casi *pastiche* (por lo que respecta al movimiento y al impulso rítmico); esa *Fábula de Equis y Zeda*, que es como una de las muchas «metamorfosis» de la poesía barroca, en la que sobre la anécdota hubiera triunfado el puro gozo verbal e imaginativo. Nada más que eso, o muy poco más.] Mas apenas si, en busca de expresión cercana a lo popular, encontraremos en él las seguidillas del «Torerillo en Triana»: «Torerillo en Triana / frente a Sevilla. / Cántale a la Sultana / tu seguidilla ...», o tal estribillo en verso irregular, o alguna expresión desligada. Y cuando estos rasgos ocurren es, generalmente, en poema de asunto taurino. Dentro de la poesía de tema folklórico, o de composición folklórica, es la taurina la que ha tenido más desarrollo.

[En los sonetos de tema musical,] Gerardo —el hombre aparentemente frío— nos abre las simas cálidas de su pasión. Y sólo un profundo conocedor de la música como él habría podido caracterizar tan rápida, tan intuitivamente a cinco grandes creadores: Beethoven, Schumann, Schubert, Scriabin y Debussy. Oíd flotar —perfume, suave color, nostalgia— la vaga tonalidad de Debussy: «... Tú sabes dónde yerra un son de rosa, / una fragancia rara de añafiles / con sordina, de crótalos sutiles / y luna de guitarras ...».

A juzgar por sus notas, Diego prefiere el dedicado a Beethoven. Yo, decididamente, pongo por delante los de Shumann y Schubert. En el primero de estos dos, música y mística se entrefunden. Pero no es el gozo de la «unión», desde las alturas de Teresa o de Juan de la Cruz, sino —como en fray Luis de León— la honda nostalgia del desterrado.

[Hay otros sonetos en los que el tema va ligado al paisaje o a las fuerzas naturales: «Eclipse parcial de sol», «Emplazada», «Ascensión en globo», «Niebla».] ¡Cómo gusta Gerardo Diego de los terribles semidioses de la naturaleza, estos extraños seres —tan cotidianos como distantes, incomprensibles—, que traen el prodigio renovado a nuestra vida diaria! Ciega fuerza del aire, con tacto y palpos de alimaña, o de genio sobrenatural:

> No, no eres sólo espíritu. Sabemos:
> soplo, espíritu. Bien. Pero, ¿y tu viva
> carne, di, de alimaña fugitiva,
> tu burladora piel, varia en extremos
>
> de dulzura o terror? ¿y los supremos
> deleites de tus filos, tu impulsiva
> cólera ciega de testuz de chiva,
> la ultrajadora furia de tus remos?

¿Eres padre del fuego? ¿O eres llama
tú mismo, turbia llama ardiente y fría...?

¡Magníficos versos! Tan buenos como el mejor Blake.

[En los sonetos de amor hay tanta ternura y tanto impulso poético que sería preciso hablar de todos.] De esa pareja a la fugitiva muchacha de Guatemala. De ese «Sucesiva», donde el poeta busca en la amada las pequeñas contingencias parciales, para elevarse inmediatamente —¡y qué alta va la alondra por el último verso!— a su unidad totalizada: «Así te quiero en límites pequeños, / aquí y allá, fragmentos, lirio, rosa. / Y tu unidad después, luz de mis sueños».

Y dos sonetos de ausencia: de ausencia por «Distancia», en el que lleva ese nombre; de ausencia en mundos diferentes (amada, en el del sueño; amante, en el de vigilia). Es este último soneto —ya famoso desde que se publicó hace años— el que tiene por título «Insomnio». Si «Distancia» es magnífico, «Insomnio» es uno de los sonetos más intensamente emocionados que se hayan escrito en lengua castellana. Helo aquí:

Tú y tu desnudo sueño. No lo sabes.
Duermes. No. No lo sabes. Yo, en desvelo,
y tú, inocente, duermes bajo el cielo.
Tú por tu sueño, y por el mar las naves.

En cárceles de espacio, aéreas llaves
te me encierran, recluyen, roban. Hielo,
cristal de aire en mil hojas. No. No hay vuelo
que alce hasta ti las alas de mis aves.

Saber que duermes tú, cierta, segura
—cauce fiel de abandono, línea pura—,
tan cerca de mis brazos maniatados.

Qué pavorosa esclavitud de isleño:
yo insomne, loco, en los acantilados;
las naves por el mar, tú por tu sueño. [...]

La inocencia de la imagen, la limpidez del tema, la contrastada técnica, la desbordada ternura hacen de éste uno de los más bellos sonetos de amor: estilo eternamente dulce y nuevo, cuya ciencia fijó para siempre Dante.

[En cuanto a los sonetos de temas y paisajes españoles hay en éstos mucha variedad.] Alguno —como el de la «Giralda»— vive por su renovada gracia, por su inacabable fertilidad en imaginados piropos. Otros son latir profundo —infancia, juventud— de un hijo de Santander, donde el azul nordeste encabrilla gozosamente la mar, o el sur fustiga y embiste, exaltando horizontes de la natal bahía. Tal otro, en ese deseo ascensional, cimero, tan repetido en mil formas diversas en este poeta, sobre un fondo de amor, invoca a las torres compostelanas: «Creced, mellizos lirios de osadía; / creced, pujad, torres de Compostela», a las torres de esa celestial ciudad de piedra que había de inspirar los *Angeles de Compostela*, uno de los mejores libros de Diego. Hay otro en el que el poeta vibra emocionado y prorrumpe en jubilosas imágenes ante la sublime visión del Teide, máximo adelantado de la patria. Mas, entre todos, maravillosamente aquieta mi espíritu el que tiene por título «Revelación». [...]

Gerardo Diego, voz de una apasionada vibración central y única, de tonos y modos variados, extravagante y tradicional, se encuentra a sí mismo, con pleno derecho, con exacta precisión, cuando sus extraordinarias dotes, su ternura bien enraizada, su hiriente intuición, su técnica tan ágil como arriscada, para la que ya no hay obstáculos, le sirven para expresar, para condensar o adelantar, depurándolas, emociones o ideas que duermen ya, turbias, o que pueden nacer nítidas en el multitudinario corazón del hombre. He aquí la doble función del poeta, del vate: cerner, acendrar en nuestros corazones el oscuro poso del pasado; o sugerirnos el futuro legado que hemos de transmitir a los que vendrán, orientar fúlgidamente nuestra sensibilidad hacia el porvenir.

KATHLEEN N. MARCH

GERARDO DIEGO: LA POESÍA COMO LABERINTO ORIGINAL

[El aspecto más fundamental del creacionismo es la idea de que el poema no tenía por qué imitar el mundo que existía fuera de él. El poema era su propia razón de ser; no necesitaba de la naturaleza para hacer sus propias invenciones cuyo modelo no se encontraba nunca fuera de los confines poéticos.]

Kathleen N. March, «Gerardo Diego: la poesía como laberinto original», en *Ínsula*, n.° 411 (1981), p. 3.

Los cubistas aspiraron a producir cuadros que fueran una nueva contribución al mundo real; al mismo tiempo la recientemente inventada fotografía les había enseñado a estos pintores que cualquier intento de copiar lo que percibían los ojos fracasaría ante la reproducción por medio de la película. También habían sido difundidas diversas teorías sobre la naturaleza del ser humano (Freud) y sobre su proceso de conceptualización (Bergson), y junto con los avances técnicos tan numerosos, se le demostró al artista que la realidad era más complicada de lo pensado. A su manera, los pintores empezaron a analizarla, fragmentándola en múltiples planos para luego plasmarla en una realidad original. Controlaban asiduamente su universo, colocando las formas y colores donde ellos consideraban, en un juego de libre albedrío que misteriosamente daba resultados interesantes. Igual que en la nueva poesía, al público se le exigía mayor colaboración, que pusiera lo que faltase si le parecía necesario. Ya no se le decía: «esto es una guitarra», «esto es una botella», ni se le decía «esta situación es triste», «ahora hay que alegrarse porque todo salió bien». Los viejos andamios se desplomaban, dejando lugar a otros modernos, que ponían la naturaleza de la experiencia estética a la discreción del espectador. No hacía falta una preparación culta, porque los cubistas procuraban crear un mundo cotidiano: el exotismo fue arrinconado ante el redescubrimiento de la vida diaria, con sus periódicos, fruteros, botellas y pipas. También, según ellos, era hora de devolverle a la pintura la valoración de sus elementos básicos, y, por consiguiente, se hacía hincapié en los materiales de la composición: la pintura con sus diversos colores y texturas, las formas que podían reorganizarse dentro del marco, las relaciones-tensiones que su colocación en el lienzo originaba. Todo contribuía a que la distancia entre el cuadro y el mundo extra-artístico fuera cada vez mayor.

Poco se ha dicho en cuanto a cómo se podía hacer con el lenguaje lo que se venía haciendo en pintura, y quizás esta sea la razón por la cual el creacionismo literario no haya merecido la atención debida. Sin embargo, el mismo Gerardo Diego afirma que lo que él hacía era cubismo en la literatura; cabría ver cuáles son sus recursos. [...]

Se puede argumentar que en el lenguaje no hay colores visibles, que todo es sonido o letras negras sobre la página blanca. Es cierto. Pero, y prescindiendo de la discusión de cuadros cubistas relativamente monocromáticos (los de Braque y Picasso, en cierta época), se podría apreciar la existencia de términos léxicos referentes a los colores. ¿Hay, entonces, una imposibilidad de manejar formas, perfiles y ángulos en la poesía? Aparte de numerosos ejemplos que servirían de refutación inmediata a esta objeción (de Diego, véanse los poemas

«Ajedrez», «Angelus», «Tren» y «Luz», como sólo una pequeña muestra de lo contrario), se podría buscar la angularidad, los «planos espaciales», en otro nivel. Por ejemplo, ¿quién negaría que los saltos de un tiempo verbal a otro que tantas veces se manifiestan en el poema creacionista, dan la impresión de cambio de sentido abrupto, de segmentación de la realidad? A la vez, la separación de un poema en islotes versales llama la atención sobre su estructura, como si cada grupo fuera un «ladrillo lingüístico» empleado en la construcción. La yuxtaposición de fragmentos no solamente se exhibe en términos de la sintaxis; también cumplen parecida función los campos semánticos. De nuevo, nos basamos en las palabras del propio Diego, al explicar él que practicaba la yuxtaposición de temas en el poema de la misma forma en que los pintores combinaban materiales en sus cuadros. En este caso, cada palabra perteneciente a cierta categoría de significación, funcionaría como una forma o un color del cuadro. El público «lee» estas obras, fijándose en las semejanzas y su disposición. No se interpreta; únicamente se puede señalar la existencia y lugar de dichos elementos. En la opinión de muchos críticos, tal procedimiento no resulta en poesía; admiten que la composición pictórica pueda romper con los límites de la representación artística tradicional, pero insisten en que el lenguaje humano está demasiado ligado a la lógica conceptual para jugar de ese modo. La nueva libertad que se les ofrecía con el creacionismo, ellos la rechazaban por parecerles una desorganización y falta de seriedad. Fue curioso, porque no solamente se trataba de permitirle al lector más penetración personal en el poema creacionista, sino que también se le exigía menor preparación académica. Por supuesto, la poesía creacionista representaba un esfuerzo coordinado y consciente del autor, quien precisamente hacía la mayor parte del trabajo: analizaba los aspectos de la realidad que él sabía que eran los más universales, y los transmitía mediante elementos lingüísticos también «cotidianos». Así, por ejemplo, Diego, no se limita a hablar de rosas y cisnes, simbólicos de algún estado de ánimo estático o de otra manera poco accesible a sus lectores profanos. También concede espacio a los cuervos y los canarios elásticos, a la cebra soñadora y las azucenas en camisa. Igual que los cuadros cubistas, sus «cuadros» poéticos contienen pipas, ajedrez, alguna fruta o muebles. Hay frecuentes alusiones a elementos pictórico-espaciales, como apoyo conceptual a lo que percibe el ojo del lector. Véanse los poemas de «Mesías» y «Hombre» de *Imagen*, por ejemplo, con sendos versos: «Una bandada de ángulos / en un vuelo sin hilos / nace del campanario» y «Un sueño transversal / se repliega en el vacío mural». Son imágenes insólitas, que valen por sí mismas, no por lo que pudieran «significar». Recuérdense estos versos del poema «Hoy», que parecen apoyar nuestra afirmación: «Sí. Hoy hay que inaugurar / el encendido símbolo sin símbolo». También apuntamos que en una que otra ocasión aparecen palabras extranjeras —el poema «Verbo» es un ejemplo— y que éstas recuerdan el uso de términos rusos por Picasso en algunos cuadros suyos.

LUIS FELIPE VIVANCO

GERARDO DIEGO: *ALONDRA DE VERDAD* Y *ÁNGELES DE COMPOSTELA*

El libro en que se constituye la palabra humana integral de Gerardo Diego, más allá de su perfección artística, se llama *Alondra de verdad* y es uno de esos libros fundamentales en los que consiste la poesía española contemporánea. *Alondra de verdad* es una colección de cuarenta y dos sonetos, dividida en cuatro partes y un soneto introductorio. Según el propio poeta, el título, que es el de uno de los sonetos de la primera parte, simboliza «la intención de poesía luminosa y alada —alondra— y a la vez auténtica y vivida —de verdad—». [...]

Cuando se puso a reunirlo, pensaba «que ya habían pasado los años del ingenio, del matiz menor, de la cautela y el análisis, fecundos en muchos aspectos, pero insuficientes para lograr la obra en plenitud de "cántico", título ya tan revelador de un magnífico libro que por entonces veía la luz». Hay en estas palabras un sincero homenaje a la poesía de Jorge Guillén y a lo que el título de su libro representaba como orientación para toda la poesía española de aquel momento. Por lo pronto, la suya quiere ser también «alondra de verdad en plenitud de cántico». El

Luis Felipe Vivanco, «La palabra artística y en peligro de Gerardo Diego», en *Introducción a la poesía española contemporánea*, Guadarrama, Madrid, 1974, t. II, pp. 177-220 (212-213, 218-220).

soneto que da nombre al libro es de 1932 y está dedicado a una musa de carne y hueso, guatemalteca por más señas. *Alondra de verdad* es un libro comentado en prosa por su autor. Comentarios puramente informativos, que a veces se extienden en explicaciones. Y en su comentario en prosa a este soneto, el poeta nos explica que se trata de una «tentativa —imposible— de acercarse a una palpitante belleza femenina»: «Alondra de verdad, alondra mía, / ¿quién te nivela altísima y te instala / en tu hamaca de música, ala y ala / múltiples, locas en la aurora fría?».

En todo caso, la criatura humana ha quedado convertida de una vez para siempre en pura criatura poética y su palpitante belleza pasajera en belleza de espíritu permanente. Situada al frente de la colección de sonetos, como título de ella, *Alondra de verdad*, sin abandonar tal vez su condición de musa inspiradora, se convierte en la poesía misma, y su canto —de mujer y de alondra— en la plenitud de cántico del poeta. [...]

Ángeles de Compostela es, por la trascendencia del tema recibido o heredado y por la unidad poemática de su invención, el libro más ambicioso de Gerardo Diego. *Alondra de verdad* es un libro de sonetos sueltos, discontinuos y aislados o enajenados verdaderamente como figuras de fuego. *Ángeles de Compostela* es un poema lírico unitario, compuesto también por poemas sueltos, discontinuos o independientes hasta cierto punto, aunque referidos todos ellos a un solo misterio central. El tema del libro también lo ha recibido Gerardo de la tradición cristiana medieval: es, nada menos que el Pórtico de la Gloria, labrado para la catedral compostelana por el maestro Mateo. Y son los cuatro ángeles de las cuatro esquinas, que habían permanecido anónimos hasta ahora, y cuyas trompetas convocan a la resurrección de la carne y el Juicio Final. (Las cuatro esquinas de las postrimerías del hombre: Muerte, Juicio, Infierno y Gloria, según la concepción católica ortodoxa.) Es, por lo tanto —al modo de la *Divina comedia*— un tema de ultratumba y de nuestra inserción existencial en el más allá. Pero la aceptación del tema le exige su invención personal completa, y como Santiago es la capital cultural y religiosa de Galicia, además de un poema de las postrimerías, *Ángeles de Compostela* va a ser el poema de Galicia. [...]

Gerardo Diego no es poeta lírico de poderoso mensaje interior, pero sí de palabra artística extremada. Situada en ella, su poesía enajenada en figuras de fuego —o poesía clásica en figuras discontinuas, como la de Guillén, en vez de romántica o en corriente continua— arde, sin consumirse, hacia el futuro.

ANDREW P. DEBICKI

LOS *POEMAS PUROS* Y LA UNIDAD DE DÁMASO ALONSO (1921-1944)

A primera vista la producción poética de Dámaso Alonso parece completamente heterogénea. Los pulidos y formalmente rigurosos *Poemas puros, poemillas de la ciudad* (1921), en apariencia alejados de los problemas de la existencia corriente, no tienen relación evidente con los poemas angustiados de *Oscura noticia* e *Hijos de la ira* (1944). El mismo hecho de que medien veintitrés años entre la fecha de publicación del primer libro y la de los dos últimos puede confirmar la sospecha de que existe un gran salto cualitativo entre ambos. El poeta ha escrito que compuso muy pocos poemas entre 1924 y la guerra civil española y que las doctrinas estéticas de hacia 1927, que inspiraron la poesía de muchos de sus coetáneos, le apartaron de escribir versos; sólo la conmoción de la guerra le recuperó para la creación poética. Todo esto sugiere que la poesía temprana de Dámaso Alonso pudiera ser incidental y no plenamente desarrollada, y que su verdadera importancia como poeta proviene de sus obras posteriores y no está suscitada por sus actos como miembro de la generación de 1924-1925 o por la crítica que escribe en las décadas de 1920 y 1930.

Sin embargo, los temas desarrollados en *Poemas puros* y en algunas otras obras tempranas, así como la técnica que usa en este tiempo, tienen una íntima relación con los temas y la técnica que encontramos en sus siguientes libros de poemas. El conflicto entre una visión idealizada de la vida y otra visión ásperamente realista, conflicto que es central en *Poemas puros*, prefigura el choque entre un concepto religioso y un concepto existencial de la vida, y este choque es central también en la poesía tardía. El protagonista que debe escoger entre lo poético y lo trivial en *Poemas puros* es una versión anterior al angustiado buscador de *Hijos de la ira.* El uso de imágenes que combinan valores simbólicos y metafóricos puede verse a través de toda

Andrew P. Debicki, *Dámaso Alonso,* Cátedra, Madrid, 1974, pp. 41-48 (41-42, 44, 46-47).

su poesía: el uso de un vocabulario prosaico con efectos poéticos puede comprobarse en *Poemas puros* y se hace dominante en *Hijos de la ira.* Todo esto sugiere que la poesía de Dámaso Alonso forma una sola senda: sus primeros poemas revelan ya preocupaciones humanas, filosóficas y poéticas que florecen del todo en sus libros posteriores, libros que le capacitan como guía de la renovación poética que sigue a la guerra civil.

Poemas puros contrasta una y otra vez un ideal poético de belleza con la dura realidad cotidiana. [...] Las mismas características prosaicas del protagonista buscador de ilusiones añaden ambigüedad, sugieren que los dos mundos retratados en el poema no siempre quedan separados, que en el mundo real lo ordinario aparece incluso en medio de lo poético y que los más altos ideales pueden volverse infantiles. El ambiguo retrato del protagonista permite a Alonso hacer más profunda su presentación del conflicto entre lo prosaico y lo poético, evitándole caer en un simple ataque a lo común.

La técnica simbólica se pone más de manifiesto en la última parte de «El propósito», donde el torno de hilar representa una mente que torna las impresiones vulgares en algo más noble. Al hacer de las impresiones iniciales copos de blando y sucio algodón que se transforman en roja y tensa soga, Dámaso Alonso da cuerpo concreto a la sima existente entre la realidad común, por una parte, y la belleza, que puede ser moldeada a partir de aquélla, por otra, y hace así hincapié en el poder de la mente creadora.

El tema de una realidad ordinaria como contraria a otra elevada es presentado en muchos poemas por medio de símbolos que casi parecen obvios o gastados. En «Crepúsculo», la noche se convierte en un monstruo que devora una ciudad idealista, humanizada; en «Borrachos de las luces ...», la estela de una estrella o de un cometa representa un ideal del que uno puede distraerse por falsas luces. Y, como en el caso de «Racimos de burgueses ...», la naturaleza vulgar del símbolo es instrumental al presentar concretamente e incluso de manera esencial lo que de otro modo pudiera quedar difuso, y al hacernos sentir tangiblemente el conflicto entre lo vulgar y lo bello. Por medio de tales símbolos consigue el autor exactitud, manteniendo al mismo tiempo la sensación de realidad en el poema. [...]

El tema de las realidades en contraste está frecuentemente enlazado con el del paso del tiempo. El viajero cansado que renuncia a su búsqueda en «Respuesta a Lucero» indica que a medida que pasa el tiempo decrece la búsqueda de un ideal. Los efectos destructivos del tiempo sobre la belleza son vistos más claramente en «El derribo», donde una serie de humanizaciones describen una casa y dramatizan su ruina. Los defectos de la casa son relacionados con determinados defectos físicos humanos: el empapelado de la pared, arrancado, es como una piel que revela sus entrañas («Ya se le ven las tripas a la alcoba»); la torcida escalera es una patrona renqueante; la apariencia de la casa es una mueca y una desnudez desvergonzada. Todo esto convierte a la casa en un símbolo dramático de la ruina humana en el curso del tiempo. En otros poemas el tiempo es tratado cíclicamente: aunque la búsqueda individual de la belleza acaba en desilusión, otros viajeros emprenden de nuevo esa búsqueda de un ideal y el deseo de trascender lo común.

Gran parte del valor poético de *Poemas puros* se debe al modo en que los símbolos dan precisión dramática y concreción al tema, etéreo en otro caso, de una perspectiva común en conflicto con otra elevada. A veces, realmente, pudiera parecer la obra demasiado exacta en su uso de símbolos naturales y humanos. Pero la índole paradójica del hablante, que ya he notado, y el uso de detalladas imágenes tangibles en poemas como «El derribo» y «Madrigal de las once» guardan al libro de caer en una nitidez deshumanizada; en tanto que la inquietud por el paso del tiempo relaciona a la obra y su tema de una realidad dual con una cuestión básica con que se enfrenta el hombre.

Por eso las imágenes más logradas que aparecen en el libro parecen poseer una doble característica. Por un lado cumplen el papel tradicional de los símbolos: representar conceptual y completamente ciertas significaciones al margen de ellos. (El hablante encarna la búsqueda de ideales, la amada es un ideal, etcétera.) De esta forma fija exactamente el conflicto entre dos puntos de vista. Por otro lado, en cambio, estas mismas imágenes añaden complejidad a varios poemas y, de esta forma, operan más a modo de metáforas.

PHILIP SILVER

LA TRADICIÓN COMO ORIGINALIDAD EN *HIJOS DE LA IRA*

Recordemos, con objeto de penetrar en la tradición, las circunstancias históricas en las que cristalizaron *Oscura noticia* e *Hijos de la ira.* Casi con toda seguridad, Dámaso Alonso empezó a reescribir, reunir y reorganizar sus poemas como resultado de su intensa relectura y estudio de san Juan de la Cruz en la primavera de 1942, cuando empezó y terminó su monografía sobre *La poesía de san Juan de la Cruz* (*Desde esta ladera*) (Madrid, 1942). El título de su primer libro de estos años, *Oscura noticia*, procede de los comentarios en prosa de san Juan, al igual que otro de sus títulos, *Hombre y Dios*; ello indica que en estos momentos se proponía replantear toda su poesía anterior a la luz de sus estudios sobre san Juan. Tal conjetura se confirma dando un simple vistazo a las entradas que figuran bajo el epígrafe «Noticias» en las concordancias de las obras completas de san Juan. Mientras comentaba la conversión a lo divino de la poesía amorosa del Renacimiento español, y hacía constar sus propias opiniones acerca de lo improcedente que era usar alegorías eróticas para sugerir la experiencia mística, es fácil imaginar a Dámaso Alonso advirtiendo que la necesidad de lo que él llamaba «imágenes más nuevas, más atrevidas, menos aparentemente posibles, o si queréis más extravagantes», podía satisfacerse con una alegoría secularizada de la vía mística, una inversión del proceso que había descrito en su monografía.

Y así, apoyándose en Larra, Madrid se convierte en una ciudad simbólica de «arrabales», cementerios, hospitales, apagones y lugares de una búsqueda religiosa «desde esta ladera». En vez de un viaje nocturno a la busca del alma del Amado, describe una búsqueda por la respuesta a la pregunta que se formula en el proemio del libro, «Insomnio». Al terminar el libro, la pregunta «Dime, ¿qué huerto quieres abonar con nuestra podredumbre?», hecha en la incredulidad, recibe una respuesta aceptada con humildad. En «De profundis», último poema de la primera edición,

Philip Silver, «Tradition as originality in *Hijos de la ira*», en *Bulletin of Hispanic Studies,* XLVII (1970), pp. 124-130.

el hombre de la búsqueda, en vez de reclinar la cabeza en los brazos del Amado, acepta su abyecta condición. Su «alma» es una «ramera de solicitaciones», indigna de un príncipe, y por lo tanto la voz sólo pide: «¡Déjame, déjame, fermentar en tu amor, / deja que me pudra hasta las entrañas, / que se me aniquilen hasta las últimas briznas / de mi ser, / para que un día sea mantillo de tus huertos!».

Hijos de la ira, si se lee teniendo presente esta idea, se convierte en una especie de parodia religiosa; de hecho, si no se lee desde este punto de vista, el efecto que causa el libro queda considerablemente disminuido. Porque es forzoso que el lector de *Hijos de la ira* sea siempre consciente de la inviolable distancia que separa al hombre que habla de san Juan de la Cruz. Esta distancia se establece en el primer poema cuando leemos: «A veces en la noche yo me revuelvo y me incorporo en este nicho en el que hace 45 años que me pudro». Obligándonos a recordar estas palabras, que proceden de los comentarios en prosa de san Juan: «porque así le buscaba la esposa en los Cantares, y no le halló hasta que salió a buscarle, y dícelo por estas palabras: "En mi lecho, de noche busqué al que ama mi alma: busquéle y no hallé; levantarme he y rodearé la ciudad; por los arrabales y las plazas buscaré al que ama mi alma" ...».

Hasta aquí he mencionado la influencia de san Juan como una presencia estructural, y lo cierto es que casi no es posible leer este libro sin advertir algo de esa ambigüedad. Hay llamas purgativas en más de un poema, como ha hecho notar Concha Zardoya. Pero cometeríamos una injusticia con *Hijos de la ira* si nos conformáramos con eso. Un poema tras otro está construido con imágenes tomadas no de san Juan y santa Teresa, sino de otros autores ascéticos y místicos, tanto españoles como franceses. Pan recién sacado del horno, ropas retorcidas, las llamas, el dolor pequeñísimo que se convierte en gigante, las inundaciones de agua, el paralítico que duda antes de entrar en el agua, los azotes, el crujir de huesos y de la médula, el límpido vaso de agua con sus motas, las águilas, las hogueras, las acometidas desde el exterior, la llaga putrefacta que se abre con una lanceta y que supura, las cuevas interiores, el apiñarse en un rincón, el líquido hirviente, las bestias devoradoras, todo eso nos recuerda que asistimos a una purificación pasiva. Y, sin embargo, todos esos elementos aparecen de una manera ambigua, y no podemos por menos de preguntarnos, como a mi juicio quería que hiciéramos el poeta, si se trata realmente de eso. Pero entonces, ¿qué significa el subtítulo del libro, «Diario íntimo»? Estaremos mejor capacitados para hablar del misticismo de *Hijos de la ira* una vez hayamos procedido a nuestro tercer sondeo.

Hasta aquí hemos hablado de dos de los tres grupos principales de poemas que hay en *Hijos de la ira*: los que tratan de la identidad del hombre y los que se dedican a una búsqueda religiosa; el tercer apartado de poemas se ocupa de la constitución última del mundo y de la naturaleza como fenómeno. Y aquí conviene recordar que desde su adolescencia Dámaso Alonso había sido un ávido lector de literatura científica y fue durante un tiempo entomólogo aficionado. Además, como lector de la *Revista de Occidente*, no podía dejar de estar debidamente enterado de la nueva astronomía, tal como la popularizaron al final de los años veinte Jeans y Eddington. La relación que guarda todo eso con *Hijos de la ira* quedará mucho más clara dentro de un marco cronológico de referencia.

En un ambicioso poema de 1919, que sólo recientemente ha sido publicado en *Índice* [n.º 120 (1958)] Dámaso Alonso ha hecho asequible lo que debió de ser un intento primerizo para sintetizar su doble interés por la ciencia y por la poesía. «El deseo. La canción nueva. La canción vieja» es un manifiesto de una nueva poesía. Al igual que en Bécquer, la nueva canción no pertenece a este mundo, sino que ha de descubrirse en la mirada de una pálida dama, lo que hay que captar es un microscopio, o al menos una actitud científica. Ello se encontrará, además de en los lugares usuales, en los pulmones de los cuervos, en las escamas de los peces, en las alas de los insectos, en las estrellas, en las dinamos y en las banderas del proletariado. No puedo por menos que pensar que tal misticismo científico es el precedente de ese curioso fermento de energía biológica que impregna la naturaleza de *Hijos de la ira*: «ese zumo creciente de las tiernísimas células vegetales», como le llama el poeta en «El último Caín».

Sin embargo, el poema «Cosa» sugiere una visión de la naturaleza completamente distinta; porque aquí el poeta se hace filosófico más que científico. La «cosa» muda, inconcreta, inerte, del poema representa la resistencia de la realidad a la interpretación humana. El poeta, cuya vocación es la evocación, se ve enfrentado a lo que Ortega llamaba en 1914 «la bárbara, brutal, muda, insignificante realidad de las cosas». En este sentido, «Cosa» concuerda perfectamente con la poética y la metafísica de la generación de 1927; pero entonces es probablemente el poema más antiguo de *Hijos de la ira.* Uno posterior, «Voz del árbol», demuestra que en los años treinta Dámaso Alonso estaba menos interesado por seguir la estética orteguiana de su generación, realzando la realidad caída por medio de salvaciones poéticas, que por descubrir en la naturaleza algún indicio de su Causa Primera. [...]

Para concluir, me gustaría volver por un momento a la ambigüedad intencional del misticismo del libro. Según esta lectura, lo que los poemas aspiran a transmitir es una crisis psicológica que desemboca en un despertar espiritual. Los ataques desde el exterior, los monstruos y portentos finalmente acaban viéndose como la cirugía trascendental del amor divino. Las llamas metafóricas son las de una purificación pasiva, no las de una unión con la Divinidad. Pero aunque es terrible caer en las manos de un Dios vivo, aún es más torturador sufrir esta experiencia sin tener un signo claro de que tan temible y numinosa presencia *es* el Dios vivo. Una y otra vez, los poemas piden una señal inequívoca, pero no aparece ninguna. Al final, el sumiso poeta comprende que lo que se le pide es un acto de fe; tiene que creer, aceptar la destrucción orgánica y nombrar por sí mismo el *mysterium tremendum*, Dios. El signo de este acto de afirmación es el uso que hace el poeta en los poemas de imágenes semiocultas que proceden de los antiguos autores ascéticos y místicos. Así, el colofón de su humildad es una afirmación tan oblicua que casi pasa inadvertida.

Si en este descenso a la ciudad secular dejamos atrás a san Juan y a santa Teresa, sólo es para buscar la compañía de fray Luis, el no-místico, con quien nuestro poeta religioso contemporáneo puede compararse más adecuadamente. Porque Dámaso Alonso es, como él mismo escribió del poeta de siglos atrás, «... el proscrito, que entrevé desde lejos su patria; sin unión, ni aun pasajera, con la Divinidad».

MIGUEL J. FLYS

LA LENGUA POÉTICA DE DÁMASO ALONSO

Apenas si hay crítico literario de hoy que no atribuya a Dámaso Alonso el haber iniciado el renacimiento de la poesía realista en España con la publicación de su libro *Hijos de la ira*, en 1944. Elogios

Miguel J. Flys, *La poesía existencial de Dámaso Alonso*, Gredos, Madrid, 1968, pp. 45-49.

de una parte, insultos de otra, y Dámaso Alonso en medio, convertido en un *poeta realista*...

No obstante, la gran contribución de nuestro poeta al lenguaje poético no tiene nada que ver con el realismo como tal. Realidad, sí; pero realismo, no. Hay mucha diferencia entre los dos conceptos. Basta abrir el *Diccionario de la lengua española* de la Real Academia (sí, no hay remedio) y buscar la palabra «realismo». La definición que encontramos, relacionada con la literatura, es: 'sistema estético que asigna como fin a las obras artísticas o literarias la imitación fiel de la naturaleza'. Ni más ni menos.

¿Es esto lo que cultiva Dámaso Alonso: imitación fiel de la naturaleza? Este llorar amargo, este manar «como un chortal viscoso de miseria» a causa de la triste condición humana, ¿a qué se debe? ¿Se trata de los problemas diarios del hombre: su casa, su comida, su dinero? ¿O es un dolor existencial, de la más alta espiritualidad? ¿No será más bien que el poeta nos da su propia interpretación de la sentencia teresiana de que «entre los pucheros anda el Señor»? Que quiere decir que la realidad es el mejor punto de partida para un vuelo espiritual. Una cosa es el vocabulario usado, y otra el propósito con que se usa. Y en este aspecto, nada más lejos de la mente de Dámaso Alonso que «la imitación fiel de la naturaleza».

Y, sin embargo, coincido con todos los críticos en considerar que Dámaso Alonso es el gran innovador en el campo de la lengua poética. ¿En qué consiste, pues, esta innovación? Dámaso Alonso mismo nos da la respuesta: «Toda la realidad es capaz de verterse en poesía. La poesía no tiene como fin la belleza, aunque muchas veces la busque y la asedie, sino la emoción. Temas poéticos pueden ser lo feo, lo canalla, lo chato o lo vulgar. No hay un léxico especial poético: todas las voces pueden ser poéticas o no serlo, según se manejen y con qué oportunidad» (p. 78). «Claro es que no faltan aun "estetas particulares" que se rasgan la levita —o lo que sea— ante quien use en poesía palabras menos selectas o conceptos menos bellos y no usuales en la mejor educación. Hay gustos para todos. *El mío sería la definitiva desaparición de los tabús poéticos*» (p. 81) [en «Ligereza y gravedad en la poesía de Manuel Machado»].

En su artículo «Escila y Caribdis de la literatura española», al comentar la que él llama «ley de la polaridad», que define la esencia de la literatura española, Dámaso Alonso ve, a lo largo de los siglos, una curiosa «yuxtaposición de elementos contrarios en la literatura de España»: don Quijote y Sancho Panza, Celestina con un mundo de rufianes y otro de Calisto y Melibea, el ambiente galante y el callejero en el teatro del Siglo de Oro, etcétera. Este contraste de extremos se encuentra no sólo en el lenguaje, en los géneros o en las obras particulares, sino también en las personalidades literarias mismas. Lope de Vega, Góngora o Quevedo escriben, por un lado, obras selectas y finísimas; por otro lado, cómicas y chabacanas. Lo que no ocurre nunca es la mezcla y unión de los diversos elementos. [...]

Los tres tipos de vocabulario (vulgar, científico, cómico), por separado, tienen una larga tradición en la literatura española. Poemas vulgares o cómicos, en particular, existen desde los orígenes de la lengua española. Ejemplos de poemas científicos, más o menos, los hay desde el siglo XVIII. Siempre separados: éste es un poema cómico; ése, vulgar; aquél... bonito (!). Nunca juntos, nunca combinados; siempre juzgados en comparación con otros de la misma clase.

Dámaso Alonso, en mi opinión, es el primer poeta español que de una manera constante incorpora *cualquier tipo* de vocabulario al lenguaje poético *total*. La seriedad y el humor, la belleza y la fealdad, la pulcritud y la vulgaridad, con igual derecho y dentro del mismo poema, si así le conviene al poeta.

[Se suele indicar *Hijos de la ira* como principio de esta revolución poética (mal entendida). Pero hay que abordar el problema considerando dos momentos o períodos separados, ambos suficientemente reconocidos por el poeta mismo.] En su juventud, Dámaso Alonso presencia los múltiples movimientos vanguardistas, especialmente el ultraísmo. Éstos tienen por propósito revolucionar el lenguaje poético y experimentar con él en muchos modos. Lo vulgar, lo cómico y lo técnico forman una parte muy importante en estos experimentos, ya que se trata de una reacción contra el sentimentalismo modernista. «Romperemos, extáticos, la luna ...» es el grito de guerra de esa generación que el joven Dámaso ve desaparecer del escenario literario español, pero cuyos experimentos asimila y repite, como un eco, en su poesía juvenil. La importancia de estos experimentos es considerable:

«Trajo aquel grupo ... la actividad para *ligar poéticamente elementos muy distantes entre sí* ... El ultraísmo, movimiento fracasado, alimenta, aunque sea en pequeña parte, una de las más intensas generaciones poéticas de nuestra historia» [de «Una generación poética (1920-1936)», pp. 162-163]. Pero el ambiente general de los años veinte no era propicio para seguir con tales experimentos e innovaciones, y el poeta se retira de él: «Si he acompañado a esta generación como crítico, apenas como poeta ... Las doctrinas estéticas de hacia 1927, que para otros fueron tan estimables, a mí me resultaron heladoras de todo impulso creativo. Para expresarme en libertad necesité la terrible sacudida de la guerra española» [*ibid.*, p. 157].

La guerra española es, pues, el segundo factor que, ya de una manera decisiva, modifica la postura de Dámaso Alonso con respecto a la poesía: «Hoy es sólo el corazón del hombre lo que me interesa: expresar con mi dolor o con mi esperanza el anhelo o la angustia del eterno corazón del hombre. Llegar a él según las sazones, por caminos de belleza o a zarpazos» [*ibid.*, p. 164]. Vemos, pues, que lo que empezó con una tendencia a seguir la moda literaria en su juventud, se convierte ahora en un deseo de lograr la sinceridad expresiva, motivada por la honda preocupación humanista.

La poesía de Dámaso Alonso no es realista; nos habla de los problemas eternos del hombre, y no de su vida circunstancial; no busca la «imitación fiel de la naturaleza». Pero el poeta apunta a estos problemas con palabras que expresan lo que él siente en su corazón: un corazón que llora y sonríe, que acaricia y flagela; en una palabra, un corazón humano. Por eso *Hijos de la ira* lleva el subtítulo: «Diario íntimo». Y si señalamos este libro, según lo hacen todos, como una aparición nueva en el panorama de la poesía española de este siglo, no es por ser *realista* su vocabulario o su mensaje, sino por representar una nueva actitud y expresión, cuyas características esenciales son *la sinceridad humana y artística.* Coincido con el juicio de Concha Zardoya [1961] que considera *Hijos de la ira* como «punto de partida de toda una corriente antirretórica, existencial, libre, doloridamente humana».

Carlos Blanco Aguinaga

PRIMERA POESÍA DE EMILIO PRADOS

Desesperado, solitario, y sufriendo el «mal de Europa», Prados abandona Málaga y España. Con el pretexto de estudiar filosofía sale a fines de 1921 para Friburgo, donde pasará un año inmerso en la observación de

Carlos Blanco Aguinaga, ed., «Emilio Prados. Vida y obra», en Emilio Prados, *Poesías completas*, Aguilar, México, 1975, pp. XXVIII-XXXV.

la gran crisis alemana, del fervor político del que va surgiendo en Alemania, antes que el nazismo, una extraordinaria generación revolucionaria de izquierdas. A diferencia de París, no parecían ser entonces en Alemania la literatura y el arte las realidades que apasionaban fundamentalmente. El cambio de ambiente y de preocupaciones es importantísimo para Prados, quien ahora, además de ocuparse de filosofía política, presencia huelgas, asiste a las manifestaciones de los estudiantes y cree sentir los primeros temores de los judíos. Al mismo tiempo —en clase, en las bibliotecas, en todo un modo de vida— empieza a aprender una lección de sistema, de disciplina, de voluntad para el trabajo. Y si no lee ahora a todos los románticos idealistas con los que luego, en México, encontrará tantas afinidades; si los poetas orientales a cuya obra se asoma en alemán no parecen todavía dejar huella en su espíritu, hay en ello una curiosa justicia, no «poética», sino vital: mayor importancia tiene para su formación en 1921 y 1922 el pensamiento político de izquierdas que encauzará su natural sentido de la moral y de las relaciones sociales, devolviéndolo a los orígenes obreros de su familia y a su amor por el prójimo —por todo lo que *parece* ser otro— y por la justicia. A Novalis y a Hölderlin, a ciertos filósofos orientales, a los presocráticos, los leerá Prados con mayor atención después, en México, cuando su visión del mundo y su poesía hayan alcanzado un especial neopanteísmo que estos autores vendrán a confirmar.

Cuando vuelve Prados a España le disgusta en seguida el desorden con que —según su opinión— trabajan sus compañeros, la forma en que dejan que el pensamiento y la poesía desemboquen en el juego. [...] En Málaga trabaja al principio solo, y solo vuelve al mar, a la comunión con la naturaleza, de la que se originan las preocupaciones centrales de toda su obra. Antes de 1923 —más no podemos precisar— escribe, y quizá no termina, algunos libros de poemas que hoy han desaparecido (*Vínculo*, *Luz del puerto*, *El libro de los tactos*...), y en 1923 aparece su primera publicación hasta ahora conocida: cuatro poemas japoneses traducidos del francés. Prepara ya sus primeros libros de los que queda constancia: *Tiempo*, que publicará en 1925; *País* (una de cuyas partes, *Canciones del farero*, publicará en 1926), y *Nadador sin cielo (Ensayo de amor bajo el agua)*, del cual aparecerá uno que otro poema, pero que no verá la luz como libro. (De la influencia surrealista durante estos años queda constancia en las *Seis estampas para un rompecabezas*, poemas que salen aquí al público también por primera vez.)

Mientras tanto, hacia 1923, conoce a Manolo Altolaguirre, adolescente de gran talento a quien lo unirá en seguida entrañable amistad y con quien monta la imprenta Sur (donde en 1925 se publica *Tiempo*). Con Altolaguirre funda después *Litoral*, revista y editorial que entre 1926 y 1929 reunirá a los mejores de la joven poesía de entonces, ya que no sólo publican ahí libros los andaluces (Alberti, *La amante*; Cernuda, *Perfil del aire*; Aleixandre, *Ámbito*; García Lorca, *Canciones*; Altolaguirre, *Las islas invitadas* y *Ejemplo*; Moreno Villa, *Jacinta la pelirroja*; Villalón, *La toriada*; Prados, *Vuelta*), sino que, a través de la revista propiamente dicha, el grupo andaluz se une con más fuerza que nunca a Salinas, a Guillén, a Gerardo Diego, a Bergamín. Del 1926 al 1929 trabaja, pues, Prados en la obra generacional de forma importantísima; pero lejos de todos, haciéndose solitario su propio mundo. [...] Más de uno le sugiere que anda en una búsqueda errada. Los resultados poéticos de esta busca (en *Tiempo* y *Vuelta*, por ejemplo), a pesar de su originalidad, no sorprenden mayormente a sus amigos, pero choca con la sensibilidad de algunos de ellos el sensualismo neopanteísta que ya se revela en estas obras y que va a culminar en *El misterio del agua*, su gran libro de estos años (escrito en 1926-1927): hasta tal grado son feroces ciertas críticas —que hace seudometafísicas, que se hunde en un erotismo seudorreligioso sin Dios—, que Prados no publica ni *Nadador sin cielo* ni *El misterio del agua*. [...]

Presencia y ausencia, entrega y caprichosa huida, autoanálisis y contemplación de la naturaleza: he aquí algunas de las contradicciones vitales que Emilio Prados tendrá que ir resolviendo a lo largo de su vida; contrarios cuya unidad buscará incansablemente. En estos años, sin embargo, por más que viviera consciente de las contradicciones —y hasta acosado por ellas, como en *Cuerpo perseguido*, libro escrito entre 1927 y 1928—, lo que domina es la contemplación, el intento de objetivar su necesidad interior de unidad en la búsqueda de la unidad intuida en las luchas de los cuerpos de la naturaleza. Así, su primera poesía (*Tiempo*, *País*, *Vuelta*, *Nadador sin cielo* y el gran poema cimero, *El misterio del agua*), más allá del ocasional erotismo y de los juegos de imágenes —auténticas «greguerías»— en que cae una y otra vez, nos revela a un hombre quieto que observa con atención lo que fuera de él, en la más aparente quietud, se mueve. [...]

Todo ello culmina en los cinco «milagros» de *El misterio del agua*, largo y complejo poema en que se describe un ciclo —un día—

del tiempo en sus dos cuerpos aparentes: el día y la noche. Las transfiguraciones que sufren estos dos «cuerpos sin cuerpo», sus trances de amor-muerte de los que vuelven a nacer iguales y distintos a sí mismos (siempre opuestos, pero inseparables) los observa Prados en los dos cuerpos al parecer contrarios que le ofrece su mar Mediterráneo: el cielo azul y el agua azul. El elemento último que envuelve toda la actividad de estos cuerpos —imperceptible segundo a segundo— es la luz, cuerpo total sin cuerpo del día y de la noche, del mar y del cielo; presencia y ausencia constante; luz que —según un concepto central a toda la poesía de Prados— nace y muere desde sí por sí misma hacia sí misma eternamente.

Poesía, desde luego, esta primera de Prados, que tiene no pocas veces un indiscutible aire de época, tanto en su ocasional riqueza metafórica (uso y abuso del instrumento de la visión característico de aquel vanguardismo) como en sus momentos de esquematismo impresionista (*Cielo gris. / Suelo rojo. / De un olivo a otro / vuela el tordo*); pero poesía que, en cuanto relacionamos seriamente un verso con los demás, cada poema con los demás poemas, responde a una intuición acerca de la vida de la naturaleza única en su generación y, desde luego —dicho sea de paso—, inusitada en la historia de la literatura española, que, con raras excepciones, se nos revela dualista, contraria a todo panteísmo y a toda interpretación digamos presocrática (¿precientífica?) de los fenómenos naturales. Sin duda se trata de una poesía de época, inconcebible sin todo lo que vino detrás de Rimbaud; o sin Debussy, sin la revalorización de Góngora, sin la tradición arábigo-andaluza, sin el surrealismo (cf., especialmente, las *Seis estampas para un rompecabezas*, 1925), sin la greguería; pero poesía cuya preocupación central es absolutamente única en su generación. Con ella Prados arranca firmemente, solitario, hacia el planteamiento del que será siempre para él el gran problema en la relación del hombre con el hombre y con el mundo: el problema de los contrarios, de la otredad («heterogeneidad del ser», que diría Juan de Mairena), y la búsqueda de la unidad subyacente —del amor— de todo lo que *parece* estar en oposición, en guerra (la vida y la muerte, en última instancia). No hablemos, sin embargo, de panteísmo al tratar de esta poesía de Emilio Prados, ya que, por ahora, el poeta sólo es observador de las luchas de amor-muerte que se dan en *otros* cuerpos (aunque observador también era Spinoza...). Al final de su vida, el panteísmo de

Prados será indiscutible; pero en estos años de Màlaga le quedaba mucho por andar para llegar a su idea definitiva del mundo. Por lo pronto —y ello lo saca de su contemplación como de cuajo— ha de llegarle aún la guerra de los contrarios del amor en su propia carne.

LUIS CERNUDA

INSPIRACIÓN Y POESÍA EN MANUEL ALTOLAGUIRRE

En 1926, en aquel mundo literario español que no contaba con más de unos pocos centenares de lectores, y acaso exagero el número, apareció un libro de otro poeta nuevo; se llamaba el libro *Las islas invitadas*, y su autor Manuel Altolaguirre. Fueron años en que, aquí y allá, como luces que se encendieran en la oscuridad sórdida del ambiente, obras primeras de poetas jóvenes de valor (dado lo valioso de su trabajo y lo valeroso de su vocación en nuestro tiempo y en nuestro país) iban surgiendo por las diversas provincias con frecuencia extraña. «Es Rimbaud, Rimbaud», le oí repetir exaltado a Pedro Salinas, con exaltación que era juego en uno de los espíritus menos exaltados que he conocido. Naturalmente que entre Rimbaud y aquellos versos de *Las islas invitadas* no había relación; Salinas oyó probablemente el dicho, acaso de Bergamín, y lo repetía sin más. La conexión pudo nacer de que Altolaguirre, quien entonces tenía veintiún años, parecía un prodigio precoz, aunque no tan precoz como Rimbaud. Y ahí acababa la semejanza.

El librito era en verdad sorprendente, no sólo por la gracia justa de su expresión, sino por cierto poder visionario que en él se adivinaba. Altolaguirre ha sido siempre, como poeta, un idealista; un idealista instintivo, que flaquea en los argumentos cuando quiere razonar su posición; en cambio, cuando se deja llevar de su instinto alcanza en ocasiones aquella vislumbre sobrenatural, insólita entre nuestros poetas verbalistas,

Luis Cernuda, *Crítica, ensayos y evocaciones*, ed. Luis Maristany, Seix Barral, Barcelona, 1970, pp. 237-240.

demasiado apegados a la tierra. El hermoso «Qué golpe aquel de aldaba / sobre el ébano frío de la noche», ilustra lo que digo; con unas cuantas palabras sencillas puede este poeta abrir ante el lector una vasta extensión del mundo invisible, lo mismo que Vaugham en los conocidos versos del poema «The world»: «I saw eternity the other night». Porque no de otra manera sino como visiones pueden considerarse ciertos poemas de Altolaguirre, ya sea el citado anteriormente u otros, como «La noche», «El crepúsculo», por ejemplo; ahí están, expresados con las palabras nuestras de todos los días, aunque no para referirse a cosas y seres de este mundo; son reminiscencias, recuerdos de una realidad diferente de la humana, con la urgencia y la presencia de algo que no les es posible percibir a los demás hombres.

Mas, aunque sus versos mejores parezcan expresar casi exclusivamente experiencias de orden místico, también pueden darnos alguna vez una composición «real», sólo referente al mundo exterior, como una muy feliz titulada «Playa». Hecha esta salvedad, digamos que Altolaguirre no es un poeta religioso en sentido estricto, pero sí pudiera considerársele así en ocasiones por el poder visionario a que me referí antes, que lo anima y levanta de la tierra sin que él parezca poner nada de su parte; es un estado pasivo, un estado de trance, durante el cual va diciendo versos de cuya concepción no se le diría enteramente consciente y de los que en estado normal acaso ni sabría dar cuenta.

Al menos me consta que escribir poesía le ha sido bastante difícil, como lo es para el médium someterse al trance, resistirlo y salir de él. De ahí que sus versos, técnicamente, tal vez deban poco a la reflexión ulterior, porque cada poema es para el poeta experiencia única y súbita; de ahí también cómo al lado de composiciones que son un hallazgo poético, haya otras con cierto candor inexperto; es el ejemplo más evidente de poeta «inspirado» que ofrece su generación, poeta que fuera de la inspiración poco tiene que decir y poco debe decir.

Esto se aplica no sólo a su primera colección, sino a las siguientes que publica, porque su poesía tiene desde el primer momento rumbo único. Es difícil apreciar su secuencia cronológica, ya que Altolaguirre acostumbra a editar, juntamente con sus versos nuevos, otros ya publicados. Las colecciones *Las islas invitadas* (1926), *Ejemplo* (1927), *Soledades juntas* (1931), *Nube temporal* (1939) y *Fin de un amor* (1949) están compuestas de versos entonces nuevos. *La lenta libertad* (1936) contiene versos nuevos y versos antiguos; *Poemas de las islas invitadas* (1944) y *Poemas escritos en América* (1954), son antologías de los grupos diferentes de poemas; a eso conviene añadir diversos folletos con versos antes inéditos: *Escarmiento*, *Vida poética*, *Lo invisible*, *Un día, amor* y *Un verso para una amiga* (los tres primeros como parte de unos cuadernos de poesía editados por el autor), que aparecieron de 1930 a 1931.

No sé si esa confusión que el poeta hace entre sus versos antiguos y nuevos indicaría como él mismo percibe lo ininterrumpido de su rumbo poético, exactamente como hace Guillén, también poeta de rumbo único, en las ediciones diferentes de *Cántico*. Altolaguirre parece haber sido poco dado a modas y novedades literarias; apenas hallamos en él, como sí hallamos en sus compañeros de generación, eco del gongorismo que hacia 1928 resonaba en los versos de todos ellos, y menos aún del superrealismo, que poco más tarde sacudió los ánimos de algunos entre ellos. Tal como aparecía en sus poemas primeros, sigue apareciendo en los últimos; y eso, aunque pudiera ser una objeción, no es sino una comprobación. Como a Machado, el tiempo no le añade nada; aunque a Machado, en prosa por lo menos, le añadió las reflexiones de Abel Martín y Juan de Mairena.

De contemporáneos, Jiménez y Salinas parecen superficialmente haber tenido cierta ascendencia sobre este poeta; desde luego, no es la visión lo que puede emparentarles, sino más bien la expresión y el metro que usa Altolaguirre. Dicho metro es por lo general combinación de versos de arte menor y mayor, de preferencia octosílabo y endecasílabo, que si llevan rima es por lo general asonante e irregular. No utiliza ninguna de las formas tradicionales, excepto el romance (su versificación, como la de Salinas, tiene por base el romance) y tardíamente el soneto, que acaso no vaya con su lirismo ligero y airoso. A diferencia de Lorca, Alberti y Aleixandre, sus compañeros de generación, nunca ha usado el versículo. Pero en realidad sólo hay un poeta nuestro con el cual tiene parentesco, y es san Juan de la Cruz; parentesco de visión y parentesco de expresión.

No deseo escandalizar a las personas piadosas al plantear la posibilidad de dicha relación entre un poeta santo y un poeta contemporáneo nuestro que no lleva camino de la santidad, ni siquiera de la beatitud; a mí mismo me desagrada plantearla. Pero repito que no hallo en toda nuestra poesía, si no es en san Juan (aunque con diferente alcance, claro es), algo que recuerde el impulso hacia una meta ultraterrena que a veces percibo en la de Altolaguirre. No es que éste se proponga la comunicación con lo divino por medio del éxtasis de la poesía; porque ya dije que Altolaguirre no se «propone» nada:

antes bien, algo o alguien se le «impone». Llamemos inspiración a ese algo, para no exponernos a caer en el cabotinaje místico-profano a que tan dados son los críticos franceses al hablar de la poesía. Digamos simplemente que en los versos de Altolaguirre acaso haya una chispa, sólo una chispa, pero al fin una chispa, del fuego que ardía en los versos de san Juan.

10. PROSA Y TEATRO DE LA GENERACIÓN DEL 27

La prosa de los años veinte —salvo contadas excepciones— está por estudiar. La definición de la «generación del 27» —sobre todo a partir de la antología de Gerardo Diego—, como etiqueta que da nombre a un grupo de «poetas amigos», ha dejado en penumbra a un nutrido grupo de escritores en prosa, que surgieron del mismo fondo que los poetas del 27; publicaron en las mismas revistas: *Alfar*, *Plural*, *Ultra*, *Índice*, *Sí*, *Revista de Occidente*, *La Gaceta Literaria*, etcétera; reaccionaron de manera similar ante los mismos estímulos estéticos —basta citar su actitud ante la vanguardia o ante el homenaje a Góngora; disfrutaron de idéntico magisterio: Ortega, Juan Ramón, Gómez de la Serna, la vanguardia; y, en fin, para la crítica del momento (Melchor Fernández Almagro [1927]) formaron parte, con los poetas, de un mismo empeño renovador. En la crítica actual, Ricardo Gullón [1957] fue el primero en apuntar la necesidad de revisar en este sentido la literatura de los años veinte, añadiendo a la nómina de poetas los nombres de prosistas de la talla de Jarnés, Espina, Cossío, Fernández Almagro, Vela, etcétera. El desenfoque padecido por la crítica al estudiar estos años ha hecho olvidar, incluso, que muchos de los poetas del grupo se iniciaron a la par en prosa y en verso. Poemas en prosa de Guillén encontramos en *Índice*; de Cernuda, en *La Verdad* y en *Verso y Prosa*; de Gerardo Diego, en *Litoral*; y de Dámaso Alonso, en *Verso y Prosa*. Como narrador aparece Salinas en *Índice* y *Sí*. Desde la perspectiva actual —y aun contando con la escasez de estudios existentes (Aub [1945], Hernando [1975] y Crispin [1967])— la prosa de estos años se nos ofrece como un rico y diversificado conjunto (como demuestra la antología de Buckley y Crispin [1973]), que va de la novela al poema en prosa; del aforismo al ensayo; del rigor crítico al experimentalismo vanguardista.

El clima cultural en el que surge la novela de los años veinte se define, ideológicamente, en las coordenadas que marcan la «restauración de la razón» (Curtius [1927]) y el vitalismo orteguiano; formalmente, por una actitud antirrealista (Torre [1968]) y por un decidido afán experimental, lo que se plasma en una serie de rasgos temáticos y de estilo que han trazado Buckley y Crispin [1973] y que Bosveuil [1978] acierta a localizar en contexto europeo. La renovación surge del grupo que congregó la *Revista de Occidente* en la serie «Nova Novorum». Allí se fraguó un tipo de novela alegórica o simbólica, que ensaya la incorporación a la narración del estilo metafórico —suma de imagen futurista y gongorina— propio de la poesía, del fragmentarismo en boga en las artes plásticas y de la dinámica visión aprendida en el cine (Morris [1980]); una novela que rompe con la disposición lineal del tiempo, encaminando el relato hacia la ucronía o la retrospección (Villanueva [1983]). Entre los impulsos que recibe la nueva fórmula, hay que destacar los ejemplos de Gómez de la Serna, Miró y Pérez de Ayala, y las *Ideas* de Ortega (McDonal [1959]). Toda la narrativa de la época se ordena en dos vertientes: la novela lírico-intelectual y la humorística. En ambas direcciones, preside una actitud ambivalente, que acepta esperanzada todo lo que de novedad técnica, cosmopolitismo y deportismo, traen consigo los tiempos modernos; y, a la vez, ironiza desconfiada sobre los peligros de deshumanización y frivolidad que acompañan a las novedades incorporadas (Fuentes [1972]). Muy buena es la visión de conjunto que ofrece el reciente libro de Pérez Firmat [1982].

Benjamín Jarnés, cuya semblanza ha trazado Gullón [1949] con la maestría que le caracteriza, da un buen ejemplo de lo que es la novela lírico-intelectual, de enorme actualidad en la Europa de entreguerras (Freedman [1963]). Lo esencial en esta novela —el calificativo de lírica no nos remite al estilo sólo— radica en que la narración entera se estructura líricamente; más que una cadena de hechos novelados, es una «orquestación de sensaciones y motivos», necesariamente fragmentaria, pero apoyada en elementos integradores como son el mito (O'Neill [1964]), el episodio bíblico o el arquetipo literario (Zuleta [1977]). Formalismo, sí; pero no juego intrascendente, ni mera «álgebra superior de las metáforas» (Putnam [1935-1936]), ni vacío temático (Nora [1979]). Más acertado es hablar de composición que evita las asociaciones de la lógica superficial (Salinas [1934 *a*]), colocando al yo narrativo —que pasa a desempeñar la misma función que el yo lírico en la poesía— como eje aglutinador de las secuencias novelísticas (Villanueva [1983]). Lo que se pretende trazar es un proceso intelectual, que en Jarnés remite a Schiller con *La educación estética del hombre*, a Scheler con *El puesto del hombre en el cosmos* y a Jung con *Lo inconsciente* (Zuleta [1977]). Un buen examen de técnicas y estructuras narrativas de Jarnés es el de Martínez Latre [1979]. Toda la novela de Jarnés arranca de una antimimética concepción del arte como donación de significado y sentido a la realidad (Oostendorp [1975], Zuleta [1977]), y se inscribe dentro de unos supuestos estético-ideológicos que buscan la realización integral del hombre.

Esteticismo y sensualismo (O'Neill [1970]), en la prosa de Jarnés, son expresión de un rechazo del carácter represivo de la civilización occidental y, a la vez, aspiración a una vida más libre y humanizada (Fuentes [1969, 1976]). La novela de Jarnés evoluciona desde un máximo de preocupación por el estilo, en las primeras novelas, a un máximo de preocupación por la construcción, en las últimas (Bernstein [1972]). *Mosén Pedro* (1924), *El profesor inútil* (1926) —cuya estructura interpreta agudamente Oostendorp [1973]— y *El convidado de papel* (1928) —recientemente reeditado con una introducción de Mainer [1979]—, poseen un trasfondo autobiográfico claro y están muy ligadas todavía a la novelística precedente. Representan un primer intento de integrar, en la narración, lírica y ensayo, sin que el intento se consiga plenamente en ninguna de las tres: tema —amor como pedagogía sentimental (Schiller al fondo) vitalista y antirromántica—, técnica (Bernardete [1934]) y argumento andan todavía disociados. La primera obra plenamente lograda es *Paula y Paulita* (1929), donde Jarnés, sirviéndose con acierto de una serie de recursos estilísticos y estructurales que estudia bien Zuleta [1977], consigue elevar a arquetipo lo que superficialmente es sólo un argumento banal. *Locura y muerte de Nadie* (1929), que marca para muchos (Entrambasaguas [1961]) el punto más alto de la producción de Jarnés, noveliza el unamuniano drama de una conciencia en busca de su propia personalidad. Se halla esta obra, sin embargo, muy lejos de *Niebla*. Ideológicamente, hay que situarla en la órbita de *La rebelión de las masas*; técnicamente, es relevante por el uso que Jarnés hace de procedimientos cubistas —de superposición de espacios y de imágenes— y perspectivistas (Ilie [1961]). Con todo, por representar un punto extremo en la búsqueda de nuevas formas para la novela, es la *Teoría del zumbel* (1930) la obra más actual de Jarnés. Al impulso de las doctrinas jungianas, Jarnés busca aquí un arte que supere las limitadas visiones de románticos, realistas y surrealistas; un arte que reúna, a la vez, lo humano, lo subhumano y lo sobrehumano. En una labor cuidadísima de montaje (Zuleta [1977]), organiza una materia caótica —procedente de sueños, ensueños y vigilia— y la proyecta sobre patrones genéricos (el ensayo), temáticos (de nuevo el Unamuno de *Niebla*) y simbólicos (la Biblia) tradicionales. *Escenas junto a la muerte* (1931) y *Lo rojo y lo azul* (1932), perfectamente ajustadas al esquema dado para la novela lírica, suponen, en lo que a experimentación se refiere, un paso atrás respecto a las posturas de 1930. De inferior calidad son sus novelas del exilio: *La novia del viento* (1940), *Venus dinámica* (1943), *Constelación friné* (1944), y la recientemente editada *Su línea de fuego* (Hernández del Moral y Torregosa [1980]). Más interés han despertado en la crítica sus tres libros ensayístico-novelados —*Viviana y Merlín* (1930), *Libro de Esther* (1935) y *Eufrosina o la gracia* (1938)—, que el propio Jarnés califica de «género intermedio» y que Fuentes [1969] subtitula

«La educación estética del hombre». Son la plasmación artística, en forma alegórica o dialogada, de la doctrina de Jarnés sobre «la gracia» (Doreste [1949]) y sobre la dimensión estético-erótica que rige la creación literaria.

El ensayo propiamente dicho —especialmente de crítica y teoría literarias (Zuleta [1966])— y la biografía (Zuleta [1977]) son, junto a la novela, las otras direcciones en que se desgrana la prosa de Jarnés. Las biografías jarnesianas se construyen sobre tres constantes: el retrato del personaje a través de un rasgo central que define toda su trayectoria vital; la integración de lo biográfico en un fondo documental de época; y la incorporación, sobre dicho fondo, de la perspectiva del biógrafo y de su mundo. Especial interés tiene esta parte de la producción de Jarnés, porque, a través de ella, se hace posible entender, a la luz de la citada tendencia lírica y del vitalismo orteguiano (Chacel [1956]), el auge que en estos años cobran las biografías y libros de memorias o de retratos. A tal auge —sin hacer ahora distingos generacionales ni temporales— responden obras como *Españoles de tres mundos*, de Juan Ramón Jiménez; *Vida en claro* y *Leyendo a ...*, de Moreno Villa; *La arboleda perdida* e *Imagen primera de ...*, de Alberti; *Los encuentros*, de Aleixandre; *Historial de un libro*, de Cernuda; *Teresa*, de Rosa Chacel, etcétera.

Menor atención ha merecido la obra narrativa de Antonio Espina, biógrafo, poeta y ensayista, además de novelista. Tomando como punto de referencia la moda realista de la posguerra, los manuales despachan las dos novelas de Espina —*Pájaro pinto* (1927) y *Luna de copas* (1929)— con tres notas: fragmentarismo en su construcción, frivolidad en los temas y metaforismo de exquisita y pedantesca sutileza en el estilo (Nora [1979]). Muy otras son, sin embargo, las etiquetas que convienen a tal narrativa. Salazar Chapela [1927], valorando su intento de adaptar a la novela ciertas técnicas cinematográficas, sitúa a Espina en la línea que une a Quevedo, Larra y Unamuno. Como ellos, Espina reacciona con indignación ante el medio que le rodea; pero cada uno viste su exasperación con el traje de su tiempo, y a Espina le correspondió una indumentaria cosmopolita y grotesca. La obra de Espina es una amarga crítica, desde un «deportismo doloroso», del mundo absurdo, frívolo y sin valores, de la sociedad europea tras la primera gran guerra. El estilo, de fuerte raigambre conceptista, revela claramente, en su tendencia a lo grotesco y satírico, la carga crítica que subyace a unos argumentos banales en superficie, y a unas divagaciones hechas al hilo del ramoniano «nada importa nada» (Crispin [1966]). Imaginismo y articulación de lo narrado en el lector, y no en el discurso, son las claves de construcción de la primera novela (Martínez Cachero [1967]); en el estilo —agitación del espíritu vestida de humorismo— está la clave de la segunda. Mayores dotes de narrador se le han reconocido en sus biografías (Salazar Chapela [1929]), especialmente en su *Luis Candelas* (Nora [1979]). A la actitud renovadora de los autores de la «Nova Novorum» se aproxima también, con sus dos novelas, Mauricio Bacarisse. *Las tinieblas floridas* (1927) se ofrece como material de interés para estudiar la transición de la novela desde el grupo del 14 al del 27, mientras que *Los terribles amores de Agliberto y Celedonia* (1931) crea, en la figura de Celedonia, uno de los arquetipos de la heroína vanguardista, mujer proteica, cambiante y difícil de aprehender (Buckley y Crispin [1973]). No es posible cerrar la línea abierta por la novelística de Jarnés sin hacer referencia a autores como Valentín Andrés Álvarez —fundador con Jarnés de *Plural*—, Corpus Barga, Domenchina, Chabás (Pérez Bazo [1981]) o Claudio de la Torre. La obra novelística de éstos, sin embargo, no ha recibido aún —fuera de los manuales (Nora [1979])— la atención crítica que sin duda merece. En esta misma línea asienta también sus orígenes la primera producción de Rosa Chacel y Francisco Ayala, aunque ambos escritores dan más cumplidos frutos fuera del tiempo que nos ocupa.[1]

Al mismo contexto que los anteriormente citados pertenece el primer libro de Pedro Salinas, su *Víspera del gozo* (1926), serie de narraciones breves aparecida también en la colección «Nova Novorum». Desde otro ángulo se escribe, sin embargo, *La bomba increíble* (1950) y *El desnudo impecable* (1951). Un primer intento de visión en conjunto de la narrativa de Salinas —editada en bloque por Solita Salinas [1976]— lo realiza Rodríguez Monegal [1952]. En su opinión, *Víspera del gozo* denuncia ya, junto a un influjo proustiano —discutible, fuera de lo que atañe al estilo—, la presencia de los que serán temas y motivos centrales de toda la obra —poesía, teatro y crítica— de Salinas: la pugna del poeta con la realidad y el «seguro azar». Vela [1926] ofrece, por el contrario, una lectura de los cuadros que componen este libro más ajustada a la estética de los años veinte. Como el resto de la narrativa de esta década, en este libro hay un claro rechazo de la esterilidad y vacío de lo cotidiano, rechazo que se plasma en un intento de duplicar —por vía artística— la realidad (Spires [1976]). *La bomba increíble*, la obra más ambiciosa de Salinas en prosa narrativa, se sitúa —como apunta tempranamente Gullón [1951] y estudia con más detenimiento Artola [1955]— en una línea de literatura futurista-profética, que pone en relación a Salinas con Zamyatin, Huxley, George Orwell, Karin Boye. Con *La bomba increíble* Salinas traza —desde una postura muy próxima a toda su escritura en el exilio (Howard T. Young [1962])— una sátira del mundo moderno, construido

1. La bibliografía sobre ambos autores se hallará en el vol. 8, en especial pp. 341-342; no obstante, ha parecido oportuno incluir aquí los comentarios de K. Ellis sobre la prosa temprana de Francisco Ayala (abajo, pp. 574-578), para complementar las páginas (527-533, y, en general, 508-526) que en el vol. 8 se dedican a la narrativa madura del autor.

sólo atendiendo al progreso técnico. Esta novela tiene tanto de alegato irracionalista como de reivindicación humanista de una concepción religiosa de la vida. Su mejor logro radica en la verosimilitud que Salinas logra dar incluso a los más mínimos detalles, y en la sencillez del lenguaje empleado. Por estos dos caminos, la fabulación utópico-futurista se hace reportaje y crónica de actualidad. Los cinco relatos que se reúnen bajo el título de *El desnudo impecable* giran en torno a los dos temas preferidos de Salinas: la inevitable intervención del azar en el cumplimiento del destino humano y la reivindicación de la imaginación como alternativa a la realidad concreta y material (Spires [1976]). Resulta evidente también el intento de ajustar algunos de estos relatos a fórmulas de la novela policíaca o de misterio anglosajonas (Vivanco [1967]). Finalmente, no puede olvidarse, al hablar de la prosa de Salinas, su importante labor de crítico, labor que describe puntualmente Vivanco [1967] y que Rodríguez Monegal [1952] y Juan Marichal [1971] estudian en lo que se refiere a su sentido y alcance. Como Salinas, también otros poetas del 27 ensayaron el relato. Es el caso de Cernuda, con seis breves narraciones (Ruiz Silva [1979]); de Alberti, con tres relatos escritos durante la guerra civil, y de Dámaso Alonso (Vivanco [1967]).

Tras la vertiente lírico-intelectual, es la novela de humor el segundo eje vertebrador de la narrativa de los años veinte. Es indudable, sin embargo, que una y otra corriente nacen del mismo contexto y responden a la misma problemática (Buckley y Crispin [1973]). Como la novela lírica, la de humor revela una actitud ambivalente —a la vez ligera y escéptica— ante los «tiempos modernos». Como aquélla, experimenta con nuevas formas vanguardistas procedentes de las artes plásticas o del cine, y presenta unos modelos de construcción similares (Nora [1979]). El humor es —como la ironía o la metáfora trasmutadora en la novela lírico-intelectual— una forma de distanciamiento satírico, respecto a la realidad del momento. Por los caminos abiertos por Gómez de la Serna y Fernández-Flórez, la figura más destacada en los años veinte es Jardiel Poncela (Castro [1978]). De sus cinco novelas (Lacosta [1964]), *El plano astral* (1922) revela la atracción de la época por lo esotérico, presente también en alguna de las obras de Jarnés. Muy diferentes son *Amor se escribe sin hache*, *¡Espérame en Siberia, vida mía!* y *Pero..., ¿hubo alguna vez once mil vírgenes?* (Jardiel [1965]), escritas entre 1928 y 1931. Temáticamente, las tres satirizan el erotismo de cierto tipo de relatos bastante difundidos en su tiempo. Formalmente, realizan una fina parodia de algunos esquemas narrativos, tales como el de la novela rosa o el de la novela de aventuras (Ariza [1974]). Lo mismo puede decirse de los tipos que recorren estas novelas. Los personajes femeninos son claras parodias de la «mujer frágil» o de la «mujer fatal» modernistas; mientras que algunos masculinos, como nota Nora [1979], son versiones humorísticas del «hombre interesante» orteguiano. Abundan también las parodias de otros géneros; así, las notas o pie de página, la inserción de anuncios... En *La tournée de Dios* (1932) el humor de Jardiel cobra una dimensión distinta (Nora [1979]), aproximándose en la sátira a temas muy de su época: la frivolidad, la soledad en el mundo masificado y la necesidad —cuando se sabe que «nada importa nada»— de algo trascendente. Con relación a posibles influjos sobre Jardiel, para esta obra, se han citado los nombres de Cami y Mark Twain (Flórez [1969]). Junto a Jardiel hay que situar a Neville (Flórez [1976]), cuyo humor apunta a la desmitificación de ciertos prejuicios y de ciertas formas tradicionales afectadas; a Samuel Ros (Fraile [1972]) y Antonio Robles (Nora [1979]).

Aunque está todavía por hacer la historia del poema en prosa en la generación del 27, es evidente que en una literatura como la que ahora estudiamos, marcada en todas sus manifestaciones por el signo de la lírica, este género tenía que alcanzar un relieve considerable. Hacia la mitad de la década, es perceptible la presencia de dos tradiciones: la juanramoniana y la vanguardista (Vivanco [1967]). A la primera, cabe referir, de Guillén, la serie «Ventoleras» (Díaz-Plaja [1965]), publicadas en revistas como *España*, *La Pluma* e *Índice*, y los veinte poemas en prosa recogidos en *Maremagnum* (1957) y *A la altura de las circunstancias*; de Alberti, los incluidos en *Poemas de Punta del Este* (1945-1956); de Romero Murube, *Sombra apasionada* (1929), *Sevilla en los labios* (1938) y *Los cielos que perdimos*. Es, sin embargo, del surrealismo —por razones obvias de necesidad expresiva— de donde viene el verdadero impulso revitalizador de la prosa, como vehículo de contenidos poéticos absolutamente nuevos. Hinojosa con la prosa de *La flor de California* (1938) (Neira [1982]) y Luis Buñuel, cuya obra literaria acaba de editar Agustín Sánchez Vidal [1982 *a*], son puntales básicos en la determinación de la impronta surrealista perceptible en Lorca, especialmente a partir de 1928 (Sánchez Vidal [1982 *b*]). El camino de Lorca hacia *Poeta en Nueva York* o *El público* —puntualmente estudiado por Higginbotham [1982]— se realiza, precisamente, a través de los ocho poemas en prosa (Semprún [1975]) —«Santa Lucía y San Lázaro», «Historia de este gallo», «Nadadora sumergida», «Amantes asesinados por una perdiz», «La gallina», «Degollación de los inocentes», «Degollación del Bautista» y «Suicidio en Alejandría»— que sus *Obras completas* recogen bajo el epígrafe de *Narraciones*. Otra cosa es la prosa de *Impresiones y paisajes* (1918), mucho más cercana a la línea juanramoniana. Pero incluso aquí, la huella de Lautréaumont, precursor del surrealismo en tantas cosas, es fácilmente perceptible. A la gavilla surrealista hay que remitir también los poemas en prosa de *Oscuro dominio* (1934), de Juan Larrea (Vivanco [1970]). Al poema en prosa —de corte surrealista (Morelli [1974])— recurre también Aleixandre en el descubrimiento de sí mismo y del mundo de oscuras presencias (Gullón [1958]) que supone *Pasión de la tierra* (1935). En Cernuda —desde los primeros poemas en prosa publicados en *Verso y Prosa*, *Mediodía* o *Meseta*—, la corriente vanguardista y la elegíaca juanramoniana confluyen. El surrealismo —como camino de liberación de la conciencia (Paz [1964])— aflora en los poemas en prosa añadidos al libro *Los placeres prohibidos* en la tercera edición de *La realidad y el deseo* (Onís [1974]). En muy distinta dimensión están escritos *Variaciones sobre tema mexicano* (1952) y *Ocnos* (1949-1963). El primero mitifica la inocencia paradisíaca, en una escritura que es, a la vez, evocación y reconquista de la infancia (Silver [1965]), y que se configura estructural e imaginativamente a través de patrones musicales (Ruiz Silva [1979]). El segundo —al hilo de lo autobiográfico— explora, a través de una concepción mística de la naturaleza, un ideal existencial de «vita minima» (Silver [1965]). Partiendo de uno y otro, J. Gil de Biedma [1980] ha dedicado sustanciosas observaciones a la «expresión poética en prosa» en la literatura contemporánea, no sin subrayar que durante los años de la Dictadura la primacía de esa modalidad continúa en manos de Azorín, Valle-Inclán, Unamuno, Juan Ramón, Gómez de la Serna: «Quienes les siguen —comenta— nos parecen hoy mucho más pobres y menos atrevidos».

El aforismo y el ensayo —riquísimo en su variedad, como demuestra el riguroso panorama de Vivanco [1967]— completan el variado abanico de posibilidades que ofrece la prosa de los años veinte. A gran altura, en ambas direcciones, se sitúa la obra en prosa de José Bergamín con dos libros de aforismos —*El cohete y la estrella* (1923) y *La cabeza a pájaros* (1933), recientemente reeditados (Esteban [1981])— y varias colecciones de ensayos, de las que cabe entresacar títulos como *El arte de birlibirloque* (1930), *Mangas y capirotes* (1933), *Disparadero español* (1936-1940), *Detrás de la cruz* (1941), *El pasajero. Peregrino español en América* (1943), *Fronteras infernales de la poesía* (1959) y *Lázaro, don Juan y Segismundo* (1959). Sus aforismos, en lo que a la forma se refiere, ponen en pie una fórmula en que se conjuga el aforismo juanramoniano con la paradoja unamuniana y con la greguería, y desde la que se revitaliza una doble tradición: el gusto conceptista por la agudeza verbal y el gusto moderno —Nietzsche, Max Jacob, Cocteau— por la expresión fragmentaria. En lo que hace al contenido, el aforismo de Bergamín se mueve entre el terreno de la ética —Pascal, Chamfort, Sénancour— y el de la estética (Vivanco [1967]). Es, sin embargo, en el campo del ensayo, donde el nombre de Bergamín, por la renovación que realiza sobre esta forma literaria, adquiere verdadero relieve Dennis [1975]). En la pluma de Bergamín el ensayo se convierte en una meditación barroca al hilo de determinadas citas literarias que actúan como motor de su propia imaginación crítica. En *Mangas y capirotes* (Salinas [1934 *b*]) son unos cuantos versos de nuestros dramaturgos del siglo XVII; en el segundo tomo del *Disparadero*, ciertas ideas próximas al ensayismo neocatólico francés del momento; en *Fronteras infernales de la poesía*, determinadas citas de Séneca, Dante, Rojas, Shakespeare, Cervantes, Quevedo, Sade, Byron y Nietzsche (Cano [1961]). Un punto de transición hacia unos contenidos con mayor raíz en la realidad inmediata se encuentra en *El pasajero*. De alguna manera, ensayo y aforismo son formas complementarias de un pensamiento a caballo entre lo discursivo y lo figurativo. Pero no fueron éstos los dos únicos modos de expresión que trabajó Bergamín, sino que, además, nos dejó varios libros de poesía (Machado [1938], Albornoz [1968], Espina [1968]) y algunas obras dramáticas, que no han merecido aún atención crítica alguna.[2]

La nómina del teatro español durante la tercera década de nuestro siglo se define en la convivencia de tres generaciones de dramaturgos: la de Unamuno y Valle; la de Rivas Cherif y Grau, y la de García Lorca y Alberti (Castellón [1975]). El ambiente teatral español, no obstante, dista mucho de estar a la altura de lo que representan los nombres citados. La renovación vanguardista que, muy pronto, da sus frutos en poesía, apenas se deja sentir sobre la escena; y cuando ello ocurre, el retraso respecto a la poesía es grande (Davis [1967]). El teatro es un negocio dominado por la comedia benaventina, el astracán y el drama modernista (Díez-Canedo [1969]). Ni los bailes rusos de Diaghilev ni la labor de Jacques Copeau, base del movimiento renovador del teatro europeo (Aub [1966]), tendrán gran repercusión en España. Sólo a través de Falla, en cuyo *El corregidor y la molinera* (1917-1919) colaboran Picasso y Diaghilev, es posible que entraran aires nuevos, perceptibles, desde luego, en Lorca (Hernández [1982]). Sí que hay que mencionar el entusiasmo con que Rivas Cherif y el reducido Teatro de la Escuela Nueva se abren a la renovación. Es cierto que —García Lorca, a la cabeza— surgen voces nuevas —El Mirlo Blanco, El Cántaro Roto, El Caracol, Fantasía, etcétera—, pero la falta de un público que las reciba y el carácter individual de los esfuerzos harán que tales voces no cuajen en un movimiento teatral plenamente moderno hasta la llegada de la República. En clara oposición al teatro comercial de la época, las primeras obras dramáticas del 27 nacen como «teatro imposible», condenadas a ampliar la línea de las de Unamu-

2. Es, con todo, la figura de Bergamín poeta la que, una vez acallada su palabra por la muerte (agosto, 1983), ha convocado con mayor fuerza la atención de la crítica (véase *Insula*, n.° 443, 1983). Ha contribuido decisivamente a ello la muy reciente edición de su poesía completa (José Bergamín, *Poesía*, 3 vols., Turner, Madrid, 1983), que ha abierto para el gran público el hasta ahora difícil camino hacia esta faceta de la escritura de Bergamín.

no, Azorín o Gómez de la Serna, en gran parte escritas para ser leídas. Todo ello explica —aunque no lo justifica— la ausencia de monografías relevantes, fuera de los apartados —centrados en los autores más que en la época— que los panoramas (Torrente Ballester [1957]) e historias generales del teatro del siglo XX (Ruiz Ramón [1977]) dedican al tema. Como ocurre con la poesía, el teatro de los años veinte busca la renovación en dos direcciones: la tradición popular y la vanguardia.

Figura clave —«capitán de las nuevas voces» lo llama Aub— del teatro del 27 fue Federico García Lorca, que resume en sí lo mejor —dejando necesariamente fuera la labor de Valle-Inclán— de la producción dramática de la época hasta 1936. Todavía hoy, sin embargo, nos hallamos en pleno proceso de descubrimiento del teatro de García Lorca. No se han resuelto aún todos los problemas textuales que éste plantea (Martínez Nadal [1976, 1979]). Aún existen, además, inéditos de diversas obras dramáticas breves o fragmentos de piezas inacabadas (con una cronología fiable, Laffranque [1966], que puede contrastarse, para el teatro, con Saillard [1978]). Respecto a las ediciones del teatro de Lorca, la primera de conjunto fue la de Guillermo de Torre [desde 1938]. Siguieron a ésta las de Arturo del Hoyo [1954] y muy recientemente la de García-Posada [1980], que amplía el número de textos recogidos con los títulos *Lola la comedianta* (editada por Menarini [1981]) y *Comedia sin título* (editada por Martínez Nadal y Laffranque [1978]). Caso singular es el de la edición francesa de las *Oeuvres complètes* de Lorca [1981], a donde hay que ir a leer en francés un número importante de poemas que siguen inéditos en castellano. Otras ediciones de obras dramáticas sueltas, que merecen mención: la de Forradellas [1978 *b*], la de Josephs y Caballero [1981] y las de Hernández [1981, 1982]. Como estudios de conjunto sobre el teatro de Lorca, hay que destacar el de Lima [1963], con un análisis de la frustración como hilo conductor del teatro de Lorca; el de Allen [1974], con un interesante estudio de la simbología lorquiana; el de Roberto G. Sánchez [1950], con atención centrada en los temas; los de Busette [1971] y Nourissier [1955]. Al libro recientemente aparecido de Edwards [1980] se le puede reprochar un excesivo apego a lo argumental. En lo que se refiere a bibliografías contamos con las de Laurenti y Siracusa [1974] y con la iniciada por Higginbotham [1974].

En los últimos años la valoración de la obra dramática de Lorca ha sufrido un giro de ciento ochenta grados. Para este cambio de valoración crítica fue decisivo el espléndido estudio de Lázaro Carreter [1960], estudio que todavía hoy resulta imprescindible, para una visión global del arte dramático del granadino. La chispa que pone en movimiento todo el universo dramático de Lorca surge siempre del conflicto entre dos principios: el de autoridad y el de libertad (Ruiz Ramón [1977]), conflicto que articulará diversas posibilidades en cada uno de los dramas.

Del análisis de este conflicto Wells [1970] deduce la existencia de dos etapas en el teatro de Lorca: una, en donde lo que se enfrentan son valores individuales; y otra, en donde compiten fuerzas sociales. Temáticamente, el teatro de Lorca evoluciona de lo metafísico a lo social. De igual manera es posible distinguir entre una primera etapa —hasta *El público*— donde el teatro de Lorca, dramatizando un conflicto realidad-fantasía, reflexiona sobre la naturaleza de lo literario o imaginativo; y una segunda, donde la reflexión gira en torno a la naturaleza humana, y lo que se dramatiza es el conflicto instinto-norma (Newberry [1969]). En ambas, el teatro tendrá para Lorca la función de presentar la realidad de la naturaleza humana desnuda de las máscaras que adopta la vida (Edwards [1980]). Para la elaboración de los temas, Lorca recurre a los más diversos materiales estructurales, semánticos y estéticos. Del teatro modernista procede la estructura básica del drama lorquiano: la elaboración de la materia dramática en estampas; la detención del curso argumental mediante el desarrollo anómalo —pero de gran sentido funcional— de lo lírico en escenas elegíacas, descriptivas o dialógicas (Lázaro Carreter [1960]). Pero la deuda con el modernismo no es meramente estructural, sino también semántica, siendo el ejemplo de Marquina definitivo en la elección del mundo rural por parte de Lorca como escenario de sus tragedias (Higginbotham [1972]). Otro puntal importante en la producción de Lorca es el teatro clásico español, modelo para su idea de lograr la fusión de teatro, música, danza y artes plásticas en un espectáculo total: Tirso le abre el camino hacia la puesta en escena de aquellos problemas morales que las convenciones sociales recomiendan silenciar; Calderón le enseña la forma de visualizar el diálogo de las fuerzas de la naturaleza (Laffranque [1967]); Lope, el uso estratégico de la canción con la función de ilustración plástica y orquestal o con la de crear un determinado clima (Lázaro Carreter [1960]); del *auto sacramental* aprende a servirse del *prólogo*, a modo de loa, como exposición abstracta de lo que luego se concretará en la representación (Sánchez [1975 *a*]). El tercer punto de apoyo lo constituye el teatro de títeres, que supone, frente al teatro como gran negocio, el encuentro con una estructura dramática primigenia y plenamente popular (García-Posada [1980]). Por la misma intencionalidad didáctica de su teatro, uno de los dos ejes de la dramaturgia lorquiana —el estructural o el semántico— bascula siempre hacia lo popular. En un intento de que el pueblo reconozca en sus obras una tradición que le pertenece, no desdeña ni la tosca tradición de los «Cristobicas» —*Retablillo de don Cristóbal*—, ni el romance infantil —*Mariana Pineda*—, ni el poema cursi de corte modernista —*Doña Rosita la soltera*— ni las dieciochescas «aleluyas eróticas» —*Don Perlimplín*—. Ello hace que su teatro roce, en más de una ocasión, el riesgo de caer en lo grotesco hiperbólico (Sánchez [1975 *a*]), en lo melodramático (Greenfield [1959-1960]) o en lo cursi (Devoto [1967]). Lorca, sin embargo, sortea con acierto tal riesgo, evadiéndolo por la vía de la poesía.

La dimensión poética del teatro de Lorca impone siempre su lectura (Carrier [1963]). El autor puede construir la fábula argumental con cuidada documentación sobre un suceso real oído o leído (Auclair [1968]). El producto dramático que nos ofrece desborda, sin embargo, toda lectura realista del texto, que, por la poesía, queda abierto bien hacia una interpretación histórico-social, bien hacia una interpretación simbolista (Martínez [1970]). Los procedimientos para tal desrealización semántica son siempre de carácter poético: los fragmentos líricos —canciones y acompañamiento musical— tienen como objeto propiciar un efecto de alucinación, de atracción del espectador por vía irracional (Lázaro Carreter [1960]); las acotaciones son siempre más sugestivas que descriptivas (Timm [1973]), con lo que el mismo espacio escénico —Lorca se sirve tanto del uso del color en los decorados como de la selección objetual— se carga de simbolismo altamente significativo (García-Posada [1980]); la historia argumental se estiliza, eliminando todo aquello que significase dispersión (Miralles [1971]); los personajes, sin perder su definición individualizadora en el plano de la historia que se vive en el escenario, funcionan como esencias de la sociedad a la que representan (Timm [1973]), como arquetipos (Sullivan [1972]); la acción, en ocasiones, da cabida a oscuras fuerzas telúricas que la condicionan de algún modo (Jareño [1970]) y, en ocasiones, busca la primitiva estructura dramática del rito tribal (Honig [1974]) o fórmulas litúrgicas de fuerte impacto dramático en el pueblo (Laffranque [1967], Fergusson [1957]); la palabra —*cuchillo*, *luna*, *caballo*, *rosa*, *sangre*, *río*, *tierra* (García-Posada [1982])— se carga de connotaciones simbólicas con imágenes florales, acuáticas, etcétera, que Alberich [1965] relaciona con las «floralia», con el fenómeno que la psicología conoce como «undinismo» y con los ritos de fertilidad; los mismos nombres propios elegidos por Lorca cuentan —a través de su etimología— con idéntica carga simbólica (Lima [1963]). El lenguaje de Lorca en su conjunto —contamos ya con unas concordancias para sus obras dramáticas y poéticas (Pollin [1975])— evita, en definitiva, toda pretensión de reflejar realista o naturalistamente el habla de sus personajes. A través de esta dimensión lograda por la poesía, su teatro se hace, sobre todo en sus últimas obras, celebración ritual (Álvarez de Miranda [1963]).

Si hay una palabra que define por sí sola el sentido de la evolución lorquiana, ésta es experimentación (Josephs y Caballero [1981]); experimentación para dar expresión matizada, en géneros y estilos diferentes, a lo que es el conflicto esencial de toda su producción dramática. Sus primeros dramas, *El maleficio de la mariposa* y *Mariana Pineda*, nacen estrechamente emparentados con el espíritu del teatro modernista de la época. *El maleficio* (1919-1920), drama de insectos, familiar en el tono a varias composiciones del *Libro de poemas,* se ajusta a las convenciones y defectos del teatro en verso de la época. Está muy lejos de conseguir esa «poesía de las situaciones» que Lorca buscará en su teatro posterior, pero anticipa ya —dramatizando el choque de realidad e ilusión— el tema de la creación imaginativa, que va a ser centro sobre el que gira toda la primera etapa lorquiana. Para Rosenlithe [1971], pone en escena el triunfo-sacrificio de la ilusión artística en la figura de Curianito el Poeta, de su lucha por un ideal de perfección lejos de la vida. Son posibles, sin embargo, otras lecturas: la ilusión poética se erige como norma divergente y negativa del equilibrio establecido por las leyes naturales de existencia (Wells [1970]) y, por ello, fracasa. En esta línea, *El maleficio* satiriza el ensueño romántico, la concepción romántica del amor y de la religión. *Mariana Pineda* (1923-1927), «romance popular en tres estampas», entronca con el drama histórico en verso de la época. Con la sustitución del patetismo épico del drama romántico por un enfoque lírico, pretende Lorca trascender el plano de la anécdota argumental y de la historia que dramatiza, y ofrecer una lectura de la dimensión trágica y destructora que los sentimientos de amor y de libertad tienen dentro de una sociedad opresora (Zardoya [1968]). El parentesco temático e intencional de esta pieza con la anterior es evidente, si contamos con que Lorca está dramatizando una canción infantil —el romance inicial—, que poetiza, con una visión idealista y melodramática, la vida de una heroína histórica (Greenfield [1959-1960]). El prólogo en la primera pieza y el romance —aún no teatro dentro del teatro— en *Mariana Pineda* actúan como instrumento, manejado aún inexpertamente, de distanciamiento estético entre el autor y lo que ocurre en la escena (Josephs y Caballero [1981]). En este sentido, puede calificarse esta obra de verdadera «pieza de época» (Fergusson [1957]), de reteatralización de viejas fórmulas literarias.

Una nueva etapa se abre en su teatro con las farsas para guiñol (Higginbotham [1976]), que entroncan con las formas más populares del teatro de títeres, «donde sigue pura la vieja esencia del teatro». Esta inmersión en lo popular responde a la búsqueda de una especie de antídoto contra el teatro comercial al uso (Forradellas [1978 *b*]). Tanto la *Tragicomedia de don Cristóbal y la señá Rosita* (1922), como el *Retablillo de don Cristóbal* (1931) —se ha perdido una tercera farsa que llevaría el título de *La niña que riega la albahaca y el príncipe preguntón* (1923)—, tratan, ajustándose a los personajes y a la liviana estructura de la farsa popular, el conflicto del matrimonio entre un viejo y una niña. Pero debajo de la anécdota, trascendiéndola por vía de lo lírico en la *Tragicomedia* y de lo grotesco en el *Retablillo,* late en ambas el problema de la lucha entre autenticidad y máscara, eje central de obra tan distante de éstas como *El público.* El *Retablillo,* pieza mucho más elaborada que la anterior, podría estar en deuda con el esperpento de Valle-Inclán (Guardia [1944]), cuestión que debaten y revisan Buero Vallejo [1973] y Forradellas [1978 *b*].

La zapatera prodigiosa (1924-1935) y *Amor de don Perlimplín con Belisa en su jardín* (1928-1933), farsas en su inspiración e impronta, han recorrido, desde los estrechos límites del teatro de títeres, el largo camino que jalonan Cervantes, Molière, Goldoni, Valle-Inclán (García-Posada [1980]) y Falla (Hernández [1982]). *La zapatera prodigiosa,* «farsa violenta» la denominó Lorca y «tragifarsa» la llama Aguirre [1981], ha conocido tres recientes ediciones (expresión suficiente de su actualidad): la de García-Posada [1980], la de Forradellas [1978 *b*], con una buena introducción general, y la de Mario Hernández [1982], que ilumina el proceso de gestación de la obra desde los primeros bocetos hasta su última representación en vida de Lorca. Esta obra vuelve sobre el conflicto entre fantasía —«un mundo propio cargado de sentidos misteriosos»— y realidad, proyectado ahora sobre esquemas y temas del antiguo entremés (Higginbotham [1976]). La fábula de amores no es sino la apoyatura argumental sobre la que Lorca desarrolla el conflicto. La zapatera vive el choque entre sus sueños y los objetos e ideas reales, nunca un problema de fidelidad conyugal. El parentesco de *La zapatera prodigiosa* con el entremés, y más concretamente con el entremés cervantino, va desde el tema elegido, hasta el montaje concebido para las últimas representaciones de la obra, pasando por varios de los tipos que en ella desfilan (Forradellas [1978 *b*]); cervantino —quijotesco, mejor— es el personaje de la protagonista de la farsa y calco cervantino son, en definitiva, el recurso de que se vale Lorca para crear el efecto distanciador del teatro en el teatro en la escena cumbre, y el juego entre los distintos planos de realidad que con ello se consigue. El modelo directo pudo ser tanto la adaptación hecha por Falla de *El retablo de Maese Pedro* (Hernández [1982]), como el *Retablo de las maravillas,* que el propio Lorca montó para La Barraca (Forradellas [1978 *b*]). Sería erróneo, sin embargo, leer *La zapatera prodigiosa* en la sola dirección cervantina, ya que contiene un arrastre literario y tradicional que abarca tanto lo popular (Devoto [1950]) como lo culto: *Juanita la larga*, *La fierecilla domada*, *Los cuernos de don Friolera,* la comedia musical, etcétera (Mazzara [1958]). Todo ello perfectamente engarzado en una estructura muy meditada, que avanza los mejores logros del teatro posterior de Lorca: como ocurrirá en las tragedias, el coro de vecinas, beatas y pueblo, cumple aquí la función de representar las voces de la barrera de la realidad —«voz de la conciencia, de la religión, del remordimiento», llamará Lorca a sus coros—; como en *La casa de Bernarda Alba*, el espacio dramático se ensancha más allá de la escena, situando fuera de ella acciones que no vemos y sólo imaginamos (Rubia Barcia [1965]); como *Don Perlimplín,* combina sabiamente farsa y tragedia; como ocurrirá siempre a partir de ahora, los personajes tienden a funcionar como arquetipos o como símbolos (Francisco García Lorca [1980]). La segunda «farsa para personas», *Amor de don Perlimplín con Belisa en su jardín* —«aleluya erótica» la subtituló con acierto su autor— encara el mismo tema que la pieza anterior. Sólo el enfoque ha variado, trasladándose del problema de la autenticidad de la realidad al problema de la autenticidad de la personalidad. Idéntica fábula de amores sirve de base a la dramatización, pero el juego del teatro dentro del teatro ha sido sustituido por el del personaje (héroe romántico) dentro del personaje (hombre ilustrado) (Josephs y Caballero [1981]). El quijotismo de la zapatera cede el sitio a lo fáustico en don Perlimplín. Amor y muerte, tratados ahora desde una perspectiva próxima a la del mundo trovadoresco, vuelven a marcar —como impulso el primero, y como término la segunda— los extremos en los que Lorca sitúa el —trágico y ritual (García-Posada [1980])— intento imaginativo del protagonista masculino de imponer su visión sobre la realidad. Esta farsa, que, sin lugar a dudas, es una de las grandes obras de Lorca, no ha recibido todavía un tratamiento crítico adecuado y aún siguen sin explorarse a fondo los caminos abiertos por Fergusson [1957]: la suma de perspectivas neoclásicas y románticas; el estilo goyesco que proyecta una sombría luz sobre todos los elementos del drama, adaptándose perfectamente —y adaptando todos los elementos restantes: música, decorado, trajes, movimientos— al subtítulo que Lorca le dio; la relación, en fin, que guarda con los ensayos de Yeats y T. S. Eliot por crear un drama poético.

Los misterios (Martínez Nadal y Laffranque [1978]), las «comedias irrepresentables» *El público* (1930-1936) y *Así que pasen cinco años* (1931), que conocemos en las versiones «no definitivas» de Martínez Nadal [1976 y 1979, respectivamente], constituyen una ruptura originalísima con la obra anterior y posterior de Federico García Lorca. Ambas obras han sido —al menos en cuanto a la escritura, muy próxima a la de *Poeta en Nueva York* y a la trilogía de teatro breve (Havard [1977])— calificadas de surrealistas. Edwards [1980] remite estas obras a una línea que enlazaría al Bosco, a Goya, a Dalí y al cine de los años veinte. Aunque de alguna manera continúan temas y técnicas ya experimentadas anteriormente, lo hacen de una forma —en mayor medida *El público*— totalmente nueva. En la ruptura de la lógica espaciotemporal, en los desdoblamientos de la personalidad, en la multiplicación de interpretaciones posibles que ofrecen, anticipan hallazgos de Genet, Beckett e Ionesco (Martínez Nadal [1974]). La denominación de «misterios» para estas obras responde a las peculiaridades de su estructura, construida sobre tres niveles: el de la realidad vulgar y cotidiana, caracterizada por sus paradojas y máscaras; el del subconsciente, donde desaparecen las máscaras y nos encontramos con la verdadera realidad de los instintos, mitos, sueños y pesadillas, constitutivos de la profunda esencia del ser; y el de la realidad de nuevo, pero vista ahora a una nueva luz, después del «descenso a los infiernos» que supone el discurrir del drama en el segundo nivel. Para *El público*, que dramatiza el tema de la personalidad a través del «amor que no se atrevía a decir su nombre», contamos con la excelente edición y guía de lectura de Martínez Nadal (Martínez Nadal y Laffranque [1978]). Variantes interesantes de lectura ofrece para el «cuadro quinto» Newberry [1969, 1973], tomando como referencia a Pirandello y *La deshumanización del arte*. En *Así que pasen cinco años* el tema vuelve a ser el de la personalidad, tratada ahora a través del tiempo que va sumándole al yo múltiples caretas y trajes. Tal tema (Sapojnikoff [1970]) lo desarrolla Lorca mediante la técnica del desdoblamiento múltiple del personaje, cuya conciencia se constituye en escenario de todo lo que ocurre en el drama (Knight [1966]). A este ciclo de los «misterios» debe sumarse, por su idéntica problemática y enfoque, el único acto que conocemos de *La comedia sin título* (Laffranque [1976]), aunque por su redacción (1936) esta obra queda lejos de las anteriores. Por el único acto que se conoce (Martínez Nadal y Laffranque [1978]), *La comedia sin título* encara el problema de la verdad —en una dimensión social—, y lo hace desde la perspectiva dramática del último Lorca: someter al público a una cura de verdad, haciéndole abordar los problemas siempre silenciados. Este teatro «irrepresentable» ha de ceder el paso, necesariamente, a un teatro con mayores posibilidades de representación.

La vocación de Lorca por la tragedia en su más puro sentido clásico se plasma en *Bodas de sangre* (1933) y *Yerma* (1934). No llegó a escribir la tragedia —posiblemente *La sangre no tiene voz*— que cerraría esta trilogía, ni acabó ninguna de las de la trilogía bíblica que proyectaba. Lo realizado, sin embargo, basta para conocer las cualidades trágicas de Lorca (Cannon [1962]). En su obra Lorca acierta a conjugar con éxito, sobre el modelo clásico (Halliburton [1968] y González del Valle [1971]), ciertos elementos del drama modernista presentes en Marquina con el ejemplo de Valle en lo que se refiere a la dramatización de fuerzas instintivas dentro de un paganismo mitificador (García-Posada [1980]). En *Bodas de sangre*, Lorca toma un suceso real (Auclair [1968]) y lo desarrolla en un doble plano (Gaskell [1963]): el social, donde la violencia y el culto a la tierra, a la muerte y a la procreación, son las fuerzas normativas que rigen la acción, pero que no bastan para contener la fuerza libre del instinto; y el telúrico, encarnado en las alegorías de La Luna y de La Muerte, que mueven los hilos de ambas fuerzas en lucha y que conducen la acción a un movimiento ritual —como señala Nourissier [1955] y analiza Álvarez de Miranda [1963]— de liturgia y sacrificio. La actuación de los distintos coros, la escenografía (Barnes [1960]), las premoniciones de la «Nana del caballo» (Domenech [1976]) y el rico simbolismo (Palley [1967]) preparan la cima trágica y disponen los materiales dramatizados en una línea de progresiva desrealización (Timm [1973]) y mitificación (Zimbardo [1967]). Muy importante es el acarreo de materiales literarios en esta obra —Lope (Jareño [1970]), John Masefield (Pujals [1955]), Shakespeare (Guardia [1944]), Synge (Smoot [1978])—, que ha sido calificada de pretrágica (Cannon [1962]). De reciente aparición es la guía de lectura elaborada por Morris [1979]. *Yerma* —«poema trágico» en la subtitulación de Lorca— supone un paso importante en la experimentación de Lorca con la tragedia clásica. Respecto a *Bodas de sangre*, se elimina lo alegórico y se potencia lo ritual. Mito y rito se integran de una manera mucho más perfecta y el esquema de la tragedia clásica se hace más transparente. El problema que *Yerma* lleva a escena ha sido abordado siempre, bien desde criterios biologicistas —discutiéndose acerca de la esterilidad (Falconieri [1967]) o infecundidad (Honig [1974]) de la protagonista; bien desde criterios psicologicistas (Díaz-Plaja [1961] y Morris [1972]); bien desde una perspectiva sociológica (García-Posada [1980]). Mayor interés puede tener la lectura mítica que se deduce del estudio de la tensión dramática que establecen las imágenes de la luz, agua, flores, etcétera (Cannon [1960]). *Yerma* humaniza el mito de la creación, de la colaboración del padre-cielo y la madre-tierra en la transformación del caos en cosmos por la continua generación de nueva vida (Sullivan [1972]). Esta dimensión mítica, que imaginativamente toma cuerpo en las figuras de Juan —transgresor de la norma natural— y Yerma, se plasma operativamente en el rito de fertilidad —con entronque en la tradición carnavalesca— que cierra la obra (Josephs y Caballero [1981]). La estructura, con la bien pensada alternancia de interiores y exteriores, reproduce el esencial dualismo temático sobre el que se construye el mito. Las canciones puestas en boca de Yerma (Edwars [1980]), poseen también una gran funcionalidad estructural, marcando el recorrido emocional de la protagonista.

Dos dramas —*Doña Rosita la soltera* (1935) y *La casa de Bernarda Alba* (1936)— cierran la producción lorquiana. Al segundo lo subtituló Lorca «drama de las mujeres de los pueblos de España», y al primero «poema del novecientos en jardines». Los dos pueden leerse como dramas de las mujeres de los pueblos y ciudades de España. *Doña Rosita* (Monleón [1981]) es una pieza de época que fija en escena tres momentos —delicadamente cursis— del fin de siglo. A cada momento —1890, 1900 y 1910— le dedica Lorca un acto y le da un tratamiento estilístico diferente: tras el primer acto están Bécquer y Zorrilla; Galdós, tras el segundo; y Arniches, tras el tercero (Sánchez [1975 *a*]). Este drama, costumbrista en su superficie, incide de nuevo sobre el tema del tiempo, trágicamente detenido en la protagonista, mientras lo vemos fluir con agudo e hiriente dinamismo en los decorados de cada acto. A Daniel Devoto [1967] debemos un interesante estudio sobre las fuentes vivas, cultas y folklóricas que confluyen en la creación de esa *rosa mutabile* que es doña Rosita. *La casa de Bernarda Alba*, inspirada también en un suceso real, retoma —quizá de manera más directa que otras obras— el conflicto entre los principios de autoridad y libertad. La etiqueta de «documento fotográfico», que Lorca le aplicó en varias ocasiones, ha dirigido su lectura hacia una interpretación realista-costumbrista (Young [1969]) e incluso política (Pérez Minik [1964]), viendo retratada en *La casa de Bernarda Alba* toda la nación española (Martínez [1970]). Contra una lectura exclusivista del realismo de este drama, Josephs y Caballero [1981] advierten que la etiqueta lorquiana tiene más de definición estética que de definición temática. Es verdad que el auge, en 1936, de las doctrinas autoritarias (Rubia Barcia [1965]) daba actualidad al viejo conflicto lorquiano, pero Lorca desarrolla el tema de forma eminentemente poética. Hacia lo poético nos arrastra tanto el bien tejido tratamiento que se le da al símbolo del agua a lo largo de toda la obra, como la reelaboración de elementos populares (Bull [1970]).

La destrucción de Sodoma, *La sangre no tiene voz*, *La bola negra*, *El estado*, *Caín y Abel*, son los títulos de algunas de las obras en las que Lorca meditaba cuando le sorprendió la muerte. La crítica ha creído vislumbrar en ellas y en la famosa «charla sobre teatro» el inicio de una nueva «manera». Ello es bastante probable, si tenemos en cuenta que una constante en su teatro es la experimentación de formas nuevas. Pero, en cualquier caso, es seguro que tal renovación no vendría a negar la otra constante de esa dramaturgia: el didactismo (Lázaro Carreter [1960]), la concepción del teatro como debelador de morales viejas y equívocas.

Al lado de Lorca, y a mucha distancia del resto, la otra gran figura del teatro del 27 es Rafael Alberti, con una importante producción dramática en continuo desarrollo durante más de cincuenta años. Su obra ha recalado en todos los centros de interés que se le ofrecían al artista e intelectual de su generación. Su teatro, diversificándose en múltiples direcciones, ha explorado las modernas posibilidades dramáticas del romancero, del guiñol, del auto sacramental, del sainete trágico, del esperpento, del drama épico brechtiano, etcétera. La labor innovadora y reformadora de Alberti ha sido, sin embargo, escasamente valorada. Carecemos de ediciones críticas de su teatro, que, por ahora, salvo raras excepciones, hay que leer en volúmenes antológicos ([1950-1964, 1975, 1978]), que distan mucho de ofrecer panoramas completos. Piezas como *El enamorado y la muerte* o como *La pájara pinta*, escritas en los años veinte, sólo han sido editadas recientemente (Bayo [1973] y Marrast [1964], respectivamente). Otras, como es el caso de *Santa Casilda*, siguen desaparecidas. Como estudios de conjunto, sólo mencionaré los de Popkin [1975] y Torres Nebrera [1982], que profundizan y amplían los caminos abiertos por el ya clásico trabajo de Marrast [1967].

La evolución dramática de Alberti queda correctamente apuntada en las tres etapas que le señala Popkin [1975]. Inicialmente, el teatro de Alberti —*El enamorado y la muerte*, *La pájara pinta*, y toda una serie de piezas perdidas cuyos títulos recoge Bayo [1972]— es mero desarrollo, en forma plástica teatral, de motivos, fórmulas y contenidos líricos, en la mayor parte de los casos de carácter tradicional. *El hombre deshabitado* (1929) señala el umbral de una nueva etapa que se caracteriza, respecto a la anterior, por la preponderante presencia de elementos didácticos en todas sus obras, desde *Fermín Galán*, o *De un momento a otro*, hasta las dos farsas revolucionarias y el «teatro de urgencia» (Marrast [1978]). Si en su primera etapa el teatro era vehículo de contenidos líricos, en ésta lo es, eminentemente, de contenidos ideológicos. Sólo a partir de los años cuarenta el teatro de Alberti —con obras como *El trébol florido*, *El adefesio*, *La gallarda* o *Noche de guerra en el Museo del Prado*— alcanza, incluso al tratar los mismos temas que en la etapa anterior, un notable grado de autonomía y de distanciamiento artísticos.

Fuera de la información transmitida por el propio Alberti (Bayo [1972]) y de los intentos de Marrast [1967] por reconstruir su contenido, nada sabemos de piezas como *Ardiente y fría*, *La novia del marinero*, *Santa Casilda* (Sánchez Barbudo [1931]) o *Colorín colorete* (Alberti [1959]). De la primera producción dramática de Alberti sólo conocemos el texto inacabado de *La pájara pinta* (1925) y el de *El enamorado y la muerte* (1930). Ambas obras suponen un intento de moderna y vanguardista reformalización dramática de viejos materiales tradicionales: del folklore —refranes y canciones infantiles de cuna y de rueda—, en el primer caso; y del *Romancero*, en el segundo. *La pájara pinta* (Kronic [1970]), pieza que se ha emparentado con las farsas para guiñol de Lorca y —a mayor distancia— con el entremés de figuras (Torres Nebrera [1982]), no pasa de ser una antología de folklore popular infantil, que utiliza como hilo conductor una levísima fábula dramatizada. Su mayor grado de originalidad reside en la experimentación vanguardista a que Alberti —especialmente en el «Prólogo»— somete el lenguaje. *El enamorado y la muerte*, partiendo de un romance viejo sobre el tema del emplazado, pone en escena un mundo onírico de fuerte raigambre romántica. El respeto a la suma de elementos dramáticos y narrativos que comporta el romance le lleva a Alberti a introducir en escena la figura de un lector-narrador, que cumple una función distanciadora plenamente moderna y anticipa un recurso muy utilizado en varias obras posteriores (Bayo [1973]).

Una obra clave en la evolución dramática de Alberti es su «auto sacramental (sin sacramento)», *El hombre deshabitado* (1929). El considerable aprecio que, fuera (Pirandello, Max Reinhardt) (Beardsley [1973]) y dentro de España (Valbuena Prat y Ramón Sijé), alcanza el auto sacramental calderoniano en los años veinte, será decisivo en la búsqueda y experimentación de nuevas formas dramáticas que, por esas fechas, se llevan a cabo. Miguel Hernández, Lorca y —anticipándose a ambos— Alberti, serán buen ejemplo de ello. Dejando a un lado la filiación calderoniana (Marrast [1967]) o vicentina (Díez-Canedo [1969]) de *El hombre deshabitado*, así como el posible origen quevedesco de la imagen del «cuerpo deshabitado» (Morris [1959]), es evidente que esta obra se ajusta con exactitud al auto sacramental en su morfología en tríptico, en el punto de partida de la alegorización y en el juego de lo concreto con lo abstracto. Se aparta radicalmente, sin embargo, tanto en la estética (de surrealista ha sido calificada por Durán [1957] y por Davis [1967]; de expresionista por Popkin [1975]), como en los contenidos. No es a la luz del problema teológico del «libre albedrío» (Valbuena Prat [1963] y Torrente Ballester [1965]) como hay que leer esta obra, sino a la de la crisis personal y metafísica, que se nos revela de *Cal y canto* a *Sermones y moradas* (Soria Olmedo [1979]) y que tiene su sitio en las corrientes de búsqueda ontológica y epistemológica que dan tono a la literatura europea de los años veinte y treinta (Cardwell [1970]).

Con *Fermín Galán* (1930) se inicia el ciclo de teatro épico en la obra de Alberti; un ciclo que abarca un número importante de títulos, pero que tiene un interés menor dentro de la producción total del gaditano. *Fermín Galán* es un experimento de renovación dramática similar, en muchos puntos, al llevado a cabo por Lorca con su *Mariana Pineda*. Esta obra pone en escena un suceso reciente de la historia de España, ajustándolo a la estructura —combinación de narración y diálogo— y a la estética —esquematismo, hiperbolización, melodramatismo— del romance de ciego (Popkin [1975]). Las dos «farsas revolucionarias» —*Bazar de la providencia* (1934) y *Farsa de los Reyes Magos* (1934)— son dos guiñolescas sátiras contra los abusos que el clero y las clases dominantes ejercen sobre la credulidad popular. Construidas sobre el esquema del entremés (Torres Nebrera [1982]), estas dos piezas desarrollan, en un sentido intencionalmente político, una rica gama de recursos cómicos, grotescos y caricaturescos tomados del guiñol y del esperpento. La utilización de la fórmula del teatro dentro del teatro, con el juego de realidad e ilusión que comporta, es ahora expertamente aprovechada por Alberti, al servicio de la intención desenmascaradora que subyace a ambas obras (Popkin [1975]). En idéntica línea —poniendo en práctica la fórmula de «teatro de urgencia» que el propio Alberti explica en el *Boletín de Orientación Teatral* [1938]— hay que situar *Los salvadores de España* (1936), pieza que se ha perdido (Sánchez Barbudo [1936]), y *Radio Sevilla* (1937), que entronca directamente con la naturaleza histriónica del esperpento de Valle. A esta lista de teatro épico hay que sumar también un poema dramático —alabanza ahora de las fuerzas leales— titulado *Cantata de los héroes* (1938), y *De un momento a otro* (1939), drama de mayores vuelos que las piezas anteriores, y que, en su morfología, recuerda la combinación de lo narrativo y lo dramático, ya ensayada en *Fermín Galán*. Elaborada sobre materiales autobiográficos —que Marrast [1967] rastrea en *La arboleda perdida* y Torres Nebrera [1982] en *Una historia de Ibiza*—, plantea el problema de la situación del intelectual ante la revolución y el proletariado (Bayo [1972]). Se ha señalado el desajuste estético existente entre el tono marcadamente realista que Alberti da a esta obra —la más próxima de todas las suyas al concepto sartriano de literatura comprometida— y la pervivencia de formas satíricas y caricaturescas (Popkin [1975]). A pesar de este reproche, *De un momento a otro* prefigura muchos de los logros estéticos de la última producción de Alberti. Dentro de las características generales de este teatro épico, se inscribe también la adaptación de la *Numancia* cervantina.

Es en la tercera etapa de su producción —con obras como *El trébol florido* (1940), *El adefesio* (1944), *La gallarda* (1944-1945) y *Noche de guerra en el Museo del Prado* (1956)—, cuando Alberti da su verdadera talla de dramaturgo. Con *El trébol florido* vuelve a las técnicas alegóricas de *El hombre deshabitado*. Hace acopio esta obra de abundantes materiales folklóricos y librescos (Marrast [1967]), que se ordenan hacia la configuración de una acción y de un juego de tensiones que, a través de la superestructura simbólica creada (Popkin [1975]), cobran dimensiones cósmicas y míticas. Abandona Alberti aquí la estructura acumulativa y episódica de piezas anteriores, sustituyéndola por otra basada en la gradación e intensificación de elementos dramáticos y poéticos, temáticos y estilísticos, hasta conseguir transformar la línea argumental en proceso ritual (Guerrero Zamora [1962]). *El adefesio* (Monleón [1978]), obra construida sobre una base real (Alberti [1959]), se nutre, como la anterior, de abundantes tradiciones —ritmos, ritos, fórmulas verbales— populares (Marrast [1957, 1963]). Con ella, a donde vuelve Alberti es al mundo grotesco y a la naturaleza histriónica de las farsas. La técnica simbolista deja paso, ahora, a la ironía y a la parodia, que actúan al servicio de una desrealización de los personajes y de sus hechos. *El adefesio* conjuga dos tradiciones: el realismo caricaturesco —en la línea de Hita, Solana y Valle (Torres Nebrera [1982])— y la crítica al principio de autoridad —en la línea que va de Galdós a Lorca (Beyrie [1971])—. *La gallarda*, formalmente, profundiza en la línea de *Fermín Galán*. En esta obra es la metáfora, sobre todo, el camino a través del cual el conflicto puesto en escena se proyecta hacia el mito. Para Popkin [1975] la tradicional asociación de hombre y bestia —encarnada en Resplandores— funciona como núcleo de una estructura alegórica en la que cada suceso es expresión de un estado de mente que se manifiesta a través de imágenes taurinas. Pero Resplandores es un símbolo plurivalente y proteico, que dificulta la reducción de la alegoría en una sola dirección. A través de la rica imaginería de la *fiesta*, Alberti da forma dramática a su visión de la existencia. Torres Nebrera [1982] propone, para estas tres últimas obras, una lectura mítico-política (meditación sobre la España dogmática), que no contradice la lectura mítico-poética propuesta por Popkin [1975]. Con *Noche de guerra en el Museo del Prado* (Salvat [1976]), Alberti retoma el hilo de su teatro épico, aproximándose con esta obra, mucho más que con las de los años treinta, a la dirección señalada por Brecht. Como en aquellas piezas, en ésta la caricatura guiñolesca es una de las armas preferidas de Alberti, para disociar el plano de lo negativo del de lo positivo. Pero aquí todos los personajes sufren un idéntico proceso de estilización (Popkin [1975]). Discurso y espectáculo aparecen ahora perfectamente conjugados. La confluencia en el tiempo del drama de dos mundos —el del arte y el de la realidad— y de varios planos temporales —desde la acronía del mito hasta el presente de 1936— genera una tupida red de correspondencias, en una estructura que ha estudiado detalladamente Torres Nebrera [1982].[3]

La labor dramática de Alberti, en esta última etapa, la completan: la *Cantata por la paz y la alegría de los pueblos* (1950), especie de contienda alegórica entre la Paz y la Guerra, concebida a modo de baile escénico; la pieza en dos cuadros que lleva por título *Un tema peligroso* (1954), en defensa —como la anterior— de la paz; varios poemas escénicos (Torres Nebrera [1982]); y, finalmente, las adaptaciones de *La Lozana andaluza*, de Delicado (Popkin [1975]) y *El despertar a quien duerme*, de Lope de Vega (Monleón [1979]).

Pedro Salinas llegó tardíamente al teatro. Toda su producción dramática —doce piezas breves en un acto más dos de mayor impulso en tres actos— se gesta en la década de los cuarenta, fuera de España y fuera del ritmo normal de evolución del teatro español en ese momento. La atención editorial que ha recibido esta parte de la producción de Salinas ha sido, hasta la fecha, pobre; y la de la crítica, mínima. En 1952, por impulso de Enrique Canito, se publican *La cabeza de Medusa*, *La estratoesfera* y *La isla del tesoro* (Salinas [1952]). Más tarde, Juan Marichal dio a la imprenta el *Teatro completo* [1957], edición mal llamada completa, pues deja fuera *Los santos*, pieza que ya había sido publicada con anterioridad (Salinas [1954]). Recientemente, Torres Nebrera [1979] ha reeditado —con una amplia introducción a todo el teatro de Salinas— *La fuente del arcángel*, *La bella durmiente*, *El director* y *Caín o una gloria científica*. En lo que se refiere a monografías sólo merece mención el libro de Cowes [1965], y éste es un estudio limitado a sólo seis obras de Salinas.

3. Sobre *Noche de guerra en el Museo del Prado*, véase también *HCLE*, vol. 8, pp. 674-678.

El teatro de Salinas, prolongación de su obra en verso (Rodríguez Richart [1960]), da vida a la misma problemática que anima en su poesía desde *La voz a ti debida*: la búsqueda del verdadero y profundo *yo* que hay en el fondo de cada uno, lo cual liga este teatro a Unamuno (Torres Nebrera [1979]) y Pirandello (Newberry [1971]); y la búsqueda, desde múltiples perspectivas, de la verdadera realidad que ocultan las apariencias. Un «radical humanismo» (Ruiz Ramón [1977]), que Marichal [1957] califica de cervantino, lleva a Salinas a escribir un teatro que pretende ofrecer al hombre de su tiempo una «visión superior a su mera actividad consuetudinaria»; un teatro que le revelase al espectador su mejor *yo* oculto y que le enseñase a ver la realidad, habitualmente disfrazada por las cosas. Todas sus piezas son fábulas que ejemplifican la posibilidad de tal transfiguración (Helman [1953]). Salinas nos sitúa siempre sobre un escenario superficialmente realista y ante unos personajes alienados, para llevarnos desde allí —en virtud del milagro en *Los santos*, del «seguro azar» en *El chantajista*, de un fenómeno de ilusionismo en *La fuente del arcángel*, etcétera— a una transrealidad, en la que los personajes se encuentran a sí mismos y el aparente realismo escénico queda metafísicamente trascendido. Tal proceso toma cuerpo en la estructura de la obra mediante bien trabadas series de correlaciones verticales y horizontales (Cowes [1965]), que plasman el proceso místico-ascensorial del *yo* y el proceso ontológico-transfigurador de la realidad. El lenguaje sirve a este propósito de fusión de poesía y realidad, fusión que se realiza, en opinión de Maurin [1954], como un teorema que los diálogos demuestran.

Tomando como punto de referencia la clasificación que Torres Nebrera [1979] propone para el teatro de Salinas, nos encontramos con un grupo de obras —*La fuente del arcángel*, *La estratoesfera*, *El chantajista*, *Judit y el tirano*, *El parecido* y *La isla del tesoro*—, en las que el discurrir de la acción ejemplifica positivamente el proceso transfigurador descrito, siendo la «pedagogía amorosa» —como apertura hacia el *tú* o hacia el *ello*— la puerta a través de la cual se vislumbra —siempre en Salinas estamos en el tiempo de la «víspera del gozo»— la transrealidad. Un segundo grupo de obras lo compone *La cabeza de Medusa*, *La bella durmiente*, *El precio* y *El director*. En ellas el proceso se ilumina negativamente. La realidad cotidiana acaba imponiéndose y negando toda posibilidad de transfiguración metafísica. Ello ocurre así por el error de perspectiva en el que caen los personajes, al buscarse a sí mismos o al buscar la felicidad en una supuesta «isla del tesoro», fuera de la realidad cotidiana. La nueva realidad que se busca está, y allí hay que ir a buscarla, en la vieja y cotidiana de la que se parte. El amor —como ocurría en el grupo anterior— sigue siendo el hilo conductor preferente de la fábula dramatizada. Lo relevante en un tercer grupo de obras —*Ella y sus fuentes*, *Caín o una gloria científica*, *Sobre seguro*, *Los santos*— es la incorporación a la conocida temática (Cowes [1973]) de una serie de tópicos de índole ética, en contra de una concepción del progreso asentada en el culto al dinero y al dato positivo; en contra, en una palabra, de la deshumanización del mundo moderno.

Es indudable que el teatro de Salinas ofrece elementos de interés. Apreciable es la forma con que maneja el juego entre ficción y realidad en *El chantajista*, como apreciables son la manera en que proyecta el desarrollo de dos acciones simultáneas en *La fuente del arcángel*, el intento de aproximarse a la moderna fórmula del «misterio» con *El director*, los experimentos pirandellianos o los juegos con el tiempo que Salinas realiza. Pero considerado en su conjunto, este teatro siempre vale más por sus argumentos, o por el lenguaje mismo, que por lo específicamente dramático. Como Lorca y Alberti, intenta escapar del teatro «ratero» por vía poética. Está lejos, sin embargo, de lograr una perfecta integración de elementos. La poesía aquí no emerge de las situaciones y movimientos escénicos —como quería Lorca—, sino de la solución —siempre azarosa— que se da a los problemas, lo cual lleva —valgan los casos de *Judit y el tirano* o *El director*— a conclusiones éticamente límites.

El panorama teatral que circunscriben las figuras estudiadas exige una referencia, también, al teatro de humor (Boring [1966]) —Jardiel Poncela, especialmente (Ariza [1974], Escudero [1981], Conde Guerri [1981]; y más abajo, cap. 13)— y a los experimentos surrealistas de Claudio de la Torre, Andrés Álvarez y Sánchez Mejías (Davis [1967]). Las ocasionales aproximaciones al teatro de otros miembros de la generación del 27 (Aragonés [1977]) —Gerardo Diego, Cernuda y Altolaguirre (Torres Nebrera [1977])— no alcanzan el relieve de los anteriormente citados.

FRANCISCO JAVIER BLASCO

BIBLIOGRAFÍA

Aguirre, J. M., «El llanto y la risa de la zapatera prodigiosa», en *Bulletin of Spanish Studies*, LVIII, n.º 3 (1981), pp. 241-250.

Alberich, J., «El erotismo femenino en el teatro de García Lorca», en *Papeles de Son Armadans*, XXXIX (1965), pp. 9-36.

Alberti, Rafael, «Teatro de urgencia», en *Boletín de Orientación Teatral* (15 de febrero de 1938), p. 5.

—, *Teatro*, Losada, Buenos Aires, 1950-1964, 2 vols.

—, *La arboleda perdida*, Fabril, Buenos Aires, 1959.

—, *Numancia*, Turner, Madrid, 1975.

—, *El poeta en la calle*, Aguilar, Madrid, 1978.

Albornoz, Aurora de, «Un poeta, José Bergamín», en *Índice de Artes y Letras*, n.º 250 (1968).

Álvarez de Miranda, Ángel, *La metáfora y el mito*, Taurus, Madrid, 1963.
Allen, R. C., *Psyche and symbol in the theatre of Federico García Lorca*, University of Texas Press, 1974.
Aragonés, Juan Emilio, «El teatro de los poetas del 27», en *La Estafeta Literaria*, n.os 618-619 (1977), pp. 58-62.
Ariza, Manuel, *Enrique Jardiel Poncela en la literatura humorística española*, Fragua, Madrid, 1974.
Artola, Manuel, «Denuncia del tiempo futuro», en *Cuadernos Hispanoamericanos*, n.os 68-69 (1955), pp. 150-167.
Aub, Max, *Discurso de la novela española contemporánea*, El Colegio de México, México, 1945.
—, «Prólogo acerca del teatro español de los años veinte de este siglo», en *Papeles de Son Armadans*, XL (1966), pp. 69-96.
Auclair, Marcelle, *Enfances et mort de García Lorca*, Seuil, París, 1968; trad. cast.: Era, México, 1972.
Barnes, Robert, «The fusion of poetry and drama in *Blood wedding*», en *Modern Drama*, n.° 2 (1960), pp. 395-402.
Bayo, Manuel, «Alberti por Alberti», en *Primer Acto*, n.° 150 (1972), pp. 7-19.
—, ed., Rafael Alberti, *«El enamorado y la muerte»*, en *Revista de Occidente*, n.° 128 (1973), pp. 151-158.
Beardsley, Theodore S., «El sacramento desautorizado: *El hombre deshabitado*, de Alberti, y los autos sacramentales de Calderón», en *Studia Iberica*, Francke Verlag Bern und Munchen, 1973.
Bernardete, M. J., *«El profesor inútil»*, en *Revista Hispánica Moderna*, I, n.° 2 (1934), pp. 114-115.
Bernstein, J. S., *Benjamín Jarnés*, Twayne Publishers, Nueva York, 1972.
Beyrie, J., «Presence de Galdós et de Lorca dans le théâtre d'Alberti. Don Benito et la generation de 1927», en *Caravelle*, n.° 17 (1971), pp. 133-151.
Boring, Phillisz, *The bases of humor in the contemporany Spanish theater*, The University of Florida, 1966.
Bosveuil, Simone, «Proust y la novela española de los años 30: Ensayo de interpretación», en *Studi Ispanici*, Pisa (1978), pp. 87-102; reimpreso en Villanueva [1983], vol. II.
Buckley, Ramón, y John Crispin, eds., *Los vanguardistas españoles 1925-1935*, Alianza, Madrid, 1973.
Buero Vallejo, Antonio, «García Lorca ante el esperpento», en *Tres maestros ante el pueblo*, Alianza, Madrid, 1973.
Bull, Judith, «Santa Bárbara y *La casa de Bernarda Alba*», en *Bulletin of Hispanic Studies*, XLVII (1979), pp. 117-123.
Busette, C., *Obra dramática de García Lorca. Estudio de su configuración*, Las Américas, Nueva York, 1971.
Canito, Enrique, ed., Pedro Salinas, *Teatro: La cabeza de Medusa, La estratoesfera, La isla del tesoro*, Ínsula, Madrid, 1952.
Cano, José Luis, «Sobre *Fronteras infernales de la poesía*», en *Asomante*, XVI, n.° 4 (1961), pp. 36-39.
Cannon, Calvin, «The imagey of Lorca's *Yerma*», en *Modern Language Quaterly*, XXI (1960), pp. 122-130.

Cannon, Calvin, «*Yerma* as Tragedy», en *Symposium*, n.º 16 (1962).
Cardwell, Richard, «Rafael Alberti's *El hombre deshabitado*», en *Ibero-romania*, n.º 2 (1970), pp. 122-133.
Carrier, Warren, «Poetry in the drama of Lorca», en *Drama Survey*, II, III (1963), pp. 297-304.
Castellón, Antonio, «Proyecto de reforma del teatro español 1920-1939», en *Primer Acto*, n.º 176 (1975), pp. 4-13.
Castro, Joaquín, *Jardiel*, Ministerio de Educación y Ciencia, Madrid, 1978.
Conde Guerri, María José, «La obra dramática de Jardiel Poncela», tesis inédita, Universidad de Zaragoza, Zaragoza, 1981.
Correa, Gustavo, *La poesía mítica de Federico García Lorca*, University of Oregon Press, 1957.
Cowes, H. W., *Relación yo-tú y trascendencia en la obra dramática de Pedro Salinas*, Universidad de Buenos Aires, Buenos Aires, 1965.
—, «Realidad y superrealidad en *Los santos* de Pedro Salinas», en *Cuadernos Americanos*, CLXXXVIII (1973); reeditado en A. P. Debicki [1976].
Crispin, John, «La novela en la generación de 1925: Antonio Espina», en *Archivum*, n.º XVI (1966), pp. 213-222.
—, «La novela experimental en la generación de 1925», tesis doctoral leída en la Universidad de Wisconsin, 1967.
Curtius, E. R., «Restauración de la razón», en *Revista de Occidente*, XVII, n.º 51 (1927).
Chacel, Rosa, «Respuesta a Ortega. La novela no escrita», en *Sur*, n.º 241 (1956).
Davis, Barbara Sh., «El teatro surrealista español», en *Revista Hispánica Moderna*, XXXIII (1967), pp. 309-329; recogido en García de la Concha [1982], pp. 327-351.
Debicki, Andrew P., ed., *Pedro Salinas*, Taurus, Madrid, 1976.
Dennis, Nigel, «"Dueño en su laberinto": el ensayista José Bergamín (de la irreal anti-academia)», en *Camp de l'Arpa*, n.os 23-24 (septiembre de 1975), pp. 13-19.
Devoto, Daniel, «Notas sobre el elemento tradicional en la obra de García Lorca», en *Filología*, II, n.º 3, Buenos Aires, 1950; recogido en Gil [1975], pp. 23-72.
—, «*Doña Rosita la soltera*: Estructura y fuentes», *BHi*, LXIX, n.os 3-4 (1967), pp. 407-435.
Díaz-Plaja, Guillermo, *Federico García Lorca*, Espasa-Calpe, Madrid, 1961.
—, *El poema en prosa en España*, Gustavo Gili, Barcelona, 1965.
Díez-Canedo, Enrique, *Artículos de crítica teatral. El teatro español de 1914 a 1936*, Joaquín Mortiz, México, 1969.
Domenech, Rafael, «Sobre la "Nana del caballo" en *Bodas de sangre*», en *Trece de nieve*, n.os 1-2 (1976).
Doreste, J., «Jarnés o la gracia», en *Ínsula*, n.º 45 (1949).
Durán, Manuel, «El surrealismo en el teatro de Lorca y Alberti», en *Hispanófila*, I (1957), pp. 61-66.
—, ed., *Lorca: A collection of critical Essays*, Englewood Cliffs, 1962.
—, ed., *Rafael Alberti*, Taurus, Madrid, 1975.
Edwards, Gwynne, *Lorca: The theatre beneath and sand*, Marion Boyars Pu-

blishers Ltd., Londres, 1980; trad. cast. de Carlos Martín Baró, *El teatro de Federico García Lorca*, Gredos, Madrid, 1983.
Entrambasaguas, Joaquín, ed., *Las mejores novelas contemporáneas*, Planeta, Barcelona, 1961, VII, pp. 1.311-1.378.
Escudero, Carmen, *Nueva aproximación a la dramaturgia de Jardiel Poncela*, Universidad de Murcia, Murcia, 1981.
Espina, Antonio, «La obra poética de José Bergamín», en *Revista de Occidente*, VI, n.° 64 (1968), pp. 89-96.
Esteban, José, ed., José Bergamín, *El cohete y la estrella. La cabeza a pájaros*, Cátedra, Madrid, 1981.
Falconieri, J. V., «Tragic hero in search of a role: *Yerma*'s Juan», en *Revista de Estudios Hispánicos*, 5, n.° 1 (1967), pp. 17-39.
Fergusson, Francis, «*Don Perlimplín*: el teatro-poesía de Lorca», en *The human image in dramatic literature*, University of New York, 1957; recogido en Gil [1975].
Fernández Almagro, M., «Nómina incompleta de la joven literatura española», en *Verso y Prosa*, n.° 1 (1927).
Flórez, Rafael, *Jardiel Poncela*, Epesa, Madrid, 1969.
—, ed., Edgar Neville, *Las terceras de ABC*, Prensa Española, Madrid, 1976.
Forradellas, Joaquín, «Para el texto de *La zapatera prodigiosa*», en *Boletín de la Real Academia Española*, LVIII (1978), pp. 135-158.
—, ed., Federico García Lorca, *La zapatera prodigiosa*, Almar, Salamanca, 1978.
Fraile, M., *Samuel Ros (1904-1945). Hacia una generación sin crítica*, Prensa Española, Madrid, 1972.
Freedman, R., *The lyrical novel*, Princeton University Press, 1963.
Fuentes, Víctor, «La dimensión estético-erótica y la novelística de Jarnés», en *Cuadernos Hispanoamericanos*, n.° 235 (1969), pp. 25-37.
—, «La novela española de vanguardia (1923-1931): un ensayo de interpretación», en *The Romanic Review*, LVIII, n.° 3 (1972), pp. 211-218; reeditado en Villanueva [1983], vol. II.
—, «Vitalismo y voluptuosidad en las novelas de Jarnés», en *Camp de l'Arpa*, n.os 8-9 (1976), pp. 105-122.
García de la Concha, Víctor, ed., *El surrealismo*, Taurus, Madrid, 1982.
García Lorca, Federico, «Los artistas en el ambiente de nuestro tiempo», en *El Sol* (15 de diciembre de 1935).
—, *Oeuvres complètes*, La Pléiade, París, 1981, 7 vols.
García Lorca, Francisco, *Federico y su mundo*, Alianza, Madrid, 1980.
García Luengo, F., *Revisión del teatro de Federico García Lorca*, Madrid, 1951.
—, «Revisión del teatro de Federico García Lorca», en *Primer Acto*, n.° 50 (1964), pp. 20-26.
García-Posada, Miguel, ed., Federico García Lorca, *Obras*, Akal, Madrid, 1980 ss. (en curso de publicación).
—, *Lorca: interpretación de «Poeta en Nueva York»*, Akal, Madrid, 1982.
Gaskell, Ronald, «Theme and form: Lorca's *Blood wedding*», en *Modern Drama*, V (1963), pp. 431-439.
Gil, Ildefonso Manuel, ed., *Federico García Lorca*, Taurus, Madrid, 1975.
—, ed., Federico García Lorca, *Yerma*, Cátedra, Madrid, 1976.

Gil de Biedma, Jaime, «Luis Cernuda y la expresión poética en prosa», en *El pie de la letra. Ensayos 1955-1979*, Crítica, Barcelona, 1980, pp. 318-330.

González del Valle, Luis, «*Bodas de sangre* y sus elementos trágicos», en *Archivum*, XXI (1971), pp. 95-120.

Greenfield, S. M., «El problema de *Mariana Pineda*», en *The Massachussetts Review*, I (1959-1960); recogido en Gil [1975], pp. 371-382.

Guardia, Alfredo de la, *García Lorca: persona y creación*, Schapire, Buenos Aires, 1944.

Guerrero Zamora, Juan, *Historia del teatro contemporáneo*, Juan Flors, Barcelona, 1962, 4 vols.

Gullón, Ricardo, «Benjamín Jarnés», en *Ínsula*, n.º 46 (1949).

—, «Pedro Salinas, novelista», en *Ínsula*, n.º 71 (1951), p. 3.

—, «Los prosistas de la generación de 1925», en *Ínsula*, n.º 126 (1957), páginas 1-8.

—, «Itinerario poético de Vicente Aleixandre», en *Papeles de Son Armadans*, XXXII-XXXIII (1958); reeditado en J. L. Cano, ed., *Vicente Aleixandre*, Taurus, Madrid, 1977.

Halliburton, Charles Lloyd, «The tragedian: an Aristotelian analysis of *Bodas de sangre*», en *Revista de Estudios Hispánicos*, II, n.º 1 (1968), pp. 35-40.

Havard, R. G., «Lorca's Buster Keaton», en *Bulletin of Hispanic Studies*, LIV (1977), pp. 13-20.

Helman, Edith, «Verdad y fantasía en el teatro de Pedro Salinas», en *Buenos Aires Literaria*, n.º 13 (1953); reeditado en Andrew P. Debicki, ed., *Pedro Salinas*, Taurus, Madrid, 1976, pp. 207-212.

Hernández, Mario, ed., Federico García Lorca, *La zapatera prodigiosa*, Alianza, Madrid, 1982.

Hernández del Moral, Pascual, y J. R. Torregosa, eds., Benjamín Jarnés, *Su línea de fuego*, Guara, Zaragoza, 1980.

Hernando, Miguel A., *Prosa vanguardista en la generación del 27*, Prensa Española, Madrid, 1975.

Higginbotham, Virginia, «Lorca and the twentieth-century Spanish Theatre: Three precursors», en *Modern Drama*, n.º 15 (1972), pp. 164-174.

—, «Toward an annotated bibliography of the theater of García Lorca», en *García Lorca Review*, II, n.os 1-2 (1974).

—, *The comic spirit of Federico García Lorca*, Austin, 1976.

—, «Iniciación de Lorca en el surrealismo», en Víctor García de la Concha [1982].

Honig, E., *García Lorca*, Laia, Barcelona, 1974.

Hoyo, Arturo del, ed., Federico García Lorca, *Obras completas*, Aguilar, Madrid, 1954, 1980.

Ilie, P., «Benjamín Jarnés. Aspects of the deshumanizadez novel», en *Publications of the Modern Language Association of America*, LXXVI, n.º 3 (1961), p. 248.

Jardiel Poncela, E., *Obras completas*, AHR, Barcelona, 1965, 4 vols.

Jareño, Ernesto, «*El caballero de Olmedo*, García Lorca y Albert Camus», en *Papeles de Son Armadans*, LVIII (1970), pp. 217-242.

Josephs, A., y J. Caballero, eds., Federico García Lorca, *La casa de Bernarda Alba*, Cátedra, Madrid, 1981.
Knight, R. G., «Federico García Lorca's, *Así que pasen cinco años*», en *Bulletin of Hispanic Studies*, XLIII (1966), pp. 32-46.
Kronic, John W., *La farsa y el teatro español de preguerra*, Castalia, Madrid, 1970.
Lacosta, Francisco C., «El humorismo de Enrique Jardiel Poncela», en *Hispania*, XLVII, n.° 3 (1964).
Laffranque, Marie, *Federico García Lorca*, Seghers, París, 1966.
—, *Les idées esthétiques de Federico García Lorca*, CHR, París, 1967.
—, «Federico García Lorca: une pièce inachevée», en *Bulletin Hispanique*, LXXVIII, n.os 3-4 (1976), pp. 350-372; incluye la edición de *Comedia sin título*, reeditada en Laffranque y Martínez Nadal, eds., *El público. Comedia sin título*, Seix Barral, Barcelona, 1978.
Laurenti, J. L., y J. Siracura, *F. G. L. y su mundo: ensayo de una bibliografía general*, Metuchen, 1974.
Lázaro Carreter, Fernando, «Apuntes sobre el teatro de García Lorca», en *Papeles de Son Armadans*, LII (1960); reeditado en Gil [1975], pp. 327-342.
Lima, Robert, *The theatre of García Lorca*, Las Américas, Nueva York, 1963.
Lumley, Frederick, *New trends in 20th century drama*, Barrie and Jenkins, Londres, 1973.
Machado, Antonio, «Sobre *Tres sonetos a Cristo crucificado ante el mar*», en *Hora de España*, n.° 22 (1938), pp. 11-13.
Mainer, José Carlos, ed., Benjamín Jarnés, *El convidado de papel*, Guara, Zaragoza, 1979.
Marichal, Juan, ed., Pedro Salinas, *Teatro completo*, Aguilar, Madrid, 1957.
—, «Pedro Salinas y los valores humanos de la literatura hispánica», en *La voluntad de estilo*, Revista de Occidente, Madrid, 1971.
Marrast, Robert, «L'esthétique théâtrale de Rafael Alberti», en Jean Jacquot y André Veinstein, eds., *La mise en scène des œuvres du passé*, CNRS, París, 1957.
—, «Tradiciones populares en *El adefesio*», en *Ínsula*, n.° 198 (1963), p. 7.
—, ed., Rafael Alberti, «*La pájara pinta*», en *Lope de Vega y la poesía contemporánea*, Centre de Recherches de l'Institut d'Études Hispaniques, París, 1964.
—, *Aspects du théâtre de Rafael Alberti*, Société d'Édition d'Enseignement Supérieur, París, 1967.
—, *El teatre durant la guerra civil espanyola*, Institut del Teatre, Barcelona, 1978.
Martínez, Miguel A., «Realidad y símbolo en "La casa de Bernarda Alba"», en *Revista de Estudios Hispánicos*, IV, n.° 1 (1970), pp. 55-66.
Martínez Cachero, José María, «Prosistas y poetas novecentistas. La aventura del Ultraísmo. Jarnés y los "Nova Novorum"», en *Historia general de las literaturas hispánicas*, VI, Vergara, Barcelona, 1967, pp. 377-441.
Martínez Latre, María Pilar, *La novela intelectual de Benjamín Jarnés*, Institución Fernando el Católico, Zaragoza, 1979.

Martínez Nadal, Rafael, *«El público». Amor y muerte en la obra de Federico García Lorca*, J. Mortiz, México, 1974.
—, *Federico García Lorca: Autógrafos. «El público»*, The Dolphin Books, Oxford, 1976.
—, *Federico García Lorca: Autógrafos. «Así que pasen cinco años»*, The Dolphin Books, Oxford, 1979.
—, y Marie Laffranque, eds., Federico García Lorca, *El público. Comedia sin título*, Seix Barral, Barcelona, 1978.
Maurin, Mario, «Temas y variaciones en el teatro de Pedro Salinas», en *Insula*, n.° 104 (1954), pp. 1-3.
Mazzara, R. A., «Dramatics variations on theme of *El sombrero de tres picos*: *La zapatera prodigiosa* y *Una viuda difícil*», en *Hispania*, California, XLI (1958), pp. 186-189.
McDonal, E. Cordel, «The modern novel as viewed by Ortega», en *Hispania*, n.° 4 (1959), pp. 475-489; reeditado en Darío Villanueva [1983], vol. II.
Menarini, Piero, ed., Federico García Lorca, *Lola la comedianta*, Alianza, Madrid, 1981.
Miralles, Enrique, «Concentración dramática en el teatro de Lorca», en *Archivum*, XXI (1971), pp. 77-94.
Monleón, José, ed., Rafael Alberti, *El adefesio*, Aymá, Barcelona, 1978.
—, «*El despertar a quien duerme*. De Lope de Vega a Rafael Alberti», en *Primer Acto*, n.° 182 (1979), pp. 117-124.
—, ed., Federico García Lorca, *Doña Rosita la soltera*, Centro Dramático Nacional, 1981.
Morelli, Gabriele, «La presencia del cuerpo humano en *Pasión de la tierra*», en *Revista de Letras*, n.° 22 (1974); reeditado en J. L. Cano, ed., *Vicente Aleixandre*, Taurus, Madrid, 1977, pp. 177-185.
Morris, C. B., «Parallel imagery in Quevedo and Alberti», en *Bulletin of Hispanic Studies*, XXXVI (1959), pp. 135-145.
—, «Lorca's *Yerma*. Wiffe without an anchor», en *Neophilologus*, LVI (1972), pp. 285-297.
—, *García Lorca. «Bodas de sangre»*, Grant & Cutler, Londres, 1979.
—, *This loving darkness: The cinema and Spanish writers 1920-1936*, Oxford University Press, University of Hull, Nueva York, 1980.
Neira, Julio, «El surrealismo en José María Hinojosa. (Esbozo)», en García de la Concha [1982], pp. 271-285.
Newberry, Wilma, «Aesthetic distance in García Lorca's *El público*: Pirandello y Ortega», en *Hispanic Review*, XXXVII (1969), pp. 276-296.
—, «Pirandellism in the plays of Pedro Salinas», en *Symposium*, XXV (1971), pp. 59-69.
—, *The Pirandellian mode in Spanish literature from Cervantes to Sartre*, University of New York Press, 1973.
Nora, Eugenio G. de, *La novela española contemporánea (1927-1939)*, II, Gredos, Madrid, 1979.
Nourissier, F., *Federico García Lorca, dramaturge*, L'Arche, París, 1955.
O'Neill, M. W., «The role of myth in the novels of Benjamín Jarnés», The University of Wisconsin, 1964 (tesis inédita).

O'Neill, M. W., «The role of the sensual in the art of Benjamín Jarnés», en *Modern Language Notes*, n.º 85 (1970).

Onís, Carlos Marcial de, «Luis Cernuda», en *El surrealismo y cuatro poetas de la generación del 27*, José Porrúa, Madrid, 1974.

Oostendorp, Henk Th., «La estructura de *El profesor inútil* de Benjamín Jarnés», en *Revue Belge de Philologie et d'Histoire*, LI, n.º 3 (1973), pp. 560-581; reeditado en Villanueva [1983].

—, «Las ideas estéticas de Benjamín Jarnés (con algunos datos biográficos preliminares)», en *Romanistisches Jahrbuch*, n.º 26 (1975).

Palley, Julián, «Archetipal simbols in *Bodas de sangre*», en *Hispania*, L (1967).

Paz, Octavio, «La palabra edificante», en *Papeles de Son Armadans*, XXXV (1964).

Pérez Bazo, Francisco Javier, *Juan Chabás y Martí: vida y obra*, Instituto de Estudios Alicantinos, 1981.

Pérez Firmat, Gustavo, *Idle fictions: The Hispanic vanguard novel, 1920-1934*, Duke University Press, Durxham, 1982.

Pérez Minik, Domingo, ed., Federico García Lorca, *La casa de Bernarda Alba*, Aymá, Barcelona, 1964.

Pollin, Alice, ed., *A concordance to plays and poems of Federico García Lorca*, Cornell University Press, 1975.

Popkin, Louise, *The theatre of Rafael Alberti*, Tamesis Books, Londres, 1975.

Pujals, Esteban, «*Bodas de sangre* y Campo Dafódelos», en *Revista de Literatura*, VIII (1955), pp. 57-65.

Putnam, S., «Benjamín Jarnés y la deshumanización del arte», en *Revista Hispánica Moderna*, II (1935-1936), pp. 17-21.

Río, Ángel del, «Lorca's theater», en Manuel Durán [1962].

Rodríguez Monegal, Emir, «La obra en prosa de Pedro Salinas», en *Número*, IV, n.º 18 (1952); reeditado en Andrew P. Debicki, ed., *Pedro Salinas*, Taurus, Madrid, 1976.

Rodríguez Richart, «Sobre el teatro de Pedro Salinas», en *Boletín de la Biblioteca Menéndez Pelayo*, XXXV (1960), pp. 397-427.

Rosenlithe, Anita, «El triunfo de la ilusión en cuatro dramas de Lorca: un realismo artístico», en *Revista de Estudios Hispánicos*, V (1971), pp. 243-255.

Rubia Barcia, J., «El realismo mágico de *La casa de Bernarda Alba*», en *Revista Hispánica Moderna*, XXXI (1965); recogido en Gil [1975], páginas 383-403.

Ruiz Ramón, Francisco, *Historia del teatro español. Siglo XX*, Cátedra, Madrid, 1977.

Ruiz Silva, Carlos, *Arte, amor y otras soledades en Luis Cernuda*, Ediciones de la Torre, Madrid, 1979.

Saillard, Simone, «Chronologie du théâtre de Lorca», en *Organon*, II (1978).

Sainz de los Ríos, Ilda Beatriz, «Análisis literario de *Bodas de sangre* de Federico García Lorca. Nuevas aportaciones», Universidad Complutense, Madrid, 1974 (tesis doctoral inédita).

Salazar Chapela, E., «Literatura plana y literatura del espacio», en *Revista de Occidente*, XV (1927), pp. 280-286.

Salazar Chapela, E., «Antonio Espina, *Luna de copas*», en *Revista de Occidente*, n.º 1 (1929), pp. 383-388.

Salinas, Pedro, «Benjamín Jarnés novelista», en *Índice Literario*, III (1934), pp. 21-24.

—, «España en su laberinto», en *Índice Literario*, III, n.º 5 (1934), pp. 93-98.

—, *La cabeza de Medusa, La estratoesfera* y *La isla del tesoro*, Ínsula, Madrid, 1952.

—, «*Los santos*», en *Cuadernos Americanos*, XIII, n.º 3 (1954).

—, *La realidad y el poeta*, Ariel, Barcelona, 1976.

Salinas, Solita, ed., Pedro Salinas, *Narrativa completa*, Barral, Barcelona, 1976.

Salvat, Ricard, ed., Rafael Alberti, *Noche de guerra en el Museo del Prado*, Edicusa, Madrid, 1976.

Sánchez, Roberto G., *García Lorca: estudios sobre su teatro*, Jura, Madrid, 1950.

—, «García Lorca y la literatura del siglo XIX: apuntes sobre *Doña Rosita la soltera*», en Gil [1975].

—, «La última manera de García Lorca (hacia una clarificación de lo social en su teatro)», en *Papeles de Son Armadans*, LX (1975), pp. 83-102.

Sánchez Barbudo, A., «*Santa Casilda* de Rafael Alberti», en *ABC* (27 de enero de 1931).

—, «*Los salvadores de España* de Rafael Alberti», en *El Mono Azul* (22 de octubre de 1936).

Sánchez Vidal, Agustín, «Sobre un ángel exterminador (la obra literaria de Luis Buñuel)», en García de la Concha [1982], pp. 119-139.

—, ed., Luis Buñuel, *Obra literaria*, Heraldo de Aragón, Zaragoza, 1982.

Sapojnikoff, Victor, «La estructura temática de *Así que pasen cinco años*», en *Romance Notes*, XII (1970), pp. 11-20.

Semprún, Moraima, *Las narraciones de F. García Lorca: un franco enfoque*, Hisparn, Barcelona, 1975.

Silver, Philip, *Et in Arcadia ego*, Tamesis Books, Londres, 1965; trad. cast.: *Luis Cernuda. El poeta en su leyenda*, Alfaguara, Madrid-Barcelona, 1972.

Smoot, Jean J., *A comparison of the plays by John M. Synge and Federico García Lorca. The poets and time*, José Porrúa Turanzas, Madrid, 1978.

Soria Olmedo, Andrés, «De la lírica al teatro: *El hombre deshabitado* de Rafael Alberti en su entorno», en *Estudios de literatura y arte dedicados al profesor Emilio Orozco Díaz*, Universidad de Granada, Granada, 1979, III, pp. 389-400.

Spires, Robert, «Realidad prosaica e imaginación trascendente en dos cuentos de Pedro Salinas», en Andrew P. Debicki, ed., *Pedro Salinas*, Taurus, Madrid, 1976.

Sullivan, Patricia L., «The mythic tragedy of *Yerma*», en *Bulletin of Hispanic Studies*, XLIX (1972), pp. 265-278.

Timm, John T. H., «Some critical observations on García Lorca's *Bodas de sangre*», en *Revista de Estudios Hispánicos*, VII (1973), pp. 255-288.

Torre, Guillermo de, ed., Federico García Lorca, *Obras completas*, Losada, Buenos Aires, desde 1938, 8 vols.

Torre, Guillermo de, «Hacia un más allá del realismo novelesco», en *El espejo y el camino*, Prensa Española, Madrid, 1968, pp. 97-109.
Torrente Ballester, Gonzalo, *Teatro español contemporáneo*, Guadarrama, Madrid, 1957.
—, *Panorama de la literatura española contemporánea*, Madrid, 1965.
Torres Nebrera, Gregorio, «Manuel Altolaguirre, dramaturgo», en *Segismundo*, n.os 25-26 (1977), pp. 349-379.
—, ed., Pedro Salinas, *Teatro: La fuente del ángel. La bella durmiente. El director. Caín o una gloria científica*, Narcea, Madrid, 1979.
—, *El teatro de Rafael Alberti*, SGEL, Madrid, 1982.
Valbuena Prat, Ángel, *Historia de la literatura española*, Barcelona, 1963, vol. III.
Valente, José Ángel, «Pez Luna», en *Trece de nieve*, n.os 1-2 (1976).
Vela, Fernando, «*Víspera del gozo* de Pedro Salinas», *Revista de Occidente*, XIII (1926), pp. 125-129.
Villanueva, Darío, ed., *La novela lírica*, Taurus, Madrid, 1983, 2 vols.
Vivanco, Luis Felipe, *Introducción a la poesía española contemporánea*, Guadarrama, Madrid, 1957.
—, «La generación poética del 27», en *Historia general de las literaturas hispánicas*, VI, Vergara, Barcelona, 1967.
—, «Poemas de Juan Larrea», en *Revista de Occidente* (diciembre de 1970), pp. 303-307.
Wells, G. M., «The natural norm in the plays of Federico García Lorca», en *Hispanic Review*, XXXVIII (1970), pp. 299-313.
Young, Howard T., «Pedro Salinas y los Estados Unidos o la nada y las máquinas», en *Cuadernos Hispanoamericanos*, n.os 145-147 (1962), pp. 5-13.
Young, R. A., «García Lorca's *La casa de Bernarda Alba*: A microcosmos of Spanish culture», en *Modern Languages*, L (1969).
Zardoya, Concha, «*Mariana Pineda*, romance trágico de la libertad», en *Revista Hispánica Moderna*, XXXIV (1968), pp. 471-497.
Zimbardo, R. A., «The mythic pattern in Lorca's *Blood wedding*», en *Modern Drama*, X (1967), pp. 367-371.
Zuleta, Emilia de, «Revisión de Benjamín Jarnés en su obra crítica», en *Papeles de Son Armadans*, CXXV (1966), pp. 125-136.
—, *Arte y vida en la obra de Benjamín Jarnés*, Gredos, Madrid, 1977.

VÍCTOR FUENTES

LA NARRATIVA ESPAÑOLA DE VANGUARDIA (1923-1931)

Aparece la narrativa vanguardista enmarcada dentro de los límites cronológicos de la Dictadura: en los fundamentos económicos, políticos y sociales de ésta se encuentra un clima propicio para su desarrollo. Sus creadores, los prosistas de la juventud literaria de la posguerra, recogen el llamamiento que hace Ortega y Gasset, portavoz español de la *intelligentsia* burguesa liberal europea, a los espíritus selectos para que, ante la crisis de los valores, se desentiendan de la realidad político-social y elaboren, desde su propia individualidad, los nuevos principios sobre los cuales reconstruir la nueva arquitectura de la vida occidental. Constituyéndose en una élite literaria, escriben una novela minoritaria y experimental. Replegados dentro de su individualidad, hacen de ella un laboratorio en donde ensayan la invención de nuevos principios: nuevas formas de vida y de novelar. Rechazan las formas novelescas tradicionales y aspiran a crear una nueva novela, basada en los descubrimientos científicos, tecnológicos y artísticos de la nueva época. La teoría de la relatividad, el perspectivismo filosófico, la nueva biología, el cine, la nueva música, la pintura cubista, el deportismo y el dinamismo maquinista, entran en la configuración temático-estructural de la nueva novela vanguardista o experimental.

El desarrollo y la difusión de esta novela, de considerable alcance tenido en cuenta su carácter experimental y minoritario, hay que relacionarlos con la expansión del capitalismo español en los años veinte. Al

Víctor Fuentes, «La narrativa española de vanguardia (1923-1931): un ensayo de interpretación», *Romanic Review*, LVIII (1972), pp. 211-218.

amparo de una coyuntura económica favorable, florece nuestra industria editorial, fundándose nuevas editoriales y colecciones, algunas de las cuales se consagran a promocionar la literatura vanguardista. La Revista de Occidente, Cuadernos Literarios, La Gaceta Literaria, la Compañía Iberoamericana de Publicaciones y Espasa-Calpe acogen las obras novelescas vanguardistas. La Revista de Occidente y la Compañía Iberoamericana de Publicaciones, importantes empresas editoriales, muy identificadas con el capitalismo industrial de aquellos años, son los dos focos principales en torno a los que se desarrollan y alcanzan su plenitud las publicaciones vanguardistas. La colección «Nova Novorum» de la Revista de Occidente publica entre 1926 y 1929 las obras que consagran la nueva modalidad novelesca: *Víspera del gozo*, de Salinas; *El profesor inútil* y *Paula y Paulita*, de Jarnés, y *Pájaro pinto* y *Luna de copa*, de Antonio Espina. La CIAP, continuando la labor iniciada por la editorial de Ortega, dedica su colección «Valores actuales» a la nueva narrativa. Entre 1930 y 1931, fecha en que esta colección deja de publicarse al quedar el vanguardismo sobrepasado por los acontecimientos históricos, publica alguna de las obras más representativas de la novela vanguardista: *Cazador en el alba*, de Francisco Ayala; *Naufragio en la sombra*, de Valentín Andrés Álvarez; *Estación, ida y vuelta*, de Rosa Chacel; *Tres mujeres más Equis*, de Ximénez de Sandoval; *Efectos navales*, de Antonio de Obregón.

Florece, pues, la narrativa vanguardista en los años dorados del capitalismo peninsular. El ensueño de un porvenir radiante que se vive en esta época en nuestro país, encuentra fiel expresión literaria en las «ensoñaciones» novelescas vanguardistas. El optimismo que alienta en ellas refleja el falso optimismo, fundado en las promesas de la nueva civilización tecnológica, que se extiende en Europa después de la primera guerra mundial. Vinculados al pujante sector de la industria editorial, que en los años de la Dictadura alcanza un nivel europeo, nuestros jóvenes literatos, de escasa conciencia político-social, y ganados por el mito tecnocrático, confían en el mundo tecnológico, que se dibuja dentro de su horizonte histórico, para la resolución de los problemas económicos, políticos y sociales. Desentendiéndose de esta problemática, se entregan a abstractas y utópicas elucubraciones sobre el hombre nuevo y el hombre integral: la realidad en sus mundos novelescos es una realidad en donde el reino de la necesidad ha sido sobrepasado.

Las actitudes y aspiraciones fundamentales de los vanguardistas, a pesar de su carácter abstracto, que las rinde inoperantes, apuntan contra las represiones de la realidad establecida. Acogidos a la bandera de la liberación, rechazan y se rebelan —una rebelión confinada al arte y absorbida, fácilmente, por el sistema al que se opone— contra los valores y las formas de vida de la sociedad burguesa-capitalista. Hacen tabla rasa de lo anterior, y aspiran a comenzar de nuevo. La imaginación y la fantasía se elevan al rango de máximas facultades creadoras: el arte se concibe como creación, creación de un mundo libre de constricciones.

Fieles a la consigna de la liberación, los narradores vanguardistas descartan los módulos novelescos y el lenguaje realista-naturalista, que identifican con la represiva sociedad burguesa. Sus fabulaciones se estructuran sobre un doble plano contrapuesto: el de la sátira y la parodia denunciatorias de la falsedad y el carácter antivital de los subgéneros novelescos preferidos por la burguesía —la novela sentimental, blanca o rosa, y la novela erótica, que acaparan, por aquellos, años, el mercado editorial— y el de creación de una nueva realidad, fantasista y sensual, libre de todo control represivo.

La entrega, libre y desinteresada, a la vida, que propugnan los vanguardistas, choca con el petrificado bastión de la existencia burguesa. En sus relatos, continuamente zahieren y ridiculizan, por contrarias a la vida, las virtudes sobre las que se asienta la sociedad burguesa. La idea de que los hijos sean continuación de los padres, copia y no original, la seriedad y la respetabilidad, el espíritu mercantil, el amor concebido como negocio matrimonial o sexualidad procreadora, la vida arrellenada y segura, la duplicidad del código moral burgués se satirizan y parodian constantemente. [...] Los personajes nacionales, quienes, muchas veces tienen, o imitan, rasgos físicos extranjeros, continuamente hacen gala de su vocación cosmopolita. El ideal de la época, reflejado en estas obras no sin cierta ironía, es el del joven de aspecto deportivo y rubio: «¿Te has fijado que somos los dos iguales de rubios? Estamos de moda», dice Xelfa, protagonista de *Pájaro pinto* [de Antonio Espina], a su novia.

Ante la civilización tecnológica moderna, la actitud de los vanguardistas es ambivalente, mezcla de sentimientos contradictorios de optimismo y de pesimismo. En el mundo de la máquina y de la técnica ven nuevas fuentes de inspiración artística y de nuevas formas de vida, libres de las represiones de la vida y de la moralidad tradicionales, pero, al mismo tiempo, advierten en él un grave peligro de deshumanización y de cosificación del hombre. En sus creaciones novelescas, exaltan la vida deportiva y el dinamismo maquinista, como fuerzas liberalizadoras y revitalizadoras, y condenan —educados en el individualismo y en los valores del humanismo burgués— el automatismo y la masificación, como fuerzas negadoras de la vida y del hombre. [...]

Frente a las formas de vida y de conducta cosmopolitas, importadas del extranjero, los narradores vanguardistas españoles adoptan, también, una posición ambivalente: les atraen por su novedad y por su efecto liberalizador sobre el provincialismo y la gazmoñería de nuestras costumbres, pero perciben en ellas —y denuncian mediante la ironía y la sátira— la frivolidad y la deshumanización que entrañan. [...]

En consonancia con este ambivalismo, la alegría y la exaltación vitalista, que destaca en un primer plano en los relatos vanguardistas, está siempre socavada por una veta de desilusión, de escepticismo nihilista: el «cántico» a la vida nunca ahoga los «clamores» de las fuerzas negativas —el tedio, la angustia, la nada, la muerte— que le minan por dentro. A medida que la fachada de prosperidad del régimen de la dictadura se va deteriorando —en las fechas del hundimiento económico de Wall Street y del colapso de los mercados internacionales— se nota, en estas narraciones una creciente desaparición de la euforia y del optimismo, y su sustitución por la desilusión, la desazón y el pesimismo. *Escenas junto a la muerte*, de Jarnés, ejemplariza, casi de modo agónico, este temple anímico, dramatizado, dentro del espíritu de tragedia-bufa que anima a muchas de estas narraciones, por los suicidios con que finalizan varias de ellas: el de Mr. Brook en *Paula y Paulita* de Jarnés, el del poeta en «Bi o el edificio en humo», relato incluido en *Pájaro pinto*, el de Arturo Sheridan en *Luna de copas* [ambas de Espina], el de Equis en *Tres mujeres más Equis* de Ximénez de Sandoval, el del innominado protagonista de «Polar, estrella», fragmento novelesco de *El boxeador y un ángel* de Francisco Ayala.

El polo positivo de los relatos vanguardistas es el de la creación de una nueva realidad sensualista y fantasista. La visión del mundo de sus autores se basa sobre la sensualidad, el deseo y el placer por lo que significan de aquiescencia a la vida, y propende a la vida de felicidad y plenitud, basada en la satisfacción integral del hombre.

EMILIA DE ZULETA

JARNÉS, NOVELISTA

La vida humana en todos sus niveles, vista según todos sus perfiles, es el objeto básico de la novela de Jarnés. Es decir, que en ella se encarna, en la pura creación ficticia, el principio fundamental del vitalismo que, simultáneamente, alimentaba su doctrina estética y su crítica.

Ahora bien, y ello ha sido anticipado parcialmente en la caracterización de sus biografías, el lirismo es el elemento conformador de su narrativa. Pertenecen las novelas de Jarnés a la especie de la novela lírica que tuvo su auge en Europa en la segunda y tercera décadas de este siglo. En su obra sobre el tema, Ralph Freedman la define escuetamente: «Es un género híbrido que utiliza la novela para aproximarse a la función de un poema». Vale decir que una novela de este tipo, en sentido estricto, participa de los rasgos de la función lírica: manifestación sintética de la experiencia individual como un todo significativo, proyección del yo, ambigüedad. Más adelante, agrega el mismo autor: «En la novela lírica narrador y protagonista se funden para dar origen a un yo en el cual la experiencia se configura como imagen». Unidad entre narrador y protagonista, y experiencia modelada o configurada como imagen.

Es decir que realidad interior y realidad exterior, sometidas a profunda reelaboración, pasan a ser la objetivación de una experiencia, perspectiva o visión subjetiva. Todos los ingredientes tradicionales de la novela pueden estar presentes, pero subordinados a esta nueva organización.

El mismo Freedman apunta que la ficción lírica no se define, esencialmente, por el llamado «estilo poético». Y Mariano Baquero Goyanes coincide al señalar que, aunque la novela lírica o poética aparezca asociada a la llamada «prosa poética», éste no es su rasgo esencial: «Y aunque no parezca prudente rechazar del todo tal identificación —pues, efectivamente, existen ciertas novelas caracterizadas por la presencia más o menos mantenida de un lenguaje poético, v. gr., las de Gabriel Miró—, creo

Emilia de Zuleta, *Arte y vida en la obra de Benjamín Jarnés*, Gredos, Madrid, 1977, pp. 125-129.

que el muy *sui generis* efecto lírico que una novela pueda suscitar, es el resultado de una conjunción de factores —tema, estructura, lenguaje, tono— cuyo último determinante no sería otro que el de la sensibilidad, la personal visión del mundo del autor».

Tal es el caso de la novela de Jarnés, donde, más allá de las «taraceas poemáticas», hay un sostenido aliento de vitalismo y voluptuosidad al cual se subordinan los demás elementos novelescos: espacio, tiempo, acción, personajes. El estilo poético —que lo hay—, las imágenes, no son la cobertura decorativa de una narración más o menos tradicional, sino que la narración entera se estructura líricamente, y, repetimos, subordinados a esta perspectiva, ingresan en el orbe novelesco los diversos ingredientes. Novela organizada sobre motivos, más que encadenando episodios, lo cual permite, en ocasiones, desarrollos posteriores, entre una y otra edición, a manera de ampliaciones o de agregados enteramente nuevos. En la primera de sus novelas, Jarnés justifica esta estructura por identificación con la vida misma, lo cual reafirma la coherencia de su estética: «Pero yo prefiero la novela donde —como en la vida— no hay prólogo ni epílogo, sino ciertos jalones de partida o de término. La mejor novela queda siempre inconclusa, porque el autor no puede dictar desde la tumba los últimos capítulos».

Una estructura de este tipo exige recursos integradores; uno de los fundamentales en la novela jarnesiana es el mito. [...] El mito da consistencia a ciertos personajes y sirve de principio organizador de la anécdota desde su primera novela, *El profesor inútil.* No se reduce, por cierto, al mito clásico, sino que introduce la leyenda medieval, el episodio bíblico o el arquetipo literario con una función análoga.

Otros procedimientos de creación de una realidad novelesca proceden de la cantera modernista: son producto de la devoción de Jarnés por Gabriel Miró y significan, en cierto modo, la incorporación de sus experiencias al arte nuevo. Este aspecto de la obra de Jarnés, poco estudiado, es una manifestación más —ya lo hemos señalado— de la continuidad entre la literatura española de esta etapa y la inmediatamente anterior. En efecto, Jarnés parte de un tipo de análisis voluptuoso de la realidad, desde un punto de vista sensorial, similar al de Miró, muy próximo a él por la pulcritud en el uso del idioma como instrumento de interpretación y de expresión. Martínez Cachero señala, además, la influencia de Azorín, visible en el uso del presente, en la frase corta como correlato estilístico de aquel moroso análisis de la realidad. Y el mismo Jarnés ha dejado varios testimonios de su admiración por Azorín, en los cuales destaca cualidades afines a las suyas. Tal es el caso de su comentario sobre *Félix Vargas*, donde elogia su carácter de «libro voluptuoso», organizado como «orquestación de sensaciones», más que como «cadena de hechos novelescos».

Sin embargo, la visión de Jarnés está aun más dinamizada y profundizada por todos los recursos del arte nuevo. Algunos proceden de la pintura, no sólo el impresionismo —que puede vincularse con Miró o Azorín—, sino también el cubismo en su etapa analítica o en su posterior evolución, sintética. Cierto tipo de imágenes pueden calificarse de surrealistas. En general, toda su imaginería ilustra cabalmente la simbiosis de formas artísticas durante la etapa de posguerra, el préstamo de técnicas entre las artes tradicionales, así como el ascendiente del cine sobre aquéllas, del mismo modo que, a la inversa, elementos plásticos y literarios venían integrándose en el cine.

Naturalmente, el arte de Jarnés también se enriquece con técnicas y recursos que son privativos del nuevo arte literario: la utilización libre del tiempo, ya sea como anticipación o como coexistencia de diferentes secuencias temporales, la superposición de espacios y, sobre todo, la imagen nueva. Quizás este último aspecto es, en superficie, lo más característico de la novela de Jarnés, entregada frecuentemente a una verdadera voluptuosidad en el empleo de la imagen vanguardista, a veces con un prodigioso ajuste entre ella y el plano conceptual, sensorial o emotivo. El narrador tiene, sin duda, conciencia de este poder suyo y se deleita morosamente en él.

Un maestro español, reconocido por Jarnés en este aspecto, deja su impronta en esta selección y reconstrucción de la realidad: Ramón Gómez de la Serna. Por supuesto, se percibe también su amplia familiaridad —documentada, además, en su obra crítica— con los grandes maestros de la nueva novela europea: Aldous Huxley, James Joyce y, sobre todo, Jean Giraudoux.

JOHN CRISPIN

LA NOVELA DE ANTONIO ESPINA

A más de treinta años de distancia, y reestablecida la debida perspectiva histórica, podemos comprobar que la generación de prosistas de 1925 no fue tan frívola —encerrada en su torre de marfil—, ni tan desdeñosa de valores humanos como se ha dicho. En su temática, le tocó nacer, eso sí, a raíz de la corriente escapista —en el fondo escéptica y amarga— de la primera posguerra. En la forma, estuvo en lucha —muy justamente— contra el falso sentimentalismo y las soluciones fáciles de la narrativa tradicional representada en la época por el género erótico de Pedro Mata o la novela «rosa» de Pérez y Pérez. [...]

Al comentar *Pájaro pinto* (1926), un crítico de la época comparó el espíritu que lo anima a una mezcla del acíbar mordaz de Quevedo y de la mueca dolorosa de Larra. De este último escritor, en particular, tiene Espina el tono de exasperación creciente ante la realidad vulgar que le rodea. Se puede admitir esta comparación. No obstante su forma desconcertante, Espina ha hecho en su novela la crítica más absoluta de todo un mundo frívolo: la sociedad europea después de la primera guerra mundial. «Nada importa nada» exclamaba entonces Ramón Gómez de la Serna, eco de toda una época. El grito de dolor ante esta actitud se oculta mal aquí bajo el gesto cómico y el conceptismo del estilo. Con esta obra, tenemos el ejemplo más temprano en esta generación de una actitud que llamamos «deportismo doloroso».

En una breve antelación, el autor define su libro como una mezcla de «poema novelar y de cinegrafía». Del cine adopta la técnica fragmentaria de abruptos cambios de plano. Siete episodios cuenta el libro. Tres de ellos forman una pequeña novela titulada «Xelfa, carne de cera»; los demás son breves visiones esperpénticas que sólo tienen en común el tema y la intención que los reúne, esto es: la denuncia de un mundo sin valores.

John Crispin, «La novela de la generación de 1925: Antonio Espina», en *Archivum*, XVI (1966), pp. 213-222 (213-216, 219).

[El episodio más importante del libro es el formado por la historia (simbólica) del hombre típico de aquella época: «Xelfa, carne de cera».] En seguida se le define: «figura sin contorno de civilizado, áspero y analítico». Xelfa es la perfecta caricatura del hombre-masa, si es que se da la paradoja de un hombre-masa altamente reflexivo, dentro de su vulgaridad. Para complicar más la presencia del personaje, nos enteramos de que Xelfa es en realidad el *alter ego* de un tal Juan Martín Bofarull, que así se llama en la vida real. La «entidad Xelfa» representa en Juan Martín el despertar de una conciencia. Juan Martín es el hombre de carne y hueso; Xelfa es la conciencia de Juan Martín, que se contempla a sí mismo actuando y viviendo, y analiza paso a paso cada acto.

Xelfa ha llegado a la conclusión del absurdo de la vida. Vivir es sufrir inútilmente. Ante el sufrimiento absurdo, un hombre de fe puede defenderse con la oración, un estoico con la ironía o el suicidio. Xelfa elige un tercer camino: «Comprendió que la tragedia no importa por honda o por complicada, sino por razonable. Que el dolor no mata por intenso, sino por persuasivo. Libertarse de él, *en civilizado*, en gentil metafísico, es hacerlo narigudo o ponerle de cuclillas» (subrayado nuestro).

Xelfa se propone, pues, jugar con el dolor. Hacer de cualquier acontecimiento, por doloroso que sea (la guerra, el amor burlado), materia de burla nihilista: nada importa nada... Esto, claro, representa la actitud del personaje, no la del autor (el cual aparece en dos diálogos con su personaje, bajo el seudónimo de «Poeta de Cabaret») que precisamente quiere satirizarla, y que le hace a Xelfa el siguiente reproche: «Eres caprichoso, aéreo, flotas en una ingravidez moral *que quizá sea la inmortalidad de tu tiempo*» (subrayado nuestro).

La novela de Xelfa tiene cuatro partes: primera, «Xelfa volvió de la guerra»; segunda, «Xelfa enamorado»; tercera, «Xelfa se inhibe»; cuarta, «Epílogo». La acción no puede ser más sencilla. El soldado Juan Martín Bofarull vuelve de una campaña militar en el Rif. Al regresar a Madrid, visita a una prima suya, Andrea, de la cual pronto se enamora. Después de una boda cursi, y de dos años aburridos de matrimonio, Xelfa se encuentra plenamente desilusionado con el amor y con una existencia tan inútil como plana. Nace un hijo que pronto fallece. Xelfa recibe ahora «ese contrahijo que los poetas vienen llamando "desengaño" desde tiempo inmemorial». Rechaza la solución vulgar del adulterio (falsa solución de novelas francesas —dice el autor). Xelfa prefiere dejar el hogar. [...]

Entonces, ocurre el cambio definitivo en la personalidad de Xelfa: «se inhibe». El inhibirse consiste en rebelarse contra la gratuidad de la vida, burlándose de ella. Comete el último suicidio en tanto que Xelfa, ser racional: la razón se destruye a sí misma y deja de una vez todo intento de encontrar valores. Declara Xelfa: «Dejo para siempre un domicilio confortable ... un fragmento de dicha y otro de neurastenia. Y otro de moral cívico-eclesiástica ... Y alguna sangre humana ... quizá». Se dedica a una existencia alegremente absurda [en Buenos Aires]: «Nada me liga demasiado ... no encuentro obstáculos en mi camino, y si los encuentro, los salto aladamente, sin esfuerzo, como un funambulista peliculero». En esta nota de desprecio nihilista se acaba la novela de Xelfa.

RICARDO GULLÓN

PEDRO SALINAS, NOVELISTA

Entre los escritores de la generación de 1925 acaso sea Pedro Salinas el más europeo, el que siendo, como sin duda lo es, españolísimo en sus gustos y en sus inclinaciones, supera a los demás en capacidad para aprehender la vibración de las corrientes del pensamiento y el sentimiento universal. A Salinas pudiera caracterizársele como el antiprovinciano, en cuanto por provinciano se entienda la sólita deformación y la falta de perspectiva en que suelen incurrir quienes contemplan el mundo a través de un desconsiderado y exclusivo apego a los lugares comunes cotidianos. El punto de vista de Salinas es siempre personal, como establecido sin tener demasiada cuenta de los prejuicios dominantes y circulantes a su alrededor; por personal resulta a menudo fructífero y original, y acierta a descubrir los acontecimientos con impensado sesgo, revelador de aspectos y circunstancias que pueden explicar lo hasta entonces inexplicable.

En la mentalidad de Salinas lo universal y lo castizo coinciden en dichosa armonía. Sus obras están transidas de españolismo, cuando no por el tema, por la actitud, pero al mismo tiempo implican la superación de lo meramente local por una viva urgencia de participar en los anhelos generales, sentidos como propios. [Un sentimiento de esta clase ha sido la raíz de *La bomba increíble*, cuya lectura me ha sugerido las apuntadas reflexiones.]

La bomba increíble no es precisamente «novela», aunque desde luego sea obra novelesca. El autor la denomina fabulación, y el tér-

Ricardo Gullón, «Pedro Salinas, novelista», en *Ínsula*, n.º 71 (1951), p. 3.

mino parece adecuado. Es una historia imaginaria adscrita al género llamado «anticipaciones», muy en boga actualmente para responder a la ansiedad colectiva, afanosa de levantar siquiera una punta del velo ocultador del futuro. La corriente de profetismo, generalmente pesimista y desesperanzada, produjo una obra maestra: *1984*, de George Orwell. La narración de Pedro Salinas no podía tener, ni tiene apenas, puntos de contacto con esta y otras obras análogas. Es una anticipación, ciertamente, pero sin el acento patético que Orwell o Arthur Koestler imprimieron a sus ficciones futurizantes. Más cerca está del huxleyano *¡Dichoso mundo nuevo!* Desde la primera línea el ingenio animado y vario del escritor español infunde al texto una irónica vivacidad: el mundo que presenta no está dominado por la crueldad, como el de Orwell, o por la frivolidad y el miedo, como el de Koestler, sino por la técnica puesta al servicio de una violencia fría e impersonal.

El suceso referido en esta sátira —pues de sátira se trata, entre otras cosas— puede resumirse en corto espacio: en el museo de la Paz de un país imaginario —el ETC o *Estado Técnico Científico*—, donde se exhiben las armas utilizadas por el hombre a lo largo de la historia, aparece súbitamente una bomba nueva, desconocida. Los científicos, reguladores de la vida del estado, estudian la bomba en los campos de investigación, sin llegar a descubrir procedencia ni composición. Enloquecido, uno de los técnicos acuchilla la masa inerte; cede ésta al acero y sufre siete heridas, de las que brotan estridentes burbujas, enorme masa de efluvios que son quejidos, insoportables e irresistibles ayes de dolor, que poco a poco van invadiéndolo todo y obligando a evacuar campos y poblaciones.

Los hombres no pueden soportar la invasión sonora sin enloquecer; las máquinas se paralizan en cuanto las anega la inmensa ola de quejumbres; imposible obliterarse el conducto auditivo, y hasta el cerebro de los sordos llega abrumadora y taladrante la horrible queja. El último capítulo de la narración, titulado «Apocalipsis y albor», explica cómo al fin, cuando el país está desierto, dos seres, un hombre y una muchacha, únicos que pudieron soportar la invasión, descubren el secreto de la bomba y la manera de cortar el torrente de gritos: en la dolorida masa de clamores vencedora de la técnica y la ciencia se acumulaban los gemidos de todas las víctimas, de los muertos en todos los siglos por mano del hombre, pues el dolor de los innumerables Abeles de la historia, de los caídos por la maldad de sus hermanos, continuaba existiendo y se hacía tangible en el prepotente quejido. Y lo que no lograron los científicos en fuga, lo consiguió una mujer: acabar con los ayes, yendo a la bomba y abrazándose a ella hasta cerrar «las siete bocas surtidoras del plañir». No la ciencia, sino el amor salvará al mundo, y las criaturas supervivientes iniciarán nueva vida soñando «una humanidad donde el morir jamás le viniese al hombre de mano del hombre: sólo de la voluntad de la Muerte. Hacia un mundo sin el ¡ay! de Abel». [...]

La bomba «increíble» responde al anhelo de muchos corazones que desearían cortar con un ¡basta! tajante la marcha ciega del llamado progreso técnico. ¡Cuántas ansias no dichas y temores callados en el hombre actual! Está claro que el progreso técnico no significa progreso moral, antes parece oponérsele, y de esa oposición brota un malestar que no por silencioso resulta menos cierto y opresor.

Para dar a la fabulación apariencias de realidad, Salinas escogió la forma que podía hacerla más verosímil: el libro es la crónica de ciertos hechos, narrados con la sencillez de quien está refiriendo episodios corrientes y vulgares. Una historia dicha del modo más natural, sin que la voz deje traslucir (salvo en un par de momentos) la eventual emoción del cronista. La forma es adecuada porque, como señaló André Maurois, para dar sensación de verosimilitud es recomendable rehuir la gesticulación y el énfasis y contar los sucesos extraños del modo más llano posible. Las resistencias del lector ante lo raro del caso deben de ser vencidas en su raíz por la naturalidad del lenguaje, que apunta brotes de popular desgarro y muestra a veces sutilísima vena arcaica e incrustaciones tópicas.

Tal lenguaje sirve para manifestar sin traicionarla la ironía, no diré agazapada pero sí discreta en segundo término, contrapunto de los agitados movimientos a que se ven impelidos los personajes. Y al escribir la palabra «personajes», echo de ver la necesidad de una inmediata aclaración: ¿existen realmente personajes en *La bomba increíble*? *Strictu sensu*, no. Las figuras ficticias funcionan y se mueven, pero sin personalidad, no indiferenciadas, sino someras en la individualización; arquetípicas, cada una en su papel, ligada al plan y a la falsilla necesaria. En esta obra se dicen muchas cosas acerca del comportamiento humano, pero no del funcionamiento de un corazón en particular. Todo el interés del autor se centra en la organización y desarrollo del conflicto, narrado como si hubiera sido vivido, o mejor dicho, no: narrado con más dominio del asunto del que puede tener el espectador de sucesos reales, tan a menudo subyugado por ellos. [...]

Salinas ha desparramado en estas páginas una multitud de pormenores convincentes, los «petits faits vrais», caros a Stendhal. La anécdota, sobre referida con naturalidad, está trufada de verísimos detalles: así, el episodio del periódico, para quien el estupendo hallazgo de la bomba representa no más que la oportunidad de obtener un éxito sobre sus colegas, de «hacer migas» a los diarios rivales. La reunión de los Ministros con el Regente, y más aún la reseña del plebiscito montado para decidir el ulterior destino de la bomba, tienen el movimiento y la vivacidad de un gran reportaje. En cada coyuntura el ingenio del autor sazona la narración con notas de picante realismo, bien observadas y transcritas con gracejo. Así, las medidas de urgencia adoptadas por el gobierno para distraer el ánimo de los ciudadanos: puesta en circulación de libros incluidos en el Índice Científico Social por sus tendencias irracionales, tales como el *Don Quijote*, *Fausto*, la *Odisea*; exhibición de viejas películas de asuntos imaginarios y, por lo tanto, contrarias a los severos dogmas de la racionalidad imperante. El drama crece sin que cambie el tono del narrador, y la confusión se describe con imperturbable mesura. La incorporación al relato de incidencias normales revigoriza su verosimilitud. El tratamiento del tema no puede ser más realista ni el humor más adecuado para sofrenar el romanticismo latente. Pues nótese esto: *La bomba increíble* acaba en una exaltación del amor, en una afirmación seguramente «romántica» y desde luego cristiana: el progreso moral será obra del amor y la caridad, no de la presuntuosa técnica.

En este libro, como se advierte en la nota editorial, vuelve Salinas a desarrollar el tema de su poema «Cero» (incluido en *Todo más claro*): el hombre, «autor de nadas», logra al fin, en su lucha con el hombre, crear el cero absoluto, el naufragio total. Y yo diría que en el relato consiguió el autor dar más completa expresión a aquella gran paradoja notada en el prólogo a los versos mencionados: «que en los cubículos de los laboratorios, celebrados templos del progreso, se elabora del modo más racional la técnica del más definitivo regreso del ser humano: la vuelta del ser al no ser». En la fabulación presente el tema aparece en tal extremo de madurez, que serenidad e ironía no cercenan el soterraño crecer de la angustia, ni impiden escuchar el rumor de la esperanza. *La bomba increíble* es una iluminación del tipo de las que Salinas quiere crear en sus poemas; iluminación que explica la desesperanza presente y las razones para confiar en un renacimiento posible.

Pedro Salinas aporta a la literatura novelesca española contemporánea algo que falta —o al menos escasea mucho— en ella: una imaginación capaz de superar los linderos de lo cotidiano desplazándose a un mundo distinto y no menos real: la imaginación de Salinas nos introduce de golpe en el universo temible y soñado por la general zozobra. La gran farsa de la vida acaba en tragedia con un lejano horizonte auroral. Justamente el mínimo de aurora para que el temeroso lector sienta robustecidas sus razones para creer y esperar.

KEITH ELLIS

FRANCISCO AYALA: ENTRE LA TRADICIÓN Y EL EXPERIMENTO

[La obra novelesca de Ayala se encierra en dos períodos: el primero se extiende de 1925 a 1930 e incluye *Tragicomedia de un hombre sin espíritu* (1925), *Historia de un amanecer* (1926), *El boxeador y un ángel* (1929) y *Cazador en el alba* (1930); el segundo va desde 1944 hasta nuestros días. Según E. Anderson Imbert, esos dos períodos] «se caracterizan por dos diferentes tonos: en el primero, un tono juguetón, puramente imaginativo, estetizante; en el segundo, una toma de posición frente a la realidad, mirándola valientemente, sarcásticamente, en sus más secretas crudezas».

[El tema esencial de la *Tragicomedia de un hombre sin espíritu* es la recuperación de la cordura perdida a causa de la crueldad de los hombres.] Pero, en tanto que la novela contiene múltiples manifestaciones de impaciencia respecto a la supervivencia de los convencionalismos sociales, desde el punto de vista técnico difiere muy poco con respecto a la novela española tradicional. Puede afirmarse en realidad que no es, por muchos conceptos, sino un conglomerado de recursos técnicos largamente usados. Fiel a la tradición del realismo decimonónico representado por Fernán Caballero o por Balzac; por Palacio Valdés o Alberto Blest Gana; por Pereda o por Dickens, esta primera novela de Ayala ofrece los retratos de un gran número de personajes que son presentados con gran lujo de detalles pictóricos por más que su papel, en la estructura general de la obra, tenga muy escasa importancia. [...] Tampoco es un tono juguetón y puramente imaginativo el que informa la segunda novela de Ayala. Las preocupacio-

Keith Ellis, *El arte narrativo de Francisco Ayala*, Gredos, Madrid, 1964, pp. 24, 26, 29, 34-35, 40, 41, 43, 49-51, 54-56 y 58-59.

nes político-sociales que el autor apuntaba en la *Tragicomedia* crecen en importancia, hasta constituir el tema principal, en *Historia de un amanecer* que apareció en 1926. Se trata de una obra juvenil cuyos principales personajes viven penetrados por las pasiones y los ideales propios de los jóvenes de cuerpo y de espíritu. Representa también —mejor aún que la *Tragicomedia*— las fases rudimentarias del progreso artístico de Ayala. [...] *Historia de un amanecer* está lejos de ofrecer progreso alguno apreciable en su valor artístico, tal como la *Tragicomedia de un hombre sin espíritu* nos autorizaba a esperar de su autor.[1] Son pocos los recursos imaginativos de esta primera obra que pueden hallarse en la segunda. Contiene, no obstante, los retratos admirablemente trazados de los dirigentes revolucionarios: hombres de elevado espíritu que se ponen en marcha, llenos de optimismo, decididos a recorrer un camino, que, según el autor nos lo presenta, no parece demasiado difícil; camino que ha de llevarles a lograr para su mundo un régimen de justicia. También se advierte en la novela, aunque su empleo es más bien limitado, un tono satírico de agudos contrastes, cuyas notas culminantes se dan en la descripción de todos aquellos que patrocinan el mantenimiento de la injusticia. Este último estilo es el que, en la época posterior a la guerra civil, se irá haciendo cada vez más dominante en la obra de Ayala. [...]

En este nuevo estilo que siguió a *Historia de un amanecer* es donde se manifiesta de modo dominante lo que Anderson Imbert ha llamado «un tono juguetón, puramente imaginativo, estetizante». La obra que señala este cambio es *El boxeador y un ángel*, aparecida en 1929. Es un tomito de ochenta páginas escasas que contienen cinco cuentos o «esquemas» como Ayala los tituló: «El boxeador y un ángel», «Hora muerta», «Polar, estrella», «Susana saliendo del baño» y «El gallo de la pasión». Lo que se cuenta carece de interés en todas estas pequeñas obras deshumanizadas. Así, «El gallo de la pasión» es una recreación del relato bíblico donde se expone la traición de Cristo por Pedro. Las otras se fundan en incidentes triviales y sus asuntos en sí tienen poca importancia. Su elemento dominante es la imagen y su objetivo «la prosa por la prosa»; una prosa adornada y colorista. [...] En la «Carta a los editores» que sirve de prólogo a

1. Comparando esta novela con *Tragicomedia*, Enrique Díez-Canedo escribe en su reseña de *Historia de un amanecer*, *El Sol* (15 de julio de 1926), p. 2: «En la primera narración iba prendido el novelista con lazos como de carne a su acción ficticia; en la segunda relata su cuento con suficiente soltura, pero sin ese calor de intimidad ... El estilo es directo, varonil, de suma llaneza; pero la novela, en su acción ... peca de abstracta, de generalizadora».

Cazador en el alba (1930), declara Ayala: «Cada día y cada hora me repugna más el escritor afanoso, ese tipo que escribe sin tener que decir nada que aspire a ser fundamental». La frase nos revela el designio del autor de emplear las formas experimentales de modo que encierren un mensaje significativo; que expresen por medio de palabras una circunstancia o situación humana sustancial. [...] En *Cazador en el alba*, el autor se mantiene siempre presente, contemplando a sus personajes con ojos de poeta. Como en *El boxeador y un ángel*, la preponderancia de la metáfora y el empleo repetido de ciertas técnicas experimentales revelan el intento deliberado del autor de conseguir una expresión nueva y de fijar la atención del lector en la brillante imaginería de la obra. No obstante, en *Cazador en el alba*, las imágenes contribuyen mucho más a la estructura armoniosa del escrito que en *El boxeador y un ángel*. Con eso y con todo, dista mucho de poseer la unidad de composición lograda por Ayala en sus últimos esfuerzos. [...] Quizá sus ejercicios más notables respecto a la creación de una brillante imaginería sean los que resultan de la aplicación de técnicas cinematográficas. Es frecuente que Ayala se esfuerce en darnos los diferentes aspectos de un objeto contemplado desde ángulos distintos. En los pasajes en que esto ocurre, sus descripciones se distinguen por un rigor casi matemático. [...] En *Cazador en el alba*, desde el principio hasta el fin, el empleo constante de símiles y metáforas da lugar a que la categoría de los medios expresivos esté en contradicción con la realidad que se representa. Se ve claramente que Ayala no se preocupa en absoluto por conseguir una fiel reproducción de la realidad social contenida en el argumento. Al contrario, lo que hace es valerse de la acción que se desarrolla entre sus personajes como pretexto para divagar a la ventura en busca de conceptos que le faciliten la oportunidad de desarrollar del modo más primoroso su habilidad técnica. De ello resulta una acumulación de imágenes tan abrumadora y tan gratuitamente multiforme (aunque no tanto como en *El boxeador y un ángel*) que perjudica al conjunto armónico de la obra.

Erika ante el invierno es la última obra novelesca de la primera época de Ayala. En su «Carta a los editores», el autor la compara del siguiente modo con *Cazador en el alba*:

Cazador en el alba contiene una visión clara, ilusionada y frutal del mundo, *Erika ante el invierno* tiene asimismo un corazón frutal, sí, pero madurado. Nubes bajas han puesto de repente seria la faz del cielo. La técnica es semejante en ambos opúsculos pero la postura espiritual ha cambiado casi imperceptible, por lo mismo que radicalmente.

La comparación es aceptable pero necesita algunas aclaraciones. Por lo que respecta a los asuntos respectivos de ambas obras, es cierto que en *Erika ante el invierno* la situación contiene más ironía y resulta más desalentadora. Mientras que el protagonista de *Cazador en el alba* «parte del campo y naufraga en una ciudad y se salva en el regazo de una mujer» (Hugo Rodríguez-Alcalá), Erika padece distinta suerte. Siendo ya mayor, Erika piensa en lo divertido que era Hermann cuando los dos eran todavía jóvenes; pero, con el pasar de los años, las circunstancias han cambiado. La primera señal de un cambio de carácter en Hermann se vislumbra cuando éste compra a plazos un sombrero hongo. Poco después, desaparece. En su deseo de volver a la vida animada y excitante de otros tiempos, Erika se propone encontrarle y, cuando intenta divertirse acudiendo a una jira en las montañas, muere en un accidente.

Tenemos ahora un relato donde aparecen la angustia y el fracaso. A pesar de ello, si el tema se tomara —como ocurre en *Cazador en el alba*— tan sólo como pretexto para que el autor pudiera desplegar una superabundancia de imágenes variadas, divorciadas casi por completo de la acción principal, el clima serio del asunto no se comunicaría al lector. [...] *Erika ante el invierno* no tiene todavía una estructura coherente tal como la tendrán, más tarde, las novelas de la segunda época de Ayala. El episodio de Friaul se desprende del resto, ajeno por completo a la acción en la que Erika toma parte. En este relato, sin embargo, se hace un empleo mucho más disciplinado de las imágenes, que ya no distraen la atención del hilo principal, sino que realzan la acción. A esta modificación de la técnica se debe, en gran parte, la diferencia existente entre el efecto estético logrado por esta obra y el que produce *Cazador en el alba.*

Podemos llegar a la conclusión de que, entre 1925 y 1930, Ayala desarrolla, en su obra narrativa, dos estilos diferentes. En el primero, tal como se observa en la *Tragicomedia de un hombre sin espíritu* y en *Historia de un amanecer*, el autor emplea la técnica narrativa heredada de la novela española tradicional. En la *Tragicomedia*, pone al servicio del relato, con estudiada artesanía, una gran variedad de notables recursos, procedentes, algunos de ellos, de los siglos XVI y XVII. En *Historia de un amanecer*, aunque el asunto se refiere a la revolución política y social, los procedimientos narrativos siguen siendo conservadores. En el segundo período, la radical transformación del estilo revela su adhesión al espíritu que prevalecía en su tiempo; tiempo de experimentos y juegos literarios, tanto en la prosa como en la poesía. *El boxeador y un ángel*, la obra de Ayala donde se hace el empleo más atrevido de la imagen, es un tributo al movimiento ultraísta. En todos los bocetos de este pequeño libro, los asuntos más insignificantes se exponen a través de imágenes sensoriales elaboradamente trabajadas. En *Cazador en el alba* la tendencia a lo experimental es aún muy poderosa. Se introducen en la obra muchas metáforas oscuras y se dan muchos ejemplos de la imagen por la imagen. En *Erika ante el invierno*, el idioma sigue siendo altamente metafórico pero, no obstante, la imagen está mucho más íntimamente relacionada con la acción del relato, siendo ésta, a su vez, en su mayor parte, claramente discernible. El arte narrativo de Ayala va alcanzando aquí un más alto nivel de coherencia. Y, al llegar a este punto, Ayala hace una pausa en su obra imaginativa; pausa que se extiende hasta después de 1939.

NIGEL DENNIS

EL ENSAYISTA JOSÉ BERGAMÍN

En su ingenioso y profundamente sugestivo ensayo *La decadencia del analfabetismo* Bergamín expuso una idea que llegó a ser un aspecto fundamental de su ideología —idea que, desde muchos puntos de vista, nos ofrece una clave para entender el tono y la aspiración de toda su obra. En este ensayo confronta Bergamín los valores estériles y académicos de una cultura convencionalmente liberal con los valores espirituales —más espontáneos, más auténticos— de una cultura popular y analfabeta. El niño, el pueblo, en su inocencia, en su estado

Nigel Dennis, «"Dueño en su laberinto": el ensayista José Bergamín (de la irreal anti-academia)», en *Camp de l'Arpa*, n.os 23-24 (septiembre de 1975), pp. 13-19.

de gracia (en su «estado de juego» también) desafían al adulto caído, alfabeto. Esta defensa extraordinaria del analfabetismo puede parecernos escandalosamente arbitraria y poco realista; pero conviene recordar su elemental propósito: atacar las fuerzas formales y antivitales de una cultura académica que amenaza esos impulsos creadores y poéticos que proceden del pueblo, del niño, de Dios, con los cuales se identifica. En toda su obra se advierte esta promoción de una apasionada voluntad antiacadémica, y si se olvida esta actitud fundamental tanto el hombre como su obra seguirán siendo un enigma. [...]

Al lado del santificado «hombre de letras» aparece, fantasmagóricamente, el espectro del «hombre de palabras». En su análisis profundo y apasionado de la cultura en *La decadencia del analfabetismo* el conflicto principal se da entre la letra y el espíritu: «las letras contra el espíritu». El culto de las letras, la defensa de la Real Academia, equivale en muchos casos a la muerte de la palabra y del espíritu, a la degollación de los inocentes: «el orden alfabético es el mayor desorden espiritual... La letra atraviesa con su estilete agudo el corazón analfabeto del niño, que podrá no cicratizar de esta herida, no latir espiritualmente más ...». No obstante, si condena las *letras*, defiende y promueve la virtud mágica y creadora de las *palabras*. Yo diría, sencillamente, que sus ensayos se escriben con palabras vivas y no con letras muertas. Hay lectores que confunden sus *palabras* con *letras* y por ello son incapaces de percibir el verdadero sentido, el temblor, de sus meditaciones.

Bergamín pertenece a una generación de eruditos. Sólo dentro de la confrontación entre la cultura literal y la cultura espiritual puede apreciarse claramente la ambición antiacadémica de su ideología. Se opone a la letra porque es destructiva, homicida: «La letra entra con fe, con sangre. Y al pie de la letra está el Espíritu crucificado». Su propia misión ha sido la de exaltar con *palabras* ese mismo espíritu antiliteral, y constantemente vemos cómo en sus ensayos se descubre el elemento divino del lenguaje humano. Su técnica de poner al desnudo este elemento divino ha dejado perplejos a muchos lectores que, quizá, no han podido comprender esta distinción fundamental: «Las palabras son cosas de juego. Las letras no lo son». No es otro que este juego de palabras, señalado repetidamente por los comentaristas (y criticado a menudo por su aparente malabarismo vacío) el que comunica la presencia del misterio divino: «*Doble juego.* — Si empiezo a jugar con las palabras, las palabras acabarán por jugar conmigo.

No importa. Lo mismo me da hacerme juguete de los dioses, que hacerme dioses de juguete. Porque las palabras son los dioses: la divinidad. El Verbo es Dios solo». Conviene tener en cuenta al leer los ensayos de Bergamín que su acrobacia lingüística tiene un serio propósito: el de ahondar en una dimensión de la experiencia aún no explorada. Gracias al juego de palabras sigue siendo el idioma espiritualmente vivo y creador. Confesó una vez: «Siempre me ha gustado jugar al escondite con las palabras... Añadiré que siempre he creído que las palabras se esconden en el lenguaje». El éxito de sus ensayos es, sin duda, haber tropezado con esas palabras escondidas y haber revelado el espíritu que ocultaban. Su ensayismo es, ante todo, una búsqueda espiritual profundamente rigorosa. [...]

Esta afición al juego de palabras ha contribuido a crear la imagen de un escritor *difícil*, imposible de entender racionalmente, aislado en su propia pirotecnia verbal. Ha ayudado también, quizás, a presentarle como un monstruo encerrado herméticamente en un laberinto creado por su propia arbitrariedad y frivolidad artísticas. Pero esto no es otra cosa que el lío académico —el resultado de la erudición confundida, rasgo principal de la crítica bergamasca. Porque en Bergamín, el haberse construido un laberinto no es vicio, sino virtud, como él mismo explica: «Un laberinto no es un lío: es todo lo contrario. Es muy fácil hacerse un lío; pero no es fácil hacerse un laberinto». [...]

Encontramos uno de los mejores ejemplos de la técnica ensayística de Bergamín en su libro *Mangas y capirotes*. La primera edición es de 1933, y la dedicatoria dice: «A Manuel de Falla, maestro en la música y en la fe». Bergamín me ha dicho que Falla, después de leer el libro, le felicitó, diciendo que a su juicio los ensayos tenían «forma de fuga». Efectivamente, no hay mejor analogía que esta musical para explicarnos no sólo la estructura de estas meditaciones sobre el teatro del Siglo de Oro, sino también de muchos otros ensayos. La composición en forma de fuga —cumbre de la explotación de la forma en el Barroco— corresponde mejor que cualquier otra a la exposición elaborada, el punto y contrapunto verbal, de los ensayos de Bergamín. Como una fuga, el ensayo bergamasco tiene una idea principal, pero ni en la una ni en el otro forma esta idea la sustancia de la obra. La riqueza y la densidad de ambos estriban en sus arabescos, en sus incansables disgresiones y variaciones que amontonan nota tras nota, frase tras frase, en una exploración incansable de las posibilidades que contiene la noción central. En los dos géneros hay algo así como una línea principal que no es seguida sistemáticamente y se pierde casi bajo el serpenteo verbal o sonoro que la decora. Quizá pueda decirse que la sustancia de la fuga y del ensayo bergamasco la constituye este decir lo mismo de un modo constantemente nuevo y distinto, espesando de esta manera la textura de la obra. Las notas y las palabras parecen repetirse, pero en realidad esto no sucede: hay como un sondeo sutil y complejo, en el que la idea se aparta de su ruta principal, gira, salta y vuelve para cruzar esa misma ruta, para piruetar en la dirección opuesta, y para volver de nuevo a su base, igual pero distinta. Hay algo así como una constante familiaridad y una constante novedad.

Para apreciar esta analogía tan apropiada entre el laberinto sonoro de la fuga y el laberinto lingüístico e ideológico del ensayo bergamasco basta escuchar *Die Kunst der Fugue* de J. S. Bach y al mismo tiempo leer «La cólera española y el concepto lírico de la muerte» de Bergamín.

Si el estilo ensayístico de Bergamín es análogo a la composición musical de la fuga será porque, desde cierto punto de vista, las disgresiones o variaciones que contienen sus párrafos son altamente penetrantes y minuciosas: sus arabescos constituyen una exploración exhaustiva de la idea que motiva su indagación. Bergamín empuja su pensamiento hasta su conclusión lógica, siguiéndolo, persiguiéndolo hasta que entregue todo su tesoro escondido. Su ensayismo es único porque acepta incondicionalmente todas las consecuencias de su tema: allí donde muchos escritores se detendrían satisfechos, Bergamín sigue ahondando en los nichos más oscuros de su pensamiento. Escribió una vez: «¡Qué pocos se atreven a seguir hasta el fin su propio pensamiento!». [...] Es evidente, pues, que los ensayos de Bergamín funcionan en una región fronteriza del pensamiento, y que descubren en esos misteriosos escondrijos nuevas verdades no sospechadas, nuevas perspectivas sobre el lenguaje y las ideas. Si volvemos a la seductora imagen del laberinto, podríamos decir que cuando Bergamín avanza por sus galerías, le despierta la curiosidad algún pasillo oscuro. No le da miedo la penumbra. Al contrario: él acepta su desafío y entra, guiado sólo por su propia determinación de descubrir lo que allí se oculta. («Sin otra luz ni guía / sino la que en el corazón ardía», escribió san Juan de la Cruz.) No se detiene antes de agotar toda la potencia de esa disgresión, aparentemente oscura. Con una mezcla de curiosidad, de tenacidad y de valor, Bergamín exalta en sus ensayos las verdades que encuentra al final de esos temibles pasillos.

No es sólo su determinación la que ilumina esos tenebrosos corredores, sino también su deslumbrante agilidad mental aforística. Aunque es evidente que Bergamín está en plena posesión de la forma discursiva del pensamiento, su prosa sigue vivificada, electrificada, por la presencia del aforismo. Salinas explica: «Sigue siendo lo peculiar de su personalidad ese proceder por iluminaciones, por aciertos disparados a la misma entraña del blanco, por flechazos mentales que encuentran su mejor vehículo en el aforismo». Esos chispazos mentales le permiten orientarse y navegar en la oscuridad —no olvidemos que para Bergamín el aforismo es «el corto-circuito del pensamiento».

Sin embargo, la relación entre la forma discursiva del ensayo y la brevedad concentrada del aforismo es más sutil y más interesante. Muchos aforismos bergamascos sólo pueden comprenderse dentro del contexto de un ensayo. Parece que a menudo el aforismo resume un largo proceso de meditación. Consideremos un par de ejemplos. En *La cabeza a pájaros* encontramos lo siguiente: «El cuerpo desnudo que ante el griego era una respuesta, ante el cristiano es una interrogación». No cabe duda de que aún en el aislamiento este aforismo es provocador, pero no es probable que el lector aprecie todas sus implicaciones. Sólo podrá enterarse de sus ramificaciones si tiene en cuenta el complemento discursivo del aforismo: en este caso el ensayo «La pura verdad por el arte de vestir al muñeco». Allí en una larga comparación ingeniosa del drama cristiano con la tragedia griega se descubre el verdadero significado del aforismo: Bergamín discute el traje, la máscara, el hábito que hace al monje, el cuerpo desnudo que es la encarnación viva de la humana temporalidad... Es la comparación de las distintas aproximaciones de los teatros griegos y cristianos al problema de «vestir al muñeco» la que nos facilita el profundo y amplio significado de ese aforismo cerrado, si bien explosivo. Y allí, engastado en el texto, vemos el aforismo que resume un largo párrafo de fuga literaria: «Y ese cuerpo desnudo que para el griego era una respuesta, para el cristiano fue una interrogación». [...] El ensayo y el aforismo se complementan el uno al otro, e idealmente deberían leerse juntos. Cualquier lector que conozca tanto los aforismos como los ensayos confirmará que esta relación mutuamente dependiente es una constante en su obra. Que no se diga entonces que Bergamín compartimenta su intelecto, dividiéndolo en géneros distintos, porque no es verdad. El ensayo conduce al aforismo, el aforismo al poema, el poema al drama, y el drama vuelve al ensayo. La obra de Bergamín tiene una unidad total, un tono común, una cohesión fundamental. [...]

Si hay una emoción que se destaca en su ensayismo es la del *amor* —amor de la palabra, de la literatura, de la magia y del misterio de los libros. Quizás es esto lo que le hace tan *diferente*. No le interesa la autopsia clínica; al contrario, sus ensayos son diálogos tiernos y amorosos con esos libros y autores que le dan tanta alegría. En toda la obra de Bergamín el lector encontrará una censura de la razón —la razón que es la menos útil y la más destructiva de todas las facultades del hombre: «La razón es la única loca que hay en la casa: una loca muy de su casa». Leer *razonablemente* es, para Bergamín, perder el tiempo, porque la razón oscurece y no ilumina. El verdadero entendimiento desinteresado procede de la lectura apasionada: «El que no tiene pasión no tiene razón, aunque pueda tener razones». Bergamín desafía las *razones* de la literatura con su propio compromiso apasionado a la defensa de la vida y del misterio de la palabra. Si esperamos un análisis racional de la literatura de este «malaventurado alfabeto», nos decepcionará, porque su obra crítica es obra amorosa, apoyada por la pasión de un lector auténticamente sensible y generoso: «Pasión no quita conocimiento; al contrario, lo da».

Todos sus ensayos están llenos de los *temblores* de esta pasión por la literatura, por el arte. En otro sitio he intentado definir el arte poética de Bergamín como un *arte de temblar*, citando entre otras cosas este estupendo aforismo: «La mano del poeta no tiembla; tiembla su corazón». La crítica literaria de Bergamín es, en cierto sentido, el fruto de su propia lectura sismográfica de poetas y novelistas. Conviene recordar que agrupó una serie de conferencias que dictó en Sudamérica en 1950 bajo el título general de «Sismógrafo de señalar poetas registrando temblores líricos en prosa y verso». Escribió una vez: «Una lectura de poesía supone en nuestra percepción esa delicada, sutil sensibilidad de sismógrafo espiritual». Esta es la cualidad sobresaliente de su ensayismo: la sensibilidad ante esos estremecimientos conmovedores que se hallan en todas las grandes obras de la literatura y en donde estriba su misterio y su poder. Mientras otros leen con el hacha en la mano, Bergamín lee con el sismógrafo de su propio corazón en la suya.

FERNANDO LÁZARO CARRETER

APUNTES SOBRE EL TEATRO DE GARCÍA LORCA

Los dramas de Federico García Lorca han asumido en el mundo, prácticamente, la representación del teatro español de los últimos cincuenta años. El poeta no hubiera sospechado esta paradoja: que un teatro de intención didáctica como es el suyo, pensado en función de su pueblo, iba a quedar prácticamente desconocido para éste; y, por el contrario, que el público no español iba a adueñarse de él como de un producto típico, fabricado a su medida, a la medida de una idea muy divulgada de España. [...]

He aludido a la intención didáctica de Federico García Lorca, y ello quizá no haya dejado de extrañar a alguien. ¿Didactismo, en un escritor de tan subidos valores estéticos? Piénsese en el director de La Barraca, aquella generosa empresa que llevaba las obras de Rueda, de Cervantes, de Lope, a las bocas de las minas, a las eras, a las plazas de los pueblos. Lorca justificaba las fatigas de la empresa por un hecho que no se cansaba de proclamar: aquel público rural gozaba más intensamente el placer del espectáculo que el público urbano. Ese mensaje, esa misión de arte, insistía él, es necesaria para la regeneración cultural del país.

[En Federico hay una ancha veta liberal, pero su arte no está comprometido, no es el arte de una facción; mucho menos el acta de acusación y procesamiento levantada en nombre de unos contra los demás. En este sentido, como arte que podemos calificar de nuestro todos sus compatriotas bien intencionados, no se equivocan los que, fuera de nuestras fronteras, han convertido a Federico García Lorca en prototipo, en símbolo de la dramática española contemporánea.]

Nuestro gran poeta procede, en el teatro y en la lírica, del modernismo. Los sonoros, los episódicos dramas de Villaespesa y de Mar-

Fernando Lázaro Carreter, «Apuntes sobre el teatro de García Lorca», en *Papeles de Son Armadans,* LII (1960); reeditado en Ildefonso-Manuel Gil, ed., *Federico García Lorca,* Taurus, Madrid, 1975, pp. 327-342.

quina nutrieron literariamente su adolescencia. El descubrimiento, en la lírica, de Juan Ramón vendría más tarde, y con él, un aguzamiento más estricto de sus exigencias literarias. De hecho, cuando Lorca se instala en Madrid, en 1919 —tiene entonces veintiún años— busca con avidez la amistad de Eduardo Marquina, y hasta remeda el atuendo, la chalina, que en el dramaturgo catalán y en otros escritores de análoga tendencia estética, era el signo exterior de su sacerdocio. La admiración, como es natural en cualquier escritor de genio, no representó nunca una cesión de su propia personalidad. El influjo de Marquina y del teatro modernista en Lorca afectó, principalmente, a aquella parte de la obra en que la innovación es más difícil y a la que quizás el artista, atraído por otros problemas, concede una importancia menor: la estructura.

El teatro modernista prolonga el último romanticismo, con cuyas formas finales se confunde. Hereda, por tanto, el empleo constante del verso; y añade algunas notas propias: el adorno en el verso, superpuesto a la intención comunicativa o expresiva —esto es, el adorno en función contextual, de belleza válida por sí misma—, la distribución de la materia dramática en «estampas», así llamadas, siempre en esta dirección extradramática, una intensificación de elementos líricos, que llegan a cuajar en auténticas arias, las cuales, en el seno del drama, desempeñan el mismo papel que la romanza en la ópera. Son instantes en que el poeta —como el libretista y el músico— detienen el proceso argumental, para concentrar en una pieza anormalmente desarrollada a expensas del drama, su inspiración, su capacidad elegíaca, descriptiva o de cualquier otra naturaleza, pero siempre de carácter lírico; insisto: extradramático. [...]

Mariana Pineda es un drama modernista por muchos títulos. Temáticamente, por desarrollar un asunto de historia, conforme a las preferencias de la escuela. Y en la estructura, por la disposición en «estampas» —así las llama Lorca—, por su empleo constante del verso, de la romanza recitada y de algunos elementos líricos, implícitos en el teatro poético anterior, que él desarrolló con enorme talento.

Las arias de *Mariana Pineda* se ajustan a los dos tipos principales empleados por el modernismo dramático: el elegíaco, por el cual el personaje comunica al público sus sentimientos íntimos, y cuyos antecedentes remotos hay que buscar en el teatro clásico; y el descriptivo, que desarrolla líricamente un suceso absolutamente ajeno al proceso dramático. Al primer tipo pertenece el lamento elegíaco de Mariana, mientras aguarda la fuga de su amante preso («Si toda la tarde fuera / como un gran pájaro ...»). En el polo opuesto está el aria descriptiva, de la que es eminente ejemplo el hermoso romance de los toros de Ronda. Estos dos tipos de romanzas aparecen en todo el teatro de Lorca, menos en [*La casa de Bernarda Alba*], su última tragedia, singular por esto y por tantas otras cosas. No procede que señale todos los lugares; cualquiera puede encontrarlos y reconocerlos como un rasgo estructural de suma importancia, con sólo apelar a la memoria u hojear las obras del poeta.

Pero García Lorca ensanchó notablemente la entrada de elementos líricos, en proporción nunca alcanzada por el teatro anterior, y que hemos de calificar de anómala, si atendemos a las leyes generales del drama, e incluso a la estética del propio Federico en su momento de mayor evolución. Examinemos, con brevedad, las notas que presenta esta irrupción masiva de lo lírico en su teatro.

El poeta granadino aprendió de Lope de Vega el uso estratégico de la canción popular o popularizante. Sabido es cómo Lope monta muchas veces un drama sobre la sólida y cristalina base de una canción. Igual que Santillana edificaba un poema sobre un villancico, o los poetas judíos o árabes una muwashaha sobre una jarcha. El drama de Lorca no arranca nunca de la canción, pero, en definitiva, ésta alcanza en él la misma función que en el drama lopesco. Unas veces, se trata de una ilustración plástica y casi orquestal; compárense las canciones de boda que abren *Peribáñez* con la hermosa alba nupcial de *Bodas de sangre*. En otras ocasiones, la copla, no cantada en la escena, penetra en ella para crear un clima dramático o colaborar en él. [...]

Si el aria la recibe nuestro poeta del inmediato teatro modernista, y el empleo de la canción de un más ilustre antecesor, creo que es invención suya lo que podemos llamar *escena lírica*. No es ésta otra cosa que un reparto de la materia poética entre varios personajes, que la declaman alternadamente. Aparece ya en la declamación de Clavela y los niños, de *Mariana Pineda*, y la hallamos en todos sus dramas posteriores, salvo en el último. Porque en éste [*La casa de Bernarda Alba*], el autor reprimió todo brote lírico que detuviese el progreso dialéctico de la obra. [...]

No debemos pasar adelante sin preguntarnos qué función desempeñan estas rupturas líricas del proceso dramático. Ni más ni menos que una función opuesta a la que atribuye Brecht —el par de Lorca entre sus contemporáneos— a sus *songs*, a sus canciones, recitados y danzas. Una especie de *Gegenverfrendungs-effekt*, un efecto de alucinación, de captación del espectador por vías irracionales. Sabido es cómo, para el gran dramaturgo alemán, aquellos elementos tienen por misión chocar con la atención del público, romper su fascinación, obligarle a tomar conciencia de que está ante un problema, no en una sesión de hipnotismo, comprometiéndolo así en una decisión. Muchos críticos, incluso algunos de ideología marxista, dudan de que ese efecto distanciador se produzca. Y es dudoso, en verdad, que muchas de las canciones insertas en los dramas de Brecht hayan sido escritas con intención extrañadora, desmixtificadora. Pero si nos reducimos a los propósitos teóricos, la oposición entre los poetas español y alemán es manifiesta. Lorca utiliza la lírica en sus dramas para implicar al espectador; Brecht, para alejarlo y despertar su conciencia refleja. Aunque luego, en la realidad ocurra que ambos implican, ambos alucinan.

[Por lo que respecta a la actitud de Lorca ante la temática y el conflicto trágicos, Federico atribuía al teatro la misión de «explicar con ejemplos vivos, normas eternas del corazón y del sentimiento del hombre». Y exigía a la obra dramática una estricta fidelidad al clima histórico y humano en que nace.] Formulando en otros términos el pensamiento de Lorca, éste pretende abarcar una problemática de dimensiones generales, válidas para todo hombre en cuanto tal: y ello, circunscribiéndose a un medio social bien concreto, pintoresco a fuerza de verdadero.

En cuanto al clima, a la atmósfera local, nadie dudará del «realismo» de Lorca. Pero esa palabra es tan equívoca, tan erizada de dificultades y misterios, que resulta difícil ponerse de acuerdo sobre su contenido. Hay un realismo fotográfico y notarial; es el que asume por antonomasia la representación del *ismo*. Hay, por otro lado, ese realismo español, lleno de irrealidades. Son las irrealidades y desmesuras que la crítica ha ido denunciando en realistas tan prestigiosos como Mateo Alemán, Francisco de Quevedo y tantos otros. Limitándonos al teatro contemporáneo, hay un realismo de cliché, cuyo ejemplo más representativo podría ser *La malquerida*, de Benavente, y este otro realismo de Lorca, lleno de anatopismos y deformaciones literarias. Pero luego ocurre que *La malquerida*, drama de grandeza temática y psicológica incontestable, se desvirtúa a causa de su fiel, de su ancilar realismo. En cambio, cualquiera concederá sin dificultades la autenticidad del teatro lorquiano, de tan difícil localización, plagado de pinceladas folklóricas de heterogénea procedencia, cuyos personajes se expresan con una incisividad bien elaborada, con un lenguaje poético que transparenta al autor detrás de cada palabra.

Es un misterio del arte. Y se debe, sin duda, a que, frente a ese realismo de calco, hay otro realismo en el que lo real son las relaciones, las estructuras; y este realismo subsiste e impresiona por su verdad, aunque los elementos relacionados sean deformes: contrahechos o embellecidos. Debajo del *Buscón*, de Quevedo, lleno de acciones y personajes monstruosos, hay una estructura social bien verdadera en su limitación; y es a ésta a la que atendemos, según creo, cuando calificamos de realista la famosa novela. Algo así ocurre con el teatro lorquiano: nada importa —nada, entendámonos, que pueda comprometer su realidad— la exasperación en que viven sus personajes: la violencia de la Madre en *Bodas de sangre*, la obsesión de Yerma, la tiranía de Bernarda... Son vértices de una estructura, de unas relaciones que reconocemos como verdaderas, desde un punto de vista nacional y aun ampliamente humano. Otro tanto puede decirse del diálogo, tan primorosamente cuidado por Lorca. Por debajo de las frases concretas, sirviéndoles de soporte, está el gusto popular por la hipérbole, por la contundencia, por la aspereza, por lo erótico, sus referencias directas y sin rebozos a lo que es natural y biológico. Asentada esta red, el material que la recubre jamás la enmascara. García Lorca llegó a esta modalidad suya, hiperbólica en los elementos y fiel en las estructuras, tras un gusto, seguido de un estudio amoroso, del teatro de títeres.

MARIE LAFFRANQUE

EL *CICLO DE LOS MISTERIOS* DE LORCA

[La obra de los amigos y compañeros de Lorca incluye, sobre todo por los años treinta, varios modernos autos sacramentales]: entre ellos, *El hombre deshabitado* de Alberti, *Eco y Narciso* de José Bergamín, inspirado del mismo Calderón, y *Quién te ha visto y quién*

Marie Laffranque en Martínez Nadal y Marie Laffranque, eds., Federico García Lorca, *El público. Comedia sin título*, Seix Barral, Barcelona, 1978, pp. 296-301.

te ve y sombra de lo que eras, de Miguel Hernández. Los jóvenes autores, poetas ya logrados y todavía principiantes en el arte escénico, acaban de pasar o están pasando todavía por una etapa original de fuerte influencia surrealista procedente, en sus aspectos nuevos, independientes de elementos existentes en la tradición nacional, del mejor surrealismo francés y de la gran cabeza filosófica de André Breton. El ensanchamiento de horizontes de la juventud europea de los años veinte se prolonga entre los hispano-hablantes mientras no sólo los grupos, sino la inspiración surrealista ya se esfuman o retroceden por los demás países occidentales ante el doble movimiento de radicalización política acelerada del comunismo y del nacionalsocialismo.

En el polifacético movimiento surrealista, esta tendencia filosófica es generadora de hermosas y vigorosas Babeles de ideas, sistemas gratuitos de aristas diamantinas o irrespirables laberintos, poéticas visiones del mundo, pero también de una libre y nueva profundidad reflexiva. No desentona ni con el castellano juego conceptista ni con la formación metafísica de la *intelligenzia* española de la época, ni con la libérrima tradición representada y mantenida con humor por el pensamiento preexistencialista de Antonio Machado. El surrealismo enlaza en España, por otra parte, con la antirrealista y anticonformista inspiración poética neobarroca, nunca abandonada, que culminó alrededor de 1924 en los homenajes a Góngora y la poesía neogongorina. El enlace o injerto se evidencia, de 1926 en adelante, en los grandes poemas lorquianos, desde la oda dedicada a Salvador Dalí hasta el «Grito hacia Roma» e incluso el *Llanto por Ignacio Sánchez Mejías.*

En la etapa histórica marcada por el nacimiento de la Segunda República española, con sus angustias y esperanzas, y por el estallido de la crisis económica mundial, los intelectuales de la península viven una etapa espiritual nueva, mezcla de ardiente preocupación político-social y de amplia reflexión —con cierto matiz metafísico y religioso— sobre los destinos individuales y colectivos. Este proceso se verifica, forzosamente, a través de un meditar sobre la propia aventura vital. A esas alturas, los conflictos personales toman en algunos un cariz especial y una dimensión inesperada. Más que en otro cualquiera, probablemente, en Federico García Lorca. [A quien el tono y la estructura tradicional del misterio en lo dramático, y, en lo lírico, el amplio y riguroso desarrollo de la oda, le ofrecen un instrumento adecuado para esa lucha al mismo tiempo radical y controlada al máximo por el poeta.]

Así que pasen cinco años, tal como se conoce hasta ahora, lleva el subtítulo de «Leyenda del tiempo en tres actos y cinco cuadros».

Esa caracterización se refiere seguramente al aspecto de fábula, al clima de ilogismo y ensueño de la obra, así como al distanciamiento, subrayado por la correspondencia entre el primer y el último cuadro que pone como en entredicho la aparente aventura del Joven vestido de blanco y azul. Pero al evocarla delante de los periodistas, Lorca varias veces definió la obra como «misterio del tiempo». La palabra «leyenda» sirve de advertencia al público que va a leer o presenciar *Así que pasen cinco años*, alejándolo de la postura realista que ofuscaría desde el principio su comprensión de la obra. «Misterio» se refiere a la forma y estructura dramáticas, y es en todo caso una manera de definir el enfoque y la intención expositiva del autor.

El público bien merecería la misma caracterización: en primer término, por tratar de forma aún más aguda y amplia el problema fundamental del amor humano, considerado a la vez como de índole afectiva e íntimamente personal, estética, ética y social. La comedia sin título, en la parte que conocemos, apunta directamente al tema de la verdad: valor clave y postura que ampara las verdades íntimas y colectivas ahogadas o escondidas; virtud o poder esencial cuyo ejercicio quizá pueda servir de palanca para el cambio profundo, progresivo, que pide con sello de urgencia aquel momento de la Humanidad. Tanto como las llamadas «comedias irrepresentables», se sitúa, además, «dentro de las características de este género», al desarrollarse sobre tres planos distintos y sucesivos.

El primero está en el mismo nivel de la realidad corriente y vulgar, si no dentro de las perspectivas convencionales, realidad presentada con sus contradicciones y paradojas, sus máscaras y disfraces: en la habitación donde desfilan, con los visitantes y amigos del Joven de *Así que pasen cinco años*, sus realísimos sueños y fantasmas, dotados de una extraña y convincente vida propia; en el despacho del Director de *El público*; en la obra sin terminar, sobre el escenario donde artistas, obreros del espectáculo y hasta el propietario del teatro dialogan entre ellos y con el público, esa «otra mitad» del acontecimiento dramático.

Desde aquel plano inicial se baja a otro mundo desconcertante desde el principio, con su lógica fuera de lo racional: tierra de las cosas «del otro lado» donde los humanos dan con su doble o su sombra; en la que abandonan la capa de orgullo y seguridad fingida y el barniz de sociabilidad para hacerse carne y sangre de los mitos, leyendas, sueños y pesadillas de su propia vida, y de su incesante y secreto luchar. Ese plano es el de la sombra crepuscular donde dialogan entre sueños sin apenas encontrarse la Novia, el Joven y el Maniquí del segundo acto de *Así que pasen cinco años*. Es la ruina de *El público*, escenario de un baile y juego pasional dominado por el modelo del mito dionisíaco; y, en el cuadro tercero, el «teatro bajo la arena», en el que todos los protagonistas acuden a la tumba donde Julieta «viste un traje blanco de ópera». En el «drama sin título», sería el lugar indefinido donde «el poeta agonizaba» —posible traslación del místico agonizante del cuadro quinto de *El público*; o, según otra versión del segundo acto, el depósito de cadáveres adonde llega el mismo Autor con la actriz vestida de Titania, y donde resuena el «coro de las madres».

El tercer plano, incluso cuando parece devolver los protagonistas al escenario inicial, apunta de alguna manera a un más allá de la peligrosa o desoladora verdad cotidiana: ese más allá tantas veces evocado o simbolizado, en la poesía lorquiana, por la imagen del cielo. En *Así que pasen cinco años*, teatro desdoblado y escenarios dobles de vida y sueño donde las máscaras y figuras del circo, el carnaval o la leyenda giran alrededor del Joven y de la que pudo ser su amante otra vez enfrentados, pero a la inversa, en el juego y ballet sadomasoquista del primer acto; habitación del principio, invadida al final por ecos y mensajeros de muerte. En los cuadros quinto y sexto de *El público*, se representa ese plano o aspecto en el triple lugar teatral —teatro en el teatro, universidad, y cama central de la agonía—, y otra vez en el despacho del Director de escena, invadido paulatinamente por el vacío y la luz cegadora de un cielo nevado. El tercer acto del drama sin título, tal como se puede vislumbrar, levantaría en el escenario otra imagen del más allá: un cielo —¿azul, o paraíso?— cuyos «ángeles andaluces» de vistosos faralaes, «sombras, voces, liras de nieve y sueños», recordarían la realidad de los mitos religiosos revividos por la imaginación de Federico niño y de su pueblo.

Plano triple; triple aventura; problemas y mundos simultáneos evocados por etapas mediante la estructura específica, pero sin el artificio escénico propio de los misterios medievales, al mismo tiempo que con procedimientos de matiz surrealista inspirados en los choques de imágenes y escenas y en las movedizas superposiciones de la pantalla. Pluralidad con firme coherencia. Altura y enfoque general de los temas esenciales —el amor, el tiempo, la verdad—, así como de la meditación y del potente impulso creativo que quiere comunicarse a «autores», actores y público. Éstas son las características del ciclo teatral inaugurado por el poeta al cerrar el del guiñol, y al salir de la crisis sentimental y artística cuyo paroxismo coincidió con la publicación del *Romancero gitano*.

J. ALBERICH, P. L. SULLIVAN, G. EDWARDS,
I.-M. GIL Y M. GARCÍA-POSADA

YERMA Y *BODAS DE SANGRE*

I. Del mundo predominantemente masculino de su poesía, García Lorca pasa a otro mundo, primordialmente femenino, en su teatro, dando así a su creación artística un doble ángulo humano, que se resuelve en insospechada riqueza y profundidad. [...]

Las mujeres de las tragedias lorquianas ahíncan sus pies en la tierra, viven al ritmo de las estaciones y las cosechas, hacen correr ríos de sangre, se rodean de imágenes florales que simbolizan la belleza del mundo. El poeta ha enajenado en ellas su vida para exaltar, ahora como dramaturgo, la Vida con mayúscula. [...] Lo más impresionante en ellas es su totalidad de vida, el ser organismos de unidad indestructible, donde pensamiento, afectividad y fisiología resultan inseparables. Para fines de estudio, sin embargo, se pueden dividir estos caracteres en capas de distinto nivel psicológico y esta operación nos revelará la riqueza y verismo de la dramaturgia lorquiana. En la capa más obvia nos presenta a la mujer como ser social, sus prejuicios conservadores, su orgullo de clase, su intransigencia moral, su sentido de la familia, etc. A este nivel se encuentra el mensaje social, reformador, de su teatro, tan importante y tan poco comprendido en España. Sigue el plano de las relaciones amistosas, familiares y amorosas, el mundo de la casa y las amigas, el cuidado de los niños, el comadreo con las vecinas, las labores, el vestido, los preparativos de bodas, es decir, el pequeño radio de acción del pragmatismo femenino, estupendamente observado y dramatizado

I. José Alberich, «El erotismo femenino en el teatro de García Lorca», *Papeles de Son Armadans*, XXXIX (1965), pp. 9-36.

II. Patricia L. Sullivan, «The mythic tragedy of *Yerma*», *Bulletin of Hispanic Studies*, XLIX (1972), pp. 265-278.

III. Gwynne Edwards, *El teatro de Federico García Lorca*, Gredos, Madrid, 1983, pp. 276-280.

IV. Ildefonso-Manuel Gil, ed., Introducción a Federico García Lorca, *Yerma*, Cátedra, Madrid, 1976, pp. 23-26.

V. Miguel García-Posada, ed., Introducción a Federico García Lorca, *Obras*, I: *Teatro*, Akal, Barcelona, 1980, pp. 64-73.

por Lorca. Y por último nos encontramos en el subsuelo de la feminidad, en la caverna de su erotismo, al nivel, en parte consciente, en parte subconsciente, desde donde se rigen sus amores y sus odios. Es aquí donde la intuición del dramaturgo resulta más sorprendente y genial. [...]

Yerma es quizá la obra de Lorca que revela mayor penetración en la psicología y fisiología femeninas. El deseo puramente carnal es, en esencia, igual en el hombre que en la mujer, aunque se manifieste de formas diferentes, pero, para describir los sentimientos y sensaciones de la maternidad es más necesario que nunca poseer las excepcionales capacidades intuitivas del poeta granadino. La figura de Yerma es un prodigio de adivinación de una psicología radicalmente extraña al hombre, un personaje comparable a madame Bovary o a Ana Karenina, a pesar de su relativo esquematismo. Los diálogos entre Yerma y María o la Vieja Pagana, la incesante búsqueda del secreto de la fecundidad por parte de la primera, los comentarios maliciosos de las lavanderas, todo este mundo intensamente femenino, lleno de corazonadas y prejuicios, constituye una espléndida antología de creencias y sentimientos populares acerca de la sexualidad, que no podemos examinar aquí en detalle. Fijémonos tan sólo en algunas notables intuiciones del dramaturgo sobre el erotismo maternal.

II. El tema de la maternidad frustrada en *Yerma* se comunica a través de las imágenes poéticas que envuelven la acción dramática de la obra. Más aun, las imágenes de este original «poema trágico» no son exclusivas de *Yerma*; ni siquiera lo son de la totalidad de la producción literaria de García Lorca. Más bien, las imágenes poéticas de *Yerma* son arquetípicas, como en *Bodas de sangre*. En *Yerma*, sin embargo, los arquetipos rebasan los símbolos individuales de la realidad física para alcanzar una dimensión humana. En otras palabras, los personajes dramáticos de Yerma y Juan representan los arquetipos esenciales de *Yerma*. Las imágenes de luz, agua, fuego, tierra y flores, que son de primordial importancia en *Bodas de sangre*, están subordinados en *Yerma* a los dos arquetipos humanos. Así, a causa de la interrelación entre la naturaleza del hombre y del cosmos en *Yerma*, no sólo los personajes dramáticos, sino también la totalidad de la acción dramática que culmina en una tragedia adquiere caracteres de mito. El mito que envuelve la totalidad de *Yerma* es, por supuesto, el de la creación: de una manera más evidente por la asociación natural con el nacimiento, pero más profundamente por su capacidad de transformar el caos en cosmos. En *Yerma* la unión matrimonial es, de una manera natural, el contexto de la creación de nueva vida. El marido y la mujer son arquetipos complementarios en su acción procreadora: Yerma es la Madre-Tierra y Juan es el Dios del Cielo. La obra misma sugiere esta visión mítica de la concepción en la frase que pronuncia la Vieja en el tercer acto: «Para tener un hijo ha sido necesario que se junte el cielo con la tierra». Tomada fuera de contexto y vista como una unidad independiente, esta frase podría ser simplemente la expresión poética de la dificultad que entraña la concepción. Pero sujeta en el entramado de imágenes terrestres y celestiales que se entremezclan en el acto de la creación y que están presentes en la totalidad de la obra, la frase resume la estructura arquetípica de la obra. Además, la situación estratégica de la frase, situada en el último acto de la obra, señala la culminación de un proceso poético deliberado.

Mientras que la relación mítica de Yerma con el principio de la fertilidad ha sido notado por varios críticos, la función mítica de Juan ha sido relegada por la crítica. [...] El problema, sin embargo, no radica en saber cuál de los dos personajes es estéril. Cualquier interpretación fisiológica de *Yerma* es irrelevante porque los principios de la tragedia están situados en un nivel mítico, no fisiológico. Como espero probar más adelante, en un nivel mítico el acto de voluntad de signo negativo que lleva a cabo Juan es precisamente la razón de que Yerma no tenga hijos. Juan fracasa al no poder imitar el modelo de Dios del Cielo, cuya responsabilidad como consorte de la Madre-Tierra es espiritualizar la materia. Al insuflar vida en la Madre-Tierra, él da realidad a la potencialidad de ella. El acto de la concepción puede ser descrito como la penetración del principio de la materia por el principio del espíritu, la unión del cielo y de la tierra. Sin embargo, una de las características de la obra de Lorca es su negativa a fusionar materia y espíritu. *Yerma* es otra manifestación de la dualidad lorquiana. [...] La significación del fracaso de Yerma para crear nueva vida sólo puede entenderse en un contexto mítico en el que cualquier acto de creación representa un rito de pasaje que lleva del caos al cosmos. [...]

En *Yerma* aparecen las tres manifestaciones cósmicas tradicionales del espíritu: el aire (o viento), el fuego (el calor y la luz) y el agua. Estos tres elementos contribuyen a construir un esquema de imágenes poéticas que sostiene el arquetipo del Dios del Cielo. Los tres combinados aparecen en la canción que canta la Hembra durante el rito de la fertilidad; su descripción del acto de la concepción se caracteriza por el uso de imágenes de aire, fuego y agua:

En el río de la sierra
la esposa triste se bañaba.
Por el cuerpo le subían
los caracoles del agua.
La arena de las orillas
y el aire de la mañana
le daban fuego a su risa
y temblor a sus espaldas.
¡Ay, qué desnuda estaba
la doncella en el agua!

Tanto la culpabilidad de Juan como el conflicto dramático se expresan en las imágenes poéticas. Como el poder fecundante de Juan no concuerda con el poder espiritualizador de su modelo, el Dios del Cielo, las imágenes de aire, fuego y agua están elocuentemente ausentes de su caracterización como personaje. Estos elementos se encuentran, en cambio, en otros personajes masculinos de la obra.

III. El verso en *Yerma* adopta casi sin excepción la forma de canción. Siete son las ocasiones en las que es utilizado en la obra y en cinco de ellas aparece Yerma. Como suele ocurrir en el teatro de Lorca, el verso cumple la misión de subrayar un momento especialmente emotivo o dramático. En el cuadro primero, acto I, Yerma no logra conmover a Juan; se encuentra sola y cantará una canción expresando toda la tristeza de su sueño, no realizado, de tener un hijo. La canción es en sí misma un drama que, interpretado por un niño imaginario y por Yerma, logra comunicarnos la inmediatez de los hondos e insatisfechos anhelos de Yerma. El niño, respondiendo a las preguntas de Yerma, tomará la forma viviente que ella quisiera poder darle. Sin embargo, a pesar de lo real que parezca y por muy grande que la necesidad de los dos sea, el niño y Yerma se mirarán desde la distancia, con un abismo insondable entre ellos: «¿Qué pides, niño, desde tan lejos? / ... / ¿Cuándo, mi niño, vas a venir?». El poema nos deja una sensación de aislamiento físico tan vívida y tan escueta que la soledad emocional de Yerma parece algo que pudiéramos tocar.

En el cuadro segundo, acto I, hay otra ocasión en la que Yerma está sola. Su conversación con la Vieja y con las dos muchachas ha aumentado su sensación de aislamiento. De pronto oye cantar a Víctor una canción tradicional de pastores. Para Víctor, la canción no encierra ningún significado, pero para Yerma los contiene todos y cuando ella continúe con la canción se convertirá ella misma en la pastora que canta a su amado, y sus sentimientos se identificarán en todo momento con la letra de la canción:

> ¿Por qué duermes solo, pastor?
> En mi colcha de lana
> dormirías mejor.

Es un instante bellamente tratado, mágico desde un punto de vista teatral, en el cual lo que para Víctor no posee sentido, se hace expresivo de todo el amor de Yerma hacia él.

En el cuadro segundo, acto II, después de un amargo enfrentamiento con su marido, Yerma vuelve a encontrarse sola. Ahora incluso más sola, ya que las dos hermanas de Juan se han venido a vivir con él. El verso que exprese su creciente desesperanza será un eco del primer poema de Yerma en el cuadro primero, acto I, pero esta vez con unos tonos mucho más sombríos. [...]

Cada uno de los momentos que en la obra van delimitados por una canción o un poema se convierten en señales indicadoras de una nueva etapa en el doloroso y solitario recorrido de Yerma.

La canción de las Lavanderas en el cuadro primero, acto II, reviste un carácter totalmente distinto. Como los cánticos de boda en *Bodas de sangre*, se trata de la exaltación del amor, el matrimonio y el nacimiento de los hijos, a la vez que se canta a hombres y mujeres como parte de los poderes vitales y creativos de la naturaleza. Su tono, en contraste con los versos llenos de melancolía de Yerma, es vibrante; sus ritmos están cargados de primavera y sus imágenes rebosan vida y colorido:

> LAVANDERA 2.ª — Por el monte ya llega
> mi marido a comer.
> Él me trae una rosa
> y yo le doy tres ...
>
> LAVANDERA 4.ª — Por el aire ya viene
> mi marido a dormir.
> Yo, alhelíes rojos
> y él rojo alhelí.

A medida que cada una de las mujeres va entonando gozosamente la canción, ésta se torna más vigorosa; los versos son más cortos y expresivos hasta que en el verso final, que repite el primero y que es cantado por todas las mujeres, se cierra un círculo evocador del ciclo del nacimiento y del amor celebrado en toda la canción. En el cuadro segundo, acto III, tendremos una canción paralela a ésta en la canción de las mujeres estériles. Como en *Bodas de sangre*, poesía y canción se unen en *Yerma* para realizar distintos momentos dramáticos, y a través de su ensalmo y su fuerza alusiva, todo el horizonte de referencias cobrará una nueva amplitud y extensión.

IV. Señalemos ahora, en conjunto, y no sólo por lo que al verso se refiere, la rica utilización de símbolos en *Yerma*.

Hay dos que son esenciales a la obra: la virilidad fecundadora se expresa mediante el *agua*; la maternidad, mediante la *leche* —bien sea de los senos femeninos, bien de las ubres de la oveja—, reforzándose ambos con la *sangre*. Como en el paso de la esperanza a la desesperación ambos símbolos necesitan su opuesto, el agua corriente fecundadora se contrapone el agua encerrada en el pozo o en el charco (y una sola vez la corriente devastadora, cuando Yerma dice que si ella quiere, puede ser arroyo que arrastre a sus cuñadas y a su marido); y a la leche tibia, manantiales o arroyos en los montes de los senos, se contrapone la arena, signo de sequedad. Si bien esta última contraposición se da por modo muy sencillo y directo, la del agua ofrece ricas variaciones; por eso y por su mayor presencia, exige un más detenido comentario.

El agua corriente es agente fecundador, fuerza y libertad gozadora de plenitud vital. A Yerma le gustaría que Juan fuera a nadar al río y que se subiera al tejado de la casa cuando llueve. En su monólogo en verso del acto I, todavía tan esperanzado, pide que «salten las fuentes alrededor», aplicándose a las de agua y a las de la leche materna, con sutil ambivalencia. La Vieja dice que los hijos «llegan como el agua» y que los hombres han de dar de beber agua a las mujeres en su propia boca, frase ésta que tendrá inmediatamente un fuerte eco en Yerma cuando dice a Víctor que su voz «parece un chorro de agua que te llena toda la boca» —señalemos que ése es uno de los pasajes en que la frustración amorosa se hace más patente con la utilización del símbolo: aunque ella misma se esfuerce por ignorarlo, desearía beber ese fuerte chorro en la boca del pastor; al decir seguidamente que su marido «tiene un carácter seco» se hace más intensa la significación de la escena: en el chorro de agua de Víctor y en la sequedad de Juan se ahoga el niño que nunca le nacerá a la pobre Yerma.

Otra vez, el agua corriente actúa simultáneamente con signo positivo y negativo. Yerma dormirá sola, no tendrá que esperar a su marido, porque él ha de estar toda la noche regando: «Viene poca agua, es mía hasta la salida del sol y tengo que defenderla contra los ladrones». La tierra tendrá su agua real, pero Yerma se quedará a solas con su quemadora sed. Y es entonces cuando usará enfáticamente un futuro: «¡Me dormiré!», sobre el que cae un telón rápido.

Las maliciosas lavanderas reiteran en sus cantos el valor simbólico del agua, de lo cual no hace falta dar aquí ejemplos, sino remitir al cuadro primero del acto II.

La roca por la que Yerma se empeña en meter la cabeza, según le dice su marido, debería ser según ella «un canasto de flores y agua dulce». En los fugaces renaceres de su esperanza, piensa que su hijo ha de venir «porque el agua da sal, la tierra fruta y nuestro vientre guarda tiernos hijos como la nube lleva dulce lluvia»; habría de venir, pero no viene, pese a que todo en la naturaleza convoca a fecundidad: apuntan los trigos, paren las ovejas, y las perras, todo el campo se pone de pie para enseñar sus crías tiernas y *las fuentes no cesan de dar agua.* [...]

Esas y otras presencias del agua mantienen a lo largo de la obra todo un caudal de significaciones que el poeta intensificará en una última utilización, que se beneficia de todas las anteriores, hasta el punto de que podríamos hablar de una especie de clímax de esa poderosa corriente subtemática. Cuando la Vieja incita a Yerma a abandonar al marido para irse a vivir con un hijo de ella que le dará «crías», y ante la negativa le dice que «cuando se tiene sed se agradece el agua», la respuesta de Yerma tiene peculiar grandeza: «Yo soy como un campo seco donde caben arando mil pares de bueyes y lo que tú me das es un pequeño vaso de agua de pozo. Lo mío es dolor que ya no está en las carnes».

v. La obra muestra la articulación temática doble, casi constante en Lorca: de un lado, un plano social, constituido por la realidad rural y campesina; de otro, la dimensión oscura, ontológica y telúrica, que se manifiesta en la escena del bosque, con la doble presencia alegórica de la Muerte, encarnada por una Mendiga y por la Luna en forma de leñador. Es de rigor hacer constar la naturaleza fuertemente poética de este segundo plano y su subordinación al primero.

[La realidad rural es la de una tierra implacablemente castigada por el sol, cuya correlación es la Andalucía penibética, los campos de Níjar; una tierra maldita. El valor dominante de la pequeña burguesía campesina son las tierras, el dinero. El afán por el dominio engendra fuertes rivalidades. Las hay entre la Madre y la familia de los Félix, y se prolonga a través del tiempo, en la mejor tradición trágica. Culto de la tierra, y del odio y la muerte. Queda un tercer culto: el del sexo, un sexo fálico. Pero no del sexo como gratuidad, sino como generación, fertilidad.]

El entramado social de valores salta hecho pedazos por la fuerza tumultuosa del deseo, que aquél había tratado en vano de contener y reprimir. Los amantes fugitivos se sienten inocentes: «Que yo no tengo la culpa, / que la culpa es de la tierra / y de ese olor que te sale / de los pechos y las trenzas»; «Ay qué sinrazón! No quiero / contigo cama ni cena, / y no hay minuto del día / que estar contigo no quiera, / porque me arrastras y voy, / y me dices que me vuelva / y te sigo por el aire / como una brizna de hierba» (III, 1).

Con la quiebra del mundo social se produce también la del «realismo» que hasta ese momento preside la tragedia, «para dar paso —dice el autor— a la fantasía poética». Y a la irrupción de las fuerzas oscuras, con la grandiosa escenografía del bosque y la presencia de la Luna y la Muerte. [...] La venganza social persigue a los amantes, y el resultado es el poderío absoluto de la muerte, que no conoce distingos, por lo que sus víctimas serán tanto el violador del orden como su presunto restablecedor. Como cantan las muchachas, la fragilidad de la criatura humana es total: «Jazmín de vestido, / cristal de papel. / Nacer a las cuatro, / morir a las diez». Sólo queda la tierra, último cobijo de los muertos. Por eso, la Madre niega la palabra «camposanto», y le opone: «Lecho de tierra, cama que los cobija y que los mece por el cielo». Tierra, pues, materna, cuna última, según una configuración muy quevediana. De ahí que bendiga luego a los trigos y a las lluvias que tapan y mojan a los muertos; también a Dios, «que nos tiende juntos para descansar»; un Dios más cósmico que personal, sin que nos pueda llamar a engaño la cruz invocada en el lamento final, porque es, en definitiva, la cruz del sacrificio y el sufrimiento.

Sin embargo, el cuadro final manifiesta una profunda diferencia entre Lorca y el *fatum* popular. Es sintomático que en él sea la Muerte la que cuente lo que ha sucedido en el bosque. [La muerte no mata a nadie y son los hombres los culpables de lo ocurrido.]

La obra presenta una estructura muy cerrada. Se inicia en casa de la Madre y en ella concluye; el lamento final es el eco preciso de los presentimientos iniciales. Entre esos dos puntos se desarrolla la acción dramática, pasando por la casa de Leonardo, con la nana premonitoria, y por la casa de la Novia (I, 2 y 3), espacio en el que transcurre todo el acto II hasta desembocar en el tercero, en el que hay un escenario exterior, el bosque. Es decir, la boda figura en el centro de la acción, enmarcada por su preparación en I y su desenlace en III. La boda contiene, pues, una promesa de renovación de la vida, explícita en la canción de la Criada (II, 2), la cual promesa es destruida.

Esta destrucción de la materia dramática se engasta en una construcción que responde al modelo clásico de la tragedia. «El desarrollo de la acción, hasta la explosión final —ha escrito Nourrissier [1955]—, sigue exactamente el movimiento del espectáculo fundamental: una liturgia y un sacrificio.» [...] Tres son los coros del tercer acto. El primero, el de los leñadores, en el cuadro inicial, tiene una finalidad muy precisa. De acuerdo con Ruiz Ramón [1977], aunque con algunas matizaciones por mi parte, puede señalarse que esa finalidad es cuádruple: 1) justificar la acción de los amantes («Hay que seguir la inclinación, han hecho bien en huir»); 2) imprecar la salvación del amor («¡Ay, luna mala! / Deja para el amor la oscura rama»); 3) significar la imposibilidad de escapar al cerco: «Cuando salga la luna los verán»; 4) enlazar el sino trágico con la rivalidad entre los dos clanes («El novio los encontrará con luna o sin luna. Yo lo vi salir. Como una estrella furiosa. La cara color ceniza. Expresaba el sino de su casta»).

El segundo coro, a cargo de las muchachas y la niña, comenta la brevedad trágica de la vida humana y el desenlace funesto, sobre el viejo motivo de la madeja; el tercero, el más augusto, expresa el gran lamento funeral con dos solistas fundamentales, Madre y Novia, circundadas por otros personajes y el llanto de las vecinas; y dice, y *critica*, la «fatalidad» de lo sucedido: «Vecinas, con un cuchillo, / con un cuchillito, / *en un día señalado*, entre las dos y las tres, / se mataron los dos hombres del amor».

El simbolismo dramático de *Bodas* es riquísimo. Como una proyección de las obsesiones de la Madre, pero también como un indicio funesto, la habitación de su casa, al levantarse el telón está pintada de amarillo; en la escena final, aparece una habitación «blanca con arcos y gruesos muros», cuyo cromatismo y arquitectura son inequívocos en cuanto al sentido funeral; todo blanco, «sin un gris ni una sombra, ni siquiera lo preciso para la perspectiva», el espacio escénico es el adecuado para la lamentación fúnebre: «Esta habitación simple —señala el autor— tendrá un sentido monumental de iglesia». No es neutro en absoluto el color rojo de la madeja; en ella y en las dos Muchachas que la devanan, el poeta ha encarnado el viejo mito de las Parcas; por eso, aparecen «vestidas de azul oscuro».

[El bosque es asimismo un espacio simbólico muy claro. Las imágenes arbóreas atraviesan la obra lorquiana con diversos sentidos. En este caso, no es casual que sea el lugar de la muerte, donde los hombres caen como árboles talados. Con acierto señala Sáinz de Ríos [1974] que el bosque es el espacio sagrado, síntesis de materia orgánica e inorgánica, animada e inanimada; húmedo, se opone al paisaje de secano del resto de la obra. Así, se alcanza el ritual de *hierós gamós* (cielo y tierra) que es núcleo esencial del texto. En el bosque acaece el segundo ceremonial sagrado, el ritual sacrificial, con la intervención de la Luna y la Muerte.]

Bodas de sangre es un ejemplo perfecto de integración plural de elementos en el lenguaje teatral. La música se articula con la plástica y con un lenguaje gestual y de pantomima sumamente preciso. Ejemplo paradigmático es la escena del bosque, con el movimiento controladísimo de la Luna y el gesto de la Mendiga que, al oír los gritos e interrumpirse los violines —un símbolo de la naturaleza viva—, «queda en el centro como un gran pájaro de alas inmensas», mientras el telón «baja en medio de un silencio absoluto». Otra muestra es la escena final, con la oposición cromática de blancos y negros y la distribución de los personajes en la escena.

La alternancia de prosa y verso se manifiesta con una funcionalidad muy clara. Lorca era consciente de los problemas que podía plantear una utilización indiscriminada del verso. Es manifiesta, en este sentido, su voluntad de apartarse, al menos parcialmente, del modelo modernista. [...]

Sin embargo, tal propósito no siempre se logra. En esa escena del bosque, el uso del verso se ejecuta con una funcionalidad obvia (romance de la luna, coro de los leñadores, etcétera), salvo en el diálogo de los amantes fugitivos, que es también un romance. Lo señaló ya Marie Laffranque [1966]: «El verso marca, en efecto, una cima trágica: aquella en que el Novio vuelve a encontrar su destino y en que los amantes se ven cara a cara. Pero el símbolo permanece lejano y exterior al drama: huida lírica y no evasión *poética* en el sentido en que lo entiende su autor, significa un fracaso, que es el de los amantes, pero también el del dramaturgo». En efecto, el romance, pese a su calidad, no está integrado dramáticamente en el texto, que acaso hubiera necesitado de otra orientación estilística. No supera, en suma, su carácter de material lírico. El poeta ha permanecido preso en las mallas del drama modernista, a cuyo eje de gravitación no ha sabido escapar. La nueva alternancia prosa / verso del cuadro final está, en cambio, perfectamente justificada. La intervención de la Mendiga, en solemnes alejandrinos es, por ejemplo, un acierto rotundo.

Mario Hernández

LA ZAPATERA PRODIGIOSA

[García Lorca cultiva las sales de la comedia hasta el fin de su truncada vida y producción dramática. Pero el camino que lleva hasta la última e inacabada comedia, *Los sueños de mi prima Aurelia*, pasando por *Doña Rosita la soltera*, es complejo y no sometido a una sola dirección, ajeno el poeta a la falsilla o a la fórmula de éxito que se repite.] Esta versatilidad y poder creador no impiden, por supuesto, el cultivo de modalidades o géneros concretos, mas sin abandonar una decidida actitud de investigación y superación de los modelos que le sirven de punto de partida.

Haciendo abstracción de la cronología precisa, hemos de remontarnos a los primeros años veinte para examinar su arraigada vocación de comediógrafo. Es la época, tras el fracaso de *El maleficio de la mariposa*, en que la juvenil madurez del poeta se plasma en formas menores de teatro, herederas de una varia y antigua tradición. El poeta ensaya entonces la farsa guiñolesca (y el adjetivo comporta una tonalidad, más que una exclusiva incidencia en el mundo del guiñol), la ópera cómica, escrita para ser ilustrada musicalmente por Falla, el teatro de aleluyas y el entremés estilizado y llevado a otros límites. Es esa línea de cuajada y grácil perfección que va de la *Tragicomedia de don Cristóbal* a *La comedianta*, *Don Perlimplín* y *La zapatera.* En medio resta una pieza de títeres por el momento perdida, *La niña*

Mario Hernández, ed., Introducción a Federico García Lorca, *La zapatera prodigiosa*, Alianza, Madrid, 1982, pp. 12-19.

que riega la albahaca y el príncipe preguntón, así como ha de añadirse a la lista, a pesar de su distinto planteamiento y más tardía escritura, el *Retablillo de don Cristóbal*, ya entera farsa para guiñol. Descontado el paréntesis de *Mariana Pineda*, en sus piezas breves García Lorca vuelve sus ojos hacia una tradición popular del teatro, de la que no se excluyen las más sencillas manifestaciones. Si en primer término sobresale el teatro de marionetas, otras formas de espectáculo y recreación popular, del romance de ciego a los pliegos de aleluyas, serán trascendidas por el poeta, quien las recrea con sutileza y sabiduría dramática.

El ejemplo le venía sin duda de Manuel de Falla, gustador entusiasta de algunas zarzuelas, a las que reputaba como cima de la mejor ópera cómica europea, según ha notado Francisco García Lorca, y autor de dos piezas musicales clave. En primer lugar, *El corregidor y la molinera* (1917), definida en cartel como «farsa mímica inspirada en algunos incidentes de la novela de Alarcón», compuesta sobre libreto de Martínez Sierra y con un reparto que puede conceptuarse, *lato sensu*, como prelorquiano. Con la colaboración de Diaghilev, quien se desplaza hasta Granada y dirige el estreno en Londres (1919), *El corregidor* se convierte en *Le tricorne*, ballet, si antes pantomima, cuyos figurines y decorado se deberán a la mano de Picasso. Ya es significativa la impronta que los dibujos picassianos dejarán sobre los del poeta granadino, como se observa en la asimilación de algunos motivos iconográficos. [...]

Así pues, las incitaciones que le ofrecía el mundo creativo del músico gaditano debieron ser determinantes para que García Lorca volviera su atención hacia el guiñol y otras formas de teatro menor sentidas por él como afines. Además, el interés por la comedia lírica, la canción folklórica y las acuñaciones del lenguaje popular está ya inscrito en la misma infancia y tradición familiar del poeta, quien desde niño mostró su capacidad de entusiasmo e invención ante el juego teatral e histriónico, sin menosprecio del guiñol. Así, es muy probable que el júbilo del Niño de *La zapatera* al oír el toque de trompeta que anuncia la llegada de los títeres tenga mucho de reflejo autobiográfico. Y, ya en este terreno, ha de citarse *El retablo de maese Pedro*, la sobria y genial composición fallesca estrenada en 1923, pero de lenta y anterior gestación, en años de intensa relación amistosa con el joven poeta granadino, como demuestra el proyecto de *La comedianta*. El *Retablo* nos sitúa, por encima del más remoto ejemplo de Valle-Inclán, en los mismos platillos de la balanza lorquiana: del teatrillo de muñecos o de títeres a la farsa estilizada hacia la pantomima y la danza, heredera de los entremeses cervantinos y de concretos rasgos del sainetismo posterior, hasta llegar, en último término, al llamado género chico.

[Sobre aspectos más evidentes de este influjo,] resulta de interés examinar una deuda cervantina de *La zapatera*, deuda que debió llegarle a García Lorca por conducto y ejemplo de Falla. *El retablo de maese Pedro*, «adaptación musical y escénica de un episodio del *Quijote*», según rezan los programas, se rinde a la admiración por Cervantes y por el teatro de títeres, encarnado para el caso en el retablo donde maese Pedro escenifica un romance carolingio, soñado como verdadero e inmediato en el tiempo por el caballeroso don Quijote, quien sale en defensa y socorro de los huidos don Gaiferos y Melisendra con el fatal resultado para las figuras del retablo que el lector recordará. Transcurrido el episodio, Cervantes nos hace saber que maese Pedro no era otro que Ginés de Pasamonte, quien, temeroso de la justicia, «determinó pasarse al reino de Aragón y cubrirse el ojo izquierdo, acomodándose al oficio de titerero». Así disfrazado, ni Sancho ni don Quijote le reconocerán, pudiendo él exhibir cómodamente sus supuestas dotes de adivino.

En la farsa lorquiana también el Zapatero ha de llegar al pueblo disfrazado, si bien con unas gafas, propias de su oficio fingido de relator de romances de ciego. Y si Ginés de Pasamonte se ayuda de un mono adivino, es quizá sintomático que el Niño de *La zapatera* pregunte si habrá monos, y no otro animal cualquiera, en el espectáculo que se anuncia. Por otra parte, romance real, que no relato comentado por un muchacho mientras las figuras se mueven, hay en el segundo acto de la farsa. En ella el retablo animado por maese Pedro ha sido sustituido por un pintado cartelón, a cuyos cómicos recuadros va señalando el Zapatero con una varilla, en acción idéntica a la realizada por el muchacho cervantino. Y, como en el episodio novelesco, también el romance tragicómico del poeta moderno, caricatura y estilización de un romance de ciego, involucra al grupo de oyentes, y en especial a la quijotesca Zapatera, a partir de la exagerada ficción de los hechos que expone. Éstos tienen carácter de trasposición burlesca, por vía tremendista, de la verdadera relación entre la Zapatera y su marido. No en balde el titiritero lorquiano, amparado en su disfraz, enumera entre sus saberes las «Aleluyas del zapatero mansurrón y la Fierabrás de Alejandría», resaltando al fin las que serían coplas de consejo sobre el «Arte de colocar el bocado a las mujeres parlanchinas y respondonas». Para que no haya duda alguna sobre sus directísimas alusiones, los octosílabos llevarán por título «Romance verdadero y sustancioso de la mujer rubicunda y el hombrecillo de la paciencia». [...] El final del romance liga los planes del amante de la talabartera —acuchillar al marido— con los gritos angustiados de las vecinas que asisten, fuera de escena, a las puñaladas que unos mozos se dan por amor a la Zapatera. Si el engarce denota el buen hacer dramático del autor, de nuevo se vislumbra una correspondencia con el episodio cervantino. Allí don Quijote acuchilla con su espada a los moros del retablo. Desbaratadas y hendidas las figuras, se acaba por necesidad la función de títeres y don Quijote vuelve a la realidad. El eco cervantino, que el mismo García Lorca se encargó de señalar para las «predicaciones» del Zapatero, resalta incluso en este cierre de la escena del romance, por diferentes que sean las situaciones y su resolución. De todos modos, a las voces de maese Pedro, cuya cabeza estuvo a punto de ser cercenada «con más facilidad que si fuera hecha de masa de mazapán», como a los gritos de las vecinas, que se asoman por la ventana al primer plano de la escena, los personajes de Cervantes y de García Lorca se abajan de la fantasía del cuento que escuchaban a la realidad contingente que les define. De esta manera, el poeta moderno incorpora a su obra, con invención propia, el habilidoso juego de planos descrito, en el que va inserto, como en el *Quijote*, el mismo carácter y modo de ser de la protagonista.

LOUISE B. POPKIN

EL TEATRO DE RAFAEL ALBERTI

Las primeras obras teatrales de Alberti fueron una prolongación de su obra poética. En ellas el autor parece haber cedido a su natural propensión como poeta, músico y antólogo. En ese momento de su carrera, probablemente Alberti consideraba el teatro como un vehículo, como un medio más que como un fin. Su principal preocupación poética parece haber sido la recreación en forma plástica teatral de una serie de elementos populares y frecuentemente líricos.

Las siete obras dramáticas que Alberti escribió entre 1929 y 1938 tienen mucho en común con el resto de su producción teatral. La actitud experimental del autor se pone de manifiesto en todas las obras de este período. El maridaje de las formas artísticas tradicionales y contemporáneas explica su originalidad. Con la única excepción de *De un momento*

Louise B. Popkin, *The theatre of Rafael Alberti*, Tamesis Books, Londres, 1976, pp. 52, 103-104, 146-153, 173-174.

a otro, todas son obras abiertamente convencionales. Finalmente, excepto en el auto, la caricatura grotesca desempeña un papel significativo en todas ellas. Desde el comienzo, Alberti demuestra estar particularmente bien dotado para la estilización cómica. Sobre todo en las obras de *agitprop*, consigue ya una notable complejidad.

Las obras de este período constituyen un grupo por sí mismas. Una preponderancia de elementos tendenciosos o didácticos las distingue temáticamente de las obras que las precedieron y de las posteriores. También tienen en común con ellas todo un conjunto de defectos formales: un diálogo discursivo y antidramático, vaguedad estructural, incongruencias estilísticas. En las obras *agitprop* estos defectos son de escasa importancia; la fórmula dramática del autor se impone por encima de todo. Sin embargo, en las tres que tienen mayor longitud, los defectos saltan más a la vista. *El hombre deshabitado*, *Fermín Galán* y *De un momento a otro*, tienen una concepción intrigante, pero como teatro acusan muchas debilidades.

El contenido temático de estas obras refleja el paso de Alberti desde la crisis al compromiso. Su evolución espiritual puede seguirse a través de sus obras teatrales al igual que en su poesía. *El hombre deshabitado* es un eco de la fase religiosa de la crisis de 1928-1929. *De un momento a otro* transparenta la disconformidad del autor con las condiciones políticas y sociales. En el texto de *Fermín Galán* advertimos la ambivalencia de Alberti respecto a la naturaleza de su tarea: aunque esta obra no trate de su confusión, demuestra que se había sentido confuso acerca de su papel cuando la escribió. Finalmente, las obras *agitprop* corresponden a un momento de nueva claridad espiritual. Son la producción de un autor para quien escribir es un acto plenamente comprometido, un gesto de solidaridad, un medio de cambiar el mundo que le rodea. [...]

En la época en que Alberti escribió las obras de los años treinta aún no había alcanzado la madurez de su talento dramático. Hasta el decenio siguiente, el artista no iba a predominar sobre el activista, y el dramaturgo sobre el poeta lírico.

La dramaturgia neopopular de los cuarenta contiene las obras maestras del teatro de Alberti. Se trata de títulos manifiestamente superiores a todo lo que había escrito durante los dos decenios precedentes. Estas tres obras en cuestión son ejemplos de eficacia dramática y de habilidad técnica. Cada una de ellas posee un notable grado de autonomía artística, es decir, de coherencia interior, de extremada originalidad, y una existencia que es independiente de las múltiples fuentes de las que proceden. En ellas podemos advertir por vez primera los perfiles de un estilo personal.

Durante los años de su exilio Alberti continuó experimentando con una gran variedad de formas tradicionales y contemporáneas. No obstante, los experimentos de los cuarenta fueron mucho más afortunados que cualquiera de los que había emprendido anteriormente. En la trilogía, el uso que hace el dramaturgo de los materiales de sus fuentes se hace menos visible, y su trasposición de convenciones literarias es menos directa. Deja de tomar prestados detalles ajenos a sus fuentes; lo que aprovecha, lo adapta cuidadosa y hábilmente a sus necesidades. Verosímilmente ello indica una mayor capacidad para la contemplación estética. Como ya se ha dicho, es probable que la composición literaria siguiera teniendo una función catártica para Alberti en 1944. En el curso de la década anterior, ese tipo de participación parece haber sido el origen de graves errores técnicos en su obra. Ahora, aunque maneje materiales autobiográficos, su actitud seguirá siendo acusadamente distanciada. En *El adefesio* demuestra su capacidad para distinguir las necesidades estéticas de las personales. Manifiesta una mayor inclinación para satisfacer las exigencias de su arte. [...]

El rasgo más característico de sus obras neopopularistas es probablemente su carácter «plural». Cada una de esas obras difiere mucho de las otras. [En *El trébol florido* se advierte la presencia de Lope.] Los procedimientos irónicos de *El adefesio* tienen fuertes reminiscencias de los de Valle-Inclán. La profusa ornamentación barroca de *La gallarda* recuerda al teatro de Tirso. Indudablemente éste es otro fruto de un temperamento artístico que, a diferencia del de Lorca, abordaba el teatro intelectualmente. Desde el principio Lorca poseyó una profunda comprensión intuitiva de lo dramático. Arrastrado por un impulso interior, perseguía un único objetivo. La consecuencia es que un rasgo sobresaliente de su teatro es la unidad. Si se ven en relación unas con otras, sus tragedias forman una secuencia casi inevitable. Alberti por su parte es básicamente un poeta lírico. Además, siempre ha sido extremadamente sensible a las influencias exteriores. Probablemente un tanto inseguro acerca de su camino, como dramaturgo se dejaba llevar fácilmente en distintas direcciones. Todas sus creaciones son respuestas a estímulos externos. Así, la variedad formal sigue caracterizando sus obras de madurez. Paradójicamente, la unidad de la obra de Alberti ha de buscarse en su diversidad.

En todas sus obras neopopularistas hay una relación única entre la proyección dramática, el diálogo y el movimiento escenográfico. En cada caso el ritmo es el factor integrador. *El trébol florido* se construye en torno al ritmo acelerado de ritual. En *El adefesio* el «ritmo delirante» tiene algo de colectivamente quevedesco. En *La gallarda* el énfasis es más freudiano y subjetivo. Sin embargo, en todas esas obras los ritmos visual y verbal desempeñan un papel significativo. Las brillantes síntesis que el autor consigue efectuar son una demostración de su habilidad técnica. Su aparente afán por eludir la razón de su espectador y facilitar una comprensión intuitiva de sus materiales es un indicio de la creciente profundidad de su evolución dramática.

Extremadamente importantes en estas obras son diversas y complejas técnicas que podríamos llamar «telescópicas», porque su efecto es siempre concentrar e intensificar. Algunas de ellas son temporales. En la escena final de *El trébol florido* aparece una recapitulación rítmica de todo el conflicto dramático. En *La gallarda*, el curso de la fatal existencia de la protagonista se resume en un momento de irónica prefiguración. Otra forma telescópica de carácter temporal consiste en la acumulación, proliferación o multiplicación de imágenes y episodios frecuentemente acompañados de aceleración rítmica. [...]

La relación temática entre las obras neopopularistas va mucho más allá de la considerable dependencia del autor respecto a las fuentes folklóricas. Estas obras son estructuras artísticas racionalmente controladas y disciplinadas que Alberti ha construido a partir de los materiales irracionales del mito, ritual, sueños, augurios y supersticiones. En las tres existe una intensa vena trágica, un sentido de la impotencia humana y de la incapacidad del hombre para dominar las fuerzas empeñadas en su destrucción. Al mismo tiempo hay una distinción fundamental entre las obras de la trilogía. *El trébol florido* y *La gallarda* son mitos. Las víctimas de estas obras luchan contra fuerzas sobrenaturales. En ninguna de las dos la acción se localiza ni tiene ningún sentido histórico. En ambos casos hay una dimensión concreta escenográfica respecto al espacio teatral; de no ser así la encarnación dramática resultaría imposible. Sin embargo, conceptualmente el mundo de ficción de esas obras está divorciado del tiempo y del espacio. El ambiente popular de *El trébol florido* es una Arcadia universal en la que Alberti nunca alude a elementos específicamente españoles. Y aunque *La gallarda* se sitúe en una Castilla de «vaqueros y toros bravos», no es un drama sobre España. Castilla sólo está presente como una fuente de lenguaje figurativo, un trampolín desde el cual Alberti asciende inmediatamente a un nivel alegórico y a una exploración poética del subconsciente.

Por otra parte, en *El adefesio* las fuerzas destructivas residen en la voluntad humana. El mito aparece como tradición cultural más que como género. Es decir, que hay frecuentes alusiones a los mitos, pero sólo como medios de ironía creadora. Por ello la acción de *El adefesio* está sólidamente anclada en las realidades concretas de Andalucía. [...]

El sector más notable de la producción de Alberti se caracteriza por un importante rasgo estructural. Todos sus dramas sociales poseen una estructura episódica o acumulativa. En *Fermín Galán* la historia se concibe y se presenta como una serie de cuadros estáticos e inconexos. *En De un momento a otro*, la acción contiene una serie de enfrentamientos entre la mentalidad progresista del protagonista y diversos sectores de la vida provinciana. Las obras *agitprop*, sobre todo *Bazar de la providencia* y *Radio Sevilla* consisten esencialmente en una serie de gags enhebrados por una débil línea argumental. Y por lo que se refiere a *El adefesio* y a las obras más recientes de Alberti, los hechos aislados no suponen ninguna acción anterior o posterior. Como contraste, la estructura de las tres obras alegóricas es secuencial o lineal. *El hombre deshabitado* tiene una estructura conceptual subterránea; se nos propone una cierta imagen de la condición humana, que se juzga falsa y que en último término se modifica. En *El trébol florido* el ritmo del ritual nos conduce incesantemente hacia el paroxismo. En *La gallarda* hay también un fuerte impulso hacia la acción; revivimos la existencia del protagonista como un viaje implacable hacia la desesperación y la destrucción.

[Los elementos caricaturescos] aparecen esporádicamente en *Fermín Galán* y en *De un momento a otro*. Intervienen de un modo importante en las obras *agitprop* y en *El adefesio*. Reaparecen en las dos obras más recientes del dramaturgo. Exceptuando unas leves pinceladas en *El trébol florido*, dichos elementos no tienen la menor intervención en las obras alegóricas. Por otra parte son siempre un rasgo característico de las obras en las que aparecen. En estas obras la caricatura es algo mucho más persistente que el didactismo. De hecho éste es la característica esencial de las obras sociales. En el teatro de Alberti el término «social» no es sinónimo de «tendencioso» o «propagandístico». Más bien alude a una imagen grotescamente estilizada de la realidad española. [...]

La variedad formal, los recursos telescópicos y la estética de la comicidad grotesca señalan la unidad del estilo maduro de Alberti. Estas características son un elemento de continuidad dentro del conjunto de su teatro. Sin embargo, como hemos tratado de demostrar, antes de que la tendencia ecléctica del dramaturgo se manifestase en sí misma como verdadero talento, hubo un período de consciente experimentación con novedades literarias. En las obras primerizas al autor le faltaba capacidad para articular diversos elementos estéticos en un objeto artístico coherente. En este momento de su carrera, variedad significaba vaguedad más que riqueza. Eso significa que antes de 1940, de hecho no se puede hablar de «un estilo». Dado que nuestro estudio se ocupa principalmente de la transición del autor desde el aprendizaje a la maestría, al tratar de su producción dramática habría que llamar la atención sobre las diferencias cualitativas que separan las primeras obras de las de los años de madurez. Podría hablarse de una «multiplicidad de estilos» que más tarde da origen a un «estilo de multiplicidad». La última frase sugiere el tipo de efecto al que el dramaturgo aspiró repetidamente y que por fin consiguió en su búsqueda de una forma dramática. Ambos términos iluminan el carácter único de cada uno de los experimentos de Alberti y explican el papel de su «fácil versatilidad» proverbial en la elaboración de sus obras. Al referirnos a una multiplicidad de estilos primeriza también podemos estar aludiendo a los frutos de un logro artístico. Pues insistimos en nuestra convicción de que el estilo de Alberti, tal como se manifestó en los años cuarenta, era el resultado de un largo proceso de exploración y evolución.

En *Noche de guerra en el Museo del Prado* y *La lozana andaluza*, Alberti continúa y lleva a una conclusión lógica la principal tendencia estilística y temática que caracteriza a sus obras sociales. En ambas obras hay una clara desviación de su actitud tendenciosa de los años treinta. Los intereses y las preocupaciones del autor le conducen hacia una forma teatral dramáticamente más pura, en la que la caricatura se despoja de su función satírica, y una visión esperpéntica llega a dominar todo el mundo de ficción. Este cambio refleja un grado mayor de distanciamiento crítico por parte de Alberti; e indica su aparente voluntad de relegar los elementos ideológicos a una posición de importancia secundaria. Un fenómeno análogo puede observarse en el sector alegórico de su producción, cuando abandona el auto sacramental didáctico y centra su atención en la creación de mitos. Ambos casos aportan pruebas suficientes para conjeturar que Alberti ha alcanzado una comprensión superior de su papel como dramaturgo.

Noche de guerra y *La lozana andaluza* son también obras únicas dentro de su teatro social porque ambas son el resultado de una «colaboración». Ambas llevan el inconfundible sello del genio de Alberti; ambas están fuertemente arraigadas en la imaginación creativa de otros. Si prestamos la debida atención a lo que representa ese proceso de colaboración, advertiremos que ello nos conduce al pasado artístico de Alberti, a su proverbial versatilidad como imitador de estilos, y a sus primeras y torpes tentativas de emplear convenciones no dramáticas en su teatro. Sin embargo, las hábiles síntesis que resultan de sus esfuerzos más recientes representan un nuevo y significativo desarrollo en su técnica dramática. La colaboración ha de insertarse dentro del marco conceptual de «estilo de multiplicidad». En estas dos obras, al igual que en la trilogía, el artista, mucho más experimentado, parece ya haber abandonado su antigua tendencia a coquetear con una «multiplicidad de estilos». Ha conseguido una integración mucho más elaborada de diversos componentes estéticos. De este modo, pues, el rasgo más reciente de la dramaturgia de Alberti no es una pura novedad; sino que es también el fruto de un trabajo del dramaturgo que durante largos años ha experimentado con la forma dramática.

RICHARD CARDWELL Y ROBERT MARRAST

EL HOMBRE DESHABITADO Y *EL ADEFESIO*

I. Los ecos conscientes de la poesía religiosa del XVI y de principios del XVII en la obra de Alberti son indiscutibles, y los paralelismos que tan bien estableció Morris [1959] proporcionan pruebas tan útiles como numerosas que corroboran la afirmación de Alberti de que él contribuyó a «redescubrir» la poesía del Siglo de Oro. Pero Morris acepta implícitamente que Quevedo y Alberti compartían los mismos supuestos escatológicos. Sin duda alguna, Alberti manifiesta hastío y desilusión. Sin embargo, no encuentro pruebas suficientes para apoyar la idea de que Alberti estaba interesado por el problema

I. Richard Cardwell, «Alberti's *El hombre deshabitado*», en *Ibero-romania*, n.º 2 (1970), pp. 122-133. (Las citas con las siglas «PC» son de las *Poesías completas* de Alberti, Buenos Aires, 1961.)

II. Robert Marrast, *Aspects du théâtre de Rafael Alberti*, Société d'Édition d'Enseignement Supérieur, París, 1967, pp. 111-121.

teológico y moral de «alimentar el cuerpo para descuidar el alma». A mi juicio Alberti se interesa mucho menos por los demás, que por descubrir su propia identidad espiritual. Una analogía más reveladora podría ser la de la corriente de análisis ontológico y epistemológico que se hace cada vez más intensa en la literatura europea del segundo y tercer decenio de este siglo. En las obras de Dostoievski, seguidas por las de escritores como Unamuno, Gide, Julien Green, Kafka, Pirandello y más tarde Sartre y Camus, el tema predominante podría resumirse en la pregunta de Unamuno: «¿Quién soy yo?». Es algo más que una coincidencia el hecho de que muchas obras influyentes de esos autores aparezcan poco antes y durante los años medios y finales del decenio de los veinte. *Les caves du Vatican* (1914) y *Les faux monnayeurs* (1925), de Gide; *Niebla* (1914) y *El otro* (1925), de Unamuno; *Epaves* (1925), de Green, y *El proceso* (1925) y *La metamorfosis* (1915), de Kafka (obra esta última que se tradujo en la *Revista de Occidente* en 1925) son ejemplos significativos. [...]

La metáfora del tribunal es un motivo dominante en *El hombre deshabitado*, como lo es a menudo en el auto tradicional. Marrast [1957], en *L'esthétique théâtrale de Rafael Alberti*, insiste en el uso ortodoxo que Alberti hace de ese motivo, a pesar del hecho de que «elle sanctionne la faillite d'une morale au lieu d'en exalter le mérite et la grandeur ... ici l'homme refuse au lieu d'accepter, c'est tout ... Alberti nous invite à considérer le mystère des intentions divines comme une imposture, qu'on ne peut mieux dénoncer qu'en nous en montrant objectivement irrationnel ... Si *L'homme inhabité* renferme malgré tout un espoir, ce n'est plus celui d'une possibilité de rachat par la contrition et la pénitence; pour lui, au contraire, c'est à la créature qu'il appartient de choisir la route où ce Dieu ne pourra plus l'atteindre, son salut étant entre ces propres mains» (p. 44). Sin embargo, no cabe la menor duda de que para el Hombre no hay «libre albedrío». No está «entre ses propres mains» el elegir el camino que lleva a la redención. La angustia final del Hombre no brota de su negativa a reconocer el pecado, sino que es un corolario de la contradicción que se manifiesta en la existencia, el sentido de una falta de justificación para su muerte. Éste es el sentido primordial de *El proceso* de Kafka, *El extranjero* de Camus o *Niebla* y *Amor y pedagogía* de Unamuno. En realidad, las alusiones a inquisidores, carceleros, mazmorras y la última celda del condenado a muerte, como metáforas que remiten a una persecución injusta, son una constante en la literatura europea y española a partir del romanticismo. *Don Álvaro*, *El trovador* y las novelas de Dostoievski en el siglo XIX, como más tarde el tribunal de Mersault, el proceso de K y el coloquio con Augusto en nuestro siglo, todo tiene un común denominador. La ley, el inquisidor, el autor o el vigilante nocturno sirven para simbolizar el abrumador sentido de persecución y la sensación de desvalimiento e impotencia del prisionero en sus garras. El símbolo refleja el sentimiento de que están actuando unos poderes anónimos y malignos, y de la imposibilidad de que su víctima cumpla todos sus mandatos. También la crisis poética apunta el tema de la falta de justificación, de una justicia inmerecidamente cruel. Los «ángeles vengadores» (PC, 270); «El cuerpo deshabitado», parte 3 (PC, 251); «El alma en pena» (PC, 274); «Muerte y juicio» (PC, 282-283); «Juicio» (PC, 256) y poemas de los *Sermones y moradas*, «Morada del alma encarcelada» (PC, 301-302), por ejemplo, contienen este motivo. Lo que tanto Iván Karamázov como K o el Hombre quieren es una autojustificación, y por extensión, la realización de sí mismos, la autenticidad y el sentido de pertenencia del que carecían sus autores. La lenta erosión de las convicciones vitales y la idea de que la vida no tiene una falsilla establecida trae la desintegración de lo racional y un justificado temor acerca de los valores. Al igual que esos antihéroes, el Hombre se pregunta qué significan realmente el amor, la confianza y la justicia cuando una consideración objetiva de la suerte de la humanidad demuestra patentemente que carecen de sentido. La creencia de que la vida no obedece a ningún plan, de que de hecho es absurda, la incapacidad para ver la vida como un dechado de valores sólidos, son las causas originarias de sus muertes. En ellos, la ausencia de valores, simbolizada por unas existencias nebulosas o huecas apunta hacia la contradicción y hacia una falta de justificación en el curso de sus breves vidas novelísticas o dramáticas. La búsqueda de lo espiritual o de su plenitud íntima consiste en encontrar su identidad o «sinceridad» en un mundo que les es extraño.

Las obras teatrales de Alberti comparten la misma preocupación y emplean procedimientos similares a los de los novelistas filosóficos. Tenemos así la gravedad del propósito, de un viaje de autodescubrimiento que acompaña la presentación del héroe autobiográfico, personaje único a través del cual puede seguirse sistemáticamente esa profundización ideológica. Tenemos también la misma inquietud primordial, con el problema de la autenticidad y de la separación del héroe de los que le rodean. Todo ello armoniza con el concepto de tragedia que impregna ese tipo de investigación que Unamuno, Gide y Camus, junto con Alberti, consideran como parte de su «sentimiento trágico de la vida» en la acepción más amplia de la frase. Este significado de tragedia dramática y el arte de la alusión en general es lo que conduce a una nueva técnica que Alberti comparte también con los demás: la técnica de la alegoría. Al igual que en la novela filosófica, en el auto de Alberti se nos da una imagen del hombre moderno preocupado por su situación ontológica, por la problemática ética y por su posición escatológica. La conciencia y la pintura de que «la vida es nada», por definición anuncia el método realista y directo. La alegoría sirve para aludir a otro tipo de circunstancias, a otro estado de ánimo o de experiencia que no pertenece al canon expresivo de la tradición novelística anterior. En *El hombre deshabitado* la estructura, la ambientación del infierno simbólico «cerrado por obras» o del edén del jardín amurallado, la horrible parodia de Dios y los sentidos, más que trazar el retrato de un personaje o de una situación reales, evocan en términos físicos la derrota espiritual del hombre y su conciencia de la nada y del absurdo de la existencia. Alberti usa para sus propios fines la tradicional forma alegórica.

II. Bajo formas diversas podemos encontrar en *El adefesio* una considerable cantidad de préstamos tomados de la literatura o de las costumbres folklóricas de España. A menudo este material es utilizado sin presentar modificaciones, aunque otras veces los términos se adaptan a la situación: así ocurre con la tradición de la caza de aves nocturnas.

La imaginación popular da casi siempre a los seres sobrenaturales la forma de un animal o de un monstruo y, recíprocamente, considera que ciertos animales son la encarnación de las fuerzas misteriosas. En Andalucía «es malo tener en casa aves nocturnas, porque están en relación con las almas en pena». Es por esto que Gorgo invoca a los murciélagos y a los vencejos cuando se entera de las relaciones entre Altea y Castor, causa del deshonor de la familia y del tormento espiritual de su hermano: «¡Volad, murciélagos, sombras de la tarde, y chillad por el pueblo el deshonor, el triste fin de una familia! Daos prisa, vencejos, en bajar a las plazas a repetirlo a los chiquillos para que se nos mofen cantándolo en el corro...». [...] Además de este asunto tomado de la superstición popular, los elementos tradicionales de *El adefesio* son muy numerosos y muy diversos. Examinaremos con detalle algunos de ellos. Desde el primer acto nos encontramos con tres fórmulas de conjuro. La primera sale de labios de Aulaga y Uva y Bion cuando llega Gorgo: «¡Cruz, cruz, cruz!», palabras que pronuncian acompañadas del signo de la cruz, siguiendo la costumbre. Luego, después del parlamento de Gorgo, Aulaga y Uva recitan:

¡Cruz santa,
cruz fuerte,
yo te convido
para la hora de mi muerte!

Esta fórmula está destinada a conjurar la mala suerte, como lo muestra una de sus variantes más largas: «Cruz santa, / cruz bendita, / tú me salvas, / tú me guías. / Por el Señor / que murió en ti, / que cosa mala / no llegue a mí, / ni a mi cama, / ni a los que están en mi compañía».

La tercera fórmula, tres réplicas más adelante, es pronunciada por Bion quien, aterrorizado por el aspecto de Gorgo, que lleva la barba de su difunto hermano, dice:

¡Toca, moca!
¡grillos para tus pies
y freno para tu boca!

que es el comienzo, ligeramente modificado, de un conjuro cuya forma completa es la siguiente: «Toca, moca, / griyos en tus piés y freno en tu boca. / Dios me libre a mí / y a mi casa toda. / Hoy es sábado. Abe, María». Esta fórmula está destinada a alejar a las brujas en la noche del Sabath. Sólo se ha conservado el principio del conjuro, pues el resto no concuerda con la situación de la obra. La entrada de Ánimas queda resaltada por otro conjuro: «Rata muerta, gato enfermo, / ¡líbrame, por Dios, del estafermo!», cuyo origen no hemos podido encontrar y que responde a la misma finalidad que los conjuros anteriores.

En el segundo acto, Ánimas alude a dos cuentos tradicionales, *La Pavera del Rey* y *El pájaro que habla, el árbol que canta y la fuente amarilla*, muy populares en toda España. En el mismo acto, cuando Bion lleva a Gorgo una gata, la llamará así para hacerla salir de la jaula: «Sal, sarnoso, / titiñoso. / Te lo manda / este buen mozo. / Tú me quieres, / Yo te quiero. / Tú eres gato / para rebañar el plato». Aquí se trata de una invocación burlesca inspirada en un corro infantil: «Calaboso / Titiñoso, / mi marido / 's muy güen moso. / Tú eres mía, / Tú también, / Tú eres 'r gato / Por rebañar er plato»; la palabra «titiñoso» es aquí un típico andalucismo formado por la repetición de la primera sílaba de «tiñoso» (= mohoso). Un poco más adelante, recitará una variante de su invocación: «Tú me quieres, / yo te quiero. / Tú eres gata / para comer en plato de plata».

Cuando Bion quiera que Gorgo adivine la naturaleza del animal que acaba de regalarle, utilizará la adivinanza tradicional:

> Tiene ojos de gato, y no es gato;
> orejas de gato, y no es gato;
> patas de gato, y no es gato;
> rabo de gato, y no es gato.
> — La gata.

que modificará así: «Los ojos son de gato, pero no es gato. / Las orejas de gato, pero no es gato. / Las patitas de gato, pero no es gato. / El rabito de gato, pero no es gato». [...]

Siguiendo el ejemplo del corifeo Bion, el segundo mendigo se expresa, para definir las obligaciones de su oficio, por medio de una rima infantil que dice así: «MENDIGO 2.º — Es lo que digo, doña Gorgo. Obedecer: A la una, saca al corralón la mula. / A las dos, la coz. / A las tres, sácala otra vez. / A las cuatro, el palo. / A las cinco...». [...] Otra «aleluya» de Bion contiene la rima rica «platos/gatos» que recuerda ciertas rimas de la poesía popular: «¡Vengan fuentes, / vengan platos / a la lengua de estos gatos!».

El mismo personaje, que desea hacer resaltar la entrada de Altea acompañada de Ánimas, las saluda en estos términos: «Largo, larguero, / Martín caballero, / llegó la luna / con su lucero!». Los dos primeros versos se pueden encontrar en varias adivinanzas populares, por ejemplo: «Largo, larguero, / Martín Caballero, / calzas coloradas / y penacho negro». [...]

En la siguiente página, es otra vez Bion quien recitará el alegre corro y lo iniciará con estas palabras: «¡A la rueda del merbrillo, / que no hay pan sin dinerillo!»; después arrastrará a las mujeres y a los mendigos utilizando el inicio de su rima y enlazando con los siguientes versos: «¡A la rueda del ciruelo, / que no hay llanto sin pañuelo! / ... / ¡A la rueda del clavel, / que no hay pluma sin papel! / ... / ¡A la rueda que no rueda / si no hay pan y no hay moneda!». Cuando Gorgo, para mortificarse, pide lavar las manos de los mendigos, Bion, ahora respetuoso, reconocerá la gratitud que le debe a su protectora. Dirá: «Señora Gorgo bendita, / en el cielo hay una ermita / reservada para usted. / Pater noster. Jesús. Amén», en la que parafrasea las oraciones a Santa Bárbara: «Santa Bárbara bendita / en el cielo hay una ermita / con papel y agua bendita», y: «Santa Bárbara bendita / que en el cielo estáis escrita / con papel y agua bendita, / sentada al pie de la cruz / pater noster. Amén, Jesús».

Además de estas reminiscencias precisas que llegan hasta la literalidad en *El adefesio*, conviene resaltar las alusiones a los ritos populares, menos numerosas, sin duda, pero también muy significativas. Así, para resaltar el contraste moral y físico que existe entre Gorgo, Uva y Aulaga, y su sobrina Altea, y para imponerlo plásticamente a la mirada del espectador, Alberti nos presenta a la muchacha, cuando aparece por vez primera, de la forma siguiente: «Acompañada por ÁNIMAS, entra ALTEA, en un lujoso traje popular de campesina, coronada de pámpanos». Es el traje que Aulaga, Uva y Gorgo han bordado y que Altea mereció llevar cuando fue consagrada como reina de las fiestas de la vendimia. El recuerdo de este rito se convierte así al mismo tiempo en un acierto escénico; el poeta crea un traje alegre y rutilante para un personaje que simboliza la juventud y la pureza y que contrasta con los trajes negros y tristes de las viejas, que son encarnaciones del mal y del mal sino.

En el segundo acto nos volvemos a encontrar con una alusión a la representación tradicional del diablo: «GORGO. — ¡Uf! Aparta, aparta, Satancillo, que me hueles a azufre! BION. — Pero el diablo tiene cara de conejo... y dos cuernos arriba...». Se sabe que la tradición suele representar al diablo con dos cuernos y cara de conejo, y envuelto en vapores de azufre.

Todo el tercer acto, por último, se desarrolla en el jardín en el que cada año se celebra el agasajo ofrecido a los pobres del pueblo. Rito ancestral, este agasajo constituye una especie de limosna colectiva destinada a expiar los pecados, y era una costumbre que practicaba la familia del poeta. Pero este año Gorgo, para lograr una mayor expiación, decide prepararlo todo ella. Aun más, caminará descalza sobre los guijarros del jardín y lavará las manos de sus comadres, de Altea, de Ánimas y de los mendigos, mientras dice:

Almas sencillas, desgraciadas,
sed por el agua
purificadas.
Almas hermosas, sufridas,
sed por el agua
bendecidas.

Aquí también Alberti ha utilizado como recurso dramático el viejo rito de la purificación por el agua que se encuentra en todas las religiones y está presente en todas las mitologías. Por otra parte, la humillación a la que se somete Gorgo está considerada por ella misma como una suprema mortificación, mitad cristiana y mitad pagana en la práctica y en el significado. [...]

El estudio de estos elementos populares muestra que Alberti vuelve, en muchos sentidos, a las fuentes de su primera inspiración. Muestra también que la oposición tradicional Lorca-*popular* / Alberti-*culto* no se sostiene por sí misma. Se puede observar que García Lorca se orienta resueltamente hacia la búsqueda de formas dramáticas experimentales con *El público* y ya antes con *Así que pasen cinco años*, mientras que Alberti escribía en 1936 *Costa sur de la muerte*, proyecto que fue interrumpido por la guerra civil y, en 1943, *El adefesio*. Alberti ha sentido siempre la necesidad de escribir un teatro cuyas raíces fueran auténticamente populares: el hiato del teatro de la guerra civil se cierra con *El adefesio*.

11. LA LITERATURA ENTRE PUREZA Y REVOLUCIÓN. LA NOVELA

Es difícil deslindar el auge de un cierto tipo de novela testimonial de varios factores «infraestructurales» que inciden sobre el panorama editorial y las publicaciones periódicas. Luis Fernández Cifuentes [1982] ha trazado con rara ecuanimidad y ponderación los antecedentes teóricos y prácticos (de mercado) que desembocan en vísperas de la República en una literatura que unas veces es social y otras, más bien, se conforma con introducir fábricas y obreros, pero, en todo caso, dotada de clara intencionalidad comprometida frente a las fórmulas «deshumanizadas». En ese tramo que va del 98 a la República se escribieron reportajes político-sociales en forma novelada de raigambre zolesca que preparan las novelas que habitual y propiamente suelen considerarse sociales.

Pero lo que diferencia estos intentos esporádicos del cultivo sistemático posterior es el conjunto de iniciativas orgánicas (cada vez más conectadas con sus homólogos europeos) que van creando una red de referencias para el intelectual comprometido (Ruiz S. [1977] y Arbeloa y Santiago [1981]). José Esteban (solo o en colaboración con Gonzalo Santonja [1977]) y Víctor Fuentes [1976 *b*, 1980], uno de los más sostenidos estudiosos de este período, han rastreado minuciosamente los indicios que marcan la transición de una literatura de «vanguardia» a otra de «avanzada» (Vilches [1982]). O, lo que es lo mismo, una irresistible politización de la literatura que terminará polarizándose en productos tan llamativamente adscritos a ideología como la católica *Cruz y Raya* (Bécarud [1969] y Bécarud-López Campillo [1978]) y la comunista *Octubre* (Montero [1977] y A. Soria Olmedo [1978]).

Visto con perspectiva (Cobb [1981]), la fecha clave es 1917 (Revolución soviética, Huelga general), y 1919 la que señala la fundación de *Clarté*, «Liga de solidaridad intelectual para el triunfo de la causa internacional», cuyo manifiesto fue reproducido en septiembre de ese año por la madrileña *Cosmópolis*. Su inspirador, Barbusse, gozó de gran predicamento en las esferas intelectuales hasta su muerte en 1935. Baste recordar que el semanario *Monde* (1928-1935) por él dirigido logró reunir un comité director en el que figuraban Einstein, Gorki, Upton Sinclair, Manuel Ugarte y Unamuno, entre otros. La primera guerra mundial y la guerra de Marruecos fueron el desastre o 98 de esta generación, que arribó a la novela en buena medida estrenándose en el testimonio de aquel estropicio (*Imán* de Sender, *El blocao* de Díaz Fernández; y, con los matices que se quiera, las *Notas marruecas de un soldado* de Ernesto Giménez Caballero). Incluso los noventayochistas más atentos a lo que sucede a su alrededor se ven alcanzados por su honda de influencia y el abrazo de Max Estrella y el obrero catalán en el calabozo de Gobernación (escena sexta de *Luces de Bohemia* añadida en 1924) sería un buen símbolo de estas nuevas perspectivas del intelectual en trance de compromiso. Rivas Cherif, Arderius, Sender, Díaz Fernández dejan traslucir fácilmente la irradiación de Barbusse.

Tal estado de cosas tenía que fraguar en similares iniciativas peninsulares, y así fue. Una de las primeras data de 1922, la Unión Cultural Proletaria de Ángel Pumarega, de escaso eco intelectual por su obrerismo recalcitrante y su cercanía a la dictadura primorriverista, que no daba para lujos tales como partidos a la izquierda del comunista, y este era el caso de la UCP.

Mayor consistencia alcanzó *Post-Guerra* (1927-1928), animada por Juan Andrade y Joaquín Arderius, entre otros (Fuentes [1976 *a*] y López de Abiada [1983 *b*]). La legislación de prensa de la dictadura —que penalizaba las revistas y abría la mano para los libros que sobrepasaran las doscientas páginas— les llevó a desviar sus energías hacia el campo editorial, más propicio, donde desarrollaron una importante labor (Oriente, Cénit, Zeus: Esteban [1972]).

Nueva España fue quincenal desde su aparición el 30 de enero de 1930 hasta el 13 de septiembre, en que cambió a semanal hasta su desaparición el 17 de junio de 1931. Su proximidad cronológica con la República no es casual: ese fue su máximo objetivo, y ello explica en parte alguna heterogeneidad ideológica. Fermín Galán publicó allí sus últimos artículos, con el seudónimo de «Ferga». Por esta y otras razones hay quien la considera una especie de anti-*Gaceta Literaria*, revista por entonces codirigida por Pedro Sáinz Rodríguez y Ernesto Giménez Caballero y en propiedad de la CIAP o Compañía Ibero-Americana de Publicaciones. El paso de Arconada de ésta a aquélla sería un buen síntoma de tal evolución. También colaboró Sender. El comité directivo lo integraban Antonio Espina, Adolfo Salazar y José Díaz Fernández. Adolfo Salazar fue sustituido por Joaquín Arderius al abandonar la revista por encontrarla excesivamente radical.

De andadura muy ceñida cronológicamente a *Nueva España* fue el semanario *Nosotros* (mayo de 1930-agosto de 1931), dirigido por el periodista peruano César Falcón (Falcón [1971]), fundador del partido revolucionario IRYA (Izquierda Revolucionaria y Anti-Imperialista). Tuvo una colección de libros aneja y un grupo teatral con el mismo nombre, que se integraría en la Central de Teatro y Cine Proletario (sección española de la Unión Internacional de Teatro Proletario) y a partir de cuyo núcleo se crearía el Altavoz del Frente, como veremos al estudiar el teatro en la guerra civil.

Y hablando de cine, no debe perderse de vista su importancia cultural ni su influencia en la literatura del momento, sobre todo si se considera la talla de la revista *Nuestro Cinema* (1932-1936), dirigida por Juan Piqueras. Recientemente antologada (Pérez Merinero [1975]) tuvo relación estrecha con *Octubre* y con *Commune* (revista de la francesa Association des Écrivains et des Artistes Revolutionnaires, AEAR), cuyo crítico cinematográfico, Georges Sadoul, califica *Nuestro Cinema* como «la mejor revista cinematográfica de la Europa capitalista». Debe tenerse en cuenta que Juan Piqueras estaba en estrecho contacto con Luis Buñuel en París (era su sustituto como crítico en *La Gaceta Literaria*) y se podía introducir de este modo en los ambientes más inquietos de la vanguardia.

Ligeramente posterior es *Sin Dios. Órgano Mensual de la Atea, filial de la Internacional de Librepensadores Proletarios Revolucionarios.* Bajo cuyo aparatoso nombre se esconde un valioso precedente de *Octubre* (en opinión de Enrique Montero en su excelente introducción) con la que comparte colaboradores como Alberti.

Pero es en 1933 cuando la ideologización de las revistas alcanza su cenit de calidad con la aparición de *Cruz y Raya* y *Octubre.* En un año tan decisivo como 1933 se funda, también, Falange Española, saludada por más de un diario como «nuevo movimiento poético» con ironía sintomática de cómo se iban haciendo inseparables política y literatura. *Cruz y Raya* ejemplifica un modelo bien distinto de la *Revista de Occidente*: más cercana a Francia que a Alemania, más atenta a rescatar valores formativos hispanos que a reflejar los europeos y, en general, propiciatoria de un giro respecto a la revista orteguiana similar al que *Esprit* marcaba respecto a la *Nouvelle Revue Française*: algo más *engagé* (Bergamín [1974]).

Si *Cruz y Raya* se publicó entre abril de 1933 y julio de 1936, dejando amplio muestrario mensual de su vitalidad, *Octubre* sólo alcanzó los seis números (junio de 1933-abril de 1934), en cuyo transcurso se benefició de un clima confuso, pero relativamente abierto (Santonja [1977]), en el seno de las corrientes marxistas: la *ProletKult* estaba un tanto de capa caída y aún no se habían cernido sobre los escritores soviéticos todas las consecuencias del decreto de 23 de abril de 1932 que remataría con los estatutos de la Unión de Escritores Soviéticos de 1934 e impondrían el «realismo socialista». Por otro lado, allí estaba como modelo la práctica considerablemente heterodoxa de la AEAR francesa, con Gide, Barbusse y Romain Rolland prestigiándola.

Ello confiere a *Octubre* un papel similar al de *Commune* en Francia, *New Masses* en los Estados Unidos, *The Left Review* en Inglaterra o *Links Richten* en Holanda, y menos dogmático que la alemana *Die Lins-Kurve*, más típicamente *ProletKult*. Es decir: se propone tender un puente entre la cultura elitista y la popular, tomando como aglutinante mínimo el antifascismo. Su fuerza revulsiva fue enorme (Lassus [1962]), como ya lo había sido la postura personal de su creador, Alberti, y llegó a generar una especie de réplica, la *Cilacc: Archivo anticomunista*, sección española del Centro Internacional de Lucha Activa Contra el Comunismo, cuyas siglas daban título a la publicación.

Considerable importancia cabe atribuir a *Nueva Cultura* (Valencia, enero de 1935-julio de 1936) reimpresa en facsímil, al igual que *Octubre*, por Topos Verlag con introducción de José Renau [1978]. Era el órgano de los intelectuales revolucionarios valencianos organizados en la Unión de Escritores y Artistas Proletarios (UEAP), fundada en 1932 y transformada durante la guerra civil en la sección valenciana de la Alianza de Intelectuales Antifascistas, que tan importante papel desempeñaría en la organización del Segundo Congreso de Escritores Antifascistas. En octubre de 1934 se vinculó a la UEAP un grupo de anarquistas procedentes de *Orto*, revista valenciana complementaria de los *Cuadernos de Cultura*. Tuvo una segunda época durante la guerra (marzo-octubre de 1937) y fue crucial para la constitución del grupo de *Hora de España*, ya que publicó colaboraciones de Gil Albert y Pla y Beltrán, entre otros.

Esta nómina podría prolongarse con otros títulos y numerosos híbridos (de política y cultura, de pureza y revolución, de folleto y revista): *Full Roig*, *Ayuda*, *Leviatán*, *Orto*, *Tensor*, *Tiempo presente*, *Línea*, etcétera (Bizcarrondo [1975], Preston [1976] y Campos [1977]). Y, junto a ellos, la progresiva escalada paralela de las revistas de derechas: *Acción Española*, *Azor*, *La Conquista del Estado*, *Jons*, *F.E.*, *Arriba*, *Haz*. En ellas conviven los viejos maestros con los jóvenes que templan su pluma para servir a la causa nacionalista en la guerra civil: Maeztu, Calvo Sotelo, Víctor Pradera, Santa Marina, Pedro Sáinz Rodríguez, Pemán, Sánchez Mazas, Eugenio Montes y toda la plana mayor de Falange. Aunque no debe olvidarse que en *Azor* publicó Max Aub por entregas su *Luis Álvarez Petreña*. Queden ahí como muestra, relativamente nueva y alternativa, de la manera de comportarse la década de los treinta frente a la floración de revistas poéticas más o menos puras de la década anterior. Racha que continúa, ya en un tono de transición que la guerra impidió cuajar y donde va aflorando la generación de 1936, en revistas como *Tierra Firme*, *El Gallo Crisis*, de Orihuela, *Literatura* (animada por Ricardo Gullón e Ildefonso Manuel Gil), *Isla* de Cádiz, *Noreste* (que en

Zaragoza dirigía Seral y Casas), *Humano* de León, *Agora* de Albacete y *Hoja Literaria* y *Murta* de Valencia. Para proporcionar un panorama exhaustivo habría que extenderse más matizadamente sobre muchas de ellas, al igual que sobre el proceso de politización apreciable en *La Gaceta Literaria* (Hernando [1974 y 1975] y Bassolas [1975]), particularmente en su etapa de *El robinsón literario* o de la singular revista tinerfeña *Gaceta del Arte*, la única representación oficial del surrealismo en España.

Como ha recordado Sender [1976] el funcionamiento de la censura primorriverista empujó hacia el libro incluso en las labores de divulgación, ya que éstos no estaban sometidos a las cortapisas de revistas y folletos. Por otra parte, el desarrollo de la industria papelera a favor de la neutralidad en la gran guerra, y la emergencia de una burguesía más moderna, al estilo de Nicolás María de Urgoiti, terminan por configurar un panorama editorial de apreciable dinamismo en la década de los veinte: Calpe, Calleja, Espasa, Biblioteca Nueva y otras adquieren el perfil de auténticas industrias.

Una de las novedades más llamativas es el «libro de izquierdas», que atiende al propósito divulgador más arriba aludido. Su paradigma podría constituirlo Ediciones Oriente, de cuya escisión o ejemplo saldrán Historia Nueva, Cénit o Jasón y cuyo peso específico será tal que hasta editoras de derechas como la CIAP llegarán a tener su colección de libros de izquierdas (*Hoy*). *Oriente* es concepto opuesto al de *Occidente* tal como aparece en titulares del estilo de la *Revista* orteguiana y alude a la Rusia revolucionaria sin rebozo. El año 1930, es, con las estadísticas en la mano, el más fecundo para la difusión de este tipo de productos, una vez librados del corsé primorriverista. Por tanto, también el mundo editorial se polariza en izquierdas y derechas y toma partido.

De ahí que en el momento en que cede la dictadura se produzca una auténtica explosión de novelas revolucionarias (Castañar [1977]), ya vencida la influencia que en la órbita orteguiana de los *nova novorum* dejaba sentir la novela «deshumanizada» (Buckley [1973]). El alud de traducciones extranjeras ayudó a vencer ese ineludible prestigio, particularmente la literatura rusa (222 títulos de traducciones rusas contabiliza Gil Casado [1973²] entre 1920 y 1936) y la pacifista, resultantes de la Revolución de Octubre y de la gran guerra. Entre estas últimas, *Sin novedad en el frente* de Remarque, *El fuego* de Barbusse, *La vida de los mártires* de Duhamel, *Las cruces de madera* de Dorgelès, *Los que teníamos doce años* y *Paz* de Ernst Glaeser, *Guerra* de Ludwig Renn, *Cuatro de infantería* de Ernst Johannsen, *El sargento Grischa* de Arnold Zweig, *Lejos de las alambradas* de Dwinger, *Adiós a las armas* de Hemingway, *Tres soldados* de Dos Passos y *Jimmie Higgins* de Upton Sinclair. Entre sus traductores estaban Wenceslao Roces y Ángel Pumarega.

Estas experiencias bélicas no caían en el vacío de un país neutral, ya que, como queda dicho, la guerra de Marruecos permitía hablar a Giménez Caballero al comentar *El blocao* de Díaz Fernández y a éste al reseñar *Imán* de Sender de «los que sí fuimos a la guerra», contestando al libro de Wenceslao Fernández Flórez *Los que no fuimos a la guerra.*

Faltaban, pues, los medios que atendieran tales necesidades, y es entonces cuando empiezan a proliferar las colecciones novelísticas de signo revolucionario, con el modelo remoto de «El Cuento Semanal» de Zamacois y la iniciativa más próxima de la editorial Historia Nueva, que en 1928 había creado una colección exclusivamente reservada a novelas sociales, agotando muy pronto los cinco libros iniciales: *Plantel de inválidos* y *El pueblo sin Dios* de César Falcón, *El blocao* de Díaz Fernández, *El suicidio del príncipe Ariel* de Balbontín y *Justo el evangélico* de Arderius. Pronto se le unieron otras editoriales, algunas cambiando el rumbo de su primera orientación vanguardista, como Ulises.

El modelo de «El Cuento Semanal» tuvo tal predicamento que su divulgador más fervoroso, Federico Carlos Sáinz de Robles, ha contabilizado entre 1909 y 1936 cerca de un centenar de imitaciones, con una tirada conjunta que superaría las diez mil novelas. Era una literatura popular, de quiosco, con tiradas que no solían bajar de los treinta mil ejemplares y que podían sobrepasar los cincuenta mil e incluso acercarse a los ochenta mil, cifras considerables incluso si se relativizan y desinflan todo lo necesario en estos casos.

Después de los antecedentes barceloneses de «La Novela Social» y «La Novela Ideal» (Siguán [1978]) en la década de los veinte, la de los treinta se abre con «La Novela Política» (junio de 1930), al compás de la apertura propiciada por el gabinete Berenguer. Fue una colección de transición entre «El Cuento Semanal» y colecciones más comprometidas: tampoco podía esperarse más de su editora, la madrileña Prensa Gráfica, que estaba tras revistas como *Nuevo Mundo*, *Mundo Gráfico*, *La Esfera* y *Crónica.* Publicó once volúmenes.

Otra cosa fue «La Novela Roja» aparecida ya en la República (junio de 1931) bajo la dirección de Ceferino R. Avecilla, con títulos de Ricardo Baroja, Victorio Macho, Balbontín, Espina, Díaz Fernández, Garcitoral, Margarita Nelken, Falcón y otros. Su periodicidad fue semanal.

«La Novela Proletaria», antologada y comentada por Gonzalo Santonja [1979], fue lanzada en abril de 1932 por Ediciones Libertad, de Madrid. Duró hasta comienzos de 1933, alcanzando veintidós números, a los que hay que sumar los cuatro del «Tesoro de la Literatura Revolucionaria», que constituyeron ya, en los estertores de la colección original, serie aparte. Su orientación oscila entre el republicanismo radical (Falcón) y el anarcosindicalismo (Pestaña). Una de sus piezas más curiosas es *Abel mató a Caín*, de Ramón Franco, cuyo título no precisa mayor comentario. El título «La Novela Proletaria» fue utilizado en 1935 por un grupo diferente de autores entre los que se encontraban Arconada, Burgos Lecea, A. del Amo y otros de tendencia comunista. Y también con ese mismo título funcionó una serie de Editorial Cénit a comienzos de los años treinta, integrada finalmente en «Novelistas Nuevos». Parece que la «Novela Proletaria» de Cénit no fue sino una táctica para vender ateniéndose a un título de moda, y que el proyecto comunista no cuajó.

Bastante más problemática que la cuestión de los circuitos de producción y consumo, e incluso que la temática, es la caracterización de los moldes utilizados por los novelistas sociales, y es en ese momento donde cobran toda su importancia libros como el citado de Fernández Cifuentes, donde pueden observarse los vínculos que unen al naturalismo zolesco, al modernismo sociológico y al folletín socializante suista con estas tendencias. Eso explica las alusiones, que suelen hacerse al tratar estas materias, a nombres que, en puridad, pertenecen a otros estratos cronológicos, como el noventayochista Ciges Aparicio (1873-1936), en novelas como *Los caimanes* (1931) (Esteban [1976 *a*]), quien al abordar la temática derivada de las guerras coloniales (Cuba y Marruecos) tiene cierta incidencia en los más jóvenes, particularmente Carranque de Ríos (Alonso [1976]).

Adscribible a la generación del catorce es José Más (1885-1940), influido por Blasco Ibáñez incluso más que Ciges (Nora [1968²] le considera «una reedición andaluza del levantino»), aunque Pablo Gil Casado [1973²] ha insistido en las notables diferencias que separan del resto sus dos últimas novelas, *En la selvática bribonicia* (1932) y *El rebaño hambriento en la tierra feraz* (1935), acercándolas a la generación del nuevo romanticismo.

Joaquín Arderius Fortún (1885-1969) fue considerado por Díaz Fernández a la altura de 1928 como «el novelista joven de más categoría y solvencia», juicio en buena medida revalorizado en *La Nueva Literatura* (IV, 1927) por Cansinos Assens, y que ha revisado en profundidad Eugenio G. de Nora, quien lo define como «un eslabón intermedio, y más bien débil, entre la preocupación social o simplemente humanitaria de ciertas obras de Blasco Ibáñez, López Pinillos o Concha Espina y la promoción siguiente —la de Díaz Fernández, Arconada, Carranque y Sender— más conscientemente ideológica». Muy distinta es la opinión de Víctor Fuentes [1971] y Gil Casado [1973²], que lo consideran uno de los más complejos e interesantes novelistas de su generación, un expresionista con raíces en la novela rusa que a partir de *La duquesa de Nit* (1926) cambia el nihilismo y tono nietzscheano mezclado con cierto erotismo muy en boga de *Así me fecundó Zaratustra* (1923) por un compromiso social consciente de ribetes valleinclanescos que arroja títulos como *La espuela* (1927), *Justo el evangélico* (1929, dedicado a Valle-Inclán) o *El comedor de la pensión Venecia* (1930), obras que iban a culminar en *El rey podrido*, que no llegó a publicarse. Con la República aún se acentúa más su compromiso proletario (Esteban [1971]), coincidiendo con el Bienio Negro la publicación de *Crimen* (1934) que, en opinión de Fuentes alegoriza junto a *La noche de las cien cabezas* de Sender «la decapitación del empuje revolucionario».

Un estatus análogo otorga Nora a Manuel Domínguez Benavides (1895-1947), más equilibrado que Arderius, pero igualmente de transición entre el psicologismo y un erotismo derivado del modernismo sociológico y la preocupación social conscientemente pertrechada de un cierto paramento ideológico. Su libro *Un hombre de treinta años* (1933) viene a ser una afortunada actualización de los antihéroes noventayochistas (Antonio Azorín, Andrés Hurtado, Fernando Ossorio) y fiel radiografía intelectual de su generación.

José Díaz Fernández (1898-1940) sí que fue, indiscutiblemente, uno de los autores más dotados de su promoción, capaz de escribir un ensayo-manifiesto tan lúcido como *El nuevo romanticismo* (1930) y dos novelas tan sugerentes como *El blocao* (1928) y *La Venus mecánica* (1929) (López de Abiada [1982 y 1983]). Pero su pronta dedicación a la política y a la crítica literaria diluyeron este carácter de prosista concentrado y a punto, mezcla de emoción romántica y síntesis vanguardista que hubiera podido equivaler en la prosa a los logros de un Miguel Hernández en poesía, por ejemplo.

César M[uñoz] Arconada (1898-1964) llegó a tener una participación de considerable entidad en la vanguardia, como redactor-jefe de *La Gaceta Literaria.* Ello no le impidió evolucionar hacia un compromiso político muy activo que le llevó a militar en el PCE, a promover editoriales como Ulises e Izquierda y publicaciones como *Octubre*, *Presente* y *El Tiempo* (Magrien [1973]). Su diagnóstico sobre las relaciones entre la pequeña burguesía y la literatura noventayochista y vanguardista (Arconada [1933]) es de una impagable penetración. Aparte de sus escritos cinematográficos (Maqua [1974]), teatrales, poéticos y ensayísticos, dejó novelas como *La turbina* (1930) (Santonja [1975]), *Reparto de tierras* (1934) y *Río Tajo* (premio en el Concurso Nacional de 1938 y editada posteriormente en Moscú).

Menos atención ha prestado la crítica a otros novelistas, no siempre menores en interés, como Isidoro Acevedo (1876-1952), autor (Mendieta [1976]) de *Los topos* (1930), «novela de la mina», sobre la huelga de 1927 contra el aumento de la jornada de trabajo organizada por el Partido Comunista de Asturias, continuadora de una tradición que conoce bien: *La aldea perdida* (1903) de Palacio Valdés, *Los vencedores* (1908) y *Los vencidos* (1910) de Ciges Aparicio y *El metal de los muertos* (1920) de Concha Espina. La misma atención al mundo obrero presta el socialista Julián Zugazagoitia (1890-1940) en dos de las entregas de su «trilogía del trabajo» (inconclusa): *El botín* (1929) y *El asalto* (1930). Al igual que Acevedo historia su Asturias natal, Zugazagoitia se ocupa de su país vasco, y más en concreto del *boom* económico bilbaíno (*El botín*), y las huelgas mineras de 1890 y 1903 en la cuenca minera vasca (*El asalto*).

Mayor fortuna crítica ha tenido Andrés Carranque de Ríos (1902-1936), a quien Fortea [1973] ha dedicado toda una monografía y prologado su obra más conocida *La vida difícil* [1975] y algunos cuentos [1970]. Pero también *Uno* (1934) y *Cinematógrafo* (1936) que anteceden y continúan cronológicamente a aquélla, han merecido elogios considerables que colocan a Carranque en una categoría de logros similar a Díaz Fernández y Arconada, inmediatamente después de Sender.

Por el contrario, peor ha sido la suerte de Alicio Garcitoral (que sólo cuenta con un trabajo de José Esteban [1976 *b*]), Benigno Bejarano (de quien apenas se tienen datos), Matilde de la Torre, Rafael Vidiella, Julián Gorkin, Manuel Chaves Nogales o Luisa Carnés. Y algo parecido ha venido a suceder con esa vaga nebulosa que viene a ser la «reacción realista contra el arte nuevo» (Domingo [1973]) o «tendencia del realismo conservador» (Ferreras [1970]), donde se engloba en un confuso conglomerado a autores de muy distinta cronología y actitud en su producción literaria, pero que, por la fecha de su nacimiento y su repudio de la vanguardia lúdica desde actitudes bien diferentes de los novelistas «sociales» de izquierda, vienen a suponer respecto a ellos un cierto contrapunto. Es el caso de Bartolomé Soler, Pérez de la Ossa, Francisco de Cossío o el mucho más atendible Ledesma Miranda.

Rara vez la reseña de la obra de un autor de talla ocupa más papel que la de sus críticos, pero ese es el caso de Ramón J[osé] Sender (1901-1982):[1] en la más completa bibliografía sobre él redactada, la de King [1976], la relación de sus libros y copiosísimos artículos casi quintuplica en número a los redactados sobre él. Esa impresión se revalida al consultar el también considerable apéndice bibliográfico que Elizabeth Espadas aporta al más reciente libro de Carrasquer [1982] sobre Sender. Abarcar ese heterogéneo conjunto, de desigual calidad, supone ya una primera dificultad.

Un segundo contratiempo se deriva de las continuas modificaciones, refundiciones, agrupaciones y cambios de título que el novelista aragonés introdujo en su obra al reelaborarla, y ya de las comparaciones entre estas versiones saldrían varias tesis (de hecho se han escrito: sólo de las diferentes ediciones de *Crónica del alba* se ocupa la tesis de licenciatura de Peter Turton leída en 1968 en la Universidad de Laval). Y así, debe tenerse en cuenta el deseo de autosuperación que suponen las *Tres novelas*

1. Sobre R. J. Sender, se hallarán otras referencias y un texto de M. C. Peñuelas [1971] en *HCLE*, vol. 8, pp. 343-344, 508 ss., 545-547 y *s. v.*

teresianas (1967) con respecto a *El verbo se hizo sexo* (1931), que su autor consideró «pecadillo de juventud» aún en agraz. Sin olvidar que la primera novela teresiana, *La puerta grande*, incluye un auto sacramental publicado previamente en inglés con el título de *The house of Lot* (1950).

Siete domingos rojos (1932) fue profundamente refundida hasta desembocar en *Las tres sorores* (1974) reteniendo el anecdotario anarcosindicalista y revolucionario de la preguerra, pero introduciendo numerosos elementos filosóficos que no responden al Sender de la República, sino al del exilio. Los reportajes de *La libertad* agrupados en *Casas Viejas* (1933) (Brey [1976]) son la materia prima documental del *Viaje a la aldea del Crimen* (1934). *El lugar del hombre* (1939) pasó a titularse en la edición de 1958 *El lugar de un hombre* y aún sufrió modificaciones de mayor alcance en la edición de 1968.

Proverbio de la muerte (1939) cambió su título en 1947 por el de *La esfera. Crónica del alba* (1942) fue primero el título de una novela que narraba la infancia de José Garcés, pero al ir saliendo a la luz sus continuaciones (*Hipogrifo violento* en 1954, *La quinta Julieta* en 1957, *El mancebo y los héroes* en 1960) terminó por convertirse en el genérico de un ciclo autobiográfico que inicialmente agrupó seis partes en dos tomos (1963) y posteriormente (1965) nueve partes en tres tomos. *Mosén Millán* (1953) pasó a titularse *Requiem por un campesino español* (1960). *Ariadna* (1955) quedó convertida en el primero de *Los cinco libros de Ariadna* (1957). *Emen hetan* (1958) fue sustancialmente incorporado a *Las criaturas saturnianas* (1968). *La llave* es el título de un breve drama bélico y un relato publicado primero en 1960 con ese título y abriendo una colección de relatos con el de *La llave y otras narraciones* (1967). De los nueve relatos de *Mexicayolt* (1940) los cinco últimos se integraron en las *Novelas ejemplares de Cíbola* (1961) debidamente retocados. *Las gallinas de Cervantes y otras narraciones parabólicas* (1967) subsumió sus cuatro narraciones en *Novelas del otro jueves* (1969), flanqueadas por otras tres inéditas.

Particularmente complejo es el caso de *El extraño señor Photynos y otras novelas americanas* (1968), que recupera *Los tontos de la Concepción* (previamente publicada en 1963), dos relatos de *Cabrerizas Altas* (1965), uno de ellos ya introducido en la versión estadounidense de *Las novelas de Cíbola* (*Tales of Cíbola*, 1964) y otro publicado por separado en inglés en 1963, incorporado a *Tales of Cíbola* y recuperado para el castellano en *El extraño señor Photynos*, que sólo añade un inédito, precisamente el que da título al libro.

Algo parecido sucede en sus ensayos (compárese *Unamuno, Baroja, Valle-Inclán y Santayana*, 1955; *Examen de ingenios. Los noventayochos*, 1961; y *Valle-Inclán y la dificultad de la tragedia*, 1965) o incluso en su poesía estudiada por Bosch [1963] y Blecua [1983]: *Las imágenes migra-*

torias (1960), retomado en parte en *Libro armilar de poesías y memorias bisiestas* (1974).

Ya que no es raro ver calificados sus reportajes o piezas dramáticas como novelas o presentados como distintos los mismos contenidos por el hecho de ir encabezados por diferentes títulos, sírvanos este repaso somero como parcial cronología y necesaria aclaración antes de entrar en la consideración de lo más sustancial de su obra y los comentarios que ha suscitado.

Es difícil clasificar una producción tan vasta (Ornstein [1951]), que obedece a estímulos y consideraciones tan dispersos. Sin embargo puede ser de alguna utilidad distinguir dos ingredientes fundamentales en el universo senderiano. El uno es de orden «realista», nada ajeno a su dedicación periodística, con inquietudes sociales, históricas e incluso documentales. Tales elementos le sitúan con razón entre compañeros de generación como Díaz Fernández. Pero ese componente rara vez se da en estado puro, ya que suele estar modulado por el otro supuesto básico, más difícil de definir, pero que empieza por tener mucho de telúrico, territorial, incluso darwinista (Schwartz [1963]) y termina por segregar destilados míticos, alegóricos, simbólicos e incluso metafísicos de tanto alcance como los que se proponen en *La esfera.*

El propio Sender aclaró mucho de este segundo componente suyo al contestar a un cuestionario planteado por Carrasquer en los siguientes términos: «Estaba fatigado por la esterilidad del movimiento libertario. Luego vi que la esterilidad era peor con los comunistas y que no había en ellos siquiera sentido de lo humano elemental ni de lo humano universal, que suelen ser una misma cosa. Al menos, los ácratas tienen esto último». Esa conexión de lo humano elemental con lo universal está tras muchas hondas raíces de su acracia residual, y es una premisa lógica en la tradición libertaria (desde el naturismo al federalismo), que se resuelve en la armonía con lo natural y ambiental como manera de entroncar con el territorio y lo universal.

Es esa combinatoria la que imprime a las novelas de Sender su carácter diferencial y ha obligado a Carrasquer [1970] a hablar de «realismo mágico» al abordar sus novelas históricas, a Uceda [1982] a hablar de «realismo de esencias» y a Peñuelas [1971] a proponer una clasificación de la narrativa senderiana que básicamente combina ambas tendencias. En efecto, la reivindicación de muchas de sus novelas como reportajes documentales (Fuentes [1980]) del estilo del *Viaje a la aldea del Crimen* (Bosch [1970]) o insertándolas en la corriente de los «Episodios Nacionales» (Gogorza Fletcher [1970]) no debe impedir la consideración de otros elementos de rango filosófico. De ahí las polémicas sobre la primacía de lo histórico genérico o lo psicológico individual en la obra que le valiera el Premio Nacional de Literatura en 1935, *Míster Witt en el cantón*

(1936): frente a Corrales Egea y Peñuelas, Pérez Montaner [1974] y Carrasquer han reivindicado el interés de Sender por caracterizar el movimiento cantonalista de 1873 en Cartagena antes que las figuras centrales de míster Witt y Milagritos.

Mayor unanimidad hay en la crítica que se ocupa de esta etapa prebélica en lo referente a *O.P. (Orden Público)* de 1931 y *La noche de las cien cabezas* (1934) como «fantasía goyesca entroncada en los *Sueños* quevedescos» (Marra-López [1963]), mientras Béjar [1973 *b*] la ha estudiado como importante paso hacia la reivindicación del «yo como centro de convergencia del entorno personal» que se afirmará en el tramo que va de *Proverbio de la muerte* a *La esfera* (1947), versiones también abordadas por Béjar [1973 *a*] en estudio comparativo procedente, como el anterior, de su tesis doctoral *La personalidad en la novela de Ramón J. Sender* (Universidad de Utah, 1970). Y es que, efectivamente, hay un buen número de trabajos académicos estadounidenses que se ocupan del mundo moral, filosófico, religioso e ideológico de Sender, y de ellos derivan artículos como los de Olstad [1964] o King [1967], con diferentes interpretaciones sobre el papel de Sabino en *El lugar de un hombre*, obra que por sus implicaciones filosóficas ha hermanado a menudo la crítica (Eoff [1965]) con *La esfera* (1947). Carrasquer [1973 *a*] otorga a esta última el rango de «resumen filosófico-poético de toda su obra», ya que en ninguna otra obra «está tan intensa y sintéticamente expresado el pensamiento senderiano como en *La esfera*». King [1968] ha rastreado sus elementos surrealistas, así como los de *El rey y la reina* (1949), insertando ambas con notables subrayados en la trayectoria global del novelista (Pérez Minik [1957] y King [1974]). *El rey y la reina* es más controvertida, y si bien su parte simbólica (desmenuzada por Bertrand de Muñoz [1974]) refleja adecuadamente la preocupación senderiana por lo elemental humano, no han faltado acusaciones por el olvido de la circunstancia histórica que rodea las relaciones criado-amo del jardinero Rómulo con la Duquesa en plena guerra civil española.

Porque en tocando las cuestiones ideológicas (Cano [1974]) de la obra de Sender se desatan fácilmente las polémicas. El escritor aragonés comenzó militando en el anarquismo, y buena prueba de ello son los numerosos artículos estudiados por Nonoyama [1979]. Su distanciamiento de las corrientes libertarias y acercamiento al comunismo puede percibirse en *Siete domingos rojos* (1932) y los reportajes de *Madrid-Moscú* (1934) y *Contraataque* (1938). Rodríguez Monegal [1967] ha comparado la etapa bélica (Iglesias [1977]) de esta evolución con las de Barea y Max Aub, compañeros de generación a los que también ha asociado a Sender Ponce de León [1971] ampliándolo a Francisco Ayala, primero en su tesis doctoral y luego en su libro *La novela española en la guerra civil (1936-1939)*. Peter Turton [1970], que dedicó su tesis doctoral a estudiar la trayectoria ideológica de Sender entre 1928 y 1961, ha considerado *Los cinco libros de Ariadna* (1957) como «la puntilla al minotauro comunista».

Esa evolución ideológica enfrentó (en el mismo número de la revista *Norte* dedicado a Sender) a Fuentes [1973] y Carrasquer [1973 *b*]. Mientras aquél consideraba que el primer y combativo Sender de las novelas sociales había ido cediendo a su «pesimismo pequeño-burgués», Carrasquer consideraba esa trayectoria como un inevitable y deseable enriquecimiento de sus planteamientos, no tan lejanos de los iniciales de *Imán*. El anticomunismo visceral posterior y su apoyo casi incondicional a los Estados Unidos (incluso respecto al Vietnam), complicaron todavía más las cosas.

La unanimidad se recupera en sentido positivo al evaluar el *Epitalamio del Prieto Trinidad*, con su desbocado desenfreno de fuerzas primitivas de resonancias valleinclanescas (Palley [1974]). Y lo mismo sucede con esa obra maestra de la novela corta española que es el *Requiem por un campesino español* (1953), sólo comparable al *San Miguel Bueno* de Unamuno (o *El cura de Almuniaced* del también aragonés Arana) en su problemática de conciencia, en su caso al evocar la guerra civil y sus víctimas a través de Mosén Millán (Godoy [1971], Bernardete [1961], Iglesias Ovejero [1982], Ortega [1975] y Villanueva [1977]). Remata esta unanimidad la *Crónica del alba* (1965), en cuyo autobiografismo Jones [1977] ha detectado los tres arquetipos senderianos que tanto le atraen (santo, héroe, poeta) y que le llevaron a atribuírselos a «Billy the Kid» en *El bandido adolescente* (1965). Rafael Conte [1968] ha analizado el alcance de este soberbio ciclo en una reivindicación de Sender que por esas fechas no era lo obvia que llegaría a ser tras su viaje a España.

Bizancio (1956), *Carolus rex* (1963), *La aventura equinoccial de Lope de Aguirre* (1964), *Las criaturas saturnianas* (1968) han sido examinados en su peculiar tratamiento de la materia histórica por casi todos los críticos interesados en aportar cierta perspectiva global sobre Sender (Alborg [1962], Marra-López [1963], Rivas [1967], Nora [1968²], Peñuelas [1970 *a*], Tuñón [1970], Tovar [1966 y 1972], Domingo [1973], Sanz Villanueva [1977] y Mainer [1983]).

Y mucha menos fortuna han tenido las a menudo denostadas novelas de Nancy y *En la vida de Ignacio Morel* (1969) aunque no falten estudios sobre *La tesis de Nancy* (Kirsner [1973]) o la obra que le valió el Premio Planeta (Peñuelas [1970 *b*], Díaz-Plaja [1971]). Finalmente, la proximidad explica que su producción última no haya tenido aún eco crítico reposado y con perspectiva: *Monte Odina* (1980), *Album de radiografías secretas* (1982) o *Chandrío en la plaza de Las Cortes* (1982). Obras difíciles de definir, a menudo dominadas por los recuerdos y confidencias y donde llega a meditar sobre los más recientes sucesos españoles resucitando al Viance de *Imán*, en una especie de círculo o esfera que se cierra sobre sí misma en emblema tan caro al prolífico novelista.

Max Aub (1903-1972) es estudiado habitualmente en la posguerra española, considerando con razón que el epicentro de su obra se ubica en la narrativa del exilio.[2] No puede pasarse por alto, sin embargo, su importancia en la dramaturgia de preguerra y de la guerra civil y su aventura con el grupo universitario *El búho*, en Valencia, ni tampoco puede echarse en saco roto su primera etapa narrativa, que le lleva de la práctica de una cierta literatura «deshumanizada» o vanguardista minoritaria hacia fórmulas más «rehumanizadas», críticas y realistas. Por esta razón y por cronología no ha faltado quien lo flanqueara generacionalmente con Jarnés, Bacarisse, Ayala o Arconada (Gullón [1957]). Si esto es discutible para todos los nombres a la luz de su evolución posterior, caben pocas dudas de que Aub, Ayala y Arconada tienen una trayectoria más semejante (Aub [1945], *Ínsula* [1973], Longoria [1977] y Prats [1978]).[3]

Geografía (1929) y *Fábula verde* (1933) son más «prosas líricas» (Nora [1968²]) que relatos propiamente dichos. El más sólido estudioso de Max Aub, Ignacio Soldevila [1973], sitúa en 1930, coincidiendo con el final de la dictadura, la fractura y crisis estética de Max Aub que le lleva a rendir en *Fábula verde* el «último tributo de obediencia» al orteguismo. *Luis Álvarez Petreña* (1933, pero retomado años después, en 1965, «resucitándolo» de su suicidio en 1971) ya es un retrato distanciado de ese tipo de escritor deportivo y metaforista, por no hablar de las acometidas futuras en *Discurso de la novela española contemporánea* (1945) y *La calle de Valverde* (1961). Soldevila ha explicado su temprana evolución por los viajes de Aub a lo largo de toda España y Europa, y su capacidad de ver desde fuera, en consecuencia, el ambiente madrileño (Aub era hijo de alemán y de francesa). Tampoco era un universitario típico, sino un viajante de comercio que tenía un contacto con la realidad muy tangible y variopinto.

Tras la purga wertheriana de *Álvarez Petreña* viene un cierto ejercicio de introspección con *Yo vivo.* Pero sin abandonar nunca su producción teatral. El propio Max Aub dividió su dramaturgia distinguiendo un *Teatro primero* de otro *Teatro de circunstancias* (que caería de lleno en la guerra civil. El *primero* estaría compuesto por una serie de farsas juveniles recogidas en 1931 bajo el título de *Teatro incompleto*: *Crimen* (1923), *El desconfiado prodigioso* (1924), *Una botella* (1924), *El celoso y su enamorada* (1925) y *Espejo de avaricia* (1927). Soldevila [1954] ha estudiado en su tesis de licenciatura este teatro prebélico y dejado constancia posteriormente de esa trayectoria [1961], como Hoyo [1968] y Monleón [1971].

2. A propósito de M. Aub, véase también *HCLE*, vol. 8, pp. 342-343, 533-545 (I. Soldevila Durante, «Técnicas narrativas de Max Aub»), etcétera; para su obra dramática, cf. además, *infra*, cap. 13.

3. Para Francisco Ayala, cf. *supra*, cap. 10, y *HCLE*, vol. 8, *s. v.*

Esta dramaturgia continuaría con *La jácara del avaro* (1935, escrita para las Misiones Pedagógicas), *El agua no es del cielo* (1936, propaganda electoral para las elecciones generales de ese año), *Pedro López García* (1936, ya plenamente bélica), *Las dos hermanas* (1936, incitación a la unidad fraterna entre la UGT y la CNT, las «dos hermanas» sindicalistas), la infantil *Fábula del bosque* (1937) con destino a una colonia escolar, y los tres pasos (1937) para las *Guerrillas del teatro*: *Por Teruel*, *¿Qué has hecho hoy para ganar la guerra?* y *Juan ríe, Juan llora*. También adaptó en 1938 *La madre*, de Gorki.

La segunda etapa narrativa que distingue Soldevila Durante ya en la posguerra está centrada en *El laberinto mágico* (Domingo [1968]), título genérico de un vasto fresco sobre la contienda, que debe extenderse al conjunto de la obra de Max Aub. La parte novelística del ciclo está integrada por los *Campos*: *Campo cerrado* (1943), *Campo de sangre* (1945), *Campo abierto* (1951), *Campo del Moro* (1963), *Campo francés* (1965), *Campo de los almendros* (1968). A estas novelas hay que añadir cuentos, diarios, una especie de guión cinematográfico, notas de todo tipo que componen un auténtico laberinto inexcusable para entender la profunda huella que dejaron en Aub la guerra civil, los campos de concentración y el exilio. Es, ciertamente, un despliegue polifónico de rara habilidad técnica y aun frecuente consistencia estructural, a pesar de la aparente anarquía (algún relato como *El cojo* procede de *No son cuentos* —1944— pero se integra en *El laberinto* entre *Campo abierto* y *Cota*).

«Teatro Mayor» ha denominado el propio Max Aub el que resulta de su maduración personal: «Pasé de las obras en un acto a otras de tres o más ... hacia los treinta años, de la misma manera que se cruza el puente del cuento a la novela; en *La vida conyugal* alcancé mayoría de edad». Ya en 1944 escribe *San Juan*, epopeya de un grupo que, huyendo del nazismo, embarca para América, pero, como Aub indica, es su coetánea *La vida conyugal* su obra dramática de indiscutible madurez, retomando la cuestión del intelectual en tiempos de la dictadura. Tanto estas obras como las que siguen son paralelas a su producción novelística: «llevo al teatro lo que, generalmente, ha sido la novela», reconoció citando a Galdós (Borrás [1975], Puccini [1966] y Quinto [1966]). El arranque de *Campo cerrado* es simultáneo al de *El rapto de Europa* (1943) y *Morir por cerrar los ojos* (1944) (Domenech [1967]), donde no se escamotean las acusaciones al comportamiento de Francia ante los republicanos que buscaron refugio en su territorio, coincidiendo esta última en lo esencial con *Campo francés* e integrándose en el plan de *El laberinto mágico*.

Cara y cruz (1949) es una vuelta a la España republicana y va dedicada a Manuel Azaña no sin motivo, pues las disyuntivas de su protagonista no son ajenas a las que se le plantearon al presidente republicano. Y del mismo año es *No*, contra los excesos burocráticos soviéticos en la

Alemania dividida por los vencedores, tema al que vuelve en *Discurso de la plaza de la Concordia* (1950), arremetiendo contra el gregarismo resultante de estalinismo y capitalismo. El *Discurso* es el tercero de los monólogos, tras *De algún tiempo a esta parte* (1939, en que toma la palabra una judía cuyo marido e hijo desaparecieron respectivamente en un campo de concentración alemán y una cárcel española) y el *Monólogo del Papa* (1948), sobre las contradicciones de la Iglesia ante la sociedad moderna, de cuyos postulados difiere progresivamente.

El título *Los transterrados* unifica diversas vertientes del exilio: *A la deriva* (1943), *Tránsito*, *El puerto* y *El último piso* (las tres de 1944). Y una agrupación similar cabe respecto a la trilogía formada por *Los guerrilleros* (1944), *La cárcel* (1946) y *Un olvido* (1947) (tres facetas de la posguerra inmediata) y *Las vueltas*, tres dramas en un acto sobre tres imaginarios regresos (1947, 1960 y 1964), desde la cárcel o el exilio, a la España de Franco. Producción dramática que cabría continuar con otras obras menores y no tan menores (Soldevila [1973]), como las reflexiones acerca de la muerte del Che Guevara contenidas en *El cerco* o sobre los problemas de conciencia derivados de la guerra del Vietnam en *Retrato de un general, visto de medio cuerpo y vuelto hacia la izquierda*, ambas del sintomático año 1968.

Volviendo a sus novelas, con la aparición de *Jusep Torres Campalans* (Cano [1970]) en 1958 se inicia en la narrativa de Max Aub una etapa más distendida y de contacto con la España real, frente a la evocada en la memoria. *Jusep Torres Campalans* es una biografía apócrifa de un pintor cubista amigo de Picasso, lo que da pie a Max Aub para revisar con agudeza los problemas de la vanguardia y el arte moderno, pertrechado de todo tipo de materiales, incluidos cuadros del pintor biografiado, que confeccionó Aub. Campalans será reutilizado por su autor para pintar los dorsos de la baraja en *Juego de cartas.*

De «galdosianas» suele tildar la crítica *Las buenas intenciones* (1954) dedicada, en efecto, a Galdós. Y no le va a la zaga en esta construcción tradicional y contenida en su factura clásica, *La calle de Valverde* (1961). Las dos son evocaciones a menudo acres de la España de la preguerra, iniciadas en la etapa de la dictadura ambas, con inevitable desenlace en la guerra civil en el primer caso, y algo de novela-clave, a la manera de *Troteras y danzaderas*, en el segundo.

Mención aparte merece *Juego de cartas* (1964), novela epistolar aleatoria que consiste en una serie de ciento ocho naipes en cuyo dorso se ofrecen las «cartas» o misivas en que los corresponsales van trazando un retrato del protagonista, Máximo Ballesteros. Este ingenioso dispositivo tiende a asegurar una lectura abierta y siempre distinta de ese mosaico, llevando hasta el extremo un cierto experimentalismo formal apreciado por Max Aub, en el que late un barroquismo conceptuoso que no ha pasado inadvertido a sus críticos más perspicaces (García Lora [1965]).

Otras obras menores (Agostini [1963]) podrían cerrar este inventario: *Algunas prosas*, *Ciertos cuentos mexicanos (con pilón)*, *Otros cuentos*, cajones de sastre que reúnen cuentos, novelas cortas y relatos de diverso fuste (*Cuadernos Americanos* [1973]). El proyecto en que trabajaba en el momento de su muerte, un libro sobre Luis Buñuel, quedó incompleto y sin armar. Hemos tenido ocasión de examinar el original y puede adivinarse algo así como un fascinante *Jusep Torres Campalans* del surrealismo, sólo que con personaje real.

AGUSTÍN SÁNCHEZ VIDAL

BIBLIOGRAFÍA

Agostini del Río, Amelia, «Los cuentos de Max Aub», en *Revista Hispánica Moderna*, XXIX, n.° 1 (1963), pp. 62-63.

Alborg, J. L., *Hora actual de la novela española*, Taurus, Madrid, 1962, 2 vols.

Alonso, Cecilio, «Manuel Ciges Aparicio: ¿El final de un eclipse?», en *Camp de l'Arpa*, n.° 34 (julio de 1976).

Arbeloa, V. M., y M. de Santiago, *Intelectuales ante la Segunda República española*, Almar, Salamanca, 1981.

Arconada, César M., «Quince años de literatura española», en *Octubre*, n.° 1 (junio-julio de 1933), pp. 3-7.

Aub, Max, *Discurso de la novela española contemporánea*, El Colegio de México, México, 1945.

Bassolas, Carmen, *La ideología de los escritores: Literatura y política en «La Gaceta Literaria»*, Fontamara, Barcelona, 1975.

Bécarud, Jean, *«Cruz y Raya» (1933-1936)*, Taurus, Madrid, 1969.

—, y E. López Campillo, *Los intelectuales españoles durante la II República*, Taurus, Madrid, 1978.

Béjar, Manuel, «Las adiciones a *Proverbio de la muerte* de Sender: *La esfera*», en *Papeles de Son Armadans*, n.° 205 (abril de 1973), pp. 19-41.

—, «Estructura temática de *La noche de las cien cabezas*», en *Cuadernos Hispanoamericanos*, n.os 277-278 (julio-agosto de 1973), pp. 161-186.

Bergamín, José, ed., *Cruz y Raya (Antología)*, Turner, Madrid, 1974.

Bernardete, M. J., «Ramón Sender, cronista y soñador de una España nueva», en Ramón J. Sender, *Requiem por un campesino español*, Proyección, Buenos Aires, 1961, pp. 9-45.

Bertrand de Muñoz, Maryse, «Los símbolos en *El rey y la reina* de Ramón J. Sender», en *Papeles de Son Armadans*, n.° 220 (1974), pp. 37-55.

Bizcarrondo, Marta, *Araquistáin y la crisis socialista en la II República - «Leviatán» (1934-1936)*, Siglo XXI, Madrid, 1975.

Blecua, José Manuel, «La poesía de Ramón J. Sender», en Mainer [1983].

Borrás, Ángel A., *El teatro del exilio de Max Aub*, Publicaciones de la Universidad de Sevilla, Sevilla, 1975.

Bosch, Rafael, «*The migratory images* of Ramón Sender», en *Books Abroad*, 37, 2 (primavera de 1963), pp. 132-137.
—, *La novela española del siglo XX*, vol. II: *De la República a la posguerra. Las generaciones novelísticas del 30 al 60*, Las Américas, Nueva York, 1970.
Brey, Gerald, y Jacques Maurice, «La literatura al servicio de la leyenda de Casas Viejas», apéndice de *Historia y leyenda de Casas Viejas*, ZYX, Madrid, 1976.
Buckley, R., y J. Crispin, *Los vanguardistas españoles (1925-1935)*, Alianza, Madrid, 1973.
Campos, Jorge, «*Leviatán* y la literatura (Interrogación a una revista)», en *Ínsula*, n.º 367 (junio de 1977), p. 11.
Cano, José Luis, «Un texto de Ramón J. Sender sobre su ideología», en *Ínsula*, n.os 332-333 (julio-agosto de 1974), p. 31.
—, «Max Aub biógrafo: *Jusep Torres Campalans*», en *Ínsula*, n.º 288 (noviembre de 1970), pp. 8-9.
Carrasquer, Francisco, *«Imán» y la novela histórica de Sender*, Tamesis Books, Londres, 1970.
—, «La parábola de *La esfera* y la vocación intelectual de Sender», *Norte* [1973], pp. 67-93.
—, «La crítica a rajatabla de Víctor Fuentes», *Norte* [1973], pp. 43-55.
—, *La verdad de Ramón J. Sender*, Cinca, Leiden, 1982; incluye un apéndice bibliográfico de Elizabeth Espadas.
Castañar, Fulgencio, «La novela social durante la II República», en *Tiempo de Historia*, n.º 36 (1977), pp. 60-69.
Cobb, Christopher H., *La cultura y el pueblo, España 1930-1939*, Laia, Barcelona, 1981.
Conte, Rafael, «En torno a *Crónica del alba*», en *Cuadernos Hispanoamericanos* (enero de 1968), pp. 119-124.
Cuadernos Americanos, CLXXXVII, n.º 3 (mayo-junio de 1973), dedicado a Max Aub.
Díaz-Plaja, Guillermo, *Cien libros españoles*, Anaya, Salamanca, 1971.
Domenech, Ricardo, ed., Max Aub, *Morir por cerrar los ojos*, Aymá, Barcelona, 1967.
Domingo, José, «Con Max Aub en el laberinto», en *Ínsula*, n.º 264 (noviembre de 1968), p. 7.
—, *La novela española del siglo XX, 1: de la generación del 98 a la guerra civil*, Labor, Barcelona, 1973.
Eoff, Sherman H., «El desafío de lo absurdo», en *El pensamiento moderno y la novela española*, Seix Barral, Barcelona, 1965.
Esteban, José, «Noticia de Joaquín Arderius», *El Urogallo*, n.º 11 (septiembre-octubre de 1971), pp. 76-78.
—, «Editoriales y libros de la España de los años treinta», en *Cuadernos para el Diálogo*, XXXII (1972), pp. 58-62.
—, ed., Ciges Aparicio, *Los caimanes*, Turner, Madrid, 1976.
—, «Noticia de Alicio Garcitoral. Al diablo con la cultura», en *Índice*, Suplemento n.º 2 (febrero de 1976).

Esteban, José, y Gonzalo Santonja, *Los novelistas sociales españoles (1928-1936*, Ayuso, Madrid, 1977.

Falcón, Jorge, «César Falcón. Exaltación y antología», en *Hora del hombre*, Lima, n.º 924 (julio de 1971).

Fernández Cifuentes, Luis, *Teoría y mercado de la novela en España: del 98 a la República*, Gredos, Madrid, 1982.

Ferreras, J. Ignacio, *Tendencias de la novela española actual (1931-1969)*, Ediciones Hispanoamericanas, París, 1970.

Fortea, José Luis, *La obra de Carranque de Ríos*, Gredos, Madrid, 1973.

—, prólogo a A. Carranque de Ríos, *De la vida del señor etcétera y otras historias*, Helios, Madrid, 1970.

—, ed., A. Carranque, *La vida difícil*, Turner, Madrid, 1975.

Fuentes, Víctor, «De la novela expresionista a la revolucionaria proletaria: en torno a la narrativa de Joaquín Arderius», en *Papeles de Son Armadans* (febrero de 1971), pp. 197-215.

—, «Sobre la narrativa del primer Sender», en *Norte* [1973], pp. 35-42.

—, «*Post-Guerra* (1927-1928): una revista de vanguardia política y literaria», en *Ínsula*, n.º 360 (noviembre de 1976), p. 4.

—, «Los nuevos intelectuales en España: 1923-1931», en *Triunfo*, n.º 709 (28 de agosto de 1976), pp. 38-42.

—, *La marcha al pueblo de las letras españolas, 1917-1936*, Ediciones de la Torre, Madrid, 1980.

García de Nora, *véase* Nora.

García Lora, J., «Fabulación dramática del fabuloso Max Aub», en *Ínsula*, n.os 222, 223 y 224 (1965), pp. 14; 13, y 28-29.

Gil Casado, Pablo, *La novela social española, 1920-1971*, Seix Barral, Barcelona, 1973².

Godoy Gallardo, Eduardo, «Problemática y sentido de *Requiem por un campesino español*», en *Letras de Deusto* (1971), pp. 63-74.

Gogorza Fletcher, Madeleine de, *The Spanish historical novel 1870-1970*, Tamesis Books, Londres, 1974.

Gullón, Ricardo, «Los prosistas de la generación de 1925», en *Ínsula*, n.º 126 (mayo de 1957).

Hernando, Miguel Ángel, *«La Gaceta Literaria» (1927-1932): Biografía y valoración*, Universidad de Valladolid, Valladolid, 1974.

—, *Prosa vanguardista en la generación del 27 (Gecé y «La Gaceta Literaria»)*, Prensa Española, Madrid, 1975.

Hoyo, Arturo del, ed., Max Aub, *Teatro completo*, Aguilar, México, 1968.

Iglesias, Ignacio, «Sobre Ramón J. Sender», en Marc Hanrez, ed., *Los escritores y la guerra de España*, Monte Ávila, Barcelona, 1977.

Iglesias Ovejero, Ángel, «Estructuras mítico-narrativas de *Requiem por un campesino español*», en *Anales de la literatura española contemporánea*, VII, n.º 2 (1982), pp. 215-237.

Ínsula, n.os 320-321 (julio-agosto de 1973), dedicado a Max Aub.

Jones, Margaret E. W., «Saints, heroes and poets: Social and archetipal considerations in *Crónica del alba*», en *Hispanic Review*, n.º 45 (1977), pp. 385-395.

King, Charles L., «The role of Sabino in Sender's *El lugar de un hombre*», en *Hispania*, 50, 1 (marzo de 1967), pp. 95-98.
—, «Surrealism in two novels by Sender», en *Hispania*, 51, 2 (mayo de 1968), pp. 244-252.
—, *Ramón J. Sender*, Twayne, Nueva York, 1974.
—, *Ramón J. Sender: an annotated bibliography 1928-1974*, Scarecrow Press, Metuchen, 1976.
Kirsner, Robert, «*La tesis de Nancy*: Una lección para los exiliados», en *Papeles de Son Armadans*, n.° 211 (octubre de 1973), pp. 13-20.
Lassus, Michel, *La revue «Octubre» de Rafael Alberti (juin 1933-avril 1934)*, Institut Hispanique, París, 1962-1963 (tesis).
Longoria, F. A., *El arte narrativo de Max Aub*, Playor, Madrid, 1977.
López de Abiada, J. M., «José Díaz Fernández: la superación del vanguardismo», *Los Cuadernos del Norte*, n.° 13 (mayo-junio de 1982), pp. 56-65.
—, «Acercamiento al grupo editorial de *Post-Guerra* (1927-1928)», *Iberoromania*, n.° 17 (1983), pp. 42-65.
—, ed., José Díaz Fernández, *La Venus mecánica*, Laia, Barcelona, 1983.
Magrien, Brigitte, «La obra de César Arconada, de la "deshumanización" al compromiso. La novela bajo la Segunda República», en M. Tuñón de Lara, ed., *Sociedad política y cultura en la España de los siglos XIX-XX*, Edicusa, Madrid, 1973, pp. 333-347.
Mainer, José-Carlos, ed., *Ramón J. Sender in memoriam. Antología crítica*, DGA, Zaragoza, 1983.
Maqua, Javier, prólogo a C. M. Arconada, *Vida de Greta Garbo y otros escritos*, Castellote, Madrid, 1974.
Marra-López, J. R., *Narrativa española fuera de España (1939-1971)*, Guadarrama, Madrid, 1963.
Mendieta, Isidro, R., ed., *Cien cartas inéditas de Pablo Iglesias a Isidoro Acevedo*, Hispamerca, Madrid, 1976.
Monleón, José, *El teatro de Max Aub*, Taurus, Madrid, 1971.
Montero, Enrique, introducción a la reedición de *Octubre*, ed. Auvermann, 1977.
Nonoyama, Michiko, *El anarquismo en las obras de Ramón J. Sender*, Playor, Madrid, 1979.
Nora, Eugenio G. de, *La novela española contemporánea (1927-1939)*, Gredos, Madrid, 1968[2], tomo II.
Norte, n.os 2-4 (marzo-agosto de 1973), dedicado a Ramón J. Sender.
Olstad, Charles, «The rebel in Sender's *El lugar de un hombre*», en *Hispania*, 47, 1 (marzo de 1964), pp. 95-99; trad. cast. en Mainer [1983].
Ornstein, Jacob, «The literary evolution of Ramón Sender», en *Modern Language Forum*, 36, 1-2 (1951), pp. 33-40.
Ortega, J., y F. Carenas, «La violencia en Mosén Millán», en *La figura del sacerdote en la moderna narrativa española*, Casuz Ed., Caracas-Madrid, 1975.
Palley, Julian, «*El epitalamio* de Sender: mito y responsabilidad», en *Ínsula*, n.° 326 (enero de 1974), pp. 3 y 5.

Peñuelas, Marcelino, *Conversaciones con Ramón J. Sender*, Magisterio Español, Madrid, 1970.
—, «En torno a *La vida de Ignacio Morel* de Sender», *Papeles de Son Armadans*, LIX (1970), pp. 250-260.
—, *La obra narrativa de Ramón J. Sender*, Gredos, Madrid, 1971.
Pérez Merinero, Carlos y David, *En pos del cinema*, Anagrama, Barcelona, 1974.
—, *Del cinema como arma de clase. Antología de «Nuestro Cinema», 1932-1935*, F. Torres, Valencia, 1975.
Pérez Minik, D., *Novelistas españoles de los siglos XIX y XX*, Guadarrama, Madrid, 1957.
Pérez Montaner, Jaime, «Novela e historia en *Míster Witt en el cantón*», en *Cuadernos Hispanoamericanos*, n.º 285 (1974), pp. 635-645.
Ponce de León, J. L., *La novela española de la guerra civil (1936-1939)*, Ínsula, Madrid, 1971.
Prats Rivelles, R., *Max Aub*, Epesa, Madrid, 1978.
Preston, Paul, ed., *Leviatán (Antología)*, Turner, Madrid, 1976.
Primer Acto, n.º 52 (mayo de 1964) y n.º 144 (mayo de 1972), dedicados a Max Aub.
Puccici, Darío, «Max Aub; el teatro del exilio», en *Siempre*, México (14 de septiembre de 1966), pp. XII-XIV.
Quinto, J. M. de, «Informe apresurado sobre el teatro de Max Aub», en *Primer Acto* [1964], pp. 15-18.
Renau, José, prólogo a la reedición de *Nueva Cultura (1935-1937)*, Topos Verlag, recogido en *La batalla per una nova cultura*, Tres i Quatre, Valencia, 1978.
Rivas, Josefa, *El escritor y su senda. Estudio crítico-literario sobre Ramón Sender*, Editores Mexicanos Unidos, México, 1967.
Rodríguez Monegal, Emir, «Tres testigos españoles de la guerra civil», en *Revista Nacional de Cultura*, Caracas, n.º 182 (1967), pp. 3-22.
Ruiz Salvador, Antonio, *Ateneo, dictadura y república*, Fernando Torres Editor, Valencia, 1977.
Santonja, Gonzalo, ed., César M. Arconada, *La Turbina*, Turner, Madrid, 1975.
—, ed., M. Teresa León, *La historia tiene la palabra*, Hispamerca, Madrid, 1977.
—, ed., *La novela proletaria. 1932-1933*, Ayuso, Madrid, 1979, 2 vols.
Sainz de Robles, F. C., *La novela española en el siglo XX*, Pegaso, Madrid, 1957.
Sanz Villanueva, Santos, «La narrativa del exilio», en *El exilio español*, Taurus, Madrid, 1977, IV, pp. 109-182.
Schwartz, Kessel, «Animal symbolism in the fiction of Ramón Sender», en *Hispania*, 46, 3 (septiembre de 1963), pp. 496-505.
Sender, Ramón J., «El valor de la novela histórica», en *Historia 16*, n.º 2 (junio de 1976), pp. 136-142.
Siguán, María-Luisa, «*La novela ideal*. Literatura popular y divulgación anarquista», en *Anuario de Filología*, Barcelona, 4 (1978), pp. 419-427.
Soldevila Durante, Ignacio, «El teatro de Max Aub hasta 1936», tesis de licenciatura presentada en la Universidad de Madrid, 1954.
—, «El español Max Aub», en *La Torre* (enero-marzo de 1961), pp. 103-120.
—, *La obra narrativa de Max Aub (1929-1969)*, Gredos, Madrid, 1973.

Soldevila Durante, Ignacio, «Max Aub, dramaturgo», en *Segismundo,* n.º 10 (1974), pp. 139-192.

Soria Olmedo, Andrés, «Presentación e inventario de *Octubre*», en *Letras del Sur*, Granada, n.º 1 (enero-febrero de 1978), pp. 3-5.

Tovar, Antonio, «Dos capítulos para un retrato literario de Sender», en *Cuadernos del Idioma* (abril de 1966), pp. 17-35.

—, *Novela española e hispanoamericana*, Alfaguara, Madrid, 1972.

Tuñón de Lara, Manuel, ed., Max Aub, *Novelas escogidas*, Aguilar, México, 1970.

Turton, Peter, «*Los cinco libros de Ariadna*: la puntilla al Minotauro Comunista», fragmento de su tesis doctoral inédita «La trayectoria ideológica de Ramón J. Sender entre 1928 y 1961», Universidad de Laval, 1970, en Mainer [1983].

Uceda, Julia, «Realismo y esencias en Ramón J. Sender», en *Revista de Occidente*, n.º 82 (enero de 1970), pp. 39-53.

Vilches de Frutos, M.ª F., «El compromiso en la literatura: la narrativa en los escritores de la generación del Nuevo Romanticismo (1926-1936)», *ALEC*, 7, 1 (1982), pp. 31-58.

Villanueva, Darío, «Perspectiva y trascendencia en Mosén Millán», en *Estructura y tiempo reducido en la novela*, Bello, Valencia, 1977, pp. 264-269.

LUIS FERNÁNDEZ CIFUENTES
Y JOSÉ ESTEBAN-GONZALO SANTONJA

LA NOVELA SOCIAL

I. En 1926, según consta en el relato de Max Aub, José Díaz Fernández y Joaquín Arderius acusaban ya en la tertulia de Valle-Inclán: «Todos esos jóvenes seguidores del "arte puro" son traidores. Al huir de los problemas políticos sirven a los oligarcas». Un año más tarde en la reseña de *Los de abajo*, Díaz Fernández comparaba a Azuela con los novelistas rusos y sugería: «Acaso uno de los secretos de la novela moderna consista en saber escuchar y traducir esta marcha trágica de "los de abajo" hacia una cumbre al parecer inaccesible» (*El Sol*, 26 de agosto de 1927). Su compañero Joaquín Arderius, que llevaba años de fracasadas novelas nietzscheanas, compuso entonces *La espuela*: «palpitación vital, estudio en vivo, en carne viva», anotó Rafael Marquina en el *Heraldo de Madrid* (2 de agosto de 1927). También en 1927, una novela de Zamacois, *Las raíces*, que transcribía fielmente las injusticias y atrocidades observadas *in situ* por el autor, vendió en pocos meses los diez mil ejemplares de la primera edición. *La Gaceta Literaria* incluyó desde el número tercero (1 de febrero de 1927) una sección titulada «Los obreros y la literatura», a cargo de Joaquín Zugazagoitia, biógrafo de Pablo Iglesias (1925) y autor de *Una vida anónima* (relato con fábricas y obreros que *La Gaceta* anunció como «novela socialista» y de la que publicó un fragmento en la Fiesta del Trabajo de 1927).

I. Luis Fernández Cifuentes, *Teoría y mercado de la novela en España: del 98 a la República*, Gredos, Madrid, 1982, pp. 351-357 (352-357).
II. José Esteban-Gonzalo Santonja, *Los novelistas sociales españoles (1928-1936)*, Ayuso (Hiperión), Madrid, 1977, pp. 7-17.

La primera «novela social» que alcanzó alguna difusión y prestigio entre los intelectuales fue *El blocao*, «Novela de la guerra marroquí», de José Díaz Fernández, aparecida en 1928.

El volumen consta de un grupo de escenas que comparten el mismo narrador y el mismo campo de acción, pero que pueden leerse como relatos independientes.[1] Díaz Fernández había trabajado su estilo con la

1. [«En *El blocao*, y dentro de los supuestos estéticos vanguardistas, Díaz Fernández rechaza los módulos de la novela tradicional y busca nuevas técnicas narrativas en consonancia con la vida "sintética y veloz, maquinista y demócrata" moderna. Dentro de la crisis de los géneros y de la objetividad literaria desde la estética del subjetivismo y la estilización imperante. A pesar de estar rotulada como novela, *El blocao*, en esa zona intermedia entre la narrativa y la poesía en que se sitúa la novelística de vanguardia, más que como género literario, puede definirse como "comunicación del alma del artista, sensible e intuitiva, con el alma del prójimo". El carácter subjetivo y artístico de su proyecto nos lo define el propio autor: "... quise convertir en materia de arte mis recuerdos de la campaña marroquí..., obra demasiado personal para que pretenda el valor de la objetividad ... extraer de entre el légamo de la memoria impresiones que quizá resuenen todavía en la intimidad de algunas almas". Sin embargo (y aquí está su superación del vanguardismo, que pretende confinar la creación a la emoción artística y a la dimensión estética), sabe que la ideología del autor, del grupo social al que pertenece, es un elemento constitutivo de la producción artística. "Resultó un libro antibélico y civil y me congratulo de ello, porque soy pacifista por convicciones políticas y adversario, por tanto, de todo régimen castrense", y explicitando la función social de obra, arraigada en el compromiso, añade: "Me siento tan unido a los destinos de mi país, me afectan de tal modo los conflictos de mi tiempo, que será difícil que en mi labor literaria pueda dejar de oírse nunca su latido". Pese a las limitaciones que para una sensibilidad actual puedan tener su estética subjetivista y estilizante y su ideología pacifista, el firme compromiso de denuncia de la guerra colonial hace que las técnicas narrativas y la temática de *El blocao* superen el formalismo experimental y el juguete artístico de los relatos vanguardistas de los Jarnés, Espina y Francisco Ayala. La novela no tiene ni argumento ni anécdota, porque narra el tiempo muerto del colonialismo; no tiene ni héroes ni grandes individualidades, porque el colonialismo anula al ser humano. Y la metáfora, elemento esencial del estilo de la época, no es la "célula bella" que definiera Ortega, sino, más bien, la chispa que salta del "eléctrico contacto" del estilo artístico con la desgarradora realidad a la que alude. Los temas del antihéroe, la despersonalización, la soledad, el erotismo, la alienación, la cosificación y la muerte, presentes en las mejores narraciones de Jarnés y los otros vanguardistas, no se tratan como elucubraciones abstractas y metafísicas, caso de los vanguardistas, sino en toda la brutal concreción con que se viven bajo el colonialismo. Aunque se sitúa por las fechas de la catástrofe de Annual, cuando el autor hizo la guerra y resultó herido, *El blocao* no novela aquel de-

meticulosidad de los novelistas deshumanizados, pero sin sus greguerías, ni sus elaboradas imágenes, y, al mismo tiempo, había sabido moderar la exaltación ideológica y la obviedad de Ciges, Arderius o Zugazagoitia. Rafael Marquina definió este difícil equilibrio: «En primer lugar, Díaz Fernández, si deshumaniza la emoción, sabe también, por así decirlo, emocionar la deshumanización» (*Heraldo de Madrid*, 24 de julio de 1928). Con todo, Benjamín Jarnés entendió que *El blocao* se dirigía fundamentalmente al corazón, no a la cabeza; que tenía el «propósito meditado de actuar directamente en ... las muchedumbres»; y que abandonaba los parques domesticados y cosmopolitas de la literatura del día por un bosque virgen y amenazador. «Lo cual no se opone a que en todos los relatos se cumplan las normas de una clara arquitectura» (*Revista de Occidente*, agosto de 1928, pp. 243-245). Gómez de Baquero advirtió con satisfacción que un novelista joven volvía con éxito por los fueros del realismo y re-

---

sastre militar. Publicada en 1928, un año después de que Sanjurjo diera por terminadas las operaciones de "pacificación", al año de la derrota del caudillo independentista Abd-el-Krim por los ejércitos de las dos potencias "protectoras", Francia y España, la novela aparece cuando la guerra colonial de Marruecos sigue "siendo una herida abierta en la conciencia española", como escribe Díaz Fernández. En marcado contraste con el "triunfalismo" con que los medios oficiales-militares proclaman el éxito de la "pacificación" del "Protectorado", *El blocao* no canta ninguna gesta militar; con un estilo condensado y denso, el autor describe una "atmósfera opaca", cuya nota destacada es el tedio y la alienación en que vive el soldado colonial. Aunque la obra, enfocada desde el prisma ideológico del pacifismo, se centra sobre las penurias físicas y psíquicas que la guerra colonial causa a este soldado, por los huecos de las limitaciones de esta ideología se filtran vislumbres de la realidad total del colonialismo. *El blocao* nos presenta la visión de ese mundo en compartimientos; ese mundo cortado en dos que, como tan penetrantemente ha descrito Fanon [*Los condenados de la Tierra*, 1963], es el mundo colonial. Como dos espacios antagónicos, se contraponen en ella el Tetuán colonial, la ciudad "antropófaga" que vive y engorda con la muerte, y el Tetuán moro, inaccesible y misterioso, y en el campo, los blocaos y los convoyes militares frente a la cabila y los ataques guerrilleros ... La novela termina con el relato titulado, con trágica ironía, "Convoy de amor". La mujer que viaja en el convoy, símbolo de belleza y sexualidad, desata la violencia de la libido reprimida de los soldados, terminando el relato con el campo sembrado por los cadáveres de la mujer y los soldados: el impulso de la muerte, Tanatos, venciendo sobre el del amor, Eros. *El blocao* finaliza con el "Triunfo de la muerte"; la muerte que, como un buitre, planea, durante la narración, sobre todo lo vivo; finalmente queda dueña del campo, como símbolo del saldo que, en definitiva, dejó, tanto para el colonizado como para el colonizador, "nuestra misión altamente civilizadora" en Marruecos. ... *La venus mecánica* se abre más en la dirección de la novela pitió una vez más: «el realismo es un supuesto necesario de la novela» (*El Sol*, 8 de julio de 1928). En *La Gaceta Literaria*, un J. [¿Jarnés?] destacó el «estilo desnudo» y la «melancolía» con que Díaz Fernández transcribía sus recuerdos de la guerra de África (1 de julio de 1928).

La novela social, a la vez que postulaba un objeto y unos procedimientos diferentes a los deshumanizados, quería dirigirse también a un público diferente: no descartaba a ningún tipo de lector, pero aspiraba más o menos expresamente a ser leída por las masas proletarias. En seguida se pondría de manifiesto que los novelistas sociales conocían el campo de los lectores mucho peor que los deshumanizados. A principios de 1928 Zugazagoitia había asegurado en su sección de *La Gaceta* que la lectura preferida de los obreros eran las novelas de Galdós e incluso las de Baroja. Un obrero le corrigió inmediata-

---

tradicional: una narración sostenida, en el escenario del Madrid moderno, con unos personajes centrales y otros secundarios. La descripción aparece más aligerada del estilo metafórico, el lirismo se desplaza a unos capitulitos, semejantes al "elogio de un acordeón" de Baroja, en donde el autor entona el canto de unas aspiraciones humanas cercadas por un mundo deshumanizado que las niega. La novela, no obstante su marco social, está narrada desde una perspectiva subjetivista. Como *La espuela*, *La venus mecánica* novela el tema, que ya había tratado el autor en el capítulo quinto de *El blocao*, el de la problemática de la inserción del intelectual pequeño-burgués radical en el movimiento revolucionario obrero. "Pero es que no sé si soy individualista o colectivista", confiesa Víctor, el protagonista masculino de la novela. La mayoría de la narración se centra sobre la relación erótico-amorosa. Víctor Muria, contrapartida de Luis Morata, periodista de treinta años, prototipo del intelectual de "avanzada" que personifica la generación del autor, vive también una vida escindida, persiguiendo por un lado la aventura erótico-amorosa, moviéndose en los círculos mundanos y artísticos del Madrid de la dictadura, haciendo una implacable crítica de la sociedad burguesa y del arte de vanguardia, y por otro lado, escribiendo artículos y proclamas revolucionarios y asistiendo a tertulias donde se conspira contra el régimen. En sus dos vertientes vive, pasando continuamente de la exaltación al olvido. La mujer en esta novela tiene un papel de mayor protagonismo, como ya indica el que el título, *La venus mecánica*, aluda a ella, denunciando la opresión de la mujer ... La defensa que el autor hace del aborto ("Nuestro cuerpo es ya lo único que nos pertenece", dice el doctor que hace la operación en París a Obdulia), así como el tema de la liberación de la mujer, esbozado a lo largo de toda la obra, donde aparecen más personajes mujeres que hombres, dan plena actualidad a la novela. "La sociedad actual es manca, porque le falta el brazo activo de la mujer", llegó a escribir Díaz Fernández, quien hizo del tema de la opresión y de la liberación de la mujer una de las preocupaciones centrales de su obra» (Fuentes [1980], pp. 82-88).]

mente: los pocos obreros que leen favorecen a los mismos novelistas que los «señoritos»: López de Haro, Pedro Mata, Carretero, Retana (*La Gaceta Literaria*, 1 de febrero, 1 de marzo, 15 de marzo, 1 de mayo, 15 de junio). El 15 de septiembre de ese año, en un extraordinario de *La Gaceta* dedicado a los obreros, Zugazagoitia publicó una encuesta muy restringida que parecía confirmar sus declaraciones: los (pocos) obreros preguntados leían las obras maestras del pasado realismo español, Galdós, Blasco Ibáñez, Palacio Valdés, Zozaya, Pío Baroja. Zugazagoitia concluía: «La *deshumanización* puede ser un buen ideal para señores y nada más», y pedía un arte que rompiera con la burguesía y atendiera al pueblo. Pero un tipógrafo le hizo observar en esta ocasión: la literatura es «un medio aristocrático por excelencia», que no puede llegar a los obreros; el obrero que lee literatura, no es, por esta razón, el más representativo de su clase. Un editorial de la revista, en primera página, resumía y juzgaba: «¿Es que nuestro obrero, y el obrero universal, tienen algo que ver con la literatura? Si la literatura es esa vieja novela, ese viejo teatro, esa vieja lírica que *prefieren* muchos de los encuestados en nuestra encuesta, creemos que muy poco».

La *Revista de Occidente* no volvió a ocuparse de la novela social después de *El blocao*. *El Sol*, en cambio, solía incluir en sus páginas literarias, desde 1929, una sección titulada «Novela social», aunque Sender, su redactor, encontraba este título «tan peligroso para el interés humano de la novela como para la intención social del libro» e informaba: «La novela social tiene en España pocos cultivadores y los que hay dan en sus narraciones una impresión parecida a la que podía darnos, por ejemplo, un compositor mediocre que le pusiera música a la ley de accidentes del trabajo». Estos comentarios formaban parte de una reseña de *El suicidio del príncipe Ariel*, «novela social» de José Balbontín (*El Sol*, 21 de agosto de 1929). Díaz Fernández, por su parte, celebró en aquel mismo apartado la aparición de la novela más difundida de Zugazagoitia, *El botín* (Historia Nueva, Madrid, 1929). [...] Desde su «Mirador Literario» en los *Lunes de El Imparcial*, Guillén Salaya constataba también la decadencia del arte de minorías y el auge de «un arte que dirige sus flechas a la gran masa proletaria, al pueblo nuevo» (24 de marzo de 1929). Joaquín Arderius publicó ese año otras dos novelas sociales. La primera, *Los príncipes iguales*, apareció con fecha de 1928. Un redactor del *Heraldo de Madrid* comparó esta narración «comprensible, humana, bella» a la llamada «literatura nueva», apenas «bonita» y desde luego «incomprensible» (2 de julio de 1929). De la segunda, *Justo el evangélico* (dedicada a Valle-Inclán), Antonio Espina destacó la fuerza emocional, la eficacia de sus imágenes barrocas y de su lenguaje y declaró a su autor «radical como nadie en el panorama presente de los libros» (*El Sol*, 19 de enero de 1930).

El gran acontecimiento de 1929, para los que exigían a la novela una visible conciencia política, fue la publicación de *El arte y la vida social*, de Plejanov (traducción de J. Korsunsky, Cénit, Madrid, 1929). Parece que, en general, se concedió al texto una notable autoridad que fue utilizada contra la nueva novela. El postulado más insistente de Plejanov repetía: «La tendencia al arte por el arte surge cuando existe un divorcio entre los artistas y el medio social que les rodea». [...] Desde este momento, y sobre todo a partir de 1930, la novela social comenzó a recibir mucha más atención que la obra de los deshumanizados. Se anotó más o menos irónicamente que estas novelas tenían aquel carácter de reportaje o crónica que se había censurado en las novelas de Blasco Ibáñez (Matilde Muñoz, *Lunes de El Imparcial*, 29 de noviembre de 1929). Se comprobó que en ellas «las marquesas, los diplomáticos, los salones elegantes» habían sido sustituidos por «la calle, la mina, la fábrica y el taller». Era indudable que dominaba en todas el modelo ruso, con su múltiple protagonista, y que oponían al «juego estético, la reproducción exacta de lo real, con todas sus injusticias, sus sufrimientos, sus vergüenzas». Aunque se pudo señalar que las mejores novelas sociales no deberían caracterizarse tanto por un afán proselitista o una abrumadora intención política, cuanto por una sencilla atención «para aquellos temas susceptibles de interpretación artística que posean, por propia naturaleza, un contenido moral».

II. Entre los años 1930 y 1934 podemos situar el momento de máximo esplendor para el género: por entonces se imprimieron los títulos más destacados y aparecieron numerosas revistas (*Nosotros*, *Nueva España*, *Octubre*, etcétera) propulsoras de este tipo de arte, al tiempo que se registraba el mayor número de traducciones de libros soviéticos (treinta y cinco en 1931). Para comprender hasta qué punto había variado la situación será suficiente con examinar el catálogo de Ulises, editorial hasta el momento de clara orientación vanguardista: la colección «Valores Actuales» prácticamente se estanca; los nombres de Victor Serge (*Lenin en 1917*), Helena Iswolsky (*La vida de Bakunin*) o el de O. Piatnisky (*Memorias de un bolchevique*,

1869-1917) sustituyeron a las novelas despreocupadas y experimentales de Colette (*Mitsou o la iniciación amorosa*), Pierre Mac Orlan (*A bordo de la Estrella Matutina*) o Paul Morand (*New York*), propias de la primera etapa. Pero el hecho más significativo fue la creación de una nueva colección, donde bajo la denominación de «Nueva Política» se acogían obras de Pietro Nenni, César Vallejo, Curzio Malaparte, etcétera.

Este proceso no fue en modo alguno privativo de la novela. Se trataba de una concepción global del arte, distinta y opuesta a la que hasta entonces había predominado. Manifestaciones de dicha transformación surgieron en todas las disciplinas, y los hombres que las protagonizaron participaban con mucha frecuencia en las mismas empresas. De ahí que, muy coherentemente, podamos hablar de una promoción homogénea: idénticas influencias sentimentales e intelectuales, coincidencia en torno a una serie de puntos claros y fundamentales, órganos de expresión comunes, colaboración mutua y conciencia de estar llevando a cabo un intento radicalmente innovador.

La existencia, la colaboración y la homogeneidad de tal grupo es fácil de comprobar: basta con dirigir una somera mirada a las publicaciones periódicas del momento: en sus páginas (repásense las colecciones de *Octubre*, *Nueva Cultura*, *Línea*, etcétera) encontramos dibujos de Alberto junto a poemas de Emilio Prados, Serrano Plaja o Alberti; fotomontajes de Renau al lado de textos de Arconada, de Arderius o de Sender; prosas de Miguel Hernández junto a crónicas de Carranque... La coincidencia de nombres en diarios políticos de signo netamente revolucionario y en los diversos brotes editoriales de idéntico matiz resultaría igualmente significativa.

Todo este grupo, decididamente innovador, decididamente opuesto a los modos y normas vigentes, se vio en la imperiosa necesidad de crear los cauces adecuados para poder expresarse. A la tradicional hostilidad de las conservadoras —tanto política como comercialmente— empresas editoriales españolas vino a unirse, agravando la situación, la quiebra inesperada de la CIAP —Compañía Ibero-Americana de Publicaciones—, que arrastró consigo a buena parte del mundo del libro. La CIAP había organizado una vasta red de comercialización que hizo posible una rápida venta antes inimaginable, sirviéndose de la cual algunas de las editoriales más dinámicas —Zeus, Cénit, Ulises— distribuían sus fondos por toda España, asegurándose así un margen mayor de estabilidad y de beneficios. La caída del potente consorcio dejó tras sí, primero, un vacío enorme, y, después, como consecuencia de éste, una costosa y poco eficaz atomización del mundo editorial. El bohemio Emilio Carrere escribió amargamente:

«Desde hace un año la actividad editorial es nula ... El libro sufre en estos instantes un denso oscurecimiento. No hay casas editoriales de importancia ... En esta hora negra de la profesión literaria, la catástrofe de la Compañía Ibero-Americana constituye la ruina del libro y de los desventurados y mansos literatos españoles». Esta quiebra determinó la necesaria creación de todo un nuevo entramado editorial que en muchísimos casos no llegó a cristalizar, gozando tan sólo de vida corta y escasa, como efímeros apéndices surgidos a la sombra de las revistas. Asistimos al conocido —en nuestra cultura— proceso de partir siempre de cero, incansablemente, una vez tras otra. [...]

Esta situación del mundo del libro y la radicalización del momento político fueron las causantes de que el número de novelas sociales impresas durante los dos años siguientes bajase notablemente, pues distrajeron a los autores del cometido que les era propio, al dispersarlos en tareas que les impedían una dedicación más intensa a la literatura de creación. Tengamos en cuenta que las posibilidades de actuación y expresión abiertas por el régimen republicano coincidieron con una falta general de preparación política del país y una situación social muy deteriorada que llevó a los hombres más inquietos —los novelistas sociales pertenecían de lleno a dicho tipo— a intentar divulgar, por todos los medios, cuestiones y principios que estimaban fundamentales. La práctica de un arte comprometido les había puesto en contacto con una realidad que, como tal, tenía sus exigencias. La necesidad de incorporarse a la lucha activa por la transformación de la misma se planteaba ineludible si mínimamente querían ser fieles al contenido de sus libros.

El gobierno derechista del bienio llamado «negro» no hizo sino agudizar la situación. Consecuentemente, la literatura que entonces se escribe es mucho más agitativa, de menor entidad literaria, formalmente más descuidada que la anterior. Salvo Carranque, que se inicia en la novela por aquellos años, el resto de los escritores se entregan casi de lleno y apasionadamente a la actividad política, generalmente vinculados a la disciplina de algún partido, descuidando las tareas literarias. Este fenómeno, por otra parte, tampoco resultó privativo de la narrativa, pues en él coincidieron todas las artes y todos los géneros. Nos encontramos ante una característica de época que apenas pudo ser eludida por determinados autores aislados. Se vivían ya (en especial a partir del octubre asturiano y de la subsiguiente represión gubernamental, que extremó todas las tensiones) los intensos preludios de la guerra civil, y el torbellino que poco después envolvería al país estaba desencadenado.

Tampoco hay que olvidar que en este período volvió a ser muy rígida la censura, siendo frecuente la suspensión de la prensa de izquierdas y que el número de traducciones alcanzó su cota más baja, llegando a ser casi inexistentes. Más adelante ya no habría tiempo para la recuperación de unas mínimas circunstancias que permitieron la práctica sosegada de la actividad literaria. El estallido de la guerra apartó a estos autores (y sobre todo al país) de las inquietudes anteriores para someterlos a otra dinámica de muy distinto cariz. En absoluto queremos decir que la guerra significase la paralización de la vida intelectual, pues resulta obvio que sucedió todo lo contrario: el conflicto favoreció una actividad febril, llena de generosa espontaneidad, despertando la auténtica personalidad de numerosos autores. Pero, naturalmente, el carácter de dicha literatura fue muy diferente, más radical, de temas distintos, con un tono altamente palpitante y directo, escrita a veces desde las mismas trincheras, con mucha influencia del reportaje, de las crónicas de guerra, menos lírica, más breve. [...]

El desastre final del exilio acarreó una serie de consecuencias que inevitablemente supusieron la dispersión total del grupo. El desarraigo del medio y la falta de lectores arrastraron a estos escritores hacia la muerte literaria generalmente. Los casos aislados de Sender o Benavides son únicamente excepciones y como tales deben ser consideradas; para la mayor parte, el silencio, la esterilidad más o menos intensa y, en no pocas ocasiones, incluso la muerte física, definitiva y real. Pero además, y quizás esté aquí lo más desastroso, toda una serie de jóvenes autores (Herrera Petere, Cimorra, Izcaray, etcétera) que empezaban a incorporarse al género social-realista, haciendo suyos los presupuestos del grupo, se vieron arrastrados por las consecuencias de la derrota. Todo el inmenso trabajo realizado (preparación de un público, creación de unos cauces editoriales, acreditación del género...) se perdió lamentablemente, sin posible continuación ni aprovechamiento de la experiencia. Una vez más la evolución lógica de nuestra literatura quedaría cercenada.

EUGENIO GARCÍA DE NORA

EL PRIMER SENDER

El genuino realismo narrativo de Sender tiene múltiples raíces. Una, oscura, instintiva, temperamental («odio cualquier forma de afectación y me encanta en arte la simplicidad elaborada en la dirección de la naturaleza, y no contra ella»), arraigada en el bronco aragonesismo del autor. Otra, exterior a él, que procede de la técnica novelesca y del estilo de los novelistas «clásicos» españoles y extranjeros en los que el escritor (autodidacta y un tanto al margen de los «círculos selectos», al menos en la etapa decisiva de su desarrollo juvenil) parece haberse formado: circunstancia que, al reforzar su inclinación temperamental, le hará quedar «rezagado» respecto a la técnica de fragmentación y a la «prosa artística» de su tiempo, motivando su desestimación en algunos medios cultos, pero que, según nuestra perspectiva actual —insertos como estamos de nuevo en una firme corriente realista—, lo sitúa en un puesto privilegiado de precursor.

Ahora bien: el hecho de que Sender nos aparezca hoy, en efecto, mucho más que como un novelista marginal y estancado en el viejo realismo, como el adelantado clarividente y desbrozador impetuoso de un presente fecundo —y grávido todavía de futuro—, se debe a la otra característica que, por sí sola, habría en rigor bastado, más aún que las ya señaladas, para imponer al escritor una orientación estética firmemente realista: el espíritu combativo (no decimos, ya se verá por qué razones, revolucionario) y la fuerte (pero en Sender nunca absorbente) preocupación social. («Un escritor —sigue Sender pensando en 1956— no puede evitar la circunstancia social. Para mantenerse insensible a los problemas sociales en nuestro tiempo hay que ser un pillo o un imbécil».) No es en modo alguno un azar que ya el primer libro de Sender —*Imán*— al tiempo que atestigua una capacidad de observación, una perspicacia para la notación del detalle crudo y exacto, realmente asombrosas, sea —en cuanto al propósito—

Eugenio García de Nora, *La novela española contemporánea (1927-1939)*, Gredos, Madrid, 1968², II, pp. 466-472.

una denuncia virulenta y apasionada de «lo que pasó» en la guerra de Marruecos: no sabríamos decir si el realismo viene condicionado por la tendencia social, o si sucede al revés; en todo caso, cabe cierta especie de arte realista que permanezca «neutro», conservador; pero es inconcebible un enfrentamiento serio con la problemática social, un contenido revolucionario o simplemente crítico, fuera de una visión del mundo y de una estética realista: ingenua o premeditadamente realista.

Lo que llamábamos poder inventivo, capacidad de fabulación, de creación novelesca, lo posee también Sender en alto grado; pero es un don de madurez estética que requiere sin duda su aprendizaje, y en rigor no se manifiesta con plenitud hasta *Míster Witt* (1936); antes, *Imán* tiene mucho de documental novelado; *O. P.*, más de panfleto que de otra cosa; *Siete domingos rojos* sigue siendo un reportaje excelente sobre el anarcosindicalismo español, pero sus personajes nos parecen todavía convencionales o borrosos; finalmente, *La noche de las cien cabezas* es también, mucho antes que novela, una despiadada fantasía grotesca y vindicativa en la línea de los *Sueños* quevedescos. A partir de *Míster Witt* son varias las obras —notoriamente *El lugar del hombre*, *Epitalamio del Prieto Trinidad* y *El rey y la reina*— en que la plenitud creadora del novelista sigue manifestándose.

Por último, el interés apasionado por lo humano como tal, su acercamiento a cada ser con ánimo abierto de comprensión y arraigo, libre (hasta donde ello es posible) de prejuicios y condicionamientos de cualquier clase, y la profunda inquietud ideológica y desasosiego moral, son en Sender vertientes o aspectos de otra primaria cualidad: el ansia, poética y radicalmente sentida (podría decirse: un ansia metafísica agnóstica) de explicación y desentrañamiento de esa totalidad de la que cada hombre es y se siente nudo: parte integrante mínima, pero conciencia siempre dramáticamente ávida de infinitud.

Esta búsqueda inquisitiva, perennemente esperanzada en contra y a través de cada desilusión del sentimiento y de cada desengaño de la inteligencia, traspasa, nutre —y debilita— la obra entera de Sender: la nutre de savia humana y de telútica fuerza primaria; la debilita en cuanto a su significación y eficacia extraestética (hasta hacerla, en lo político e ideológico, inextricablemente contradictoria y equívoca). Solamente *Imán* y *O. P.*, en efecto, como testimonios de una experiencia directa, expuestos, el primero con agresiva desnudez; el segundo, con parcialidad combatiente, ofrecen esa «claridad» monolítica y aplastante del compromiso político típico: *Imán* es antimilitarista sin rebozos, y *O. P.* denuncia con saña un sistema policíaco brutal y encenagado; en contraste, desde la nota previa de *Siete domingos rojos* se nos advierte: «no busco una verdad útil ... ni siquiera esa inofensiva verdad estética —siempre falsa y artificiosa— ... busco la verdad humana». Y al explicar el «fenómeno anarcosindicalista» como efecto de una «supervitalidad de los individuos y de las masas» por la que «los seres demasiado ricos de humanidad sueñan con la libertad, el bien, la justicia, dándoles un alcance sentimental e individualista», si bien tiene plena conciencia de «la enorme desproporción que hay entre lo que los revolucionarios españoles han dado y lo que a lo largo de sus luchas han obtenido ... entre la fuerza que tienen y la eficacia con que la emplean», y la novela entera es, en su vertiente social, la historia de un catastrófico movimiento huelguístico incapaz del menor objetivo consciente, como consecuencia del «apoliticismo» pueril de sus «dirigentes», todo ello está visto y presentado por el novelista con una complacencia casi «turística» por lo que tiene de absurdo, insólito y «pintoresco», y sellado con una divisa digna, ciertamente, de bocas no demasiado «proletarias»: «¡Por la libertad, a la muerte!».

«Que es (comenta el autor todavía, en la frase última del libro), que es —metafísica y sentimentalmente— la única libertad posible.»

Poco después, en *La noche de las cien cabezas*, Sender lleva a cabo no obstante una feroz tablarrasa ideológica de la «civilización burguesa» que «no mejora al hombre, sino que lo complica nada más», valiéndose para ello de una fantástica Danza de la Muerte o sueño de las calaveras en el que la clase repudiada se concreta en los supuestos prototipos del eclesiástico, el esteta, el militar, el rentista, etc.; pero aun aquí, el escepticismo político sigue en pie, y la furia iconoclasta no se compensa con ninguna orientación constructiva (si no es un aspirar vago a «la creación en común», encarnada en el símbolo un tanto tétrico de las abejas en el cementerio).

Si abarcamos el conjunto de la obra de Sender, hemos pues de constatar que no sólo la atribución de un supuesto «fanatismo» revolucionario, sino incluso el simple dictado de «novelista social», referidos a él, son parciales, inadecuados, y en muchos casos, del todo opuestos a la realidad. Por arriba del interés y de la atención dedicada a los conflictos sociales, y a lo que en el individuo está primaria y ostensiblemente engranado a lo social, domina en Sender la preocupación y la inquisición del hombre «en sí», de lo humano intuido o supuesto como perennemente subyacente y «eterno» bajo la cáscara del hombre social histórico.

Esta característica, que es una de las esenciales y definitorias de toda la obra de madurez del escritor, apunta ya en algunos rasgos de sus primeros libros, informando decisivamente el contenido, el plan (e incluso, en cierto modo, la misma elección del tema) de *Míster Witt en el cantón*, «novela histórica, entre galdosiana y barojesca», por una parte, pero también clásica y profunda novela psicológica, en la que los acontecimientos revolucionarios que le sirven de fondo (el movimiento federalista en Cartagena, en 1873) actúan como excitante y fuerza clarificadora en la revelación de dos caracteres contrapuestos (el declinante y envarado míster Witt, y su mujer, la juvenil y apasionada doña Milagritos), y, en último término, también, una novela social, donde el ingenio y rabioso entusiasmo del pueblo en lucha comete idénticos errores, y acaba doblegado como consecuencia de las mismas debilidades que los no menos ternes y desorientados anarcosindicalistas de *Siete domingos rojos*.

Desde el punto de vista estético, *Míster Witt* es una novela que se acerca a la perfección, equilibrada en sus elementos, alternativamente densa y remansada en los análisis psicológicos, insinuante en las evocaciones, fluida y excitante al reflejar el dinamismo de la situación histórica, neta y plástica en la fijación del perfil y el color de cada escena; es además, en la perspectiva no tan baldía como suele creerse de la literatura narrativa española durante la década de los treinta, un eslabón fundamental —y acaso el más cercano para la sensibilidad que había de prevalecer—.

SHERMAN H. EOFF

SENDER Y LO ABSURDO: *LA ESFERA*

[La «presencia» misteriosa que acecha tras la existencia corriente ha tenido una atracción especial para Ramón J. Sender.] Varios años antes de que el existencialismo se convirtiera en un movimiento reco-

Sherman H. Eoff, «El desafío de lo absurdo», en J. C. Mainer, ed., *Ramón J. Sender. In memoriam*, Zaragoza, 1983, pp. 95, 96, 98-100, 105 y 106.

nocido en Francia, Sender estaba realizando experimentos novelísticos con la convicción de que el fondo de la realidad humana se encuentra escondido en una calidad no racional y fantasmagórica (*Orden público* —1931— y *Siete domingos rojos* —1932—, por ejemplo) que, a pesar de su esquivez, es una fuerza que se encuentra al alcance de la mano. Más atrevido —y menos sistemático— que J. P. Sartre en la expresión de sus ideas, y menos entregado a la técnica novelística como finalidad de la misma, hace gala de un vigoroso primitivismo cuya afinidad existencialista es más un aspecto que una tendencia ideológica sistematizada. Por tanto, no habrá que juzgar sus escritos dentro de la estricta interpretación del existencialismo, lo cual es totalmente posible en el caso de Sartre.

En algunas de las novelas de Sender la «desnudez protoplasmática» de la existencia individual revela su atracción por el culto panteísta de lo inconsciente, que se inició en el siglo XIX y ha recibido en el XX la aportación de la psicología freudiana. [...] Hay que admitir, por lo menos, la sugestión de la influencia freudiana en el género de salvajismo místico que describen buen número de novelistas de la generación de Sender, pero, en lo que al trasfondo científico se refiere, seguramente tendríamos que atribuir una mayor importancia a la física. Esta influencia se hace muy notable particularmente en la aguda representación de un mundo inquietantemente abstracto. [...]

Desde la época de su primera novela, *Imán* (1929), Sender se ha sentido profundamente turbado por la injusticia social y política, y especialmente interesado por los miembros más oscuros de la sociedad, seres que parecen insignificantes a primera vista. Esta faceta de protesta social es más acusada en su obras primerizas; pero, incluso en ellas, muestra una marcada tendencia a dirigir su atención hacia regiones abstractas. El punto de partida de sus reflexiones filosóficas, en sus novelas, es el horror o lo absurdo de una determinada situación social o política. Su inclinación metafísica se ha acentuado a partir del final de la guerra civil española. Los aspectos de una imagen filosófica contemporánea que se encuentran en los escritos de Sender son lo bastante variados y sugeridores para justificar el estudio de dos de sus novelas en el presente análisis. Una de ellas, *La esfera*, aunque no es muy representativa de lo mejor del novelista, tiene un interés especial por su pintura de una reacción furiosamente apasionada del concepto de un Dios misterioso e incognoscible. Al mismo tiempo contiene, con carácter accidental, ciertas ideas extremadamente constructivas. [...]

La esfera (1949), que representa un sincero intento de expresar la inspiración metafísica a través de la intuición pura, trata del tema de la muerte y la inmortalidad dentro del marco de la narración alegórica y fantástica. [...] La pregunta básica, planteada de forma sencilla, es la siguiente: La conciencia personal ¿tiene sentido como entidad reflexiva separada o sólo encuentra un significado cuando se la identifica con un vasto «espíritu universal» imperecedero e irreflexivo? No sintiéndose dispuesto a aceptar la idea de que la muerte es un aspecto sustancial de la realidad, el autor trata de identificarse con la *hombría genérica*, que él proclama colaboradora de Dios y de la lucha eterna de Dios contra la nada. De esta forma, procura evitar lo que él llama «el error del cristianismo y de Kierkegaard», el error de presuponer «una persona independiente —bastante diferenciada para suponerse a sí misma libre— que nada puede hacer con su libertad».

Del personaje central, Federico Saila, cuyas «notas» al comienzo de cada capítulo son un suplemento al comentario que está entremezclado en la narración, procede una elaboración de este punto de vista y un esfuerzo para sostenerlo. Saila es en realidad el actor que adopta el papel de experimentador. El concepto que ha imaginado es un universo esférico en el que toda la actividad, aprovechada en la lucha de Dios contra la nada, es un tránsito constante de ser a no ser y una continua renovación de la afirmación contra la negación. Cada cosa y cada persona, aunque esté siempre dirigida hacia su no yo, no termina en él; continúa moviéndose simplemente hacia «una fase sucesiva de su propio presente». El proceso no es un movimiento proyectado hacia una meta futura en un sentido evolucionista o hegeliano, sino que es simplemente un paso continuo «a otra parte» de ese mismo presente en el que todos estamos «desterrados». Este presente eterno, se nos dice, sólo puede concebirse como un enorme recinto en el que todos los caminos, torcidos como están en la tierra y en el espacio, vuelven siempre hacia la dirección de donde vinieron.

La imagen del tiempo y espacio curvos, sugerida sin duda por la física matemática, queda fuertemente acentuada con una explicación física de la conciencia reflexiva, que ocupa necesariamente un lugar importante en la revisión propuesta del problema de la individualidad. La naturaleza del espíritu permite que una experiencia individual adopte el camino de una aspiración de trayectoria «hacia la propia afirmación, en una trascendencia total, en un paso a través de su no yo temporal» a otro de sus sucesivos estadios. Pero el trazo de esta trayectoria es inevitablemente curvo, y todas las cosas llevadas por el ansia de trascender vuelven inevitablemente a sus orígenes. Lo que se desprende de esto, y que queda confirmado por el progreso de la narración, es que el ansia que el hombre siente de vivir en sentido trascendente, de poseer una realidad ideal de algún género, es una manifestación individual destinada a quedar absorbida en la energía masa total. La imagen poderosamente estimulante de un presente continuo, en el que el yo está siempre expresándose, vuelve así siniestramente a la idea de un regreso y una absorción en el Todo. Las probabilidades de un contento individual surgen desde el principio para señalar el sacrificio más bien odioso del yo en favor de la supervivencia de Dios.

En verdad que un extraño y misterioso Dios de sufrimiento y de tragedia se encuentra en el universo esférico de Sender, aprisionado de su misma fatalidad y, en el mejor de los casos, disfrutando de una precaria existencia. La conclusión de la novela subraya el horror del misterio. En la primera parte de la obra, no obstante, el protagonista está fascinado por ideas que giran en torno de lo que puede encontrarse más allá del alcance de nuestro entendimiento racional; y abriga la esperanza de que, por medio de una aproximación especial y ganglionar, podrá no sólo atisbar lo que hay tras el velo del misterio sino también apaciguar la necesidad urgente que siente de una inmortalidad individual. Su experimento, que se inicia como una divertida aventura y termina en aturdida confusión, constituye la historia. [...]

La esfera es un ejemplo extravagante, aunque sintético, del esfuerzo que hace el artista moderno para redimir a la personalidad de las complicaciones inherentes al concepto de una Impersonalidad suprema. Para decirlo de forma más concreta: es una muestra de la desdicha fruto de la incapacidad de deificar el conocimiento consciente. El autor se aproxima al concepto de un Dios que sigue necesariamente un camino de aventura en una creación continua; en contraste, por ejemplo, con Idea ya formulada en perfección estática. Pero se permite rebajar la potencialidad del concepto haciendo de Dios una masa inconsciente, que equivale más o menos a la energía física. «Dios no sabe que es Dios —dice Saila—. Si lo supiera ya no sería sino una estéril experiencia más.» Sus leyes naturales hablan por Él de una manera implacable. Se sustenta de la energía que se emplea en la angustia, gloria y muerte de incontables individuos; y sólo sobrevive la energía agregada al movimiento cíclico de la lucha contra la nada. Como si el autor, ante su incapacidad de conocer a Dios de forma consciente, se decidiera a hacer de Él una Idea intolerable. [...]

Desde el punto de vista de la composición artística, habrá que decir que el novelista se ha excedido en la licencia que tiene de abstenerse de una demostración racional estricta y, por consiguiente, el lector se da cuenta de que ha permitido esta impresión general de la confusión para escapar a un control. Participando de ideas que aparentemente proceden de muchas fuentes, el autor no consigue que tenga una solidez estable. Además de esto, la naturaleza fantasmal de la narración le rebaja su interés como obra de arte. A pesar de ello, la novela tiene que considerarse como una expresión importante del esfuerzo que realiza el hombre contemporáneo para ajustarse a una antigua imagen monista del universo, reinterpretándola. Sender atisba ciertas direcciones esperanzadas para el pensamiento especulativo, aun cuando no las desarrolla: el concepto de un presente eterno, la potencia ilimitada de una facultad de creación continua por parte de la divinidad, el aspecto totalmente positivo de una divinidad que no puede dar validez al mal ni a los aspectos negativos de la experiencia. A pesar de la impresión dominante de fatalismo que tiene la historia, estas ideas dejan la puerta abierta a un monismo decididamente afirmativo.

FRANCISCO CARRASQUER

LA NOVELA HISTÓRICA DE SENDER

Sender adoptó la fórmula de la novela histórica. Por falta de suficiente identificación comulgante con la parte de historia que le tocó participar y cuyas secuelas aún perviven: la guerra civil española; y por buscar las raíces del problema que reventó como tumor maligno en esa misma guerra. Pero esta motivación no parece valedera para la primera de las siete novelas históricas, *Míster Witt en el cantón*, porque ésta fue escrita antes de la guerra civil. No obstante, tal vez *Míster Witt* no obedezca a diferentes razones que las otras.

Francisco Carrasquer, *«Imán» y la novela histórica de Sender*, Tamesis Books, Londres, 1970, pp. 252-254.

La guerra civil española, oficialmente, duró desde julio de 1936 hasta abril de 1939, pero de hecho, ¿no empezó ya con la proclamación de la República en 1931 y más concretamente con el «bienio negro»? Y entonces tampoco estaba Sender identificado del todo con la vanguardia que hacía y deshacía historia en España, a juzgar por *Siete domingos rojos*, novela publicada tres años antes que *Míster Witt* en plena República. Luego, esa vuelta al pasado de *Míster Witt* ¿no representa también un retorno a las fuentes, aunque esta vez nada remotas, sino bastante directas e inmediatamente aleccionadoras?

Aún hay más: si de volver al pasado se tratara, también podríamos incluir en las novelas históricas otras de Sender en que se rememoran tiempos idos, como toda la serie de *Crónica del alba*, *Los cinco libros de Ariadna*, *El verdugo afable*, *La luna de los perros*, *El rey y la reina*, etcétera. Pues no. Para nosotros no son novelas históricas todas éstas que se inspiran en lo autobiográfico. O bien las unas son testimoniales, o las otras son temáticas. Pero en todas, el testimonio y el tema se inspiran en unas memorias personales que se prestan más a la lírica y a la filosofía que a la épica. Y la novela histórica es, precisamente, la que se distingue por su marcado carácter épico, directa descendiente de la epopeya hecha prosa como es. Además, tratándose de Sender, la distinción entre novela histórica y autobiográfica es muy neta: la primera parte de un tema objetivo y la segunda de un tema subjetivo. O bien, la primera tiene por tema España y la segunda él. Claro que él también interviene en el tema España, y España está asimismo presente en sus novelas autobiográficas. Pero el punto de partida es netamente distinto entre una y otra clase de novelas, y el modo de tratarlas también. Las novelas históricas las emprende como verdaderos sondeos para estudiar el ser hispánico en determinadas hoyas del fondo histórico español. Mientras que las inspiradas en su autobiografía las emprende por necesidad rememorativa, narcisista si se quiere, y de paso sale lo que sale: el estudio de una época en su torno, de un tema individual *trascendentable* o la plasmación de un mito personal, como el precioso mito de Valentina, o los profundos de Ariadna y de Anselmo. Ahora yo no diría que es más creador Sender en unas u otras novelas. Eso de la creación no depende del tema ni del género. Y aquí venimos derechamente a desembocar en la manera cómo entiende Sender la novela histórica.

La novela histórica de Sender es siempre un *pretexto* para hablar de lo español y siempre en contraste con otros valores raciales o nacionales. Nada es lineal en Sender. En *Míster Witt en el cantón* hay un inglés como protagonista, en *Bizancio* la verdadera protagonista es la grecobúlgara princesa María, en *Carolus rex* hace de personaje de contraste la reina María Luisa de Orléans, en *Los tontos de la Concepción* tenemos el telón de fondo de los indios y, como personaje vehículo, el indio Ginesillo, en *Aventura equinoccial de Lope de Aguirre* también el mundo indígena como fondo, en *Tres novelas teresianas* es donde apenas hay contraste, porque son las menos históricas de todas, pero no faltan elementos extraños tales como lo oriental del auto, la ejecución del barón flamenco señor de Montigny, etcétera. Y en *Las criaturas saturnianas* lo español está envuelto en lo ruso, lo francés, lo italiano, lo árabe, lo persa, hasta en lo australiano.

Ahora bien; ese *pretexto* no lo descuida Sender, literariamente hablando. Quiero decir que lo histórico no lo maltrata ni desprecia. Más de una vez le hemos visto desempolvar archivos, copiar viejos documentos y hasta ofrecernos hallazgos diplomáticos e interpretaciones de puntos dudosos de la historia por su propia cuenta. Mas no por eso se esclaviza a ese pretexto histórico, sino que lo trata desde su soberana voluntad creadora.

La pura invención no existe. Y Sender, una vez tiene atados los hilos de la trama histórica (de verosímil historia) se lanza, sin precauciones a la creación personal, a saber: a su «verdad subjetiva». Ni siquiera cuida Sender de si su novela tendrá héroe principal histórico o secundario, de si se desarrollará en las altas esferas, en las medias o en las bajas, extremos éstos que tanto preocupan a Georg Lukács [*La novela histórica*, 1966]. En lo que coincide con Lukács es en los imperativos esenciales: dar la lección en presente con la realidad del pasado, sin arreglos de moda ni futurizaciones, y en hacer escuchar la voz del pueblo entre el maremágnum de la historia. No podría ser de otro modo, sabiendo que Sender es realista hasta la medula y conociendo su fe en el pueblo, acaso la única que le aguanta.

Lo que hace Sender es dar la versión del pasado con la máxima amenidad y verismo, y lo que le importa sobre todo es dar *su* versión. Para lo cual *revive* él mismo ese pasado en todas las situaciones y en todos los personajes. Mas su versión no se limita a hacer revivir el condicionamiento económico-social y político, sino también el psicológico y parapsíquico. En esto último discrepa Sender de la pauta que establece el crítico marxista húngaro, como podríamos decir que discrepa en general el marxismo del psicoanálisis. Lukács propugna un retorno a la novela histórica clásica a lo Walter Scott (no de imitación, claro, sino de inspiración) y Sender, en las pocas líneas que he conseguido me hable de sus narraciones históricas, me escribe: «Mi lirismo es de estructura o quiero que lo sea. De ahí la dificultad que tienen algunos de entenderlo. Es una dimensión *no lineal*, como solían hacer Walter Scott u otros, sino espacial y de atmósfera exterior íntimamente acompañada de los estados de ánimo de los caracteres en sus niveles secretos. Todo esto manifestado, como digo, por la acción y no por las palabras».

MANUEL TUÑÓN DE LARA

DIMENSIONES DE LA NOVELA EN MAX AUB

Hasta el *Yo vivo* (interrumpido, más que terminado en julio de 1936), se extiende la primera etapa del camino de escritor andado por Max Aub. Magisterio directo e indirecto de Ortega (cátedra, pero también libro, y *Revista de Occidente* y *El Sol*), ola de *surrealisme*, neogongorismo del tricentenario, juanramonismo en verso y jarnesismo en prosa, son otras tantas constantes que encuadran al joven que se lanza a escribir entre los años veinticinco y treinta. [...] Nadie empieza a escribir saltándose a la torera la «circunstancia literaria» en que el hecho se produce. Pero unos siguen la corriente con aplicación de epígonos, y otros demuestran que tienen algo suyo que decir. Ráspese un poco con la uña el barniz de la moda al uso, y, bajo la cascarilla, aparece lo original. Así con el Max de su primer decenio de escritor: cultivo de la metáfora, nuevas acarreadas por los múltiples «modernismos», conceptismo del relato; pero al mismo tiempo, y cada vez más, dentro va creciendo el drama del hombre.

Cierto, en *Geografía* parece esconderse pudorosamente tras la fiesta de vocablos y colores; en *Luis Álvarez Petreña* muestra todos sus perfiles en primer plano. La exuberancia —constante en lo esencial, en la obra de Max— adquiere en este período —pienso ahora en *Fábula verde*— un sentido de exaltación de la naturaleza, que es, netamente, vitalismo humano en *Yo vivo*. Todo el tiempo escribe Max «a brazo partido» con una doble circunstancia «ideológica», con frecuencia de signo contrario: la es-

Manuel Tuñón de Lara, ed., Max Aub, *Novelas escogidas*, Aguilar, México, 1970, pp. 22-33.

tética y la sociopolítica. Y pugnando por afirmarse en ellas, frente a ellas y, en suma, condicionado —que no determinado, es diferente— por ellas.

Así le llegará a Max, al cumplir la simbólica edad de 33 años, la tragedia de la patria que libremente había elegido. Esa tragedia marca para siempre la obra —y la vida, todo lo mismo— del escritor. La línea divisoria para clasificar, de entrada, cualquier obra de Max Aub es la de «antes» o «después». El hecho se explica, además, por razones individuales: madurez de hombre, experiencia enriquecida de uno mismo y de los demás, en las pruebas múltiples del dolor, cuando la muerte se trivializa —claro, para el que no la protagoniza— al no tener tasa ni límite.

La segunda gran etapa empieza, pues, para el escritor en 1939; para sus editores, en 1943. Y abre el camino *Campo cerrado.* Su *Laberinto mágico,* apenas terminado, en 1968, con *Campo de los almendros,* es obra que ha entrado no sólo en la historia de la literatura, sino en la historia de España a secas. Pero éste es otro cantar. En esta segunda gran época, que, en sus rasgos generales, llega hasta nuestros días (1970), hay evidentemente períodos. El de los seis o siete primeros años, en que Max rompe los diques de estilos que le eran impuestos en los períodos de formación; escribe apasionadamente, a borbotones, toma el partido del hombre, de los hombres, da la medida del diálogo y también opina con frecuencia por boca de este o aquel protagonista. Ha echado los sólidos cimientos de su obra de novelista (y de autor dramático: *Morir por cerrar los ojos*, *San Juan*, por no citar sino dos obras fundamentales). El siglo ha recorrido la mitad de su camino. El tiempo trabaja para el escritor. Lo dice: «Los cambios que he sufrido —es una manera de hablar no más falsa que las otras— atañen más al tiempo que al desengaño del comportamiento de los hombres». De éstos nunca se desengañó.

Podemos hablar de un segundo y hasta de un tercer período en la gran era aubiana comenzada al filo de 1939-1940. La prosa se depura y perfila en *Ciertos cuentos*, escritos del 44 al 48. El dominio de la historia literaria es patente desde el *Discurso de la novela española* (1945), pero da su alta medida en el *Heine*, escrito en 1956. Del 50 al 60 Max Aub ha alcanzado la sazón de su pluridimensionalidad de escritor. *Las buenas intenciones* (1954), sin salirse del todo coherente que es su universo novelístico, logra el tono galdosiano, crea personajes que viven por sí solos, sin que el autor les preste ninguna de sus ideas. *La calle de Valverde* (1961) es la síntesis superadora de sus dos proyecciones de hacer novela y el exponente de una maestría del lenguaje, que fluye igualmente en el *Campalans*, en los dos últimos tomos del *Laberinto* (es también el momento de *Deseada*, en el teatro). *Jusep Torres Campalans*, que merece capítulo aparte, ha recogido y desarrollado la vena de humor aubiano que mana tímida o intelectualizada en su obra de prima juventud, que se hace tajante —¿reír o llorar?— en la *Historia de Jacobo*, que no le abandona nunca en algunos personajes o situaciones de sus novelas. Pero *Campalans* es mucho más que humor y va más lejos de la simple broma que algún miope haya podido tomar como punto definitorio. La sazón de la obra de Max Aub —hondura de la anécdota, que es siempre más que eso, construcción dramática netamente perfilada, dominio del lenguaje— la puede seguir cualquiera en sus relatos recogidos con títulos de *Cuentos ciertos* (escritos en muy diversas fechas), *Historias de mala muerte*, *Las vueltas* y los *Cuentos mexicanos*. Algún relato, en la memoria de todos, ha conseguido una finura de humor raras veces alcanzada en las letras hispánicas. [...]

El centro de la novela aubiana —y del relato— es siempre el hombre. Y lo es ya desde *Luis Álvarez Petreña*. Lo que caracteriza el tema del hombre en la segunda etapa es la precisión de su inserción en el medio sociohistórico. No es el hombre, sino cada hombre. El hombre por dentro y por fuera, ni ángel ni demonio, sino humano. No deja de ser interesante que un escritor que, como Max Aub, tomó partido sin equívocos, que tiene a gala en vida y obra no estar *au-dessus de la mêlée*, no haya creado nunca «buenos» y «malos». Todos y todas son diferentes según la coyuntura en que se encuentran, cada cual tiene hecho su *hoy*, con el aluvión de su *ayer* —que Aub explica siempre, en ficha completa, que exige a veces un sorprendente *travelling arrière*— y lo vemos vivir —sufrir las más de las veces, gozar las menos, dudar muchas, decidir siempre, por acción o por omisión—.

Se ha dicho de la obra de Max Aub que sus multitudinarios protagonistas están esquematizados o que están caricaturizados con cierta crueldad; también que tienen un concepto simplemente sensual —y hermoso— de la mujer. Disentimos, y remitimos al lector a las páginas de sus *Novelas escogidas*. Desde luego, cuando se crea un protagonista colectivo —el Madrid o la Valencia de una época, la pequeña burguesía urbana hacia el año treinta, etcétera—, no se puede hacer una cala introspectiva como en las novelas cuya trama se anuda y desata en torno a dos o tres personajes. Pero un Dalmases, una Asunción, un Cuartero en los *Campos*, un Agustín Alfaro, los Joaquín Dabella, Cantueso, Márgara y tantos más (aquél de *Las buenas intenciones*, los otros de *La calle de Valverde*) son hombres y mujeres «de carne y hueso», que hubiera dicho don Miguel, con su gama de matices hasta los últimos recovecos del alma.

Cuando se han creado los personajes de Asunción, de Marga, o los de Tula y Remedios (al único ser que Valle-Inclán no desprecia en *Las galas del difunto* es a la Daifa), no se puede ser tachado de rebajar la mujer al plano de objeto de la relación sexual, o de goce plástico, cuando no de buena cocinera y diestra en zurcir calcetines. No; Max Aub, que ama al hombre, no es cruel con sus personajes. Pero no se engaña espolvoreando azuquitar sobre el prójimo. Las cosas como son y las cartas boca arriba. El novelista crea y testimonia a la vez. Sin duda, tercia con su opinión en más de dos y de tres ocasiones; liberal hasta los huesos, expone las de todos y no impone ninguna al lector.

Y aquí se tercia lo del humor aubiano. Una vez ha dicho nuestro autor que lo de su humorismo no dejaba de ser, al fin y al cabo, una especie de autocensura. ¿De qué? ¿Ante quién? Ante el dolor, sencillamente; autocensura para que no se le parta a uno el corazón, de una vez para siempre. Ser humorista y jugar, a veces, al cruel, para no dejar el alma en jirones ante el dolor. El humor cumple, cuando se crean los apócrifos de la *Antología traducida* o en un monumento del género como es *Campalans*; pero se le escapa de las manos —de la pluma— al autor, para transformarse en mueca de dolor o en grito abismal, desgarrado, en *El limpiabotas del Padre Eterno* o en *El remate*.

Max Aub, maestro del humor sutil o del humor negro, según lo exige el caso y el tema, temible para el adversario cuando maneja la ironía polémica, levemente zumbón al observar algunos planos —no todos— de las relaciones humanas... En suma, escritor a quien le fluye la guasa, medida y a su hora; nunca a destiempo. Y nunca cruel, sino cuando su fin deliberado es ese —por amor de los más o por dignidad—. Pero cuando llega la hora de decidir sobre los altos valores no hay bromas para Max Aub, ni las hay en su obra literaria. [...] No se trata de paliar la indudable veta humorística de Max Aub. Se trata de situarla. Hay una zona de lo literario en que el humor deja de ser distorsión irónica o rasgo caricatural, para entrar en un plano específico y españolísimo —de Goya a Valle—, que es el *esperpento*. Dejemos que Max nos hable de ello: «Las novelas idealistas —las de caballería, las pastoriles, las históricas de los románticos, las tradicionalistas, o las fantásticas de Gómez de la Serna— lo demuestran. Lo único que queda de ellas, si queda, es la lírica que las trufa. Valle-Inclán es el mejor ejemplo. La real caricatura del *Ruedo Ibérico* es, por lo menos para mí, infinitamente superior al modernismo de las *Sonatas*. El realismo en la novela —y su espejo cóncavo, el humorismo, el sarcasmo— es una característica propia de lo español, que así lo inventó».

Max Aub no emplea el término «esperpento», pero sí lo define partiendo de la imagen valleinclanesca de los espejos de la calle del Gato: la distorsión, la aparente deformación del mundo real en la retina del humor a rajatabla —que es más que humor— forma parte del realismo, es una proyección más del mismo y, probablemente, más realista —«esencial»— que el realismo fotográfico o naturalismo —«aparencial»—. Ya tenemos, pues, explicada la función del humor tajante —tentados estábamos de decir siniestro, pero nos parece injusto— en la obra de Max Aub. Queda el humor leve, que fluye espontáneamente de su pluma, y queda, naturalmente, que el humanismo de Max no tolera ninguna broma con «las cosas grandes».

Como de la mano nos lleva el tema a tratar de un supuesto naturalismo de Max Aub. Que se nos entienda: en una obra gigantesca, en progresión constante, como es la de Max Aub, se pueden encontrar páginas de naturalismo, sobre todo en el primer período de lo que hemos llamado su segunda época, si por tal entendemos una prolijidad fotográfica en la descripción (en el fondo, pensamos que eso le viene de su primera época, la «vitalista»). Si por naturalismo entendemos poner el acento sobre lo deforme o lo patológico, algún cuentecillo suelto hay en que Max se permite esa escapada; nunca lo anormal ni lo feo tiene prioridad en sus novelas, sino el rango estricto que le corresponde en la vida real. Si naturalismo es —como en cierto momento de Zola— la aplicación de una filosofía positivista «cientista» a la técnica del novelar (con prioridad sobre el condicionamiento socio-histórico, negando la libertad de decidir que tiene el hombre, en el marco de la necesidad dada por su compleja circunstancia), la obra de Max Aub no tiene nada que ver con eso. Y la mejor prueba es que esa obra nunca podrá ser cabalmente comprendida sin conocer los grandes lineamientos de la historia de España en la primera mitad del siglo xx. Un ejemplo, entre mil: nada más realista y menos naturalista que la Barcelona bombardeada de *Campo de sangre*: «Desde hace tres días, las bombas van subiendo por la ciudad como una marea ...». Pocas veces, sin ninguna concesión a efusiones líricas, se ha dado mayor belleza plástica en nuestra literatura al acto amoroso que en algunas páginas de *Yo vivo* y de *Campo de sangre*. Para llegar al nivel hay que ir a la poesía de Miguel Hernández.

[El lenguaje de Max Aub, valenciano de pura cepa,] tenía que ser exuberante. Recrearse en una orgía de nombres, con pulpa y color, que entraran por los ojos y hasta diesen ganas de morderlos; arracimar tras ellos los adjetivos, por el simple placer plástico de verlos tallando el nombre en mil caras distintas. Va ahondando en el hombre. El primer paso decisivo para ensanchar el lenguaje es —al menos yo lo creo, que tal vez no es lo mismo— el que le proporciona la técnica epistolar de *Luis Álvarez Petreña*, con equilibrada dosis de intimismo. Poco a poco, va descubriendo el lenguaje coloquial de los hombres de su pueblo: diálogo y también monólogo, porque para pensar hay que servirse del lenguaje. Lo había ido entrojando durante más de veinte años. Los primeros ejemplos en cuentos —*No son cuentos*—, escritos algunos en 1937 y 1938. Luego, la gran eclosión de *Campo cerrado*: paso a paso, obra tras obra, Max se hace dueño —maestro— del hablar de su pueblo, del hablar íntimo, a media voz, del hablar estentóreo en la española discusión a voces, del conversar, del hablar para sí mismo... Por él hablan los hombres del trabajo, los intelectuales más o menos bizantinos, las mujeres en trance de amor o de deseo o cuchicheando entre ellas, los personajes con voz de falsete, los magistrados, los hombres que fueron carne y hueso de la historia...

Había que dar coherencia a esa catedral del lenguaje y, ciertamente, suprimir algunas gárgolas y follajes más churriguerescos que góticos, que el edificio no precisase ya de arbotantes para sostenerse. Y vino la integración de tres planos de ese lenguaje: el relato descriptivo, la «ficha» histórica de cada personaje con su carga de adjetivos y su abanico de tiempos en las múltiples flexiones del pretérito; y el gran océano de hombres y mujeres de todas las clases y edades, del protagonista colectivo dialogando, monologando, gritando, susurrando, expresión del infinito tejer y destejer que son las relaciones humanas desde el nacer hasta el morir. Los tres primeros *Campos* van siendo peldaños para lograr esa coherencia. Luego, la obra múltiple contenida en *Sala de espera* (se piensa en el teatro, sin el cual no podríamos comprender íntegramente las razones de la maestría coloquial de Max Aub).

El tiempo y el oficio van depurando la acción del artista en la materia prima del lenguaje. *Las buenas intenciones* es, tal vez, el libro en que Max Aub franquea esa nueva etapa. El relato, la descripción, se ajustan a la palabra cabal, la que hace falta. Sin renunciar por ello a todo lo adquirido, lo contrastado: a veces sigue siendo necesario que se arracimen adjetivos para expresar las varias caras —físicas, espirituales— de personas o cosas; a veces hay que doblar los verbos. Ejemplo: «Su tía *se derrumba* en el salón, *llora*. Joaquín está tentado de *hablar*, de *consolarla*». Se ha hablado del barroquismo de Max Aub, que puede ser cierto hasta entrado el primer período de su segunda etapa. Al fin y al cabo, se libera de lo innecesario. Pocos escritores utilizan la elipsis como él. Muchas veces, un solo verbo entre dos puntos sustituye a toda una larga oración. Lo que se ha dado en llamar lenguaje hablado no pierde nunca riqueza ni autenticidad, ni frescura. Asombra leer en Max Aub, desde México y un cuarto de siglo después, esa distinción de matices entre «me da acharo» y «me da reparo». Y tanta expresión madrileña como «para ti la perra gorda», o entrar en el relato utilizando un castizo «por las buenas»; lo mismo que las conversaciones entre las dos cursilitas hijas de Miralles, que se dirían tomadas al magnetófono; o el empleo de expresiones valencianas, catalanas, y el despliegue del hablar mexicano en los *Cuentos* del mismo apellido. Los últimos quince años de la obra de Max Aub dan el tono exacto de la madurez del lenguaje. Exuberante siempre, pero ya no barroco. Algún día será lugar común, en cualquier curso o seminario de historia literaria, que la gran carga galdosiana atemperó en Max Aub la de Valle-Inclán; no por imitación, sino por convicción. Por esa decisión de *tomar la vida como es.* Y más que toda esa carga, la del hablar del pueblo, la de vivir al día de la prosa y la prensa, del cine y de la radio, el otear constante hacia el mundo hincado en España... ¡y tan lejos de ella!

Para llegar a esa madurez, Max Aub ha empleado múltiples técnicas; pero algunas de ellas sirven para definirlo. Por ejemplo, la epistolar, que ya domina en *Luis Álvarez Petreña* y que sirve para enfoques tan esenciales como originales en *La calle de Valverde* o en *Campo de los Almendros*. Otras veces es el *Diario* (ejemplo: en *El limpiabotas del Padre Eterno*). Quienes se pirran por la última novedad no dejan de torcer el gesto porque Max Aub, según ellos, es un novelista «clásico», poco dado a lo objetivista (y mucho a lo objetivo), incurso en el delito de decir quiénes son los protagonistas de sus obras, sin dejar que el perspicaz lector se entere —a medias siempre— de ello. Pues... sí, señor. Max Aub ha tomado en serio la manera de novelar de los Stendhal, Balzac, Galdós, Mann, Martin du Gard y compañía. ¿Para copiarlos? Compárense los textos. Nadie más hombre de su tiempo, de su día, de cada día, que Max Aub. El relato es lineal en función de la novela concebida como totalidad; no lo es, cuando la mejor compenetración exige la marcha atrás o los planos superpuestos. El relato suele estar escrito en tercera persona;

carta, diario o nota sirven para que se exprese la primera, sin perjuicio del monólogo interior entre paréntesis. No sólo monólogo, imagen, evocación, sensación que irrumpe en el yo, etcétera.

En *Jusep Torres Campalans*, Max Aub ha demostrado que maneja cuando quiere y como quiere todos los llamados recursos técnicos. Hay ahí un complejo literario —estructura, si algunos quieren— en que se integran conectados lo novelístico, lo histórico, lo personal, el diario, el coloquio, el despliegue de notas —generalmente apócrifas las más, otras no—. Hay varios planos de aproximación a la figura central —figuras—, haciendo mangas y capirotes, cuando se quiere, de tiempo y espacio. El gran bromazo. Pero genial bromazo y —a lo que íbamos— demostración del dominio de todas las técnicas.

12. LA LITERATURA ENTRE PUREZA Y REVOLUCIÓN. LA POESÍA

Así como no se planteó nunca el problema de un teatro «puro» (la cuestión residía más bien en vencer su comercialidad, incluida la del teatro «poético») ni tampoco las fórmulas de los *nova novorum* cuajaron hasta el extremo de bloquear la surgencia de los novelistas sociales, no cabe duda de que la gran altura alcanzada por la poesía «pura» dificultó considerablemente la articulación de una alternativa que se planteara con visos de credibilidad.

Bajo la advocación de «poesía pura» se solapan, en realidad, conceptos muy diversos, por lo que procederemos a una esquematización que no tiene otras pretensiones que las meramente expositivas, ya que no podría mantenerse ni mucho menos en todo su alcance una división tan tajante como la que vamos a utilizar. Pero de alguna manera hay que abordar las resistencias ofrecidas por esa especie de monolito que con su corta tradición de unos ochenta años (si tomamos como punto de referencia *The poetic principle* de Poe), habría llevado a la convicción ambiental de que la introducción de elementos políticos o sociales ponía en peligro con su ganga la calidad última del poema. Todo ese proceso, en fin, estudiado por Bowra [1966] y Ciplijauskaite [1966] y cuyo remate el crítico inglés ejemplifica para la poesía de habla hispana en Neruda y, sobre todo, Miguel Hernández, autor-guía para moverse por tal laberinto, paradigma perfecto de la trayectoria de la poesía entre pureza y revolución, por utilizar el título de un libro clave de Cano Ballesta [1972], uno de los mejores estudiosos hernandianos también (Cano Ballesta [1971]) y no por casualidad: entender el proceso evolutivo de Miguel Hernández obliga a comprender esa encrucijada, y viceversa.

Hay una primera lectura del término «poesía pura», y es la que entiende tras él alusiones al discurso de ingreso en la Academia Francesa del abate Henri Brémond en 1925, publicado el año siguiente con el título de *La poésie pure*. Suele citarse a propósito de su recepción en España el intercambio de ideas entre Fernando Vela y Jorge Guillén, poco después de la comparecencia pública de Brémond. El texto del primero, «La poesía pura», se publicó en la *Revista de Occidente* (noviembre de 1926), y ya ahí se citaba la carta de Guillén, que sólo se publicaría más tarde en *Verso y Prosa* (febrero de 1927), aunque la verdadera difusión suele debérsela a la *Antología* de Gerardo Diego de 1932, que la reprodujo como «Poética».

Estas primeras escaramuzas han sido oportunamente aducidas por la crítica (por ejemplo Geist [1980]) para marcar las distancias mediantes entre Guillén (el más sospechoso de incurrir en la poesía pura entre los españoles) y Brémond. Pero no deben perderse de vista otras reapariciones de la cuestión, concretamente a la altura de 1933. Ese año, con motivo de la muerte de Brémond, Manuel Abril vuelve sobre ella en *Cruz y Raya* (n.° 7, octubre de 1933) en términos muy incisivos, subrayando los elementos religiosos —místicos concretamente— que se derivan de las teorías del abate. Y también en 1933 aparece el primer libro de Miguel Hernández, *Perito en lunas*, en cuyo prólogo Ramón Sijé lo adscribe sin equívocos a la tendencia de la *poésie pure*, citando explícitamente a Brémond.

La vuelta a Brémond en el contexto de *Cruz y Raya* y de *El Gallo Crisis* es ya distinta. Ahondando en la dirección inicial, Miguel Hernández publicará en la primera su auto sacramental *Quién te ha visto y quién te ve y sombra de lo que eras* (1934) y en la segunda una poesía religioso-política, en cuyo ejercicio llegará a llamar a los labradores a no secundar la huelga convocada en el campo en protesta por la contrarreforma agraria emprendida por el gobierno de la derecha en el «Bienio Negro». De donde la «poesía pura» de Brémond podía conducir a una poesía comprometida, como efectivamente sucedió con *El Gallo Crisis* (Muñoz [1975]), que se politizó hacia los aledaños del fascismo, y con Miguel Hernández, que pasó del catolicismo a las posturas revolucionarias con una rapidez que puede correrse el riesgo de ser apreciada como pasmosa si no se inscribe en sus exactas y adecuadas circunstancias.

De ahí que podamos considerar este concepto de *purismo* como susceptible de ser enmarcado (al menos en algunas de sus estribaciones) en un contexto opuesto al de los poetas revolucionarios. O sea, *Cruz y Raya* y *Octubre* como síntomas de la politización o ideologización de la literatura. Pues conviene no olvidar que esa base católica da resultados muy palpables en el caso de Claudel (citado a menudo por Brémond y *El Gallo Crisis*) y en él recalan Vivanco, Rosales y varios poetas de la derecha.

Uno de los primeros conceptos de purismo es, pues, relativo y fue vencido en la conciencia de algunos por la recepción de estímulos revolucionarios que ya hemos visto en el capítulo anterior para la prosa, y que ha estudiado magníficamente en la poesía Lechner [1968], quien ya considera una politización de este signo religioso-poético en Ramón de Basterra y José María Pemán.

Basterra, en sus dos *Vírulos* (*Vírulo. Mocedades*, 1924 y *Vírulo. Mediodía*, 1927) y en *Las ubres luminosas* (1923) marcaba ese tránsito del futurismo hacia la catolicidad y lo imperial que sería una de las claves del Alzamiento, del que no pudo ser más que precursor, al morir en 1928 (Díaz-Plaja [1941]). Hay que tener en cuenta que Basterra dedica su libro de 1924 a sus «tres amados maestros», Maeztu, Ortega y D'Ors y que el poemario de 1927 se lo publica Ernesto Giménez Caballero en las Ediciones de *La Gaceta Literaria*. Mejor conocido es el caso de Pemán, cuya *Elegía de la tradición de España* (1932), ve la luz el mismo año que estrena en olor de demostración antirrepublicana su drama *El divino impaciente*. También cita Pemán a D'Ors y Ortega en su libro, añadiéndoles Vázquez de Mella y Unamuno. Su apoteosis será, claro, el *Poema de la Bestia y el Ángel*, ya en plena guerra civil.

Un segundo concepto de «poesía pura» podría ser el derivado de las vanguardias, especialmente del cubismo, y su formulación más nítida se encerraría en los manifiestos y la práctica del creacionismo (el *Non serviam* de Huidobro, por ejemplo). En tal contexto «pura» equivale a autónoma, independiente de la realidad, de la que no trata de obtener un remedo ni una evocación según los moldes establecidos por el realismo o el impresionismo. Buena parte de estas doctrinas alientan en todas las lecturas del cubismo como arte distanciado, secundario («al cubo») y aséptico, y no es difícil detectarlas en *La deshumanización del arte* de Ortega o en Fernando Vela. Se vino a crear así un concepto de poesía con ciertas tendencias clasicistas (o antirrománticas, cuando menos) que afloran en las décimas de Guillén, la «Oda a Salvador Dalí» de Lorca y, en general, en la vuelta a la estrofa de los neogongorismos. La fecha 1927 y su centenario expresan bien esa extraña mezcla de vanguardia y tradición, de ultraísmo y Góngora.

Sólo otra vanguardia más potente podía vencer tal estado de cosas, y eso fue el surrealismo: una poderosa corriente de aire fresco que obligó a cambiar muchos planteamientos. Resulta ya un tanto trasnochado a estas alturas entrar en las polémicas sobre las relaciones del surrealismo español con el francés. Únicamente queremos insistir en que el surrealismo francés sí que fue bien conocido en España, de primera mano, y que su verdadero influjo no fue sólo técnico: la escritura automática no es el dogma central del surrealismo, como algunos pretenden; es una de sus posibles técnicas. Lo esencial fue la nueva actitud moral que introdujo, y aquí el papel de Luis Buñuel fue clave (Sánchez Vidal [1982]). Su empuje logró arrastrar a Lorca y Alberti, y este último y Prados dieron el paso inequívoco de la politización.

Dámaso Alonso [1969*] ha obviado este componente moral del surrealismo utilizando el término *neorromanticismo* a propósito de Aleixandre, y ha descartado el de *surrealismo* prefiriendo el de *hiperrealismo*, más acorde con la tradición hispana. Pero en los dos casos queda claro que el surrealismo fue mucho más que una manera distinta de escribir.

El tercer concepto de poesía pura que flotaba en el ambiente era el puesto en circulación por Juan Ramón Jiménez, irradiado sobre todo por el influjo de su *Segunda antolojía.* Quizás el concepto juanramoniano sea difícil de definir teóricamente, pero la práctica que se acoge a él es fácilmente reconocible en los inicios de casi todos los poetas del 27. Y es contra Juan Ramón contra quien Pablo Neruda alza su voz y su revista *Caballo Verde para la Poesía* al utilizar el término «poesía impura». El manifiesto «Sobre una poesía sin pureza» que abría el número uno (octubre de 1935) tuvo una importancia capital en la década de los treinta y en la posguerra, como ha reconocido Luis Rosales y estudiado Víctor García de la Concha [1973]. Su libro *Residencia en la tierra* provoca conversaciones fulminantes. Cano Ballesta [1972] ha subrayado cómo la autoridad de Juan Ramón necesitaba un aglutinante de primer orden para poder ser vencida, y ése fue el papel jugado por Neruda.

Resumiendo este panorama, puede decirse que a la altura de 1935, en vísperas de la guerra civil, el concepto de poesía pura estaba claramente en retroceso, aunque se dieran aún resistencias y atrincheramientos en esa poética. De un lado arreciaba la politización y el compromiso ideológico, de otro el surrealismo y, por fin, una elaboración sintética muy personal y arrolladora como era la nerudiana. El término *neorromanticismo* no es mala definición inicial de tal estado de cosas, sobre todo si se piensa que recoge a la vez posiciones tan dispares como la del ensayo de Díaz Fernández o la de Dámaso Alonso. Pero hay que reconocer que resulta poco esclarecedor y demasiado genérico desde la perspectiva actual. Valga, en todo caso, como indicio del nuevo espíritu de la década de los treinta, que algunos estrenan precisamente con la celebración del centenario del movimiento romántico, en cuyo honor se convoca el Premio Nacional de Literatura en 1935, la fecha elegida por otros para el centenario.

Con la llegada de la guerra civil se superponen otras perspectivas a las apuntadas, y la más clara es la que refleja la etiqueta «generación de 1936», cuya aparición ha detectado García de la Concha en el artículo de Pedro de Lorenzo «Una fecha para nuestra generación: 1936» (*Juventud*, 8 de abril de 1943). Pero será dos años más tarde cuando haga fortuna con el estudio de Homero Serís («The Spanish generation of 1936», *Books Abroad*, 1945), matizaciones como la de Gullón [1959] y Durán [1966] y, sobre todo, los debates de *Ínsula* [1965] y *Symposium* [1968]. Algunos de sus miembros creen necesario matizar las confusiones que tal fecha podría acarrear y prefieren hablar de grupos más restringidos («Grupo

Hora de España» por ejemplo). Pero son ya puntos de vista a posteriori en los que entran en juego datos que quedan fuera del período que consideramos.[1]

Volviendo al que nos ocupa, no deja de ser significativo que en vísperas de la guerra la obsesión «rehumanizadora» haya alcanzado tales cotas que el centenario de Bécquer se presenta como auténtico hito. Por no insistir en el de Garcilaso o Lope de Vega, leídos, respectivamente, como poeta romántico y dramaturgo revolucionario. El garcilasismo de preguerra (*El rayo que no cesa* de Miguel Hernández y los *Sonetos amorosos* de Germán Bleiberg) tuvo un sentido muy distinto del imperial de posguerra. En general, puede decirse que hay un deslizamiento de Juan Ramón a Machado, de Góngora a Quevedo, y que 1927 es uno de los centenarios importantes, pero no el único. Merecería la pena estudiar la repercusión del centenario de Goya, el del romanticismo, el de Lope, el de Bécquer o Garcilaso.

El autor que mejor representa todas estas corrientes es, como queda dicho, Miguel Hernández (1910-1942), caso especialmente significativo por su talla y por su cronología, ya que su producción personal se ciñe muy ajustadamente al período 1932-1940.

Miguel Hernández inicia su labor como poeta en la Orihuela natal con composiciones de un vago posmodernismo regionalista, en la onda de Vicente Medina, que recopilaron Couffon [1963] y Ramos [1966], en lo que constituye una auténtica prehistoria literaria. Hernández era hijo de un modesto tratante de cabras y eventualmente hubo de apacentar el rebaño paterno, lo que ha creado una imagen suya como poeta-pastor excesivamente tópica. Es cierto que esas experiencias le proporcionaron una visión de la naturaleza absolutamente determinante para la auténtica médula de su poesía, un hilozoísmo o panteísmo que estructura su cosmovisión mucho más que cualquier ideología. Porque fueron sus vivencias

1. Valga como muestra la opinión de Luis Cernuda [1957], p. 223: «En 1936, al empezar la guerra civil, coexistían en nuestras letras tres generaciones poéticas: la vieja del 98, vivos aún los poetas principales, con su obra acabada; la del 25, cuyos componentes llegaban a ese momento difícil, del que pocos poetas se recuperan, cuando entrados en la edad madura deben acomodar su sensibilidad e inteligencia según una percepción diferente de la realidad, y una tercera que, sin tiempo aún para afirmarse, había comenzado a surgir poco antes de la fecha arriba indicada. Esta generación última [...] estaba compuesta por Miguel Hernández, Luis Rosales, Leopoldo Panero, José A. Muñoz Rojas, Germán Bleiberg, Luis F. Vivanco y algún otro». Sobre los poetas que suelen incluirse en la nómina de esa «generación» y de quienes aquí no se trata, véanse las referencias y textos reunidos en el vol. 8 de *HCLE*; sobre Luis Rosales en particular, aparte las páginas de Dámaso Santos publicadas en el presente capítulo, véase el citado vol. 8, pp. 113 y 180-188.

las que condujeron a Hernández al compromiso, y bien se echa de ver comparando su vida y obra con otros radicalismos proletarios más intelectuales que vivenciales, como ya lo subrayó Juan Ramón en *El trabajo gustoso* al hablar de los romances del poeta de Orihuela frente a los de otros republicanos a los que consideraba marxistas de salón.

Por tanto, y aunque en esta etapa primeriza los influjos fundamentales sean los procedentes de los *troveros* de la vega y el regionalismo *panocho*, con dialectalismos y una heterogénea mezcla de Darío, Bécquer, Juan Ramón y Gabriel y Galán, no hay que exagerar el autodidactismo de Miguel Hernández. Quien haya manejado sus manuscritos sabe muy bien que en cuadernillos de juventud uno se encuentra copiados poemas de Guillén, Rilke, Cocteau, Mallarmé o Jules Romains, algunos de los cuales tradujo él mismo del francés. Y, por otro lado, pronto empieza una guía sistemática de lecturas puestas al día a cargo de su amigo e inicial mentor Ramón Sijé, personaje muy interesante que sigue pidiendo a gritos un estudio serio y penetrante, lo que no se ha producido al reeditar recientemente su libro *La decadencia de la flauta y el reinado de los fantasmas* y la revista *El Gallo Crisis*; por el contrario, artículos como el de Cecilio Alonso [1974] apuntan en la dirección correcta, al detectar filofascismo en Sijé, y prometedoras resultan las pesquisas de Sáez Fernández [1982]. Un frustrante primer viaje a Madrid a finales de 1931 le permite ponerse al día en lo que respecta a los ecos del centenario de Góngora y otros estímulos, y al regresar a Orihuela en mayo de 1932 tiene ya en sus manos un borrador titulado *Poliedros*, esbozo inicial de un libro que terminará titulándose *Perito en lunas* (1933), su primer poemario, cuyas dificultades de comprensión y encuadre en el panorama de la época han llevado a desenfoques notables al ocuparse de él.

En las octavas reales de *Perito en lunas* un poeta primerizo y acomplejado engola la voz hasta resultar hiperculto y conscientemente hermético y minoritario. Pero este libro es mucho más que una secuela tardía del neogongorismo: es el aprendizaje de las técnicas modernas de un escritor muy personal por los cauces de la poesía pura (Sánchez Vidal [1976 *b*]). Sin entenderlo no se puede comprender al Hernández posterior, y ya ahí se da una peculiar mezcla de lo puro y lo impuro, de la popular adivinanza y los hallazgos cultos en una amalgama que modulará siempre los versos del mejor Hernández.

Estos atisbos un tanto confusos de su primer libro se van depurando en un período enormemente complejo de su trayectoria, verdaderamente meteórica, entre 1934 y 1935. Por un lado, se inicia su poesía amorosa, que va evolucionando desde el ciclo de *Perito en lunas* hasta el de *El rayo que no cesa* en varias tentativas que suelen editarse y estudiarse incorrectamente. El examen atento de los manuscritos apunta este encadenamiento: décimas neogongorinas y guillenianas, los *Silbos* (en particular los versos que se concretan en los sonetos de *El silbo vulnerado*), *Imagen de tu huella* y el definitivo *El rayo que no cesa* (1936) que supone su consagración, y donde se incluyen poemas en otros metros, particularmente la «Elegía a Ramón Sijé».

Sijé muere, en efecto, en las navidades de 1935, y es su influjo el que marca la otra faceta de Hernández, la religiosa. De ahí saldrá su auto sacramental *Quién te ha visto y quién te ve y sombra de lo que eras* y sus colaboraciones en *El Gallo Crisis*. Se pueden apreciar en Sijé ribetes filofascistas fuertemente teocráticos que alcanzan a Miguel Hernández en poemas inéditos como la «Canción de la libertad» y la «Canción del haz». Pero con su segundo viaje a Madrid en 1934, Miguel se va distanciando de Sijé y acercándose a Neruda, como Cano Ballesta [1971²] ha documentado excelentemente. Los sucesos de Asturias y la muerte del amigo no hacen sino acelerar el proceso, ya maduro y mucho menos contradictorio de lo que pudiera parecer a primera vista. El resultado de ambas crisis (la amorosa y la política) se salda con *El rayo que no cesa* (Sánchez Vidal [1976 *a*]) y una serie de poemas sueltos donde da salida a una voz largamente contenida exhibiendo su compromiso político, su nueva estética y un desbordado sentimiento telúrico, que siempre fue el fondo de su poesía bajo los distintos lenguajes y ropajes. La poesía amorosa empieza siendo una variante de la religiosa, nada convincente en sus planteamientos morales, y plenamente contradictoria (Marie Chevalier [1977] y [1978]) con su auténtica naturaleza, lo cual no impide resultados poéticos muy apreciables. El producto final de esta múltiple contaminación es *El silbo vulnerado*, libro en varios metros que debía aparecer a finales de 1934, y cuyos modelos son los poemas erótico-religiosos derivados del *Cantar de los cantares*, especialmente la versión sanjuanista del *Cántico espiritual*, de donde se toma el título.

El correlato dramático del *Silbo* sería el auto sacramental citado, que hay que situar en una relativa reactivación del género por esas fechas, con productos tan dispares como *El hombre deshabitado* de Alberti, *El pozo amarillo* de Camón Aznar o *Angelita* de Azorín. Sin olvidar que en la misma revista donde publica el suyo Miguel, *Cruz y Raya*, se reeditaron autos lopescos como *La maya*, con un tono de rusticidad similar al del poeta oriolano, quien acusa las lecturas de esa pieza, *La siega* o *El colmenero divino* (de Tirso esta última) en su presentación de la divinidad en contacto con las labores campesinas, lejos del intelectualismo más seco y avellanado de Sijé y de los modelos europeos de *Cruz y Raya* o *El Gallo Crisis*, tales como *Vie Intellectuelle*, *Sept* o *Esprit*.

1935 es, sin embargo, un año muy diferente a 1934, en el que habían cuajado aquellos proyectos. Hernández tiene ya un cierto acomodo en Madrid, trabaja como secretario de Cossío en la enciclopedia *Los toros*, va surgiendo su interés por el tema taurino (compondrá un drama inédito en su casi totalidad, *El torero más valiente*) y, sobre todo, por la cuestión social. De ahí su obra de teatro en prosa *Los hijos de la piedra*, sobre los sucesos de Asturias, aunque se trate de un producto flojo e híbrido de sindicalismo católico-paternalista con barruntos sociales y una aplicación no muy hábil del esquema de *Fuenteovejuna*, que aclimatará con mucha mayor fortuna ya en verso en *El labrador de más aire*, drama rural que constituye un autorretrato idealizado con no poco garbo e innegables hallazgos, y que es con el auto sacramental lo mejor de su teatro. En *Los hijos de la piedra* sólo se salvan los fragmentos versificados de tono neopopularista, como la escena de los vendimiadores y vendimiadoras.

El rayo que no cesa, a pesar de su tono neopetrarquista, exhibe ya componentes novedosos y personales y se inscribe en una vuelta a Quevedo y al soneto que alcanza considerable cultivo por esas fechas. Es una obra mucho más dubitativa de lo que parece a primera vista, resultado de una profunda crisis personal que deja su huella en un tono existencial, la «pena» hernandiana (Ramos [1973]) presente en «Me llamo barro» con especial intensidad y revestida de símbolos esperables como el del toro, muy diferente en su carnal y trágica virilidad del espirituado ruiseñor que presidía los *Silbos*. El soneto funciona, además, como cárcel y disciplina que aumenta la tensión expresiva, logrando efectos que impresionaron a los contemporáneos, desde Juan Ramón a Ortega o desde Neruda a Aleixandre, consagrándole plenamente.

Para comprender íntegramente su lenguaje poético en la guerra civil ya sólo queda considerar su evolución hacia el compromiso político, observable en los poemas que compone, sobre todo, en 1935. En «Alba de hachas» o «Sonreídme» se despide de su catolicismo, mientras que en las «Odas» dedicadas a Aleixandre y Neruda les rinde un homenaje cercano a la imitación casi perfecta de los registros que admiraba en estos dos poetas, a los que dedicará, respectivamente, *Viento del pueblo* y *El hombre acecha*, y que fueron sus dos maestros innegables, el malagueño en sus consecuencias más hondas y el chileno en la brillantez y la retórica de su fascinante y volcánico lenguaje, como lo dejó traslucir Miguel en su reseña entusiasta de *Residencia en la tierra* para *El Sol*.

En esos poemas y en «Sino sangriento», «Mi sangre es un camino», «Vecino de la muerte» y otros hay que buscar la segunda etapa «experimental» de Hernández (la primera sería *Perito en lunas*), donde se produce su crecimiento definitivo e irreversible como escritor que avanza decidido desde el autodidactismo trasnochado hacia la puesta al día. Sus significativos homenajes a Garcilaso («Égloga») y Bécquer («El ahogado del Tajo») rematan esta exploración de nuevos tonos, dan fe de su prodigiosa capacidad de mimetismo y completan en lo poético una evolución ideológica ya madura, tal como ha estudiado Puccini [1970].

La guerra civil le encuentra, pues, plenamente preparado para el conflicto, a la búsqueda de una síntesis inteligible y popularizante de toda su sabiduría poética (De Luis [1981]). Surge así *Viento del pueblo* (1937), su poesía bélica no agrupada en libro, y *El hombre acecha* (1939), que constituyen en el fondo un solo ciclo. El primer libro es más optimista, mientras que en el segundo se adivina la derrota y se establece el balance de muertos. Los dos se benefician de una elaboración muy cuidada y por lo general nada demagógica de todos los hallazgos acumulados a lo largo de su carrera. Vienen a ser el resumen puesto en limpio y a punto de la herencia con la que se maneja un poeta del tiempo a la altura de 1937 tras abrevar en todas las fuentes de la década.

El proceso de la guerra es vivido por Hernández con claros matices diferenciales a medida que ésta va transcurriendo. Es muy distinta la experiencia del durísimo frente de Madrid en 1936 de la relativa serenidad del frente sur en 1937, recién casado, y esto se advierte tanto en sus crónicas de guerra (Cano Ballesta y Marrast [1977] y Blasco [1977]) como en sus poemas. Tras su viaje a la URSS para estudiar el teatro en la segunda mitad de 1937 vuelve como retraído y empieza a componer, más que poemas épicos, versos que le brotan hacia adentro a partir de 1938, año en que su foco de atención es el *Cancionero y romancero de ausencias*, que cobra densidad y un tono más sombrío en la cárcel, con la derrota que ya se entrevé en *El hombre acecha*, libro que se creyó perdido hasta que V. Infantes de Miguel encontró un ejemplar en la Biblioteca de Rodríguez Moñino en 1979, logrando así su publicación íntegra (Sánchez Vidal [1979]). Recientemente lo han ofrecido en edición facsimilar Leopoldo de Luis y Jorge Urrutia [1981] tras editarlo junto con el *Cancionero* en cuidadosa edición crítica [1978].

Al acabar la guerra logró pasar a Portugal, pero fue devuelto por la policía de Salazar a la Guardia Civil. Es dejado en libertad, pero se le detiene otra vez al regresar a Orihuela con los suyos. Comienza una nueva etapa de prisiones que le hace coincidir con Buero Vallejo en la del Conde de Toreno (lo había conocido ya en Benicasim), donde el futuro dramaturgo le hace un famoso retrato. Juzgado, condenado a muerte y conmutada la pena, es ingresado en el Reformatorio de Adultos de Alicante, la doceava cárcel que visita. Allí contrae una tuberculosis que no le es debidamente curada a la espera de que ceda ideológicamente y se convierta al catolicismo, en un sombrío episodio que sus biógrafos rehúyen pero que puede documentarse perfectamente. Su muerte, el 27 de marzo de 1942 truncó una carrera que estaba en el mejor momento y que sólo empezaba a dar sus frutos. Los versos que suelen citarse como despedida grabada sobre la pared («Adiós, hermanos, camaradas, amigos: / ¡Despedidme del sol y de los trigos!») no parecen suyos, sino invención legendaria que aparece por primera vez en el libro de Elvio Romero *Miguel Hernández, destino y poesía*.

El *Cancionero y romancero de ausencias* y los *Últimos poemas* (1938-1941), en tanto que libros póstumos, presentan numerosos problemas textuales de difícil resolución. Rovira [1977] los ha enfrentado sin manejar los manuscritos, pero con criterios muy sensatos. El cotejo de todos los manuscritos obliga a una edición un tanto distinta de las vulgatas, que no suelen atender a los problemas de técnica textual. El libro es una vuelta de Hernández a sus fuentes, la poesía oral e incluso la copla popular flamenca que bebió en sus orígenes en su tierra natal (seguidillas de las «Nanas de la cebolla», por ejemplo). Es un neopopularismo muy peculiar que alterna con poemas de solemne andadura y verso complejo, como el magistral tríptico «Hijo de la luz y de la sombra», donde se resume toda su cosmovisión.

La bibliografía hernandiana cuenta con un núcleo de estudios valiosos relativamente reducido y multitud de ensayos de lectura impresionista e intención comprometida que rara vez aportan novedades de fuste. El primer problema pendiente es todavía de orden editorial. Quedan todo tipo de inéditos: poemas, teatro, prosas, epistolario (cuya edición tengo en prensa en este momento). Debería emprenderse una edición crítica de su producción no poética que complementara la única edición crítica existente, en Aguilar, de sus *Poesías completas* y la de Alianza (De Luis- Urrutia [1982]).

El segundo problema es la biografía. Su mejor biógrafa, Ifach [1975], sólo ha dejado entrever tres momentos cruciales en su trayectoria vital: sus relaciones ideológicas con Sijé, su militancia política (en la guerra en particular) y, sobre todo, su muerte, que resulta el equivalente carcelario del fusilamiento de Lorca, y harto más escandaloso, por cuanto su agonía duró meses.

El teatro sigue necesitando más estudios. A pesar de que contemos con panorámicas valiosas (Díez de Revenga y De Paco [1981] y Pastor [1978]). Siguen echándose de menos estudios monográficos sobre los complejos simbolismos del auto sacramental, las ambiguas propuestas de *Los hijos de la piedra*, el homenaje al Lope de *Fuenteovejuna* latente en *El labrador de más aire* (1936) y el desigual teatro bélico: sus piezas cortas de *Teatro en la guerra* (1937) y *Pastor de la muerte* (1938).

La visión de conjunto de Ramos [1973] contiene la mejor bibliografía hernandiana y resulta muy útil para calibrar su relación con la literatura oriolana y alicantina. Los libros de Puccini, Cano Ballesta y Marie Chevalier siguen siendo excelentes introducciones. El caótico volumen de Martínez Marín [1972] y el anticuado de Guerrero Zamora [1951] mantienen su vigencia por la interesante documentación recopilada, al igual que algunos aspectos de la parte biográfica de Zardoya [1955], por más que los trabajos de María Gracia Ifach y Guereña [1978] la hayan relevado de sus funciones en buena medida. La recopilación de artículos sobre

Hernández de Ifach [1976] es preferible a la de Cano Ballesta [1978] menos variada y global. A ellas hay que añadir los números monográficos que le dedicaron las revistas *Ínsula* [1960], *Quaderni Ibero-Americani* [1968], *Revista de Occidente* [1974] y *Litoral* [1978], y las panorámicas de Balcells [1975] y Cleary [1978].

AGUSTÍN SÁNCHEZ VIDAL

BIBLIOGRAFÍA

Alonso, Cecilio, «Fascismo, catolicismo y romanticismo en la obra de Ramón Sijé», *Camp de l'Arpa*, n.º 11 (mayo de 1974).

Alonso, Dámaso, *Poetas españoles contemporáneos*, Gredos, Madrid, 1969[3].

Balcells, José M., *Miguel Hernández, corazón desmesurado*, Dirosa, Barcelona, 1975.

Blasco, Ricardo, «Miguel Hernández, corresponsal de guerra», en *Nueva Historia*, n.os 3 y 4 (abril-mayo de 1977).

Bowra, C. Maurice, *Poesía y política (1900-1960)*, Losada, Buenos Aires, 1966.

Cano Ballesta, Juan, *La poesía de Miguel Hernández*, Gredos, Madrid, 1971[2].

—, *La poesía española entre pureza y revolución (1930-1936)*, Gredos, Madrid, 1972.

—, y Robert Marrast, eds., Miguel Hernández, *Poesía y prosa de guerra y otros textos olvidados*, Ayuso, Madrid, 1977.

—, ed., *En torno a Miguel Hernández*, Castalia, Madrid, 1978.

Cernuda, Luis, *Estudios sobre poesía española contemporánea*, Guadarrama, Madrid, 1957.

Ciplijauskaite, Biruté, *El poeta y la poesía. Del romanticismo a la poesía social*, Ínsula, Madrid, 1966.

Couffon, Claude, *Orihuela et Miguel Hernández*, Centre de Recherches de l'Institut d'Études Hispaniques, París, 1963; trad. cast. en Losada, Buenos Aires, 1967.

Chevalier, Marie, *L'homme, ses œuvres et son destin dans la poésie de Miguel Hernández*, tesis doctoral, Université de Lille, 1973, 2 vols.; edición compendiada en Éditions Hispaniques, 1974; trad. cast.: *La escritura poética de Miguel Hernández* y *Los temas poéticos de Miguel Hernández*, Siglo XXI, Madrid, 1977-1978.

Díaz-Plaja, Guillermo, *La poesía y el pensamiento de Ramón de Basterra*, Juventud, Barcelona, 1941.

Díez de Revenga, F. J., y Mariano de Paco, *El teatro de Miguel Hernández*, Universidad de Murcia, Murcia, 1981.

Durán, Manuel, «La generación del 36 vista desde el exilio», en *Cuadernos Americanos*, México, XXV (septiembre-octubre de 1966), pp. 222-223.

García de la Concha, Víctor, «Panorama poético de la preguerra», en *La poesía española de posguerra*, Prensa Española, Madrid, 1973.

Geist, Anthony Leo, *La poética de la generación del 27 y las revistas literarias:*

de la vanguardia al compromiso (1918-1936), Guadarrama, Madrid, 1980.
Guereña, Jacinto Luis, *Miguel Hernández*, Destino, Barcelona, 1978.
Guerrero Zamora, Juan, *Miguel Hernández, poeta*, El Grifón de Plata, Madrid, 1955.
Gullón, Ricardo, «La generación de 1936», en *Asonante*, XV (1959), pp. 64-69.
Ifach, María de Gracia, *Miguel Hernández, rayo que no cesa*, Plaza y Janés, Barcelona, 1975.
—, ed., *Miguel Hernández*, Taurus, Madrid, 1976.
Ínsula, n.º 168 (noviembre de 1960), dedicado a Miguel Hernández.
—, n.os 224-225 (julio-agosto de 1965), dedicado a la generación de 1936.
Lechner, J., *El compromiso en la poesía española del siglo XX. Parte primera. De la generación de 1898 a 1939*, Universidad de Leiden, 1968.
Litoral, n.os 73-75 (1978), dedicado a Miguel Hernández.
Lorenzo, Pedro de, «Una fecha para nuestra generación: 1936», *Juventud* (8 de abril de 1943).
Luis, Leopoldo, «El uso del romance en la poesía de guerra de Miguel Hernández», en *Homenaje a Sánchez Barbudo*, Universidad de Wisconsin, Madison, 1981.
—, y Jorge Urrutia, eds., Miguel Hernández, *El hombre acecha, Cancionero y romancero de ausencias*, Cupsa, Madrid, 1978.
— y —, eds., Miguel Hernández, *El hombre acecha*, Ediciones de la Casona de Tudanca, Santander, 1981, edición facsímil.
— y —, eds., Miguel Hernández, *Obra poética completa*, Alianza, Madrid, 1982.
Martínez Marín, Francisco, *Yo: Miguel* (primera parte), Orospeda, Orihuela, 1972.
Muñoz Garrigós, José, prólogo y comentarios a la reed. de *El Gallo Crisis. Libertad y tiranía*, Orihuela, 1975².
Nichols, Geraldine Cleary, *Miguel Hernández*, Twayne, Boston, 1978.
Pastor Ibáñez, V., M. Rodríguez Maciá y J. Oliva, eds., Miguel Hernández, *Teatro completo*, Ayuso, Madrid, 1978.
Puccini, Darío, *Miguel Hernández. Vita e poesia*, Mursia, Milán, 1966; trad. cast.: *Miguel Hernández. Vida y poesía*, Losada, Buenos Aires, 1970.
Quaderni Ibero-Americani, Turín, n.os 35-36 (1968), dedicado a Miguel Hernández.
Ramos, Vicente, *Literatura alicantina*, Alfaguara, Madrid, 1966.
—, *Miguel Hernández*, Gredos, Madrid, 1973.
Revista de Occidente, n.º 139 (octubre de 1974), dedicado a Miguel Hernández.
Rovira, Juan Carlos, ed., Miguel Hernández, *Romancero y cancionero de ausencias*, Lumen, Barcelona, 1977.
Sáez Fernández, J. A., «La polémica de Ramón Sijé con el grupo sevillano de la revista *Nueva Poesía*», en *Revista del Instituto de Estudios Alicantinos*, n.º 35 (1982), pp. 57-69.
Sánchez Vidal, Agustín, *Miguel Hernández, en la encrucijada*, Edicusa, Madrid, 1976.
—, ed., Miguel Hernández, *Perito en lunas. El rayo que no cesa*, Alhambra, Madrid, 1976.

Sánchez Vidal, Agustín, ed., Miguel Hernández, *Poesías completas*, Aguilar, Madrid, 1979.
—, ed., Luis Buñuel, *Obra literaria*, Heraldo de Aragón, Zaragoza, 1982.
Serís, Homero, «The Spanish generation of 1936», en *Books Abroad*, Norman, Oklahoma, XIX (1945), pp. 338-355.
Symposium, Syracuse, XXII (1968), dedicado a la generación de 1936.
Vivanco, Luis Felipe, «Miguel Hernández, bañando su palabra en corazón», en *Introducción a la poesía española contemporánea*, Guadarrama, Madrid, 1957.
Zardoya, Concha, *Miguel Hernández, vida y obra*, Hispanic Institute, Nueva York, 1955.

JUAN CANO BALLESTA

LA BATALLA EN TORNO A LA POESÍA PURA

La llegada de Neruda a Madrid fue, dentro de las letras de habla española, un encuentro fecundante, un acontecimiento comparable en muchos aspectos a la visita de Rubén Darío cuatro décadas antes. La situación de la escena literaria española era sin embargo muy diversa. El diplomático chileno no tropezaba ahora con la indigencia literaria y el agotamiento espiritual de fines de siglo, sino con un gran florecimiento científico, literario y poético, una intensa vida intelectual y artística. La poesía de Pablo Neruda deslumbró y exasperó en los ambientes literarios madrileños, donde si bien se habían escrito obras de inspiración surrealista y estilo torrencial (recordemos al García Lorca de *Poeta en Nueva York* y a Vicente Aleixandre), el prestigio de los cultivadores de la estrofa y los creadores de «la palabra exacta» y de una poesía donde el elemento del intelecto pesaba mucho todavía, era tan vigoroso como para impresionar y marcar el sendero a seguir y los pasos iniciales a jóvenes poetas como los Panero, Miguel Hernández, Luis Rosales y Luis Felipe Vivanco. La presencia de un elemento corrosivo y de un fermento como el de la *Residencia* de Neruda, enriqueció las posibilidades de creación artísticas aportando un poderoso ingrediente renovador. A su vez Neruda recibió en Madrid la lección de contención que tanto necesitaba su «romanticismo americano» fluvial y volcánico; aprendió a mezclar, según él mismo confiesa en un discurso de 1939, «el misterio con la exactitud, el clasicismo con la pasión», mientras que su triunfo en

Juan Cano Ballesta, *La poesía española entre pureza y revolución (1930-1936)*, Gredos, Madrid, 1972, pp. 201-212.

la metrópoli de la mano de García Lorca, el poeta de mayor popularidad, significó para el chileno una consagración definitiva en ambos continentes. [...]

A cualquiera que lea las cartas de García Lorca de unos años antes, al tratar de temas literarios, le sorprenderá la insistencia verdaderamente obsesiva con que hablaba de «renuncia» como actitud básica de la creación lírica. El gusto que se va imponiendo durante los años de la República lleva precisamente el signo contrario: es un comenzar a desbordarse sin trabas como la naturaleza. Pablo Neruda, que llega a Madrid en febrero de 1935, no hace sino dar un poderoso impulso a estos esfuerzos. Si en su primera visita en 1927 había hallado un ambiente impermeable a sus experimentos renovadores, puede constatar en su segundo viaje en 1934 «una brillante fraternidad de talentos». El poeta hasta ahora incomprendido, se siente, por primera vez en su vida —según él mismo subraya—, reconocido y admirado, y los amigos y críticos de Madrid le descubren la íntima estructura orgánica de su obra y le hacen tomar plena conciencia de su arte. [...]

Neruda traía con su *Residencia en la tierra* lo que muchos jóvenes buscaban impacientes al tomar conciencia de sí mismos y sentirse tan distintos de los que les precedían: una nueva sensibilidad. Era un revolucionario del orden estético. Su impetuosa fuerza primitiva rompe los moldes. El sentimiento poético toma cauce libre y es valorado por encima de la conciencia de estilo. En su primer manifiesto de *Caballo Verde para la Poesía* (octubre de 1935) «Sobre una poesía sin pureza» comienza a exponer un ideario estético que amplía enormemente el material capaz de ser elevado al plano poético proclamando «una poesía impura como un traje, como un cuerpo, con manchas de nutrición y actitudes vergonzosas, con arrugas, observaciones, sueños, vigilias, profecías, declaraciones de amor y de odio, bestias, sacudidas, idilios, creencias políticas, negaciones, dudas, afirmaciones, impuestos». Leyendo *Residencia en la tierra* se puede comprender mejor lo que para Neruda significa la incorporación de todo este material caótico y en descomposición a su mundo lírico. La materia misma, más que sus datos sensoriales, es lo que absorbe su atención, en marcado contraste con un Jorge Guillén embebido en los datos sensoriales del mundo real, que es percibido con placer y acariciado morosamente por los sentidos. [...]

Miguel Hernández como muchos jóvenes de su edad capaces de dar plenitud poética a las formas tradicionales, las hallaban demasiado estrechas y se sentían paralizados por el formidable prestigio y la magistratura de la generación anterior. Pablo Neruda con sus escandalosos manifiestos de «poesía impura» impresiona fuertemente a ciertos poetas jóvenes, que comienzan a publicar en *Caballo Verde para la Poesía* y se van agrupando en torno al cónsul de Chile. El nerviosismo y la alarma de Juan Ramón Jiménez, que denuncia la injusta aunque certera caricatura lírica de *Españoles de tres mundos*, es un testimonio elocuente de que éste veía peligrosamente amenazada su posición de pontífice supremo de las musas. Neruda se convierte en hermano mayor y guía de jóvenes y trata de erigirse en un Antijuanramón.

Este hecho no ha sido suficientemente tenido en cuenta. Luis Rosales lo ha notado y habla de «una conjuración silenciosa» en torno a la batalla que Pablo Neruda dio en Madrid contra la poesía pura. Se le ha ignorado. Pero lo cierto es que, dentro de la inquietud y la efervescencia reinante por aquellos años en Madrid entre concepciones estéticas muy variadas, un gran número de poetas jóvenes con espíritu vanguardista vieron en Pablo Neruda a un posible caudillo en esta polémica. Rosales da testimonio del impacto que produjo este manifiesto de Neruda aparecido en la primera página de *Caballo Verde*: «aquellos que lo vivimos no lo podemos olvidar. El manifiesto de Neruda tuvo un acierto extraordinario; nos confirmó en nuestras creencias a los que entonces éramos jóvenes y nos abrió perspectivas insospechadas. Había que hacer una poesía impura, como un traje, como un cuerpo, con manchas de nutrición y actitudes vergonzosas, con arrugas, observaciones, sueños, vigilia, profecías». [...]

Juan Ramón percibía indudablemente que en torno suyo se iba abriendo el vacío. Cuando la revista *Nueva Poesía*, publicada por Juan Ruiz Peña y Luis Pérez Infante coincidiendo con *Caballo Verde para la Poesía*, o sea en otoño de 1935, aparece con un manifiesto escandaloso, y a la hora de citar a los cinco o seis mejores poetas españoles se olvida de nombrar a Antonio Machado, la crítica madrileña la acomete ferozmente. Resultaba anticuada. El ideario estético por que se regía ya no tenía vigencia en la capital. Se la ataca de cultivar un tipo de poesía a lo Valéry. Pues bien, Juan Ramón Jiménez sale en su defensa. Es el único. Juan Ruiz Peña observa certeramente: «Entre Juan Ramón y Neruda se repartía casi toda la clientela lírica española, mientras tanto don Antonio Machado, diamante solitario, fulguraba en la sombra, presagiando la lírica del porvenir». Miguel Hernández, el poeta más atrevido y revolucionario de su grupo, se convierte precisamente en el admirador y pregonero de la nueva estética representada por Neruda. Lo hace precisamente en una crítica a *Residencia en la tierra*, publicada en los folletones de

El Sol de Madrid. En ella se revela crítico perspicaz que sabe captar aspectos esenciales de la poesía nerudiana y logra tomar el pulso con acierto a los gustos del Madrid de 1935, que fatigado de ciertos abusos de poesía cerebral y purista, palpaba en todas direcciones en busca de un horizonte más aireado. La crítica de Miguel Hernández tiene el mérito de ser aguda diagnosis del momento y clamoroso pregón en favor de una renovación estética.

DÁMASO SANTOS

LUIS ROSALES Y LA «GENERACIÓN DE 1936»

En el último de sus libros, *Un rostro en cada ola*, evoca Luis Rosales su llegada a Madrid: «Creo que llegué a Madrid en el mes de septiembre / y ya entonces me empujaban los huesos a una fonda que era un poco viuda / pues estaba regida por una dama joven llamada Berenguela / que llevaba su señorumbre con una vaga distinción...». Le rezumaba el decirse los más recientes versos del amigo y maestro Federico García Lorca, que en la común Granada le había hecho participar, junto a otros discípulos, con la revista *El Gallo*, en el escándalo vanguardista de la ciudad. A ellos, al maestro y a los condiscípulos, debe, como dirá más tarde, el primer encauzamiento, recto, claro y eficaz de su vocación poética.

Tiene veinte años y ha de proseguir —estamos en 1930—, hasta doctorarse, sus estudios de Filosofía y Letras. Sin faltarle allí tampoco la sombra de Federico, va adquiriendo en la universidad esas amistades de por muerte que han significado tanto en su obra. Primero, Juan Panero y Luis Felipe Vivanco. Visita cada día la poesía de los clásicos. Lee apasionadamente el primer y todavía fresco *Cántico* de Jorge Guillén. [...] Andando la década, ya aparece su nombre en revistas que tratan de proyectar lo más valioso y prometedor del momento: versos y prosas suyas en *Cruz y Raya*, recientemente fundada por José Bergamín, y su filial, *El Gallo Crisis*, que en Orihuela hace Ramón Sijé. Firma junto a otros

Dámaso Santos, «Luis Rosales y sus cincuenta años seguidos de creación poética», en *Anthropos*, n.º 25, extraordinario 3 (1983), pp. 39-41.

jóvenes que, con los mencionados primeros amigos, han de ser figuras esenciales de una nueva promoción poética: el otro y tan entrañable Panero, Leopoldo; Miguel Hernández, José Antonio Muñoz Rojas, Arturo Serrano Plaja.

Pierde en aquel momento —como señala Dámaso Alonso— su univocidad de partida la promoción de lo que luego más tarde hemos llamado la generación del 27, de la que todos los nuevos que más briosamente apuntan se sienten fervientes seguidores. Guillén y Salinas prosiguen, por un lado, la mental estilización de sus expresiones. Por otro —aunque no osara mucho decir su nombre— el surrealismo arrebata a Lorca. Alberti y Aleixandre, que, como precisa Alonso, «han entrado en un mundo de formas irracionales y misteriosas y de asociaciones establecidas a través de las zonas más profundas —y casi siempre más sombrías— de la vida psíquica». Ni va a seguir Luis Rosales la abstracción que tanto le incita y adiestra de los primeros, ni la tan cercana y contagiosa aventura de los segundos. Se está volcando al arranque de su fiebre creadora en dar a la imagen y a la aprendida movilidad de las asociaciones expresivas un calor humano, una patencia referencial —la musa de carne y hueso, que decía Rubén Darío— evidentes. Dentro de un orden, aun usando también el metro libre, la disciplina de las formas tradicionales y una renovadora emulación de los clásicos. Y en 1935 publica el libro del cual han volado ya por las revistas y las copias algunos poemas: *Abril*.

La primaveral irrupción es advertida, además de como un regalo para la fruición más exigente, como una bandera alzada, un gesto capitán de neoclasicismo que va a notarse en seguida como una tónica general, humanista y humanizadora, de los que empiezan a dibujarse como continuadores de esa generación del 27 para la que se están pintando ya glorias de un nuevo Siglo de Oro. A la aparición en el año siguiente de un libro de Luis Felipe Vivanco, *Cantos de primavera*, que está dedicado a Rosales, aparece en *El Sol* un artículo firmado por Salas Viú que dice: «Fue Luis Rosales, que es quien capitaneaba este grupo de poetas a los que me he de referir, uno de los primeros valores jóvenes que primero sintió de manera irresistible la necesidad de encerrar en moldes duros una poesía que se expandía demasiado, como gas libre en el verso suelto ...». El artículo se titulaba «Renacimiento del soneto. Rosales y Vivanco». Es en este clima donde nace el «garcilasismo» que se ha de prolongar en la posguerra, no de ella nacido, en el año del centenario de Garcilaso cuya exaltación está en el ambiente. Los versos de Alberti, «Si Garcilaso volviera / yo sería su escudero»; la biografía lírica que en 1935 también publica Manuel Altolaguirre; el poema de Miguel Hernández que Ortega selecciona para *Revista de Occidente*, «Un claro caballero de rocío ...», *La voz a ti debida*, el libro de amor de Pedro Salinas cuyo título es un verso de Garcilaso... El nombre de Garcilaso va a representar la voluntad de proseguir en los repertorios renacentistas lo mismo que en 1927 el de Góngora significó el ejemplo barroco de la complejidad y primordialidad artística del poema.

Abril es un libro de amor en cuyo tratamiento está presente la sensualidad de los poetas arabigoandaluces y una religiosidad tan encendida como lo fuera la de aquel gran amador que fue Lope de Vega. Seguirá renovadoramente aquella manera de sublimar estéticamente los sentires: «Son tus ojos, cargados de palomas, como estanques sembrados de luna; / como brisa triste de color persuasivo duermen bajo la frente su plenitud de hoja». Sería muy entretenido seguir durante más de veinte años en nuestra lírica el camino de una nueva sonetería que inauguran sonetos como este de *Abril* que empieza así: «Con un temblor de nieve en la dulzura / de la sombra morena y sonrosada / en tu pálida carne lastimada / ceñida esta luz por la blancura».

En su Orihuela, o en el mismo Madrid, Miguel Hernández copia en un cuaderno de versos preferidos poemas de *Abril* junto a sus selecciones de *Cántico*. No sólo el de Vivanco antes mencionado, sino otros libros seguirán o acompañarán el garcilasismo, el neoclasicismo estético y a la vez rehumanizador de Rosales. El propio Hernández, que tiene un libro anterior, de delicioso juego gongorino, *Perito en lunas*, publica en 1936 el amoroso y elegíaco *El rayo que no cesa*; en el mismo año, *Sonetos amorosos* de Germán Bleiberg; *Misteriosa presencia* de Juan Gil-Albert; *Cantos del ofrecimiento* de Juan Panero; *Plural*, y su *Fábula de la doncella y el río*, más tarde *El bosque arrancado*, de Dionisio Ridruejo. Por delante, en 1934, Ildefonso Manuel Gil con *La voz cálida*. En su ya necesaria *Introducción a la poesía española contemporánea*, libro de 1957, escribe sobre *Abril* Luis Felipe Vivanco: «Se trata de un libro de integración en el que terminan de una manera radical los planteamientos vanguardistas anteriores y en el que se adopta una nueva actitud ante la poesía y ante la vida ... Si en algún momento la imagen ha tenido más importancia que la palabra, ahora va a suceder lo contrario y la palabra va a ser más importante que la imagen». [...]

Van a madurar, crecer y ser marcados precisamente en este año todos los que hemos dicho y algunos más. (Aparte de los prosistas, que muchos son también poetas.) Un cierto número, muy cercanos en edad a los del 27. Otros, a los de las nuevas promociones de posguerra. Todos han cabalgado alguna hora el corcel de la vanguardia. Todos se han sentido en el momento de partir discípulos de los abrumadoramente grandes del 27. Pero todos han comprendido más adelante, como ha dicho Rosales, que «independientemente del mundo maravilloso de calidad a que habían llegado los del 27, existía el trasmundo estético del más allá y, sobre todo, de lo humano. Este retorno a lo humano que tanto ha preocupado a nuestra generación y que, posiblemente, es nuestro rasgo coordinador y definidor».

Hay una cifra puñalera que marca la primera generación del renacimiento literario español después del Siglo de Oro, que es la del 98; la marca de la fecha de la liquidación del imperio colonial. Otra, 1914, el comienzo de una guerra mundial en que nosotros no participamos y que es de la generación del europeísmo; 1927 da el cenit estático en la conmemoración del centenario de Góngora y con 27 se quedó, fallidos los intentos que la hacen coincidir con la dictadura primorriverista en el 25, y en el 31 con la proclamación de la Segunda República. Muchas gravideces históricas —políticas, religiosas, morales, sociales y estéticas— han motivado fuertemente ese camino distinto de los poetas que empiezan a publicar con más o menos notoriedad en la segunda mitad de los años treinta —algunos incluso antes— como Pedro García Cabrera, Emeterio Gutiérrez Albelo, Agustín de Foxá, José María Alfaro, Juan Gil-Albert, Enrique Azcoaga, Victoriano Cremer, Gabriel Celaya, Carmen Conde, Díaz-Plaja, Muelas, Pla y Beltrán... Pero la fecha, los acontecimientos que los marcan han de tener, en principio, unas connotaciones negativas para su desarrollo e implantación. La generación de 1936 será adjetivada como *escindida*, *astillada*, *quemada*, *destruida* en cierto modo en un sentido semejante al que entendemos de la generación de narradores norteamericanos a la que Gertrudis Stein llamó *perdida.*

Efectivamente la contienda les halló, o les puso, a unos frente a otros. Una parte de los que formaban en la revista católica de Bergamín estuvieron del lado republicano y se agruparon con otros en la revista *Hora de España* y publicaciones más políticamente en punta; otros, por el contrario, Rosales entre ellos, fueron en la guerra redactores de la revista *Jerarquía* de Pamplona —Rosales, Vivanco y Ridruejo, acompañados de los prosistas Laín Entralgo, Torrente Ballester, Ángel María Pascual, congéneres— para proseguir después de la contienda en *Escorial.* Pero la escisión no es solamente, o por el contrario, por la división política, sino íntima, o como habría dicho Bergamín, crucificada. «El alzamiento —dice Rosales— me pilló en Granada, y hasta que me llamó Dionisio a Pamplona, estuve prestando servicio militar en el frente. No hay que decir que el hecho más estremecedor fue la muerte de Federico, que me hizo tomar conciencia radical de mi situación ...»

Algunos, como Arturo Serrano Plaja, al igual que buena parte de los del 27, salieron de España, aunque la mayoría permanecieron en ella con todas sus consecuencias. «Soy —ha dicho en 1968 Ildefonso Manuel Gil— un escritor de la generación más terriblemente marcada por la guerra civil, la que más ha sentido en su propio destino el problema español; para nosotros ese problema no ha sido sólo materia de pensamiento, preocupación intelectual y sentimental, sino cárcel, persecución, en casos muy dolorosos, muerte.» Y añade en la misma declaración: «Cuando, por ejemplo, nuestra poesía se ahondó en memoria de la infancia, en exaltación de la vida familiar, apuntábamos a los únicos valores que habían quedado en pie. En vez de aplicar la duda metódica aplicábamos la fe metódica: creer y hacer creer en unos valores básicos sobre los que podría hacerse más tarde, paso a paso, la reconstrucción de un español aniquilado por la vergüenza, no descerebrado por la propaganda oficial. Creo que casi todos los escritores de la generación de 1936 estamos decididos a escribir cara a la verdad, fuera del odio y dentro de la justicia. La guerra civil, como tema de nuestros escritos, apenas ha empezado su camino».

J. LECHNER

CARACTERÍSTICAS DE LA POESÍA COMPROMETIDA DE LA PREGUERRA

No obstante algunos casos aislados —Machado a partir de *Campos de Castilla*, libro en que trabajaba ya en el año 1910, Bacarisse en una parte de su libro de 1917, León Felipe en algún verso suelto y algún que otro poema de sus libros de 1920 y 1929, y Unamuno de una manera muy particular y personal durante su destierro—, que

J. Lechner, *El compromiso en la poesía española del siglo XX. Parte primera. De la generación de 1898 a 1939*, Universidad de Leiden, 1968, pp. 120-138 (120-137).

preceden cronológicamente la fecha de composición de la mayor parte de los libros de poesía comprometida de la literatura española contemporánea, la toma de conciencia de los poetas frente a los problemas de la sociedad en que vivían y su consiguiente responsabilización en los terrenos artístico y cívico, se sitúan en la poco más de media década que va de los años 1930 a 1936 aproximadamente. En esto, la poesía española no se aparta de la literatura de ciertos países europeos durante el mismo período, con excepción de Rusia, Italia y Alemania donde, a partir de 1917, 1922 y 1933 respectivamente, esta toma de conciencia y esta responsabilización sólo podían manifestarse, tanto en la literatura como en las otras facetas de la vida social, de modo clandestino o según normas establecidas por los mandarines del partido único. [...] En España parece que las ideas de los partidos de izquierda influyeron menos —apenas hubo poetas que militaban en un partido— que los resultados visibles de la incapacidad de gobernar y de implantar un orden social equitativo y digno por parte de los sucesivos gobiernos, así como las ideas reaccionarias y la inercia espiritual de la Iglesia y la burguesía capitalista. [Lo que de las obras escritas desde 1930 se publicó, fue bien poco: una veintena de poemas de Alberti, un poema y una declaración de Cernuda en *Octubre*, el libro de José María Morón y, a una distancia de tres meses escasos de la guerra civil, *Candente horror* de Gil-Albert, más un puñado de poemas en *Octubre*. Si todos reaccionaron en sentido crítico frente a la sociedad de su tiempo y en particular a la española, la filiación de estos poetas a partidos políticos es casi nula, y en general tampoco actuaron, ni en la vida cívica ni en su poesía, con arreglo a líneas directrices o normas claramente representativas de un partido determinado.] Todos estos poetas procedían de la burguesía. Machado, de la de las profesiones liberales, de convicciones republicanas; Bacarisse igual, de una familia en que la tónica general era de ideas liberales; Alberti y Lorca de la de los terratenientes; Cernuda de la que integraba el grueso del cuerpo de oficiales al ejército; Gil-Albert de la acomodada burguesía mercantil.

[Sólo durante los años 1936-1939 y después de esta última fecha irán presentándose cada vez más poetas procedentes de capas más humildes. No resulta fácil contestar a la pregunta de si estos poetas escribieron para una capa social determinada, es decir: para un público determinado, cuál era y cómo ellos mismos se lo imaginaban. Las obras mismas proporcionan una base para tratar de averiguar cómo se imaginaban los poetas a su círculo de lectores.] *Poeta en Nueva York*, aunque es cierto que expresa las preocupaciones de García Lorca por los humildes, resulta evidente que no iba dirigido a ellos. Los que sí parecen haber querido hablar directamente al pueblo, son el Alberti de *El poeta en la calle* y *De un momento a otro* —el mismo que dirigía *Octubre*—, libros que, como se recordará, salieron a la luz en plena guerra civil, y el Prados de *Calendario incompleto del pan y del pescado*, y, naturalmente, los poetas que colaboraron en la revista de Alberti. Esta voluntad se echa de ver en el uso frecuente de formas poéticas populares, de un vocabulario sencillo y de frecuentes apóstrofes, preguntas e incitaciones dirigidas al lector; la sintaxis —eje de los problemas de «oscuridad» en poesía— suele ser poco complicada. Estos dos poetas han sabido evitar, según nos parece, los peligros que amenazan a los que quieren llevar la cultura al pueblo: el paternalismo y la incapacidad de pensar, escribir y expresarse en términos del pueblo. Comoquiera que sea, los libros fueron a parar sin duda alguna —en la medida en que se publicaron antes de 1936 y exceptuando *Octubre*— a manos de lo que Escarpit llama «le circuit lettré»; sólo *Octubre* (y la revista *Nueva Cultura*) habrán encontrado un cierto número de lectores en el «circuit populaire».

En cuanto al tipo de compromiso que se hace patente en esta poesía, cabe observar que pocos poetas han querido utilizar la crítica de la sociedad que se ventila en ella, como instrumento o arma para transformar esta misma sociedad: la mayor parte de los poetas se limitaban a registrar la desazón que les producían las situaciones y condiciones de vida moralmente insoportables, dando expresión a dicho malestar mediante sus versos. [Por lo común, esta poesía es denunciatoria, sugiere deberes morales y una posible solución de los problemas mediante una actitud humanitaria. Sólo en contadas ocasiones es combativa, incentiva y persigue fines subversivos, como en el caso de Alberti y en algunos poemas de *Calendario incompleto del pan y del pescado* de Emilio Prados y en *Octubre*, y aun así hay diferencias bastante marcadas.] De ironía, ni asomo; algún que otro sarcasmo sañudo sí, pero no hay esa contención, esa disciplina mental, esa distancia respecto al objeto criticado y la fría lucidez que se observa en los autores extranjeros; en general, el rasgo falta igualmente en la poesía española de la guerra civil y de la posguerra. Lo que sí hay en la poesía comprometida española hasta 1936 es indignación; el sentimiento desempeña en ella el papel principal y casi exclusivo, y concretamente un sentimiento de fraternidad frente a todos los hombres, que surge de la convicción de que «nadie es más que nadie» y de que los hombres se miden por su personalidad humana, no por el puesto que ocupan en el escalafón social.

La llamada poesía «social» francesa de principios de siglo cantó, en su mayor parte, el mundo de la técnica moderna —la fábrica, la máquina, los trenes, autobuses, etcétera— y el bullicio de las grandes aglomeraciones urbanas. [En la poesía comprometida de España ocupa un puesto central el campesino, situado en su natural ambiente del campo, de la tierra que cultiva. Se describe al campesino en su autenticidad histórica, tanto en lo espiritual como en lo que a su mundo material se refiere. No es aventurado afirmar que si la lectura de la obra galdosiana es esencial para el conocimiento de la sociedad del siglo XIX español, la poesía comprometida de la España del siglo XX nos da, mejor que la novela o el teatro, una idea de lo que pasaba en el campo. La actitud de los poetas comprometidos no puede explicarse diciendo que el campo siempre ha desempeñado un papel importante en la literatura española, porque es una verdad a medias.] Ni tampoco creemos que la preponderancia del campo, de la tierra, del paisaje en general, en la literatura española pueda explicarse como resultado de una particular predisposición metafísica del español: el hombre español ha crecido y vivido siempre en un país de estructura predominantemente agreste a agraria; el campo constituye, en mayor medida que en otras latitudes de Europa occidental, su más natural medio ambiente.

De los poetas estudiados aquí, sólo en Bacarisse predomina el aspecto urbano de la sociedad; en Gil-Albert (*Candente horror*) no hay localización determinada: a veces asoman características de la ciudad en alguna que otra imagen; otras, igualmente pocas, del campo. En Morón, que enfoca uno de los primeros núcleos industriales que hubo en el siglo XIX, la cuenca minera de Riotinto, la tierra, como base y fuerza primaria de la que vive el hombre, está presente en todos los poemas. El primer número de la revista *Octubre* ostenta en su portada, como se recordará, la foto de una campesina pobre con su hijo; el texto que la acompaña reza: «Así son las mujeres de los campesinos de España que luchan y sufren por la posesión de la tierra»; en la revista había tres poemas de ambiente rural (dos de Prados y uno de «Darin») frente a uno dedicado al mundo industrial (de Fonseca), los demás no tienen localización particular.

Excusado es decir que la obra de estos poetas no escapa a la descristianización, patente ya en la mayor parte de la poesía española de este siglo. Por lo demás, falta el compromiso católico en la poesía española de este período, la crítica de la sociedad y la solidaridad con los desposeídos a partir de la enseñanza de Jesucristo. [Sólo con Rosales, Vivanco, Leopoldo Panero y Valverde —los dos últimos, después de la guerra civil— volverá a encontrarse una poesía en que desempeña un papel fundamental la fe, pero en la que falta el compromiso. Tampoco los acontecimientos contemporáneos provocaron, por lo general, grandes repercusiones en la poesía contemporánea.]

Todo cambio profundo que se opera en el seno de una sociedad determinada suele ir acompañado de una reforma del lenguaje vigente hasta entonces, o para citar las palabras de George Gusdorf: «Toute révolution spirituelle ou intellectuelle exige une transformation préalable du langage établi». Creemos que, aunque la palabra «revolución» no resulta adecuada para describir los resultados que produjo en el panorama de las letras españolas de este siglo el nacimiento de la poesía comprometida, sí supone todo ello un profundo cambio. Cabe preguntarse, pues, si efectivamente se operó un cambio notable en cuanto al lenguaje de que solía servirse la poesía española hasta que empezaron a publicar los poetas comprometidos. La pregunta parece tanto más lícita cuanto que tal cambio se produjo efectivamente en la poesía de fuera de España y consistía particularmente en la introducción del lenguaje coloquial en esta zona de la literatura, en que antes parecía vedado. [...] Desde luego resulta difícil establecer rigurosamente la diferencia entre fórmulas coloquiales por un lado, y lenguaje sencillo, desprovisto de cultismos, que se ciñe a las palabras y formas sintácticas de más frecuencia, por el otro. Por «prosismos sintácticos» entiende Amado Alonso aquellas fórmulas pesadas, sin contenido propio, como, por ejemplo, las conjunciones y las que pertenecen a las figuras fijas del lenguaje conversacional —giros, modismos, etcétera— o que visan una exposición lógico-discursiva. Estos prosismos sintácticos —tentativa consciente de «prosificación» del lenguaje poético, de despoetización de ciertos temas para hacerlos resaltar más o para guardar distancia hacia lo que se describe y evitar, de este modo, que el lector se dé cuenta de la carga emocional que lleva la composición—, estos prosismos, repetimos, se encuentran efectivamente en la obra de uno de los poetas que hemos estudiado: Alberti. Pero no figuran en *El poeta en la calle* o en *De un momento a otro*, sino en los cuatro libros anteriores (*Sobre los ángeles*, *Sermones y moradas*, *Yo era un tonto* y *Elegía cívica*). Los prosismos sintácticos, ausentes, que sepamos, de la poesía española anterior, que hacen su aparición en la obra de Alberti por las mismas fechas en que éste toma contacto con la obra de Neruda —1929—, ceden el terreno, en sus dos libros comprometidos, a un lenguaje sencillo, corriente y desprovisto de cultismos. Los prosismos sintácticos tampoco se encuentran en los demás poetas comprometidos de esta época: por lo tanto, un estilo narrativo no tiene forzosamente como consecuencia, en esta poesía, el uso de coloquialismos.

[En cuanto a la versificación, hay predominio de poesía formal en Bacarisse, Prados y Morón]; poesía formal y verso libre en Alberti (en *Poeta en la calle*: 11 poemas formales, 5 en verso libre; en *De un momento a otro*: 13 formales, 19 de verso libre). Predomina el verso libre en *Octubre* (13 composiciones, contra 6 formales) y en Gil-Albert. La tipografía y la puntuación, que revolucionaron en España los ultraístas, siguiendo el ejemplo de los *Calligrammes* de Apollinaire (1918) —que ya en *Alcools* había suprimido la puntuación y conservado sólo las mayúsculas al principio del verso—, en la poesía comprometida es convencional. En total, hemos encontrado dos o tres ejemplos de poemas sin puntuación (entre ellos, «Vientres sentados», de Cernuda, que apareció en *Octubre*).

DARÍO PUCCINI

LA «CONVERSIÓN SOCIAL» DE MIGUEL HERNÁNDEZ

La «conversión» al mundo colectivo, a la poética social y de resistencia, tiene lugar y se manifiesta en Hernández, al igual que en Neruda, como anhelo de liberarse de los viejos mitos de la religión y de la metafísica, del oscuro túnel de la desesperación individual, y —sobre todo en el poeta chileno— de la informe y tenebrosa zona de los sueños. Tanto la poesía que indica el momento de la «conversión» de Neruda («Reunión bajo las nuevas banderas»), como la —presumiblemente anterior a la guerra— que abre una nueva visión

Darío Puccini, *Miguel Hernández. Vita e poesia*, Mursia, Milán, 1966; trad. cast.: *Miguel Hernández. Vida y poesía*, Losada, Buenos Aires, 1970, pp. 62-71 (62-66, 68, 71).

de Hernández («Sonreídme»), se dirigen a un *vosotros* numeroso, colectivo, y proceden bajo la enseña de una fórmula optimista. [...]

En Hernández, más que en Neruda, la ruptura apóstata con el pasado se manifestará en un verdadero ímpetu de regocijo y optimismo, desconocido para él quizás hasta entonces (como puede verse en «Juramento de la alegría»): «Salí de llanto, me encontré en España, / en una plaza de hombres de fuego imperativo. / Supe que la tristeza corrompe, enturbia, daña... / Me alegré seriamente lo mismo que el olivo». Por añadidura, dar su adhesión a los principios socialistas fue para Hernández dar una salida natural a sus orígenes campesinos, a la vez que un lógico desarrollo a sus convicciones de intelectual y un espontáneo logro a algunas de sus peculiaridades poéticas.

Pero detengámonos en el momento en que Hernández experimenta la influencia de Aleixandre y Neruda. En tanto que en Neruda el telurismo tenía un concreto equivalente en su «vocación materialista» y en su fundado whitmanismo; y en tanto que en Aleixandre el sentido cósmico tenía sus razones vitales en la naturaleza visionaria de su fantasía lírica; en Hernández los mismos fermentos neorrománticos actuaron especialmente, por no decir exclusivamente, como fuerzas de ruptura y liberación de los esquemas y cánones poéticos dentro de los cuales ya se habían manifestado su bucólico panteísmo y sus figuraciones cósmicas. Se explica que la influencia directa y más manifiesta de Neruda o Aleixandre se concentre en un grupo muy restringido de composiciones en versos libres y en un breve período de la obra hernandiana, sin modificar jamás su original esqueleto. El «arte menor» (en la acepción incluso técnica de la palabra: o sea, poesía en verso menor), momentáneamente despreciado y combatido, no tardará en reaparecer en la página de Hernández.

Entre las poesías que quedaron fuera de *El rayo* (y de los libros sucesivos), y compuestas en 1936, las más próximas a una línea surrealista, o más impregnadas del hermetismo barroco de uno u otro de aquellos dos poetas, son: «Vecino de la muerte, el ahogado del Tajo», dedicada al poeta romántico Gustavo Adolfo Bécquer; «Oda entre arena y piedra a Vicente Aleixandre», «Oda entre sangre y vino a Pablo Neruda», «Relación que dedico a mi amiga Delia» (vale decir, a Delia del Carril, esposa de Neruda); y la ya citada «Sonreídme». Naturalmente, como para hacer más elocuente su homenaje, Hernández realiza el mayor esfuerzo mimético con respecto al modo de sentir y expresar de Aleixandre y Neruda en las odas que les dedica a ellos: ora haciendo eco al ilimitado sentido del mar del primero, e imitando sus imágenes llevadas hasta el espasmo; ora zambulléndose en el mundo sensual del segundo, y repitiendo su tumultuoso y turbulento desfile metafórico, y su manera interjectiva y convulsa. [...]

Ninguna composición del referido grupo puede considerarse poéticamente lograda; y mucho menos «Vecino de la muerte» y «Sonreídme». Sin embargo, estas poesías son las más interesantes: la primera —con su hórrida y descompuesta visión de los cementerios— porque nos hace comprender la fascinación que ejercitaban en el lacerado fatalismo de Hernández el tremendismo y la «visión desintegrada» del poeta de la primera y segunda *Residencia* (nótese el simbolismo nerudiano de las «herencias de notarios»); la segunda, «Sonreídme», por las razones totalmente diferentes de las que ya hemos hablado.

En cambio, en las otras poesías esparcidas del mismo período, Hernández sigue cavando inflexible y violentamente en su corazón, en su angustia existencial, en su individualidad «universal»: siempre vigilante en su definida línea quevediana y, además, enriquecido con nuevas inquietudes lingüísticas y formales. Si hemos de decir la verdad, no es así en la elegía que dedica a la desdichada novia de Sijé («panadera de espigas y de flores»), donde se prolonga el tierno dolor por la muerte del amigo: pues esta poesía es, estilísticamente, una cola del *Rayo.* En cambio, es sin más así en «Mi sangre es un camino», donde la imagen de la sangre que corre —y había sido sangre verdadera, verdaderamente brotada de una herida que Hernández se produjo al zambullirse en el río de Orihuela (Guerrero Zamora [1955])— se desenvuelve con un difuso y tocante vigor; y así también, especialmente, en el estupendo y tan amargo «Sino sangriento», donde retorna el tema de la sangre ancestral, que se va haciendo persona, bestia, furor, destino, río, mar, «viento y nada»; y es así en la poesía «Me sobra el corazón», donde la pena, que hasta despierta la idea del suicidio, se consuma como en sí misma, en un compacto gesto de estoicismo; y es así, por fin, en la delicada y desolada evocación de Garcilaso (una «Égloga» de tono garcilasiano), en la que manifiesta otros motivos de aguda y compuesta melancolía.

[«Sino sangriento»] y «Me sobra el corazón», con su proceder lírico ondulatorio o interrumpido pero siempre intenso, con su robusta nervadura paratáctica, con su seco vigor lexical, dirigidos a expresar una angustia autobiográfica cada vez más genuina, ya aluden a una mediación entre el discurso alegórico (objetivo) de los clásicos frecuentados por Hernández (Garcilaso, Góngora y, cada vez más, Lope y Quevedo) y la dilatación metafórica (subjetiva) de sus nuevos y momentáneos maestros (Aleixandre y Neruda). Además, también anuncian concretamente —una vez consumada y asimilada la experiencia de la poesía «de masa»— la postrera fase de la lírica hernandiana. [...]

La misma potencia lírica —transfiguración, síntesis y canto— que encontramos en el *Romancero gitano* de García Lorca y en el teatro lorquiano. Es ésta una comparación no casual, pues Miguel se sentía fuertemente atraído en aquellos años por el teatro poético de García Lorca; a quien pedía que leyera sus propias obras dramáticas y a quien seguía atentamente en cada una de sus afortunadas presentaciones escénicas.

Sin embargo, lo que más importa aquí subrayar es que en *El labrador de más aire*, a través de García Lorca y del particular intento lorquiano de restaurar el teatro del Siglo de Oro, Miguel logra la concisión expresiva y la pureza de lenguaje que parecía haber perdido en su transitoria pero no vana aventura en el intuitivo e imaginoso mundo surrealista; y que en el metro del romance, aun antes de dar su contribución al *Romancero de la guerra civil*, aflora, más segura y funcional, su nativa veta popular. (Sea dicho de paso, es en *El labrador* donde reaparecen aquellas metáforas populares lexicalizadas que serán una de las características de *Viento del pueblo*: por ejemplo, «mi pan lo gano con el sudor de mi frente» o «tu boca de carne y hueso».) En resumen: «en este drama Hernández rehúye toda metáfora rebuscada, todo virtuosismo neogongorino —todavía aparente en su auto—, todo conceptismo calderoniano. Siente la profunda atracción del romance, fresco y sencillo, del metaforismo popular, directo como el agua o el rayo. Se aleja de lo barroco para ganar sobriedad y realismo» (Zardoya [1955]).

AGUSTÍN SÁNCHEZ VIDAL

EL RAYO QUE NO CESA: LA «ELEGÍA» A RAMÓN SIJÉ

La «Elegía» es un poema aparte dentro de *El rayo que no cesa* por varios conceptos: junto con el «Soneto final» es el único que lleva título, y aunque ambos sean un tanto genéricos, en la primera edición el de la «Elegía» ocupaba una hoja en blanco que lo aislaba del resto, subrayando su estatuto de pieza independiente; con los poemas 1 («Un carnívoro cuchillo») y 15 («Me llamo barro») comparte su discrepancia métrica respecto a la tónica del poemario, marcada por un soneto de corte marcadamente quevedesco; finalmente, rompe el carácter amoroso del conjunto e incluso la dedicatoria del libro en que se inscribe («a ti sola, en cumplimiento de una promesa que habrás olvidado como si fuera tuya»). No obstante, cumple una función estructuradora dentro de *El rayo que no cesa*, ya que los tres poemas que no son sonetos constituyen los ejes de simetría de las treinta composiciones que lo integran: «Un carnívoro cuchillo» (n.º 1) + catorce sonetos + «Me llamo barro» (n.º 15) + catorce sonetos + «Elegía» (n.º 29) + «Soneto final». Y, lo que es más importante, se le encomienda una labor de síntesis que por un lado hace converger las líneas de fuerza sobre las que se ha movido el poeta hasta ese momento y, por otro, esboza las que sustentarán su cosmovisión definitiva.

Sijé murió en la Nochebuena de 1935, y Miguel se enteró a través de Vicente Aleixandre quien, a su vez, había leído la noticia en un periódico. La «Elegía» lleva fecha de 10 de enero de 1936 y se publicó en la *Revista de Occidente* de diciembre de 1935, entrega que apareció, con toda probabilidad, en la segunda mitad de enero de 1936. De modo que no cabe duda respecto a su carácter externo y posterior a *El rayo que no cesa*. Y, sin embargo, guarda una estrecha relación con ese libro. En esto, como en otras cosas, la «Elegía» denota fuertes contradicciones. Su base biográfica descansa en una promesa recíproca establecida como un pacto

El presente texto, redactado especialmente para *HCLE* y por indicación del responsable de este volumen, resume un capítulo de la tesis doctoral del autor, leída en la Universidad de Zaragoza en junio de 1974.

entre Sijé y Hernández: según el testimonio del hermano del poeta, Vicente: «Miguel y Sijé se habían jurado, inclusive, que si uno de ellos llegaba a morir, el otro debería cavar la tumba del amigo desaparecido ... Cuando llegó, Sijé ya había sido enterrado. Miguel, furioso, pretendió desenterrar a su amigo y cavarle una nueva sepultura. Nos costó muchísimo disuadirlo de cumplir su proyecto».

Miguel Hernández había venido componiendo elegías tomando como punto de partida muertes lejanas, imaginarias o metafóricas desde su época panocha («Al verla muerta»), pregongorina («Elegía media del toro», «ELEGÍA — al guardameta» y «Elegía a Gabriel Miró»), la zona de influencia de *Perito en lunas* («Funerario y cementerio», «Elegía al gallo», «Citación final») y dos plantos dramatizados en su teatro, el de la pastora por el pastor en el auto sacramental *Quién te ha visto y quién te ve y sombra de lo que eras* y el del pastor por Retama en *Los hijos de la piedra.* Ahora bien, se trataba de meros ensayos retóricos en los que la muerte aparecía como temática puramente libresca, al igual que el amor. El fatalismo que se deriva del tratamiento concedido al asunto amoroso en *El rayo que no cesa* y la muerte real de Sijé cargaron de intensidad un molde elegíaco hasta entonces vacío de sustancia vital y establecieron una inseparable relación emotiva entre los sonetos amorosos y el poema dedicado a su compañero del alma. La «Elegía» conecta, por tanto, la *pena* hernandiana (fruto de un amor no consumado) con la muerte (de una vida tampoco consumada) y provoca la tensión necesaria para que el mundo poético hernandiano se vea forzado a crecer en una dirección capaz de integrar y resolver por los cauces del panteísmo la inexorable presencia de Tánatos.

De esa consideración de los tres elementos centrales de su cosmovisión (vida, amor y muerte) surgen ensayos todavía en agraz en los que el género fúnebre se mezcla con el pastiche-homenaje en su «Égloga a Garcilaso», «El ahogado del Tajo» en honor de Bécquer y el «Epitafio desmesurado a un poeta» dedicado a Julio Herrera y Reissig. Madura con el telón de fondo de la guerra civil en la «Elegía primera» a García Lorca y la «Elegía segunda» a Pablo de la Torriente, ambas incluidas en *Viento del pueblo.* Volvió a dramatizarlo en *El labrador de más aire,* por boca de Encarnación, en cuyos brazos descansa el cadáver de Juan, asesinado por Alonso. Pero logra su plenitud, con diferencia, en el *Cancionero y romancero de ausencias,* que constituye, en buena medida, una vasta (aunque fragmentaria) elegía desgranada en intensos apuntes al filo de la muerte de su primer hijo.

Hasta las navidades de 1935-1936 Miguel Hernández había ensayado su *meditatio mortis* en frío, afinando su pirotecnia metafórica en contacto con muertes ajenas a él o procesos de transformación a mayor gloria de la naturaleza y sus simbolismos religiosos: el gusano de seda enterrado en su capullo, la flor de azahar caída en beneficio del limón, el racimo de uva convertido en mosto y destinado a reposar bajo tierra en la bodega, etcétera. La «Elegía» se convirtió, en ese contexto, en dovela clausuradora de un arco desplegado sobre las tres «heridas» de que brota su poesía: «Con tres heridas yo: / la de la vida, / la de la muerte, / la del amor».

Pero esa cosmovisión se estaba forjando sobre supuestos que le apartaban de Sijé, sobre todo el desatado neorromanticismo de Neruda y Aleixandre. Tal conflicto se traslada a la «Elegía», repercutiendo en sus contradicciones y agudizando los rastros de retoricismo que en ella se detectan. Estas limitaciones están más acentuadas en la elegía a la panadera, dedicada a la novia de Sijé, Josefina Fenoll, que no pasa de ser una caricatura. En la de su amigo esos defectos incluso potencian un desajuste del lenguaje por entre cuyos resquicios aflora el sentimiento, fermento que falta, a todas luces, en la elegía a la panadera, ejemplo perfecto del retoricismo de sus anteriores composiciones.

Las contradicciones apuntadas dotan a la «Elegía» dedicada a Sijé de una fuerte tensión que la recorre de punta a punta, y cuyos polos esbozó Hernández en los dos textos en prosa evocadores de su amigo, publicados en *El Sol* y *La Verdad*. En ellos insiste en «las violentas tempestades que se organizaron de continuo entre su corazón y su cerebro» (de Sijé) y en «la tremenda pelea inacabable de sus pensamientos y sus sentimientos». También confiesa: «Tengo escrita una carta en contestación a una suya reciente que le enviaré hoy o mañana a nuestro pueblo. Tengo el presentimiento de que me escribirá otra, como siempre». Y concluye, en paralelismo con los cinco últimos tercetos de la «Elegía»: «Venía a mi huerto cada tarde de marzo, abril, mayo, junio..., andaba entre los romeros con prisa de pájaro, hablaba con atropello y su voz iluminaba más que los limones del limonero, a cuya sombra y azahar platicábamos».

Pues bien, la «Elegía» viene a ser la aludida carta al amigo para recordarle la promesa de enterrarlo por su propia mano tras haberlo desenterrado previamente. De ahí la aparente contradicción que le lleva en un primer momento a dar por alimento su corazón a las desalentadas amapolas para, en una segunda instancia, desamordazarlo y regresarlo y, en una tercera, convocarlo a través de la savia y flores del almendro.

Por otro lado, el conflicto entre el corazón y el cerebro de Sijé al que Hernández atribuye su muerte produce, como reflejo traspositivo del mismo, la lucha entre dos iconografías básicas: la blanca, espiritual y «apolínea» del almendro (reforzada, entre otras circunstancias, por la aliteración *alma*-*alm*endro), y la roja, sangrienta y dionisíaca de la amapola, que procede de Neruda. Si la primera lleva hasta la calavera como reducto del pensamiento, la segunda conduce hasta el corazón en su calidad de sede del sentimiento. Y, lo que es más conflictivo para el poeta, ha de liquidar su cosmovisión de fuertes connotaciones católicas habida en el trato con Sijé para dejar paso al volcánico impulso panteísta adquirido en la frecuentación de Neruda. La «Elegía» no es, en consecuencia, un mero epitafio a la existencia terrena del amigo, sino también a su presencia en el propio mundo poético:: con él entierra Miguel una parte de su yo.

Como si hubiera un recordatorio de esa aludida carta pendiente el poema se abre y cierra con el destino y la data. La comparación de la muerte de Sijé con el rayo (alusión a la que se vuelve con otro sentido en el verso 26) lo liga al título genérico del libro, *El rayo que no cesa.* «Con quien tanto quería» justifica su presencia en un poemario amoroso, sobre todo a la luz de la elegía a la panadera.

Los siete primeros versos constituyen una *introducción* todavía resignada en que se representa al amigo bajo la forma más noble que cabe a un despojo humano: estercolar la tierra («¿No cumplirá mi sangre su misión: ser estiércol?», se pregunta el poeta en «Vecino de la muerte»). Algunos elementos acusan ya la huella de Neruda, particularmente «caracolas» y «amapolas»: «oigo tu voz, tu propia caracola», dice al chileno en su homenaje «Oda entre sangre y vino a Pablo Neruda». Ese título e imaginería tan dionisíacos se concretan en la amapola como flor heráldica de la sangre, fluido vital a través de cuyo caudal trágico circulan instintos y presagios de generación en generación: «De sangre en sangre vengo / como el mar de ola en ola, / de color de amapola el alma tengo, / de amapola sin suerte es mi destino, / y llego de amapola en amapola / a dar en la cornada de mi sino» («Sino sangriento»).

La amapola, de escasa presencia en la obra de Miguel Hernández antes de entrar en la órbita de Neruda, alcanza mucha mayor trascendencia simbólica y alcance significativo en contacto con *Residencia en la tierra,* donde esa flor asoma frecuentemente con gran proximidad de sentido a la «Elegía»: «Si pudiera llenar de hollín las alcaldías / y, sollozando, derribar relojes, / sería para ver cuando a tu casa / llega el verano con los labios rotos, / llegan regiones de triste esplendor, / llegan arados muertos y amapolas, / llegan enterradores y jinetes, / llegan planetas y mapas con sangre». Poemas como el «El desenterrado» (que Neruda situó al frente de la selección de sonetos de Villamediana en *Cruz y Raya* y luego incluyó en la segunda *Residencia*) gravitan con sus «amapolas» y «órganos» sobre la «Elegía» con toda evidencia. Otros versos del chileno se le enredan a Hernández en la memoria y las rimas: «y suena el corazón como un caracol agrio», «la inundaré de amapolas y relámpagos», «trenes de jazmín desalentado», «veo frazadas y órganos y hoteles». Parece, pues, que la introducción o *aceptación* de la muerte del amigo se desarrolla en un contexto nerudiano, tanto en imaginería como en cosmovisión: el poeta cultivará la tierra que acoge al difunto.

Pero en el verso 8 se inicia un nuevo tono, en una transición marcada con cierta brusquedad por el encabalgamiento del segundo sobre el tercer terceto. Comienza el poeta a exponer su dolor con una intensidad que refleja la aglomeración de sujetos para un solo verbo en el cuarto terceto y el paso de la materia verbal de lo volitivo o futurible («quiero ser», «daré») al presente («se agrupa», «me duele»), tiempo este último que subraya la duración del dolor, al igual que la itinerancia «voy de mi corazón a mis asuntos». Hasta culminar en esa dantesca imagen que nos presenta al poeta caminando por entre «rastrojos de difuntos», metáfora ya ensayada en el soneto 17 de *El silbo vulnerado*.

Ese contraste de la rastrojera erizada de cadáveres frente a la resignada horticultura inicial eleva el poema a su máxima tensión para lanzarlo a las vertiginosas anáforas de su núcleo central: la *imprecación* a la muerte, tramo preceptivo en casi todas las elegías. En esos versos hay un refuerzo de lo temporal como fugacidad adversa y prematura, al poner el verbo en pasado, apuntalándolo con la repetición del «temprano» y «madrugó la madrugada». En ellos se extrema, asimismo, la contradicción esencial de esta pieza: las influencias opuestas de Sijé y Neruda, lo binario y lo ternario, los dualismos alma-cuerpo, calavera-corazón, almendro-amapola. La cosmovisión definitiva de Hernández será panteísta, cíclica, ternaria: vida, muerte, amor (hombre, mujer, hijo: véase el tríptico «Hijo de la luz y de la sombra»). Sijé, como buen católico, le inspiró secuencias dualistas. De ahí el fuerte binarismo que oponen al natural ritmo ternario de la estrofa los versos finales de los tercetos 8, 9 y 10: «no perdono a la tierra ni a la nada», «sedienta de catástrofes y hambrienta», «a dentelladas secas y calientes». Para culminar en «y desamordazarte y regresarte», con un golpe de efecto similar al de los «rastrojos de difuntos». La repetición de la copulativa y el pronombre, convirtiendo en transitivo a «regresar», potencia ostensiblemente ese binarismo, más diluido en «encontrarte y besarte» en su función preparatoria para la trasgresión de la *norma* lingüística.

Esta rebelión contra la muerte que remata en el rescate del amigo, con su aparatosa acumulación retórica de aliteración, anáfora y polisíndeton, se compadece mal con la introducción y la parte consolatoria que arranca del terceto 12, como queda dicho. Pero están unidas por el tono volitivo («quiero escarbar», quiero minar») y el profético («volverás»).

La *consolación* se establece mediante un pacto entre las dos cosmovisiones en pugna, aparejando el poeta un doble y umbilical refugio protector: su huerto-matriz y la tradición del idioma. A ambos se acoge bajo la robusta iconografía del *hortus conclusus*. El Lope hortelano de *Huerto deshecho* o la *Elegía a Carlos Félix*; el fray Luis que gravita con su *Vida retirada* sobre ese *beatus ille* hernandiano que es «El silbo de afirmación en la aldea» (con «la soledad cerrada de mi huerto»); el machadiano «huerto claro donde madura el limonero»; las susurrantes abejas de Garcilaso (así lo retrata Miguel en su «Égloga»: «Buscando abejas va por los panales / el silencio que ha muerto de repente»); esos y otros aprendizajes caros al difunto amigo son convocados para establecer una concordancia final.

Las aliteraciones («arrullo de las rejas», «a las aladas almas») procuran ese tono conciliador: el corazón, rojo y terrestre, alimentará la savia de las raíces del almendro, aflorando en sus ramas en forma de blancas y espirituales rosas. Símbolo del *Estado de las inocencias* en el auto sacramental, denominado por Miguel «alma en pie» en otro momento, este árbol, calificado de «madruguero» y cantado en sonetos y décimas como «ROSA—de almendra» y «FLOR—de almendro», es («en su propia voz nevado», como lo recuerda Quevedo) el símbolo de la temeridad y la juventud. Prematuramente mueren, después de todo, los elegidos por los dioses.

En resumen, Miguel Hernández se debate en una encrucijada trascendental para su trayectoria al componer una elegía por la muerte de un amigo entrañable del que le separaban ya muchas cosas, entre ellas nada menos que un concepto muy distinto de la muerte. De ahí surge una contraposición que nutre, en última instancia, las iconografías divergentes de la amapola y el almendro. Aquélla se inscribe en un contexto nerudiano, dionisíaco, material, instintivo, con un color rojo que reclama la sangre; éste, en su evocación sijeniana, se inclina hacia lo apolíneo, lo espiritual, lo racional, la blancura inocente que resulta de una cierta dejación de los impulsos abandonados a sí mismos. El corazón que alimentará a las desalentadas amapolas es contrapuesto a la noble calavera regresada; la tierra materna arrullada por los enamorados labradores se enfrenta al rastrojo fúnebre agredido a dentelladas.

La armonización de estos conflictos promoverá un complejo encuentro textual en el que conviven y dialogan todas las partes en cuestión bajo el amparo de la tradición y el albergue prestado por el huerto del poeta, campo y casa a la vez, naturaleza y artificio en una pieza. En él cataliza una sublimación consolatoria que podrá extenderse a los campos de almendros, a la primavera toda y, posteriormente, al resto de la poesía hernandiana, que alcanza aquí por vez primera una síntesis de elementos que antes participaban más de la dispersión del acúmulo que de la integración orgánica.

MARIE CHEVALIER

LOS TEMAS POÉTICOS DE MIGUEL HERNÁNDEZ

a) *La desgracia original*. La desgracia original nos comunica una búsqueda constante del poeta para dar un fin trascendente a su amor a pesar del derrumbamiento de todas las trascendencias. El primer objeto de un arranque de amor tan total que el poeta comprometió en él sus posibilidades de vida y de muerte, fue el Dios de un catolicismo que valorizó la castidad y el castigo a expensas de la caridad. La maldición de poseer un cuerpo que es impuro por naturaleza es la base de una degradación de la imagen del Dios perfecto. La figura de un creador del mal y del sufrimiento que castiga la inocencia que

Marie Chevalier, *Los temas poéticos de Miguel Hernández*, Siglo XXI, Madrid, 1978, pp. 441-448.

él ha abandonado a su fatalidad, adquiere el aspecto de una providencia nefasta. Dios todopoderoso, cuya imperfección se aparece a la conciencia del poeta como el primero de los misterios, le hiere al hombre con una maldición original que afecta incluso sus obras de amor. Este primer sufrimiento orienta, ya desde 1934 y de modo definitivo, la obra del poeta. Obra que cantará el exilio, la separación, la desgracia como destino de todo ímpetu humano.

Así, el amor dedicado a una mujer se expresa como sufrimiento infinito. Los lazos de amistad rotos por la muerte de Ramón Sijé procuran la ilustración más escandalosa del destino de desgracia que pesa sobre el hombre.

b) *El compromiso político.* El poeta se deja llevar así a ver en todas las formas del sufrimiento humano cotidiano, las que son de orden personal (el carácter altivo de la muchacha amada en respuesta al desbordamiento de su ardor), o las que son de orden social (la pobreza, la explotación de los miserables por los ricos, la violencia asesina en las luchas políticas en 1934-1935) una constante del destino. Su compromiso político responde a una lucha contra un destino de desgracia sin fin.

Las necesidades prácticas inmediatas de la lucha hacen aparecer por un momento los problemas sociales en una perspectiva que podríamos llamar de modo somero marxista. Pero el mito personal hernandiano (imagen movediza, en constante devenir, imperfecta, de una posible reconciliación del hombre con la eternidad), expresión de la vida interior profunda, orienta sin cesar los datos marxistas de su pensamiento hacia una búsqueda de absoluto. [...]

c) *La obra se desarrolla entonces como un combate titánico.* Cada fracaso es la muerte. Una muerte del alma y del ser que llama en auxilio a la muerte física apaciguadora, consoladora y buena. La constancia de una tentación de suicidio ha podido así ser rastreada a lo largo de toda la obra hernandiana.

¿No afecta acaso ese abandono a la tentación de dejar que la muerte haga su obra a uno de los poemas de llamada al combate más conocidos y divulgados y considerado como unívoco y ejemplar, «Vientos del pueblo me llevan» (borrador)?: «A veces me dan anhelos / de dormirme sobre el agua / y de despertar jamás / y no saber más de mí / mañana por la mañana». [...]

Un episodio de la vida personal del poeta, el amor que le es dado por la esposa, constituye un islote de realidad que escapa al mal. Sólo algunas canciones pondrán en duda lo inexpugnable de este último refugio de la esperanza. Los lutos, la guerra, los hombres pueden separar a los esposos, pero no deshacer la unión de *tú y yo* a partir de la cual se reinventa el mundo. Pero el amor personal no hace sino abrir el mundo. El lazo de la sangre, la paternidad, ofrecerá a la vez a la conciencia y al corazón del poeta una imagen de solidaridad interhumana y de eternidad en que investir todo su amor hacia el hombre y la vida —que no es otra cosa que un porvenir del hombre— y toda su esperanza ilimitada y frágil, y constantemente desengañada, por reconciliar lo irreconciliable, el bien y el mal, la vida y la muerte. Ejercicio que es por excelencia búsqueda de un absoluto de amor en el seno de una realidad que niega el amor, así se nos aparece la obra de Miguel Hernández.

d) *La imagen de esta realidad es objeto de un esfuerzo constante de profundización del conocimiento* en el que el proceso deductivo, la intuición y la imaginación cordial se conjugan o se oponen alternativamente. El enigma del destino del hombre desgarra al poeta. Como la respuesta cristiana le ha parecido insuficiente, éste se reinventa una religión de amor. Amor que es vivido como una experiencia mística que pone de manifiesto la imposibilidad sentida por Miguel Hernández de prescindir de trascendencia cuando le falta la imagen de Dios. La intuición poética hernandiana, abandonada a la separación, a la soledad y a la desgracia que definen la condición original del hombre, vuelve a encontrar las intuiciones místicas y religiosas más primitivas. [...]

¿Y a qué hombre no ha inspirado el horror de los crímenes que conoce el siglo XX, aunque sólo sea una vez, como a Miguel Hernández, el pensamiento de que quizá la guerra es inevitable y que la condición humana es solidaria del mal y del misterio del mal?: «y un día triste entre todos, / triste desde mí hasta el lobo / dormimos y despertamos / con un tigre entre los ojos» (canción 97, «Después del amor»). Nos cumple poner de realce los valores específicos que nacen de esta experiencia y de este esfuerzo de reconciliación de lo humano abandonado a la condición separada que constituye su destino. Porque cuando todos los dogmas religiosos o mitos poéticos se deshacen en contradicciones sucesivas, ¿qué le queda al hombre abandonado en esta lucha desigual sino su conciencia desarmada?

e) *El amor — la libertad*. La carencia de amor es el mal, la desgracia, la muerte, el destino, y constituye un vacío central del orden del mundo y de lo humano, el único y total misterio doloroso que existe. Ante esta carencia de amor medida por la conciencia, el poeta experimenta su libertad de amar. La entrega de amor como respuesta humana a la carencia de amor *que define la libertad, inventa al hombre: «Amor: aleja mi ser / de sus primeros escombros, /* y edificándome, *dicta* / una verdad como un soplo» (canción 97).

A partir de aquí el hombre se hace cargo de su destino. Es la lección que Miguel Hernández saca de la experiencia de la guerra. Sustituye el odio por la llamada de amor. Es la última palabra de cuanto sabe de sí mismo. El hombre crea al hombre. La idea de hombre se hace entonces tan grande que va elevándose a medida que se degrada la idea de Dios. La finalidad suprema es el hombre, cuya imagen busca el poeta en los confines de la idea de Dios. Todo se hace aspiración a la conquista de un alma, aspiración a la trascendencia en el orden humano. La poesía de combate, separadora en su origen, desemboca en esta aspiración mística que tiende a reconciliar el hombre con el bien absoluto, la vida y la eternidad. El modelo cristiano sigue subyacente en la religión hernandiana de amor que va buscándose y creando sus rudimentos. ¿Cómo no ver hasta qué punto *Viento del pueblo* evoca la comunión de los santos, y cómo la ley hernandiana de la entrega de amor opuesta al odio que le responde, hace pensar en la caridad del cristiano (canción 98, «Antes del odio»). [...]

f) *Miguel Hernández, don Quijote del amor.* Por eso esta búsqueda hernandiana constante del amor humano como aspiración a la perfección absoluta del amor se nos aparece como un quijotismo lúcido. El poeta no deja nunca en su obra —puede ser que su silencio final sea una renuncia— de esforzarse por reconciliar los procesos divergentes de la imaginación creadora de mitos, o de la intuición poética, y de la conciencia que ilumina la razón. El amor a la humanidad y a la vida se crea en él y se recrea de modo continuo, aunque sea constantemente desmentido por el destino.

Resumamos las etapas de la ascensión espiritual del amor. El desafío es permanente. El amor personal, en la vida privada, constituye el fundamento de esta fe militante. El poeta ha cantado este episodio de su vida como una plenitud alcanzada y como una perfección. El misticismo exaltado que vive Miguel Hernández desafiando a la vida y glorificando la especificidad humana vital que es el amor, se desarrolla en una dramática creación sin descanso. Esta búsqueda es vivida como una pasión lúcida que se sabe amenazada por el absurdo y que inventa su objeto. ¿Y no será la búsqueda precisamente lo que acabará siendo su propio fin? Una inmensa sed de amor habita el corazón del poeta, una sed de amor que sobrepasa con mucho el amor personal cuya ceguera constituía la amenaza interna de ruina (canción 41). Sin este amor que se define, repitámoslo, como la más alta especificidad humana —facultad de compartir la vida, alegría o miseria, con sus semejantes— el hombre no es más que el bruto, presa del azar interior y exterior: «el tigre plástico que alentó mi inconsciencia ...».

Pero este amor se ha desviado hacia un odio fratricida que ha podido revestir la máscara del amor. Habrá que sobrepasar ese odio, recrear, a partir de los escombros del ser que el odio ha destruido, todo lo humano. A veces le falta valor al poeta, pero incansablemente renace, como la fe se nutre de la duda. Por lo que se refiere a la vida privada, el encuentro del amor aplicado a una persona, el nacimiento de un hijo, tan necesario, tan deseado y amado de antemano, pudo colmar el corazón del poeta. Es la época del éxtasis amoroso. Lo absoluto parece estar al alcance del corazón y del cuerpo. Comulgar en los arrebatos de este éxtasis con la muerte y con el porvenir de la humanidad reconciliados puede ser un ejercicio exaltador de vida interior. La esposa y el hijo abren la puerta al infinito, a la totalidad inefable de lo humano, lanzan un puente entre el instante y la eternidad. Pero cuando el hijo muere, lo absoluto entra en la nada. La humanidad ya no tiene futuro. La muerte real ya no es otra cosa que la muerte, y algunas cortas verdades («que no hay nada entre estos huesos», canción 24) desmienten toda aspiración mística. Los poemas «Vuelo», «Sepultura de la imaginación» expresan la ruina de la esperanza absoluta cuya prenda era el amor consagrado a la esposa y al hijo. El cuerpo se cierra sobre su limitación solitaria, absurda, que separa al corazón de las aspiraciones infinitas.

LEOPOLDO DE LUIS, JORGE URRUTIA Y LUIS FELIPE VIVANCO

LA POESÍA DE GUERRA Y LAS «NANAS DE LA CEBOLLA»

I. Es un error considerar los poemas de *Viento del pueblo* —como han hecho algunos críticos— frutos ocasionales y de circunstancias. Por el contrario, son la consecuencia neta de una convicción y, por ende, la sincera expresión de una manera de entender la vida. Podrá haber poesía tan auténtica como ésta, pero no más. La dedicatoria que al frente del libro coloca Miguel para Vicente Aleixandre no es sólo una hermosa página, sino también una lúcida declaración. Enaltece al poeta que la escribe, pero asimismo al otro poeta que merece recibirla.

En el libro, formalmente, se combinan fórmulas muy típicas del poeta como la silva consonante, con alguna reaparición de la décima, la cuarteta, el soneto alejandrino, unos serventesios con el cuarto verso quebrado y la novedad del romance. Con una buena parte de poesía lírica, se mezclan elementos épicos, como corresponde a emociones personales y colectivas. No hay que olvidar el destino de recitación pública que el autor daba a muchas de estas composiciones, así como su dedicación, por los mismos días, al teatro en verso. Ambas cosas justifican algunos rasgos declamatorios en los poemas. Su contenido poético muévese en cuatro direcciones: la elegía, la exaltación heroica, el sarcasmo combativo y lo social. En las cuatro hay piezas de primer orden, como pueden ser, a títulos de ejemplos, el poema a García Lorca, el romance «Vientos del pueblo me llevan», la increpación al fascismo italiano y la «Canción del esposo soldado».

El mundo poético de Hernández se puebla, por los poemas ele-

I. Leopoldo de Luis y Jorge Urrutia, eds., M. Hernández, *Obra poética completa*, Alianza Editorial, Madrid, 1982, pp. 318-319.

II. Luis Felipe Vivanco, «Las nanas de la cebolla» (1960, mutilado por la censura), en J. Cano Ballesta, ed., *En torno a Miguel Hernández*, Castalia, Madrid, 1978, pp. 140-141 (publicado en *Cuadernos de Ágora*, Madrid, n.os 49-50, noviembre-diciembre de 1960, pp. 36-40, excepto el último párrafo, entonces tachado por la censura).

gíacos, de un sentido telúrico que funde la materia humana a la tierra, para en ésta hacerse de nuevo fértil («a través de tus huesos irán los olivares», dice un verso de estos poemas). Las imágenes barrocas funden aquí el dinamismo propio de su estilo con el del tema expresado, ganando, por tanto, vida y verdad. (Recordemos, por ejemplo, el verso «el cimiento errante de la bota».)

También los poemas de exaltación heroica acumulan motivos sustanciales del mundo poético hernandiano: la fuerza natural, simbolizada en especies animales, emerge en los hombres desde «yacimientos de leones» o desde «cordilleras de toros».[1] Los ruiseñores,

1. [«La verdad de fondo que estos poemas quieren enseñar es sobre todo el maniqueísmo exasperado que opone violentamente los "viles enemigos" a los "buenos hermanos" del combatiente —el bien y el mal—. Para ilustrar esta concepción movilizadora, las metáforas se organizan en dos series paralelas en las que el reino animal se distribuye en *símbolos enfrentados*. Unos son leones, toros, águilas; otros, liebres, bueyes, gusanos, hienas, perros, chacales, panteras, tiburones. Unos, *vientos del pueblo*, truenan en un estruendo como de huracán o de rayo o lucen como el sol; los otros se arrastran, pudren, tiemblan, se ocultan. Numerosos ejemplos ilustran esta doble serie de metáforas pujantes a veces, pero poco originales en las que la repetición engendra la monotonía: "No soy de un pueblo de bueyes, / que soy de un pueblo que embargan / *yacimientos de leones, / desfiladeros de águilas / y cordilleras de toros*". Lo cósmico, lo mineral y lo animal conjugan su potencia en esa oposición: "¿Quién ha puesto al *huracán* / jamás ni yugos ni trabas / ni quién el *rayo* detuvo / prisionero en una jaula". El enemigo, al contrario, está envilecido como cómplice de la muerte, aparece inconsistente, podrido, mohoso (véanse *Los cobardes, Las cárceles*). Arriba los unos, alados, en pleno cielo, *con su altura de días*; los otros al ras del suelo, en el polvo. De la imagen edificante a la caricatura. Bajo el didactismo simplista apunta la pasión del propagandista: "Sobre la piel del cielo, sobre sus precipicios, / se remontan los hombres... / Les han llevado al aire, como un aire rotundo / que desde el corazón resoplara un plumaje... / Es el mundo tan breve para un ala atrevida, / para una juventud con la audacia por pluma" ... Estas metáforas que prestan o quitan valor a su objeto encierran una dialéctica y un simbolismo convencionales tan transparentes que no es preciso dar más ejemplos. Obsérvese no obstante la belleza conmovedora en la exaltación, del vuelo, del arranque hacia el cielo: "El vuelo significa la alegría más alta, / la agilidad más viva, la juventud más firme. / En la pasión del vuelo truena la luz, y exalta / alas con que batirme" ... Por eso estas metáforas, que cantan el mérito o el sufrimiento de los unos y la infamia de los otros, no pueden asimilarse todas de una vez a un lugar común. Al contrario, pretenden instituir un orden revolucionario de la belleza. Se dirigen al pueblo para "conducir sus ojos y sus sentimientos hacia las cumbres más hermosas (Dedico este libro a Vicente Aleixandre)". Pero a fuerza de ofrecerle una imagen de él siempre halagüeña, su audacia formal raya en los peores

tantas veces aliados a su canto, son ahora «ruiseñores de las desdichas» del pueblo, al que defiende con la *sangre* y con la *boca* (dos elementos poéticos peculiares de Hernández) empleados «como dos fusiles fieles». El poeta quiere, pues, poner al servicio de la lucha su vida misma (sangre) y su canción, su verso (boca), a los que usará *como* armas. Armas no mortíferas, según se ve, sino de generosa entrega. Armas que son más bien para morir que para matar.

A su vez, manejan recursos expresivos muy personales los poemas más beligerantes y sarcásticos, en los que abundan antítesis o hipérboles, las sinécdoques y la simbología peyorativas. El acento más patético se halla en los poemas de tema social. Algunos, con la ternura desgarradora de «El niño yuntero». Pero todos: «El sudor», «Las manos», «Aceituneros», «Jornaleros»... son preciosas y graves síntesis del dolor compartido y de denuncia contra la injusticia capitalista, en defensa de las clases explotadas.

«Cantando me defiendo / y defiendo a mi pueblo», declara el

---

tópicos del panegírico complaciente. Raras veces la emoción personal prevalece sobre la intención didáctica. El sentimiento fraterno puede exaltarse, sin embargo, en el movimiento de una progresión de imágenes: "caen los copos del llanto laborioso y oliente, / maná de los varones y de la agricultura, / *bebida de mi frente*". Este compartir sudor y sufrimiento hace vibrar un sentimiento cuya verdad volvemos a encontrar en *El niño yuntero*: "Contar sus años no sabe, / y ya sabe que el sudor / es una corona grave / de sal para el labrador. / Trabaja, y mientras trabaja / masculinamente serio, / se unge de lluvia y se alhaja / de carne de cementerio" ... Y la rebeldía se expresa como sentimiento en primera persona: "Me duele este niño hambriento ...". Las metáforas didácticas alcanzan una gran fuerza poética cuando expresan así, al mismo tiempo, el ser profundo del poeta y toda la historia interior de su persona. Su concisión puede revestir la forma densa de un verdadero epíteto homérico: "carne de yugo ha nacido", "Rabadanes del hambre y del arado ..."; o de una fórmula sorprendente que une lo abstracto a lo concreto condensando la expresión: "están cavando al monstruo la agonía ..." Oponemos esta eficacia a la facilidad de un lirismo de grandilocuencia y de palabras sonantes que abusa del adjetivo exaltante: "retumbantes las venas / los dedos matutinos". Las metáforas que hablan del martirio del pueblo en la guerra nos impresionan con una emoción casi visceral, de puro sencillas y brotadas de lo concreto. El algodón que corta la sangre de las heridas, por ejemplo, aparece confundido con el ahogado caminar del "*tren lluvioso de la sangre suelta*": "Abre caminos de algodón profundo ..." Aparte la serie fácil de los símbolos edificantes, las metáforas asumen de este modo el lenguaje de la emoción personal en una expresión de alto valor poético» (M. Chevalier [1977], pp. 322-325).]

poeta que, de tan sincero, nos dice que «yo empuño el alma cuando canto». Esta sinceridad no cabe ponerla en duda, ni cabe mayor autenticidad en la poesía social, después de un poema como la «Canción del esposo soldado». Porque no se puede cantar más entrañablemente el tema que cantando al hijo en el «vientre de pobre» de la esposa. Lo social y lo amoroso se funden en lo poético de forma impar.

Pocas veces es una poesía tan doblemente de alabanza y de condena como en este libro, conforme corresponde a un entusiasmo que pretende asumir los sufrimientos y las esperanzas de una colectividad y alzarlos en el poema. Por ello, incluso las zonas de mayor violencia expresiva están justificadas y se sustentan en una necesidad de incriminación desde sentimientos heridos y clamantes. Desde cualquier ángulo que se mire, hay que ver en la raíz de este libro un arrebatado amor a la tierra y al pueblo que se propone defender cantando.

II. Madre lactante hambrienta o mal alimentada; niñito lactante de ocho meses, con los primeros dientecillos apuntándole en las encías; padre privado de libertad y de esperanza; pan y cebolla, y, por si fuera poco, ¡seguidillas! Las *Nanas de la cebolla* reúnen todas las condiciones necesarias para ser no precisamente un *mal poema* —en el sentido modernista y decadente de Manuel Machado—, sino un *poema malo*, casi, casi con calidad infraartística de guión radiofónico. Y, sin embargo, no lo es. ¿Cómo ha conseguido Miguel Hernández que no lo sea? Por lo pronto, quitándole argumento o literatura, o no añadiéndole ninguna a la circunstancia existencial extremada que le va a servir de motivo o punto de arranque. Es decir, no explotándola sentimentalmente, sino potenciándola imaginativamente, no achicándola, sino agrandándola de alma y de resonancia universal, que yo llamaría religiosa. Hay que tener en cuenta que Miguel Hernández no es un idealista, no quiere hacer poesía de conciencia para adentro, sino de conciencia para afuera. Por eso ha roto los límites de otras actitudes poéticas anteriores a él y a las que él mismo ha pertenecido en un primer momento. Y por eso resulta curioso que, en esta ocasión, lo primero que le va a servir de ayuda —por lo menos retórica— sea su ex condición de poeta conceptista barroco. Es más, las *Nanas* demuestran que no ha dejado de serlo del todo. Hay un primer intento de convertir a la cebolla en pura metáfora y lograr así, de entrada, la validez de mundo poético. La cebolla va a ser «escarcha, cerrada y pobre», o «grande y redonda». De ser escarcha pasa a ser «hielo negro» y, más allá del planteamiento imaginista, «hambre». Más adelante, el niño mismo va a ser: «alondra de mi casa», es decir, alondra que aparece en la cuarta estrofa o seguidilla —el poema tiene doce—, le va a servir ya hasta el final, para pedirle que vuele, riéndose e ignorando, y hasta que le haga volar a él, al padre prisionero, con su risa. Más de las dos terceras partes del poema están construidas sobre esta metáfora del niño como alondra que se remonta, ajena a las circunstancias adversas que le rodean. Pero hay otras muchas, como en la seguidilla décima, donde los dientecillos recién brotados, que son cinco, van a ser «azahares, diminutas ferocidades» y «jazmines adolescentes».

El poeta, en estas *Nanas,* no ha querido olvidar del todo su técnica juvenil imaginista. Pero no le basta esa técnica, aunque gracias a ella haya logrado ya una primera y eficiente trasposición de realidades. Las imágenes o metáforas de la alondra, los jilgueros, los jazmines, la espada y otras muchas le van a dar a las *Nanas* calidad poética; pero lo que va a dar a un ligero poema de circunstancias, escrito en seguidillas, grandeza y trascendencia, va a ser la fidelidad de la imaginación creadora a esa misma circunstancia, sin salirse, por así decirlo, de ella. Además, en su caso, lo que manda en la imaginación es la temperatura o vibración cordial de la voz. Sólo esta vibración logra vencer el doble peligro de lo sentimental disminuido, por un lado, o de lo preciosista afectado, por otro. Nadie menos sentimental o preciosista que Miguel Hernández en su exigencia de forma. El verso es breve, pero el aliento largo. La estrofa es tal vez graciosa, pero la arquitectura, trágica. Estos contrastes voluntarios y necesarios a un tiempo —así como la superposición de tecnicismo barroco y desnudez última expresiva— le sirven para referirlo todo, con angustia enmascarada de luz, a lo único que le interesa, que es, como ya he indicado en otro lugar, su necesidad de alegría en el hijo, o, más entrañablemente aún, su necesidad del hijo mismo como alegría. El poema, desesperado y pesimista, es también un gran canto de alegría, aunque no de esperanza. En él, la verdad del hijo como «carne aleteante» es una pobre verdad indefensa que se derrumbará el día de mañana, en cuanto empiece a saber «lo que pasa y lo que ocurre».

13. LA LITERATURA ENTRE PUREZA Y REVOLUCIÓN. EL TEATRO

Desde la perspectiva actual el teatro español de entreguerras aparece como una etapa relativamente fecunda de la que emergen, contra un fondo de mediocridad, propuestas teatrales de la envergadura del esperpento valleinclanesco o la dramaturgia lorquiana (Pérez Minik [1961], García Pavón [1962], Guerrero Zamora [1962], Gordón [1965], García Lorenzo [1967], Bravo Villasante [1972]). Pero si se despoja a ese intervalo cronológico de las grandes firmas que pertenecen a otros estratos generacionales (Unamuno, Valle), que se estudian en otros apartados (Lorca, Alberti), que tienen dedicación esporádica al teatro (Azorín, Azaña, Gómez de la Serna) o que cuajan en el exilio, el panorama residual es desolador. Casi tan desolador en creaciones como escasa la crítica actual que da cuenta de ellas. Y así resulta a menudo constructivo atenerse a los críticos de aquella época, la lectura de cuyos debates y polémicas tiene al menos el valor de la inmediatez.

Buen testigo y ejemplo de todo ello fue Enrique Díez-Canedo, que en 1937 hubo de ofrecer un «Panorama del teatro español desde 1914 hasta 1936» con destino al libro *The theatre in a changing Europe* (ordenado por Thomas Dickinson, Henry Colt & Co., Nueva York, 1937, posteriormente publicado en *Hora de España*, n.º XVI, abril de 1938, pp. 13-52 y recogido finalmente en sus recopilaciones de *Artículos de crítica teatral* [1968 *b*]). Es el volumen cuarto de esta colección (*Elementos de renovación teatral*) el que más interesa a nuestros propósitos, especialmente su sección segunda («El teatro experimental») y el apéndice dedicado a Max Aub. El tenaz seguimiento llevado a cabo por Díez-Canedo fue y sigue siendo un punto de referencia inevitable que puede incluso ser utilizado como cartelera abreviada de toda esta época.

Paralelamente a este persistente goteo testimonial, surgen interpretaciones menos neutras y balances sobre el estado de la escena española que tratan de salir al paso de su decadencia y no pretenden ser sólo descripción de lo que hay. De alguna manera son panorámicas de lo que se hace en Europa desde principios de siglo clamando por su adaptación a las circunstancias hispánicas. Una de las primeras y más interesantes es *La batalla teatral* de Luis Araquistain [1930], pronto seguida por *Teatro de masas*, de Ramón J. Sender [1931].

Más que un libro de tesis en el estricto sentido de la palabra, el de Araquistain es un volumen misceláneo, como lo demuestra el hecho de recoger trabajos antes leídos o de los que el autor había dado avances. Es el caso de «El teatro de Andreiew», leído la noche del 11 de abril de 1924 en el teatro Apolo de Valencia antes de *La vida del hombre*, estrenado por la compañía de Lola Membrives; o de «Orígenes, peripecias y simbolismo de *Volpone* o *El zorro*», derivado de su adaptación de la obra de Ben Jonson, bien conocida y apreciada (tuvo otra versión de la mano de Benjamín Jarnés). Toda la parte segunda («Antiguos y modernos») acusa este carácter recopilatorio, así como las numerosas reiteraciones.

Con todo, la primera parte («Teatro y sociedad») mantiene de alguna manera la teoría de que hay que inyectar ideas nuevas en el teatro comercial a base de fomentar los teatros experimentales, de ensayo o «de arte». Y ha sido esta «tesis» la que ha retenido la crítica posterior, particularmente Bilbatúa [1976] caracterizándola como «reformista». A pesar de lo cual Araquistain traza ahí un agudo diagnóstico sobre la proyección de los fantasmas colectivos en el teatro entre 1898 y 1930, en lo que constituye una introducción a la escena de la época aún no superada.

Según ella, el *pastiche* de la Restauración se traduciría en el puro pastichismo de Echegaray y se resolvería en el escepticismo de Benavente tras la crisis del 98 (ubicando en una situación de relativa anomalía a Galdós, de carpintería e ideas demasiado crudas y aristadas), para dejar paso a las dos alternativas que el público burgués consume con fruición: el escapismo humorístico de Pedro Muñoz Seca y la acomodaticia moral de su astracanada («hay que sacar tajada como se pueda y la cuestión es pasar el rato sin grandes quebraderos de cabeza») y la «comedia epitalámica» o «comedia blanca del amor triunfante» de los hermanos Álvarez Quintero (tan empedernidos solterones en caso propio como casamenteros en casa ajena), con su costumbrismo matrimonial para señoritas en edad de merecer. Ya Valle-Inclán explicaba que toda reforma del teatro había de comenzar por fusilar a los «gloriosos hermanos Álvarez Quintero». Y Gabriel Celaya ha recordado la admonición con que eran recibidos él y sus compañeros por un profesor de la Escuela de Ingenieros: «Fíjense ustedes si la carrera de Ingenieros será importante que los protagonistas de las comedias de los Quintero suelen ser ingenieros».

En efecto, como señala Araquistain, la lluvia de dinero fácil habido a la sombra del neutralismo en la gran guerra provoca que una clase media algo más juvenil que sus mayores salga de la burocracia del estado e ingrese en la empresa privada con lo que «toman gran impulso las carreras de Ingeniería y el Comercio». El teatro poético se limitaría a ser en estas circunstancias otro vago residuo seudorromántico, especie de «pianola lírica» cuya musiquilla machacona y mecánica a caballo del ripio no pasaría del tímpano al cerebro, dejando ocioso el intelecto. Su parroquia se asemejaría a la de ciertas prácticas religiosas, «que sólo se cumplen por el buen parecer, para no pasar por un descastado materialista, por una persona sin ideales superiores, religiosos o estéticos», en expiación de la moral ratonera y garbancera de las astracanadas de Pedro Muñoz Seca. El ajuste de cuentas entre ambos comportamientos llevado a cabo en *La venganza de don Mendo* es un cortocircuito en el seno de esa doble moral que explica, sin extenderse más, la crítica a que somete Araquistain al inerte público que hereda la década de los treinta e imposibilita el dinamismo comercial de la escena. Por no hablar del actor viciado por el sonsonete o el engolamiento. Ricardo Calvo no tenía inconveniente en contar a quien quisiera oírle que él sólo hacía a gusto el papel de rey.

Claro que en el teatro poético sobrevuela a menudo un cierto arcaísmo, y no sólo de forma, sino una ideología reaccionaria también en los planteamientos e intenciones. Es el caso patente de José María Pemán, que en un rapto de lucidez se definió en 1925 con unos versos que la crítica ha repetido a menudo como veraz autorretrato suyo: «No sé qué loca ufanía / prendió por desdicha mía / en mi espíritu altanero, / que me hace forastero / entre las gentes de hoy día. // Y es que si vivir pudiera / donde mis sueños están, / en otro siglo viviera / en donde a la postre diera / en fraile o en capitán / ... / ¡Soy cristiano y español, / que es ser dos veces cristiano! / ... / Ya sabes lector quién soy, / no te llames, pues, a engaño / si este libro que te doy, / mejor que a cosa de hoy, / te sabe a cosa de antaño».

Con razón lo ha considerado Ruiz Ramón [1975] «ucrónico», y en esa característica se basó en buena medida su éxito. El estreno de *El divino impaciente* en 1933 no tiene nada de neutral en plena República, ni las evocaciones imperiales de *Cisneros* (1934) o *De ellos es el mundo* (1938), obra propagandística sobre unos Reyes Católicos de tan amplio predicamento en la zona nacionalista. El mismo teatro histórico en verso y parecidos supuestos pueden sorprenderse en *Cuando las Cortes de Cádiz* (1934) o *Metternich* (1942). Sus obras de tesis, costumbristas, o lo que él mismo llama «farsas castizas» han nutrido las carteleras con éxito no escaso, desde *Julieta y Romeo* (1935) a *Los tres etcéteras de don Simón* (1958). En la inmediata posguerra raro era el teatro que no contara con su Pemán a lo largo de la temporada.

Frente a esa especie de radiografía íntima de las motivaciones que llevaron al público a ocupar un butaca trazada por Araquistain, el *Teatro de masas* de Sender evoluciona con mayor virulencia por otros vericuetos, aunque resulte tan misceláneo como *La batalla teatral* e incluso más anárquico y asistemático en la materia, bien que su intención (visceral y linealmente radical-proletaria) le preste una cierta suerte de coherencia. Es una mezcla curiosa de buena información (incluso de primera mano, como sucede con el teatro ruso), útil divulgación, lúcidos diagnósticos y toscas teorizaciones a partir de datos sueltos.

Por otra parte, tampoco hay que exagerar su valor documental. Téngase en cuenta que en 1929 se había publicado la traducción del *Teatro del pueblo* de Romain Rolland, con prólogo de Araquistain y en 1930 *El teatro político* de Erwin Piscator, ambos en Cénit, con exhaustiva información y magnífica presentación. No se tradujo, sin embargo, *Teatro y revolución* (Moscú, 1924) del patriarca Lunarcharski, a pesar de la popularidad que sus artículos alcanzaron en la prensa española y de su labor mediadora y divulgadora de España en Rusia con su *Don Quijote liberado*, que le valieron el nombramiento de embajador de la URSS en nuestro país (murió antes de poder tomar posesión de su cargo).

El esqueleto vertebrador del libro de Sender viene a ser el que sigue. Comienza constatando la existencia de un público burgués que bloquea toda novedad y la llegada al patio de butacas de un nuevo espectador, base de todo teatro nuevo. Lo demás son parches. Se niega, por tanto, el teatro reformista, llámese de ensayo o poético (incluidos los supuestos en que se maneja Lorca), en la parte más clarividente del libro, la mejor escrita y de mayor calidad teórica (por algo va al principio). Es también la más subrayada por los críticos, de Bilbatúa para acá.

A continuación propone los toros como ejemplo canónico de teatro de masas, en que descubre claves populares y modernas que ilustra con una apreciable información sobre el teatro sintético ruso, Gordon Craig (muy somero), Piscator, el teatro judío y su aprovechamiento posible en España; termina rechazando todo planteamiento socialdemócrata y pone como ejemplo de adecuación a «las musas de hoy» la obra *Coyuntura* de Leo Lania, montada por Piscator. Es un capítulo interesante, escrito con vigor, aunque se le vaya la mano en sus predicciones.

Y sobre esta oposición Araquistain-Sender están montados básicamente los trabajos de Bilbatúa, influyentes en su día por tempranos y documentados. Pero enfatizar esa oposición hasta el punto de convertirla en el núcleo de la cuestión teatral en la Segunda República es, seguramente, excesivo.

Porque, en primer lugar, tanto Araquistain como Sender se pronunciaron desde otros medios y en otras circunstancias, entre las que cabe destacar la introducción del primero al *Teatro del pueblo* de Romain Rolland (1929) y «El teatro nuevo», artículo de Sender que Araquistain le publicará en *Leviatán* en junio de 1936. Por no citar más que uno entre los cerca de doscientos del escritor aragonés revisados por Vilches de Frutos [1982], algunos tan importantes e incisivos como «El teatro español: Sobre un desdichado acuerdo» (*La Libertad*, n.º 4749, 1935, pp. 1-2) en que se critica la creación de un Patronato del Teatro Español por parte de las autoridades de la República. En el citado artículo de *Leviatán* decía Sender, por ejemplo: «En las pocas ocasiones en que he visto teatro obrero en España, me resulta insoportable ... A la miseria literaria se unía la otra, la miseria escénica. Dar a todas esas condiciones —o a toda esa falta de cualidades— el nombre de *Teatro proletario* era, y es para mí, tan insufrible como un insulto o una calumnia. Es preferible, desde todos los puntos de vista, el teatro de los escritores burgueses de izquierda que, dentro de su ideología, intentan dar, sin embargo, a la realidad una interpretación dialéctica y dinámica».

Sender se refiere (como recuerda Castellón [1976]) a un teatro obrero no menos estancado que el burgués en sus tradicionales representaciones de *La madre* de Gorki y el inevitable *Juan José* de Dicenta todos los primeros de mayo. Y es por ahí por donde hay que buscar las diferencias de matices (e incluso en profundidad) entre Araquistain y Sender. Este último está más puesto al día, mientras que aquel aún debate a Ibsen y Pirandello, cuyas recepciones fueron tan problemáticas en España (Gregersen [1936], Gutiérrez Cuadrado [1978]). Pero ninguno de los dos congelaron sus posiciones a la altura del inicio de la República. Paul Preston [1976] ha subrayado la capacidad de distanciamiento de Araquistain respecto a su partido y su propia obra en el balance establecido en *El pensamiento español contemporáneo*.

En segundo lugar, hay críticos de envergadura considerable que no pueden dejarse fuera de juego, empezando por el propio Díez-Canedo, insuficientemente utilizado, y siguiendo por Enrique de Mesa [1929], Juan Chabás [1934], Antonio Espina [1951] o Rivas Cherif. Todo ello sin contar con los testimonios de Unamuno, Valle, Pérez de Ayala, Lorca, Rosa Chacel, etcétera. (Max Auz [1965], T. Borrás y M. Sierra [1925], Estéver [1928].)

Pero, sobre todo, las correcciones a los planteamientos anteriores se han hecho en el sentido de aportar muchos más datos de cartelera, continuando en cierto modo la línea de «catálogos» esbozada por Castellón. Y en esa dirección se encaminan los trabajos sobre las colecciones «El Teatro Moderno» (Esquer Torres [1969]), «La Farsa» (Kronik [1971]), el inventario de McGaha [1980] o los estudios sobre marionetas de Francisco Porras [1981].

De todos ellos se deducen datos importantes para plantear la cuestión con menos apriorismos. Particularmente útil es el libro de Kronik, dadas las excepcionales características que presenta «La Farsa».

Este semanario ofreció una obra teatral todos los sábados desde el 1 de octubre de 1927 hasta el 1 de agosto de 1936, con una vitalidad que sólo pudo truncar la guerra civil, en el momento en que se disponía a intentar un cierto debate teatral en sus páginas. Su ingente legado lo constituyen 476 obras de todo género, que componen un testimonio de primer orden de todo lo representado en los escenarios madrileños (primordialmente), y que podría ser complementado por publicaciones como «Escena Catalana», «El Nostre Teatre» o «Teatro Valensiá» (Fábregas [1969] y [1978]). Sólo «La Novela Teatral» (1916-1925) con sus 447 números, se le acerca en importancia en la década anterior.

Los volúmenes (entre 60 y 75 páginas) valían cincuenta céntimos, lo que los convertía en un producto totalmente popular (otras ediciones dramáticas venían a costar 2,50 pesetas), además de actual, capaz de poner en venta algunos títulos dos y tres días después de estrenarse la obra (caso de *El embrujado* de Valle-Inclán) y bastante a menudo en el transcurso del mes; rara vez se prolongó más de un año el intervalo entre el estreno y la publicación. Y ello no quiere decir que escaseara la calidad. En «La Farsa», como sabe todo bibliófilo, aparecieron primeras ediciones de *Mariana Pineda* de Lorca, los hermanos Machado, *La sirena varada* de Casona, *La guerrilla* de Azorín o la versión definitiva de *El señor de Pigmalión* de Grau.

Si la consideración de todos estos escuetos datos de catálogo, en su sobria elocuencia, obliga a poner muchos puntos sobre las íes y los pies sobre el suelo, hay otra fecunda línea de trabajo que dará a la larga resultados muy esclarecedores. Ya los ha dado con el trabajo de Juan Aguilera Sastre [1983] sobre Rivas Cherif. Se trata de aplicar a fondo y en profundidad la evidencia de que el teatro no sólo se caracteriza por sus textos, sino por todo un conjunto de circunstancias que confluyen en la configuración del *hecho teatral*. De ahí la utilidad (relativa por sus limitaciones) de libros como el de Guansé [1963] o Rodrigo [1974] sobre Margarita Xirgu, sobre todo si se acepta la división que propone Díez-Canedo del teatro anterior a la guerra civil en dos etapas: la de María Guerrero y la de Margarita Xirgu (1930-1935). Cobra así todo su relieve la puesta en escena, las condiciones de emisión de un texto, en cuyo transcurso no sólo priman las cuestiones ideológicas, sino también las formales: en 1916 la Xirgu fue severamente criticada por salir a escena completamente descalza en el estreno de *Marianela* de Galdós, detalle considerado por la prensa de la época como un «terrible atrevimiento».

Pues bien, el trabajo de Aguilera Sastre es hoy por hoy el más completo sobre este aspecto del teatro que nos ocupa, centrado en uno de sus principales protagonistas, Rivas Cherif, con unos supuestos muy lejanos de la hagiografía que ha rodeado a la Xirgu, y con una notable documentación inédita en las manos. Por raro que parezca, Rivas Cherif no contaba con bibliografía específica, y ahí se establecen importantes precisiones sobre este autor, actor, director, crítico e infatigable animador de la escena del momento.

Toda la labor de Rivas Cherif va encaminada a poner el teatro español a la altura que ya tenía en el resto de Europa, que él conocía bien por sus viajes y lecturas. Ya en 1917 montó en el Ateneo de Madrid la *Fedra* de Unamuno, coincidiendo en cierto modo sus esfuerzos con los realizados por Gregorio Martínez Sierra (Martínez Sierra [1953] y Reyero [1980]) en el teatro Eslava entre 1917 y 1925. En 1920, a su vuelta de París, fundó su famoso Teatro de la Escuela Nueva (Hormigón [1972]), ofreciendo en el Español la resonante puesta en escena de *Un enemigo del pueblo* de Ibsen. Fracasado este primer intento en 1921 por problemas materiales, volvió a la carga con un grupo de amigos en 1926 animando un teatrito en casa de los Baroja, El Mirlo Blanco, labor que alternó con la de director de propaganda del Teatro dei Piccoli de Vittorio Podrecca y de la Compañía española de Mimí Aguglia. El éxito de El Mirlo Blanco le anima a ampliar sus actividades en el Círculo de Bellas Artes en colaboración con Valle-Inclán, y así nace El Cántaro Roto, a finales de 1926. Por discrepancias con la dirección del Círculo volvió al escenario y nombre original de El Mirlo Blanco poco después.

Escarmentado por los problemas de local consigue uno a finales de 1928 y funda con antiguos y nuevos colaboradores su cuarto teatro experimental, El Caracol, intento de mayor envergadura, clausurado por orden gubernativa. Así se cierra la primera etapa teatral de Rivas Cherif, que implica a sus actividades más independientes en el transcurso de la década de los veinte.

La década de los treinta la inicia con las Compañías de Irene López Heredia (separada de Ernesto Vilches) en Argentina e Isabel Barrón a su vuelta a España, con quien funda la Compañía Clásica de Arte Moderno. Pretendía así hacer un teatro comercial digno sin abandonar sus intentos renovadores. Pero pronto se desengaña por la excesiva preocupación de la primera actriz por salvar la taquilla a costa de la baja calidad del repertorio.

Es entonces cuando tiene la gran ocasión de dirigir durante cinco temporadas en el Español la mejor compañía del momento, la de Margarita Xirgu (a la que pronto se añade Enrique Borrás). El teatro Español le es concedido a la Xirgu tras ser monopolizado durante mucho tiempo por Díaz de Mendoza, casado con María Guerrero (fallecida en 1928). La asociación de Rivas Cherif con el Español no tuvo, pues, nada que ver con su parentesco con Azaña: es una concesión anterior hecha a la actriz catalana.

En esas cinco temporadas está concentrado lo mejor y más renovador del teatro de esa época: Lorca, Valle-Inclán, Benavente, Unamuno, Alberti y las versiones actualizadas de los clásicos y románticos: Tirso, Calderón, el Duque de Rivas (cuyos *Romances* editó Rivas Cherif en «Clásicos Castellanos»). Con el colofón en 1935 del centenario de Lope, que dio ocasión para lucir esa labor. Él puso en pie textos tan elogiados como *Divinas palabras*, *La sirena varada*, *Yerma*, *La zapatera prodigiosa*, *Fermín Galán*, *La corona* (de Azaña), la adaptación teatral de *AMDG* de Pérez de Ayala, *El otro* de Unamuno y su versión de la *Medea* de Séneca (en Mérida). Incluso intentó traer a Madrid a Max Reinhardt para que representase *La muerte de Danton*, de Büchner, pero finalmente el director alemán no aceptó. Sin la labor de Rivas Cherif y sus colaboradores en decorados (Bartolozzi, Bürmann, Fontanals) quizás esos textos dramáticos no hubieran sido posibles y, desde luego, no habrían subido a las tablas con la dignidad que lo hicieron.

Pero esto no le hizo descuidar su faceta experimental, ya que su estrategia iba encaminada a lograr una convergencia entre teatro comercial y de ensayo. Por eso pone en marcha el Teatro Experimental del Español, en colaboración con Margarita Xirgu, resucitando el nombre de El Caracol. Otra iniciativa es el Teatro Pinocho (fundado por Salvador Bartolozzi y Magda Donato, pero que Rivas Cherif incorpora al Español) y una fundación exclusiva suya, la Compañía Dramática de Arte Moderno. Todo ello culminaría en 1933 con el establecimiento de una escuela de teatro, radicalmente innovadora, integral en sus planteamientos, donde se educará al actor con clases de esgrima, declamación, música, gimnasia, baile y una sólida formación teórica. Su consecuencia más inmediata fue el Estudio Dramático del Teatro Español, convertido pronto en el TEA (Teatro Escuela de Arte). Como dice Aguilera Sastre «el Teatro Escuela de Arte es el intento más serio y operativo que tuvo lugar en España durante la primera mitad de este siglo, excepción hecha tan sólo de la Escuela de Teatro de Adriá Gual en Barcelona (Bonnin [1976]), con quien también tuvo contactos Rivas Cherif».

El TEA debería haber sido el centro de atención de la crítica, que ha mezclado innovaciones de fondo y episodios más o menos esporádicos como el Club Teatral de Cultura (más tarde Club Anfistora), dirigido por Pura M. de Ucelay y en el que colaboró García Lorca; o el Teatro Fantasio de Pilar Valderrama (la *Guiomar* machadiana) y M. de Romarate; La Cancela Abierta dirigido por Burgos Lecea y que representaba autores noveles en el madrileño Rex; en Barcelona la irradiación de Adriá Gual y el Teatro de Cámara de Lluís Masriera y Josep Maria Folch i Torres; el Teatro Mínimo de Josefina de la Torre en Las Palmas, etcétera.

Porque el TEA pretendía renovar a fondo el *hecho teatral* en su totalidad, y no tenía nada que ver con el teatro de aficionados. Esta cooperativa formó actores, directores, sastres, decoradores y todo lo que se necesitaba para plantear una alternativa global al teatro comercial existente. De haber cuajado su impacto habría sido memorable. El TEA funcionó entre 1933 y 1935 bajo la dirección de Rivas Cherif. Pero al remodelar el teatro María Guerrero (cedido como sede del TEA por el estado, que concedía una pequeña subvención a la escuela) queda sin escenario. Y al negarle la renovación del contrato en el Español, Rivas Cherif ha de iniciar la temporada 1935-1936 en Barcelona y continuarla por La Habana y México. La guerra civil hizo lo demás para desbaratar sus logros, aunque llegara a perdurar después de la contienda bajo la dirección de su colaborador Felipe Lluch Garín. Impenitente hombre de teatro, Rivas montó durante su encierro en el penal del Dueso otro grupo dramático.

No incluimos ningún artículo de Rivas Cherif en la bibliografía por la sencilla razón de que sus intervenciones en la prensa a propósito del teatro pasan de seiscientas y hasta que no se haga una recopilación del estilo de la de Díez-Canedo [1968 *a*] no hay razón para aislar de ese bloque unos en favor de otros. Su publicación nos proporcionará una perspectiva muy cumplida y enriquecedora de este período.

Mucho más conocidos y divulgados han sido los teatros universitarios del estilo de La Barraca, dirigido por García Lorca (Lamby [1961], Byrd [1975], Sáenz de la Calzada [1976]), de las Misiones Pedagógicas (Martínez Cachero [1933]), coordinado por Casona, o El Búho, animado por Max Aub (Monleón [1971 *b*], García Lorca [1965], Soldevila [1974]).

Queda, por fin, la caracterización de los autores, cuya dramaturgia se nutre esencialmente de los supuestos de esta década como Miguel Hernández (Díez de Revenga [1981]) u otros, a pesar de que desarrollaran gran parte de su producción fuera de España (Casona) o en el interior (Jardiel Poncela) durante la posguerra. Escritores como Max Aub o Rafael Dieste (Irizarry [1982]) han quedado adscritos al género o época que más termina representándoles: novela en el caso de Max Aub y al Grupo de *Hora de España* en el de Dieste (mientras la crítica no avance más en su individualización).

El asturiano Alejandro Rodríguez Álvarez es conocido en literatura por su seudónimo Alejandro Casona (1903-1965), que logró una amplia audiencia en 1933 al alcanzar el premio Lope de Vega con *La sirena varada*, obra que le estrenó en el Teatro Español Rivas Cherif en 1934, como ya se dijo. Anteriormente había animado un pequeño grupo infantil, El Pájaro Pinto, en el Valle de Arán, donde ejerció como maestro. En 1929 había adaptado a Oscar Wilde en *El crimen de lord Arturo* y en 1931 le fue encargada la dirección del Teatro del Pueblo de las Misiones Pedagógicas junto a Rafael Marquina y Eduardo M. Torner, empresa para la que escribió piezas cortas extraídas de los clásicos, como *Sancho Panza en la ínsula* o *Entremés del mancebo que casó con mujer brava*, y que posteriormente recopiló en *Retablo jovial*. En 1935 estrena *Otra vez el diablo* (escrita en 1927) y en 1936 *Nuestra Natacha*.

En 1937 abandona España, estrenando al poco tiempo en México *Prohibido suicidarse en primavera*. A partir de 1941 se instala en Argentina, donde va desgranando su producción: *La dama del alba* (1944), *La barca sin pescador* (1945), *Los árboles mueren de pie* (1949), *La llave en el desván* (1951), *Siete gritos en el mar* (1952), *La tercera palabra* (1953), *La casa de los siete balcones* (1957). En 1962 vuelve a España y ante las andanadas de la crítica más comprometida, que encuentra su teatro evasionista e incluso colaboracionista (Domenech [1964]), intenta en *El Caballero de las espuelas de oro* (1964) presentar un Quevedo equivalente en su rebeldía al Velázquez de *Las meninas* de Buero, en montaje que llevan por toda España los oficialistas Festivales de España.

Ya esta primera revisión de Casona provocó diferencias notables de apreciación en la crítica (Monleón [1964], Palacio [1966]), que ha dedicado numerosas páginas a considerar las relaciones que en el seno de su obra establecen realidad e irrealidad, sueño y vigilia, fantasía y verdad, ilusión y vida (Sáinz de Robles [1954], Woolsey [1954], Caso [1955], Schwartz [1957], Toms [1961], Leighton [1962], Gurza [1968]). Estas relaciones no siempre son convincentes, ni siquiera eficaces dramáticamente. Los personajes de *La sirena varada*, *Prohibido suicidarse en primavera* y *Los árboles mueren de pie* (Rodríguez Castellanos [1961] y Rodríguez Richart [1963]) viven en otro mundo y con su dramatización Casona parece subrayar la necesidad de no quedarse sólo en uno de los polos (realidad prosaica o ilusión poética).

Incluso el dramaturgo asturiano llegó a justificar su posición como una emanación lógica del exilio, ya que al considerarse en casa ajena no le habría parecido procedente plantear un teatro que pusiese en cuestión una sociedad a la que no tenía derecho a juzgar. Pero, como ha hecho notar Ruiz Ramón [1975], Max Aub (Borrás [1975] y Domenech [1967]) y otros siguieron derroteros muy diferentes en circunstancias similares, y la debilidad del teatro de Casona se derivaría de la escasa consistencia de la realidad y la irrealidad seleccionadas, incapaces en su limitación de extraer de ese conflicto todo su juego.

Sin embargo, al abordar orbes poéticos cerrados sobre sí mismos se conseguirían logros tan notables como *La casa de los siete balcones* o *La dama del alba*, pieza esta última considerada casi unánimemente la mejor de su repertorio. Es en ese ambiente poético y estilizado de su Asturias natal, en cuyo seno la muerte hace cumplir el mito, donde brillan las mejores cualidades de su teatro.

Así lo resume Ruiz Ramón [1975] en ajustada caracterización: «Cuando, por el contrario, pese a la forma antinaturalista de la mayoría de sus obras, no rompe totalmente con los contenidos del drama naturalista, introduciendo una tesis de pedagogía moral o espiritual, su teatro resulta de un insatisfactorio compromiso entre realidad y poesía, precisamente por la relatividad de ambos elementos».

Los ingredientes didácticos no son raros, en efecto, en el teatro de Casona, lo que no extraña en quien fue maestro y tuvo una relación intensa con el institucionismo. De ahí surgen comportamientos tan típicamente krausistas como el intento de armonización entre la naturaleza y la civilización que se observan en *La tercera palabra* o *La barca sin pescador* (Balseiro [1960]) (cuyo pacto con el diablo la hermana también con *Otra vez el diablo*) o en la denuncia de los reformatorios represivos en *Nuestra Natacha*.

La dramaturgia de Casona ha envejecido notablemente y no entusiasma precisamente a la crítica más atenta a lo nuevo. Es difícil despojar a su teatro de esa pátina rosácea de teatro escolar en la coyuntura de representar algo amable y esperanzador en una fiesta de fin de curso, o en el cumpleaños de la madre superiora, propósitos a los que el teatro de Casona ha servido abundante y pacientemente.

Enrique Jardiel Poncela (1901-1952) renegó de su teatro anterior al estreno en 1927 de *Una noche de primavera sin sueño* (piezas como *La hoguera* de 1925 y sus colaboraciones con Serafín Adame Martínez), obra con la que abre su producción de preguerra (Farris [1973]): *El cadáver del señor García* (1930), *Margarita, Armando y su padre* (1931), *Usted tiene ojos de mujer fatal* (1932), *Angelina o el honor de un brigadier* (1934), *Un adulterio decente* (1935), *Las cinco advertencias de Satanás* (1935) y, sobre todo, *Cuatro corazones con freno y marcha atrás*, una de las más logradas, en cuya puesta a punto venía trabajando desde 1926 (Ariza [1974]) y que se estrenó en 1936 con el título de *Morirse es un error*.

También anteriores a la guerra son sus novelas humorísticas, con aplicaciones de técnicas vanguardistas de la mejor raigambre deshumanizada que producen momentos notables y regocijantes, como el final de *La tournée de Dios* (1932), narración que remata la serie compuesta por *Amor se escribe sin hache* (1929), *¡Espérame en Siberia vida mía!* (1930) y *Pero... ¿hubo alguna vez once mil vírgenes?* (1931). (Cf. cap. 10.)

Su producción dramática de posguerra alcanza los veinte títulos, entre otros *Carlo Monte está en Montecarlo* (1939), *Un marido de ida y vuelta* (1939), *Eloísa está debajo de un almendro* (1940), *Madre, el drama padre* (1941), *Los ladrones somos gente honrada* (1941), *Los habitantes de la casa deshabitada* (1942), *Blanca por fuera y Rosa por dentro* (1943), *El pañuelo de la dama errante* (1946) y *Los tigres escondidos en la alcoba* (1949).

Jardiel confesó abiertamente que sólo lo inverosímil le atraía, y esto le llevó a plantearse un teatro que en buena medida reproduce en la escena la asepsia sentimental que muchos vanguardistas apreciaban en Buster Keaton, en una especie de gusto ramoniano por lo objetual, que ha llevado a Laín Entralgo a conectarlo con el futurismo. Otros autores, reteniendo su «tratamiento lógico del absurdo» (García Pavón [1966]), han llegado hasta emparentarlo con Ionesco, como Domenech.

Pero este gusto por lo inverosímil a toda costa, por la construcción dramática, acumulativa y laberíntica (Torrente [1968[2]]) no siempre estuvo en sus logros mecánicos y técnicos acompañado por un contenido doctrinal a su altura, como el propio García Pavón y muchos otros críticos le han reprochado. Ese Jardiel «inventor de mecanismos» (Prego [1966]) era ideal para tramar *gags* de perfecto encaje en los filmes de Chaplin, de cuya amistad gozó en su etapa de guionista en Hollywood en los años treinta, pero corría el riesgo de la excentricidad si no hallaba contrapeso, como ya sugirió Eugenio d'Ors en varias de sus glosas a propósito de *Angelina o el honor de un brigadier.*

Jardiel, sin embargo, fue un innovador nato (*Teatro* [1953], McKay [1974]), que tuvo choques continuos con la estructura comercial del teatro de su tiempo por su repudio de los recursos fáciles del retruécano y el chiste meramente verbal, presentes en la astracanada de Muñoz Seca o la recaída en el casticismo del sainete de Arniches. Antes bien su humor se deduce de las situaciones, de la kinesia (Conde Guerri [1981, 1982]). Y fue a este innovador al que defendió su mejor valedor, Alfredo Marquerie [1959, 1966] y R. Flórez [1966, 1969] y el reivindicado en el cerrado ambiente del teatro de la posguerra, en una trayectoria que le emparentaría con Mihura. En esa línea, Monleón [1971 *a*] entiende que eligió la inverosimilitud por apego a la libertad, para poder expresarse en una estructura social y un medio de una inercia comercial nada cómodos. Sería el suyo, pues, un teatro irrealista, pero no falseador de la realidad como resume acertadamente Ruiz Ramón [1975].

BIBLIOGRAFÍA

Aguilera Sastre, Juan, «Introducción a la vida y obra de Cipriano Rivas Cherif», tesis de licenciatura leída en febrero de 1983 en la Universidad de Zaragoza.

Araquistain, Luis, *La batalla teatral*, Mundo Latino, Madrid, 1930.

Ariza Viguera, Miguel, *Enrique Jardiel Poncela en la literatura humorística española*, Fragua, Madrid, 1974.

Aub, Max, «Algunos aspectos del teatro español de 1920 a 1930», en *Revista Hispánica Moderna*, n.os 1-4 (enero-octubre de 1965), pp. 17-28.

Balseiro, J. A., y J. Riis Owre, eds., Alejandro Casona, *La barca sin pescador*, Oxford University Press, Nueva York, 1960.

Bilbatúa, Miguel, *Teatro de agitación política (1933-1939)*, Edicusa, Madrid, 1976.

Bonnin, Hermann, *Adrià Gual i l'Escola Catalana d'Art Dramàtic (1923-1934)*, Rafael Dalmau Editor, Barcelona, 1976.

Borrás, Ángel A., *El teatro del exilio de Max Aub*, Publicaciones de la Universidad de Sevilla, Sevilla, 1975.

Borrás Tomás y Gregorio Martínez Sierra, *Un teatro de arte en España*, Renacimiento, Madrid, 1925.

Bravo Villasante, Carmen, «Principales corrientes del teatro español del siglo XX», en *Cuadernos Hispanoamericanos*, n.os 263-264 (mayo-junio de 1972).
Byrd, Suzanne, *La Barraca and the Spanish national theatre*, Abra Eds., Nueva York, 1975.
Caso González, José, «Fantasía y realidad en el teatro de Alejandro Casona», en *Archivum*, V (1955), pp. 304-318.
Castellón, Antonio, «Proyectos de reforma del teatro español. 1920-1939», en *Primer Acto*, n.º 176 (enero de 1976), pp. 4-13.
Conde Guerri, M. J., *El teatro de Enrique Jardiel Poncela: aproximación crítica*, Institución Fernando el Católico, Zaragoza, 1981.
—, «La kinesia en el teatro de humor: *Eloísa está debajo de un almendro*», en *Segismundo*, n.os 35-36 (1982), pp. 225-237.
Chabás, Juan, «El teatro en España», en *Almanaque literario*, Plutarco, Madrid, 1934.
Díez-Canedo, Enrique, *Artículos de crítica teatral. El teatro español de 1914 a 1936*, Joaquín Mortiz, México, 1968, 4 vols.
—, *Conversaciones literarias (1920-1936)*, Joaquín Mortiz, México, 1968.
Díez de Revenga, F. J., y M. de Paco, *El teatro de Miguel Hernández*, Universidad de Murcia, Murcia, 1981.
Domenech, Ricardo, «Para un ajuste de cuentas con el teatro de Alejandro Casona», en *Ínsula*, n.º 209 (abril de 1964).
—, ed., Max Aub, *Morir por cerrar los ojos*, Aymá, Barcelona, 1967.
Espina, Antonio, *Bartolozzi. Monografía de su obra*, Unión, México, 1951.
Esquer Torres, Ramón de, *La colección dramática «El Teatro Moderno»*, Anejos de la revista *Segismundo*, n.º 2, CSIC, Madrid, 1969.
Estévez Ortega, Enrique, *Nuevo escenario*, Lux, Barcelona, 1928.
Fábregas, Xavier, *Historia del teatre català*, Millà, Barcelona, 1978.
—, *Teatre català d'agitació política*, Edicions 62, Barcelona, 1969.
Farris Anderson, «Hacia el teatro de Jardiel Poncela: *Una noche de primavera sin sueño*», *Papeles de Son Armadans*, CCIV (marzo de 1973), pp. 313-340.
Flórez, Rafael, *Mío Jardiel*, Biblioteca Nueva, Madrid, 1966.
—, *Jardiel Poncela*, Epesa, Madrid, 1969.
García Lora, J., «Fabulación dramática del fabuloso Max Aub», en *Ínsula*, n.os 222, 223 y 224 (1965), pp. 14; 13; 28-29, respectivamente.
García Lorenzo, Luciano, «La denominación de los géneros teatrales en España durante el siglo XIX y el primer tercio del XX», en *Segismundo*, III (1967), pp. 191-199.
García Pavón, Francisco, *El teatro social en España (1895-1962)*, Taurus, Madrid, 1962.
—, «Inventiva en el teatro de Jardiel Poncela, *Cuatro corazones con freno y marcha atrás*», en *El teatro de humor en España*, Editora Nacional, Madrid, 1966.
Gordón, José, *Teatro experimental español*, Escelicer, Madrid, 1965.
Gregersen, Halfdan, *Ibsen and Spain*, Cambridge (Mass.), 1936.
Guansé, Domènec, *Margarita Xirgu*, Alcides, Barcelona, 1963.

Guerrero Zamora, Juan, *Historia del teatro contemporáneo*, Juan Flors, Barcelona, 1962.

Gurza, Esperanza, *La realidad caleidoscópica de Alejandro Casona*, Instituto de Estudios Asturianos, Oviedo, 1968.

Gutiérrez Cuadrado, Juan, «Crónica de una recepción: Pirandello en Madrid», *Cuadernos Hispanoamericanos*, n.° 333 (marzo de 1978), pp. 347-386.

Hormigón, Juan Antonio, «Valle-Inclán y el teatro de la Escuela Nueva», *Estudios Clásicos*, XII, n.° 16 (1972), pp. 10-21.

Ifach, María de Gracia, *Miguel Hernández, rayo que no cesa*, Plaza-Janés, Barcelona, 1976.

Irizarry, Estelle, *La creación literaria de Rafael Dieste*, Ediciós do Castro, La Coruña, 1982.

Kronik, John W., *«La Farsa» y el teatro español de preguerra (1927-1936)*, University of North Carolina, 1971.

Lamby, Jean, *Histoire externe et interne du théâtre universitaire La Barraca, dirigé par F. G. Lorca et Eduardo Ugarte, de 1931 à 1936*, Institut Hispanique, París, 1961 (tesis).

Leighton, Charles M., «Alejandro Casona and the significance of dreams», *Hispania*, XLV (1962), pp. 697-703.

Marqueríe, Alfredo, *Veinte años de teatro en España*, Editora Nacional, Madrid, 1959.

—, «Novedad en el teatro de Jardiel», en *Teatro de humor en España*, Editora Nacional, Madrid, 1966.

Marrast, Robert, *El teatre durant la guerra civil espanyola. Assaig d'història i documents*, Monografies de Teatre, Institut del Teatre, Edicions 62, Barcelona, 1978.

Martínez Cachero, J. M., «Las Misiones Pedagógicas», en *Residencia*, 4, 1 (1933), pp. 1-21.

Martínez Sierra, María, *Gregorio y yo*, Biografías Gandesa, México, 1953.

McGaha, Michael D., *The theatre in Madrid during the Second Republic*, Grant & Cutler, Londres, 1980.

McKay, Douglas, *Jardiel Poncela*, Twayne Publishers, Nueva York, 1974.

Mesa, Enrique de, *Apostillas a la escena*, Renacimiento, Madrid, 1929.

Monleón, José, «Alejandro Casona frente a su teatro», en *Primer Acto*, n.° 149 (1964).

—, *Treinta años de teatro de la derecha*, Tusquets, Barcelona, 1971.

—, *El teatro de Max Aub*, Taurus, Madrid, 1971.

Palacio, Adela, «Casona y la crítica actual», en *Boletín del Instituto de Estudios Asturianos*, n.° 57 (1966), pp. 115-146.

Pérez Minik, Domingo, *Teatro europeo contemporáneo*, Guadarrama, Madrid, 1961.

Porras, Francisco, *Titelles. Teatro popular*, Editora Nacional, Madrid, 1981.

Prego, Adolfo, «Jardiel ante la sociedad», en *El teatro de humor en España*, Editora Nacional, Madrid, 1966.

Preston, Paul, ed., *Leviatán (Antología)*, Turner, Madrid, 1976.

Reyero Hermosillas, Carlos, *Gregorio Martínez Sierra y su Teatro de Arte*, Fundación Juan March, Madrid, 1980.

Rodríguez Castellanos, J., ed., Alejandro Casona, *Los árboles mueren de pie*, Holt, Reinhart & Winston, Nueva York, 1961.
Rodríguez Richart, J., *Vida y teatro de Alejandro Casona*, Instituto de Estudios Asturianos, Oviedo, 1963.
Rodrigo, Antonina, *Margarita Xirgu y su teatro*, Planeta, Barcelona, 1974.
Ruiz Ramón, Francisco, *Historia del teatro español. Siglo XX*, Cátedra, Madrid, 1975.
Sáenz de la Calzada, Luis, *La Barraca, teatro universitario*, Revista de Occidente, Madrid, 1976.
Sainz de Robles, F. C., ed., Alejandro Casona, *Obras completas*, Aguilar, Madrid, 1954.
Schwartz, Kessel, «Reality in the works of Alejandro Casona», en *Hispania*, XL (1957), pp. 57-61.
Sender, Ramón J., *Teatro de masas*, Orto, Valencia, 1931.
—, «El teatro nuevo», en *Leviatán* (junio de 1936), pp. 45-52.
Soldevila Durante, Ignacio, «Max Aub dramaturgo», en *Segismundo*, X. n.os 19-20 (1974), pp. 139-192.
Teatro, n.º 4 (febrero de 1953), dedicado a Enrique Jardiel Poncela.
Toms, F. J., «The reality-fantasy technique of Alejandro Casona», en *Hispania*, XLIV (1961), pp. 218-221.
Torrente Ballester, Gonzalo, *Teatro español contemporáneo*, Guadarrama, Madrid, 1968².
Vilches de Frutos, María Francisca, «Las ideas teatrales de Ramón J. Sender en sus colaboraciones periodísticas (primera etapa, 1929-1936)», en *Segismundo* (1982), pp. 35-36, pp. 211-223.
Woolsey A. Wallace, «Illusion versus reality in some of the plays of Alejandro Casona», en *Modern Language Journal*, XXXVIII (1954), pp. 80-84.
Zardoya, Concha, «Miguel Hernández: vida y obra», en *Revista Hispánica Moderna*, Nueva York, XXI (julio- octubre de 1955).
—, «El mundo poético de Miguel Hernández», en *Poesía española del siglo XX*, Gredos, Madrid, 1974.

MIGUEL BILBATÚA

TEATRO DE MASAS FRENTE A TEATRO REFORMISTA

Confundiendo el teatro sobre temas políticos y sociales con un subteatro que malutilice la escena como plataforma de un mitin social o político —que, en su sentido estricto, exige otro lenguaje y otros medios de comunicación—, Araquistain se sitúa dentro de la más rancia tradición del teatro burgués, incapacitado para comprender que una transformación del teatro exige paralela transformación del público burgués que ha tomado como suya la escena y, por consiguiente, una transformación de las estructuras económicas en que se produce el teatro.

Llegados a este punto, es interesante constatar que Araquistain, afiliado a un partido que se autodenomina obrero, el PSOE, se mantenga en el plano teatral en posiciones ya totalmente superadas no sólo por el movimiento revolucionario teatral en la Unión Soviética —las polémicas acerca del *proletkult* son ya viejas en aquel momento—, sino también de movimientos teatrales como el de la «Freie Volksbühne», fundada en 1890, y que en 1915 había levantado su célebre teatro con la participación de la socialdemocracia y de los sindicatos alemanes.

Araquistain no sólo no se plantea la necesidad de una transformación de las estructuras económicas en que se produce el teatro, sino que niega incluso un teatro que se refiera directamente a los problemas sociales y políticos de las masas. «... Hay que reconocer

Miguel Bilbatúa, «Intentos de renovación teatral durante la II República y la guerra civil. Notas para un estudio (1)», en *Zona Abierta*, n.º 1 (otoño de 1974), pp. 62-68.

—afirma— que el llamado teatro social, el teatro de cuestiones y masas sociales, generalmente interesa poco, incluso a los obreros. El teatro es fundamentalmente psicología, poesía, no sociología, y sus temas y personajes nos cautivan por la humanidad que contienen, por lo que sus figuras sean esencialmente como hombres y mujeres, no por las ideas que propaguen ni por la clase social a que pertenezcan. Contra lo que muchos creen, el teatro es mala tribuna de propaganda: no convence a nadie, porque no es esa su misiva, y de rechazo desprestigia al propio teatro. Un drama social valdrá por lo que valgan sus criaturas individuales.»

Encajonado entre el teatro decrépito que se presenta en los escenarios y su negativa a reconocer en el proletariado el nuevo público que el teatro necesita, la renovación propuesta por Araquistain resulta no sólo limitada por su carácter elitista, sino también inviable, ya, en las condiciones de transformación social que ocurren en aquellos momentos. Enfrentándose a las limitaciones del teatro comercial, ignorando las posibilidades de un teatro popular, el reformismo de Araquistain se dirige a la consecución de un teatro de minorías, en el que, ausente todo planteamiento de ideas y temas sociales y políticos, se conserven las «esencias» poéticas y dramáticas del teatro.

«En todas partes —escribe en *La batalla teatral*—, hay teatros de muchedumbres sujetos a mayores necesidades económicas que en nuestro país. Pero, junto a esos teatros organizados en forma de gran industria, coexisten los teatros de minorías, de poco costo y de público reducido, aunque suficiente para sostenerlos el tiempo necesario a su función renovadora. La particularidad de esos teatros minoristas, generalmente llamados teatros de arte —como si los demás no lo fueran también—, es su modesta organización económica, especie de pequeña industria que permite el ensayo de toda clase de obras sin necesidad de que sean grandes éxitos... ¿No habrá llegado el momento de que en España se intente también un teatro de minorías? No es que hasta ahora no se haya intentado. Adriá Gual viene sosteniendo en Barcelona un benemérito ensayo de muchos años. En Madrid ha habido diversas tentativas, si bien de escasa continuidad. Lo que hace falta es que la experiencia se emprenda con una organización económica regular, como en los otros teatros, pero de distinta naturaleza.»

La historia demostraría que el momento de intentar en España un «teatro de minorías» había pasado. La solución propuesta por Araquistain había tenido su apogeo —si apogeo podemos llamar a unos teatros que, salvo las excepciones de rigor, más tenían de «teatros de salón» que de «teatros de minorías»— en la época de la dictadura de Primo de Rivera, y había concluido con ella. Como toda solución elitista, el «teatro de arte» no podía cumplir ningún cometido en la transformación que el teatro español necesitaba. Aun reconociendo que en ellos se dieron a conocer nuevos autores, nuevas formas escenográficas y nuevos conceptos en la dirección escénica —y que estas novedades se impondrían con el tiempo en la escena comercial burguesa, como corresponde a su función en cuanto teatro de élite de la burguesía, auténtico laboratorio de las formas que más tarde aceptará el conjunto de la clase—, la solución elitista de los teatros de arte suponía una concepción en la que predominaban los rasgos defensivos —abandonemos la escena en manos de las compañías adocenadas y refugiémonos los espíritus selectos en nuestras representaciones minoritarias— y el mantenimiento de las estructuras reales del teatro, lo que les abocaba al fracaso.

En absoluto pretendemos negar con ello la importancia que presentan para la aparición de nuevos dramaturgos, escenógrafos, incluso en el nacimiento de la figura del director escénico, experiencias como el Teatre Íntim de Adriá Gual, en Barcelona, o El Caracol, de Cipriano Rivas Cherif, y El Mirlo Blanco, de doña Carmen Monné de Baroja, en Madrid, e incluso, ya en tiempos de la República, del Club Anfistora, dirigido por Pura M. de Ucelay. Sin embargo, todas estas tentativas en modo alguno podrían abrir, por su propio planteamiento, una brecha en la renovación escénica española.

Como tampoco podían abrirla las temporadas de la compañía de Margarita Xirgu en el Teatro Español de Madrid, desde 1928 a 1935. Pese a la incorporación de obras de un teatro políticamente comprometido y con una clara tendencia democrática —no es necesario recordar el estreno de *Fermín Galán*, de Alberti, compensado con creces en número y éxito de público por el teatro político de la derecha: *Teresa de Jesús*, de Marquina (1932); *El divino impaciente* (1933), *Cuando las Cortes de Cádiz* (1934), *Cisneros* (1935), de Pemán, por mantenernos en un teatro con visos de «calidad», sin descender a las astracanadas ultraderechistas de Pedro Muñoz Seca: *La oca*, etcétera—, la labor de Margarita Xirgu en los locales comerciales ha de considerarse más como un ejemplo de honradez profesional que como una posible renovación de nuestra escena. Realmente, durante el período de la República no existió ningún intento renovador global que alcance la escena comercial; los sentidos que se producirán posteriormente —con un sentido radicalmente distinto— tienen lugar avanzada la guerra civil.

Las soluciones propuestas por Araquistain —regreso a las experiencias teatrales elitistas de la época de la dictadura— resultan anacrónicas como resultado de su encuadramiento dentro de una concepción del teatro que se mantiene en el marco de la apropiación por la burguesía del espectáculo teatral a través del carácter mercantil-capitalista de la estructura económica del teatro. En este sentido, *La batalla teatral* supone el último eslabón de una cadena que, iniciándose en Moratín y Jovellanos, llega, a través de Galdós, hasta Araquistain, y que supone el intento de los intelectuales burgueses más lúcidos de elevar el teatro a los niveles que la burguesía europea más avanzada había alcanzado en cada momento en sus respectivos países. Si «el teatro español de nuestros días espeja la puericia en que aún vive la burguesía española», la meta de Araquistain, ni siquiera propuesta como alcanzable a corto plazo, sería encontrar el teatro adulto que correspondiera a una burguesía adulta.

Pero, con el advenimiento de la República, quien irrumpe en la vida española no es tanto una burguesía adulta cuanto un proletariado cada vez más organizado y consciente de su fuerza. Y, si asistimos a un recrudecimiento de la lucha de clases, no resulta extraño que, a nivel ideológico, nos encontremos igualmente con un replanteamiento en el análisis del teatro español que incorpora el mayor vigor de la lucha de clases y que, a su vez, se incorpora, desde el plano específico de la batalla ideológica y práctica en el teatro, a tal lucha de clases.

En este sentido, en 1931 publica Ramón J. Sender un libro teórico, *Teatro de masas*, que marca una ruptura definitiva con las concepciones anteriores. Sender se aleja de los intentos de una renovación dentro del marco del teatro burgués y abre —a través de un análisis de las experiencias extranjeras: principalmente del teatro de Piscator, del teatro revolucionario soviético y del teatro yidish— el camino hacia un teatro proletario.

En el capítulo titulado «Teatro político», Sender ofrece una opinión tajante, radicalmente opuesta a la de Araquistain: «Si eso del "arte por el arte" no tiene sentido en poesía, en novelística —¿qué arte?, ¿por qué arte?—, menos lo tiene en el teatro ... Los defensores de esa vieja fórmula del "arte por el arte" responderán que ... les basta con que el arte no se ponga al servicio de credos políticos o sociales, que no se le subordine al papel de instrumento de propaganda. El tema ha sido tan manoseado desde hace tantos años que la pluma se resiste a volver sobre él ... Sólo no son políticos la piedra, el árbol, la luz, lo que vive sin conciencia de sí ni de lo que le rodea. Desde este punto de vista, la llamada literatura pura pretende una actividad pasiva e inerte y, al conseguirlo, realiza una misión conservadora, obstructora, al servicio de todo lo viejo y consagrado. La literatura pura, aun cuando no dejara de estar saturada de preocupaciones de clase —elegancia, pulcritud, originalidad, minoría— sería, pues, un arma no ya de una fe, de una creencia, de un credo libre, sino de un círculo social cerrado, de una clase: de la burguesía. Vive del viejo y obtuso criterio burgués sobre "el arte" y "lo artístico"... El teatro al uso es terriblemente conservador y burgués. El "teatro puro" —poético— es embriagador y se agarra a los resortes más blandos de la vieja tradición estética, al concepto inerte y mortecino de lo "artístico". A espaldas de todo esto queda la verdad dramática y dramatúrgica, el teatro teatral, activo, dinámico, que exalta y estimula la realidad de nuestra vida, siempre en marcha, siempre avanzando, que recoge sus mejores vibraciones y las proyecta valientemente hacia las sombras de mañana para desentrañarlas si puede y si no para darles una forma emocional. Este teatro —teatro por antonomasia— es el teatro político ... Utilizamos con la debida ponderación y con plena conciencia estas palabras proscritas de las categorías intelectuales: burgués, político. Y otra que aún no habíamos usado: revolucionario, aunque ésta nos resulte pretenciosa, porque la obra de arte de proporciones geniales es revolucionaria siempre. Aun añadiremos otra, que hay que aceptar desde el momento en que hemos hablado de lo "artístico burgués": lo proletario. La diferencia entre "revolucionario" y "proletario" ya se advierte a simple vista. El primer concepto tiene un sentido más amplio y corresponde a una sociedad no clasista, como la proletaria, sino sencillamente popular. Lo "revolucionario" en arte sugiere el "pueblo" en lo social. Claro está que dentro de ambas zonas, más limitada de horizontes, sujeta ya a cierto método genérico, está la literatura "proletaria" y "el proletariado". El teatro político de hoy participa de las previsiones sistemáticas de lo proletario y la anchura de horizontes de lo popular y lo revolucionario ... El teatro político en España, donde la sensibilidad política es tan fina y aguda, ha de renovar nuestra dramática lánguida y falsa. El actor del teatro burgués es un comediante. El político burgués, que está pasando ya a las categorías arterioscleróticas de la Historia —estamos viviendo ya en pretérito, este tiempo no es ya nuestro en España, sino de los que se fueron—, es también un comediante. El pueblo llama "comediantes" a los unos y a los otros. A los actores con indiferencia y a los políticos con desdén».

El «teatro de masas» de Sender supone una ruptura con los análisis anteriores. En ellos, la «crisis» del teatro se planteaba como un problema interno del espectáculo que podía resolverse transformando los «gustos» del público, pero manteniendo la relación espectáculo-espectador burgués. Sender ataca precisamente esta relación fundamental. El espectador burgués pertenece a un tiempo pasado; es, pues, necesario buscar un nuevo espectador, y éste no puede encontrarse más que en la clase ascendente: el proletariado.

Ya no se trata de dar la batalla por la reforma del teatro burgués; se trata de sustituirlo.

No hay que barrer los caminos andados y emporcados, sino destruirlos y echar a campo traviesa abriendo bajo los pies las nuevas rutas —afirmará Sender enfáticamente—. En España estamos ya en el caso de intentar francamente esa avanzadilla del teatro revolucionario, que es el teatro proletario. Desde que se implantó la República ha quedado incorporada definitivamente a la burguesía toda aquella masa intelectualoide de la que se sospechaba cierta vitalidad ascendente, cierta rebeldía vital, esa adhesión a lo cósmico inestable, a la entraña biológica renovante y pujadora, que es característica del talento creador. Se han deslindado los campos, se han abierto los caminos. El teatro revolucionario, en ese amplio e indefinible sentido que tiene la expresión cede su puesto al teatro proletario. Si no hay ya en España sino proletariado y capitalismo, con esa zona burguesa, medioburguesa, que es lo abyecto y lo vergonzante de la inteligencia española de hoy, el espíritu creador, que nunca estuvo de acuerdo en arte con el dinero ni con la burguesía, estará en nuestro campo. Por otro lado, el teatro proletario es la única modalidad que responde a las íntimas características de nuestra época. Las demás formas son un eco, una continuación, a veces un remedo de la tradición dramática de cada país.

Sin entrar, en este momento, en un análisis más profundo de las tesis de Sender, sí queremos subrayar el giro total que significan respecto a las mantenidas por Araquistain. A partir de 1931, los intentos renovadores se orientarán, desde presupuestos a veces ambiguos y contradictorios, a la búsqueda de un nuevo público y de un nuevo teatro que responda a las exigencias de dicho público.

LUIS SÁENZ DE LA CALZADA

LA BARRACA COMO ALTERNATIVA ESCÉNICA

El teatro que se hacía en España en los años que precedieron a la República, era pura pobretería y locura —por valerme de una expresión de Moreno Villa—. Como es natural, había apuntador; en realidad, aunque los actores se olvidaran de pasajes de las obras que representaban, no se perdía gran cosa, incluso aunque se olvidasen de la obra entera. Pero el apuntador representaba la obra angular del teatro, algo así como el reparto de los papeles y el orden que los actores deberían llevar en los programas; lo demás importaba bastante menos; el público pasaba por todo y era capaz de reírse con un buen chiste de Arniches o de Muñoz Seca.

Pero, dentro del teatro, las cosas ocurrían de manera diferente; a las dos y media de la tarde, o a las tres, según, se empezaban los ensayos en el escenario; por supuesto, se ensayaba la obra que con el tiempo —generalmente breve—, se representaría; se ensayaba hasta la hora de merendar; tomar un chocolate o un café, por ejemplo, según las disponibilidades económicas de cada cual, y después, a las seis y cuarto, a representar (ello implicaba estar en el teatro antes, ya que había que vestirse y maquillarse); tras la representación de la tarde, se cenaba en el camerino (había que llevar la cena en una cesta, como si se fuera al campo de excursión) y después, otra vez a representar. A la una de la noche terminaba el trabajo que se remataba tomando un tentempié en el café vecino, porque no todo va a ser trabajar, y luego, claro, a la cama. Como es natural, uno se levantaba tarde, puede que a las doce o a la una; se arreglaba, tal vez estudiaba un poco su papel, tomaba, por acaso, un aperitivo y ¡hala! otra vez al escenario a repetir, jornada tras jornada, la misma vida estólida.

Había, claro está, las lecturas de los autores; en esos días no se ensayaba, sino que se escuchaba la obra que el autor, con mucha prosopopeya, a veces con gracia, a veces, las más, con un desangelamiento aterrador, leía a los actores; éstos venteaban ya en el aire el papel que les caería en suerte y fruncían el ceño o soñaban pensando en clamorosos triunfos.

También había los ensayos generales a los que asistían, generalmente, los críticos, para formarse una idea de los comentarios que habrían de

Luis Sáenz de la Calzada, *La Barraca, teatro universitario,* Revista de Occidente, Madrid, 1976, pp. 39-45.

hacer al día siguiente; solían, tales ensayos, ser de un aburrimiento entenebrecedor, del que salía uno enfadándose con todo dios, incluso con los tramoyistas y con el apuntador. Voces, gritos descompuestos, repeticiones de escenas que antes salían bien y en el ensayo general salían mal, solían ser el resultado final de una de esas jornadas en las que actores, director, autor, decorador, figurinista, etcétera, dejaban disparar sus nervios hacia los cuatro puntos cardinales.

Y luego había las llamadas *tournées* por provincias; se viajaba en tren y se llevaba un repertorio escogido, quiero decir, contrastado por las audiencias madrileñas; a veces, por el contrario, era en provincias donde se estrenaba la obra nueva, para tener una idea de cómo resultaría posteriormente en Madrid. Las *tournées* eran agotadoras; acababa uno cansado hasta más allá del propio cansancio físico; los viajes, ya lo he dicho, se hacían en tren que, por entonces, tenía humo; cada cual debía llevar su frack, su smoking o tal vez, también, su chaqué (naturalmente se alquilaban), pero el edificio de los equipajes era complicado. Menos mal que existía lo que se llamaba el representante de la compañía que era el que hacía los contratos con los teatros de provincias y además —importante además—, pagaba las nóminas a los actores.

Los empresarios de los teatros de provincias solían arreglarse con el representante por dos usualmente conocidos modos: un tanto por ciento para la compañía (oscilable entre el cincuenta y el setenta, según la calidad o el éxito posible) de la entrada, o bien una cantidad determinada y de la que también era condicionante el nombre de los divos o de las obras que llevaran en el repertorio. Por ejemplo, es un decir, tal vez cobrasen más Irene López Heredia y Mariano Asquerino que Loreto y Chicote; de todos modos, no puedo asegurar nada de esto. Por su parte, el actor cobraba lo estipulado, independientemente del éxito conseguido; no había incentivos que le obligasen a mejorar, de algún modo, su actuación, salvo el caso, más bien problemático de que, creyéndose un fuera de serie, pensara formar su propia compañía. En general, todo era bastante sórdido.

Luego había, claro, el día del cobro; entonces las caras estaban más alegres de lo acostumbrado; dichos días solían ser el sábado o el lunes, días o día en el que el representante de la compañía parecía tener algo así como arcangélico en su mirada o en su sonrisa. A la salida del cobro, unos lo hacían con cara más sonriente que otros; eran los más «billetables», digamos el primer actor, el galán joven o la damita; los menos billetables también salían sonrientes, después de haber estampado su firma en la ficha de nóminas. Si he de hacer caso a lo que me dijeron en su día, Rafael Rivelles, un primer actor, cobraba 500 pesetas diarias, lo que, en el año cuarenta de nuestra era (quiero decir en el año 1940), suponía una fortuna. Rivelles era, seguramente, de los más billetables de la época. Guillermo Marín también debía serlo en buena medida, pero quizá no llegara a lo de Rivelles. [...]

En estas condiciones muy someramente descritas, viene o adviene la República y el tema tan traído y llevado de la renovación del teatro español, alcanza un primer plano; la UFEH (Unión Federal de Estudiantes Hispanos), se planteó, asimismo, el problema. Cuando don Fernando de los Ríos accedió al Ministerio de Instrucción Pública, las cosas pudieron resolverse. Don Fernando era sobrino de Giner, uno de los fundadores de la Institución Libre de Enseñanza; era granadino y amigo de Federico y su familia.

En el periódico *El Liberal*, y con el título de «Programa y presupuesto de Instrucción Pública» (día 25 de marzo de 1932), se manifiesta don Fernando de los Ríos como sigue:

> En algunos suscita una sonrisa que haya cien mil pesetas para el teatro estudiantil La Barraca. Para mí, perfectamente persuadido de que esa juventud universitaria, en un momento de colapso para la dignidad cívica española, fue ella, ella, quien dio la nota elevada, para mí eso es una nimiedad, dado lo que ella se merece; y ella va a ir por las aldeas y construirá su barraca y divertirá notablemente al pueblo. ¿Es que hay quien pueda ponerle ni siquiera el reparo del oportunismo?

Las posibilidades, pues, para llegar a la creación de un teatro universitario que llevara a nuestros clásicos al pueblo de donde brotaron, eran favorables; Arturo Sáenz de la Calzada, a la sazón presidente de la UFEH, también vivía en la Residencia de Estudiantes y, por supuesto, creía en la cultura como uno de los más importantes motores para conseguir el acercamiento humano y superar los desniveles existentes entre las clases sociales. Nada tiene de particular, pues, que se entregara de lleno a la creación de dicho teatro universitario. [...]

La UFEH dio el visto bueno al proyecto y su presidente, Arturo Sáenz de la Calzada, lo sería, asimismo, del consejo de administración de La Barraca. El consejo, como tal, comprendía cuatro estudiantes de Filosofía y de Derecho: Emilio Garrigues, Díez-Canedo, Luis Meana y Miguel Quijano; este último se haría cargo de la secretaría; posteriormente y a no tardar mucho, se la traspasaría a Rafael Rodríguez Rapún; por otro lado, existían cuatro supervisores arquitectos o estudiantes de Arquitectura: Gámir, Fernando La Casa,

Luis Felipe Vivanco, poeta, además de estudiante de Arquitectura —posteriormente gran amigo de Luis Rosales; siempre andaban juntos, por lo que les decían Rosanco y Vivales—. Arturo Sáenz de la Calzada fue, asimismo, actor y representó el Fuego en el auto sacramental de *La vida es sueño.*

El director artístico era, por supuesto, Federico; ayudante de dirección, codirector, supervisor, o algo así, sería Eduardo Ugarte, concuñado de Bergamín, el director de la revista *Cruz y Raya.*

La subvención fue de cien mil pesetas; hoy día no habría con ese dinero ni para hacer medio metro cuadrado de autopista, pero entonces suponía, dado el presupuesto del estado español, una cantidad importante. Cuenta Marcelle Auclair que Quijano fue a cobrar el dinero y que le dio tanto miedo tenerlo encima, que lo llevó rápidamente a guardarlo en la caja fuerte del padre de Garrigues. (En realidad de ese dinero había que deducir diez mil pesetas que la UFEH habría de destinar a otras actividades culturales, cineclub, por ejemplo.)

Hubo, naturalmente, que comprar un camión para transportar los decorados y el tablado, así como los cestos de los vestuarios y atrezzos; la Dirección General de Seguridad prestó un autobús para los actores, así como los chóferes que se precisaran. Al principio, una señora de compañía a la que, naturalmente se pagaba, hacía las veces de carabina o algo así; cuando yo entré en La Barraca había una que se llamaba doña Pilar; tal vez haya muerto, ya que pienso que por entonces sobrepasaba la cincuentena; después de ella nadie cubrió su puesto ya que era totalmente innecesario.

Más adelante, coincidiendo casi con mi entrada en el teatro, se adquirió otra furgoneta destinada exclusivamente a transportar los decorados, las cestas-baúles y los atrezzos. No era nada fácil cargar los camiones; cualquier cosa que se pusiera un poco de través, imposibilitaba la tarea, lo que nos obligaba a llevar un orden exquisito. Como yo viajaba en la segunda furgoneta, mi obligación fundamental consistía en ocuparme en cargar y descargar los decorados, cestas y atrezzos; me ayudaba Rapún y nos echaba una mano Eduardo, el policía; en todo caso, ello no nos liberaba de ayudar a montar y desmontar el tablado; de cualquier forma, habíamos adquirido ya un entrenamiento suficiente y montábamos todo, incluso las baterías y los focos, con su toma de corriente, en muy poco tiempo; era más molesta la labor contraria, entre otras cosas porque estábamos fatigados —habíamos llevado a cabo la representación— y era, además, cuando podíamos equivocarnos al meter las cosas en las camionetas; la equivocación nos costaba tener que vaciar y volver a empezar.

El caso es que, de repente, dos teatros ambulantes hicieron aparición en los escenarios de España: La Barraca, auténtico teatro, con una misión definida que cumplió plenamente, y Misiones Pedagógicas con otra, de parecido significado pero, como su nombre indica claramente, más pedagógica que artística. Este último teatro o misión, como quiera llamársele, lo dirigía Alejandro Casona, hombre agudo, de condición humilde pero magnífico escritor y, a su modo, revolucionario también en el teatro que se hacía en España. Lo importante es que ambos teatros peregrinos, ambulantes, representaban florones escénicos, y bien lucidos, de lo que fuera la Institución Libre de Enseñanza.

IGNACIO SOLDEVILA-DURANTE

MAX AUB, DRAMATURGO

[En la obra teatral de Aub hasta 1935 destaca] la literalidad de la composición y su reducción a un nivel tal de elementalidad, a una sintaxis teatral tan escueta —basta comparar el más cargado de sus textos teatrales, *Narciso*, con la más sencilla de sus prosas de la misma época, para que la aparente carga verbal del drama recobre sus exactos perfiles de sencillez— que ha llevado a los críticos a calificarlo de «anti-realista», de «intelectual y abstracto», etcétera. José Monleón [1971 *b*] reconoce, no obstante, que este teatro es «correlativo coherente de sus ideas sobre la realidad». Falta señalar, a nuestro entender, el origen de esas ideas, que no son, contra lo que nosotros mismos pensábamos hace veinte años, el resultado de lecturas y de influjos europeos en el joven Aub. [...] Y así nos parece que el teatro primero de Aub cobra su mayor sentido en esa consideración de sus esfuerzos por comunicar con un mundo nuevo, desconocido, nacido de una situación hostil de crisis total. Es la suya una actitud de «minusválido» (por emplear uno de tantos tristes eufemismos al uso), concretamente de sordomudo —puesto que ni *oye* el español

Ignacio Soldevila-Durante, «Max Aub, dramaturgo», *Segismundo*, X, n.os 19-20 (1974), pp. 139-192 (151-154, 156-160, 163-171).

ni puede hablarlo— que intenta desesperadamente comprender y ser comprendido por encima de las barreras que le interponen los dominios de lo audio-oral. De ahí que toda su obra teatral hasta 1934 cobre su unidad de sentido en esa actitud pantomímica que ha llamado la atención de los más finos observadores de su teatro, sin llegar a alcanzar, no obstante, una explicación satisfactoria del fenómeno. El hombre en su más elemental desnudez, enfrentado con las fuerzas del mal en una forma melodramática y a la vez reducida a esquemas que sólo se conservaban en el teatro de marionetas o en el guiñol, es su protagonista.

Desde la primera obra publicada —*Crimen* (1923)— ya notamos esa tragedia básica de la falta de comunicación y que transparenta a través de todos los textos, como resultado que es de una actitud fundamental del escritor, incluso cuando ya ha sido dominada y superada a nivel consciente. [*El desconfiado prodigioso*, de 1924, tiene ya como *leitmotiv* evidente la incomunicación. Don Nicolás no sólo es incapaz de *oír* —literalmente— lo que hablan su mujer y su «mejor amigo», sino que ni siquiera es capaz de entenderse a sí mismo. *Una botella* [inspirada en una pieza de Marcel Achard —*Voulez-vous jouer avec môa?*—] está escrita asimismo en 1924, e insiste nuevamente en el problema de la incomunicabilidad, pero ahora no ya basado en la relación personal y sentimental entre los hombres, sino como resultado de sus relaciones estrictamente incomunicables entre cada uno de ellos y las realidades exteriores del mundo físico. Éstas están representadas en la farsa por una inmensa botella que ocupa el centro de la escena.]

El celoso y su enamorada (1925), que el autor subtituló «farsa de adolescentes», es, a su pesar, el texto dramático de Aub que, entre las piezas breves de esta primera época, más se acerca a los esquemas trágicos. Una tragedia reducida a su más estricta literalidad y revestida de un cierto ropaje irónico que no logra ocultar el drama de los personajes. Nuevamente se inspira Aub en una obra reciente, revitalizadora del tema clásico de los celos —*Le cocu magnifique*, del belga Ferdinand Crommelinck—, que había tenido un rotundo éxito en los escenarios franceses. [...] *Espejo de avaricia*, que apareció como obra en un acto en 1931, fue escrita por Aub en 1925. Es una «farsa de carácter» que responde al programa de Copeau de renovación de los clásicos. Aub se enfrenta con la tradición de Molière y de Plauto, y recrea el personaje víctima de su pasión por los bienes materiales.

El tema había sido renovado ya por el expresionismo alemán, como indicamos, en *Die Kassette*, obra de Sternheim que Aub tuvo ocasión de ver representada durante su viaje a Alemania en 1924. El tema es particularmente atrayente para nuestro autor, que vuelve a él en dos ocasiones. La primera, para dar continuación a la pieza de 1925, de la que conserva el título y retoca el texto, haciéndolo primer acto de una obra en tres, que publica en 1934. La segunda, para escribir una farsa de rasgos mucho más acusados, con el título de *La jácara del avaro*, en 1935, para las Misiones Pedagógicas dirigidas por Alejandro Casona. Explota en esta última pieza los aspectos más jocosos de la obsesión del avaro, según una tónica ya iniciada por Ferdinand Crommelinck en su farsa *Tripes d'or*. [...] Con renovaciones del tema, el psicodrama se eleva —sobre todo en la *Jácara*— al nivel del sociodrama, es decir, que el Edipo triunfante de la comedia ya no pertenece al individuo, sino que corresponde a la frustración de una clase social sometida, que se rebela, se enfrenta y triunfa de sus opresores. Escrita para ser representada por los pueblos en vísperas de las elecciones de 1936, este carácter sociodramático venía a ser subrayado por las circunstancias históricas y, por primera vez en la obra de Aub, el problema colectivo domina al problema personal, de manera tanto más significativa cuanto que por primera vez se manifiesta en la revisión de un tema antes utilizado a nivel de problemática interior e individual. [...] *Narciso* (1928). Hay que regresar al período que se extiende entre la primera y la segunda versión de *Espejo de avaricia* para situar esta obra, que fue traducida al francés por A. de Falgairolle y que Pitoeff ensayaba para estrenar cuando en 1939 le sorprendió la muerte. Con ella entra Aub en su más ambicioso intento de renovación de la tragedia clásica, siguiendo los derroteros marcados por la vanguardia francesa, y particularmente por Cocteau en *Les mariés de la Tour Eiffel* (1921), incluyendo la modernización del coro antiguo que Cocteau (y muchos años antes Ramón Pérez de Ayala en *Sentimental Club*, su único intento de teatro, jamás representado) materializa en la moderna invención del gramófono. Aub, por su parte, sitúa al coro en el fondo de la escena, en posición elevada, y sobre una forma cúbica dominante, al Corifeo, disfrazado en arlequín, que utiliza un megáfono para comentar, con la misma arbitrariedad con que utiliza su amplificador, las peripecias de la tragedia. [...] De cualquier modo, ni siquiera en esta obra podemos descubrir la ausencia de una fundamental actitud ética en nuestro dramaturgo. Díez-Canedo [1968], que ya en aquel año señalaba el parentesco de *Narciso* con el teatro de Cocteau, subraya el hecho de que bajo los «irónicos pliegues» se encerraba «una tragedia profunda, cuyo sentido se enlaza con el de la alegoría mitológica». No están, sin embargo, traídos por la ironía, como él estimaba, los «fragmentos de diálogo voluntariamente anodinos en su exterior incoherencia». Es, según nos parece hoy, explotación de los recursos puestos a disposición del escritor por el psicoanálisis. [...]

Entre 1935 y 1939 escribe ocho piezas que luego ha reunido con el título de teatro de circunstancias, para añadir luego entre paréntesis: (¿cuál no lo es?). Todas estas piezas fueron representadas en situaciones combativas. *La jácara del avaro*, como indicamos, por las Misiones Pedagógicas; *El agua no es del cielo*, «por calles y plazas» como propaganda electoral en febrero de 1936; *Pedro López García* (agosto de 1936), en el altar mayor de la iglesia de los Dominicos, de Valencia, convertido en escenario; *Las dos hermanas*, en el teatro Principal de Valencia, por una compañía de teatro experimental en la que se pretendió aunar los esfuerzos de dos formaciones sindicales opuestas (CNT y UGT); *La fábula del bosque* (1937), en las colonias de niños refugiados; *Por Teruel*; *¿Qué has hecho hoy para ganar la guerra?* y *Juan ríe, Juan llora* (las tres de 1937), por las Guerrillas del Teatro, creadas como «escenario volante» por el Consejo Central del Teatro que presidía Antonio Machado, y del que Aub fue secretario.

De esta época es también la excelente adaptación de *La madre*, la novela de Gorki, cuyo montaje se preparaba en Barcelona en 1939, y que Aub remodeló muchos años después para su representación en la Escuela Normal de México, lo que explica los mexicanismos del texto y de las acotaciones, según aclaró el autor al editarse en su *Teatro completo*. José Monleón [1971 *b*] no duda en afirmar que la versión de Aub, respecto a la que Bertolt Brecht hizo de la misma novela, es «más cálida, más total, más abierta».

Hay que mencionar aquí otro texto dramático muy importante, *La guerra*, escrito entre 1935 y 1936, también desaparecido, y del que sólo quedan las escenas publicadas por la revista *Nueva Cultura*.

La función de testigo de su época que Aub asume, convive en él con la constante inquietud y el afán de experimentación y de renovación de los medios expresivos que le mantendrán vivo y disponible hasta el último instante. [En la posguerra] Aub revive la experiencia de su infancia y de su adolescencia: arrancado por fuerza a su patria, víctima ahora de la dura experiencia concentracionaria, separado de su familia, expoliado dos veces en el espacio de un año, reducido a luchar día a día por el mínimo vital. De nuevo el absurdo de la existencia —esta vez manifiesta en burócratas, policías, guardianes y gendarmes, que vienen a colmar las duras experiencias, ajenas y propias, de guerra— se hace patente para Aub, que tomará las lecciones *à son corps défendant*. De ese grado cero de humanidad regresa a la vida cotidiana con un nuevo empeño de comunicar, de decir a gritos, o por gestos, la verdad y la realidad descarnada de los hechos. Dispuesto a abrir los ojos ajenos con la esperanza de que no se haya de morir de nuevo por haberlos cerrado. En un país que no es el suyo, al que se ha de adaptar de grado, pero con esfuerzos, escribe y publica para sus compatriotas, a los que, en otro mundo, no pueden llegar sus mensajes. Sólo el temple humano de Aub explica que el absurdo de la empresa no haya conseguido contener su impulso comunicativo y creador.

El teatro de Aub será siempre un teatro ético, una lección de moral —ahora social y política sobre todo—, una crónica de sus tiempos. «Creo —decía en febrero de 1946— que no tengo derecho, todavía, a callar lo que vi para escribir lo que imagino.» Ni siquiera en sus años más apacibles —la década de los sesenta— volverá Aub a la libre imaginación teatral pensada para tiempos mejores. Ni en sus más libérrimas creaciones —la versión en tres actos de *Los muertos* o en el espectáculo *Del amor*— volverá Aub al grado de abstracción que significaron *Narciso* o *Espejo de avaricia.* Y en su prosa narrativa, tampoco su *Jusep Torres Campalans* o su *Juego de cartas* pueden entenderse sin atender a las circunstancias históricas y sociales que los determinan, porque, a diferencia de sus textos en prosa de preguerra [...] están inmersos en el tiempo. La ironía de Aub llevará hasta el fin esa carga testimonial que se le había impuesto de manera definitiva.

FRANCISCO RUIZ RAMÓN

EL TEATRO DE CASONA: ENTRE REALIDAD Y FANTASÍA

Los críticos afirman unánimes que *La dama del alba* es la mejor obra de Casona, y el propio dramaturgo confesaba que era su preferida. Fundamentalmente es un drama poético cuya significación y be-

Francisco Ruiz Ramón, *Historia del teatro español del siglo XX*, Cátedra, Madrid, 1976, pp. 240-242.

lleza residen en la intensa poetización de los personajes y su mundo, del lenguaje y de las situaciones. Cada uno de los elementos constitutivos del drama —acción, caracteres, pensamiento y lenguaje, más el que la crítica anglosajona llama *imagery*— tienen una función primordialmente poética. Casona crea así, esta vez, un universo poético en donde ninguna interferencia ajena a lo puramente poético viene a producir ruptura alguna del universo creado. En esta obra no hay —y de ahí su coherencia interna y su excelencia— lección alguna de pedagogía espiritual ni moral. Todos sus símbolos, y el primero el que es central en la pieza —el de la Peregrina—, tienen valencia poética, y en está reside su sentido y su eficacia dramática.

La acción está situada en la Asturias natal del dramaturgo, a quien desde la distancia y la ausencia dedica la obra: «A mi tierra de Asturias: a su paisaje, a sus hombres, a su espíritu». Ese espacio físico, destemporalizado («sin tiempo», indica Casona), tiene desde el arranque mismo de la acción un valor poético que engloba a los personajes, a sus acciones y a sus palabras. El centro del «Retablo» lo ocupa la Muerte, cuya aparición en forma de hermosa y misteriosa Peregrina armoniza con el espacio poético en donde va a actuar. Su identidad sólo se hará patente al Abuelo, dotado de esa sabiduría característica de los viejos en los mitos y cuentos populares, manteniendo su secreto para el resto de los personajes. El tema central de la pieza es la intervención benéfica de la Muerte en un drama humano, cuya solución desencadenará cumpliendo la función de la justicia poética. La historia —muy simple— se nos va desvelando paulatinamente: Ángela, esposa de Martín de Narcés, a la que todos, menos el marido, creen ahogada y desaparecida en el río, y a cuyo recuerdo dedica un obsesivo culto la Madre, regresa a la casa de donde años antes partió con otro hombre, sin que Martín revelara la infidelidad, no sólo por evitarse a sí mismo la deshonra, sino como homenaje de amor a su esposa, cuya imagen de víctima pura e inocente ha conservado así, con su silencio, en la memoria de los demás. Regresa, en busca de perdón, ignorando que todos la creen muerta, para ocupar un puesto que ya no le pertenece, pues la ha sustituido en el amor del marido, de la madre y de los hermanos, otra muchacha, Adela, salvada por Martín de perecer ahogada en el río; Adela, que ha traído la alegría y la esperanza de la felicidad a la casa en donde Ángela dejara la tristeza. Su regreso hará imposible la felicidad y destruirá la imagen que de Ángela perdura en la memoria colectiva: la realidad sórdida y fea vendrá con su vuelta a instalarse en el lugar de la fabulación y del mito. La Muerte aporta la solución: Ángela, sacrificándose a sí misma, hará real el mito. Su cuerpo aparece intacto en el río, siendo salvada la leyenda de Ángela, para siempre ya imagen de pureza y de belleza. Su muerte, real esta vez y voluntaria, instaura la felicidad en la casa. La justicia poética cumplida por la Muerte lleva en su seno el poder de rescatar y redimir la realidad mediante su asunción a mito.

Creo que sería incurrir en un error de interpretación tratar de señalar, como han hecho algunos críticos, una significación universal o filosófica, fuera de su pura funcionalidad poética, a algunos aspectos de la humanización de la Muerte. Ésta, repito, me parece un personaje exclusivamente poético. Cuando conquistada por los niños, en una hermosa escena del acto primero, olvida su misión, o cuando en otra bella escena del acto segundo confiesa con patética emoción al Abuelo su íntima vocación femenina, que es vocación de amor («¿comprendes ahora lo amargo de mi destino? Presenciar todos los dolores sin poder llorar... Tener todos los sentimientos de una mujer sin poder usar ninguno... ¡Y estar condenada a matar siempre, siempre, sin poder nunca morir!»), ambas escenas no tienen otra función ni otro sentido que el de conseguir una más profunda personalización poética y dramática del personaje. Tratar de interpretar ambas escenas y al personaje mismo como expresión de la trágica contradicción interior o de la trágica condición de la Muerte, es romper la estructura poética del universo dramático creado por Casona y abocar, sin quererlo, a tener que señalar un defecto grave que, en realidad, no existe en la obra: la melodramática sentimentalización del personaje, y la ruptura de la unidad de ese mismo personaje. ¿Qué significación válida, fuera de lo poético, puede tener la idea de la Muerte lamentándose de no poder cumplir con las más íntimas exigencias de su naturaleza femenina? ¿Es que acaso su «naturaleza femenina» es algo más que una idea poética? Abandonar la sustantiva condición poética del personaje para buscar sentidos trascendentes más allá del nivel de la poesía dramática, es condenar al absurdo la creación casoniana.

Con *La dama del alba* comparte también su condición de drama poético una de las penúltimas obras de Casona: *La casa de los siete balcones*, situada, como la primera, en la Asturias natal del dramaturgo, una Asturias igualmente estilizada y convertida en espacio poético. Espacio poético que es esta vez, además, creación del personaje central de la pieza: Genoveva, uno de los caracteres femeninos más ricos en belleza dramática inventados por Casona. Genoveva o la bondad, Genoveva o la belleza moral, Genoveva o la verdad poética, Genoveva o la ilusión pura.

Toda la obra gira en torno a la doble relación de Genoveva con el mundo bajo y sucio de una realidad determinada por las pasiones de la codicia, de la ambición de poder, de la lujuria, del engaño y del egoísmo humanos encarnados en Amanda, antigua criada que comparte la cama de Ramón, el amo, a quien domina, mundo del que Genoveva escapa, negándolo, como niega, expulsándolo de la conciencia, cuanto es bajo, feo y sórdido, preservando así intacto y en toda su radical pureza su mundo interior, presidido por una fe poética en la realidad del amor que la capacita para la comunicación con el mundo sobrerreal, tan real como el otro, pero de distinto signo, encarnado por Uriel, su sobrino, hijo de Ramón, muchacho mudo, incomunicado en su silencio de todos menos de Genoveva. Uriel, puerta abierta al misterio, dramáticamente representado en el diálogo de éste con sus muertos familiares: la madre, el abuelo y la hermana. Genoveva es el personaje-puente que enlaza ambos mundos. Loca para quienes se mueven en el mundo del interés y del cálculo, su locura es la única forma de razón capaz de impulsar a la criatura humana más allá de ese mundo cerrado a toda trascendencia. Casona, después de mostrarnos, sin apelación a ningún tipo de pedagogía moral o espiritual explícito, la profunda realidad —su existencia y su verdad— de ese otro mundo del espíritu, hará terminar su obra con una honda nota de ironía trágica: Genoveva, expoliada y burlada por Amanda y Ramón, pero vencedora de ellos, creyendo marchar al reino del amor, en cuyo cumplimiento no dudó nunca y para el que salvaguardó todo su ser, marchará para ser internada en un manicomio. [...]

No dudamos en considerar esta obra no sólo como «una de las más importantes y representativas» de su producción dramática, como afirmó con gran acierto Rodríguez Richart [1963], sino como la más cabal representación de la dramaturgia casoniana, tan cercana aquí por la belleza del lenguaje, por la transfiguración de lo humano, por el significado del mensaje a la del mejor Giraudoux. Cuando Casona se atiene a su concepción poética del teatro, sin establecer pacto alguno con el teatro naturalista, contra el cual nació el suyo, crea dramas originales y valiosos como *La dama del alba* y *La casa de los siete balcones*. Cuando, por el contrario, pese a la forma antinaturalista de la mayoría de sus obras, no rompe totalmente con los contenidos del drama naturalista, introduciendo una tesis de pedagogía moral o espiritual, su teatro resulta en un insatisfactorio compromiso entre realidad y poesía, precisamente por la relatividad de ambos elementos.

F. J. DÍEZ DE REVENGA Y M. DE PACO

VOCACIÓN DRAMÁTICA DE MIGUEL HERNÁNDEZ

Los primeros días de 1933 depararían a Hernández la fortuna de conocer a García Lorca en Murcia, adonde el poeta granadino había acudido para actuar con La Barraca, cuyas representaciones hubo de presenciar el poeta oriolano. La admiración que sentía por Lorca se reforzó cuando el poeta granadino tuvo conocimiento de los poemas de *Perito en lunas* que en esos días corregía Hernández en pruebas de imprenta. De la admiración por La Barraca se hacen eco también los estudiosos de la vida del poeta oriolano y, entre ellos, Concha Zardoya [1955] lo relaciona con su actividad como recitador a raíz de la publicación precisamente de su *Perito en lunas*: «También siente la intuición del teatro ambulante y popular que desarrolló La Barraca con tanto éxito. Y empieza su carrera dramática siendo un simple juglar moderno que gusta, además, de imitar la técnica representativa de los romances de ciego». [...]

Y resultado de esta vocación es su primera obra teatral conservada, el auto sacramental *Quién te ha visto y quién te ve y sombra de lo que eras*, y que posiblemente es el primer intento dramático serio del poeta oriolano. El espíritu de la obra está presidido por un criterio teológico y católico que Miguel Hernández compartía entonces con su compañero del alma Ramón Sijé, inspirador evidente de la idea. Porque la ocurrencia de escribir en plena España republicana una obra de tan altos vuelos religiosos no podía sino responder a una actitud deliberadamente apostólica. Concha Zardoya [1974] ha explicado la idea génesis del auto relacionándola con la postura ideológica del escritor que lo editó en su revista *Cruz y Raya*, es decir, José Bergamín: «¿Por qué —se pregunta Zardoya— escribe un auto sacramental precisamente? Quizás ha leído la obra de Bergamín *Mangas y capirotes* y ha aprendido a considerar el teatro español como un "teatro sacramental", puesto que lo natural y lo teológico se funden en una poesía purificadora, totalizadora y unificante». Dos elementos, además de los sentimientos de catolicismo y catolicidad, forman parte indudablemente de la génesis del auto y de la propia obra desde

F. J. Díez de Revenga y M. de Paco, *El teatro de Miguel Hernández*, Universidad de Murcia, Murcia, 1981, pp. 13-29 (13-15, 18-19, 23-24, 26, 28-29).

el mismo momento de su gestación: lo aprendido en los libros y la naturaleza de su tierra. Y son justamente estos dos elementos los que conceden a la obra su peculiaridad, su enlace con la tradición literaria española y, por último, su autenticidad, su verdad que tantas veces se ha puesto de manifiesto. [...]

La vocación teatral de Miguel no tardaría en dar un nuevo fruto. Pronto volvería a coger la pluma para escribir una nueva obra de teatro: *Los hijos de la piedra*, inspirada en la revolución y represión de los mineros asturianos en 1934. Miguel Hernández está comenzando a cambiar el rumbo de su feraz inspiración y comprendiendo que el teatro es algo más que asimilación de unas lecturas de biblioteca clásica y potente sentimiento de la naturaleza. Pero antes, en 1934, *El Gallo Crisis*, la revista de Ramón Sijé, le publicaba dos escenas del acto tercero de *El torero más valiente*.

Muy poco podemos decir de esta obra que nadie ha visto, por lo menos ninguno de los estudiosos de Hernández lo manifiesta, aunque el drama se conserva completo en poder de Josefina Manresa, según deducimos del testimonio de María de Gracia Ifach [1976] que en una nota de su libro nos dice: «Ajustada la O. C., Josefina Manresa me comunica haber encontrado el original completo (21 de junio de 1961)». Del mismo modo, la viuda de Hernández en una carta a los autores de este libro nos indica que no nos puede dejar el original, lo que nos hace pensar en la escasa calidad de la pieza, que Miguel también llegó a considerar y aceptar. [...]

Los planes teatrales de Miguel continuaron en estos años de preguerra, a pesar de que eran de difícil convivencia y supervivencia. Aunque el teatro que conocemos de él a partir de ahora es un teatro comprometido ideológicamente, el autor tenía otros proyectos y, por lo que se desprende de los escasos datos que tenemos, muy curiosos. Hay que recordar su detención en febrero de 1936 en San Fernando de Jarama cuando esperaba a unos amigos excursionistas, hecho que despertó una general repulsa por parte de los escritores de la época. Y sobre todo releer la principal causa por la que fue conducido al cuartel de la Guardia Civil, según cuenta Guerrero Zamora [1962]: «Sucedió que no llevando cédula ... lo registraron, hallándole, entre otros papeles, uno donde estaban anotados los personajes de un drama en preparación. Allí se leía: "... nombres para la obra: El Bragado, León Gallardo, Pan Redondo, Pedro-de-Oro, Bragueta de África, Cándido Rusia, Curro el Guajo, Ceporro, Matacán, Lola la Eterna, El Boquinegro, Fortuna la Fogosa, La Frescuela, Cayetana, Juan Delgado y Esmeraldo"». Lo que pensaron los guardias es que pudicra ser jefe de alguna cuadrilla de dinamiteros y por eso le detuvieron. Pero

¿qué clase de obra llevaba el joven poeta entre manos? ¿Qué clase de sainete o drama de hampones y navajeros con sabor castizo? Nunca quizá lo sabremos. Lo que sí se concreta es una variada actividad teatral que pone de manifiesto el autor con motivo del centenario de Lope de Vega.

Dos fueron sus contribuciones al centenario del gran creador de nuestra comedia clásica que denotan su evidente vocación y afecto hacia el teatro, como venimos señalando: su conferencia o charla en la Universidad Popular de Cartagena, invitado por Antonio Oliver y Carmen Conde, y la redacción de *El labrador de más aire*, la más lopesca de sus obras. Acerca de la conferencia hay que señalar que tuvo lugar el 27 de agosto de 1935 sobre «Lope de Vega en relación con los poetas de hoy», cuyo interés radicaría justamente en la originalidad del tema y en la presentación personal que de él haría un poeta en activo como Hernández; *El rayo que no cesa* ya había dado en gran medida el índice de su afecto por los autores del Siglo de Oro, entre los que Lope ocupa importante lugar.

El labrador de más aire contenía de nuevo los planteamientos sociales de *Los hijos de la piedra*, aunque con una gran evolución en su forma de pensar, que se pone de manifiesto en la desaparición del amo bueno subsistente en el drama del año anterior.

[En 1937 publica su *Teatro en la guerra*, cuyo mayor valor está en la famosa «Nota previa» donde Hernández toma conciencia clara del carácter revolucionario de su teatro y, sobre todo, del cambio experimentado en su dramaturgia y en su poesía a partir del estallido de la guerra civil. No se trata, por tanto, de una mera suposición afirmar que Hernández ha experimentado una profunda crisis y ha convertido su obra poco a poco en un arma de guerra como él mismo afirma. Tampoco es difícil advertir que la causa fue precisamente el levantamiento militar. Pero hay que evaluar unos resultados poco menos que negativos porque su *Teatro en la guerra*, compuesto de las piezas cortas *La cola*, *El hombrecito*, *El refugiado* y *Los sentados*, no fue sino una pobre experiencia dramática. Como muy bien y objetivamente ha analizado el profesor francés Robert Marrast [1978], estas obras hernandianas pertenecen a un tipo de teatro de urgencia que se llevó a cabo durante la guerra civil con el fin de levantar la conciencia del pueblo.]

A su regreso de Moscú y otras ciudades soviéticas, pone punto final a su última obra dramática, *Pastor de la muerte*, y la presenta al concurso oficial que se había convocado en octubre de 1937 para premiar distintas obras literarias y cinematográficas que pusiesen de manifiesto aspectos de la guerra y del heroísmo de los combatientes. [...] Se señala de nuevo un fracaso en esta obra hernandiana a pesar de contener un tema de actualidad, ya que se escenifica en el frente de Madrid con problemas y conflictos de la vida cotidiana de aquellas fechas sangrientas, y los personajes son populares y llenos de vida, sobre todo Pedro, el protagonista, en el que se vuelve a encarnar Miguel Hernández, y el Cubano, trasunto de un gran amigo de nuestro dramaturgo, el poeta de esta nacionalidad Pablo de la Torriente, que combatía en el frente de Madrid. Se atribuye el fracaso a la constante preocupación de Miguel por la expresión poética, a lo poco convincente de sus diálogos, cuyas palabras no son ni mucho menos las apropiadas para la dramática situación que vive la obra.

FRANCISCO GARCÍA PAVÓN

LA INVENTIVA DE JARDIEL PONCELA

Los disparates o inverosimilitudes aisladas de Muñoz Seca, provocaban risa y extrañeza. Pero antes de que el pacífico espectador tradicional se indignase con ellos, don Pedro volvía a la andadura realista, costumbrista y de arsenal arcaico, y el pacífico espectador quedaba satisfecho. Muñoz Seca era un bromista, un absurdista aislado. Jardiel Poncela, como vamos a ver en seguida, un absurdista científico, implacable, lógico. Sin concesiones al público de imaginación reumática.

Jardiel Poncela no llegó al absurdo lógico, al invento total, de manera fácil. Toda su obra fue una serie de tanteos y esfuerzos para conseguir dos piezas: *Cuatro corazones con freno y marcha atrás* y *Un marido de ida y vuelta*, que él consideraba de culminación de su arte. Decía: «Como escritor cómico he tenido que resolver a lo largo de cada comedia muchos arduos problemas de técnica escénica. En ellas lo inverosímil fluye constantemente, y, en realidad, sólo la inverosimilitud me atrae y subyuga; de tal suerte que lo que hay de

Francisco García Pavón, *El teatro de humor en España*, Editora Nacional, Madrid, 1966, pp. 92-95.

verosímil en mis obras lo he construido siempre como concesión y contrapeso, con repugnancia».

La originalidad por el camino de la invención irreal fue siempre la meta de Jardiel. Nació con su vocación de escritor. Su obra es una lucha titánica por desasirse de la tradición figurativa, concreta y lógica. Por eludir el tópico y llevar su teatro y novela de humor hasta unas apariencias inéditas.

Al logro de estas empinadas aspiraciones se oponían muchas cosas. Primeramente, nada menos que el peso en el público y en él mismo de todo el teatro cómico anterior, teatro de óptica, música y estructura realista, y se debate desesperado contra los personajes y situaciones de receta, que por inercia pugnan a cada nada por colarse en sus invenciones. Lo convencional. Lo convencional, lo verosímil, lo tópico le persiguen como fantasmas. Cuando no puede superarlas, cede. Sí, cede, pero dándoles un sesgo personalísimo. Añadiéndoles su melodía, su rúbrica inconfundible. Son innumerables los *gags*, tipos y chistes de viejo corte que asoman en sus comedias, en convivencia con hallazgos novísimos. Pero siempre aparecen aquéllos con un traje nuevo, con una desviación imprevista. Sus parodias: como *Angelina o el honor de un brigadier* que él nunca apreció demasiado, son buena prueba de esta agilidad para saltarse con garbo la cuerda tradicional. Ocasión habrá de documentar esta semioriginalidad de Jardiel al analizar *Cuatro corazones*. Como ejemplos de urgencia y para no dejar el aserto sin pie, recuérdese el prólogo de *Eloísa está debajo de un almendro*. Me refiero a la escena del cine de barrio. El mismo cartero de *Cuatro corazones*. Y luego, sus innumerables tipos de viejo troquel alipizados con lazo novísimo: sus criadas lloronas, sus mentirosos, sus médicos que no saben medicina, sus señoras histéricas..., tipos del viejo entremés o del género chico, toreados a su estilo mil novecientos treinta o mil novecientos cuarenta.

Junto a ellos, como empeño más alzado para conseguir la originalidad absoluta, tantos y tantos de sus *gags* sin precedentes en el teatro anterior, por ejemplo, el señor que está vestido igual que la tapicería del diván en que está sentado y no se le ve. El suicida que aparece cuando están leyendo la carta que dejó para el juez y corrige al defectuoso y titubeante lector. El mendigo que pide limosna a otro mendigo, etcétera.

Otra cosa que achica la obra de Jardiel, es la limitación de sus propósitos. A la hora de escribir teatro sólo le interesaba el amor y el dinero. Objetivos ciertamente típicos del teatro cómico de todos los tiempos. Jardiel carecía en absoluto de preocupaciones de gran coordenada humana. Lo social, lo ético, lo político, lo filosófico, la misma crítica de costumbres de suavidad benaventina, eran ajenas a su minerva. Fue hombre sin ideas esenciales. Sin una metafísica por modesta que fuere... Su inventiva, al servicio de un repertorio más rico de ideas y preocupaciones, habría sido más consistente, habría ofrecido hallazgos más profundos.[1] [...]

Si Jardiel hubiese sido hombre de formación más sólida y preocupada, su teatro, de extraordinarias invenciones, hubiera tenido mayor profundidad. No hubiera quedado en mera gimnasia imaginativa. En

1. [«En la muerte de Enrique Jardiel Poncela, corresponde a los jóvenes la voz que lo nombre como maestro. Esta voz, en el que hoy escribe, tiene una especialísima significación. Entre el teatro que uno, más o menos modestamente, va haciendo y el teatro de Enrique Jardiel Poncela no hay más punto de contacto que el común denominador de la "acción teatral", es decir, del género. Se trata, dentro de este ámbito, del cultivo de especies distintas. Jardiel Poncela es, para mí, el maestro de ese común denominador y, sobre todo, del teatro como profesión, como vocación y como oficio. La sabiduría profesional de Jardiel, su conocimiento de los supuestos de la vocación teatral y del manejo del oficio, eran impresionantes. El teatro, incluso para el autor, tiene mucho de alegre trabajo manual. Esta manualidad, registrada por casi todos los periodistas que visitaron a Jardiel, cuando hablaron de sus tijeritas, tubos de pegamín y estilográficas, era, posiblemente, el máximo goce compensador de las angustias con que realizaba las complicadas estructuras dramáticas de su teatro. Esta alegría del trabajo, sabiamente asentada sobre una vocación irrenunciable y una profesionalidad ejemplar, son las líneas maestras que uno admiraba, fervientemente, en Jardiel Poncela. Y, además, su teatro. Jardiel Poncela era el peor crítico de sí mismo. Se exigía a muerte. Desdeñaba los problemas fáciles y tenía la facultad que él llamaba "de crecimiento ante el obstáculo". La estructura de sus obras, complicadísima, le obligaba a un trabajo sobrehumano de inventiva y de memoria. Cuando suspendía la labor hasta el día siguiente, no podía desentenderse ni por un momento de la obra; y aun así, al otro día necesitaba, antes de ponerse a escribir, un largo período de "entrada" en la situación y en el conflicto. Despreciaba el drama llamado "lineal"; le parecía índice de pobreza creadora y declaración de insuficiencia. Llegó a exigirse tanto que ya no pudo más. En el balance de su obra valoraba en un plano inferior sus comedias menos complejas de estructura, como *Las cinco advertencias de Satanás*, y en el plano superior las de acción más desenfrenada, en las que consideraba realizado un teatro típicamente suyo: el teatro de Jardiel Poncela. Ese teatro que él mismo calificó de exasperadamente cómico, desesperadamente divertido, y cuya tensión —que culminaba siempre en la supertensión del estreno— iba a provocar el largo desfallecimiento que ha culminado en el amargo mutis definitivo» (Alfonso Sastre, *Drama y sociedad*, Taurus, Madrid, 1956, pp. 193-194).]

tal caso, como Gómez de la Serna, Valle-Inclán o Lorca hubiera contenido más vida española, más mundo, más hondura humana, más trascendencia.

Otros ingredientes de su fábrica teatral, como la técnica policíaca, los dichos epigramáticos a lo Oscar Wilde y los trucos de las películas de terror, eran caminos más o menos felices para conseguir el invento absoluto, el invento irreal, el absurdo lógico, que a mi entender sólo alcanza en *Cuatro corazones.*

La poesía y ternura que el mismo Jardiel apuntaba como virtud importante de su teatro, resultan más infrecuentes de lo que él decía; son sacrificadas a la novedad. Jardiel fue un ingenio casi matemático, que está constantemente dando vueltas a la cabeza para conseguir su cuadratura del círculo, su invento total. La originalidad de tema era su meta y la consigue en *Cuatro corazones.* Hubo de sacrificar mucho en sus búsquedas de esta perfección del absurdo lógico, es cierto, pero la fórmula quedó totalmente desarrollada para que sus seguidores pudieran cómodamente hallarle múltiples, tiernas, poéticas e intencionadas derivaciones que a él le fue imposible conseguir. Él enseñó a desintegrar el átomo. Los demás pudieron hacer la bomba atómica.

El absurdo lógico en Mihura es más bello, más carnoso, más sensitivo, más rico, más empastado que el de Jardiel, pero sin éste hubiera sido imposible. La invención de Jardiel hoy resulta demasiado seca, demasiado descarnada. Pero no pudo hacer más. Se le acabó la vida. Tal vez la razón misma. Su poderosa razón. La razón engendra monstruos. Y monstruos fueron las últimas obras de Jardiel. El preciso mecanismo de su cerebro acabó por fallar. Le faltó tiempo para recrearse en sus descubrimientos. Para redondear, pulir y multiplicar dulcemente su fórmula magistral. Pero su servicio a nuestro teatro de humor fue incalculable. Con él comienza su nuevo testamento.

Por la especial textura de su mente y trepidación de su temperamento —ello fue otra barrera para sus logros absolutos— Jardiel no estudiaba con aplicación sus temas. Ello queda claro en los comentarios que hace ante cada una de sus comedias. Apenas se le ocurría una idea que consideraba interesante, que creía con posibilidades, empezaba a escribir. A escribir un poco en el vacío. Confiando en su ingenio, en la rápida mecánica de su inventiva, de su gracia. En su facilidad para aportar incidencias.

La mayor parte de sus comedias, frustradas en cuanto al propósito de levantar un castillo inverosímil, se salvan por la acumulación de incidencias sorpresivas, estupendas. El débil andamiaje del tema lo apuntala con ingeniosidades parciales. Lo adorna con escayolas y decoraciones de fachada que disimulan un interior de poco lucimiento.

En su empeño de conseguir grandes invenciones abstractas se pierde casi siempre, se arma el gran barullo a fuerza de acumular tipos y situaciones ocasionales surgidas al correr de la pluma... Luego, en el tercer acto, por su propensión lógica y escolástica, por su prurito de constructor infalible, por ejemplo —en *Eloísa está debajo de un almendro* o en *Los habitantes de la casa deshabitada*— en el tercer acto quiere explicarlo todo, darle una trabazón, atar lo inatable y se mete en prolijas explicaciones y malabares concatenaciones que confunden más al espectador, que al salir del teatro, sólo podía recordar gozoso algunas incidencias, pero en forma alguna explicar la línea argumental de la pieza.

Para conseguir sus efectos cómicos incidentales, sacrifica muchas cosas. Sobre todo los tipos. Sus tipos casi siempre caracterizados por efectos externos, tics, manías y modos de hablar, carecen de profundidad. Son instrumentos al servicio del ingenio. De suerte, que los trucos y postizos utilizados para configurar a sus personajes, con harta frecuencia son intercambiables entre los agonistas de la misma comedia.

14. LA LITERATURA EN LA GUERRA CIVIL

Al estallar la guerra civil, la literatura no tarda en convertirse en un elemento más de combate, aunque con suerte muy desigual según los bandos, las circunstancias concretas de la coyuntura bélica e incluso los géneros. Porque la poesía ofrece frutos espléndidos, y es lógico que así sea, dado su carácter más puntual y de esfuerzos más intermitentes. Incluso se producen obras maestras, libros y poemas sueltos que figuran en casi todas las antologías de quienes se entregan a versificar durante la contienda. *Viento del pueblo* de Miguel Hernández es un caso muy claro, por no recurrir a autores como Neruda (*España en el corazón*) o César Vallejo (*España, aparta de mí este cáliz*). Otra cosa muy distinta es el teatro, que sólo alcanza a articular algunas breves piezas de urgencia que no configuran un panorama de excesivo relieve. Y más claro aún resulta el caso de la novela, que empieza a ocuparse de la guerra con cierto rigor y calidad sólo bien mediada la década de los cuarenta (Soldevila [1960, 1980]).

1. *La novela.* Pero antes de entrar en la narrativa merece la pena dar un breve repaso a los circuitos y medios por los que se difundía la literatura durante la guerra civil, con las inevitables distinciones entre uno y otro bando.

Por de pronto, la dispersión de publicaciones y esfuerzos de prensa y propaganda es enorme (Beccari [1941], García Durán [1964], Bertrand de Muñoz [1968, 1973, 1977], De la Cierva [1968], AA. VV. [1971], *Cuadernos Bibliográficos* [1970], Rubio [1976], Hanrez [1977], Garosci [1981], Cobb [1981]). En la retaguardia las organizaciones sindicales o políticas mantuvieron una prensa que se seguía con interés por las naturales expectativas creadas por la guerra. A menudo cada ramo crea su órgano de expresión, e incluso fábricas o dependencias por sí solas, sin que falten los boletines de comités de barrios, de grupos profesionales o de cualquier tipo, como *Acción Naturista*, *El Agente Urbano* (órgano del Cuerpo de Agentes de Policía Urbana de Madrid), *España Evangélica* (revista protestante), *Construcción* (órgano de la Federación Regional de las Industrias de Construcción y Madera), *El Dependiente Rojo* (portavoz de la Sociedad General de Dependientes de Cafés, Bares y Cervecerías de Madrid), *Nuestra Verdad* (portavoz de las muchachas de Tinte Ideal). E igual sucedía en el frente, donde cada cuerpo de ejército, división, milicia, brigada, batallón o compañía se procuró su propio órgano de expresión, que iba del periódico mural al boletín con una tirada, duración y periodicidad totalmente irregulares. Y valga como ejemplo *El Alcázar*, efímera revista a ciclostil, fundada durante el famoso cerco por los resistentes como refuerzo moral para resistir el asedio. Estos órganos de expresión, hojas volanderas, postales e impresos de toda laya fueron legión, con nombres bien expresivos: *Milicia Popular*, *Frente Sur*, *Alerta*, *Al Ataque*, *Ayuda*, *Avanzadilla*, *Estudio Rojo*, *Armas y Letras*, *Fuego*, *Hierro*, *Ideas y Armas*, *Iskra*, *Stajanov*, *Tchapaiev*, *Voz Miliciana*, *¡¡En Guardia!!*, *Por qué Luchamos*, *Trincheras*, *Somosierra* o casos tan específicos como *Nueva Ruta* (portavoz del Servicio de Guerra Química) y *Madrid* (periódico quincenal del Grupo de Transmisiones de Instrucción). Serge Salaün ha contabilizado hasta 500 publicaciones ligadas a unidades de combate republicanas y más de 1.300 relativas a la guerra civil, de las cuales al menos un 56 por 100 publicaron algún poema. Con ello queda dicho que no todas estas publicaciones atañen a la literatura, pero resulta muy claro que mientras no se evalúen y atiendan en su conjunto lo que sabemos sobre la literatura bélica estará un tanto en precario (Schwartz [1969], Vila Selma [1956]).

Entrando ya en el terreno de las más conocidas nos encontramos en primer lugar con las viejas revistas prebélicas adaptadas a la nueva situación (por citar dos bien populares, una de Madrid y otra de Barcelona, *Estampa* o *Mirador*), y las de cariz más específico por cualquier razón: circunscribirse a una región, a una especialidad o a temas concretos. Es el caso de *Meridià*, de *Nova Galiza*, de *Música*, *Film Popular*, *Boletín de Orientación Teatral* o *Madrid (Cuadernos de la Casa de la Cultura)* (Marrast [1975]).

De todas ellas destacan por su importancia en el bando republicano *El Mono Azul* y *Hora de España*, ambas bien conocidas hoy (Sánchez Gijón [1967], Schwartz [1973], Caudet [1975], M. García [1977], Monleón [1979], Roumette [1977]). Se trata de dos revistas harto diferentes, más popular, directa e inmediata la primera y más elitista y con mayores filtros y ambición de alcance la segunda. En realidad *Hora de España* tiene una calidad material y de contenido que asombra, especialmente teniendo en cuenta las circunstancias en que se hacía. Sin duda es la cumbre de las publicaciones de la guerra civil y una de las mejores revistas culturales españolas, raro milagro posible gracias a un grupo de intelectuales de gran valía, inspiración institucionista y amplias lecturas de Barbusse y Gide, penetrados de la convicción de que el compromiso no tenía por qué significar mengua de calidad. Su gran manifiesto fue la Ponencia Colectiva del Segundo Congreso de Escritores Antifascistas, el epicentro y do de pecho cultural de la España republicana, que no podía tener equivalente en el bando nacionalista.

Si las reacciones de los gobiernos occidentales fueron equívocas, la de los intelectuales no dejó lugar a dudas sobre el partido tomado por la inteligencia europea e internacional a favor de la República (Zambrano [1977]); la nómina sería larga. Valgan los nombres de Julian Benda, Paul Eluard, Tristan Tzara, Aragon, Spender, Auden, Langston Hughes, Brecht, Thomas Mann, Neruda, Alfonso Reyes, Nicolás Guillén, César Vallejo, Romain Rolland, Heinrich Mann, Bernard Shaw, Bernanos, Saint-Exupèry, Malraux, Mauriac, Ehrenburg, Selma Lagerloff, Hemingway, Dos Passos, Upton Sinclair, Waldo Frank, Graham Green, Jean Cassou, Orwell, Havelock Ellis, Arthur Koestler, Anna Seghers, Virginia Woolf, O'Neil, Ludwin Renn. Buena parte de ellos estuvieron presentes o apoyaron el Congreso de Escritores Antifascistas.

Manuel Aznar Soler [1978 *a*] ha publicado un libro documentadísimo sobre este acontecimiento cultural (muy superior al volumen introductorio de Luis Mario Schneider [1978]) que constituye una muy valiosa y exacta caracterización no sólo del congreso, sino de todo el proceso de politización de los intelectuales españoles y europeos en la década de los treinta.

El grupo de *Hora de España* ya había templado sus armas en *Hoja Literaria* en 1933 y en *El Buque Rojo*, revista que sólo alcanzó a lanzar un número en diciembre de 1936 (Aznar Soler [1978 *b*], Renau [1978]). Estaba compuesto por Juan Gil-Albert, Arturo Serrano Plaja, Antonio Sánchez Barbudo, Rafael Dieste y Ramón Gaya.

Como Caudet reconoce en su introducción a la *Antología de Hora de España*, «ni Sánchez Barbudo ni Ramón Gaya habían alcanzado la sazón de lo maduro todavía» y era lógico dada la diferencia de edad con Dieste y Gil-Albert. De los componentes del grupo el autor hoy mejor recuperado es Juan Gil-Albert, del que nos ocuparemos, junto con Arturo Serrano Plaja, al hablar de la poesía bélica. Pero la reciente muerte de Rafael Dieste (1899-1981), la reedición de sus notables *Historias e invenciones de Félix Muriel*, la recopilación de algunos de sus dramas en *Viaje, duelo y perdición* y de sus ensayos en *El alma y el espejo* junto a otras que se anuncian y el libro que le ha dedicado la profesora estadounidense Estelle Irizarry [1982] obligan a referirse a él someramente.

Nacido en Rianxo, hay en su inicial vecindazgo con Castelao y en su vinculación a Galicia elementos que perdurarán hasta acercarle a los esperpentos valleinclanescos. La inevitable campaña de Marruecos, que tanto marcó a su generación, junto con sus estudios de Filosofía y Letras en Santiago y la beca que la Junta de Ampliación de Estudios que presidía

Salinas le concede y que le permite conocer el teatro europeo, son experiencias básicas, así como su labor como jefe de equipo en las Misiones Pedagógicas, para las que crea y dirige un Teatro Guiñol con destino al cual escribe e improvisa numerosas farsas. Durante la guerra civil siguió con estas labores teatrales y participó en las revistas *Hora de España* y *Nova Galiza*, entre otras. En 1940 inicia un destierro que le llevará a dirigir en Buenos Aires la sección literaria de editorial Atlántida.

Rompió a escribir en gallego en 1926 con la obra narrativa *Dos arquivos do trasgo* («De los archivos del diablo») y en 1927 con el teatro *A fiestra valdeira* («La ventana vacía»), que continúa con una de sus mejores piezas, *Viaje y fin de don Fontán* (1930), a medio camino entre las moralidades medievales y las comedias bárbaras valleinclanescas, y en 1934 con *Quebranto de doña Luparia y otras farsas*. De 1930 es su libro de poesía fuertemente esencialista y conceptual *Rojo farol amante* y de 1936 el de ensayo *La vieja piel del mundo*, sobre el origen de la tragedia un tanto en la línea de Nietzsche.

Durante la guerra compuso teatro de combate, *Al amanecer* y *Nuevo retablo de las maravillas*, donde la urgencia no impide la aparición de uno de sus recursos recurrentes más queridos, el del teatro dentro del teatro, como ha señalado Estelle Irizarry. Ya en el exilio publica en 1943 su libro más estimado, *Historias e invenciones de Félix Muriel* y los ensayos proféticos de *Lucha con el desconfiado* (1948), donde da suelta a su «furor ontológico», en expresión del propio Dieste. Y, efectivamente, entre la ontología o inmovilidad del ser y la antropología o dialéctica en el devenir oscila su obra, como ha analizado la citada profesora. Ni siquiera faltan dos incursiones por otros campos, como *Nuevo tratado de paralelismo* (1956) y *Testamento geométrico* (1975), donde Dieste, simultáneamente con otros tres matemáticos profesionales, pero sin conocerlos, llevó a originales consecuencias una hipótesis de Lobatchewski, casi en la mejor tradición de Lewis Carroll.

Frente a los autores «consagrados» de *Hora de España*, *El Mono Azul* abrió sus puertas a colaboradores espontáneos, y en su seno fue cobrando forma el *Romancero de la guerra de España*. Su artífice fue Rafael Alberti y los miembros más activos en la revista eran claramente los comunistas (M. T. León [1970], Santonja [1977]).

También en la zona nacionalista se da una cierta variedad en las publicaciones periódicas, pero bastante menor que el variopinto resultado que arroja la republicana por el espontáneo flujo de iniciativas. A primera vista el panorama acusa un mayor dirigismo desde arriba, aunque en esto como en tantas cosas el bando republicano está mejor estudiado y faltan muchos datos que podrían confirmar o desmentir esta impresión que hoy se desprende de la bibliografía al uso.

El principal problema con el que se encontró el bando nacionalista fue el de tener que improvisar núcleos editoriales en las zonas que controlaba, toda vez que los dos grandes proveedores, Madrid y Barcelona, estaban en manos republicanas. De ahí que se activara Pamplona (revista *Jerarquía*), Valladolid (Editorial Santarem), Burgos (Imprenta Aldecoa, revista *Destino*, Editora Nacional), Sevilla (revista *Fe*), Málaga (revista *Sur*), San Sebastián (revistas *Vértice* y *Fotos*), Cádiz (Editorial Cerón), Zaragoza (Librería General).

Las tres revistas más importantes de la zona nacionalista fueron *Jerarquía*, *Vértice* y *Destino* (Mainer [1971]), aunque no deben olvidarse por su popularidad y alcance *La Ametralladora* (humorística camada de donde saldría *La Codorniz*, con las colaboraciones de Tono, Mihura, Neville y Álvaro de Laiglesia), el tebeo *Flechas y Pelayos* y la cinematográfica *Primer Plano*.

Jerarquía (1936-1938), «la revista negra de Falange», sólo alcanzó cuatro números, muy cuidados, con ese clasicismo predicado por D'Ors, uno de sus colaboradores, al que habría que añadir Vivanco, Rosales, Laín, Torrente, Foxá y Basterra. *Vértice* tuvo, por el contrario, larga vida (1937-1946), alcanzando los ochenta y un números. Colaboraron Giménez Caballero, Foxá, Michelena, Ros, Halcón, Alfaro, Ridruejo, Neville, Montes y Cunqueiro. Era de un lujo desorbitado y muchas de sus páginas dan la impresión de estar de espaldas a la dura realidad de la guerra, con noticias de moda y todo. Finalmente, *Destino* tuvo una misión más concreta, la de aglutinar a los catalanes que habían tomado partido por el Alzamiento: Ignacio Agustí, J. R. Masoliver. Como es bien sabido creó con el tiempo una editorial aneja de extraordinaria importancia para la reinstauración de la novela española en la posguerra.

Para la narrativa, *Vértice* revistió un especial interés, ya que publicó cuentos y un suplemento de unas dieciséis páginas en que ofrecía material de Concha Espina, José María Salaverría, Tomás Borrás, Emilio Carrere, Zunzunegui, Samuel Ros, Torrente Ballester, Cunqueiro, Edgar Neville, Pedro Álvarez y otros. Este último ganó el concurso convocado al efecto con *Cada cien ratas un permiso*, quedando finalista Antonio Hernández Gil con *Fondo de estrellas*. José María Martínez Cachero [1979²], que ha estudiado la novela bélica para situar la de posguerra indica otras colecciones: «La Novela Nueva», en Burgos; «Nueva España», en Córdoba; «Los Novelistas (La Novela de la Guerra)», en San Sebastián; «La Novela del Sábado (Genio y Hombres de España)», en Sevilla. Esta última reeditó *Diario de una bandera* de Franco, recuperó a Baroja y la promoción de «El Cuento Semanal» y siguió con Tomás Borrás, Manuel Iribarren, Alfredo Marquerie, Mihura, Tono, Samuel Ros. En «Los Novelistas» publicaron Concha Espina, J. I. Luca de Tena, E. Jardiel Poncela, Juan Pujol. Pero no ofrecen novedades excesivas respecto a los moldes decimonónicos ni una elaboración convincente de la materia bélica.

Y éste es quizás el principal achaque padecido por la novela española durante la guerra civil, bastante esperable, como ha hecho notar Corrales Egea [1978]. Este género necesita distanciamiento y poso, y a lo más que se alcanza en plena refriega es al testimonio, a las viñetas sueltas o al reportaje (Fernández Cañedo [1948, 1949], Marra-López [1965]). Es lo que sucede con *Contraataque* (1938) de Sender, que muchos críticos poco avisados siguen llamando *novela*. O con *Valor y miedo* (1938) de Arturo Barea, con estampas descriptivas que apenas sobrepasan la extensión de una página. O con las interminables desventuras que cuenta Concha Espina en *Retaguardia* (1937) o *Esclavitud y libertad* (1938), por citar dos de las bastantes que escribió.

Rara vez lo escrito por los novelistas españoles durante el transcurso de la guerra alcanza la calidad media de su producción (Bosch [1971], Nora [1968]), lo que sí lograrán en el exilio: Max Aub en *El laberinto mágico*, Sender en *Crónica del alba* y el *Requiem*, Barea en *La forja de un rebelde* (Ortega [1971]) y Francisco Ayala en *La cabeza del cordero* (Ellis [1962]). Como observa Ponce de León [1970, 1971], antes de 1943 la narrativa se limita al apunte, el diario, la propaganda política.

Por eso, y aunque resulte paradójico, las mejores novelas de la guerra civil española (si entendemos por tales las que se elaboran y publican en su transcurso) son de extranjeros (Armero [1976]). Hay docenas de novelas, en todos los idiomas, sobre la guerra de España, y algunas justamente famosas, como *¿Por quién doblan las campanas?* de Hemingway, *La esperanza* de Malraux, *¿Qué más queréis?* de Ilya Erenburg, *¡No pasarán!* de Upton Sinclair, *Tierra de los hombres* de Saint-Exupèry, *El agente secreto* de Grahan Greene, *Los grandes cementerios bajo la luna* de Bernanos, *Testamento español* de Arthur Koestler, por citar sólo las de mayor relieve.

Otra cosa fueron las narraciones breves o novelas cortas, como algunas de las colecciones nacionalistas ya citadas, o las ofrecidas en revistas republicanas (Sánchez Barbudo publicó varias en *Hora de España* que le recopiló la editorial aneja). Y así, ya en 1936 y 1937 dio a la luz algunos cuentos María Teresa León (*Cuentos de la España actual* y *Una estrella roja*). En el otro bando aparecen relatos como *Manola* (Valladolid, 1937) de Francisco Cossío, que versa sobre un hijo suyo muerto en el frente. Testimonios desgarradores sobre experiencias inmediatas escritos en caliente que, como queda dicho, no son propiamente novelas elaboradas. Es el caso también de *Viudas blancas (novela y llanto de las muchachas españolas)* de José Vicente Puente, publicada en Burgos, o *Las fieras rojas* de José Muñoz San Román, editada en Córdoba, o la ya aludida *Retaguardia* de Concha Espina.

Hay que esperar a 1938 para encontrar cierta consistencia. Es el año de las citadas *Contraataque* y *Valor y miedo* o *Madrid de corte a checa* de Agustín de Foxá, obra bien conocida con la que pretendía iniciar unos «Episodios Nacionales» que no pasaron de ahí. José Herrera Petere publica *Acero de Madrid* y *Puentes de sangre (narración a propósito del paso del Ebro)*, y el Premio Nacional de Literatura es compartido por *Río Tajo* de Arconada, *Entre dos fuegos* (cuentos ya citados) de Antonio Sánchez Barbudo y *Enviado especial* de Benigno Bejarano. También aparecieron *El asedio de Madrid* de Eduardo Zamacois y *Los de ayer* de Rafael Vidiella. Sin olvidar en el bando nacionalista *Eugenio o la proclamación de la primavera* de Rafael García Serrano, *Las alas invencibles* de Concha Espina y *Cristo en los infiernos* de Ricardo León. Al margen del conflicto quedan *Susana* y *El doncel* de Pío Baroja, aunque coincidan cronológicamente con la guerra.

En 1939 «El Caballero Audaz» inicia la larga serie de relatos *La revolución de los patibularios* (1939-1940) y Cecilio Benítez de Castro *Se ha ocupado el kilómetro 6 (Contestación a Remarque)*, con prólogo de Luys Santa Marina, típico testimonio de la vida de un soldado en el campo nacionalista. Wenceslao Fernández Flórez, que pasó la guerra refugiado en una embajada, echa su cuarto a espadas con *Una isla en el mar rojo*; Francisco Camba con *Madridgrado. Documental film* y Evaristo Casariego con *La ciudad sitiada*.

Mientras tanto ha comenzado el exilio para los republicanos y esa circunstancia va dejando sus huellas. Ya en 1937 había editado Julio Sesto en México *La sangre de España* y A. Martínez de Luzenay *El teniente Zacateca (Entre las garras del odio)*. En el mismo país publicarán en 1940 José Herrera Petere su *Niebla de cuernos (Entreacto de Europa)* y Silvia Mistral *Éxodo. Diario de una refugiada española*, mientras desde Buenos Aires Clemente Cimorra aporta *El bloqueo del hombre. Novela del drama de España* (1940). Obras que conectarán con la narrativa del exilio al igual que *Checas de Madrid* de Tomás Borrás y *Princesas del martirio* de Concha Espina (ambas de 1940) lo harán con la del interior.

2. *La poesía.* Como ha hecho notar el mejor estudioso de la poesía de la guerra civil, Serge Salaün [1977], este género conoció una floración espléndida entre 1936 y 1939, como mínimo en cantidad, y ello por su adecuación al constituir una unidad de producción y difusión (lectura, recitación, radiación) perfecta. El poema se integra en la circunstancia e incluso en la anécdota de inmediato, por su composición rápida y facilidad de retención frente al teatro tradicional y la novela larga (otra cosa es el teatro de circunstancias y el relato-reportaje o cuento corto). La poesía, además, podía ser lanzada en octavillas, reproducida en tarjetas postales, recitada por los altavoces, radiada, e incluso convertida en himno y cantada a coro, ya que musicaron poemas Salvador Bacarisse, Rodolfo Halffter o Chapí (entre los españoles) y Lan Adomian, Dimitri Shostakovich, Franz Szabo y Pete Seeger (entre los extranjeros). En Esta-

dos Unidos Bernadete pudo editar en 1937 una colección de cincuenta baladas españolas con el título de *And Spain sings*. A lo que hay que añadir la utilización de melodías populares («Los cuatro muleros», «Anda jaleo», «La cucaracha»). En Valencia incluso los ciegos fueron movilizados y funcionarizados en grupos de cinco para cantar romances callejeros, cobrando diez pesetas diarias y trabajando cinco horas al día. Servicios como El Altavoz del Frente, movilizaban gigantescos altavoces del tamaño de un camión dirigidos hacia el enemigo, para recitarle poemas en que se le invitaba a pasarse al bando emisor, y sólo así pueden entenderse muchas composiciones en que se alude claramente a ello (Díaz-Plaja [1975, 1979]).

Este carácter instantáneo y puntual del poema que lo hacía tan operativo durante la guerra, dificulta enormemente en la actualidad el estudio de la poesía bélica con ciertas garantías de representatividad (la totalización es hoy por hoy absolutamente inviable). Serge Salaün [1974] insiste, con razón, en la reivindicación de los cerca de 3.950 nombres de poetas desconocidos frente a los cincuenta poetas «de oficio» que suelen considerarse corrientemente (en el mejor de los casos). Sus muestreos revelan otra cara de la poesía bélica, sacando a la luz las «vocaciones incipientes» que se dejaron oír en el fragor de la lucha, revisando unos 1.300 órganos de prensa y evaluando un muestreo que considera más de diez mil poemas, en cuya autoría los poetas «conocidos» suman un 9,5 por 100, los «menores» un 5,75 por 100 y los desconocidos un 84,75 por 100. Los anónimos, los firmados sólo con iniciales y los seudónimos ascienden al 20 por 100 del total. Y, sin embargo, durante la guerra hubo poetas que gozaron de gran popularidad, como Roger de Flor, Gabriel Baldrich, Manuel Cabanillas, J. Alcaide, Antonio Agraz, Félix Paredes, José García Prados, Valentín de Pedro, Nobruzán. Y hubo cultivo sistemático de la poesía en revistas como *CNT* («Romances de CNT»), *La Libertad* («Coplas del día»), *Fragua Social* («Lírica de Fragua Social») y *Castilla Libre* («Bombas de mano»), entre otras muchas.

A cubrir este hueco y la escasa atención concedida a los libertarios ha atendido también Salaün [1971], quien observa que la mitad de la poesía bélica ha sido escrita por los anarquistas, recordando libros como *Romancero popular de la revolución* (1937) de Juanonus (Juan Usón), que suelen echarse en el olvido. Conviene recordar la sorprendente expansión de la CNT, que pasa de los treinta mil militantes iniciales de 1911 a medio millón en 1921, al millón y medio en la primavera de 1936 y se acerca a los tres millones durante la guerra. Hay que subrayar, de todos modos, que Salaün ha restringido sus esfuerzos al campo republicano llegando a ampliar posteriormente sus pesquisas a una ingente masa cercana a las veinte mil composiciones, que corresponden a unos cinco mil autores.

Las características que deduce de su análisis configuran una producción que se vierte en el romance con aplastante mayoría, siguiéndole las coplas y otras formas populares, aunque no se desdeñe la eficacia sintetizadora del soneto. Ese romance octosilábico proporciona las condiciones idóneas para el binarismo maniqueo de toda poesía de combate y permite conectar sin dificultades con viejos trances épicos de la tradición hispana, que se adaptan a la nueva epopeya: Defensa de Madrid, los aviadores, la madre-tierra-patria, los héroes comunistas («El Campesino», Líster, «La Pasionaria»), o anarquistas (Durruti, Ascaso).

Pero la parte más estudiada y antologada de la poesía bélica ha sido la de los poetas «de oficio» (Shand [1947], Martín [1978], Calamai [1979]) y las dos revistas más conocidas, *El Mono Azul* y *Hora de España*, a las que Salaün considera en relación con la tónica de sus muestreos relativa y manifiestamente elitista, respectivamente. *Hora de España*, en efecto, no publicó más que ocho romances y su poesía es de tipo «reflexivo» más que «directa», por seguir la clasificación de Lechner [1968]. *El Mono Azul*, fundada en agosto de 1936 como órgano de la Alianza de Intelectuales Antifascistas, acogió una iniciativa de Rafael Alberti encaminada a recoger en las dos hojas centrales de la revista los romances de guerra, lo que sucedió entre los números uno al once y en el número quince. En los números siguientes sigue habiendo romances (metro que sobrepasa la mitad de las composiciones que publica, en marcada diferencia con los siete de *Hora de España*) pero no la sección fija titulada «Romancero de la guerra civil». Y es de aquí de donde proceden las antologías así tituladas, que suelen identificarse mecánicamente con antologías generales, cuando en realidad sólo representan a *El Mono Azul*.

La primera recopilación de tal estilo llevaba por título *Poesías de guerra*, publicada por el Quinto Regimiento en colaboración con la Alianza de Intelectuales. Pero ya en noviembre de 1936 se utiliza el título de la serie para la antología *Romancero de la guerra civil*, selección más amplia que la anterior editada por el Ministerio de Instrucción Pública y Bellas Artes y reeditada en facsímil por Hispamerca en 1977. En ellas se recogen treinta y cinco composiciones de poetas consagrados o relativamente conocidos, como Altolaguirre, Aleixandre, Alberti, Bergamín, Miguel Hernández, Prados, Dieste, Herrera Petere, Garfias, Pla y Beltrán.

Llega el Segundo Congreso de Escritores Antifascistas, celebrado en Valencia en julio de 1937, y se quiere ofrecer a las delegaciones extranjeras un florilegio de la poesía que se hace en España, por lo que Emilio Prados selecciona unos 900 romances que finalmente se quedan en 302. La edición va dedicada a Lorca y adopta el título de *Romancero general de la guerra de España* (1937). La prologa Antonio Rodríguez-Moñino y distribuye la materia según los frentes de batalla. Reaparecen los poetas citados y se le añaden romances de Gil-Albert, Rosa Chacel, Moreno Villa, Antonio Agraz, Félix Paredes y Leopoldo Urrutia, entre otros.

Las selecciones posteriores parten de las citadas: el *Romancero general de la guerra de España* (Buenos Aires, 1944) es una antología de 115 poemas que Alberti toma de la edición de 1937, ampliando el «Frente de Cataluña». También el *Romancero de la guerra civil* se extrae de *El Mono Azul* (Caudet [1978 *a*]). Otra cosa es el conocido *Romancero de la resistencia española* de Puccini [1982], que mezcla la poesía de guerra con la de posguerra.

No fueron esas las únicas antologías ofrecidas a las delegaciones extranjeras en el congreso de Valencia: hubo otras dos, ya que *Hora de España* preparó la titulada *Poetas de la España leal* (1937) con composiciones de sus colaboradores. En ella queda reflejada la producción bélica de Machado, Alberti, Altolaguirre, Cernuda, Gil-Albert, Miguel Hernández, León Felipe, Moreno Villa, Prados, Serrano Plaja, Lorenzo Varela.

Frente a este despliegue de nombres la otra muestra, *Poesía de las trincheras* (1937), publicada por el Comisariado General de Guerra, recoge poetas desconocidos e incluso anónimos con la excepción de Machado y Hernández. Acorde con ese espíritu popular, la mayoría de los 49 poemas son romances.

Este panorama de la poesía republicana no puede cerrarse sin dejar constancia de las etapas bélicas de poetas estudiados en otros lugares de *HCLE*. Antonio Machado publicó algún poema de fuste, por más que sus aportaciones más valiosas las haga a través de la prosa de su Juan de Mairena desde el mirador de la guerra. El dedicado a Lorca, «El crimen fue en Granada», puede servir de ejemplo de esa producción, estudiada por Aurora de Albornoz [1961] y Tuñón de Lara [1977]. Emilio Prados publicó *Llanto en la sangre* (1939), colección de romances que representa sus esfuerzos por sumarse a la poesía popular y revolucionaria, como han estudiado Cano Ballesta [1970] y Blanco Aguinaga [1960]. Rafael Alberti editó un libro tan importante como *Capital de la gloria (1936-1938)*, cuarta parte de *De un momento a otro (Poesía e historia, 1934-1939)*, estudiada por González Martín [1977]. Como ya vimos Miguel Hernández publicó *Viento del pueblo* y *El hombre acecha* y Arconada *Vivimos en una noche oscura* (1936).

Pero hay dos poetas que por haber atraído el interés de la crítica recientemente y por su importancia dentro del grupo de *Hora de España* merecen ser destacados: Juan Gil-Albert y Arturo Serrano Plaja; y no será impertinente dedicar después alguna atención a otro fervoroso republicano, la singularidad de cuya vida y obra ha venido desafiando cualquier intento de clasificación: León Felipe.

Ya Lechner [1968] llamó la atención sobre dos poetas «poco conocidos», José María Morón (1897-1966) y Juan Gil-Albert (nacido en 1911). Morón sigue siendo un olvidado hoy en día, a pesar de conseguir el accésit al Premio Nacional de Literatura en 1933 con *Minero de estrellas* y el Fastenrath en 1935 y de los elogios que le dedicó Machado. Pero no puede decirse lo mismo de Gil-Albert, que ha conocido en los últimos años una revalorización que ha llevado a José Luis Cano [1977] a hablar del «*boom* Gil-Albert» (Domingo [1966], Jiménez [1969], Simón [1973, 1974], Gil de Biedma [1974], Delgado [1976], *Calle del Aire* [1977], Colinas [1978], Carnero [1981], Chacel [1981]); el propio Lechner [1973] ha vuelto sobre el particular ya con otra perspectiva. En este momento está publicada su poesía completa en tres volúmenes en la Institución Alfonso el Magnánimo de la Diputación de Valencia, que ha empezado también a editar su prosa con unas previsiones que pueden arrojar unos doce tomos de *Obras completas*. Si se tiene en cuenta que Gil-Albert ha publicado o refundido obras suyas tras más de veinte años de espera, es todavía pronto para una valoración definitiva, pero hay trabajos que apuntan en esa dirección, como el de Aznar Soler [1980], el libro de Pedro J. de la Peña para la poesía y prosa [1982] y, sobre todo, la tesis de licenciatura de Carmen Peña Ardid [1983] para la prosa.[1]

Este singular escritor, de palabra tersa y cuidada y sensibilidad mediterránea, comienza con una etapa de un cierto dandismo bajo los auspicios de Wilde, Azorín, Valle o Miró, presente en títulos como *La fascinación de lo irreal* (1927), *Vibración de estío* (1928), *Cómo pudieron ser* (1929) y *Gabriel Miró* (1931). Pero hacia los veinticinco años ya advierte Aznar Soler [1980] el inicio de una «crisis estética» que le llevará al abandono de «la impertinencia wildeana» y hacia «la fascinación por la realidad social», lo que se acusa en *Crónicas para servir al estudio de nuestro tiempo* (1932). El propio escritor hará recuento de tal ánimo en *Memorabilia (1934-1939)* (1975).

En 1934 compuso *Misteriosa presencia*, que publicó Altolaguirre en 1936 en su colección «Héroe», donde también vieron la luz otros dos libros de sonetos amorosos impregnados de un similar registro conceptista: *El rayo que no cesa* de Miguel Hernández y *Sonetos amorosos* de German Bleiberg. El mismo año edita en Ediciones Nueva Cultura de Valencia *Candente horror*, «testimonio de una tormenta que se avecinaba». Pero no hay el más mínimo tono panfletario en la poesía de Gil-Albert, ni aquí ni en los poemas que publicará durante la guerra en *Hora de España*. Se trata de un singular compromiso que, tal como lo ha evocado

1. Véase también *HCLE*, vol. 8, pp. 120-121. La bibliografía sobre J. Gil-Albert, sin embargo, ha aumentado considerablemente desde la publicación de ese vol. 8, contribuyendo en medida importante a un mejor aprecio de la obra del poeta valenciano; en espera de reflejar adecuadamente esa nueva valoración crítica en el suplemento al vol. 8, se incluyen aquí sendos textos de M. Aznar Soler y P. J. de la Peña que atienden a las primicias de la poesía de Gil-Albert y a los libros de la inmediata posguerra que reflejan ya su madurez definitiva.

Sánchez Barbudo [1980], debe mucho a Gide («Gide ha sido, sin duda ninguna, mi gran escuela formativa, moral y literaria», ha confesado Gil-Albert), cuyo discurso de apertura en el Primer Congreso de Escritores Soviéticos (1934) tradujo.

Quizá más asimilables a una poesía de combate (dentro del espíritu de *Hora de España*, revista de la que fue segundo secretario) resulten *Siete romances de guerra* (1937) y *Son nombres ignorados* (1938). Colaboró además en *Nueva Cultura* y fue secretario del Segundo Congreso Internacional de Escritores Antifascistas. Cinco de sus poemas fueron incluidos en *Poetas en la España leal.*

La trayectoria de Gil-Albert continúa en el exilio exterior en Francia, México y Argentina y en el «exilio interior» en Valencia a partir de 1947, donde va elaborando una obra cuidadosa en que no faltan los homenajes a sus principales puntos de referencia: Proust (*Concierto en mi menor*, 1964, tan autobiográfica), Azorín (*La trama inextricable*, 1968), Visconti («Viscontinianas» en *Los días están contados*, 1974), Shakespeare (*Valentín*, 1974), Gide (*Heraclès*, 1975, viene a ser su *Corydon*) (Villena [1976, 1977]), hasta rematar en 1981 con *Los arcángeles.* La organización de este material en los nueve volúmenes de su obra completa (seis de prosa y tres de poesía) publicados hasta el momento arroja matices que darán pábulo a nuevos trabajos, ya que excluye algunos libros y organiza de forma peculiar otros.

Arturo Serrano Plaja (nacido en 1909) sería cita obligada al hablar de la literatura bélica sólo por haber sido el artífice de la famosa *Ponencia colectiva* del congreso de Valencia, texto de una importancia excepcional y de una calidad sólo explicable por la asistencia previa de este poeta, novelista y ensayista al Primer Congreso de Escritores Antifascistas, celebrado en junio de 1935 en París. Allí coincidió con Pablo Neruda y Raúl González Tuñón y pudo constatar una modalidad de compromiso que no se agotaba en la propaganda en las posturas manifestadas por Malraux y Gide (Serrano Plaja [1966]).

Previamente a la guerra había mantenido una sustanciosa polémica en su carta abierta a Bergamín (publicada primero en *Leviatán* y luego en *Cruz y Raya*) en que adelantaba ya las tesis de la *Ponencia.* También había participado en 1933 con Sánchez Barbudo y Enrique Azcoaga en la fundación de *Hoja Literaria* y había colaborado en *La Gaceta Literaria*, *Octubre*, *Frente Literario*, *El Tiempo Presente* y *Caballo Verde para la Poesía*, cuya estética «impura» le subrayó y donde dio un avance del plan de *El hombre y el trabajo* con su poema «Estos son los oficios» (octubre de 1935). Amigo de Alberti y Neruda, conoció una politización que le llevó a escribir su elegía a Aida Lafuente a raíz de los sucesos de Asturias de 1934, año en que editó su libro de poemas *Sombra indecisa*, continuado con *Destierro infinito* en 1936.

Pero fue *El hombre y el trabajo*, publicado en plena guerra civil en 1938 por las Ediciones Hora de España, el que marcó una de las cimas de la poesía bélica, mereciendo encendidos elogios de Machado y María Zambrano. Retomando la épica del trabajo de *Los trabajos y los días* de Hesíodo y la «absoluta integridad patética del hombre» de Walt Whitman, compuso un breviario de exaltación de lo humano en su dominio de la materia que simultanea una conciencia revolucionaria con una enorme dignidad estética. Completan el libro poemas de la guerra ineludible (está fechado en Teruel, en enero de 1938) y de amor, encarnando la España nueva en el nombre muy significativo de Virginia. Francisco Caudet [1978 *b*], en su prólogo a la reedición facsimilar del libro ha reivindicado su singular calidad.

Al margen de escuelas y casilleros, pero en ningún modo ajeno a las lealtades que movilizaron a los poetas recién considerados, León Felipe, seudónimo de Felipe Camino Galicia (1884-1968), manifiesta sus intuiciones primordiales con igual intensidad en verso y prosa, en paráfrasis teatrales e incluso en frustrados guiones de cine, a través de un universo simbólico (estudiado por Concha Zardoya [1971] y, sobre todo, por José Paulino [1980], su mejor conocedor) en una trayectoria que constituye, a pesar de sus vericuetos, una aspiración en cierto modo religiosa (Murillo [1968²] y Agostini [1980]) al Gran Poema Universal, construcción orgánica a la manera de Walt Whitman a la que el poeta, esparcido como el viento, presta su palabra.

Él mismo reconoció el carácter reiterativo de su obra: «Soy pobre, vivo del ritornelo y me repito como la noria y como el mundo. La llama, la luz es la que cambia». Efectivamente, la continua reelaboración de viejos materiales en nuevos contextos, lo híbrido e impuro de su dicción, que él simbolizó en el lagarto (Chumacero [1941]), la provisionalidad de una producción *in fieri* son consustanciales a su escritura. Formalmente esa tendencia se refleja en un versolibrismo que empieza apoyándose en estructuras métricas tradicionales que le sirven de punto de referencia junto al versículo bíblico, para ir evolucionando hacia moldes más libres, aunque siempre con las repeticiones, analogías semánticas y paralelismos sintácticos y tonales que le caracterizan (Villavicencio [1972]).

Por la ubicación de su centro de gravedad, su obra corresponde más propiamente al exilio que a la de cualquier generación de preguerra, entre cuyas filas difícilmente se le encuentra acomodo convincente. Su accidentada biografía ha sido pergeñada por testimonios a menudo de primera mano, tales como los de Pedro Garfias [1946], Guillermo de Torre [1943, 1963], Max Aub [1963], el imprescindible de Luis Rius [1968], el puntualizador de García Cantalapiedra [1974], el banal de Villatoro [1975], el personal de Gerardo Diego [1975], el disperso de Capella [1975] (que, aunque haya contado con la colaboración de Luis Rius y

Arturo Souto, naufrada en la anécdota), el entrañable de Juan Larrea [1976] y los colectivos de *Ínsula* [1968] y *Litoral* [1977]. Con todo, aún quedan abundantes lagunas por colmar, y ya el propio León Felipe llamó la atención sobre algunas de ellas con «Datos olvidados en mi biografía». El reciente simposio «León Felipe», celebrado en Madrid en enero de 1984 inaugurando las conmemoraciones en el centenario de su nacimiento, marcará un importante hito en una labor de acotamiento y profundización tan prometedora como necesaria.

Tras una serie de peripecias que le llevan de su Tábara natal (en la provincia de Zamora) a Sequeros (Salamanca) y Santander, por traslados de su padre, que era notario, a Valladolid y Madrid, para estudiar Farmacia, a Levante con una compañía de cómicos y varios regresos a Santander (incluida la cárcel, acusado de desfalco), escribe en el verano de 1919 *Versos y oraciones de caminante* en una farmacia que regenta en Almonacid de Zorita, publicándolo en 1920 ya con su nombre de pluma definitivo. Frente al silencio nada halagador con que Juan Ramón Jiménez acogió sus primeros escarceos, había recibido la hospitalidad y aprecio de Díez-Canedo [1920, 1965], como recordará el poeta: «Un día me recogió Enrique Díez-Canedo como se recoge un mendigo y me llevó de la mano a la revista *España*». También había leído sus versos en el Ateneo; pero ni eso ni su libro recién aparecido le sosiegan, y solicita un puesto en la administración sanitaria colonial de Guinea.

El paso más importante lo dará dos años después al embarcarse para México, país que resultará decisivo en su configuración vital de auténtica «devanadera del Atlántico», como lo llamó Guillermo de Torre. De allí pasa a los Estados Unidos, donde imparte lecciones en la Universidad de Cornell y se casa con la mexicana Berta Gamboa. La segunda parte de *Versos y oraciones de caminante* (1929) y *Drop a star* (1933) plasman sus nuevas experiencias biográficas y literarias, ampliando considerablemente su registro con la especial presencia de Walt Whitman, que le influyó poderosamente y al que tradujo con innegable brío (Borges [1942]). José Paulino [1979] ha editado escrupulosamente esas tres primeras entregas.

Gerardo Diego y Federico de Onís le incluyen en 1934 en sus *Antologías* y Espasa-Calpe le publica una muestra de su obra en 1935. De su segundo viaje a España vuelve con el nombramiento de agregado cultural en Panamá en representación del gobierno republicano, pero regresa en 1936 al tener noticias del levantamiento del 18 de julio, dejando tras de sí la enérgica proclama de fidelidad al legítimo gobierno español *Good-bye, Panamá*, que le prohíben leer por radio y en mucho preludia el polémico tono de *La insignia*, cuyas dos versiones con duras acusaciones tras la caída de Málaga constituyen su principal aportación a la poesía, en la que participará a través del consejo de *Hora de España*.

Camino del exilio tras la derrota republicana, escribe en la travesía del Atlántico *El payaso de las bofetadas o el pescador de caña*, leyéndolo en La Habana y publicándolo en México (1938). De esa composición y de *El hacha* (1939) arranca una nueva etapa de crecimiento en su obra, que se acusa en la acentuación de lo que Luis Felipe Vivanco [1957] ha considerado «ritmo roto» de sus primeros versos y del que deduce una crisis que perfilará al activo poeta que se prodiga en las revistas *España Peregrina*, *Taller*, *Romance*, *Cuadernos Americanos*, *Las Españas*, *Los Sesenta*, *Comunidad Ibérica*, etcétera (Andújar [1976]).

Español del éxodo y del llanto (1939) y *El gran responsable* (1940), tan acremente enjuiciado por Cernuda [1957], completarán la nómina de obras que dejan constancia de los hallazgos de León Felipe antes de asumir en toda su envergadura los recientes acontecimientos y las nuevas experiencias.

Con el exilio su universo se vertebra y apuntala bajo el influjo decisivo de Juan Larrea, relación ésta que espera un imprescindible estudio. La interpretación mitopoética de la historia que recorre textos de este último como *Rendición de espíritu*, *El surrealismo entre viejo y nuevo mundo*, *The vision of Guernica*, *La religión del lenguaje español*, *La espada de la paloma* o *Razón de ser* repercuten en la obra de León Felipe aportándole el rico concepto de Hispanidad, América y la Nueva España como continente del espíritu o patria del verbo. En justo reconocimiento, dedicará en 1943 *Ganarás la luz* (Paulino [1982]) «A Juan Larrea, maestro de poetas». Ante esta reordenación de antiguos materiales según las nuevas perspectivas, Octavio Paz [1957] dictaminará: «No es un libro de poemas, pero es un gran libro».

Esa dimensión exílica (fundamental en su poesía, pues no sólo afecta a las circunstancias en que se produce, sino a su concepción más honda y fondo último) le lleva a la representación definitiva de una España víctima, Cristo y Quijote, heroico y bufonesco payaso escarnecido por los mercaderes. El poeta se reviste de la menesterosidad de Job y Lázaro, clama por la purificación edípica, el descenso de Jonás en busca de un destino incierto o la aspiración prometeica hacia la llama iluminadora.

Entre 1946 y 1948 hace una gira por varios países hispanoamericanos con el apoyo de su sobrino, el torero Carlos Arruza, dando recitales y conferencias. La *Antología rota* (1947) constituye por un lado una recapitulación de su trayectoria, a la vez que preludia su siguiente título, *Llamadme publicano* (1950), en el que Aurora de Albornoz [1976] ha percibido ya «un tono evocativo, tranquilo, remansado».

En 1957 muere Berta, su mujer, y su abatimiento se refleja en *Cuatro poemas con epígrafe y colofón* y *El ciervo* (ambos de 1958), que incluye «Bertuca». Cuando en 1963 ven la luz las *Obras completas* de Losada han de llevárselas al hospital en el que se repone de una recaída. Su actividad creadora se resiente considerablemente y sólo reaparece al morir un niño jorobado amigo suyo, Rubén. De ese estímulo se nutren *¡Oh, este viejo y roto violín!* (1965) y el póstumo *Rocinante* (1968), donde celebra los relinchos patéticos del jamelgo quijotesco reencarnado, gracias a los pinceles de Picasso, en el caballo del *Guernica.*

Hacía algún tiempo que este cantor de la España peregrina había empezado a soñar con un posible regreso. Y él, que escribió aquellos versos no del todo justos afirmando haberse llevado la canción, rectificaba en 1958 en el prólogo a *Belleza cruel* de Ángela Figuera Aymerich: «los que os quedasteis en la casa paterna, en la vieja heredad acorralada ... Vuestros son el salmo y la canción». Se tendía así un puente integrador sobre las literaturas españolas producidas a ambas orillas del Atlántico, cuyo distanciamiento a pocos había perjudicado tanto como a él.

Verdad es, sin embargo, que «el salmo y la canción» no florecieron demasiado en las filas de los combatientes a las órdenes del general Franco. Como toda la literatura escrita en la zona nacionalista, la poesía que se compuso en ese bando no es excesivamente conocida fuera de las antologías y nombres prototípicos. Así suelen citarse el *Romancero popular navarro* (1937) de Baldomero Barón Rada, *Poemas de la Nueva España. Motivos líricos de la Santa Cruzada* (1937) de Barrios Masero, *Romances azules* (1937) de Juan Gómez Málaga, *Por el amor de España* (1937) de Eduardo Marquina, *Cantos de Guerra y de Imperio* (1937) de Calle Iturrino, el *Romancero de la Reconquista* (1938) de Nicomedes Sanz y Ruiz de la Peña, el *Poema de la Bestia y el Ángel* (1938) de José M.ª Pemán, *Poema de la Falange eterna* (1938) de Federico de Urrutia, *Lira bélica* (1939) de José Sanz y Díaz, la *Antología poética del Alzamiento. 1936-1939* (1939) de Jorge Villén, *Corona de sonetos en honor de José Antonio Primo de Rivera* (1939), el *Cancionero de guerra* (1939) de Casimiro Cienfuegos, *Poesía en armas* (1940) de Dionisio Ridruejo, *Dolor y resplandor de España* (1940) de Manuel de Góngora, *El almendro y la espada* (1940) de Agustín de Foxá, *Poesía* (1940) de Manuel Machado, *Tiempo de dolor. Poesía (1934-1937)* (1940) de Luis Felipe Vivanco, el *Romancero legionario* (1940) de Antonio Macía Serrano, *Romances de cruzada* (1941) de Rafael de Balbín. Otros nombres cabría añadir, como J. A. Cortázar, Félix Cuquerella, Jaime P. Vilanova, José Camón Aznar, Luys Santa Marina, Sebastián Sánchez Juan, J. M.ª Castroviejo, J. L. Martín Abril, Fernández Ardavín e incluso el jovencísimo Blas de Otero, aunque esta lista podría prolongarse hasta bien entrada la década de los cuarenta (por ejemplo Gerardo Diego: *La luna en el desierto y otros poemas*, *Elegía heroica del Alcázar*).

Puestos a seleccionar, las muestras más representativas son la *Antología poética del Alzamiento* y la *Corona de sonetos en honor de José Antonio Primo de Rivera.* La primera contiene 79 poemas divididos por secciones temáticas y compuestos por 45 poetas. Aparte de los franceses Claudel, Pitollett y Armand Godoy y el hispanoamericano Augusto de Santamaría aparecen Manuel Machado, D'Ors, Pemán, Rosales y otros que se presentan como anónimos. Hay una cierta tendencia hacia el romance y el soneto, al igual que en la zona republicana, como ha hecho notar Lechner [1968]. Proponen ahí una exaltación de la tradición, del simbolismo cristiano, de una retórica viril y culto al caudillaje que terminan abocando hacia tratamientos poco nuevos (e incluso deliberadamente anticuados) del material poético.

La *Corona de sonetos* consta de veinticinco composiciones en este metro de otros tantos autores, entre los que cabría destacar a Tovar, Ignacio Agustí, Alfaro, Cunqueiro, Gerardo Diego, Laín Entralgo, Manuel Machado, Marquina, Eugenio Montes, D'Ors, Leopoldo Panero, fray Justo Pérez de Urbel, Pedro Pérez Clotet, Ridruejo, Félix Ros, Rosales, Adriano del Valle y Vivanco. Como señala Lechner, comparece casi toda la élite intelectual que apoyaba la causa nacionalista y el homenaje a José Antonio tiene cierto paralelo con la dedicatoria del *Romancero general de la guerra de España* a Lorca. Al ser un libro monográficamente dirigido a exaltar al «Gran Ausente», se halla empapado de las palabras-clave falangistas.

La *Antología poética del Alzamiento* iba dedicada a José María Pemán, el poeta más representativo del bando nacionalista seguramente, autor de un larguísimo poema no menos sintomático de los ideales que movían a los suyos, el *Poema de la Bestia y el Ángel*. Pemán ya tenía una considerable ejecutoria en el campo de la literatura política antes de abordar este ambicioso ideario épico de 145 páginas (en la edición de 1938), entre los cuales hay que recordar *El divino impaciente* y el *Salmo a los muertos del 10 de agosto*, celebración elogiosa de la sublevación que en esa fecha de 1932 había intentado el general Sanjurjo en Sevilla. Empezó a escribir *La Bestia y el Ángel* en noviembre de 1936 y durante un año redondeó esta pieza de inspiración apocalíptica y factura claramente religiosa, pues este es el carácter que se quiere reflejar de la guerra: la lucha del bien y del mal, en manifiesto maniqueísmo. El lenguaje promueve un empaque arcaizante con aderezos modernistas en su variedad de metros, y aunque los conceptos suelen moverse en el área de las categorías, no faltan alusiones a circunstancias reales: el Alcázar de Toledo, el asesinato de Calvo Sotelo, las hazañas y arrojo de Franco. Pemán completó su producción con un *Romancero carlista* y varios himnos.

Mucha mayor dignidad y sentido autocrítico ha demostrado Dionisio Ridruejo al ocuparse retrospectivamente de su *Poesía en armas* (Ridruejo [1976 *a* y *b*]), aunque Víctor García de la Concha [1973] ha relacionado algunos pasajes de «Al 18 de julio» con el maniqueísmo de que Pemán hace gala en su poema. El propio autor calificó su libro de «muy retórico», tono mejorado en los *Cuadernos de la campaña de Rusia* en 1941-1942, donde la División Azul prolongó la guerra de España. Por todo ello, *Poesía en armas* fue libro muy revisado por Ridruejo en ediciones posteriores. En su presentación original iba dedicado a Pilar Primo de Rivera y constaba de veinticuatro poemas distribuidos en cinco partes, con una clara tendencia al soneto, al «silogismo lírico», en expresión de Marià Manent [1976], y a una poesía «entre oratoria y periodística», como ha sido calificada por Vivanco [1974[8]] en definición matizada en su excelente trabajo por Ángel Sierra de Cózar [1978].

La dedicatoria a la hermana de José Antonio era lógica, dada la hagiografía que traslucen los sonetos al fundador, símbolo de verticalidad ascensional frente al polvo rastrero ambiental, hasta configurar con sus alusiones a las rosas, los luceros, los camaradas, las flechas, el haz, una auténtica «poética del fascismo», en expresión de Hans Peter Schmidt [1972] inspirada en el libro de Payne [1965] y extraída de la comparación con autores del nacionalsocialismo (Anacker, Johst, Schumann). Pero, como ya queda dicho, el desengaño de la campaña de Rusia propició una evolución ética y estética hoy unánimemente apreciada como muy diferente y mucho más positiva que la de otros camaradas de armas y letras (AA. VV. [1976], Pastor [1975]).

Otros poetas han merecido juicios más duros, incluso más que el deleznable poema de Pemán. Y tal es el caso de Federico de Urrutia, de cuyo *Poema de la Falange eterna* se tiraron más de veinticinco mil ejemplares y del que Lechner afirma que «para bien de la poesía escrita entre los nacionalistas hay que decir que *Poema de la Falange eterna* es un libro cuyo contenido no pertenece al género poético». Dentro del mismo espíritu que la *Antología poética del Alzamiento* se mueven Nicomedes Sanz con su *Romancero de la Reconquista* y Manuel de Góngora con *Dolor y resplandor de España*, de la escuela de Pemán. Corrientes ciertamente difíciles de delimitar en el tiempo, dado que en el bando nacionalista sí que hubo continuidad entre la guerra y la posguerra (García de la Concha [1973]).

3. *El teatro.* Buena parte de los trabajos citados a propósito del teatro durante la Segunda República (Bilbatúa [1976, 1978]) implican de un modo u otro a la guerra civil, aunque no es raro que el caos aumente a medida que se internan en ella. Ese es el primer problema de la bibliografía que se ocupa de este aspecto de la literatura bélica. El segundo es más grave y es compartido sin excepción por toda ella, incluso por la más documentada: consiste en identificar teatro —y aun literatura— de la guerra civil con el que se representa o escribe en la zona republicana (Monleón [1978]). De tal manera que un estudio tan riguroso como el de Robert Marrast [1978], en lugar de titularse *El teatro durante la guerra*

civil española, debería emplear una fórmula del estilo de *El teatro de la zona republicana durante la guerra civil española* o, mejor aún, *El teatro en Madrid y Barcelona durante la guerra civil española (con un apéndice sobre otras ciudades)*.

Es a Marrast, en efecto, a quien debemos la mayor parte de la información sobre esta parcela de nuestra literatura contemporánea, por más que el libro acuse el desequilibrio de su planteamiento primitivo: su trabajo fue presentado como comunicación en las Entretiens d'Arras, 1957, con el título de *Le théâtre à Madrid pendant la guerre civile. Une expérience de théâtre politique* y recogido en el libro colectivo *Le théâtre moderne. Hommes et tendances* (Jacquet [1958]).

En un primer momento, como queda dicho, el estallido de la guerra obliga a utilizar los medios que ya había al servicio de los nuevos objetivos. Y es ahí donde cobran significado renovado ciertas creaciones de la República como La Barraca, que tras el asesinato de Lorca pasó a depender del patronato de *Hora de España* y fue dirigida por Manuel Altolaguirre (parece ser que Miguel Hernández rechazó el nombramiento). Lo propio cabe señalar respecto a las formaciones teatrales de las Misiones Pedagógicas, es decir, el Teatro del Pueblo dirigido por Casona y el Teatro Guiñol creado y dirigido por el jefe de equipo de las Misiones Pedagógicas, Rafael Dieste, quien escribió numerosas farsas con ese destino.

Contradictorias son las noticias sobre otro guiñol famoso, La Tarumba. Luis Sáenz de la Calzada, en su libro sobre La Barraca, ya citado en el capítulo 13 de este mismo volumen, lo presenta como una prolongación de ésta: «Con análogas directrices surgió en Huelva, durante la guerra civil, dirigido por José Caballero, el grupo teatral La Tarumba que fue quien, realmente, recogió la antorcha todavía humeante de La Barraca». Testimonio que coincide con el de Dionisio Ridruejo, quien añade el nombre de José R. Escasi al de Caballero. Pero Raúl González Tuñón [1937] da noticia de ese guiñol como creación de Miguel Prieto, bautizado con tan valleinclanesco nombre por Pablo Neruda. Actuó, durante el Bienio Negro por pueblos y aldeas y en Madrid representó en la Feria del Libro de 1935 *El retablillo de don Cristóbal* de Lorca con interpolaciones políticas (la *Internacional*, la *Marsellesa*). Marrast lo relaciona con el guiñol Octubre, que se anuncia en la revista (n.º 6, abril de 1934, p. 16) y recuperaría su antiguo nombre durante la guerra civil al servicio de la propaganda republicana. Francisco Porras aporta estos datos de Cerdá en la misma dirección que González Tuñón: «Estas actuaciones, con el estallido de la guerra civil se convirtieron en verdaderos teatros de trincheras donde presentaban a los soldados republicanos obras como *Los invasores, La defensa de Madrid, Franco, el fascista*, etcétera, cuyas exhibiciones duraron hasta julio de 1937. Muerto ya García Lorca, Miguel Prieto viajo a la URSS para asimilar la experiencia soviética en torno al guiñol. Al regresar a España fue comisionado por el gobierno para reorganizar los espectáculos de guiñol, para lo cual construyó en Barcelona un moderno teatro con todos los elementos técnicos y que denominó La Tarumba».

Sirvan estas contradicciones como ejemplo del alud de datos fragmentarios entre los que hay que moverse para establecer con cierta nitidez un perfil de la dramaturgia bélica. Los grupos de teatro, en efecto, parecen haber sido legión, y lo difícil es seleccionar los verdaderamente significativos y mucho más aún. los textos de alguna validez. Lo que más abundan son los grupos espontáneos de aficionados que siguen representando impertérritos *Juan José* o que en un momento de calma y asueto cantan para sus compañeros, les ofrecen un *sketch* o sainete, y poco más. Los testimonios de este tipo de espectáculos son frecuentes en los periódicos y boletines del momento, pero no pueden tenerse en cuenta más que a beneficio de inventario. Por otra parte, los cambios de nombre, la falta de coordinación e incluso el abierto enfrentamiento interno del bando republicano complican aún más la labor.

Citemos, no obstante, algunos ejemplos, como el Grupo de Teatro Popular o el Teatro de Guerra. El primero fue fundado a principios de 1936 por actores y autores inquietos por ofrecer obras políticas y revolucionarias y se incorporan a la guerra en septiembre de 1936. Cuidaron la calidad de su repertorio (tanto español como extranjero) y en octubre de 1936 representaron por los barrios de Madrid desde la plataforma de un camión en abierta labor de propaganda, para mantener la moral de la población. También en Madrid actuaba el Teatro de Guerra que dirigía el célebre actor y director Manuel González. Su principal característica era la profesionalidad de sus componentes, actores movilizados que cobraban un sueldo equivalente al de los milicianos. La entrada a sus espectáculos era gratuita, pero se invitaba al público a contribuir con alguna donación. Otros podrían añadirse, como el Teatro del Sindicato Confederal de Espectáculos, dirigido por la actriz María Boizades (casada con el escritor argentino Valentín de Pedro, colaborador asiduo de la publicación anarquista *CNT*). Ofrecía funciones gratuitas para milicianos, representando obras de todo tipo e incluso escenificaciones de romances del popular poeta libertario José García Pradas, como *Estampa del ochocientos* o *Por las Asturias de Oviedo*.

Pero las tres creaciones teatrales de la guerra civil más conocidas son, sin duda, el Altavoz del Frente, las Guerrillas del Teatro y el Teatro de Arte y Propaganda (o Nueva Escena). Eran los más institucionales y tras ellos había personajes bien conocidos en el mundo literario, político y cultural.

El Altavoz del Frente en su sección dramática contó con la experiencia nueva del grupo Nosotros, dirigido por César e Irene Falcón. César

Falcón era un novelista peruano radicado en España, cuya labor podía seguirse, por ejemplo, a través de «La Novela Proletaria». Había llegado a conocer bien el teatro revolucionario en Londres, desde donde escribió para *El Sol* artículos muy informativos en 1927. Fundó el grupo Nosotros en 1932 (Antonio Espina ha dejado referencias de sus inicios en *Luz*, 2 de enero de 1933), representando obras rusas (Gorki, Maiakovski). En 1934 forma la Central de Teatro y Cine Proletario, con el grupo Teatro Proletario. Será esta línea de *agit-prop* la que propicie iniciativas como Cultura Popular, en vísperas de la guerra y a pesar de los reveses sufridos en la represión de la revolución asturiana. Esta labor (junto a la del teatro del Socorro Rojo Internacional o el de los trabajadores de la Banca y Bolsa) explica que en el otoño de 1936 ya se pudieran rentabilizar con eficacia estas experiencias proletarias que dan lugar, precisamente, al Altavoz del Frente, ofreciendo en una de sus primeras representaciones una pieza de Irene Falcón (*La conquista de la prensa*, escrita para la gira por Asturias en 1934) y otra de César Falcón (*Asturias*).

El Altavoz tenía, por tanto, un cierto carácter semioficial y era el más típico grupo de *agit-prop* entre los que se movían por los frentes republicanos. Su actuación se inspiraba en las campañas de cultura popular llevadas a cabo por el Ejército Rojo en Rusia, ampliamente estudiadas y consideradas en la prensa comunista («El Ejército Rojo, instrumento de cultura», en *Pueblo*, 9 de noviembre de 1935). Milicia Popular, del Quinto Regimiento, es un intento divulgador que persigue los mismos objetivos: toda una infraestructura bélica y una disciplina militar se moviliza para erradicar el analfabetismo, montar coros, orquestas, bibliotecas, cines ambulantes y análisis propagandísticos de la contienda. Su carácter mucho más sostenido y continuo es netamente diferente de las esporádicas visitas de los teatros universitarios de preguerra: el conflicto obliga a los actores a vivir con los soldados codo con codo casi las veinticuatro horas del día.

Nueva Escena fue creada en septiembre de 1936 como sección teatral de la Alianza de Intelectuales Antifascistas en combinación con la comisión de Trabajo Social y Cultura del Batallón de Hierro. Se articula como cooperativa de escritores (Alberti, Altolaguirre, Bergamín, Dieste), actores y escenógrafos (Miguel Prieto, Ramón Gaya, Santiago Ontañón). Ofrece su primera representación en octubre de 1936 en El Español con *Al amanecer* de Dieste, *La llave* de Sender y *Los salvadores de España* de Alberti. En agosto de 1937 se transformó en el Teatro de Arte y Propaganda, dirigido por María Teresa León y con sede en el teatro de La Zarzuela de Madrid. Era el grupo que más claramente se movía en la órbita del Partido Comunista.

Marrast matiza más la relación entre todos estos grupos al apuntar que el Altavoz del Frente en su sección teatral dependía del Quinto Regimiento e integraba a tres grupos: dos Guerrillas del Teatro (dirigidas por

Fernando Porredón y Modesto Novajas y que actuaban en el frente) y el Teatro de Guerra, dirigido por Manuel González con la ayuda de César Falcón y que actuaba en Madrid. Según se deduce de una entrevista de A. Otero Seco [1936], César Falcón venía a ser una especie de coordinador o director general del Altavoz del Frente.

En cuanto a la evolución del teatro en el transcurso de la guerra, pueden destacarse los hitos que siguen.

Empezando por la capital, Madrid, hay que insistir (al igual que lo hacíamos al hablar de los grupos) en el primer momento de desconcierto tras el golpe del 18 de julio de 1936. Hasta noviembre de 1936 las iniciativas son muchas (y con distinto grado de madurez o improvisación, como queda dicho), pero un tanto inconexas. Habrá que esperar a finales de ese año para que la situación se aclare, lo que viene impuesto en gran parte por los bombardeos y las escaramuzas en la Ciudad Universitaria que frenan las actividades dramáticas. El caótico estado precedente obligó a la Junta de Defensa a publicar el 20 de enero de 1937 un decreto revisando todos los teatros y cines y suspendiendo las representaciones hasta nueva orden. El gran problema era la falta de autores que escribieran piezas apropiadas. Eso no podía improvisarse y había que recurrir a «clásicos revolucionarios», a obras soviéticas o a zarzuelas, cuando no a las variedades zafias y chocarreras. Para colmo, la UGT y la CNT no ocultaban su rivalidad. Sólo Manuel González en El Español mantenía una cartelera digna, con obras de Lorca y Galdós. Hasta aquí una primera etapa claramente desorganizada y sin suficiente iniciativa gubernamental.

El 17 de mayo de 1937, al formarse el gobierno de Juan Negrín que releva al de Largo Caballero, Carlos Esplá Rizo no tiene sustitución al frente del Ministerio de Propaganda, por lo que sus atribuciones pasan al de Instrucción Pública, cuyo titular, Jesús Hernández, toma importantes decisiones para coordinar las actividades existentes. Crea así un Consejo Nacional de la Música (orden del 24 de junio) y, más adelante, un Consejo Central del Teatro (orden del 22 de agosto de 1937). Este consejo está presidido por Josep Renau (director general de Bellas Artes); vicepresidentes: Antonio Machado y María Teresa León; secretario: Max Aub; vocales: Jacinto Benavente, Margarita Xirgu, Enrique Díez Canedo, Cipriano Rivas Cherif, Alejandro Casona, Manuel González, F. Martínez Allende, Enrique Casal Chapí y Miguel Prieto. No debe sorprender la presencia de Casona (que estaba en América con la Compañía de Pepita Díaz Artigas y Manuel Collado) ni de Rivas Cherif (cónsul general de España en Ginebra), ya que el cargo tenía en su caso un alcance más bien honorífico.

Buena muestra de las consecuencias de este nuevo planteamiento es el estreno de *La tragedia optimista* de Vichnievski en La Zarzuela por el Teatro de Arte y Propaganda, en adaptación de María Teresa León y con decorados de Santiago Ontañón. Fue unánimemente elogiada por la prensa y estuvo en escena durante dos meses (del 16 de octubre al 13 de diciembre de 1937), siendo sustituida por la *Numancia* de Cervantes, en adaptación de Alberti y bajo la dirección de María Teresa León. El 26 de diciembre tuvo lugar el ensayo general al que asistieron Renau y el general Miaja.

Esta política teatral se ve reforzada en diciembre de 1937 con la proliferación de grupos de las Guerrillas del Teatro, que actuarían en todo lugar donde hubiese auditorio suficiente. Para dotarlas de repertorio se convoca a los escritores y se publica en Ediciones Signo el cuarto volumen de la «Pequeña Biblioteca Teatral», que ya había editado *El bulo* y *El saboteador* de Santiago Ontañón, *Sombras de héroes* de German Bleiberg, *El café... sin azúcar* de Pablo de la Fuente y *Radio Sevilla* de Alberti (autor del prefacio para la recopilación). Política paralela a este *teatro de urgencia* fue la llevada a cabo por la Editorial Nuestro Pueblo, donde editaría sus piezas cortas Miguel Hernández.

A comienzos de 1938 se produce una crisis política debida a la marcha de Indalecio Prieto del Gobierno y el 6 de enero Negrín forma un nuevo gabinete en el que el comunista Jesús Hernández es sustituido al frente del Ministerio de Instrucción Pública por el anarquista Segundo Blanco González. La CNT gana puntos frente a la UGT en las secciones de espectáculos y pronto comienzan las dimisiones comunistas. El 9 de abril renuncia el subsecretario de Instrucción Pública Wenceslao Roces y el 22 Josep Renau. El grupo de María Teresa León es retirado del teatro de La Zarzuela. Pero Alberti sigue como vicepresidente del Consejo General del Teatro y el 15 de febrero de 1938 logra editar el primer número del *Boletín de Orientación Teatral*, publicación quincenal que se prolongará hasta el 1 de junio de ese mismo año: es un órgano clave para la coordinación de las dispersas actividades teatrales.

También a principios de 1938 se cambian los nombres de los teatros, pero estas decisiones oficiales son más fáciles de materializar que el efectivo cambio de mentalidad de los actores, que boicotean las obras con reivindicaciones y actividades corporativistas que denuncian María Teresa León y José Luis Salado, entre otros. A ello hay que añadir la acumulación de actividades dramáticas que se producirá en la capital a partir del 18 de julio de 1938 cuando las tropas nacionalistas llegan al Mediterráneo, dividiendo en dos la España republicana, con lo que la actividad de los grupos itinerantes de propaganda queda seriamente limitada y han de actuar en muchos casos en Madrid.

Por todo ello, y debido a los conflictos entre los sindicatos y las presiones de los actores, se llega al elocuente panorama que ofrece la cartelera madrileña en la temporada que cierra el año 1938, y que es prácticamente intercambiable con la de julio de 1936, como si nada hubiera pasado: Benavente, Fernández Ardavín, Galdós, los Quintero, Calderón, el Tenorio, y revistas, zarzuelas y variedades de segunda fila. Baste decir que con la victoria nacionalista la cartelera madrileña (ahora ya controlada por el Sindicato de la Industria Cinematográfica y Espectáculos Públicos de la FE de las JONS) no se diferencia de la republicana por ofrecer distintas obras, sino por el cambio de nombre de algunos teatros. La Junta de Espectáculos, no logró, por tanto, renovar la cartelera, pero saneó considerablemente las finanzas: al acabar la guerra había logrado un beneficio de seis millones de pesetas, cifra ciertamente sustanciosa, y taquillaje envidiable incluso en época de paz.

Barcelona se diferenció de Madrid fundamentalmente por el absoluto predominio de la CNT (Sindicato Único de Espectáculos) frente a la UGT y por el papel jugado por los organismos de la Generalitat.

La CNT colectiviza la explotación de las salas como había hecho con otras industrias. Todos los hombres que intervenían en los espectáculos fueron situados en un nivel de igualdad y se retiraron de los repertorios todas las obras que diesen pie al vedettismo. Se creaba un fondo común para las compañías que hacían sus itinerarios por Cataluña y se repartía a partes iguales, todos cobraban lo mismo: quince pesetas diarias, ni más ni menos.

El 4 de diciembre de 1936 Erwin Piscator llegó a Barcelona lleno de interés por los acontecimientos españoles: Julián Gorkin había traducido su libro *El teatro político* para Editorial Cénit y tomado contacto con el director alemán en París.

El 12 de diciembre se organizó un festival en honor de Piscator con todo lo más caduco y tópico que pueda imaginarse: sardanas, flamenco, extractos de ópera, zarzuelas y recitado de poesías. La guinda la ponía Enrique Borrás con *Mestre Oleguer*, el drama de Guimerá. En su conferencia «Movilización total del arte» en el Teatro Barcelona, Piscator no pudo ocultar su decepción.

Estas contradicciones se agudizaron en 1937, cuando ni siquiera los bombardeos y los violentos enfrentamientos que llevaron en junio a la detención de los dirigentes del POUM alteró el repertorio de los teatros. Colectivizados y todo, siguen con sus vodeviles y los géneros más aparatosamente burgueses y anticuados. Esta situación es denunciada por la UGT, que edita a comienzos de 1937 una revista multicopiada titulada *TIR, Butlletí del Teatre Internacional Revolucionari*, bajo los auspicios de l'Associació de Treballadors de Banca, Borsa i Estalvi.

Las acciones contra la política de la CNT van a cristalizar al acceder al control de los espectáculos en junio de 1937 Joan Comorera, del PSUC (decidido adversario de la central anarquista) reforzando así la ofensiva de la UGT en la misma dirección: en noviembre Comorera decide poner bajo su control todas las empresas de espectáculos de Cataluña, a lo que responde la CNT con una huelga general de espectáculos, que se resuelve incorporando a la comisión interventora a tres cenetistas.

La hostilidad de la CNT obstaculizará, asimismo, el funcionamiento de las catorce Guerrillas del Teatro que querían formarse (de acuerdo con las previsiones de Wenceslao Roces) en el frente del Ebro y de Levante y han de reducirse su número y actividades.

Entre éstas, logran ponerse en pie tres piezas de Max Aub, *Teruel*, *¿Qué has hecho tú para ganar la guerra?* y *Juan ríe, Juan llora*, cortas, eficaces y directas, hasta el punto de que *Teruel* está escrita el mismo día en que las tropas republicanas recuperaron la ciudad, con un grado de inmediatez y frescura muy eficaces.

Otra iniciativa de positivos resultados fue el Premio de Teatro Catalán de la Comedia, al que se presentaron más de ciento treinta obras. Lo gana el 17 de marzo de 1938 Joan Oliver con su obra en seis episodios *La fam*, título clave en el teatro de la guerra civil por su fuerza y calidad. Además obtuvo un gran éxito de público. En la misma línea de estímulo y coordinación se convoca el Congreso de la Federación Catalana de Espectáculos Públicos de la UGT para tratar de atajar la dispersión de esfuerzos y el desajuste entre los fines de la causa republicana y los repertorios que se ofrecen a los combatientes, como la creación de un Comisariado Político del Espectáculo.

La Generalitat, por su parte, preveía aún a la altura de 1938 un presupuesto considerable para un Conservatorio de arte lírico, que se vendría abajo por necesidades más perentorias.

En los últimos meses de la guerra, en efecto, la situación es cada vez más precaria en Barcelona: teatros destruidos, actores movilizados, espectadores diezmados por evacuaciones, etc. (Abella [1973]). Cuando entran las tropas nacionalistas en Barcelona, desaparecen de la cartelera las obras en catalán, pero por lo demás, no hay cambios sustanciales, reponiéndose incluso obras ofrecidas cinco meses antes (Campillo [1979]). Concluye Marrast: «Como la Junta de Espectáculos de Madrid, la Comisión Interventora de Barcelona no había conseguido la reforma del repertorio de manera tan radical como lo había hecho con el sistema de gestión económica de los teatros».

Gracias a Max Aub tenemos unas ciertas claves para entender las actividades teatrales en Valencia al dejarnos en «Vicente Dalmases» (primera parte —«Valencia»— de *Campo abierto*, volumen segundo de *El laberinto mágico*) un testimonio del reparto de los teatros valencianos entre la UGT y la CNT que no tiene desperdicio. En ese ágil apunte viene a contar de forma bastante cercana al autobiografismo la marginación a que fue sometido su grupo de teatro universitario El Búho, por su carácter independiente y de aficionados frente a los afiliados y profesionales. Creado a finales de 1935, este grupo había ofrecido por los pueblos piezas cortas de Quevedo, Cervantes, Villarroel, Valle-Inclán y Alberti, y hasta logró acceder al escenario del teatro Eslava, en Valencia. Pero a las pocas semanas, los profesionales los echaron y tuvieron que representar en la iglesia de los dominicos. Para las elecciones de febrero de 1936 ya había tramado Max Aub la obrita de propaganda *El agua no es del cielo* y esta experiencia explica que la primera pieza de guerra escrita y representada en Valencia fuese suya: *Pedro López García.*

En noviembre de 1936 Max Aub estrena *Las dos hermanas* (pieza corta que precede a *La cuadratura del círculo* de Kataiev) exhortando a la fraternidad y unión de los dos sindicatos, UGT y CNT. Y menos eficaz resultó en esta panorámica del teatro levantino *El triunfo de las germanías,* sobre el movimiento popular del siglo XVII en Levante. En principio iba a ser fruto de la colaboración de Bergamín y Altolaguirre, pero no llegó a cuajar en la proporción debida, a juicio de Josep Renau, porque Altolaguirre cargó casi en solitario con el mayor peso.

El gran acontecimiento fue, por supuesto, el Segundo Congreso Internacional de Escritores en Defensa de la Cultura (julio de 1937). Con ese motivo se representa en el teatro Principal *Mariana Pineda,* dirigida por Altolaguirre, con Luis Cernuda en el papel de don Pedro, acompañado de la hermana de Rosa Chacel y de María del Carmen Largoity de La Barraca (grupo que también actuó en Valencia, por cierto).

Finalmente y en otro orden de cosas hay que reseñar que, bajo el patrocinio del Ministerio de Instrucción Pública, funcionó en 1938 el Teatro Infantil El Titiribí en colegios, guarderías y colonias de refugiados. Pero al margen de estas excepciones, y al igual que en Madrid y Barcelona, predominó la inercia comercial y chabacana anterior al 18 de julio de 1936.

Nada de excesivo interés nos ha quedado de las actividades teatrales específicas en el País Vasco y tampoco recoge Marrast datos relevantes de los escenarios en la zona nacionalista.

Algo podemos deducir hojeando la prensa de sus áreas más significativas, como la revista *Vértice,* pero es esta una tarea bibliográfica pendiente. Sus antecedentes estarían en lo que Núñez de Arenas denominó «Sainetes de propaganda católica», del tipo de *Teresa de Jesús* de Marquina, *Santa Teresita del Niño Jesús* de Vicente Mena o el resonante *El divino impaciente* de Pemán, estrenada en 1933, aniversario del golpe de Primo de Rivera, en el teatro Beatriz, donde Rivas Cherif había montado la escenificación de *AMDG.*

El carlismo también tenía su tradición, de cultivo persistente, en Navarra, donde en 1934 Jaime del Burgo estrena *Cruzados,* en una línea que continuaría en la posguerra Manuel Iribarren. Otro puntal será Alberto Pelairea, aunque más en la dirección del sainete y la comedia de santo (su obra más famosa es *San Miguel de Aralar*). En 1936 pone su pluma al servicio de la causa falangista, poco antes del Alzamiento, y escribe *Gloria difícil* y *Junto al fuego del hogar*, ambas inéditas e incluso inacabada la última, pero buenos ejemplos como eslabones entre el teatro de la derecha antes y después del golpe del 18 de julio, cuya tónica da en buena medida *Vértice*, que ofrece noticias sobre la creación de un teatro infantil, un artículo de Duyos en que se da cuenta de un grupo teatral de la Falange y comentarios a un auto sacramental de Ridruejo. Pero si se va a la prensa más cotidiana y menos elitista el panorama no difiere tanto del de la zona republicana, ya que sigue la cartelera anterior a la contienda, aunque haya algunas diferencias de nombres explicables (aquí sí aparecen Muñoz Seca o Pemán).

De las calas que a título meramente indicativo y sin ánimo de exhaustividad hemos realizado, se desprende un panorama tan anémico como el del campo republicano. Por pura inercia continúan representándose Echegaray y Benavente, e incluso *Marianela* de Galdós (quizá por ser la versión de los hermanos Quintero, lo que la hacía menos sospechosa). Una vez superados los primeros días del Alzamiento no faltan las zarzuelas ni las revistas (Celia Gámez) o musicales.

Con la prolongación de la guerra se asiste a una cierta organización de iniciativas que apuntan a más largo plazo, y así los órganos sindicales crean sus compañías teatrales, como es la de Comedias de la CONS (Central Obrera Nacional Sindicalista) que se estrena en su sección zaragozana con *La Dolores* en septiembre de 1936. Por supuesto, se celebran las festividades religiosas con alguna pieza alusiva si ello es posible y no falta la tradicional representación del *Tenorio* el primero de noviembre, pieza de la que se destacan sus «cualidades raciales» y valores religiosos.

Esta somera infraestructura ve aumentados sus efectivos por la creación de grupos de Falange, Requetés y Margaritas, que organizan veladas en hospitales de sangre y llegan a escenificar algún paso de Lope de Rueda o, en el mejor de los casos, estampas de la guerra con títulos genéricos como *Patria* (que se articula en las estampas: «La noche del Alzamiento - Arenga patriótica - La avanzadilla de Falange - El campamento de la Legión - El castillo de los Requetés - La España grande»). Tampoco escasean los actos organizados por la Junta Recaudadora Nacional, a los que asisten todas las autoridades y donde se pronuncian discursos y cantan himnos variados. Pero sería inútil buscar en esos actos una relación fructífera con la literatura propiamente dicha.

No faltaron piezas infantiles, tal como el cuento «Pirulín-Pirulón», transformación del cuento de Caperucita Roja con facilonas alusiones al otro bando. Los titulares de las jornadas son: «La aparición de Caperucita - El bosque de los peligros - El castillo de la bruja - Los gases idiotizantes - Los martillos peligrosos». En el reparto aparecen Flechas, Pelayos, Margaritas, Lenin, Hillo, soldados, etcétera.

Pero, como queda dicho, se llevan la palma Muñoz Seca (a mucha distancia de todos los demás), Pemán y los hermanos Álvarez Quintero, compartiendo muchos títulos con la zona republicana.

AGUSTÍN SÁNCHEZ VIDAL

BIBLIOGRAFÍA

AA. VV., *Guerra y revolución en España, 1936-1939*, Progreso, Moscú, 1971.

—, *Dionisio Ridruejo de la Falange a la oposición*, Taurus, Madrid, 1976.

Abella, Rafael, *La vida cotidiana durante la guerra civil*, Planeta, Barcelona, 1973, 2 vols.

Agostini del Río, Amelia, *León Felipe: el hombre y el poeta*, Madrid, Nueva York, 1980.

Albornoz, Aurora de, ed., Antonio Machado, *Poesías de guerra*, San Juan de Puerto Rico, 1961.

—, «Poesía de la España peregrina, crónica incompleta», en *El exilio español de 1939*, t. 4, Taurus, Madrid, 1976.

Andújar, Manuel, «Las revistas culturales y literarias del exilio en Hispanoamérica», en *El exilio español de 1939*, t. 3, Taurus, Madrid, 1976.

Armero, José María, *España fue noticia. Corresponsales extranjeros en la guerra civil española*, Sedmay, Madrid, 1976.

Aub, Max, «Homenaje a León Felipe», en *Cuadernos Americanos*, vol. 131, n.º 6 (1963), pp. 138-142.

—, *La poesía española contemporánea*, Imprenta Universitaria, México, 1954.

Aznar Soler, Manuel, *Pensamiento literario y compromiso antifascista de la inteligencia española republicana*, Laia, Barcelona, 1978.

—, «Redreçament i ruptura de la cultura valenciana (1927-1939)», *Els Marges*, n.os 12-13 (1978).

—, «La poesía difícil de Juan Gil-Albert (1936-1939)», estudio introductorio a *Mi voz comprometida (1936-1939)*, de Juan Gil-Albert, Laia, Barcelona, 1980.

Beccari, Gilberto, *Scrittori di guerra spagnoli*, Garzanti, Milán, 1941.

Bertrand de Muñoz, Maryse, «Bibliografía de la novela de la guerra civil española», en *La Torre*, n.º 61 (1968), pp. 215-242.

—, «Fuentes bibliográficas de la creación literaria de la guerra civil española», en *Hispania*, LVI, n.º 3 (septiembre de 1973), pp. 550-556.

—, «Bibliografía selectiva de la guerra civil española», en Hanrez [1977], pp. 327-374.

Bilbatúa, Miguel, *Teatro de agitación política. 1933-1939*, Edicusa, Madrid, 1976.

—, «La guerra civil y el teatro», en *Camp de l'Arpa*, n.os 48-49 (marzo de 1978), pp. 31-35.

Blanco Aguinaga, Carlos, *Emilio Prados. Vida y obra. Bibliografía. Antología*, Columbia University, Nueva York, 1960.

Borges, J. L., «Sobre: Walt Whitman, *Canto a mí mismo*», trad. de León Felipe, *Sur*, XII, n.º 88 (1942), pp. 68-70.

Bosch, Rafael, *La novela española del siglo XX*, vol. II: *De la República a la posguerra. Las generaciones novelísticas del 30 al 60*, Las Américas, Nueva York, 1971.

Calamai, Natalia, *El compromiso de la poesía en la guerra civil española*, Laia, Barcelona, 1979.

Calle del Aire, revista de Sevilla, n.º 1 (1977), dedicado a Juan Gil-Albert.

Campillo, María, y Esther Centelles, *La Prensa a Barcelona 1936/1939*, Centre d'Estudis d'Història Contemporània, Barcelona, 1979.

Cano, José Luis, «La poesía de Juan Gil-Albert», en *Ínsula*, n.º 362 (enero de 1977), pp. 8-9.

Cano Ballesta, Juan, «Poesía y revolución: Emilio Prados (1930-1936)», en *Homenaje universitario a Dámaso Alonso*, Gredos, Madrid, 1970.

Capella, María Luisa, *La huella mexicana en la obra de León Felipe*, Finisterre, México, 1975.

Carnero, Guillermo, «Poesía incompleta de Juan Gil-Albert», en *Quimera*, n.º 11 (septiembre de 1981).

Caudet, Francisco, ed., *Hora de España (Antología)*, Torres, Madrid, 1975.

—, ed., *Romancero de la guerra civil*, Ediciones de la Torre, Madrid, 1978.

—, ed., Arturo Serrano Plaja, *El hombre y el trabajo*, Ediciones de la Torre, Madrid, 1978.

Cierva, Ricardo de la, *Bibliografía general sobre la guerra de España (1936-1939) y sus antecedentes históricos*, Ariel, Barcelona, 1968.

Cobb, Christopher H., *La cultura y el pueblo. España 1930-1939*, Laia, Barcelona, 1981.

Colinas, Antonio, «Gil-Albert, testimonio de una recuperación», en *La Estafeta Literaria*, n.os 641-642 (agosto de 1978).

Corrales Egea, José, «Presencia de la guerra en la novela española contemporánea (1939-1969)», en *Camp de l'Arpa*, n.os 48-49 (marzo de 1978), pp. 8-22.

Cuadernos bibliográficos de la guerra de España, 1936-1939, Cátedra de Historia Contemporánea de España, Universidad de Madrid, 1966-1969, 6 vols., 1970: *Anejo sobre la guerra civil española en la creación literaria*, al cuidado de María José Montes.

Chacel, Rosa, «Juan Gil-Albert cree en lo que ve», en *Los títulos*, Edhasa, Barcelona, 1981.

Chumacero, Alí, «León Felipe: *Los lagartos*», en *Letras de México*, III, n.º 9 (1941), p. 4.

Delgado, Fernando, «Juan Gil-Albert, después del silencio», en *Ínsula*, n.º 350 (enero de 1976), pp. 4-5.

Díaz-Plaja, Fernando, *Los poetas en la guerra civil española*, Plaza y Janés, Barcelona, 1975.

—, *Si mi pluma valiera tu pistola*, Plaza y Janés, Barcelona, 1979.

Diego, Gerardo, «Prólogo» a León Felipe, *Obra poética escogida*, Espasa-Calpe, Madrid, 1975.

Díez-Canedo, Enrique, «El libro de un nuevo poeta» (sobre *Versos y oraciones de caminante*), *El Sol*, Madrid (20 de marzo de 1920).

—, «Un poeta español trashumante: León Felipe», en *Estudios de poesía española*, Joaquín Mortiz, México, 1965.

Domingo, José, «Un poeta de la generación del 36: Juan Gil-Albert», en *Ínsula*, n.º 230 (enero de 1966).

Ellis, Keith, «El enfoque literario de la guerra civil española: Malraux y Ayala», introducción a Francisco Ayala, *La cabeza del cordero*, Losada, Buenos Aires, 1962.

Fernández Cañedo, J. A., «La guerra en la novela española, 1936-1937», en *Arbor*, n.º 37 (1949).

—, «La joven novela española (1936-1937)», en *Revista de la Universidad de Oviedo*, XLIX-L (enero-abril de 1948), pp. 45-79.

García, Michel, «*El Mono Azul*», en Hanrez [1977], pp. 226-233.

García Cantalapiedra, Aurelio, *Santander en la vida y en el recuerdo de León Felipe*, Santander, 1974.

García de la Concha, Víctor, *La poesía española de posguerra*, Prensa Española, Madrid, 1973.

García Durán, Juan, *Bibliografía de la guerra civil española 1937-1939*, El Siglo Ilustrado, Montevideo, 1964.

Garfias, Pedro, «Apuntes para un retrato de León Felipe», *Armas y Letras*, Monterrey, México, III, n.º 4 (1946).

Garosci, Aldo, *Gli intellectuali nella guerra spagnola*, Feltrinelli, Milán, 1959; trad. cast.: *Los intelectuales y la guerra civil de España*, Júcar, Madrid, 1981.

Gil de Biedma, Jaime, «Juan Gil-Albert, entre la meditación y el homenaje» (1974), en *El pie de la letra*, Crítica, Barcelona, 1980.

González Martín, J. P., «Significación de la poesía de Rafael Alberti durante la guerra civil», en Hanrez [1977], pp. 155-167.

González Tuñón, Raúl, «La Tarumba, los títeres al servicio de la guerra», en *Ahora* (12 de mayo de 1937).

Hanrez, Marc, ed., *Los escritores y la guerra de España*, Monte Ávila, Barcelona, 1977.

Ínsula, XXIII, n.º 265 (1968), dedicado a León Felipe.

Irizarry, Estelle, *La creación literaria de Rafael Dieste*, Ediciós do Castro, La Coruña, 1982.

Jacquet, Jean, ed., *Le théâtre moderne. Hommes et tendances*, CNRS, París, 1958; hay trad. cast. en Eudeba, Buenos Aires.

Jiménez, José Olivio, «Juan Gil-Albert en su trama inextricable», en *Ínsula*, n.º 274 (septiembre de 1969), p. 4.

Larrea, Juan, «A León Felipe», *Triunfo*, n.º 694 (1976), pp. 48-49.

Lechner, J., *El compromiso en la poesía española del siglo XX*, I, Universidad de Leiden, 1968.

—, «La prosa de Juan Gil-Albert», en *Camp de l'Arpa* (enero de 1973).

León, María Teresa, *Memorias de la melancolía*, Losada, Buenos Aires, 1970.

Litoral, n.ºs 67-69 (1977), dedicado a León Felipe.

Mainer, José-Carlos, ed., *Falange y literatura*, Labor, Barcelona, 1971.

Manent, Marià, prólogo a Dionisio Ridruejo, *Poesía*, Alianza, Madrid, 1976.

Marra-López, J. R., «Los novelistas de la generación de 1936», en *Ínsula*, n.ºs 224-225 (julio-agosto de 1965), p. 13.

Marrast, Robert, prefacio a la reimpresión de la revista *Madrid. Cuadernos de la Casa de la Cultura*, Verlag Detlev Auvermann, 1975.
—, *El teatre durant la guerra civil espanyola. Assaig d'història i documents*, Publicacions de l'Institut del Teatre i Edicions 62, Barcelona, 1978.
Martín, Abel, «Los poetas españoles ante la guerra civil», en *Camp de l'Arpa*, n.os 48-49 (marzo de 1978), pp. 27-31.
Martínez Cachero, José M., *Historia de la novela española entre 1936 y 1975*, Castalia, Madrid, 1979²; en prensa, nueva ed. aumentada.
Monleón, José, «Arte de urgencia durante nuestra guerra civil», en *Camp de l'Arpa*, n.os 48-49 (marzo de 1978), pp. 35-43.
—, *«El Mono Azul», teatro de urgencia y romancero de la guerra civil*, Ayuso, Madrid, 1979.
Murillo, Margarita, *León Felipe, sentido religioso de su poesía*, Grijalbo, México, 1966; Colección Málaga, México, 1968².
Nora, Eugenio G. de, *La novela española contemporánea (1927-1939)*, Gredos, Madrid, 1968, t. II.
Ortega, J., «Arturo Barea, novelista español en busca de su identidad», en *Symposium* (1971), pp. 377-391.
Otero Seco, A., «¡Aquí, Madrid, Altavoz del Frente!», en *Mundo Gráfico* (21 de octubre de 1936).
Pastor, Manuel, *Los orígenes del fascismo en España*, Túcar, Madrid, 1975.
Paulino Ayuso, José, ed., León Felipe, *Versos y oraciones de caminante (I y II), Drop a star*, Alhambra, Madrid, 1979.
—, *La obra literaria de León Felipe (Constitución simbólica de su universo poético)*, Universidad Complutense, Madrid, 1980.
—, ed., *Ganarás la luz*, Cátedra, Madrid, 1982.
Payne, Stanley G., *Falange. Historia del fascismo español*, Ruedo Ibérico, París, 1965.
Paz, Octavio, «Saludo a León Felipe», en *Las peras del olmo*, Imprenta Universitaria, México, 1957, p. 191.
Peña, Pedro J. de la, *Juan Gil-Albert*, Júcar, Madrid, 1982.
Peña Ardid, Carmen, «Introducción a la prosa de Juan Gil-Albert», tesis de licenciatura, Universidad de Zaragoza, Zaragoza, 1983.
Ponce de León, J. Luis S., «La novela de la guerra civil de España y el modelo Tolstoi», en *Ínsula*, n.° 386 (junio de 1970), pp. 3-11.
—, *La novela española de la guerra civil (1936-1939)*, Ínsula, Madrid, 1971.
Puccini, Darío, *Romancero de la resistencia española*, Península, Barcelona, 1982.
Renau, Josep, prólogo a la reedición de *Nueva Cultura*, Auvermann; recogido en *La batalla per una nova cultura*, Tres i Quatre, Valencia, 1978.
Ridruejo, Dionisio, *Primer libro de amor. Poesía en armas. Sonetos*, Castalia, Madrid, 1976.
—, *Casi unas memorias*, Planeta, Barcelona, 1976.
Rius, Luis, *León Felipe, poeta de barro*. (Biografía), Colección Málaga, México, 1968.
Roumette, Monique, «*Hora de España*, revista mensual», en Hanrez [1977], pp. 234-252.

Rubio Cabeza, Manuel, *Los intelectuales españoles y el 18 de julio*, Acervo, Barcelona, 1976.

Salaün, Serge, presentación del *Romancero libertario*, Ruedo Ibérico, París, 1971.

—, «Poetas de oficio y vocaciones incipientes durante la guerra de España», en *Creación y público en la literatura española*, Castalia, Madrid, 1974.

—, «La expresión poética durante la guerra de España», en Hanrez [1977], pp. 143-154.

Sánchez Barbudo, Antonio, «Leyendo y recordando a Juan Gil-Albert», en *Ensayos y recuerdos*, Laia, Barcelona, 1980, pp. 57-62.

Sánchez Gijón, Ángel, «Le reviste letterarie nella guerre civile spagnola: *Hora de España*», en *Carte Segrete* (enero de 1967).

Santonja, Gonzalo, ed., María Teresa León, *La historia tiene la palabra*, Hispamerca, Madrid, 1977.

Schmidt, Hans Peter, *Dionisio Ridruejo, Ein Mitglied der spanischen «generación» von 36*, Universidad de Bonn, 1972.

Schneider, Luis Mario, *Inteligencia y guerra civil española*, Laia, Barcelona, 1978.

Schwartz, Kessel, «Literary criticism and the Spanish civil war», en *Hispania* (mayo de 1969).

—, «*Hora de España* and the poetry of hope», en *Romance Notes*, XV, n.º 1 (1973), pp. 25-29.

Serrano Plaja, Arturo, *El arte comprometido y el compromiso del arte y otros ensayos*, Aymá, Barcelona, 1966.

Shand, William, *Poesía de la guerra española*, Ateneo, Buenos Aires, 1947.

Sierra de Cózar, Ángel, «Poesía en armas: Dionisio Ridruejo y la poética del fascismo», en *Camp de l'Arpa*, n.ºs 48-49 (marzo de 1978), pp. 43-51.

Silva Herzog y otros, *León Felipe. Antología y homenaje*, Finisterre, México, 1967.

Simón, César, «Actitud y calidad en la obra poética de Juan Gil-Albert», en *El Urogallo*, n.º 24 (noviembre-diciembre de 1973), pp. 80-85.

—, «Lenguaje y estilo en la obra poética de Juan Gil-Albert», tesis doctoral, Universidad de Valencia, Valencia, 1974.

Soldevila Durante, Ignacio, «Les romanciers devant la guerre civile espagnole», en *La Revue de l'Université Laval*, n.º 4 (diciembre de 1959), pp. 326-338 y n.º 5 (enero de 1960), pp. 428-441.

—, *La novela desde 1936*, Alhambra, Madrid, 1980.

Torre, Guillermo de, «León Felipe, poeta del tiempo agónico», en *La aventura y el orden*, Losada, Buenos Aires, 1943.

—, «Prólogo a las *Obras completas* de León Felipe», Losada, Buenos Aires, 1963.

Tuñón de Lara, Manuel, «La posición de Antonio Machado», en Hanrez [1977], pp. 186-196.

Vila Selma, José, *Tres ensayos sobre la literatura y nuestra guerra*, Editora Nacional, Madrid, 1956.

Villatoro, Ángel, *León Felipe. Mi último encuentro con el poeta*, Prometeo, Valencia, 1975.

Villena, Luis Antonio de, «Heracles invoca a Hylas», en *Papeles de Son Armadans*, CCXLIII (junio de 1976), pp. 312-323.

—, «Sobre Juan Gil-Albert y su *Retrato oval*: entre la reflexión y el atrevimiento», prólogo a *El retrato oval*, Cupsa, Madrid, 1977.

Vivanco, Luis Felipe, «El desengaño del tiempo en la poesía de Dionisio Ridruejo», en *Introducción a la poesía española contemporánea*, Guadarrama, Madrid, 1974[3], vol. II, pp. 311-354.

Zambrano, María, *Los intelectuales en el drama de España y ensayos y notas (1936-1939)*, Hispamerca, Madrid, 1977.

Zardoya, «León Felipe y sus símbolos parabólicos», en *Poesía española del 98 y del 27 (Estudios temáticos y estilísticos)*, Gredos, Madrid, 1971.

Francisco Caudet y Michel García

HORA DE ESPAÑA Y *EL MONO AZUL*

I. *Hora de España* fue fundada en Valencia a fines de 1936 —el primer número salió en enero del treinta y siete—, por un grupo de jóvenes escritores y artistas que desde un principio hicieron de redactores: Rafael Dieste, Antonio Sánchez Barbudo, Ramón Gaya y Juan Gil-Albert. A mediados de 1937, se unieron a ellos en la redacción María Zambrano y Arturo Serrano Plaja, quienes tuvieron igualmente un papel de importancia en la marcha de la revista y el no haber tomado parte en su fundación fue debido a estar ausentes de Valencia por aquellas fechas en que fue creada. Eran todos ellos, al estallar la guerra, escritores en ciernes y la revista empezó a darles renombre y un inequívoco aire de madurez y definida personalidad, a la vez que —y debido a ello— se les empezó a asociar con el concepto, por vago que fuera, que de *Hora de España* se tenía. Así, con el tiempo, iban a ser conocidos bajo el rótulo: el «grupo de *Hora de España*».

A más de los del «grupo», que hacían de redactores y uno de entre ellos las veces de secretario, había un «Consejo de Colaboración», de cuya nómina se daba la relación en la página final de cada número. La mayoría de ellos, procedentes de Madrid, residían en la Casa de la Cultura, en Valencia, adonde habían sido evacuados en noviembre del treinta y seis, siguiendo la suerte del gobierno de la República. Con sus colaboraciones

I. Francisco Caudet, ed., *Hora de España (Antología)*, Turner, Madrid, 1975, pp. 9-25 (9-12, 15, 23-25).

II. Michel García, *«El Mono Azul»*, en Marc Hanrez, ed., *Los escritores y la guerra de España*, Monte Ávila, Barcelona, 1977, pp. 226-233 (226-227, 231-233).

y escritos, o por el mero hecho de figurar como «consejeros», avalaban la revista, en cuanto eran figuras en extremo representativas de la intelectualidad del país: profesores, investigadores, escritores, músicos, artistas, etcétera. Repárese en que, a modo de ejemplo, llegaron a formar parte del «Consejo»: Antonio Machado, León Felipe, José Moreno Villa, José Bergamín, Ángel Ferrant, Tomás Navarro Tomás, Alberto, Rodolfo Halffter, José Gaos, Pedro Bosch Gimpera, Joaquín Xirau, Carles Riba, etcétera.

Hora de España llevaba los subtítulos, que intentaban describirla: *Revista mensual*; *Ensayos. Poesía. Crítica*; *Al Servicio de la Causa Popular.* Su formato (24 × 16,50) no cambió a lo largo de sus veintitrés números, ni el tipo de letras, como tampoco la andadura, el «propósito» en el número uno, de modo que hubo una continuidad tanto en el *fondo* como en la *forma.* Manuel Altolaguirre fue el encargado de la parte tipográfica, tan acertada; Ramón Gaya de ilustrarla con sus inteligentes viñetas y dibujos, siempre muy a punto. [...]

Fue *Hora de España* producto de la coyuntura histórica y a esa altura quiso estar. El sobrevenir de la guerra detuvo bruscamente el desarrollo normal de la vida cultural que, en los años de la República, se encontraba en un punto culminante dentro de la curva ascendente iniciada unos tres decenios antes, con la generación del 98. [...] Ahora bien, pasados los primeros meses de la guerra fue posible ya comenzar a pensar en la necesidad de ofrecer a los intelectuales otros «niveles» también de expresión y de dar muestra de su compromiso. Muchos creyeron que era preciso dar continuidad a la obra de cultura detenida y que los *clercs*, mayores y jóvenes, pudieran seguir produciendo, publicando, dando a sus escritos un tono menos instantáneo, combatiente, en cuanto el porvenir merecía igualmente su debida tasa de atención. Urgía, en definitiva, improvisar un clima de convivencia entre distintas generaciones y que posibles diferencias de credo político o matiz estético fueran superadas. Ello redundaría a la larga en beneficio de la cultura y podría en la medida de lo posible reparar el atroz efecto que tuvo para ésta la guerra, suspendidas diversas revistas y publicaciones.

[Este empeño dio origen precisamente a *Hora de España*, como luego a *Madrid (Cuadernos de la Casa de la Cultura)* y a *Música*, e incluso a la segunda época de *Nueva Cultura.*]

No se niega importancia o valor a publicaciones de otro «tono», ya que por lo demás, los mismos cofundadores de *Hora de España*, los jóvenes redactores, al igual que muchos de los colaboradores (a más de aquellos que figuraban en el «Consejo»), habían tomado parte activa y decisiva, y seguían haciéndolo, en la creación de revistas o periódicos con otras metas, a otro «nivel», más combatientes, como *El Mono Azul* y otras hojas volanderas. El supuesto *elitismo* o *intelectualismo* latente en el «propósito» puede llamar a engaño hoy, pero no lo hacía prácticamente entonces. Es menester reiterar que *Hora de España* buscaba la participación de la *intelligentsia* del país a un «nivel» determinado, teniéndose plena conciencia de la gravedad del momento histórico y que se podía estar a su altura y servicio —repetimos— a diversos «niveles» que ni se excluían ni estaban en contradicción. En consecuencia, conforme con el espíritu que la motivó, esto es, ser vehículo de expresión de la «vida intelectual o de creación artística en medio del conflicto...», sus páginas estuvieron abiertas a escritores y artistas republicanos y de izquierdas —o simplemente simpatizantes— que mantenían una actitud compartida ante la cultura, prevaleciendo el sentimiento de responsabilidad y compromiso sobre todo sectarismo.

II. En el índice de *El Mono Azul* se halla lo más valioso del elenco de escritores con que cuenta la España republicana, desde los más ilustres a otros menos conocidos. De todos modos, los responsables de *El Mono Azul* y sus amigos han intentado manifestar, de forma patente, la firme voluntad de los escritores antifascistas de hallarse junto al pueblo, probando así que no necesariamente el intelectual es solidario del poseedor. [...] Diario concebido para el pueblo y en colaboración con él, *El Mono Azul* hallará su máxima eficacia cuando utilice la expresión más apropiada al combate, por ser ésta la más popular: la del romance. Estos poemas en octosílabos asonantes que son un vestigio de la vieja tradición épica castellana realizan una especie de milagro; permiten al hombre del pueblo español, para el que son la forma poética más familiar y más espontánea, contribuir a la cultura nacional, con el mismo título que el hombre de letras y su público privilegiado. En la medida en que participa de una cultura antigua y moderna a la vez, popular y culta, el romance es un factor de desalienación del pueblo y un factor de unidad nacional.

Más de la mitad de los poemas que publica *El Mono Azul* (aproximadamente unos setenta) son romances y constituyen el *Romancero de la guerra civil* que ocupa, él solo, las dos páginas centrales de los once primeros números de la revista y del número quince. En los ejemplares siguientes, cuando ya no existe una sección especial para el *Romancero*, varios de los poemas que se publican son también romances. Habida cuenta del número reducido de páginas de *El Mono Azul*, se trata con todo, de un fenómeno muy significativo y que tendrá, a raíz de esta iniciativa, muchas repercusiones: en 1937, Emilio Prados, publica un *Romancero general de la guerra civil* y Rafael Alberti publicará otro en 1944, en Buenos Aires. Grande será en efecto la sorpresa de los escritores de la Alianza cuando vean que más de la mitad del correo que se recibe en *El Mono Azul* lo componen poemas: «¡Versos! ¡todos esos romances, simples y llenos de efusión unos, guerreros y satíricos otros, que nos envían desde el frente y desde la retaguardia, sin que hubiese habido acuerdo previo, de los amigos de las letras o de los trabajadores que no eran profesionales de la literatura!». [...]

Sin ser por ello la revista de la Alianza, *El Mono Azul* no podía faltar en dar a conocer las muchas actividades que desarrollaban los intelectuales en el seno de su asociación. Lo que dará lugar a escasas secciones permanentes en el periódico: «Actividades de la Alianza», «Línea de batalla» o simplemente «Notas». En ellas se describen los actos de heroísmo realizados por intelectuales, se anuncia la muerte en el combate o la herida de uno de ellos. Entre las demás actividades presentadas, se encuentran las giras propagandísticas efectuadas en la retaguardia, las alocuciones radiadas, los preparativos del Segundo Congreso Internacional de los Escritores, que se celebra en Madrid y en Valencia en 1937 al cual además *El Mono Azul* dedica los números 23 y 24.

El teatro constituye una de las actividades privilegiadas de estos escritores y artistas. La primera manifestación se sitúa a comienzos del mes de octubre de 1936 con la creación de la compañía Nueva Escena, que interpretó tres obras en el teatro Español de Madrid: *La llave,* de Ramón J. Sender, *Al amanecer*, de Rafael Dieste y *Los salvadores de España*, de Rafael Alberti. Estas obras presentan bajo una apariencia ridícula (de manera que despierten la burla en un público popular) burgueses avaros, oficiales traidores, nazis, fascistas italianos y *señoritos.* Se pone el espectáculo al servicio del esfuerzo de la guerra, en la medida en que opone a estos personajes abyectos un pueblo de mineros, de milicianos o de obreros animado, por los más elevados ideales. Se trata de proponer, frente al teatro burgués que se sigue interpretando en el mismo Madrid, un teatro nuevo, mejor adaptado a las necesidades de un pueblo liberado y hambriento de cultura. Por último, son escritores y, para los decorados, artistas famosos quienes se prestan a esta experiencia, ya que es conveniente hacer buen teatro para el pueblo y evitar a toda costa caer en lo fácil y lo vulgar.

Los obstáculos con los que topa esta empresa son varios: inexistencia de un repertorio contemporáneo digno de este nombre; actores y directores que será preciso formar en este nuevo espíritu. Todo esto exige una intervención del poder, que adquiere la forma de un decreto en el mes de septiembre de 1937 instituyendo un Consejo Nacional del Teatro, compuesto por personalidades competentes encargadas de censurar las obras reaccionarias y de constituir un repertorio adaptado a las circunstancias. Este movimiento da origen a una nueva compañía, El Teatro de Arte y Propaganda, dirigido por María Teresa León que obtiene dos éxitos importantes: *Numancia de Cervantes*, adaptada por Rafael Alberti, y *La tragedia optimista* de Vichnievski. Por otra parte, *El Mono Azul* publica dos textos: *Radio Sevilla* de Alberti y *Los miedosos valientes* de Antonio Aparicio, que ilustran perfectamente esta voluntad de constituir un repertorio adaptado a las preocupaciones de una España en guerra.

Fácilmente se comprende por qué *El Mono Azul* ha concedido tanta importancia a los problemas del teatro. Y ello es porque, mejor que cualquier otra forma de arte —con exclusión tal vez de la poesía y de la literatura testimonial—, el teatro se prestaba admirablemente a la tarea de la propaganda. Es en este campo en el que esta revista de intelectuales contribuía más eficazmente al esfuerzo de guerra y como mejor cumplía el papel que le había sido impartido en su creación.

Papel difícil a fin de cuentas: si, en el entusiasmo de las primeras semanas de la guerra, la espontaneidad de todos se daba libre curso en una unidad sin reservas mentales, a medida que pasaban los meses y que se alejaba la perspectiva de una victoria de las fuerzas populares, la publicación de *El Mono Azul*, concebida para preconizar y sostener una lucha a ultranza, no se justifica apenas. El entusiasmo de sus responsables que alcanzó su punto culminante cuando la resistencia de Madrid, irá decreciendo y la revista, paralelamente, perderá mucho de su alcance e incluso de su sentido, convirtiéndose primero en una simple hoja de reunión de los intelectuales y luego una publicación más voluminosa, pero demasiado episódica.

JOSÉ-CARLOS MAINER

LAS REVISTAS DE LA FALANGE

No pudo inhibirse Falange Española a la nueva mentalidad que progresivamente aparece en las clásicas derechas: un espíritu agresivo y proselitista que acabó por contagiar y movilizar a los grupos más reaccionarios.

Action Française fue la imagen de *Acción Española*, la revista en que cuajaron las inquietudes de estos grupos y que publicó su primer número el 15 de diciembre de 1931 —ocho meses después de la proclamación de la República—, como plasmación de los ideales del grupo monárquico en el que militaban el conde de Santibáñez del Río (su primer director), Ramiro de Maeztu, José Calvo Sotelo, Víctor Pradera, Pedro Sáinz Rodríguez, Eugenio Vegas Latapié, Zacarías de Vizcarra, Miguel Herrero García, José María Pemán, Joaquín Arrarás, José Pemartín, etcétera. La postura de la revista era fundamentalmente antiliberal (recuérdense los «falsos dogmas» que exponía Víctor Pradera), antirrepublicana (véase el artículo del canónigo Castro Albarrán «La sumisión al poder legítimo» en el número 39, 16 de octubre de 1933) e integrista (como demuestran sus contactos con los miembros más prominentes del «integralismo» lusitano). Pero, junto a estas facetas hoscamente reaccionarias, *Acción Española* propuso por vez primera (en las plumas de Maeztu y Vizcarra) una sugestiva e influyente tarea de Hispanidad y, de otro lado, abrió sus puertas a escritores que posteriormente veremos en las filas de Falange: Giménez Caballero, Eugenio Montes, Rafael Sánchez Mazas, Julián Pemartín y Emiliano Aguado, entre otros. Incluso el discurso joseantoniano del teatro de la Comedia fue reproducido con el título «Bandera que se alza» (número 40, 1 de noviembre de 1933) y elogiosamente reseñado por Pradera en el número siguiente. [...]

Luys Santa Marina patrocinaba por los años treinta una revista, *Azor* (1932-1934), que resucitó en 1942 y, tras otro eclipse, en 1961. Aquel «primer vuelo» de *Azor* editó diecisiete números en los que colaboraron, aparte del propio Santa Marina, Andrés M. Calzada, José Jurado Morales, Juan Ramón Masoliver, Guillermo Díaz-Plaja, Xavier de Salas, Max Aub, etcétera. Una antología de prosistas castellanos y una sección fija de «Decires» (donde se incluían coplas y refranes populares) satisfacían los gustos

José-Carlos Mainer, ed., *Falange y literatura*, Labor, Barcelona, 1971, pp. 20-46.

del director por la lengua clásica; junto a esto, artículos, poesías y relatos (allí se publicó la primera edición de *Luis Álvarez Petreña* de Max Aub, seriado entre los números 3 y 17) completaban la parte literaria de la revista. El tono de los artículos rozó muchas veces la exaltación nacional fascista; así, cuando Andrés Manuel Calzada escribía en el editorial del número 15 (diciembre de 1933-enero de 1934): «Al proclamarse la República, todos sentimos el escalofrío histórico: el pueblo estaba en pie y arbolaba, exaltado y jubiloso, la bandera de la Patria ... La República, que es joven, debe de serlo ahora más que nunca; debe ser violenta, irreflexiva y valiente, que el valor, la irreflexión y la violencia son gérmenes de lo grande».

Esta angustiosa demanda de una empresa heroica en el afán cultural y educativo queda perfectamente representada en la tarea de *La Gaceta Literaria*, la revista en la que Giménez Caballero se jactó de haber alumbrado «las dos juventudes espirituales que cuajarían el porvenir de España: los comunistas y los fascistas». En la revista colaboraban efectivamente hombres de las más diversas tendencias: con Giménez Caballero, actuaba como subdirector Guillermo de Torre; como redactor jefe desde 1929, el comunista César M. Arconada; en las diferentes secciones, el arte corría a cargo de Antonio Espina y Sebastián Gasch; el cine, de Luis Buñuel; la filosofía y la ciencia, de Ramiro Ledesma Ramos; la gaceta catalana, de Juan Chabás y Tomás Garcés; la americana, de Benjamín Jarnés y Guillermo de Torre. Como puede verse, una baza inigualable que los vientos del 36 se encargaron de dispersar geográfica y moralmente. El clima general de *La Gaceta*, sin embargo, era naturalmente propicio a la surgencia fascista: su cosmopolitismo sistemático, su arbitrariedad crítica, su jactanciosa juventud y, por si fuera poco, un combativo españolismo (reflejado en alguna polémica famosa) prepararon los espíritus para nuevas singladuras políticas. La alegre despreocupación de la vanguardia —respuesta a un estado de inadaptación a una sociedad tensional— se refugiará complacida en un programa que, de algún modo, sublima y regula la rebeldía: «Cuando el fenómeno fascista surgió en mi conciencia, a posteriori de mi reconocimiento entrañable con Roma —escribía Giménez Caballero en 1929—, me vi perdido. Tenía que admitirlo *acríticamente*. Como un mandato familiar, como una imperiosa llamada de obediencia. Su camisa negra, el negro del águila imperial y el negro del clérigo de la Edad Media y el negro del jubón del Renacimiento. Era el negro ecuménico, católico, expansivo, interventor de culturas incipientes, pobres pero originales. Frente al rubio nórdico. Frente al rojo asiático». [...]

La revista del recién nacido Sindicato Español Universitario de los falangistas fue *Haz*, que apareció por primera vez el 26 de marzo de 1935 como «semanario deportivo universitario» (denominación que desapareció en la tercera entrega). La mayor parte de los artículos de *Haz* eran anónimos; aparte de las secciones doctrinales y deportivas, la revista ofrecía, en su sección «Literatura-Arte-Cinema», una medida de las preocupaciones intelectuales de sus redactores: fenómenos generacionalmente tan interesantes como el centenario de Lope de Vega, el teatro universitario de La Barraca o la significación de la obra de Alejandro Casona, fueron puntualmente comentados. Otras veces, se publicaban colaboraciones entusiastas de noveles: así nos ha llegado una interesante «Carta de las ansiedades» que firma Rafael García Serrano y que semeja un borrador de su próximo *Eugenio o Proclamación de la primavera.* El tono de la pieza denuncia lecturas del manifiesto futurista de Marinetti y, simultáneamente, un oscuro pavor a la deshumanización capitalista del mundo moderno: «Queremos plantar en cada ventana y en cada estrella una rima. Necesitamos el imperio del poema en todos los faros de todos los autos. Las sirenas de las fábricas lanzarán humo tétrico y para que no suenen roncas les pondremos una cola de pescado. Así se detendrán los aviones ante ellas que los engullirán por ingenuos. Crearemos una nueva mitología que esta vez será romántica hasta el fin».

No encontraremos en *Haz* ninguna altura literaria. Los miembros universitarios de esta generación, militantes después en Falange Española, tuvieron otros medios de expresión a través de una serie de revistas muy poco conocidas donde se van afianzando los caracteres —rehumanización, politización, sentimentalismo religioso— de la generación y donde se mezclan inextricablemente quienes sólo un año más tarde militarán en frentes antagónicos. Quizás el caso más llamativo sea el de la revista *Cruz y Raya* (1933-1936), católica progresista, dirigida por José Bergamín, y donde encontramos las firmas de Sánchez Mazas, Santa Marina, José Antonio Maravall, Luis Rosales y Luis Felipe Vivanco (sobrino del propio director), llamados a tener tanta importancia en los años cuarenta. A *Cruz y Raya* podemos sumar *Literatura* de Ricardo Gullón e Ildefonso Manuel Gil y *Frente Literario* de Burgos Lecea, en Madrid; *Isla* de Pedro Pérez Clotet, en Cádiz; *Noreste* en Zaragoza; *Humano* en León; *Ágora* de José S. Serna, en Albacete; *Murta* de Rafael Duyós y Ramón Faraldo, en Valencia, etcétera. Una dura prueba —la de la guerra civil— aguardaba a aquellos hombres y casi todos participarían con ardor en la lucha —física e ideológica— que en 1936 los más lúcidos veían inminente y los más agresivos deseaban con todas sus fuerzas. [...]

La significación de «Jerarquía». La constitución progresiva del nuevo régimen en España supuso la oficialización del esfuerzo juvenil de Falange. «En el primer reparto de funciones del nuevo Estado —consigna Antonio Fontán—, a los discípulos de Menéndez Pelayo, colaboradores de Maeztu, Pradera y Vegas, se les entregaba la cultura, mientras que a los falangistas, capitaneados por Serrano Súñer, les correspondían las parcelas de la política interior general y de la Prensa y Propaganda, y a los carlistas, con el Ministerio de Justicia, se les encargaba la demolición y la sustitución de las leyes laicas, secularizadoras o sectarias de los tiempos de la República.»

La ambición reformista de Falange tuvo pronto su lugar en la Delegación Nacional de Prensa y Propaganda, directamente adscrita al Ministerio de la Gobernación, y sucesora de un servicio de propaganda dirigido en Salamanca por Millán Astray. El primer delegado de la nueva entidad fue el singular clérigo Fermín Yzurdiaga Lorca, navarro, que procedió a designar a Dionisio Ridruejo, falangista, como su jefe de prensa y al carlista Eladio Esparza como su director de propaganda. Personalmente, en la figura de Yzurdiaga confluían elementos falangistas y simplemente reaccionarios pero expresados en un tono de exaltación mística que llegaba a lo ridículo. El activo cura navarro transformó la retórica usual de Falange: empleó hasta el cansancio la palabra *discurso* como epígrafe de sus escritos; hizo escribir en rituales mayúsculas las palabras clave (Revolución, Imperio, Mando, César); se obsesionó con las inscripciones latinas e introdujo, junto al vocabulario ya conocido, términos no menos explícitos y siempre largamente difundidos (*ardiente*, *gozoso*, *jerárquico*, *ejemplar*, *vigilante*, *heroico*, *riguroso*, *altivo*, *delirante*, *augusto*, etcétera, que, en muchas ocasiones, recuerdan poderosamente la terminología voluntarista de ciertos libros de piedad).

Precisamente radicado en Pamplona y regido por Yzurdiaga y Ángel María Pascual nació, el 1 de agosto de 1937, el primer diario nacionalsindicalista, *¡Arriba España!*, otro al que muy pronto siguió la conversión del viejo rotativo salmantino *La Gaceta Regional* en periódico falangista cuyos destinos rigió Juan Aparicio. La publicación más significativa del grupo navarro fue, sin embargo, *Jerarquía*, «la revista negra de Falange», cuyos cuatro únicos números forman parte hoy de la reducida mitología de la bibliofilia nacional. Los redactores de la publicación eran, junto con Yzurdiaga y Ángel María Pascual, el granadino Luis Rosales, el aragonés Laín Entralgo, el soriano Dionisio Ridruejo, el gallego Gonzalo Torrente Ballester, el madrileño Manuel Ballesteros Gaibrois y el navarro Pascual Galindo, entre otros.

Lo primero que sorprende en *Jerarquía* es la impecable tipografía, fruto, como señalaba Ángel María Pascual en el número tercero, del deseo «de lanzar el pensamiento de los intelectuales nacionalsindicalistas de un modo acorde, exaltado y grave, como en los coros de las grandes abadías se levanta el canto de la mañana». La revista presentaba unos bellos volúmenes negros, impresos a cuatro tintas y en los que se repetían varios *mottos* invariables: una «Nota» en la página 4; las palabras «Jerarquía / Guía / nacionalsindicalista / del Imperio / de la Sabiduría / de los Oficios» en la página 6; el célebre soneto de Hernando de Acuña «Ya se acerca, Señor, o ya es llegada...», en la página 7; el lema en rojo «Para Dios y el César» en la página 9 y, finalmente, una alabanza al general Franco en la página 10. La mezcla de suntuosidad y pintoresco anacronismo (las U mayúsculas de todas las publicaciones de Yzurdiaga se transcriben con el tipo V) realza significativamente la pretensión de la revista: convertir el afán cultural en una manifestación apodíctica y ejemplar del inmortal espíritu de la patria, dentro de una suerte de sociedad platónica a la que parecía aludir la invocación al Imperio, la Sabiduría y los Oficios. «Son del dominio y competencia de las Ediciones Jerarquía las disciplinas de la sabiduría, las letras, las artes», rezaba la presentación, al final de cada entrega, del plan de ediciones «según la enseñanza imperial y católica». Este plan —obviamente incumplido— estaba a cargo de Alfonso García Valdecasas y Luis Rosales y comprendía las secciones «La sabiduría» (que preveía ediciones de teólogos, místicos y poetas «imperiales»), «Las letras», «Las artes» y «La vida nueva». Aunque la totalidad del ambicioso plan no se llevara a efecto, Jerarquía editó durante los años de guerra numerosos libros —desde novelas de Foxá y García Serrano hasta la antología *Poesía heroica del imperio* de L. Rosales y L. F. Vivanco y las poesías completas de Manuel Machado— hasta que en 1941 fue relevada de sus tareas por Editora Nacional.

Los cuatro números de *Jerarquía* correspondieron al invierno de 1936, octubre de 1937, marzo de 1938 y un último simplemente fechado en 1938. La revista representó perfectamente las dimensiones ideológicas del peculiar momento de Falange —el ferviente heroísmo y la defensa de los valores religiosos—, pero también supuso la aportación de un grupo joven y valioso, preocupado en la búsqueda del *ethos* del perfecto militante. A este respecto —escolio obligado de la frase joseantoniana «el hombre es portador de valores eternos»— contribuyeron artículos de Alfonso García Valdecasas, Pedro Laín

Entralgo, Ángel María Pascual y Juan Pablo Marco, del que leemos en su colaboración «Pequeño periplo en torno al concepto de unidad», que «la filosofía existencial en sus diversas formas representa, a mi modo de ver, un modo más auténtico aunque no definitivo de implantar una filosofía totalitaria», para afirmar más allá que «el estilo es lo irracional en el hombre, lo infra y lo suprarracional»; a la postulación de una nueva literatura, contribuyó, por otro lado, Gonzalo Torrente Ballester, que en el artículo «Razón de ser de la dramática futura» propuso un teatro que fuera «Mito, Magia, Misterio» y afirmó que «se impone una vuelta a lo heroico y pedir prestados sus nombres a la épica, para otra vez, como nos dice Esquilo, hacer tragedias con migajas del festín de Homero».

La poesía ocupó buena parte de las entregas de *Jerarquía*: Luis Rosales, Luis Felipe Vivanco, Dionisio Ridruejo, Agustín de Foxá, Ramón de Basterra y Eugenio d'Ors vieron sus poemas publicados en las bien cuidadas páginas de la revista.

De «Vértice» a «Legiones y Falanges». El empeño de más envergadura de la Delegación Nacional de Prensa y Propaganda fue, sin duda, la edición de la revista mensual *Vértice* que tiró su primer número en abril de 1937 y finalizó, tras ochenta y una entregas, en 1946. Se imprimía en varios talleres guipuzcoanos y sucedía, con más amplia repercusión, al efímero ensayo de un *F. E.* donostiarra, revista exclusivamente doctrinal que llegó a contar dieciséis números. *Vértice* era, fundamentalmente un *magazine* lujoso y caro (costaba tres pesetas; pese a todo, dos menos que *Jerarquía*) del que, quienes fueron sus lectores, recordarán los grandes reportajes de los fastos mussolinianos, la suntuosidad de las secciones de decoración y cine —«Chau Chau cinematográfico»—, los bellos dibujos en color en láminas fuera de texto y la magnífica documentación gráfica de la guerra. Ilustraban los números de *Vértice*, Teodoro y Álvaro Delgado, José Caballero, J. J. Acha, J. Olasagasti y, sobre todo, Carlos Sáinz de Tejada, cuyas grandes composiciones a la acuarela —de una plasticidad que recuerda a José María Sert— fueron la traducción pictórica del estilo literario falangista, como ya lo habían sido de los versos de José María Pemán en una lujosa edición del *Poema de la Bestia y el Ángel* para Ediciones Jerarquía.

Colaboraron en *Vértice* todos los escritores de quienes nos hemos venido ocupando: Giménez Caballero, Foxá, Mourlane Michelena, Víctor de la Serna, Samuel Ros (su primer director), Manuel Halcón (segundo director), José María Alfaro (director de la última etapa), Dionisio Ridruejo, Edgar Neville, Jacinto Miquelarena, Eugenio Montes, Álvaro Cunqueiro y José María Castroviejo, aparte de la eventual colaboración de los más populares cronistas de la guerra —Manuel Aznar, «El Tebib Arrumi» y «Juan Deportista»—. La exaltación bélica sigue ocupando una gran parte de los aspectos doctrinales de la revista: en un artículo de Foxá (número 1, abril de 1937) sobre las ruinas del Alcázar de Toledo se puede leer que «necesitamos ruinas recientes, cenizas nuevas, frescos despojos ... Pero ya está Toledo destruido, es decir, edificado ... con la alegre primavera de Falange ya viene el deshielo de las vitrinas»; y, más adelante, Álvaro Cunqueiro escribe en el artículo «Relatos de guerra» que «la vocación militar del español es vocación perpetua. Probablemente, y excepto en la gente franca, no haya en las Europas caso igual ... Se contará en los tiempos venideros de esta guerra de España como de una cabalgada de fiebre y de incendio, victoria inmortal de un espíritu contra todas las claudicaciones, horrores y muertes de un siglo».

Muy pronto, sin embargo, y con toda intensidad a partir de 1939, el ámbito de *Vértice* se llena de nostalgias burguesas, de evocaciones del pasado próximo —los felices años finiseculares— y de bellas elegías culturales sobre una Europa cuya realidad —Munich, Polonia, Stalingrado— está muy lejos de los términos de la nostalgia: Pedro Mourlane Michelena, Eugenio Montes, Rafael Sánchez Mazas, Mariano Rodríguez de Rivas y, con ellos, Agustín de Figueroa (hijo del conde de Romanones) y Eduardo Aunós son las principales firmas concitadas en un aspecto que ocupa su correspondiente apartado de la antología. Títulos como «Tertulias de café» de Francisco de Cossío (número 66, octubre de 1943), «Moralidades de un carnaval difunto» (número 71, enero de 1944) de P. Mourlane; «El mundo de los cromos» de M. Rodríguez de Rivas (número 75, abril de 1944) o «Mi Verlaine» de Eugenio Montes (número 76, enero de 1945), ilustran suficientemente una tendencia igualmente vigente para los ilustradores.

Vértice patrocinó también una colección de novelas cortas donde vieron la luz interesantes originales: desde las novelas canónicas de Concha Espina y José María Salaverría a las *moralités* de J. A. Zunzunegui, las fantasías de Álvaro Cunqueiro o Rodríguez de Rivas y los relatos de guerra de Edgar Neville y Pedro Álvarez. [...]

En 1937, por iniciativa de Ignacio Agustí y Juan Ramón Masoliver, nació en Burgos la revista *Destino. Política de Unidad*, destinada a cohesionar dentro de una tónica falangista a los catalanes dispersos por la España nacionalista. Muy pronto, sin embargo, *Destino* fue transformándose en una revista de cierta calidad que sirvió a los mismos intereses manifestados por su conocida heredera de hoy: el comentario político, la literatura y la evocación histórica. Todo ello al servicio de una burguesía ilustrada y liberalizada como la catalana y escrito por las plumas de Álvaro Cunqueiro, Santiago Nadal, Jaime Ruiz Manent, Sebastián Juan Arbó, José Pla, Juan Teixidor, Eugenio Nadal, etcétera. Desde 1944 actuó junto a *Destino* la editorial del mismo nombre, empresa decisiva —en todo caso, junto al editor José Janés— en el auge de la novela en los años 1945-1950: junto a las consabidas traducciones del inglés —Conrad, Woolf, Tackeray, Hughes, Dickens—, se afianzaban nombres españoles, muchos de ellos promocionados desde 1944 a través del Premio Nadal.

Una curiosa experiencia es la que supone, por último, la edición de la revista mensual *Legiones y Falanges*, editada en Roma y dirigida por el italiano Giusseppe Lombrossa y el español Agustín de Foxá. Se publicó desde noviembre de 1940 a 1943, efímera muestra de la amistad hispano-italiana, y colaboraron en ella Eugenio Montes, Ernesto Giménez Caballero (cuyo libro *Roma risorta nel mondo* [1938] ganó el concurso internacional de libros fascistas), Víctor de la Serna, Rafael García Serrano, José García Nieto, Camilo José Cela, Marqués de Lozoya, Martín de Riquer, Luys Santa Marina, Alfredo Marquerie, Antonio Valencia, Azorín, etcétera.

José María Martínez Cachero

NOVELA: LOS AÑOS ESTÉRILES DE LA GUERRA CIVIL

1937 y 1938, así como los cinco últimos meses de 1936, son tiempo de preferente actividad bélica y política, muy poco propicio para la intelectual y literaria que, con harta frecuencia, aparecen te-

José María Martínez Cachero, *La novela española entre 1936 y 1975*, Castalia, Madrid, 1979² (edición ampliada), pp. 18-26.

ñidas de ideología exasperada y combatiente. Por lo que a la novela atañe debió de ser muy poco lo que hubo.

Unos cuantos títulos, en la zona nacional: Francisco de Cossío ofrece en *Manolo*, además de la elegía de su hijo, muerto en el frente de batalla, la exaltación de «tantos muchachos que, como él, dieron voluntariamente su sangre por España en la más grande conmoción nacional que registra nuestra historia»; *Retaguardia*, novela de Concha Espina, subtitulada *Imágenes de vivos y de muertos*, en la que son relatados por una prisionera (la propia autora) hechos muy desagradables sucedidos que vio y sufrió u oyó referir; *Las fieras rojas*, del sevillano José Muñoz San Román, cuyo título avisa suficientemente de la calidad humana otorgada por el autor a algunos de sus personajes; o el relato sentimental, *Viudas blancas (novela y llanto de las muchachas españolas)*, obra de José Vicente Puente.

De 1938 datan, en lo que se refiere a la zona republicana, las novelas y narraciones que compartieron el Premio Nacional de Literatura, a saber: la novela de José Herrera Petere, *Acero de Madrid* (publicada por la editorial Nuestro Pueblo, Madrid), la novela de César Arconada, *Río Tajo* (que puede leerse en el segundo tomo de las *Obras escogidas* de su autor, publicadas por la editorial Progreso, Moscú) y el libro de cuentos de Antonio Sánchez Barbudo, *Entre dos fuegos* (editorial Hora de España, Barcelona). Es, asimismo, el año de publicación del testimonio novelado *El asedio de Madrid* (Barcelona, Ediciones Mi Revista), debido al veterano Eduardo Zamacois.

Los títulos novelescos de 1938 correspondientes a la zona nacional son más en número que los aparecidos el año anterior. La partición bélica del país ha promovido el nacimiento, frente a los ya consabidos núcleos intelectuales y editoriales de Madrid y Barcelona, de pequeños núcleos en capitales de provincia —Pamplona, San Sebastián, Sevilla, Salamanca, Valladolid, Burgos—; a menudo, consecuencia del establecimiento en esas ciudades de algún servicio cultural oficial o de la estancia, larga aunque provisional, de algunos escritores e intelectuales. Esto explica, por ejemplo: determinados pies de imprenta —Santarén (Valladolid), Aldecoa (Burgos), Librería Internacional (San Sebastián)—, por entonces bastante reiterados; la aparición de efímeras series novelísticas, desaparecidas tan pronto como, tras la conquista de Madrid, da fin la contienda; la agrupación de colaboraciones de escritores de algún renombre —caso de José María Salaverría— en las páginas del *ABC* de Sevilla, antagonista del homónimo que siguió publicándose en Madrid, o en el semanario *Domingo*, fundado y dirigido en San Sebastián por el avezado periodista Juan

Pujol, nutrido casi exclusivamente por las firmas de escritores como José Francés, Concha Espina, Emilio Carrere, Cristóbal de Castro, Andrés Guilmain y otros de la misma edad y época de Pujol.

1938 es el año de aparición en diversos lugares de la zona nacional de novelas tan comprometidas políticamente y con tanta preponderancia o exclusividad del tema bélico (el frente propio o la retaguardia enemiga) como: *Eugenio o proclamación de la primavera*, el lírico y arrebatado relato con que iniciaba su carrera Rafael García Serrano; *Madrid, de corte a cheka*, de Agustín de Foxá, cuya primera edición (aparecida en el mes de abril, Ediciones Jerarquía) se agotó en poco tiempo, por lo que en el mismo año apareció una segunda (a cargo de Librería Internacional, San Sebastián) y que es, pese al partidismo de algunos de sus párrafos y páginas y al ostensible influjo valleinclanesco (de *El ruedo ibérico*), el más importante título novelístico del momento, primera entrega de unos no continuados «Episodios nacionales»; *Esclavitud y libertad (diario de una prisionera)*, *Las alas invencibles (novela de amores, de aviación y de libertad)*, otros dos libros en los que Concha Espina sigue ocupándose de su experiencia durante unos meses de la guerra civil. Algo distinto y puede que refrescante en este monotemático y cargado conjunto son las novelas *Como las algas muertas*, de Luis Antonio de Vega y *Susana*, de Pío Baroja (compuesta en París, 1938, y publicada en San Sebastián por la editorial BIMSA).

Con el número de septiembre de 1938 se inicia la publicación en suplemento de «La novela de *Vértice*». Esta «revista nacional de la Falange» sacó su número uno en abril de 1937; se imprimía, muy lujosamente, en San Sebastián y en su primera época fue dirigida por Manuel Halcón; a los cuentos que insertaba en las páginas finales de cada número sustituyó en la fecha indicada (con *La paz de la guerra*, debida a Fernando de Diego) tal suplemento: cuadernillo de dieciséis páginas, con fotografías o dibujos. Gentes mayores como: Concha Espina —*El desierto rubio* (diciembre de 1938)—, José María Salaverría —*Entre el cielo y la tierra* (febrero de 1939)—, Tomás Borrás —*El Antiquijote* (septiembre de 1940)— y Emilio Carrere —*La momia de Rebeque* (febrero de 1941)— y gentes más jóvenes, algunos totalmente inéditos, como: Juan Antonio de Zunzunegui y Samuel Ros (en varias ocasiones cada uno de ellos), Álvaro Cunqueiro —*La historia del caballero Rafael* (noviembre de 1939)—, Gonzalo Torrente Ballester —*Lope de Aguirre, el peregrino* (agosto de 1940)—

y Pedro Álvarez —*Ánimas vivas* (mayo de 1941)— colaboraron en este suplemento.

Convoca *Vértice* en su número de noviembre de 1938 un concurso de novelas cortas de tema bélico, cerrándose el plazo de admisión de originales el último día del año; se falla con fecha 27 de febrero de 1939 y sale premiada, por mayoría de votos, la narración de Pedro Álvarez, *Cada cien ratas, un permiso*, presentada bajo el lema «Tierra del pan». Su autor, nacido en el lugar campesino de Villalba de la Lampreana (Zamora) en 1909 e impedido físicamente para intervenir en la guerra, declararía más tarde que su relato es «una mera visión literaria de ella» y «que de haber podido estar en los frentes de batalla, no la hubiera hecho, por incapacidad para sintetizarla en sus situaciones y momentos». Quedaba así revelado un nombre nuevo, uno de los más traídos y llevados durante la década de los cuarenta tras la que, por su dedicación al periodismo y su voluntario confinamiento provinciano, Pedro Álvarez caerá en el olvido.

Se trata en *Cada cien ratas, un permiso* de un pequeño grupo de combatientes, amigos antes de su coincidencia en las trincheras nacionales, gentes de una aldea castellana. La acción se reparte en cinco capítulos. Los cuatro primeros se dedican a escenas de la vida en el frente; en una acción de guerra muere Eladio, el del tarro con los cien rabos de otras tantas ratas, necesarios para obtener el ansiado permiso extra de acuerdo con la promesa del alférez Camposinos. El capítulo quinto y final sucede en la aldea de Ambrosio y de los otros, a donde éste ha venido a pasar unos días de descanso, trayendo la mala nueva de la muerte de Eladio a su familia y a su novia. Hay, pues, una variedad de escenarios y una relativa diversidad de situaciones. La narración no ofrece novedades técnicas y cabe destacar el uso de algún vocablo poco sólito.

Los protagonistas de *Cada cien ratas* están a gusto en la guerra e incluso hablan bien de ella. En una de las conversaciones que sostienen —capítulo primero—, Jeremías dice que «... la guerra es muy alegre» y, poco más adelante, repite: «Pero todos estaréis conmigo, en que la guerra es alegre y necesaria al hombre»; sólo Eladio se atreve a atenuar, apuntando que «tanto como eso ...». Hay también un legionario que en alguna ocasión hace una brevísima apología de la muerte a base del conocido grito de la Legión. A las gentes de la trinchera de enfrente se les considera como enemigos molestos y por eso se les llaman cosas como «hijos de su madre», o «cabras».

El jurado estimó «merecedora de especial mención» la novela *Fondo de estrellas*, de Antonio Hernández Gil, ilustre civilista actualmente, que no volvió a probar fortuna en la literatura.

El grupo de sus protagonistas, breve también en cantidad, es ahora de estudiantes universitarios, a los que se añade Ricardo Fuentes, un campesino, que, finalmente, muere, mientras sus compañeros están en la academia donde siguen el curso para convertirse en alféreces provisionales —de ahí lo de las estrellas, conjugado con las que hay en el cielo y se atisban, no siempre sin peligro, desde la trinchera o desde la chabola en la que se albergan—; consumen el tiempo libre en el juego de repartir en grupos las madrinas de guerra que tienen, al objeto de sacar de todas y cada una de ellas el mayor partido posible. Hay, después, el caso del combatiente que otea Madrid, al alcance de sus ojos, de sus manos casi, porque en esta ciudad vive su amor, Yeni. Y como esta vida les aburre y quieren cambiar, deciden hacer los cursos de alférez. Ricardo Fuentes no tiene título y no puede, por tanto, solicitar, lo que es motivo de preocupación y de renuncia para uno de sus compañeros; ocurre, para solución más fácil del caso, que Fuentes es herido por segunda vez y muere, según se declara en las últimas líneas del relato.

Están alegres con la guerra y en la guerra los personajes de *Fondo.* Como son intelectuales, uno de ellos —Pepe Salvatierra— consume algún rato de descanso en el refugio leyendo *Así hablaba Zaratustra* y otro —Diego Enríquez, el que mira hacia Madrid— compone versos en su hora de guardia en la trinchera. Cuando deciden solicitar para los cursos de alférez, Salvatierra y el personaje-narrador explican por escrito sus razones para hacerlo: «hemos redactado así nuestras razones fundamentales: *En este momento histórico, cada uno tiene su puesto, y el de la juventud que pasó de la Universidad a la Trinchera, es: aspirar a un grado militar en el que se juntan y completan, con perfecta armonía, las calidades del estudiante y el pecho del soldado*».

Son dos visiones harto puras de la guerra: estos combatientes no se desesperan, ni blasfeman, ni prorrumpen en tacos o interjecciones; cuando recuerdan a la mujer no se complacen en pormenores más o menos escabrosos; están a gusto en la guerra, instalados en una facción beligerante que es la suya. En *Fondo*, dada la condición intelectual de sus personajes, apunta explícita la gozosa exaltación belicista que hemos de encontrar en novelas posteriores como las de Cecilio Benítez de Castro, Rafael García Serrano y Pedro García Suárez.

SERGE SALAÜN

LA POESÍA ESCRITA EN LA ZONA REPUBLICANA

En el curso de investigaciones que aspiran a ser exhaustivas, hemos podido recoger entre quince y veinte mil composiciones que corresponden aproximadamente a unos cinco mil «autores». Uno de los factores más importantes de esta producción se debe a la profusión de órganos de prensa que vieron la luz durante el conflicto. Podemos calcular en unos quinientos el número de periódicos (cotidianos, semanales, etcétera) unidos exclusivamente a las unidades combatientes republicanas. [...] Una quinta parte [de los autores] por lo menos permanecerá para siempre desconocida (salvo algunas señaladas excepciones). En efecto, las poesías anónimas publicadas, ya sea con un seudónimo, con iniciales, o sin la más mínima indicación, son una de las características de este período —a veces por precaución, pero también por el deseo de pasar inadvertido tras un grupo, una idea, un elemento más o menos señalado de la lucha. Este anonimato puede representar una especie de entrega total de sí mismo a la causa; al omitir así voluntariamente la indicación mínima de la persona creadora (el nombre), el autor de la composición deja de ser único para convertirse en grupo, comunidad, consolidando así el alcance humano y político de su creación. Resulta perfectamente evidente que los aproximadamente cincuenta nombres que representan a la gran poesía española aparecen harto minoritarios en este panorama. Bien es verdad que su influencia fue grande, importante su papel, pero en modo alguno podían éstos aspirar a regentar la poesía del momento. Incluso muy a menudo, estas corrientes poéticas espontáneas y auténticamente populares se desarrollaban de forma autónoma. Que se hayan podido efectuar determinados intercambios o que una cierta comunión haya reunido a todas las poesías en un mismo movimiento dinámico, de ello no cabe la menor duda, pero respetando el principio de igualdad ante la magnitud y las implicaciones profundas de la guerra.

Serge Salaün, «La expresión poética durante la guerra de España», en Marc Hanrez, ed., *Los escritores y la guerra de España*, Monte Ávila, Barcelona, 1977, pp. 143-154.

[Una de las características de esta producción es su aspecto múltiple.] En una época tan tormentosa, tan marcada por la violencia y la rapidez de los hechos, el poema estaba a la medida exacta de las cosas y de la gente. El poema, es decir, la circunstancia, la anécdota, pero también su integración en un contexto humano, constituye la unidad a la vez mínima y máxima, tanto para la lectura (recitación) como para la creación: unidad eficaz de lectura y de producción que lleva a la inmensa masa de significaciones políticas, sociales, culturales, etcétera. La novela, la composición teatral tradicional, no pertenecen a las exigencias de un período épico como la guerra de España. [...]

Habiendo adquirido la poesía un prestigio muy particular, se convierte ésta en un medio de contribución al esfuerzo de guerra. Es un arma lo mismo que la máquina de guerra (la imagen de la pluma y el fusil, luchando cada uno con sus modalidades propias, con semejante eficacia, para alcanzar los mismos objetivos, está desarrollada con igual convicción tanto por los poetas como por los mismos soldados). La poesía es por lo tanto un arma al servicio de la causa, es la causa misma, motor de la victoria final que no puede tardar. Éste es el primero y casi el único tema de la poesía de guerra. Cada poema, por anecdótico que parezca, refleja esta causa absoluta, con sus nociones de Justicia, de Revolución, de Pueblo (siempre con mayúsculas), con cierta concepción del hombre y de la sociedad, todo ello proclamado con ardor místico. Es esta unidad, ideológica en apariencia, en realidad metafísica y esencial, la que da una coherencia a estos millares de poemas, diferentes todos a pesar de ciertas estructuras constantes, que le dan a todo el cuerpo el carácter de un único libro épico: el *Romancero*.

Las ilustraciones de este principio único, que intenta instaurar el reino del Hombre verdadero y puro en una sociedad hecha para él y por él, son naturalmente infinitas. Cada poema *cuenta* un episodio, un hecho, y no hay detalle, por pequeño que parezca, que no pueda inspirar algunos versos. Única en sus fines, infinita en sus circunstancias, la epopeya se construye con la reunión de miles de partículas independientes que van de la enseñanza de las reglas elementales de la higiene a la gran elevación épico-lírica.

El movimiento poético nació muy pronto en la zona republicana, a partir de fines de julio de 1936, y se amplificó rápidamente con la aparición de los primeros diarios de las milicias y de los partidos. No obstante, fue la llegada de los ejércitos nacionalistas a las puertas de Madrid lo que cristalizó verdaderamente el nacimiento de la epopeya. [...]

Entre las acciones militares, hay que anotar el devenir poético de todas las acciones locales realizadas por ciertas unidades y de las que hallamos los ecos en la prensa del frente. Pero hay un tema que merece mención especial por el número de composiciones que ha inspirado: el de la aviación. El impacto que provocaron las «visitas» de la aviación italiana o alemana por encima de las ciudades y las aldeas de la retaguardia es considerable, y el entusiasmo que provocaron los cazas rusos compensa mal el temor de los bombarderos enemigos (sobre todo que esta aviación republicana dejará prácticamente de desempeñar un papel activo a partir del verano del treinta y siete, dejando así el dominio del aire a los Heinkel, Junker y otros Savoia). A la aviación se la asimila con el monstruo —dragón moderno— que siembra indiscriminadamente la muerte y la desolación.

[Además del asedio de Madrid] y el avión, el tercer tema de la poesía de la guerra de España es el del héroe. Si es individual, el héroe será con harta frecuencia algún humilde obrero o campesino, algún humilde combatiente cuyos hechos de armas, a menudo coronados con la muerte, alcanzan las más elevadas significaciones humanas. Más que a los jefes como Líster o «El Campesino», que son héroes por derecho, el *Romancero* canta la gloria de Antonio Coll, el cazador de tanques, muerto tras haber destruido varios monstruos con simples granadas de mano, o de Encarnación Jiménez, asesinada cerca del lavadero en donde lavaba la ropa de los soldados del pueblo, o más simplemente a esos múltiples héroes desconocidos que asumen, del modo más espontáneo y más auténtico, el alma y la grandeza de todo un pueblo. Una vez más volvemos a hallar esta noción de anonimato como garantía de la justicia de una causa. [...]

Esta poesía de guerra es casi exclusivamente terrestre. En tanto que no parece que el hombre mantenga con el aire y el mar vínculos muy estrechos, la tierra, en cambio, es la fuente de todas las manifestaciones de la vida. A la tierra se la reviste con grandes valores míticos de las sociedades primitivas (y cristiana). El hombre es un producto de la tierra y esencialmente se apega a ella. El corolario nacionalista, normal en este período de guerra —tierra = madre patria—, consolida a veces esta visión. En este contexto se incluyen los principios revolucionarios de la nueva sociedad que el *Romancero* contribuye a instaurar: dignidad del trabajo, relación directa entre el hombre y lo que hace, retorno de la humanidad a la tierra, sin mediaciones ni alienaciones. La poesía eleva al campesino al rango de héroe; su trabajo (natural, sano, verdadero) es un arma como las otras para preparar la sociedad ideal. Se enseña (en verso) al miliciano y al soldado de la ciudad a respetar y a comprender la grandeza de la misión del simple campesino —simple y grande, privilegiado por su ósmosis con lo que hay de más auténtico. El *Romancero* posee también una «rama» industrial y ciudadana, pero domina sin lugar a dudas la orientación terrestre.

En cuanto al tema de la madre, con su obligado complemento: el niño, no solamente inspira infinidad de poesías, sino que además está visible en multitud de otros (el niño y el avión, el niño y la tierra, el niño héroe, etcétera). [Último tema importante: el del enemigo.] La poesía de guerra abunda en imprecaciones y en injurias contra los principales jefes del campo adverso y contra todos los que en general se oponen a la instauración de la sociedad ideal. El tono puede ser burlesco o sarcástico para ridiculizar los defectos reales o supuestos de un personaje (la embriaguez de Queipo de Llano), o para estigmatizar la invasión italiana o alemana, pero se inclina gustoso por la blasfemia y la maldición de tipo religioso. [...]

Obedeciendo con ello a las leyes de la epopeya, el *Romancero plantea* los datos exactos del conflicto: el bien y el mal, sin el más mínimo matiz posible, sin la más mínima mediación. El bien tiene que triunfar porque ésta es su naturaleza, su destino. El mal puede infligir pruebas temibles, retrasar el desenlace, pero su derrota es segura. En esta lucha titánica entre dos fuerzas irreductibles, la poesía no es solamente canto o crónica o impresión subjetiva. Es ante todo un arma decisiva en el resultado de los combates. Mantiene la moral de la retaguardia y estimula a los combatientes. Tanto como todo lo demás, si no más, la poesía ayuda a vencer al enemigo. Las octavillas que se lanzan por encima de las ciudades o de las líneas adversarias, las emisiones de radio, los diarios, toda la propaganda hacia el otro lado incluyen una gran cantidad de poesías. [...]

El aspecto normativo de esta poesía así como la confianza absoluta en su poder tienen, por supuesto, algo de infantil, pero su eficacia es innegable, reconocida y por todos asumida. Su extensión y su difusión se justifican si no por el eco que tiene, por los resultados que puede tener. La producción corresponde a un consumo y el productor es a menudo el primer lector y consumidor. En cuanto al valor literario (el estético) de estas composiciones, su humildad no debe llevarnos a engaño; la elección del verso es siempre significativa, incluso en los casos extremos de poesías «utilitarias». Porque se apoya en principios motores simples, la poesía de la guerra es fuerte, eficaz, y en perfecta ecuación con su objeto. Aunque todos los poemas del *Romancero* no sean obras maestras, la calidad media es sin lugar a dudas excelente y abundan los logros, a veces en la pluma de los más oscuros. Resulta realmente prodigioso el número de talentos poéticos que ha suscitado esta guerra. [...]

Además del romance y las formas anexas (coplas, canciones), cabe señalar que no se ignoraron las otras formas. El soneto, en particular, gozó del favor a lo largo de toda la guerra, incluso en los poetas populares. Esta forma de coacción y de rigor máximos para una expresividad igualmente máxima parece haber gozado de gran prestigio, tal vez porque la estructuración del lenguaje implicaba parejamente una organización superior del mundo, sin por ello menospreciar los aspectos sensibles. En realidad, todos los metros y todas las combinaciones estróficas aparecen y se integran al conjunto, con más o menos abundancia y según la cultura literaria de cada uno: el endecasílabo combinado o no con el heptasílabo, el alejandrino, y sobre todo los metros cortos. Tampoco está ausente el verso libre, en particular en algunos poetas cuya intención estética es evidente. Sobre este particular, cabe señalar que una fracción minoritaria de poetas anarquistas se esforzó en estimular la creación de una poética revolucionaria fundada en el verso libre, despojado de toda ley y reglas. No se la siguió. La característica principal de esta poesía de la guerra es, en efecto, el haber recurrido a las formas tradicionales, con una marcada preferencia por las formas fijas.

Durante tres años, la poesía sufrió cierta evolución. En una primera fase, los poetas de todos los horizontes culturales semejan haber comulgado en la misma forma épica del «romance». Pero, a partir de la segunda mitad del año treinta y siete, esta unidad ya no se mantiene. Los poetas verdaderamente populares (los del frente, los militantes políticos y sindicales) permanecen fieles al romance y mantienen las grandes líneas de la epopeya, a pesar de la presencia lógica de ciertos gérmenes de decadencia. Por su lado, los poetas intelectuales, la fina flor de la poesía española, se apartan del romance que a pesar de su eficacia ya no corresponde a sus exigencias. Los matices y la finura de su subjetivismo se adaptan mal con una forma esencialmente narrativa (donde el papel del yo tiene que anularse detrás del grupo héroe y creador) y afirmativa, lo que elimina un sinfín de procedimientos poéticos. La prestigiosa revista *Hora de España*, que reúne en su seno a todo cuanto las letras republicanas cuentan de más encopetado, representa esta nueva orientación. Actitud que no corresponde en modo alguno a una desafección ideológica hacia la República y la revolución. Sus poesías, así como sus escritos teóricos, aspiran por el contrario a ser anticipación: laboratorio de la nueva estética para la sociedad que vendrá tras la victoria de las armas.

De todas maneras, esta corriente no deja de ser resentida como una divergencia, una distanciación en relación con el gran impulso nacional, y suscita críticas violentas, en la prensa anarquista en particular.

J. LECHNER

LA POESÍA ESCRITA EN LA ZONA NACIONALISTA

[En 1939 publica Jorge Villén la *Antología poética del Alzamiento, 1936-1939*, que contiene 79 poemas, una tercera parte de los cuales son romances.] Lo primero que llama la atención es cierto tono grandilocuente y un repertorio de palabras clave que volveremos a encontrar a todo lo largo de las páginas del libro: Cruzada, Movimiento, Alzamiento y Causa y la frecuente referencia a la España «imperial» (la que vendría con el definitivo advenimiento al poder del general Franco y que era uno de los ideales en que se inspiraba la ideología política de las antiguas JONS y de la Falange). También se advierte una tendencia al ensalzamiento y a la mitificación de un pasado glorioso al mismo tiempo que de los actos propios —«cruzada del espíritu contra la materia», «episodios triunfales», «la gesta de hoy»— y el afán de negarle cualquier valor espiritual al período anterior, o sea el de la República —representada por «la materia» en su sentido más negativo y por las palabras «la era escéptica y fría que nos precedía». [...] El simbolismo cristiano —tomado de la liturgia, la Pasión y la Resurrección— aparece con frecuencia en los poemas del libro. No se trata de un Dios reconciliador, que traiga la paz a todos los hombres: la paz que traerá el Dios de este libro supone la destrucción del enemigo y la victoria de las tropas del general Franco. Es curioso notar cómo los poetas transponen el simbolismo político al plano religioso y cómo ponen la simbología cristiana al servicio de sus ideas políticas. Un poema interesante en este respecto, aunque no escrito por un español, pero incorporado a la antología y

J. Lechner, *El compromiso en la poesía española del siglo XX*, I, Universidad de Leiden, 1968, pp. 208-227 (208-209, 212-213, 217, 226-227).

significativo de la actitud que reduce el conflicto a la batalla entre la religión católica y el Anticristo, es el de Claudel, «A los mártires españoles», largo poema ditirámbico de la «Santa España, en la extremidad de Europa concentración de la Fe, cuadrada y masa dura, y atrincheramiento de la Virgen madre» y execración de los cobardes e inmundos seguidores de Marx. La traducción es de Jorge Guillén, que no la hizo por su propia voluntad.

La *Antología poética del Alzamiento* es claramente una antología de poesía escrita por poetas combatientes: el compromiso que encontramos en ella se refiere en primer lugar a la buena o la mala suerte del compañero de armas que toma parte en la lucha. Esta lucha presenta más de una vez un aspecto insospechado: el de un camino arduo y lleno de obstáculos, es verdad, pero esencialmente hecho para hombres, que encuentran en él su verdadero campo de actividad donde desplegar sus dotes viriles y que saben, además, que la victoria final traerá, no sólo el triunfo del bando a que pertenecen, sino también el triunfo personal en múltiples esferas de la vida social; a veces se añade a todo ello la perspectiva de la recompensa tangible en la forma de la admiración que rinden las mujeres a la hombría del combatiente y sus consiguientes favores. [...]

Puede que esta tendencia, que se observa en la antología de Villén, se deba a la influencia del militarismo alemán en el movimiento insurgente: tanto Ledesma Ramos, fundador de las JONS, como Onésimo Redondo, traductor del libro *Mein Kampf*, que llegaron a formar parte de la junta directiva de la Falange Española de las JONS, resultado de la unificación de ambos partidos celebrada en febrero de 1934, eran fervientes admiradores del ambiente y del sistema nazis; añádase a esto la admiración que sentía por la Italia fascista Giménez Caballero y la presencia en España, durante el conflicto, de miembros de la Legión Cóndor y otros especialistas militares alemanes, y veremos que este rasgo de la poesía nacionalista quizá no resulte totalmente inexplicable.

[También fue editada en 1939 la *Corona de sonetos en honor de José Antonio Primo de Rivera* cuyo compromiso] es del mismo tipo que el de los poemas republicanos dedicados a la muerte de García Lorca: solidaridad con una sola persona y en este caso más particularmente con sus ideas políticas, y expresa sentimientos de amistad y admiración por el joven político, que, después de su fusilamiento en la prisión de Alicante, llegó a ser objeto de un proceso de progresiva mitificación por parte del régimen. También en este libro se observa cierta tendencia al retoricismo, que viene como anunciado en los versos latinos que lo encabezan, y un estilo que más de una vez hace pensar en el clásico período del soneto en la literatura española antes que en los procedimientos poéticos del siglo XX, en que el soneto, fuera de España, apenas si se estilaba ya. [...]

El soneto de Eugenio d'Ors, cuyo título y citas contienen tantas palabras como los dos cuartetos que les siguen, resulta realmente estrafalario. Aunque faltan, como se comprenderá, varios tópicos que se encuentran a lo largo de las páginas de la antología de Villén —la guerra como actividad masculina por excelencia, etcétera—, su carácter militante se manifiesta a través de varias imágenes: el relámpago de espada que se ve en el cielo como reflejo del grito de angustia de José Antonio en el momento de su fusilamiento (Gerardo Diego), el afán de España de «unir el pensamiento con la espada» (Laín Entralgo), el «amor que se hizo espada» (Moreno), la patria «transida / de místico fervor y afán guerrero» (Pérez de Urbel); Ridruejo dice que el muerto «Enamoró la luz de las espadas» y Félix Ros habla de la voz que condujo a la «santiaga tropa» de las Españas. Hasta qué punto resultaba nocivo el ambiente totalitario para el arte, lo demuestra el tono demagógico del final del soneto de Gerardo Diego: «España, España, España está en pie, firme, / arma al brazo y en lo alto las estrellas», tono que sorprende en un hombre de tanto refinamiento y gusto. Uno de los símbolos que no podía faltar en este libro es «lucero», o sus equivalentes, y hay efectivamente gran número de poemas en que aparece.

Eco leal y auténtico de la trágica muerte del fundador de la Falange, esta poesía no resulta muy importante para el que quiere seguir el desarrollo de la poesía comprometida española aunque sí para la biografía de José Antonio Primo de Rivera, que surge de este libro como el gran «Ausente», como le llama Pemán en su soneto y que es el apodo con que se le menciona a menudo en la poesía nacionalista.

José María Pemán, cuyo drama sacro *El divino impaciente* había levantado tanta polvareda en la anteguerra, no tardó en convertirse en el poeta de guerra por antonomasia para todos los que luchaban del lado del general Franco, lo que se deduce entre otras cosas del hecho de que la *Antología poética del Alzamiento* de Villén le vaya dedicada. Elegido académico, por unanimidad, pocos meses antes de la guerra civil, ésta le encontró dispuesto a movilizar su arte en pro de la causa nacionalista: consecuencia lógica de su compromiso político desde la llegada al poder del general Primo de Rivera, no obstante su propia afirmación de que a la muerte de éste dejó de participar de lleno en la política de su tiempo. Pronunció numerosos discursos políticos en tiempos de la República, entre los que destaca el que pronunció en las cortes —el único— y en el que hizo el elogio de la «gloriosa rebelión del diez de agosto» (el levantamiento de la guarnición de Sevilla bajo el mando del general Sanjurjo, ocurrido el 10 de agosto de 1932), con motivo de la cual había escrito un *Salmo a los muertos del 10 de agosto.*

Con el título de «Dos ensayos épicos» figuran en el índice general del tomo primero de sus *Obras completas Los árboles de Castilla* y el *Poema de la Bestia y el Ángel*, dos largas composiciones (de 64 y 145 páginas respectivamente), de las que la primera es obra de juventud (no se da la fecha), habiendo sido escrita la segunda durante la guerra civil y publicada en Pamplona, en 1938. El primer poema trata de la tala de los bosques de Castilla para cubrir los gastos de las guerras (de Flandes, de Italia, etcétera) y para hacer los picos de los Tercios, y pinta a España como un país que se da generosamente al mundo europeo; su campo lo presenta el poeta a la luz de una idílica rusticidad que poco tiene que ver con la realidad de los siglos que describe. El segundo es el gran poema de la guerra civil, sobre cuya génesis Pemán informa ampliamente al lector en el prólogo a la obra (que lleva el título de «Éste es el *Poema de la Bestia y el Ángel*»). Concibió el proyecto de escribir el poema en el mes de noviembre de 1936, estando las tropas del general Franco ante la capital inexpugnable y cuando, según dice el autor «la contienda perdió todos sus disimulos y se la vio toda su estatura universal e histórica». Recorriendo ochenta mil kilómetros en su automóvil, escribiendo muchas veces al aire libre, el poeta invirtió, «consumió», un año de su vida en escribir el poema. En él no aspira a dar una visión coherente de todos los pormenores de la lucha, sino de sus grandes líneas, su esencia, no por falta de admiración por la *petite histoire*, sino porque en nuestro mundo moderno el poema épico sólo tiene razón de ser si el poeta se atiene a la esencia, saltando por encima de los pormenores —cronología y descripción minuciosa, etcétera— que tantas veces han hecho pesada la lectura de los cantares de gesta, y que precisamente por ello no sobrevivieron en su consiguiente fragmentación. Quiere con su poema volver al hombre, a la vida, después de tanto arte que «Desde Mallarmé en adelante» se ha vuelto de espaldas a la vida; quiere ofrecerle al lector una «obra de Arte y de Vida, en hermanada alianza», está seguro de que cumple con el último requisito, pero tiene ciertas dudas acerca del logro artístico de su obra. Lo esencial de la lucha lo ve Pemán en el combate que han trabado el Ángel y la Bestia, «el Ser y la Nada, las potencias del Mal y del Bien»; quiere entregar a sus coetáneos «No sólo el hecho actual, anecdótico, inmediato, sino todo su profundo significado apocalíptico de revelación de la eterna pelea de la Bestia y el Ángel, y toda su proyección profética e imperial sobre un futuro luminoso». El poeta se basa, como se habrá visto, en el Apocalipsis, capítulos 12-20. [...]

En el año 1940 se editó en Madrid el cuaderno *Poesía en armas* [de Dionisio Ridruejo], parte del cual fue incorporado luego a la colección de poesías titulada *En once años* (Madrid, 1950) y al tomo de poesías completas del poeta que lleva el título de *Hasta la fecha (1934-1959)* (Madrid, 1961). En una breve nota introductoria a *Testimonio (1936-1939)*, selección del cuaderno antes mencionado, dice el poeta que al preparar la edición de 1950 pensó eliminar totalmente la *Poesía en armas*, compuesta de «poemas muy retóricos, algunos de ellos ocasionales y ya escasamente representativos de mis sentimientos y convicciones». Y prosigue: «Hoy, el modo de vivir la ocasión histórica que estas poesías documentan me resulta no sólo extraño, sino inconcebible. Y principalmente porque el retoricismo y la superficialidad evasiva de estas composiciones no trasluce de ningún modo una experiencia viva, y más parece aludir a cosas ocurridas en el país de los sueños que a furias, dolores y esperanzas encarnizadas en un pueblo real». Ridruejo, al hablar de su propia poesía de los años de la guerra, formula el juicio que mejor que ningún otro caracteriza la poesía escrita en el campo nacionalista. Retoricismo, superficialidad, evasión de la realidad más honda del conflicto: una poesía que muchas veces parece escrita para un certamen de retórica y no en los años que desgarraban al pueblo español y ponían en tela de juicio todas las convencionales verdades de la sociedad y las que regían la vida de su capa más lúcida: los intelectuales, tanto los del propio país como los de Europa y de las Américas. [Resulta sintomático que el intelectual que ya en 1941 empezó a oponerse al régimen, en que él mismo ocupó los más altos cargos, sea precisamente el poeta cuya obra comprometida de la guerra menos sufre de los males que su autor señala. Hay, en sus poemas, dedicación a la causa, sin que esta dedicación degenere en rimbombante retoricismo; hay admiración por la vida militar, pero es un militarismo austero, disciplinado, y hasta virtuoso que atrae al poeta y que éste canta. Los tópicos, palabras clave, imágenes y profusión de letras mayúsculas que hemos encontrado en otros libros, se dan aquí en número reducido, y jamás es una poesía agresiva que trata de aplastar al enemigo. Conserva casi siempre un fuerte sentido de la dignidad humana, de respeto ante la vida y la humanidad. No es una poesía de eslóganes, sino que estriba más bien en la reflexión.]

ROBERT MARRAST

BALANCE DEL TEATRO REPUBLICANO EN LA GUERRA CIVIL

[En el teatro de guerra republicano] podemos distinguir varios tipos de obras que no siguen una evolución cronológica, sino una serie de tendencias que se manifiestan según el grado en que los autores se adaptan a las exigencias de un repertorio de estas características. La primera de ellas comprende lo que para mayor comodidad llamaremos obras «literarias». Poseen en común el haber sido escritas por poetas sin demasiada experiencia en la «literatura de partido». Empujados bruscamente a la acción, intentan exponer de la mejor manera posible el contenido, aunque con medios estéticos tradicionales. Extraen los temas de las situaciones que les ofrecen las peripecias militares, políticas o sociales de la guerra civil; los tratan casi siempre brevemente, sin modificar de forma sensible su estilo ni su escritura poética o dramática. El objetivo es siempre el mismo: demostrar la razón de su causa; sin embargo sus personajes acaban por situarse si no fuera de lo cotidiano, sí al menos en un universo exclusivamente teatral. Escriben y se dirigen —sin tener siempre conciencia de ello— a un público conocedor con la suficiente experiencia teatral para entender sin esfuerzo, a través de una situación recreada artísticamente, una conclusión a menudo implícita.

Un ejemplo extremo de este tipo de obras: *Tiempo a vista de pájaro, ensayo de representación* de Manuel Altolaguirre. Uno de sus personajes cuenta en la última réplica que se trata de un ensayo dramático escrito en 1932 y rehecho, en el que el poeta ha introducido elementos de la actualidad. Nos presenta a un hombre y una mujer, Juan y María, en diferentes momentos de su vida y después de muertos. Pero su existencia no queda marcada por sucesivos espacios cronológicos: se ven reencarnados en sus dos hijos, y simultáneamente en los dos adolescentes que fueron, en compañía de Enrique, compañero de infancia, amigo y después rival de Juan. La muerte, según el poeta, es el espejo en el que se reflejan

Robert Marrast, *El teatre durant la guerra civil espanyola. Assaig d'història i documents*, Publicacions de l'Institut del Teatre i Edicions 62, Barcelona, 1978, pp. 217-221.

todos nuestros recuerdos, sobrepuestos unos a otros. Para actualizar el tema, Manuel Altolaguirre ha introducido el comentario de Juan sobre la derrota de los italianos en Guadalajara, evocando los días de juventud en que luchaba contra los carlistas, mientras en el mismo café se halla presente su doble —adolescente— con el uniforme de 1875. Enrique habla a Juan de su hijo que está en el frente; se produce una alarma: Enrique, Juan y María mueren. Segundo cuadro en un jardín, en el infierno, una barca avanza hacia ellos transportando a una dama misteriosa, personaje episódico del primer cuadro, que recita un himno fúnebre a García Lorca: es la muerte. Enrique adolescente se suicida. En el tercer cuadro nos encontramos en la clínica en que Enrique adulto acaba de escapar milagrosamente de la muerte: avanza hacia el público y revela la moral de la obra recitando el poema de Altolaguirre compuesto en 1928 que empieza: «Nuestras vidas son los ríos / que van a dar al espejo / sin porvenir de la muerte».

Ni este homenaje al poeta desaparecido ni el bombardeo son necesarios para el desarrollo dramático: la muerte de Juan y María podría haber obedecido a una motivación distinta, cualquier otro séquito habría podido crear la atmósfera del infierno. Se trata en este caso de una simple adaptación, totalmente ajena a las circunstancias de la interpretación poética del tema de la muerte según Altolaguirre. La calidad de la obra es notable, pero a pesar de los elementos que la actualizan no podemos considerarla como una obra de guerra. Altolaguirre probó fortuna con el teatro de guerra en *Amor de madre*, ensayada en Madrid hacia noviembre de 1936, pero no representada. El poeta nos presenta paralelamente dos mujeres: la madre de unos obreros jóvenes, uno de los cuales muere en un derrumbamiento de la mina en que trabaja, y la madre de un niño enfermo que muere en una clínica poco después de haber abandonado ella a su marido para seguir a su amante. Los dos destinos se encuentran porque la criada de la segunda madre es la prometida del hermano del obrero muerto, y el marido abandonado es el abogado del director de la mina en cuestión. La mujer del abogado, después de la muerte del hijo, y tras un mitin en el que el marido defiende ideas reaccionarias, hace propia la causa revolucionaria y consigue que su marido se haga también solidario. Obra emocionante, su primer cuadro fue muy bien acogido: el poeta hace desfilar por el despacho del abogado al director de la mina, a un gran propietario y a un banquero, interpretados siempre por el mismo actor, que sólo se cambia las gafas y la chaqueta. Sin embargo, la obra no convence, ya que se basa en un concepto muy general de la moral social, cuya ilustración carece en cierta forma de fuerza. El caso de Manuel Altolaguirre puede ser significativo de las dificultades que se le presentaron a un poeta que hasta la guerra civil no había escrito ninguna obra de contenido político o social, al contrario de Rafael Alberti, por ejemplo, que supo inmediatamente crear obras de calidad gracias a su larga experiencia en literatura comprometida.

Con Miguel Hernández sucede otro tanto. *Los hijos de la piedra* (1935) retoma el tema de *Fuenteovejuna* de Lope, adaptado y actualizado; sin embargo, su mala construcción (al menos en el primer cuadro), su didactismo maniqueísta y las escenas melodramáticas le restan buena parte de su eficacia, y tal vez por esta razón la obra no se representó durante la guerra civil (a pesar de ser superior a muchas otras que conocieron el honor de la escena). La misma suerte corrió *Pastor de la muerte,* dividida en cuatro actos y doce cuadros, que el 7 de octubre de 1937 obtuvo un accésit de tres mil pesetas en el certamen nacional de literatura convocado por el subsecretario de Cultura. La obra se compone de una serie de escenas de la guerra: en un pueblo, cuando los hombres aptos son llamados para unirse a las milicias y donde se entrelazan dramas personales (la madre que no quiere dejar partir a su hijo, la esposa que se quedará sola); en el frente del Guadarrama, donde el poeta nos hace asistir a los riesgos y vida de los soldados, a su diálogo con el enemigo que tiene enfrente, a la acción heroica del pastor Pedro; en las trincheras de Madrid, antes de la batalla, y después en la ciudad; en un pueblo donde una madre dicta una carta a su hijo. Los personajes son gente del pueblo: el pastor Pedro (el mismo Miguel Hernández), El Cubano (Pablo de la Torriente Brau), las mujeres, las madres, las esposas... [...]

Miguel Hernández, que había logrado buenos resultados estéticos con las piezas cortas de su *Teatro en la guerra*, no pudo en una obra de mayor extensión renunciar a un lenguaje demasiado rico poéticamente, demasiado sutil, demasiado rebuscado aun en los propósitos más simples, más cotidianos. Las escenas vivas están logradas, emocionan, pero los personajes deben demasiado al autor para ser convincentes.

El acierto de Joan Oliver es que en *La fam* supo desaparecer detrás de sus criaturas otorgándoles no sólo la psicología sino también el lenguaje que convenía exactamente a cada una de ellas. Supo ir más allá de la anécdota base de la tesis que desarrolla. Si bien *La fam* no es, como *Pastor de la muerte*, una obra tomada directamente de la actualidad, su enseñanza es accesible a todos los públicos.

La actualización de las obras clásicas puede llevarse a cabo de tres maneras: por un montaje que ponga en evidencia los problemas que plantea, haciendo que el espectador tenga conciencia de que son homólogos o idénticos al contexto social o político en el que se desenvuelve; utilizando el punto de partida inicial y el borrador de la obra original y sustituyendo los personajes por tipos contemporáneos; por una adaptación más o menos abierta del diálogo (lo que presupone la modernización de la lengua empleada), introduciendo referencias explícitas a la situación actual.

Es posible que el primer procedimiento haya sido utilizado, pero es evidente que no puede afirmarse hasta qué punto sin ver *Fuenteovejuna*, *Peribáñez* o *El alcalde de Zalamea* como las vieron los espectadores de la época. Del segundo tenemos un ejemplo en *Nuevo retablo de las maravillas* de Rafael Dieste. Los notables del pueblo, y sus mujeres e hijas, del entremés de Cervantes han dejado paso a un campesino, una labradora, el alcalde, el terrateniente, el señorito, una melindrosa, una *tarasca*, un cura, una marquesa y un general. Sólo podrán ver el espectáculo del retablo quienes no sean ni marxistas, ni sindicalistas, ni anarquistas. Los bufones les convencen de que aparecen un toro y unas ratas, después un ejército imaginario de alemanes e italianos, y por último un escuadrón de soldados republicanos que huyen de los efluvios de una cigüeña magnética. El general se ve entrando vencedor en Madrid, el cura se ve obispo... La gente del pueblo llega y ahuyenta a todos excepto a los bufones, uno de los cuales anuncia: «Aquí empiezan las verdaderas maravillas, las que se ven cuando los ojos están claros y libres» y la obra se acaba cantando la *Internacional*.

El tercer procedimiento es el que utilizó Rafael Alberti en su «adaptación y versión actualizada» de la *Numancia* de Cervantes. La sintaxis y el vocabulario son modernos, pero la actualización va más allá: en vez de «romanos», Alberti escribe «italianos»; el texto de la profecía del Duero, ligeramente reducido, no queda simplemente repartido entre el Duero y los ríos Minuesa, Orvión y Tera, sino que contiene alusiones precisas a la guerra civil (formación de las milicias, derrota de Guadalajara) y a su fin victorioso. Por otra parte, recordemos que Alberti escribió un prólogo entre Macus y Buco que precede y justifica la arenga de Escipión a sus tropas.

En los dos casos aludidos, las obras adaptadas no necesitan ninguna explicación. La transposición que exige la proyección mental en el espectador de tal tipo social o tal personaje contemporáneo en personaje dramático la ha llevado a cabo anticipadamente el autor de la adaptación en el momento de escribirla. Con elementos distintos, Dieste y Alberti separan o clarifican hasta la evidencia total las referencias culturales del original sobre el que trabajan, y proponen desde el principio al espectador la identificación con las circunstancias actuales.

En cuanto a lo que Rafael Alberti denominó con acierto «teatro de urgencia», sólo nos muestra como personajes a unos tipos caracterizados sin matices, copiados de la realidad cotidiana e insertos en un diálogo elemental, las más de las veces sin dramatización. [Hay que hablar brevemente de estas obras de Miguel Hernández] porque su eficacia y su tono justo están en total oposición con los defectos de sus obras más ambiciosas, *Los hijos de la piedra* o *El pastor de la muerte*. Los *sketchs* reunidos en su *Teatro en la guerra* son muy cortos y simples. *La cola* (del 5 de enero de 1937) expresa el diálogo de dos mujeres que hacen cola para recibir su ración de carbón. Hay cuatro insolentes, la madre y el alarmista. Una ha escondido a su hijo, la otra a un marido emboscado en la retaguardia. Siguiendo el hilo de la conversación, Miguel Hernández quiere dar un ejemplo de dignidad y valentía a los derrotistas o indecisos de Madrid, convertida en la «capital del mundo honrado». *El hombrecito* nos muestra a un muchacho de quince años que recrimina a su madre su poco entusiasmo por la causa del pueblo, y a quien, a su pesar, abandona para ir al frente. *El refugiado* (escrita en Jaén) está destinada a levantar la moral de los combatientes y civiles del frente del sur, los cuales parecen acomodarse en una espera peligrosa. *Los sentados* son los hombres que continúan tomando el sol como si nada hubiera pasado; unos soldados los apostrofan con dureza: ¿Qué hacen para ganar la guerra? [La misma pregunta que aparecía en los carteles del Madrid asediado.]

Todas las obras de este tipo recuerdan las primeras experiencias del teatro revolucionario soviético: encontramos los personajes tipo, el «juicio dramático» (es decir, la demostración en forma de diálogo de una idea elemental), el «litomontaje» a partir de fragmentos de discursos, de canciones populares, de eslóganes políticos, etcétera. A menudo, es preciso decirlo, las interpretaciones del teatro de urgencia en lo que se refiere a tragedia son decepcionantes. *El saboteador* de Santiago Ontañón es mucho más floja que *El bulo*, sátira de éxito. En efecto, en este estadio elemental de la dramaturgia, la caricatura ofrece mayores posibilidades de emoción. Basta con extraer de un personaje dos o tres defectos característicos y hacerlo actuar en función de estos defectos, según una lógica cuyo evidente absurdo conserva el eterno poder de desencadenar el reflejo cómico y, por tanto, animar a luchar contra esos títeres. Esto lo comprendió Rafael Alberti al escribir las dos farsas publicadas en 1934, *Bazar de la providencia* y *Farsa de los reyes magos*, destinadas a grupos teatrales o a guiñoles de agitación política; y ya en *Fermín Galán* (1931) los episodios donde aparecían los «malos» (oficiales de estado mayor de la guerra del Rif, altos dignatarios de la corte) formaban los cuadros de la farsa. En *Radio Sevilla*, logro lleno de ingenio (la emisora se cierra como una caja de cerillas atrapando la cabeza del general, que es golpeado por campesinos y obreros), permite a Alberti un excelente final cómico y satírico. Sea cual fuere la forma adoptada, estas obras de «teatro de urgencia» tienen en común su carácter fundamentalmente elemental.

MANUEL AZNAR SOLER Y PEDRO J. DE LA PEÑA

JUAN GIL-ALBERT: POESÍA DE GUERRA E «ILUSIONES» DE POSGUERRA

I. La trayectoria ideológica y literaria de Juan Gil-Albert está dibujada con precisión por el propio escritor en su excelente prólogo a *Siete romances de guerra*. La protesta del artista adolescente, la «impertinencia wildeana», se politiza en el contexto de la crisis de las vanguardias «deshumanizadas» y el joven esteta, el autor de *La fascinación de lo irreal* (1927), se siente entonces «fascinado» por la realidad social. [Las experiencias del nazismo o del fascismo mussoliniano contribuyeron a sensibilizar al artista y determinaron el compromiso de la inteligencia contra el fascismo en defensa de la cultura.]

Candente horror (1936), ya desde su poema inicial, se nos presenta como una indagación angustiada del poeta sobre la condición humana: «porque hoy como nunca, necesito saber si es el / hombre caliente emboscada / o ese túnel perdido donde la luz apunta». Y la postura del poeta es clara y rotunda: apuesta por la vida, por la luz, por la justicia y la felicidad colectivas: «Ha llegado el momento de sujetar las piezas con las manos. / Si es el mundo residuo, abolido tesoro lentamente, / sal-

I. Manuel Aznar Soler, ed., Juan Gil-Albert, *Mi voz comprometida (1936-1939)*, Laia, Barcelona, 1980, pp. 31-77 (31-32, 40-42, 45-46, 52, 62-63, 76-77).
II. Pedro J. de la Peña, *Juan Gil-Albert*, Júcar, Madrid, 1982, pp. 130-140 (130-131, 132-133, 136-140).

varemos el foco donde nace la vida». Vida, dignidad humana colectiva que el nazismo destruye inhumanamente: «Quisiéramos habernos encontrado para vivir la vida que nos hizo, / no seguros lugares de molicie donde los ríos pasan, / pero nunca este suelo saqueado que imponéis al que llega, / dueños agonizantes que aún resisten con su fétido aliento». Lo que se impone como una evidencia es la realidad, «una cosa terrible que se mueve», con la que el poeta se solidariza. Pero *Candente horror* es también una protesta enérgica contra un mundo sórdido y criminal, el mundo capitalista que impulsaba los fascismos como alternativa de supervivencia, un mundo amenazante en donde «despertar no es lucidez hallada, / es un terror dejado en las paredes». [...]

El poema «El artista» significa la ruptura decidida con la imagen del artista adolescente y sus impertinencias wildeanas, imagen del escritor en sus primeros libros. Al mismo tiempo, los valores poéticos son los que se defendían teóricamente en sus «Palabras actuales a los poetas» (*Nueva cultura*, n.° 9, diciembre de 1935), condenando por ejemplo con una violencia excepcional la soledad creadora del artista que, paradójicamente y pocos años después, iba a ser la única actitud posible y fecunda para el artista durante el franquismo: «Así, porque los guantes ocultan un corazón helado, / porque las bellas palabras son fermentos reverdecidos, / porque la soledad es nuestro nido de gusanos, / se nos llama tulipán o rosa / sobre piras inmensas de hambre». Pero ahora, en 1936, la actitud del poeta es la del «corazón que va en busca de lo humano» y que no quiere incurrir en trampas, imposturas o falsedades: «No queráis por más tiempo seducirme, / cuando vuestros cipreses ponen orla / como a un conejo vivo que se escapa, / corazón que va en busca de lo humano / sin las ruinas dentro que le disteis / vigiladas por torvas escopetas». El poema último, «Radio Central Moscú», es, objetivamente, quien desvela las incógnitas sembradas a lo largo del libro, quien ilumina la esperanza colectiva y la salida de ese túnel de horror en que el hombre se halla. Esa «voz soleada o chorro plácido» es la que, diariamente, a las diez de la noche y por encima del «sórdido respirar europeo», devuelve al hombre la fe en su dignidad amenazada, la fe en una nueva moral colectiva, en una nueva vida. [...]

La poesía de circunstancias de Juan Gil-Albert, los poemas del juglar de guerra, se reducen a los *Siete romances de guerra* (1937) y a un poema en homenaje a las Brigadas Internacionales, «El laurel y las tumbas». La singularidad de este juglar de guerra reside en la serenidad ejemplar con que se distancia del panfleto, del sectarismo o de la consigna, para narrar esa anonadadora realidad de la guerra, pagando su tributo «realista» a una poética con la que no se identificaba en absoluto. [...]

Uno de los poemas más hermosos del libro es el titulado «Elegía a una casa de campo», poema clave para entender la ejemplaridad ética de su actitud singular. El poeta asume con serenidad la pérdida de la casa de campo familiar, el paraíso perdido de la infancia en donde se ha desarrollado el conocimiento de la naturaleza y el placer de su contemplación. Ese paraíso perdido está invadido ahora por jóvenes soldados armados y la «anonadadora realidad» de su pérdida se acompaña en el poeta por una aceptación serena de ese «destino inaplazable», aun cuando se exprese un acento elegíaco tenuemente melancólico que contribuye a la convincente sinceridad del poema:

el mundo no detendrá por ello su destino inaplazable
cuando los pies del hombre se han llenado de tierra nueva
allí donde tú, casa deshabitada,
no eres nadie.

De la colisión entre realidad objetiva y mundo interior del poeta surge ese tono elegíaco que predomina en los poemas de *Son nombres ignorados* (1938) o, más concretamente, de la colisión entre la contemplación de la naturaleza y la «anonadadora realidad» colectiva de la guerra civil, de la muerte. [Poesía elegíaca con matización] porque en la poesía de Gil-Albert se impone siempre un sentimiento rotundo de exaltación de la vida sobre la anonadadora realidad de la muerte. Este fondo de fe jubilosa en la existencia, de apasionada afirmación de la vida, constituye la singularidad ejemplar del mundo poético gilalbertiano. La poesía de Gil-Albert hunde sus raíces en el amor a la vida y el poeta no lo oculta nunca. [...]

Tras la derrota de 1939, Juan Gil-Albert vivió experiencias comunes a la mayoría de combatientes republicanos: el campo de concentración, el exilio en México y su regreso a Valencia en 1947. Allí, en situación de exilio interior, de fecunda soledad creadora («hice mío, en mi soledad, el mundo», escribirá esta «criatura afortunada»), va a crecer una obra literaria espléndida, alimentada por las fuentes de una constancia creadora ejemplar y por la fidelidad del escritor a su mundo, a su ámbito mediterráneo y a sus raíces culturales. La estatura literaria de esta obra se acrecienta en relación con ese hosco medio social en que se produce, la sociedad valenciana franquista, asumiendo una forzosa marginalidad que el escritor explica en *Los días están contados* como única alternativa personal de supervivencia.

Para Juan Gil-Albert, desde su soledad, la literatura ha sido su razón de vida, «la verdadera razón de mi vida, o más exactamente, lo que ha dado a mi vida, más que una finalidad, un sentido».

II. *Las ilusiones*, escrita en el exilio americano y publicada en 1944, es la obra poética de Gil-Albert que representa, de manera absoluta, la madurez y el esplendor de una manera de cantar. Es un libro de la máxima singularidad, que parece haber adquirido —por olvido voluntario, por voluntad o exorcismo— una serenidad imposible para quien acababa de salir de todo el ímprobo laberinto que significó la pérdida de la guerra y el extrañamiento patrio para un importante número de españoles. Al contrario, las actitudes más visibles se hermanan con un trasfondo clásico. Clásico, claro está, no significa impasible —con la impasibilidad de las estatuas— pero sí reglamentado, comedido a un canon. En este caso, los himnos, las odas y las elegías. A través de los endecasílabos, que fluyen con una naturalidad pasmosa, se nos canta la pura y simple alegría de vivir, el entusiasmo de la respiración. Tiene, por ello mismo, el ritmo de su manera de respirar, pausada, flexible, sosegada. No se nota, a lo largo del extenso conjunto de poemas, el menor forzamiento. La poesía es aquí, como la piel, un tejido del hombre, un modo de instalar la huella digital en el papel.

En *Las ilusiones* se percibe, con nitidez absoluta, la configuración poética de Juan Gil-Albert. Porque no es un libro brumoso, sino transparente, que enseña —como esas láminas compuestas de las enciclopedias— la multitud de tramas de su mecanismo. La matriz en que estos versos se forjan es de tipo nostálgico. Su estilo, en gran medida romántico, embrida su posible exceso de exaltación a través de su rigor mental. Lo emotivo sirve de pie para construcciones teóricas o explicaciones vitales de la existencia y sus mitos. Es un libro pagano y ritual, culto y expresivo, redondo en su conclusión y expositivo de una mentalidad y un modo de ser a lo largo de su desarrollo. [...]

Las ilusiones es, temáticamente, un libro de amor y de canto a la naturaleza. Dos asuntos que están presentes desde el primer poema que publicara Gil-Albert en *Misteriosa presencia*: «Frondas en cambio presta el sano pino, / soledad, oros cautos, muda vía / a este feroz impulso clandestino».

Sólo que aquí, lo gongorino se ha vuelto anacreóntico. Pero no sólo por cantar el placer y la paz, la amistad, el vino o el amor, sino porque se ha reconocido en ello la auténtica entidad, la raíz original de una literatura que, más que barroca, entronca con el espíritu y la forma de las composiciones grecolatinas. Virgilio y Horacio están, también, presentes. Y, puesto que no se trata de cantar solamente la belleza, sino también la enfermedad, el *pathos*, y hasta la muerte, el *thanatos*, aparecerán, fantasmales y sombríos, los recuerdos de las tragedias griegas —Edipo—, la belleza imposible de Ganimedes (no sin mutilarse de una vaga tristeza) y las tormentas que relampaguean, en un viaje marino que es una paráfrasis de la vida amorosa, con el vigor de aquéllas que impedían a Ulises el regreso hacia Ítaca. Dionisíaco en su talante, apolíneo en su realización, *Las ilusiones* es un libro complejo. Una recreación de la naturaleza en la memoria. Un regreso a los asuntos primigenios, el amor y su placer y su tristeza, un afán recuperativo de la infancia, un reconocimiento del «yo» como entidad omnímoda que absorbe el universo. [...] La naturaleza está omnipresente. No la de los países americanos en los que Gil-Albert reside (México y Argentina, fundamentalmente), sino la nuestra, la española. Y, con mayor concreción, la valenciano-alicantina. [...] Este libro representa la literaturización máxima en la obra poética que nos ocupa, porque no nace de la emoción inmediata de un sentimiento ante las cosas, sino desde el prestigio de lo ya cantado. Es ese prestigio, ese ser literario de la geografía valentina (la «Galilea» de Gabriel Miró, el secano de reminiscencias griegas de Azorín) lo que recompone como un mecanismo de precisión el recuerdo de Gil-Albert. Con él nos deja, además de la tribulación de la pérdida, la reconquista fundacional de su recuperación a través de la palabra: «Recuerdo aquí este olor, este crujido / de las hojas y pulpas insistiendo / su fragor natural entre los montes, / como abiertos abismos que persisten / en ofrecer su exhausta mercancía. / Os recuerdo, apariencias de otros tiempos / halagadoras formas de la vida / estacionadas hoy cual si cumpliérais / un forzoso destierro ante mis ojos».

Más que un exiliado del paraíso diríamos que ha sido el paraíso, y para siempre, lo que ha sido desterrado de él. Queda su recuerdo o, lo que Aleixandre llamaría «su sombra», porque de paraíso amoroso y no sólo terrenal se trata. Su «misteriosa presencia», la de la tierra del amor, es una compañía consustancial, casi divina. Y es curioso comprobar cómo en un poeta tan acertadamente entroncado con el paganismo —por su irreductible negativa a aceptar el pecado, tema clave de las morales judeocristianas— los temas sagrados se repiten, humanizados o no, casi obsesivamente. [...]

La vida, he ahí el tema más sagrado —y el más profundo— de toda la labor creativa de Gil-Albert. Su búsqueda de lo primigenio, su afán de dar con las semillas potenciales de donde todo alienta, le lleva, naturalmente, al agua. Como no podía por menos de ocurrir en un poeta que ha bebido en la filosofía de los presocráticos. Y desde el agua, conceptualiza todo el vigor fluyente del asentamiento del hombre en la temporalidad.

> ... esas fuentes
> que manan en los campos, repercuten
> en los viejos rincones donde todos
> hemos abandonado en algún día
> este sordo ajetreo que nos lleva
> para amar a algún ser, o estar soñando
> con un rumor confuso y delicioso,
> como al borde de un agua inesperada,
> que no es más que la vida, allí fluyendo,
> su tiempo inapresable y su grandeza.

«Fuentes de la Constancia» es el título del poema. *Fuentes de la Constancia* fue también el título antológico con el que se publicó, en Ocnos, la primera selección amplia de la poesía de Gil-Albert. En este texto, fundamental, se enhebran los puntos cardinales de su obra: temporalidad, naturaleza, amor y vida. Reunidos no sólo por azar, sino porque, dentro de una cultura antropomórfica, son consustanciales a la reflexión del ser.

Mientras estamos aquí, somos la vida. Y la vida es el todo, especialmente para un pagano. Su culto —teñido de tristeza por su corrupción y su aniquilamiento— es, sin embargo, un culto firme. Más todavía, ecuánime.

La serenidad espiritual preside esa entrega a la vida, que no sólo se presiente como el supremo don, sino como el único don. [...] En esa vida, más plena que la muerte, se celebran los actos del amor. En ellos se proyecta y se implica a la naturaleza porque son, en sí mismos, naturales. E importa poco la peculiaridad de esos actos en un ser lujoso y germinativo, esencial y superfluo, como es Juan Gil-Albert, porque en su desarropamiento de la moral tradicional, en su aceptación del impulso como algo incontaminado del pecado, se supera ampliamente la normativa de las contenciones y las represiones propias de las colectividades educadas en una artificiosa norma de conducta.

Gil-Albert alcanza, en este tema —tratado, por otra parte, en la prosa del *Heracles* y en su presunta novela *Los arcángeles*— un desnudismo próximo al impudor. Francisco Brines, que lo destaca, comenta: «En nada se complacerá estéticamente tanto como en la belleza juvenil; sin duda es la más bella apariencia del mundo. No parece sino que allí está cifrada la vida. No importa que el deseo de hacerla suya, a diferencia de las restantes seducciones cantadas, se vea frustrado tantas veces. Aparece, repetida en *Las ilusiones*, una vivencia: aceptará la tentación del amor, a pesar de saberla engañosa». Como belleza simplemente, o como arquetipo de una belleza que mueve a la exaltación y la pasión, bastan los versos iniciales de un poema, «Hyazinthos»: «¡Oh milenarios rizos que sacude / la indecisa cabeza del mancebo / primaveral...;». Pero en *Las ilusiones* hay una evocación más profunda que es la del desengaño en el amor.

La localización temática del amor —e incluso el lugar geográfico de su evocación nostálgica— resulta muy fácil en el poemario. En «La Melancolía» se plasma una figura: «Joven es el amigo que acompaña / nuestro pasmado anhelo...». En «Los Viajeros», navegando por el Pacífico, desde Manzanillo (México) a Buenaventura (Colombia), la evocación es ya doliente: «En el mar brillan entonces unos cuerpos fugitivos, / preciosos y húmedos, cuya posesión añoraremos eternamente; / porque el hombre intuye que la verdad no ha sido hecha para sus ojos, / y atrevido y ajeno, a la vez, asiste impotente / a tales magnificencias».

La definitiva conclusión —escéptica, pero no lamentadora— del influjo pasional, en este libro —a espera de los *In Promptus*— la encontraremos en un poema de sabiduría reflexiva, «El Convaleciente», donde se dice:

> Nada puede engañarme, amigo mío,
> ni siquiera el esplendor de tus mejores días de abril;
> no soy alguien a quien se miente con fortuna
> sino el desencanto mismo que sonríe voluntariamente.
> Yo iré por mi mismo pie al encuentro de tus llamadas,
> puesto que la seducción de tus miserias me atrae,
> pero iré sostenido por mis flaquezas
> conocedor de que ando sobre un terreno resbaladizo.

Además de lo que en estos poemas pueda haber de aclaratorio para una biografía en donde se expliquen las idas y venidas de Gil-Albert por América, importa destacar un hecho estilístico curioso: son textos que rompen la estructura formal, habitualmente rígida, del conjunto del poemario. Concretamente, los siete textos de «Los Viajeros» y el ahora citado de «El Convaleciente» se escriben desde un planteamiento de verso libre, que contrastan con la rigidez del esquema endecasilábico y muestran, en ello mismo, su carencia de contención anímica: su necesidad de ser dichos de un modo —de otro modo— distinto al utilizado para cantar, con normativa clásica, las perfecciones de la rosa o la maravilla sorprendente de las granadas nacidas en un arbusto mísero.

La doble temática —naturaleza y amor— debe entenderse en el contexto de la vida: «ilusión breve» y desilusionante, incluso, pero ante cuyo ser estamos inertes, arrastrados, como por una ola de catastrófica felicidad.

José Paulino Ayuso

EL YO POÉTICO DE LEÓN FELIPE

[La distinción de varias etapas en la poesía de León Felipe no debe ocultar la profunda unidad de toda su obra. No obstante, realcemos cuatro momentos]:

1. Formación del universo poético: corresponde a *Versos y oraciones de caminante* (I y II) y *Drop a star* (1919-1933).

2. Interpretación de la guerra: desde *Good-bye, Panamá* y *La insignia* hasta *Español del éxodo y del llanto* (1936-1939). Conviene resaltar que los nuevos hechos históricos no sólo provocan una explosión de su poesía, una ruptura de ritmos y de temas. También quedan interpretados desde claves anteriormente establecidas.

3. Descenso a los infiernos: de *Ganarás la luz* a *Cuatro poemas con epígrafe y colofón* (1943-1958). Visto el conjunto, aparece como un viaje de ida y vuelta, aunque en ésta nunca olvide lo que ha visto. El infierno (mundo, existencia) sigue rodeando al poeta y existiendo en su interior. El lado general de la interpretación anterior queda integrado con la vivencia subjetiva del primer momento y el yo se hace más evidente.

4. Recolección de todo el mundo poético. Casi como testamento se alza *¡Oh, este viejo y roto violín!*, prolongado en algunos poemas de *Rocinante* (1965-1968). Aquí se dan cita las experiencias an-

José Paulino Ayuso, ed., León Felipe, *Versos y oraciones del caminante [I y II], Drop a star*, Alhambra, Madrid, 1979, pp. 22-31, 37-42.

teriores desde una perspectiva única, la del último encuentro con la poesía y la vida.

Algunos aspectos biográficos corroboran desde el exterior de la obra la división que adoptamos. Si entre el momento 1 y 2 ocurre la sacudida de la guerra y el comienzo del exilio político, entre el 3 y 4 ha pasado el silencio y la sombra de la muerte, una experiencia probablemente tan decisiva como la anterior. Entre el segundo y tercer momentos hay una progresión clara: con un movimiento de vaivén, el tejido forma un dibujo completo. [...]

Entre *Versos y oraciones de caminante* y *Drop a star* el poeta recorre una trayectoria que va de la fragmentación a la obra unitaria, de la dispersión a la organización, de la soledad a la solidaridad, y que en ese último libro presenta ya las claves literarias (tragedia, heroísmo, combate de la luz y la sombra, voz poética del hombre y situación de la poesía, descripción del mundo en torno al eje de la justicia) que después servirán para «interpretar» las nuevas realidades históricas y sociales.

Good-bye, Panamá es un discurso ardoroso que revela concepciones ya muy hechas, anteriores. Señalemos dos: la condición humana en el mundo, atraída de *Drop a star* y teñida de ira —«el hombre no puede ser más vil de lo que es»— y la descripción del mundo como «un laberinto de errores». De ahí brota de nuevo la exigencia de una transformación que emerge como posibilidad *en* la historia con el hombre de España que lucha por la República. Y con este hombre heroico se identifica el poeta, su auténtica voz. Y la misma mención de la voz —única frente a la pluralidad inconsecuente— abre el discurso de 1937, *La insignia.* El poeta quiere ser signo de unidad e integración frente a la dispersión. Y este par organiza —temática y formalmente— todo el poema. En él es de nuevo evidente que el conflicto se ve ya desde un origen mucho más remoto y con un fin o destino superior. La circunstancia, histórica y colectiva ahora, recibe una respuesta universalizadora.

Ambos textos —separados por pocos meses y muchos acontecimientos— manifiestan concepciones idénticas acerca del poeta, su función y su lugar en el desconcierto humano. Ambos se cierran como dos valvas de una sola interpretación de la historia, basada en valores humanos trascendentes y definitivos y expresada en imágenes casi míticas, cuya vigencia, puesta en crisis, abre la posibilidad de los libros siguientes, esfuerzo de interpretación (en forma de ataque, planto o queja) de la derrota y el exilio.

El payaso de las bofetadas —escrito en el barco y acabado en México (1938)— se califica como «notas exegéticas», es decir, como principio de interpretación. El criterio seguido está dado en don Quijote como figura nacional, poeta-payaso, héroe y bufón. Y junto a él Edipo, que remite la historia a una interpretación trágica. En esto queda puesto de manifiesto que hecho e interpretación se necesitan; pero que hay interpretaciones complementarias de los mismos hechos. El poeta es, de nuevo, el mediador que descubre y grita la verdad de la realidad.

Español del éxodo y del llanto (1939) se forma como un conjunto de elementos cuyo tema común es España. Pero precisamente en este libro León Felipe anuncia la muerte del español y el nacimiento del hombre. Desde este momento, el punto de inflexión que separa este ciclo poético del siguiente es la relegación del tema de la guerra y la presencia, en el primer plano, del tema humano en su aspecto más general y desgarrado. El «poeta de la tragedia española» se adentra en las entrañas del silencio de la tragedia humana, hasta llegar a ser silencio él mismo. Los poemas —incluso frecuentes— que en obras posteriores tratan expresamente el tema de la guerra son arrastres de este ciclo. El punto de partida de la guerra no quedará olvidado, pero ya no crea acerca de él, sino a partir de él.

La obra siguiente, *Ganarás la luz* (1943) —un complejo entramado de libros, asuntos y poemas— inicia una nueva exploración en el universo articulado poéticamente de *Drop a star*, pero ya no con la esperanza del mundo augural, sino con el hundimiento vivido detrás que reclama un nuevo horizonte mítico. Éste lo encuentra de consuno con su amigo Larrea, acercándose a una interpretación del ser del hombre y del universo de carácter complexivo. El poeta ha resumido así el núcleo de su obra: «Amigos: he querido escribir una autobiografía poemática, una antología biográfica. La vida poética del hombre. No es mi vida, pero sí se apoya en mi experiencia». Esta vuelta al yo, mediado por la presencia de los otros, se conjuga en dos temas complementarios: el del héroe que lucha y sufre por la luz en un mundo de llanto y tinieblas, y el del nombre que equivale al ser mismo y que la poesía descubre al final. Hemos superado la generalidad del sujeto colectivo y la particularidad del individual. Estamos ante el sujeto poético YO (hombre). Y la poesía es el punto de confluencia del enigma humano y del misterio universal. Ambas dimensiones constituyen la realidad única. Sólo venciendo el misterio resuelve el hombre su propio enigma.

El tema se prolonga en *Llamadme publicano* (1950), obra que, en su estado actual, ha perdido gran parte de los poemas de su primera edición. Esto hace que resulte aun más homogénea la poesía de nueva creación, aunque se incluyan también textos de 1937, 1945, etcétera. Respecto del libro anterior, los dos puntos de referencia son la opacidad de la vida, expresada como la pérdida de definición en los límites entre la vida y la muerte, y la necesidad de romper el cascarón exterior —las redes y trampas del tiempo y de nuestra conciencia de él— para dilucidar el propio ser, para alcanzar la libertad.

De ahí que la poesía de este período manifieste una tensión formal más acusada, que responde a una tensión temática entre el presente y el futuro, la angustia y la exigencia, la luz y las tinieblas, la razón y la locura, etcétera. Las interrogaciones —aisladas o en series— constituyen un rasgo peculiar, sobre todo de *Ganarás la luz*, mientras que todos los tipos de reiteración son propios de *Llamadme publicano*.

De la doble dimensión abierta por *Drop a star*, y recogida por *El payaso de las bofetadas*, para interpretar la existencia, la heroica y la trágica, *Ganarás la luz* mostraba preferentemente la heroica, mientras, por contraste, *El ciervo* (1958) es una desolada investigación en la dimensión trágica como permanente y angustioso giro en torno a la nada. Si centráramos el tránsito en dos términos del poeta, diríamos: de la luz al sueño.

La diferencia polar de este libro y *Versos y oraciones de caminante*, II, pone de manifiesto también las coincidencias no casuales que hay entre ambos (incluso en el aspecto compositivo). Tenemos la impresión de que *El ciervo* cierra en el vacío los temas abiertos por aquel segundo volumen, utilizando imágenes y conceptos muy semejantes. Así, la perspectiva de la vida como juego estético y dramático, regido por leyes autónomas, vuelve a aparecer. Ahora, sin embargo, el juego y la ley es una trampa absoluta; la soledad humana, el vacío. La imagen más representativa es la de la rueda o girándula, en la cual se insertan las dos dimensiones: el enigma interior y el misterio exterior. Su ya vista correspondencia se cierra ahora en la línea de una circunferencia en cuyo interior se debate el espíritu herido. Rasgo especialmente significativo es que el sujeto poético ha sufrido una evolución, indicada en la sustitución de la primera persona verbal por la tercera: del Yo (hombre) hemos ido al Hombre (Yo) y con ello culmina el largo proceso de integración del sujeto colectivo e individual.

Los *Cuatro poemas con epígrafe y colofón* (1958) se definen como una vuelta. El poeta cree haber salido del maldito «mesón» de *El ciervo*. Cada uno de ellos toma un elemento central de los libros anteriores: el mundo, el hombre, la poesía y, finalmente, el mito de la transformación, simbolizado por el fuego. De modo semejante ocurre en el poema «Soñar, Señor, soñar», de la misma época. Brevemente, estos poemas nos parecen una recuperación del mundo poético y de la vigencia de los símbolos de *Ganarás la luz*, arruinados por la desolación inmediata, cargados, quizá, de una mayor emotividad religiosa que se concentra en la mención de los símbolos cristianos.

Pero es, sin duda, *¡Oh, este viejo y roto violín!* (1965) el libro donde León Felipe consigue reunir el conjunto de su obra anterior, convirtiendo así su pasado poético en un presente lírico nuevo. Las notas de unidad y novedad —que pretendemos resaltar— son propias también de este casi último libro, por el cual toda la obra alcanza superior cohesión e integridad. Las correlaciones textuales del comienzo con el final (aspecto externo de la relación) y el binomio deseo-cumplimiento (aspecto interno) [son dos rasgos mayores del volumen].

El aspecto interno de la relación se muestra en el proceso de cumplimiento y sublimación de los elementos dispersos, enunciados, exigidos en las obras anteriores. Fijémonos en dos, resumidos en las figuras de Cristo y don Quijote.

La presencia de Cristo, muy inmediata en *Versos y oraciones ...*, libro I, se transforma en ausencia, sentida y expresada, en el volumen II. Ausencia que se hace absoluta en el viaje al infierno, hasta que en *Cuatro poemas* Cristo resurge como el mediador, incorporando no la figura individual del poeta, sino la colectiva de la humanidad: «El Dios hecho Hombre o el Hombre hecho Dios». *¡Oh, este viejo y roto violín!* se decide por la segunda parte de la disyunción. La nueva síntesis disuelve al Cristo en el hombre anónimo y común; pero este hombre es sólo justamente representado por el Cristo.

Don Quijote aparece como caballero-héroe y poeta-payaso. Y en el poema «La gran aventura», León Felipe lleva a término la exigencia expresada desde *Droy a star*, resumida en el dístico «Bacía, yelmo, halo... / Este es el orden, Sancho» de *Versos y oraciones ...*, II, representada como la metáfora sideral del poeta prometeico. Este poeta es aquí don Quijote, agente de transformación, transfigurado él mismo. El truco de prestidigitación de *Versos y oraciones ...*, II se cambia en el milagro. La ficción literaria de don Quijote se toma como la realidad, creando desde ella una nueva ficción poética («La gran aventura»), de modo que la literatura actúa como símbolo de la realidad y, así, la transformación en la ficción poética «equivale» (simbólicamente) a una transformación de la realidad. Si el mundo permanecía incambiado después de cuarenta años, la reordenación de su mundo poético lleva a León Felipe a imaginar el nuevo cumplimiento de su exigencia en el mismo campo donde se manifestaba: en el espacio abierto de la literatura y el mito, siempre interpretable e interpretado. Un recorrido cuidadoso por el libro nos iría mostrando todo el cordón de alusiones, citas, repeticiones y variantes de poemas que hacen de él un compendio último y nuevo del conjunto de la obra del poeta.

Desde la incertidumbre del primer volumen de *Versos y oraciones de caminante* y la exterioridad objetiva del segundo, desembocamos en la cuestión central y permanente: «¿quién soy yo?» de *Drop a star.* Ahí se descubre el verdadero lugar de la poesía —«el nivel exacto del hombre»— para llegar posteriormente a la síntesis de enigma y misterio. Así, el tema que nos parece coordinar y producir las variaciones poéticas de León Felipe es el de la condición humana (el ser del hombre como lucha con su enigma y el misterio) en su aspecto esencial y en su aspecto existencial. Y esto a través de un discurso fundamentalmente mítico y simbólico. Desde ahí se entienden y relacionan los subtemas casi necesariamente vinculados al principal: el mundo y su dimensión trágica (injusticia), el desorden de la acción humana, representado en la historia vivida e interpretada, la divinidad y la rebelión contra ella, el concepto mismo de poesía como esclarecimiento, exigencia y profecía.

Creemos, por tanto, que es principal (no exclusivamente) el YO *poético* el núcleo de referencias de la poesía de León Felipe, entendiéndolo de forma evolutiva (para lo cual hemos descrito los diversos momentos). Pero ese YO trascendente, complejo, personal y universal domina toda su poesía, sirviendo de centro y engarce a un universo poemático en gran medida permanente y estructurado. La objetividad en León Felipe sólo se alcanza por la subjetividad ardiente y creadora que funde e integra todo.

[En León Felipe] la *obra literaria* se concibe como una *totalidad orgánica.* Es habitual en esta obra encontrar poemas repetidos, citas, en ocasiones muy extensas, de fragmentos anteriores, variantes de poemas. Pero aun en los poemas originales es evidente que aparecen imágenes, temas, incluso frases, sintagmas idénticos de modo recurrente. [Así] la obra se construye con un movimiento combinado de unidad (repetición, identidad, paralelismo) y de variación que establece la cualidad fundamental de su ritmo, en cada poema y en cada libro. La unidad de composición general llega a hacerse unidad del conjunto —libro, obra— y de cada pieza —fragmento, poema—, logrando desde el interior de la escritura poética la integración concebida y deseada.

La *figura del poeta* es *representativa* y, a la vez, aparece bajo un disfraz o *aspecto distinto.* A lo largo de los libros esa figura cambia en su aspecto exterior, pero coincide siempre en no considerarse poeta en el sentido de un oficio exclusivo o de un nombre propio.

Comienza siendo el caminante (que no quiere estar «en el secreto del arte»); luego es, como voz del pueblo y de la tierra, el profeta, el poeta-payaso, el virtuoso... Lo esencial es ver que tales imágenes sucesivas tienen en común su vinculación a una concepción de la vida, a una tarea y a un modo humano de ser que la poesía esclarece. Y que el poeta aparezca bajo distintos aspectos queda, finalmente, determinado porque la poesía es todavía provisional y no existe la verdadera figura definitiva del hombre.

Finalmente, no dar valor a cada poema por sí y presentarse el poeta no como tal, sino con otro aspecto, nos sugiere que, en el fondo, León Felipe considera la poesía función de otra cosa. No hemos cesado de decirlo, junto con toda la crítica. Y, con ello, creemos que se aparta, igual que por su forma, del sentimiento y el aspecto que define a la lírica «moderna». Los rasgos positivos que responden a esa negación relativa podrían definirse del modo siguiente:

1. El arte y la poesía se consideran una misión, para la cual es elegido el poeta. Los caracteres concomitantes son la soledad y la definitividad.

2. La poesía es entrega. Su autenticidad depende del compromiso del poeta con su texto (y del texto con la realidad exterior). La comunicación hacia el lector se establece con una intención (función apelativa del lenguaje), la cual determina el uso de ciertos elementos estilísticos: reiteración, hipérbole, apóstrofe, interrogación retórica...

3. La poesía se basa también en una ética de la palabra. Como compromiso del autor, su talante es patético. Como comunicación, ético. Y así, *ethos* y *pathos* determinan el contenido y la forma de la obra poética de León Felipe.

4. La poesía, provisional y aglutinadora, utiliza (y necesita) todos los materiales, literarios y no literarios, porque su síntesis no se realiza por la selección —que lleva a la pureza—, sino por la intensidad, que lleva a la fusión. Así, la mezcla frente a la pureza (incluso en tono beligerante y excluyente) es otro rasgo de esta poesía.

5. [Finalmente], frente a la «poesía absoluta» o poesía como un fin, León Felipe busca lo absoluto por la poesía, dejándola así en medio (necesario y fundamental, bien es cierto).

Con enfrentadas o semejantes actitudes críticas, parece que el verso de León Felipe ha merecido un juicio que, sintéticamente, podemos calificar como *de transición.* Un verso que nunca se acaba de perfilar métricamente, que no adquiere una unidad de medida o una regularidad de composición.

Para L. F. Vivanco, «su palabra rítmica, al mismo tiempo que posmodernista llega a ser francamente antimodernista, como la de Unamuno». Y Luis Cernuda: «Un verso de transición entre el modernismo ... y la generación de 1925, le bastó desde el comienzo de su obra sin modificaciones ulteriores ... Un verso gris, desarticulado más que flexible, sin musicalidad alguna; un verso que es combinación de metros cortos y largos (éstos en ocasiones llegan a ser versículos), insistiendo en los primeros más que en los segundos, cortado a veces arbitrariamente, sin atención al ritmo del verso ni al de la frase». De tal juicio debemos discutir que el verso de León Felipe no sufra modificaciones. Al menos en su aspecto métrico ocurre de modo contrario: la transición es permanente dentro de la obra del poeta; cada libro tiene un perfil métrico distinto del anterior y, en el conjunto, podemos observar un cierto recorrido que le acerca cada vez más a un verso libre de todas las convenciones métricas. [Algunas constantes de esa métrica evolutiva podrían ser]:

— presencia de frases y líneas poéticas que, en ocasiones, crecen hasta parecer verdaderos fragmentos en prosa;

— disminución progresiva de la frecuencia de los versos de medidas estables y habituales (siete, once y catorce sílabas) y de sus combinaciones;

— aumento del número de versos de mayor longitud, estableciendo una doble posibilidad rítmica en los poemas: contraste entre verso largo-verso corto o contraste entre verso-línea;

— se rompen, aun en los versos de medidas regulares, los otros principios de regularidad, como acentos y pausas, relativamente respetados hasta *Drop a star*. Pero nunca desaparece una cierta proporción de versos regulares (incluso endecasílabos).

La rima —salvo excepciones muy contadas, asonante— aparece en la poesía de León Felipe con una frecuencia mayor de lo que sería de esperar, aunque la tendencia general —considerando el comienzo y el fin de su obra— es a la desaparición. (En *Versos y oraciones ...* es excepción el poema que no rima, mientras el rimado es rarísimo en *¡Oh, este viejo y roto violín!*) *Drop a star* se presenta en verso blanco, igual que *La insignia.* Sin embargo, en la etapa central mexicana, es tan frecuente y posible la presencia de la rima como su ausencia (suele oscilar entre el 40 y el 60 por 100, según libros). Pero la rima, cualitativamente, es determinante de algunas series de poemas, desde el aspecto rítmico y desde el semántico.

Para L. F. Vivanco —su palabra y rima— al mismo tiempo que postmodernista llega a ser francamente antimodernista, como la de Unamuno y Luis Cernuda, es un resto de tránsito entre el modernismo [illegible] y la generación de 1925; le basta desde el comienzo de su obra sus innovaciones [illegible]. Un verso más desarticulado que flexible, sin musicalidad alguna, un verso que es combinación de metros cortos y largos (éstos en ocasiones llegan a ser versículos), usándolo en los primeros más que en los segundos, cortado a veces arbitrariamente, sin atención al ritmo del verso ni al de la frase. De tal modo debemos distinguir que el verso de León Felipe no sufra contradicciones. Al menos en su aspecto métrico ocurre de modo contrario: la transiciones, [illegible] dentro de la obra del poeta, cada libro tiene un perfil métrico distinto del anterior y, en el conjunto, podemos observar un cierto recorrido que le acerca cada vez más a un verso libre de todas las convenciones métricas. (Algunas constantes de esa métrica evolutiva podrían ser:)

— presencia de frases y líneas poéticas que, en ocasiones llegan a parecer verdaderos fragmentos en prosa;

— disminución progresiva de la frecuencia de los versos de medidas estables y habituales (siete, once y catorce sílabas) y de sus combinaciones;

— aumento del número de versos de mayor longitud, estableciendo una doble tonalidad rítmica en los poemas: contraste entre verso largo/verso corto o contraste entre verso-línea;

— se rompen, aun en los versos de medidas regulares, los otros principios de regularidad, como acentos y pausas relativamente aceptados hasta [illegible]. Pero nunca desaparece una cierta proporción de versos regulares (incluso endecasílabos).

La rima —salvo excepciones muy contadas, asonante— aparece en la poesía de León Felipe con una frecuencia mayor de lo que sería de esperar, aunque la tendencia general —considerando el comienzo y el fin de su obra— es a la desaparición. En [illegible] es excepcional el poema que no rima, mientras el [illegible] es [illegible] en 1938, [illegible] y [illegible] se presenta el verso libre [illegible]. Sin embargo, en la etapa central [illegible] tan frecuente y [illegible] la presencia de la rima como su ausencia (suele oscilar entre el 40 y 60 por 100 según los libros). Pero la rima, [illegible], es determinante de algunas series de poemas desde el aspecto rítmico y desde el semántico.

ÍNDICE ALFABÉTICO

ÍNDICE

5. La generación de 1927: de la vanguardia al surrealismo

6. Poesía de la generación de 1927: Pedro Salinas, Jorge Guillén

7. Poesía de la generación de 1927: Federico García Lorca, Rafael Alberti

8. Poesía de la generación de 1927: Vicente Aleixandre, Luis Cernuda

9. Poesía de la generación de 1927: Dámaso Alonso, Gerardo Diego, Emilio Prados, Manuel Altolaguirre